Histoire de la Révolution française

MICHELET

Histoire de la Révolution française

1

Présentation de
CLAUDE METTRA

Chronologie
Dictionnaire des personnages
établis par
ALAIN FERRARI

Bouquins

ROBERT LAFFONT

Si vous désirez être tenu au courant des publications de l'éditeur de cet ouvrage, il vous suffit d'adresser votre carte de visite aux Éditions Robert Laffont, service « Bulletin », 6, place Saint-Sulpice, 75279 Paris-Cedex 06. Vous recevrez régulièrement, et sans aucun engagement de votre part, leur bulletin illustré, où, chaque mois, sont présentées toutes les nouveautés que vous trouverez chez votre libraire.

ISBN : 2-221-50066-0

Présentation

Au spectacle de leurs propres vies, la plupart des êtres humains, face aux contradictions dont ils ont été le territoire, ne peuvent éprouver qu'un étrange et souvent tragique sentiment de dispersion. Comme le soulignent les courants existentialistes qui furent le reflet de l'éclatement de la société humaine à travers les deux guerres mondiales, nous ne sommes guère qu'une suite d'instants entassés les uns sur les autres et liés seulement par le plus apparent de notre condition, notre corps, nos sens et cet entourage qui nous couvre comme un vêtement où nous sommes rarement à l'aise. Ce n'est souvent qu'au terme de la vie, en fouillant silencieusement dans les lieux cachés de notre mémoire, que l'on parvient à relier le commencement et la fin, à soupçonner l'unité intime où nos actes, nos pensées et nos rêves trouvent enfin leur accord.

Or cette unité, Michelet la sentira, l'habitant comme une compagne familière, presque toute son existence. Il la souligne à maintes reprises dans son « Journal », non par orgueil comme pour montrer que son projet fondamental s'est développé harmonieusement tout au long de son œuvre, mais bien davantage pour dire que dès qu'il s'est livré à l'histoire, il a été « mené » par l'écriture, il a été pris dans un réseau concerté d'appels qui l'ont conduit là où il devait aller. « J'ai vécu dans une unité terrible... » Où donc est le secret de cette unité, où est la terreur qui, ainsi, jour après jour accompagne l'historien dans sa quête ? Peut-être l'histoire de la Révolution, parce qu'elle est le foyer de cette recherche, nous permet-elle de jeter quelque lueur sur cette interrogation.

L'aventure est d'abord une aventure de l'enfance. Thermidor est passé depuis quatre ans quand Michelet naît dans une église désaffectée du quartier des Halles. Il y passera ses premières années, dans la pauvreté besogneuse d'une famille artisanale qui, là même où durant des siècles étaient venus prier les humbles fidèles du vieux Paris, vit comme elle peut de travaux d'imprimerie. L'église ici n'est pas indifférente : c'est pour un enfant un espace large, couvert encore de symboles et d'images qui n'ont guère pour lui de signification (on est peu chrétien dans la famille) mais le mettent inconsciemment en relation avec un univers qui n'appartient pas à l'immédiate réalité. Ce sanctuaire dont Dieu a été retiré, il joue pour Michelet le rôle que joue la campagne, ses arbres et ses vents, pour tant de sensibilités romantiques. Lieu tout à fait utopique, puisqu'une église n'est pas faite pour servir de maison et que son architecture, même si l'état des bâtiments était fort dégradé, ouvre vers des horizons où circulent bien des ombres anciennes.

Au-delà de l'église, il y a la rue. Elle fut avec l'atelier d'imprimerie la véritable école où l'enfant fit l'apprentissage des hommes. Ce Paris qui n'est ni celui des riches ni celui des faubourgs est le cœur même de la vieille cité. Il l'est encore symboliquement aujourd'hui par la multitude des églises qui, dans notre tradition occidentale, sont la marque véritable du passé. Il l'était bien davantage encore au début du XIXe siècle, avec ses ruelles étroites, ses marchés et ses négoces, ses prostituées et ses écrivains publics, frères éloignés de ces gazetiers et journalistes qui, vers 1840, au moment où se développe la grande presse éliront là domicile. Mais il y a aussi les vestiges de l'ancienne communauté médiévale. Non loin de là, Nicolas Flamel s'en alla à la quête de la pierre philosophale tandis qu'à Saint-Gilles-Saint-Leu les chevaleries nées des croisades célébraient leurs rites.

La rue appartenait au jour. L'église appartenait à la nuit et c'est dans l'obscurité de la pierre qu'à la veillée l'enfant écoutait parents et grands-parents évoquer les années si violemment ardentes de la Révolution. Le père de Michelet vivait dans la nostalgie de ces saisons si lourdes de passions et d'espérances qu'il avait partagées avec la curiosité fascinée d'un être qui tout d'un coup, comme un navigateur à la recherche d'une terre inconnue, voit sous ses yeux apparaître un rivage nouveau, un autre monde. C'est cette mémoire qui va déterminer tout le mouvement de la vie de Michelet. Assurément, en deçà de la Révolution elle-même, il y a entre père et fils une relation singulière, infiniment plus forte qu'entre la mère et le fils : « Mon père a été ma cause et ma raison d'être. Il eut en moi dès ma naissance, sans raison et sans motif, une foi si naïve et si forte qu'elle m'en donna à moi-même », écrivait-il en 1846. En ce sens, Michelet regarda son œuvre comme une sorte de restitution à son père d'un bien qu'il avait lui-même conçu.

Et dans l'esprit de l'enfant, s'opère une conjonction tout à fait naïve entre le père et la Révolution. Mais le père lui-même n'est qu'un jalon dans la longue suite de la généalogie. Et il convient ici de souligner un phénomène tout à fait surprenant : jadis les pauvres n'avaient pas d'ancêtres ; les tribulations des familles, le cercle intime élargi à la communauté villageoise, la banalité de la mort qui frappait plus durement encore les enfants que les adultes, c'étaient autant d'éléments qui empêchaient les gens du peuple de regarder vers leur propre passé. Seuls les nobles et plus tard les bourgeois ont le sentiment de leur ascendance et placent ainsi leurs racines dans les contrées lointaines du temps. A la Révolution, un changement considérable se produit : les pauvres découvrent leurs origines, s'inventent un passé.

C'est d'abord une nécessité historique. La Révolution s'accomplit au nom de tous ces hommes obscurs qui n'ont pas eu le temps de vivre, pas le temps de se faire un nom et qui ont été engloutis dans l'ample silence des siècles. Alors c'est tout un peuple d'ombres qui envahit le présent. Quand les paysans dévastent les châteaux et brûlent tous les papiers qui s'y trouvent, c'est parce que la misère de leurs parents, de leurs grands-parents, et de tant d'autres, se trouve inscrite dans ces grands livres de l'esclavage. Mais c'est aussi que se manifeste dans les journées révolutionnaires la présence réelle des petites gens dans l'histoire vivante. Et ces gens de condition pitoyable découvrent qu'ils appartiennent, eux aussi, à une longue chaîne humaine, qu'ils ne sont pas seulement le produit hasardeux de la vie.

Le temps a englouti tous ces destins misérables et c'est précisément contre le temps, ses absences, ses creux, que Michelet va construire son œuvre. La naissance de l'aventure littéraire se situe dans une suite de rêves qui ne cesseront de le hanter; il voit, de la nuit aveugle, monter vers lui ces ombres qui furent jadis chair sur la terre mouvante : des êtres humains qui connurent comme nous la faim, la soif, l'étreinte, la tendresse et la haine mais dont le passage ici-bas fut si modeste, si effacé que nulle trace n'en est demeurée. La plupart n'ont pas eu le temps de grandir, d'accéder à leur propre destinée. A quoi donc peut répondre ce sillage de l'éphémère dans un univers qui se déploie au contraire hors des atteintes du temps, puisque les mêmes constellations éclairent le ciel des errants de la préhistoire et celui des vivants ? Une image hante Michelet : celle de la germination. L'existence de la nature n'est pas différente de la vie des hommes, elle se situe simplement dans un autre temps, plus lent, plus mystérieux encore que le nôtre. Bêtes, plantes ou minéraux participent de la maturation sans limites d'un univers qui n'en est encore qu'à ses commencements. Tout ce qui participe de la vie est germe et semence du futur.

Ainsi la tâche de l'historien est de lire dans le passé les germes parvenus à leur développement, de lire dans le présent les traces de ce qui germera plus tard. « Regarde bien le passé. Si dans ce passé mort tu vois une lueur de vie, si dans ce qui semblait fini tu vois des ébauches inachevées qui réclament un achèvement, sois bien convaincu d'une chose, c'est que ces vies commencées qui s'obstinaient à vouloir vivre parmi les mondes croulants, elles ont été sauvées, recueillies dans ces vivants asiles où elles végètent lentement. » Mais ces semences du futur, elles ne sont pas seulement dans le cœur de l'histoire, elles sont dans le cœur de tout homme vivant. Sur la réalité de l'œuvre humaine, Michelet projette un regard identique à celui des mythologies, en particulier à celui de la cosmologie indienne, sur la création du monde. Le dieu primordial avant de créer l'univers ne sait pas de quelles magies il est dépositaire pour fonder les êtres et les choses. Alors il s'abîme dans une contemplation qui dure des milliers d'années et peu à peu, de ses entrailles mêmes, surgissent les images à partir desquelles prendront existence et forme les premières divinités qui engendreront les rochers, les mers, les bêtes rampantes et les oiseaux, les arbres et les rivières...

Ainsi tout le futur est déjà dans notre présent, comme notre présent est déjà préfiguré dans le lointain de nos origines. Dans l'exploration du monde médiéval, on peut ainsi voir comment un certain nombre de sollicitations anciennes, enfouies jusque-là dans l'incertain, viennent lentement à la surface vivante de la réalité. Il suffit, pour mettre en lumière cette émergence lumineuse d'une flamme jusque-là obscurcie, de regarder avec attention n'importe laquelle des figurations privilégiées de la civilisation. Et si l'on se place dans l'horizon de la chrétienté gothique on voit à quel point le lieu privilégié de sa création, la cathédrale, exprime, dans la prolifération de ses symboles, l'accomplissement d'aspirations qui n'avaient point encore trouvé leur voie.

La cathédrale ne symbolise pas seulement l'ascension de l'homme vers les puissances célestes. Elle représente aussi la descente des puissances célestes vers l'homme. L'abîme qui sépare l'église officielle de la foi populaire se situe là. A l'abri de son discours théologique et de ses disputes doctrinales, l'Eglise arrache les fidèles à leur condition terrestre, les convie à une religion sans attache avec les servitudes et les plaisirs du quotidien. La foi populaire oblige au contraire la divinité à quitter son domaine intemporel pour partager le sort des vivants. Elle donne un sens à l'Incarnation. A la trinité toute masculine du Père, du Fils et du Saint-Esprit sur laquelle s'élaborent dans les universités des doctrines sans cesse plus subtiles et plus obscures, elle oppose la dualité Jésus-Marie, le Fils et la Mère, dont la conjonction engendre l'Esprit.

Il y a toute une lecture de la cathédrale et du peuple de statues dont elle est remplie, qui met en scène cette double présence de la Vierge et du Christ ; depuis les saints qui veillent sur les tours jusqu'aux figures qui habitent les porches, sont représentés les habitants du ciel ; glissant lentement jusqu'aux maisons humaines, ils viennent prendre place dans la communauté vivante. Ici ce sont les hommes qui créent les dieux, et en créant les dieux ils se créent eux-mêmes. C'est ce qui nous est donné à déchiffrer dans la rosace gothique. Elle est le centre où l'Esprit place en même temps Dieu et la créature humaine, confondus dans un même cercle qui est le cercle de l'amour.

Le miracle médiéval réside dans la permanence de l'espace circulaire dont les couleurs magiques sont comme un soleil protecteur contre toutes les opacités de l'histoire, contre les meurtres et les haines, contre les humiliations et les angoisses. La folie médiévale, dont est née la cathédrale, est là un délire véritablement divin. L'appel vers le ciel a été si fort que l'Esprit a été contraint de résider sur la terre elle-même. Ce qu'il a fallu de courage à l'âge gothique pour inventer l'Esprit, Michelet en trouve témoignage dans une figure qui est en même temps opposée et complémentaire de celle de la cathédrale : c'est la marche du voyageur, du pèlerin, celui qui part pour partir sans rien connaître du terme de son absurde navigation. La cathédrale est l'enracinement dans le lieu, elle indique la prise de possession de la terre. L'homme qui se sait mortel demande à la pierre de donner forme à l'immortalité. Forme glorieuse qui se manifeste dans l'épanouissement de la voûte, c'est-à-dire dans la représentation d'un espace ouvert. Le dieu devenu homme, les premiers chrétiens avaient eu la tentation de le regarder comme un dieu caché et de le cloîtrer dans la crypte. Avec l'âge gothique, il sort des ténèbres pour entrer dans la lumière de la vie diurne.

Le vagabond médiéval s'installe dans un autre espace qui est celui de l'horizontalité infinie. Entre les multiples sanctuaires, il trace le réseau bariolé de ses rêves et de ses interrogations. Imaginons le périple de Strasbourg à Saint-Jacques-de-Compostelle. Le pèlerin a vécu longtemps dans la tendresse des pierres rouges qui veillent sur le Rhin ; il s'en va rejoindre la maison divine vers laquelle montent les rumeurs de l'Atlantique. C'est un but lointain et la plupart du temps il ne l'atteindra jamais. Les forêts de l'Auvergne ou les neiges des Pyrénées accueilleront son dernier souffle, mais c'est un événement sans importance puisque la cathédrale, qui est elle-même un chemin, vit dans le cœur brûlant du voyageur.

Cette insertion de l'Esprit dans la cité charnelle, c'est elle que Michelet veut retrouver à travers la Révolution française. Ce qu'il veut saisir c'est cette fièvre singulière, de nature mystique, à travers laquelle, selon une parole bien énigmatique de Karl Marx, les hommes deviendraient « transparents » les uns aux autres. La sensibilité romantique pressentait ce que nous savons mieux aujourd'hui : dans la longue suite de l'aventure humaine, il existe un certain nombre de périodes capitales où les êtres ont entrevu plus ou moins clairement la possibilité d'inverser radicalement leurs relations avec le monde, de transformer leur rapport avec la nature, avec autrui, avec eux-mêmes. Les premiers siècles de notre ère, au moment où dans l'épuisement de l'Empire, les passions chrétiennes de l'Orient illuminaient les déserts, furent les territoires de cette expérience privilégiée. Le carrefour du XVe et du XVIe siècle, avant l'affirmation de la Réforme, avait représenté un autre de ces espaces promis à la métamorphose. Puis ici comme là, l'histoire était revenue à ses dimensions ordinaires.

La Révolution reprend à son compte ces tournants déchiquetés du voyage de l'Esprit. Elle est d'abord naissance d'une nouvelle conscience de la destinée humaine. Mais comment décrire ce qui se passe dans les zones les plus secrètes de la psyché ? Le dessein de Michelet est d'entrer dans ce qu'il appelle « le château de l'âme », dans ce centre mystérieux de l'être collectif où, comme dans l'être individuel, l'essentiel échappe à la parole, au signe, à la clarté rationnelle. Et telle est l'énigme que le livre de Michelet propose au lecteur moderne. Au premier regard il y a un récit qui s'efforce de retracer les événements dont la France fut le lieu privilégié entre 1789 et 1794. Ce récit, par peur de la recherche historique contemporaine n'a plus de réalité, tant notre information sur la Révolution s'est enrichie depuis un siècle. Au-delà du récit, il y a une dramaturgie, une organisation théâtrale de l'histoire. Cette dramaturgie, elle est comparable à celle d'Eschyle évoquant « les Perses » ou à celle de Shakespeare ressuscitant « Coriolan ». Et comme toutes les dramaturgies, celle de Michelet doit être réinterprétée en fonction de nos propres besoins. Qu'a-t-elle aujourd'hui encore à nous dire ?

La mise en scène de l'opéra révolutionnaire repose essentiellement sur une certaine circulation des images. Si on la regarde à travers les documents assemblés dans les archives, l'histoire est un désert, un entassement d'existences pétrifiées qui, lorsqu'on les touche, courent grand risque de tomber en poussière. Contre cet effritement mortel, un seul chemin est ouvert : ressusciter par l'imagination le mouvement même de la vie, reconstituer la passion éteinte qui anima les saisons disparues. Mais l'imagination peut se déployer dans des directions diverses : elle peut inventer, à partir de données élémentaires, un spectacle où l'on introduit à sa guise les acteurs nécessaires au développement dramatique. C'est dans cette perspective que s'épanouit, dans l'Europe romantique, les chefs-d'œuvre du roman historique.

Mais l'imagination peut aussi s'épanouir dans une autre direction : en conservant intégralement les formes de la réalité, elle peut chercher à découvrir la tonalité vraie que prend l'âme collective, quand elle est fondatrice d'une aventure absolument sans rapport avec ce dont l'histoire fut jusque-là la matrice. C'est cette quête de la tonalité spirituelle dont la Révolution est porteuse, qui est le propos de Michelet. A ses yeux, il s'agit là d'une nouvelle dimension du temps. La vie individuelle est enfermée entre la naissance et la mort : en deçà l'obscurité du néant, au-delà l'angoisse de la dispersion. La détresse de notre destin personnel ne trouve réponse que dans la soumission à un dieu inconnaissable dont la colère et la tendresse dispensent aux humains leurs biens hasardeux. L'histoire est le reflet de la pensée lointaine, imprévisible, d'une divinité à jamais muette.

La Révolution donne à l'histoire une autre dimension. Elle tente de saisir le secret du temps dans l'intimité même de la nature humaine, en affirmant, et la philosophie du XIXe siècle se développera largement sous cet angle, que « l'histoire est l'œuvre de l'homme ». Ainsi, bien loin d'être sous la dépendance aveugle de la nature et des fatalités naturelles, les hommes ont pour destin d'aider la nature à s'accomplir. Ce que nous croyons être une mort personnelle n'est que notre réintégration dans le cycle général de la vie ; elle est la part que nous prenons à la vaste métamorphose de la création. Au-delà des destins humains éphémères, prend visage le destin collectif d'une communauté qui se considère comme responsable de l'ensemble du vivant.

Dans une vision de cette sorte, chaque être humain est un fragment de l'âme universelle. Cette relation intime avec l'infini du créé, la psychologie des profondeurs en a, depuis Carl Gustav Jung, exploré les soubassements. Dans cette fusion de la psyché individuelle avec la psyché collective, il y a abolition du temps, ou du moins délivrance de l'angoisse que fait naître en notre cœur la hantise du temps perdu ou d'un temps à venir qui sera aussi, à la fin, un temps perdu. Abolir le sentiment du temps, c'est arracher notre chair à l'angoisse, substituer l'éternité à l'histoire. C'est sur cette espérance insensée qu'est fondée l'expérience de la Révolution française.

« L'histoire est un cauchemar dont je cherche à m'éveiller. » Ainsi parle James Joyce. L'itinéraire de Michelet est jalonné aussi par ce cauchemar. Nos vies, dès leurs commencements, ploient sous le fardeau du passé : souvenirs confus, illisibles, des premiers pas en cette existence ; mémoire mêlée de vies qui ne furent pas les nôtres mais celles de nos pères et de nos mères et de tous ceux qui avant eux s'en allèrent sur le sol où nous marchons. L'historien est celui qui s'avance hardiment dans cette épaisseur du temps perdu pour retrouver derrière la brume vague des saisons mortes les soleils qui les illuminèrent. Car ce sont ces soleils qui fondent l'homme et l'œuvre de l'homme. Cette vision de tout le passé de l'humanité dont Michelet veut tenter la résurrection, c'est-à-dire la restitution dans sa clarté spirituelle, il faut la voir d'abord comme la vision que chaque être vivant peut avoir de son propre passé.

Les religions anciennes révélaient aux hommes qu'ils avaient été créés pour rendre grâce aux espaces célestes et dialoguer avec les énergies cosmiques qui circulent autour de nos vies contradictoires. Le christianisme avait enseigné à l'Occident que le parcours terrestre qui est le nôtre est une marche vers des paradis de gloire où, affranchis de tout le poids de la matière, nous participerons pleinement à l'illumination divine, dans la mesure où, ici-bas, nous aurons partagé la passion et le sacrifice du Dieu vivant. Depuis la chute des anciennes cosmogonies, depuis l'agonie du christianisme, la psychologie moderne, celle dont, avant Freud, Michelet a eu le pressentiment, nous a appris que ces dieux, porteurs de lumière, n'étaient pas ailleurs qu'en nous-mêmes. Ils n'en sont pas pour autant plus proches de nous, plus accessibles. Le cauchemar dont parle Joyce, c'est cette masse confuse de souvenirs, cette broussaille cachée de rencontres, d'émotions, de douleurs qui se sont développées en nous, nous ont changés à notre insu et demeurent constamment en nous, sans que nous puissions en avoir image claire et conscience apaisée.

« Nous nous tenons, générations successives, non pas comme les anneaux d'une chaîne, non pas comme les coureurs dont parle Lucrèce, qui se passent le flambeau. Nous nous tenons bien autrement. Nous avons tous été dans les reins des premiers pères, dans le sein des femmes d'alors... Un même esprit fluide court de génération en génération. Des mouvements instinctifs, pour le passé, pour l'avenir, nous révèlent la profonde identité du genre humain. » Ce que note ici Michelet, dans son « Journal » d'avril 1842, c'est cette obsession de notre propre généalogie, c'est cette prise en charge nécessaire d'un destin qui n'est pas le nôtre, qui fut celui d'autres hommes et d'autres femmes, la plupart inconnus de nous, mais dont la parole nous est nécessaire pour donner un sens à notre propre destin.

Michelet ajoute : « Celui qui s'isolerait dans un moment de la vie du monde, niant qu'il appartint en rien aux générations écoulées, celui-là se réduirait à bien peu de chose. Il resterait à l'état d'enfant. » Et c'est précisément à partir de ce visage de l'enfant, celui sur lequel se penchent tous ceux qui font profession de démêler les sources obscures de nos angoisses et de nos maladies, qu'il faut tenter de découvrir ce que fut la démarche intime de l'écrivain.

Derrière nous, il y a cette confusion de l'enfance et de l'adolescence : mémoire du temps d'avant la naissance dans la douceur ou la douleur (qu'en savons-nous ?) de l'eau maternelle ; il y a la profusion des accidents, des apprentissages des sens, l'apparition dans nos vies des gestes et de la parole. Tout ce qui constitue, dans le nœud des attachements, des refus et des peurs, l'héritage de l'être. C'est comme une ombre qui s'accroît avec les années et nous accompagne tout au long de notre parcours, comme un filet où nous nous sommes, d'une manière plus ou moins lâche, emprisonnés. Quel sens peut avoir l'écriture, si ce n'est de nous acheminer vers la délivrance, de faire en sorte que ce poids du passé ne soit pas accablement mais richesse, ne soit pas scorie morte et poussiéreuse mais minerai noble qui puisse être un jour transformé en or ?

C'est cette interrogation qui est au cœur de l'Histoire de la Révolution. Dans la longue introduction qui indique le premier regard de l'historien sur la chronique révolutionnaire, est mise en scène la tragique opposition entre la liberté et la fatalité. Cette opposition, nous pouvons tenter de la comprendre à travers ce qu'une certaine psychanalyse nous indique sur le cheminement profond de l'être humain. Tels que nous sommes dans le vécu quotidien, nous sommes conduits, esclaves sans le savoir, par la masse de nos expériences passées, expériences qui nous ont choisis, presque malgré nous, comme territoires et qui nous ont transformés fondamentalement dès l'origine, déterminant ce que deviendra plus tard notre relation au monde, notre manière d'aimer, de haïr, de souffrir et plus humblement encore notre manière de nous nourrir, de dormir, plus tard peut-être de mourir. Ainsi notre être se serait construit, se serait longuement métamorphosé comme en dehors de nous, par la seule contamination des événements projetés sur nous dans le désordre des hasards et des passions d'autrui.

Cet emprisonnement dont nous sommes le lieu, Michelet l'appelle fatalité. Elle est présente à la fois dans le destin individuel où nous n'apparaissons que comme les victimes d'une suite d'épreuves où notre capacité de choix est très mince, et dans le destin collectif où la succession des inventions, des guerres, des bouleversements sociaux se manifeste dans une incohérence qui laisse les individus et les peuples sans recours, les abandonne au cours mouvant des tragédies quotidiennes. Cette fatalité, le christianisme l'a érigée en dogme : submergé par la puissance du mal, l'homme ne peut rien faire que s'abandonner à l'imprévisible grâce d'un Dieu caché, indifférent à la souffrance et à l'espérance des cœurs. Au-delà de cette fatalité, comme une note presque imperceptible dans la vaste polyphonie du monde, un soupir parfois montait jusqu'à l'horizon, qui laissait pressentir d'autres routes pour le destin humain.

Essentiel est ici la manière dont Michelet signale la montée de ce soupir, qui deviendra cri, dans la conscience humaine « l'homme qui l'entendit dans la nuit ne dormit plus dans cette nuit... ni bien d'autres. Et le matin, avant le jour, il allait sur son sillon, et alors il trouvait là bien des choses changées. Il trouvait la vallée et la plaine de labours plus basses, beaucoup plus basses, profondes comme un sépulcre ; et plus hautes, plus sombres, plus lourdes les deux tours à l'horizon, sombre le clocher de l'église, sombre le donjon féodal. Et il commençait aussi à comprendre le son des deux cloches. L'église sonnait : *Toujours.* Le donjon sonnait : *Jamais.* Mais en même temps une voix forte parla plus haut dans son cœur... Cette voix disait : Un jour... Un jour reviendra la Justice... et ce *jour* du Jugement s'appellera la Révolution ». Paroles apparemment obscures et qui, cependant, portent l'essentiel du projet intérieur de Michelet. L'église témoigne de la présence en nous de l'éternité : qu'importe notre destinée terrestre puisque pour l'essentiel nous appartenons à un autre univers, et que ni notre chair ni les aspirations de notre cœur sanglant n'ont de réalité véritable. Le donjon témoigne, lui, de notre totale incapacité à comprendre et à régler notre relation avec le monde réel, celui des corps vivants, celui des sociétés et des tâches. Nous ne pouvons que subir dans la patience ce que chaque jour ajoute aux fardeaux des autres jours.

Ainsi, entre l'éternité et le quotidien, nul pont, nul lien. Rien, si ce n'est un pays désert, territoire de nos détresses et de nos nostalgies. Ce désir, comment le remplir, comment l'habiter de manière que, à travers nous, soient réconciliés l'éternité et le quotidien ? La réponse, elle est à chercher d'abord en notre propre mystère. Entrer dans l'intimité du peuple, dans l'abîme de l'existence historique c'est pénétrer dans les trappes de notre propre cœur : « Etre, plus que paraître. Se tremper dans l'être. Absent des réalités depuis si longtemps, exilé dans un monde de papier, retourne, mon âme, ma fille, retourne, mon âme, ma fille, retourne à tes commencements. Tu ressens toujours vivement et sans défense, l'éclair que lance la beauté. Il faut monter dans l'amour, à une plus grande hauteur. »

Cette hantise du commencement, de cette saison de notre histoire personnelle où nous nous sommes trouvés à l'abri des blessures de la vie, offerts seulement à ce que l'univers charriait de souffle créateur, quelle chance avons-nous de lui donner un sens ? Comment repérer l'origine ? Pour Michelet il en va de la communauté comme de l'individu. L'être est un réservoir de rêves et ce sont ces rêves qui nous renseignent sur les chemins à suivre pour retrouver le moment radieux de notre naissance, pour dévoiler cette époque où nous n'étions encore qu'une chance ouverte à l'invention et à la métamorphose. L'être collectif est le champ d'une identique circulation : c'est à travers les rêves de la communauté que l'on peut explorer ce qu'elle tente d'inventer pour figurer son propre avenir. La Révolution est précisément cette matrice des songes, où l'humanité essaie de transformer radicalement sa relation avec l'universel, de bouleverser sa dimension métaphysique. Mais cette relation aux rêves n'est pas plus aisée à la communauté qu'elle ne l'est à l'individu. Car les rêves sont dans la cave de l'espèce humaine ou dans ses greniers, là où règnent la solitude et la paix, là où l'on échappe à l'agitation, aux fièvres et aux incertitudes de la peine quotidienne, là où l'homme n'est pas réduit à sa dimension matérielle.

Et l'historien qui veut converser avec la multitude de ces rêves doit être comme le philosophe de Rembrandt, qui est descendu loin des rumeurs de la cité jusqu'en sa demeure souterraine. Point d'autre lumière que celle d'un soleil lointain, fragmenté en rayons d'or, qui a traversé les rues, glissé sur les eaux du canal, pour éclairer de sa tendresse souveraine le regard du sage. Presque toujours dans ces figurations des philosophes, on est frappé par la présence insistante de l'escalier, figure d'une verticalité qui s'est assigné pour tâche de parcourir le destin cosmique dans la totalité de son développement : au-dessus l'espace clair du ciel infini et en dessous l'opacité, non moins infinie, des profondeurs terrestres. Entre le ciel et la terre, les hommes, participant comme ils le peuvent de ce mouvement de spirale qui symbolise l'étrange noce de la terre et du ciel, du clair et de l'obscur, du noir et du blanc. Et c'est au sein de cette circulation du songe qu'il est possible de saisir la circulation de l'Esprit qui est la vie elle-même « comment l'Esprit combat la mort, force la nature à refaire ce qu'elle défait, conserve et fait durer, en sorte que l'homme est le sauveur de la nature ». Ce qui fascine Michelet dans l'explosion de la Révolution française, c'est que là, la communauté humaine a manifesté avec une force inouïe, inégalée jusqu'alors, son désir de prendre en charge la totalité de ses rêves, de leur donner chair.

Certes notre histoire est riche de quelques autres paysages où la société humaine a tenté d'assumer le poids de ses songes, a cherché à donner corps à sa rêverie cachée. Si nous devions chercher ce qui aux yeux de l'écrivain représente l'incarnation authentique de cette vision du dedans, il faudrait la chercher sans doute à travers ce personnage aux multiples faces qui traverse les siècles comme le signe sacré de la condition humaine : le vagabond, l'homme en marche, celui qui est parti voici bien longtemps, sans savoir où il allait, et qui pourtant, toujours a continué son chemin. Et la Révolution apparaît comme la projection sur le devant de l'Histoire de ce vagabondage éperdu. La société de l'Ancien Régime avait voulu enfermer les hommes dans les frontières étouffantes de la réalité, elle avait construit les bornes de notre enfermement : l'Etat et ses institutions, l'Eglise et ses rites formels, le travail et ses contraintes temporelles et spatiales exaspérées par les progrès mêmes de la technique humaine. Et voilà que, des abîmes du cœur, un cri s'élevait pour restituer l'espèce humaine à sa vocation véritable qui était celle du voyage, une randonnée sans fin vers d'autres paysages de l'Esprit.

Rien n'est plus révélateur à cet égard que la Grande Peur de 1789, sur laquelle Michelet insiste peu et que les historiens après lui explorèrent, précisément à cause du regard singulier dont Michelet investit la Révolution. Le bruit courait dans les campagnes que des brigands innombrables parcouraient les champs de blé encore verts pour les couper avant que les épis ne soient mûrs. L'ennemi invisible s'apprêtait à « faucher la France ». Image de mort liée directement à la faux funèbre familière à l'iconographie médiévale ou renaissante. Mais cette rumeur, nourrie certes de quelques troubles réels, elle naissait dans le plus grand secret du psychisme populaire. Elle manifestait la présence menaçante d'une mort sans visage, apportée par des combattants inconnus, à la limite de l'humain et du diabolique et contre laquelle le peuple n'avait point de défense, si ce n'est une fièvre tout aussi irrationnelle, un désir d'être...

Et ce désir d'être se définit, trouve sa coloration véritable, par rapport à une autre image tout aussi chargée de valeur symbolique que celle de l'escalier familier à Rembrandt, et qui est celle de la tour. La tour traduit de manière extraordinairement frappante le dialogue de l'espèce humaine avec le rêve et la réalité. A l'origine, la tour, celle que nous voyons se multiplier aux commencements de l'histoire sur les plateaux de l'Asie, c'est le bâtiment grâce auquel les êtres vivants conversent avec le ciel et ses constellations, le lieu par excellence de la magie, c'est-à-dire de ce pouvoir que nous avons parfois de voir plus loin qu'il ne nous est donné d'ordinaire. La tour est alors associée à l'image du feu, elle est un relais de la lumière, une médiation entre la clarté divine et la clarté terrestre. Plus tard, la figure de la tour prend des dimensions multiples : signe d'une verticalité hantée par le besoin d'approcher les lieux où réside le divin, c'est ce qu'elle est dans la construction religieuse médiévale. Double vocation : elle permet à l'œil des hommes de contempler en face le visage radieux de la rédemption, mais elle sert aussi à découvrir dans son ampleur et sa nudité la diversité du territoire où les hommes respirent, marchent, travaillent. Nulle représentation n'est à cet égard plus bouleversante que celle des quatre bœufs de la cathédrale de Laon, dressés tout au-dessus des plaines et des collines, et contemplant, de leurs corps immuables de pierre, les chairs fumantes de leurs frères, les bœufs laboureurs, traçant les sillons dans la terre grasse du Nord. C'est la trace de la ferveur émerveillée que, peut-être, le ciel, par l'intermédiaire des flèches des cathédrales, porte sur le destin humain.

Mais à cette verticalité ouverte s'oppose la verticalité close de la tour seigneuriale. La tour de la cathédrale est une demeure de la connaissance. Celle du château est une prison. Et cette perversion de l'architecture des hommes, les paysans de 1789 la ressentent clairement, quoique confusément. Là parle ce que Michelet nommera le cours maudit de l'histoire. La tour est comme cet enclos infranchissable au seuil duquel l'homme va arrêter son vagabondage, sa longue pérégrination vers les terres du savoir caché. Cette prison, au moment de la Révolution comme à l'époque où Michelet écrit, comme en notre propre temps, elle est partout. « Le monde est couvert de prisons, du Spielberg à la Sibérie, de Spandau au Mont-Saint-Michel. Le monde est une prison... Vaste silence du globe, bas gémissement, humble soupir de la terre muette encore, je ne vous entends que trop... L'Esprit captif, qui se tait dans les espèces inférieures, qui rêve dans le monde barbare de l'Afrique et de l'Asie, il pense, il souffre, en notre Europe. »

Le rêve, tel qu'il s'incarne historiquement dans la destruction des tours apparaît alors comme le moyen de défense suprême dont l'homme dispose pour s'opposer aux terribles puissances de destruction à l'œuvre dans notre histoire. Et pour Michelet, c'est là que se situe la clé de notre devenir. Quand il évoque la lutte ancestrale de l'homme contre la nature, il ne cesse de souligner l'infinie fragilité de notre condition. Tout concourt à nous détruire, pas seulement les figures difficiles de la réalité et l'immensité des catastrophes biologiques ou psychiques auxquelles nous sommes exposés. Mais aussi, en nous-mêmes, notre refus de notre condition d'homme, dans la mesure où elle est reflet du divin, notre besoin souvent inexprimé de n'être qu'une des formes de l'évolution du vivant, alors que nous sommes assignés à une quête privilégiée. Ce que Michelet appellera le matérialisme n'est rien que cette réduction de la nature humaine à un ensemble d'accomplissements où nous ne nous trouvons pas fondamentalement différents des autres espèces vivantes soumises comme nous à la naissance, à la maturation et à la destruction.

Ce thème de l'Esprit captif revient à maintes reprises dans la méditation de Michelet ; son champ s'agrandit considérablement au fur et à mesure qu'il avance dans son déchiffrement d'une aventure qui est à la fois une aventure personnelle et une aventure de l'humanité tout entière. C'est là une préoccupation très ancienne dans la tradition occidentale ; elle prend des formes éblouissantes dans l'ensemble des courants gnostiques qui s'épanouissent dans les marges de l'empire romain et particulièrement à Alexandrie, à travers les premiers siècles de l'ère chrétienne, dans cette vaste plaine apparemment déserte et pourtant si pleine de chants féconds où les dieux agonisants du paganisme mêlent leur musique à la parole énigmatique du Christ en son aurore. Dans ce carrefour où le sacré échappe aux pièges de la cité, où les sanctuaires sont vides et où la prière a quitté les temples pour trouver refuge dans le secret du cœur, c'est bien cette captivité de l'Esprit qui hante ces hommes et ces femmes en marche vers les solitudes ascétiques où, loin des villes, Dieu erre à la recherche des siens.

Et c'est bien la libération de l'Esprit qu'annonce la Révolution. Mais de quoi, de qui, est-il prisonnier ? De quels murs singuliers est bâtie la citadelle où il se languit ? La difficulté du travail de l'historien, c'est que son matériau essentiel, celui à travers lequel il doit errer pour découvrir le véritable poids des événements et des dramaturgies c'est un univers des apparences : des faits, des passions humaines, des incarnations aux facettes lisses et facilement repérables. Mais il en est de la collectivité comme de l'être solitaire. Un regard se révèle mais qui y a-t-il derrière ce regard ? Au cœur social comme au cœur humain l'univers ne parle que par signes. Qu'y a-t-il derrière la façade trompeuse que nous propose la simple chronique des jours et des nuits ? L'œil de l'historien est ici semblable à celui des romanciers : voir les choses qui sont cachées derrière les choses...

Michelet l'exprime très explicitement : « les sources où nous puisons l'histoire en ont conservé précieusement le moins digne d'être conservé, l'élément négatif, accidentel, l'anecdote individuelle, telle ou telle petite intrigue, tel acte de violence », et il ajoute : « les grands faits nationaux où la France a agi d'ensemble se sont accomplis par des forces immenses, invincibles et par cela même nullement violentes ». Car le travail de l'esprit est souterrain ; au-delà des apparences, c'est tout l'inconscient de la communauté qui se met en mouvement ; c'est lui qui dans l'ombre provoque ce vaste déplacement des énergies à travers lequel un monde nouveau cherche son visage. Et sa lente migration a le sens que nous lui connaissons dans les cosmogonies antiques comme dans les religions révélées : elle est une négation de la mort car la vie ne s'instaure vraiment comme puissance fondatrice que lorsqu'elle peut triomphalement opposer son œuvre aux décompositions et aux angoisses que sécrète le monde des Enfers.

La France de 1789 telle que Michelet la voit, livrée aux intrigues de la cour, aux calculs des prêtres et aux multiples contradictions de l'Ancien Régime est un pays de l'exil. Ce sentiment d'exil, c'est celui que l'Europe tout entière découvrira dans ses propres cités lorsque la rumeur de la Révolution l'aura révélée à elle-même. Et cet exil, il faut le prendre en son sens littéral comme condition de celui qui a été chassé de sa maison natale, réduit à l'état d'orphelin, privé de mère. C'est autour de cette image de la mère que s'échafaude l'exploration de Michelet. Image confuse car l'opposition entre matriarcat et patriarcat n'est qu'ébauchée dans la philosophie romantique, en France du moins, car en Allemagne, à travers le vaste itinéraire lyrique d'Hölderlin, de Novalis et de tant d'autres, elle se dégage avec force des incertitudes conceptuelles. Tentons cependant de voir comment cette figure maternelle s'inscrit dans le regard de l'écrivain.

Beaucoup plus tard, lorsqu'il écrira « la Bible de l'humanité » et parcourra avec « l'Oiseau » ou « la Montagne » le cycle de la mutation parallèle de l'humanité et de la nature, il verra clairement la puissance créatrice qui sous-tend l'ensemble de notre aventure. Mais dès sa plongée dans l'histoire médiévale il a vu l'émergence de la Mère cosmique dans l'église médiévale telle qu'on peut en lire les traits dans l'architecture gothique. Derrière la complicité du Père et du Fils qui se manifeste avec une force particulière dans les portails de gloire, là où, à travers les théâtralités du Jugement dernier, les deux puissances du ciel découvrent leur pouvoir rédempteur, derrière ces deux feux entre lesquels circulent les étoiles, il y a la Vierge. Ici éclate l'ambiguïté du langage : Marie, Mère de Dieu, mais l'ambiguïté même a un sens. La Vierge est à la fois matrice de Jésus et matrice du Père. Assurément cette vision n'est pas conforme à la théologie romaine. Elle aura longue vie pourtant dans une suite de courants hérétiques plus ou moins lointainement inspirés de la mystique rhénane. La représentation de Marie renvoie à la Sophia éternelle de la gnose, elle renvoie aussi à Isis ou aux grandes Mères de la tradition antique.

Dans ce que J. Huizingua appelle « l'Automne du Moyen Age », cette figure de la Vierge sort peu à peu du champ proprement chrétien pour investir les lieux païens que la mémoire restitue à leur ancienne splendeur. La femme devient la grande inspiratrice de l'invention humaine, elle couvre de sa robe bleue ou rouge non seulement les prières mais aussi les rêves, les espérances, les désirs. L'espace sacré de la cathédrale s'élargit pour sacraliser le lieu du quotidien. Le temple trouve son double dans la chambre d'amour. Par l'intermédiaire de la Vierge, la chair s'accomplit dans l'Esprit et l'Esprit dans la chair. Ainsi dans la jonction de ce que les écoles appellent la fin du Moyen Age et de la Renaissance, peuvent proliférer les figurations du Paradis, territoires où la femme et l'homme dans l'éclat musical de leurs corps glorieux, fondent l'harmonie générale de l'univers.

C'est là que Rabelais trouve la source où coule la fontaine de vie, la racine de la Quinte-essence. « Fais ce que tu voudras. » En cette terre tout entière dominée par une féminité cachée, la créature peut s'abandonner à sa liberté. La terre ne lui est pas étrangère, et le ciel non plus. Tous les signes que le monde nous envoie, monde diurne avec la prolifération sensuelle des bêtes ou des plantes, monde nocturne avec la multiplicité des visions et des songes, tout cet excès de richesse dont les artistes tentent de retenir la forme, voilà que les hommes sentent qu'ils en ont la disposition, que le triomphe du temps peut être autre chose que le triomphe de la mort.

A vrai dire, l'Esprit est encore incertain. Tant de souffrances ont pesé sur les destinées humaines que cet éclat lumineux paraît parfois presque insupportable. Breughel peint la floraison des saisons apaisées, la douceur des pays de Cocagne mais il raconte en même temps avec un luxe halluciné « le Triomphe de la Mort ». Jérome Bosch pousse à sa limite extrême l'exploration des pays d'Eden en peignant « le Royaume Millénaire ». Mais les diverses versions du « Jugement dernier » portent témoignage encore de la terrifiante présence du mal et des puissances destructrices. La lumière pourtant, au-delà de ses masques de dérision, est plus forte que les ténèbres.

Mais la révélation est de courte durée. Le XVIe siècle n'a pas encore agonisé que déjà l'image de la femme, Vierge, Mère divine, amante, s'est obscurcie. Elle n'est plus que ruines dans l'Europe d'Ancien Régime, avec l'instauration des États modernes, avec le développement des grandes Compagnies, s'affirme, dans le ciel comme dans les nations, la figure paternelle. La femme ne circule plus que dans les marges du cœur : chassée de la réalité, elle n'a plus d'existence que dans la fiction. Elle fonde le roman qui va devenir le grand recours imaginaire de l'Esprit blessé.

Et c'est cette femme restituée, cette maternité protectrice, que Michelet tente de révéler dans la lente montée de la patrie telle qu'elle commence à habiter les mentalités dès la prise de la Bastille, mais surtout à partir de 1790, à travers les grandes fêtes de la fédération. Là encore les mots rendent mal compte des choses. La patrie est la terre des pères, mais derrière ces pères c'est la Mère qu'il faut révéler. Et cette Mère, c'est la terre elle-même. L'histoire de la Révolution renvoie au « Tableau de la France » qui ouvre l'histoire médiévale. La relation proprement métaphysique de l'homme avec l'univers passe par le champ et la forêt, par la montagne et le fleuve, par la source et la roche. Double musique : la terre appelle l'homme et l'homme chante vers la terre. Alliance de sang paisible, de sueur, de patience attentive. L'homme est paysage ; sa chair, c'est la chair même du sol qui le porte ; ses os sont aussi les arbres des bois ; et ce qui fonde l'homme dans ce dialogue avec la plèbe, c'est son pied, c'est sa marche. Notre histoire est empreinte de nos sabots, de nos souliers ou de nos pieds nus sur la terre maternelle.

Cette illumination qui permit un moment d'entrevoir un échange d'une nature tout à fait nouvelle entre l'humanité et l'univers, la Révolution en fut porteuse ; c'est de cette fonction de phare des temps à venir qu'elle tira à l'étranger son extraordinaire pouvoir de fascination. Goethe et Kant, sans l'exprimer clairement, en eurent l'un et l'autre le pressentiment. Mais où était la racine de cette illumination, le fondement de ce bouleversement ? Pour Michelet c'est l'irruption d'un sang nouveau, le surgissement d'une nouvelle semence maternelle, et, dit-il, « cette sève, qui pouvait la donner ? L'apparition d'une idée dominante et souveraine qui ravissant les esprits, soulevant l'homme du pesant limon, se créant à soi un peuple, s'armait du monde nouveau qu'elle avait créé, neutralisant d'en haut l'effort mourant de l'ancien monde ».

Cette sève, Michelet en cherche la trace parmi ces hommes et ces femmes qui prirent en charge, par hasard ou par calcul, l'histoire révolutionnaire. Mais qui était digne de faire circuler cette sève à l'intérieur de son propre sang ? Cette question, Michelet la pose chaque fois qu'il rencontre ceux dont l'histoire a retenu les noms. On pourrait faire un inventaire de ces personnages pour découvrir en eux un vaste panorama de ce que Balzac reprendra dans la « Comédie humaine ». Mais il ne s'agit pas seulement ici d'un catalogue des passions et des caractères. Certes ce catalogue est d'une extraordinaire richesse et l'on verrait sans peine avec quelle acuité géniale Michelet pénètre dans l'intimité des cœurs et des cerveaux. Cependant derrière cette fabuleuse mise en lumière de la multiplicité de nos vocations humaines, derrière cette typologie somptueuse qui emprunte ses instruments de lecture à tous les registres de l'intelligence claire et de l'imagination, revient toujours le même motif : ces hommes étaient-ils à la mesure de l'événement dédié, à travers la France, à l'espèce humaine tout entière ?

Quelques-uns de ces hommes sans doute eurent l'intuition de la chance proposée alors à la nature humaine. L'anarchiste Romme, tout formé aux disciplines stoïciennes, était habité par une vision millénariste de la Révolution, qui, au temps parcellaire et meurtri dont est tissée notre existence, opposait l'image même de l'éternité. Cette perspective, Dostoïevski la reprendra plus tard en évoquant ce futur radieux où les êtres humains, indifférents à leur propre sort, ne vivent, ne travaillent, ne jouissent que dans la mesure où leur chair est le ferment sur lequel s'édifie inlassablement la cité à venir. Ainsi pouvait-il en être de la France de 92, au moment même des grandes réformes du calendrier : « La terre, pour la première fois, répondit au ciel dans les révolutions du temps. Et le monde du travail agissant aussi dans les mesures rationnelles que donnait la terre elle-même, l'homme se trouva en rapport complet avec sa grande habitation. Il vit la raison au ciel et la raison ici-bas. A lui de la mettre en lui-même. »

Et ici commence la faille. D'un côté les personnages majeurs qui divisent les assemblées, distribuent les pouvoirs, animent de leur passion concertée les passions instables de la communauté. De l'autre, le peuple. Entre les deux, l'abîme ne cessera de se creuser davantage. L'Esprit qui circule dans le grand corps indiscernable du peuple ne trouve point son reflet authentique dans ceux qui sont chargés de le représenter. Et la rupture, où réside le germe véritable de la faillite de la révolution, elle est dans la rencontre impossible de la poésie et de la politique, comme si l'Esprit n'avait pas suffisamment de force pour informer et inspirer la matière.

Avec Thermidor, vient la fin du voyage. De mars à juin 1853, « deux mois et demi remplis de l'achèvement précipité de la Révolution ». Pourquoi cette précipitation ? Elle exprime le besoin profond de Michelet d'éprouver dans sa profondeur la tension poétique de la révolution : l'étreinte amoureuse du peuple et de l'histoire monte lentement jusqu'à cette acmé qui est extase suprême et au-delà de laquelle recommence le quotidien, c'est-à-dire la prose. La passion, brutalement, meurt, comme meurt dans une dernière flamme éblouissante l'arbre frappé par la foudre. Après, c'est le temps des cendres et du noir. L'illumination a disparu.

Si Michelet s'enfouit avec une fureur si totale dans les délires du printemps et de l'été 1794, c'est qu'en épousant ainsi la fièvre ultime de l'esprit révolutionnaire, il compte bien en rester marqué à jamais. Il y a des territoires d'où l'on ne revient jamais, si ce n'est dans l'apparence ! Tel fut frappé de révélation qui demeura ensuite incapable d'aller comme il en avait coutume dans les chemins des hommes. L'expérience mystique est remplie d'expériences de ce genre : on dit que Jacob Boehme, alors qu'il était dans sa maison, fut tout à coup ébloui par la vue d'un vase d'étain dans lequel le soleil rayonnait de ses enchantements, et ce vase d'étain devait si intimement inonder son esprit que sa route dans la suite ne fut que pour chercher son propre soleil, double du soleil divin.

L'expérience de Michelet, plus diffuse, plus parcellaire que celle de Jacob Boehme, n'est point sans rapport avec elle. Ce qu'il a touché ou entrevu du moins dans la chronique fascinée de la Révolution, c'est cette étrange capacité de l'espèce humaine d'inventer les chemins de son renouvellement, de retrouver à la fois la terre des origines et la terre du futur. Il a lu dans l'histoire comme d'autres lisent dans les yeux des femmes et cette lecture ne peut s'exprimer par des mots. Et tel est bien le terme paradoxal de l'histoire de la Révolution. C'est une entreprise sans conclusion, où ne figure aucun de ces développements lyriques dont les philosophies de l'histoire, de Tacite à Vico, de Montesquieu à Tonybee, sont habituellement nourries.

Le fruit authentique de la conjonction entre Michelet et la Révolution se déchiffre entre les lignes, à travers la solitude des mots et des images. C'est un traitement de l'être, une thérapie. Dans le corps qui fut malade et qui lentement se guérit ou s'apaise, on ne discerne point le mystérieux dialogue des tissus cachés et des plantes ou des minéraux rédempteurs. Dans cette guérison de l'Esprit que Michelet demande à la Révolution, le tracé est tout aussi obscur. Il passe par de multiples désordres et de grandes angoisses avant d'aborder à l'aurore salvatrice. C'est là sans doute ce que Michelet appelle « résurrection ». C'est la naissance d'un autre regard, d'un autre paysage de la vie.

Là, l'œuvre prend son véritable tournant et la poétique sa dimension définitive. Dès ses origines, l'aventure de Michelet se présente comme une tentative grandiose pour insérer l'histoire de l'homme dans l'histoire générale de la vie. Dans les premières approches de l'exploration du passé, racontant l'histoire romaine ou les temps médiévaux, à travers la confusion des matériaux et des visions humaines, Michelet s'était livré à un travail de défricheur : la durée historique était pleine de blancs, de terres vierges ou occultées, et l'écrivain pouvait combler les blancs par les ressources de son imagination. D'autre part, face à cette histoire lointaine, l'historien se présentait comme un témoin vigilant de la passion et de la souffrance, mais un témoin à distance, pouvant mesurer l'exact poids des hommes et des choses.

Face à la Révolution, sa tâche se présente sous une face toute différente. C'est une chronique dont toutes les pièces sont là, où le tissu des faits, des pensées, des rêves n'a nul besoin d'être reconstitué. Et devant ce matériau compact, l'écrivain n'est plus cet œil distant, apaisé, qui lentement sort des ruines ce qui fut chair et sang. Il est lui-même un enfant de la Révolution, il est personnage capital de ce roman familial qui s'élargit aux dimensions d'un roman national. Que faire de cette histoire apparemment objective, de cette trame solide où se mêlent actes et idées, quand on est soi-même englué dans ce qui est au-delà de l'histoire apparente, dans ce qui appartient au domaine caché de l'être collectif ?

Dans cette rencontre entre la société révolutionnaire et lui-même, ce que Michelet entrevoit c'est la rencontre entre la réalité, telle que les hommes la voient et la racontent, et un certain au-delà de la réalité, ce qu'on pourrait nommer l'humble patience, ou l'humble passion de la vie. Car la réalité, c'est finalement ce sur quoi l'on trébuche et désespère : il y a eu la Révolution, le combat magnifique et tragique de la justice contre la grâce, de la liberté contre la fatalité. Combat qui est comme l'explosion d'une énergie volcanique : la lave jaillit du sein de la terre, recouvre les paysages anciens, bouleverse la couleur du sol, puis le feu souterrain s'apaise, la flamme devient cendre et pierre et le paysage retourne à ses anciennes coutumes. Et c'est bien ainsi qu'apparemment se déploya la tragédie : une grande rumeur qui incendia les cœurs et les cerveaux, bouleversa les scènes du théâtre quotidien, inversa les relations des êtres humains puis la tempête et les grands soleils s'estompent et règne à nouveau la grisaille des jours passant et repassant.

Cette chute, Michelet l'a vécue concrètement. Face à la légende révolutionnaire qui, à travers les veillées et les paroles du grand-père et du père, rayonnait dans ses nuits d'enfant, il a connu, à travers la pauvreté du milieu familial, le revers ambigu de la Révolution : la France libératrice transformée par l'illumination napoléonienne en conquérante de l'Europe ensanglantée. De 1789 à l'Empire, se déploient deux représentations différentes de l'époque. Celle de la Révolution, Michelet la lit comme un cycle épique de l'Esprit, comparable à ces grands mouvements qui, dans les mythologies anciennes précèdent les souffles créateurs ; celle de l'Empire, c'est la représentation des forces antagonistes qui suivent la création, la conjonction des énergies bénéfiques ou maléfiques dont les luttes douteuses balisent le destin des vivants. C'est une épopée de la matière, d'une matière jetée dans la contradiction du devenir.

De l'Empire survit une mémoire accablée : « L'esprit tarissait, l'argent tarissait, le sang tarissait. Tous les trois ans, trois cent mille hommes partaient pour ne plus revenir : l'urne du Minotaure, mais plus de sort, on prenait tout. Mort sanglante au-dehors, mort intellectuelle au-dedans, et nul principe auquel on se voulait sacrifier. » De ce temps de l'adolescence, Michelet garde un souvenir étrange : « J'avais l'âme nue et démeublée comme la grande salle sombre où nous vivions. » En deçà de l'Empire et de ses carnages, brillait cependant un autre soleil, une autre aurore, ce soleil et cette aurore que la Révolution avait annoncés aux hommes chargés de chaînes et qui allaient se lever dans la lumière nouvelle comme se levaient les foules helléniques dans la ferveur des fêtes dionysiaques : « O monde, pressens ton créateur. »

Où se situe la source de la chute ? A quel moment la Révolution s'est-elle déviée de son projet premier et s'est-elle trouvée condamnée à revenir aux sillons infertiles du passé ? C'est là l'interrogation fondamentale à laquelle Michelet n'a pas cessé de chercher réponse. Un visage hante l'œuvre créatrice, un visage particulièrement présent dans l'exploration de l'époque révolutionnaire : celui de Prométhée, « l'ennemi personnel de Jupiter, le maudit qu'il cloua au Caucase ». La légende telle que Michelet l'a transcrite dans « La Bible de l'humanité » nous ouvre l'horizon de son souci : « Prométhée a été l'émancipateur primitif, et toute énergie libre a procédé de lui. Par lui a jailli la Sagesse, la fille aînée de Jupiter. Le dieu des foudres, entre ses noirs nuages, en était opprimé, la sentait qui couvait sous son front. L'industrieux titan, d'un coup, lui perça son orage. Un lumineux éther, serein, pur, virginal, resplendit, la vierge éternelle qui fut l'âme inspirée d'Athènes. »

L'histoire de Prométhée qui délivra Jupiter après qu'en sa tête eut grandi, comme dans le ventre d'une femme, celle qui deviendra Pallas, est riche de significations. Elle indique d'abord, et le thème habite les visions utopiques de la Renaissance, que la tâche des hommes est d'aider les dieux à accomplir, et peut-être à achever, la création. Perspective que l'on trouve déjà dans les traditions gnostiques des premiers siècles chrétiens et qui s'amplifiera à l'intérieur même de l'architecture mentale du christianisme, dans les courants mystiques allemands du XVIe ou du XVIIe siècle. Car les dieux ont besoin des hommes, et sans les humains ils sont encombrés de leur propre création.

Mais l'aventure prométhéenne est aussi révélation du féminin. Cette femme germant et se développant sous le front de Jupiter, c'est une figure de la Mère première, de la Sophia des hermétistes anciens. C'est elle qui porte promesse des métamorphoses puisque c'est dans ses enfantements que prennent forme les figures nouvelles de la vie. Et cette présence du féminin est constamment ardente dans l'histoire de la Révolution. Mais où donc se situe pour Michelet l'essentiel de la féminité ? C'est d'abord le poids de l'imagination dans l'existence des humains. Dans le monde de la réalité prosaïque, dans l'ensemble que nous nommons maintenant institutions, c'est-à-dire les cadres obligés de l'activité humaine : État, Église, compagnies de commerce, l'homme est constamment tenu de se confondre avec ce qui l'entoure, il devient objet parmi d'autres objets. A tous les niveaux, il n'existe que comme bien d'échange.

A ce monde de l'objet, la femme oppose un univers du sujet, celui du rêve, celui de l'imagination, celui de l'ailleurs. Comme Michelet le soulignera dans « la Sorcière », c'est la femme qui a encore le pouvoir de donner à cet ailleurs son existence et sa mesure. Mais vers quoi donc mène ainsi le génie onirique de la féminité ? Vers une terre enfin délivrée de sa blessure, vers un territoire où les hommes ne se sentiraient pas constamment en rupture avec le paysage qui les entoure. Au moment de la Révolution (ce sont des hommes qui l'expriment mais ce sont des femmes qui l'inspirent) la revendication est très matérielle et très précise : les pauvres paysans (et le sort des manœuvriers n'est point différent) n'ont pas véritablement accès aux fruits de la terre; le blé leur est chichement compté ; les forêts qui désignent l'infinité de leurs domaines et de leurs songes leur sont presques interdites, là où ils puisent bois pour se chauffer et bêtes pour se nourrir.

Mais il est des contraintes plus secrètes, plus intimes, celles qu'une foi pervertie depuis longtemps, séparée de la loi d'amour qui lui donna naissance, fait peser sur ceux que l'Église appelle les fidèles. A travers l'image d'un corps de honte condamné au mépris et à la solitude, c'est toute la relation amoureuse des hommes entre eux et des humains avec la nature qui se trouve rejetée dans l'exil. Condamnation de la chair qui est aussi une condamnation du sang, c'est-à-dire de tout ce qui donne aux êtres humains pouvoir d'aller au-delà de leurs propres limites, d'inventer d'autres continents. Ce sang, il occupe une grande place dans l'histoire de France. Pas seulement le sang des exterminations, des crimes ou des sacrifices, où il est véritablement dans sa couleur et dans son odeur ; mais aussi le sang caché qui nourrit l'intimité de notre être et dont la qualité particulière fait de chacun de nous ce qu'il est dans sa vérité profonde. Ici est mis en scène toute une mythologie qui n'est pas sans rapport avec celle de la médecine philosophique héritée de Paracelse et qui met en évidence le projet subtil de notre chair : nous mettre en accord avec notre propre sang.

Pour Michelet, la communauté est toute semblable à notre organisation, elle est irriguée par tout un complexe système sanguin dont l'ordre et le désordre affectent directement son existence. La société d'Ancien Régime est un corps dont le sang est devenu blanc par vieillissement, dégénérescence, se transformant peu à peu en une sorte d'eau croupie et nauséabonde. Avec la Révolution, apparaît un sang nouveau. Symboliquement c'est un beau sang rouge, aussi riche que celui que l'on versait dans les sillons de l'automne pour assurer la fécondité des populations archaïques, aussi étincelant que celui que l'on offrait aux dieux dans les sacrifices des vieilles terres magiques. Rien ici qui fasse songer au sang des guerres ou des exterminations barbares. Le sang a fonction sacrificielle. Et l'horreur de la Révolution commence avec la Terreur, quand le sang est détourné de sa fonction, n'est plus que le témoin douloureux des passions et des ambitions humaines.

Ce sang de la fécondité, pour Michelet, il est celui qui nourrit la Révolution, et c'est un sang de nature féminine, comme celui du sillon ou du sacrifice divin parce qu'il est lié au cycle de la nature, qu'il est l'instrument capital de notre métamorphose. Il y a pour Michelet assimilation du feu et du sang. Cette confusion, il en trouve le signe premier dans le châtiment de Prométhée : le héros porteur de feu, celui qui arrache les vivants aux ténèbres et à la solitude doit payer avec son sang le crime commis contre le dieu suprême. Le foie déchiqueté est l'emblème douloureux de l'illumination. C'est la même image qui se retrouve dans la crucifixion : la couronne d'or qui entoure le visage du Christ martyrisé répond à la blessure coagulée qui colore de rouge le flanc droit du « Roi du monde ».

A ce sang est associé le thème de la communion. Le rouge fécondant n'est pas celui qui teint les armes des guerriers ; il est celui des noces. La France est peinte comme une vierge dont la Révolution est l'époux. Le sang de l'étreinte devient le fleuve où la patrie lave ses fatigues et ses angoisses. Et de la conjonction des deux sangs naît un paysage nouveau. Ce paysage porte un nom : il s'appelle innocence. Etrange destinée que celle de cet humble mot, qui court à la fois dans les plus vieilles des théologies et les plus neuves des architectures politiques. Quel sens a-t-il dans le regard du romantisme ? L'ombre de Rousseau, ici, se profile, pour qui l'innocence est l'en deçà de l'histoire, son enfance, car, comme le dit Georges-Arthur Goldschmidt « à tout instant Rousseau proclame et montre que seul l'enfant en nous, dans la mesure où il ne s'identifie qu'à soi, reste fidèle au projet intime du soi, ce projet que l'adulte, lui, ne cesse de trahir ».

Ainsi l'innocence, c'est l'origine, c'est un temps où l'homme n'a ni modèle, ni antécédent ; où il doit par conséquent tout inventer. Cette même obsession de l'innocence se retrouve dans le lyrisme des chants révolutionnaires : « Du passé, faisons table rase ! » Là commence la route où toutes les promesses sont offertes. Encore faut-il retrouver ici ou là les traces de cette origine. Pour Michelet elles n'appartiennent pas à l'histoire. Pour nous qui vivons encore sous le poids des sacralisations historiques qui caractérisent la philosophie du XIXe et du XXe siècle, nous serions tentés de rechercher cette origine dans les communautés archaïques qui semblent avoir entretenu avec les divers règnes du vivant des relations fraternelles. D'où l'espèce de sympathie violente qui nous emmène à la suite des ethnologues, dans le bonheur perdu des sociétés d'avant l'histoire. D'où notre fascination pour les Indiens nomades du Nord-Américain ou notre curiosité pour les Pygmées des forêts africaines. Michelet n'a point soupçon de cette résidence possible de l'innocence dans les territoires obscurs du paléolithique et du néolithique, qu'il regarde comme des territoires du hasard, comme des lieux qui sont d'abord ceux de la fragilité et de la souffrance de l'espèce humaine.

Ce regard sur les commencements de la société humaine est marqué chez Michelet par d'autres colorations. Il s'enfonce plus lointainement dans les sources mêmes de la vie pour accéder à une vision cosmique de l'aventure humaine et la relier à toutes les formes du créé. Mais la démarche ici est malaisée à suivre ; importante elle est cependant puisqu'elle se retrouve à l'intérieur même du théâtre de la révolution. Au début il y a la nature : les pierres, les eaux, les plantes et les formes élémentaires de la vie animale. C'est à partir de cet élémentaire que les formes complexes de la vie apparaissent, dont le dernier maillon, provisoire, est l'homme. Mais la matière la plus humble est, dès son origine, informée. En elle est déjà existant le germe de ce qui deviendra Esprit, à travers les multiples avatars de la conscience.

Dans cette longue mutation apparemment vouée au chaos, au désordre et où les germes de destruction ne cessent de se mêler aux cycles des naissances, les hommes déchiffrent peu à peu une harmonie cachée, mettent à jour les liens secrets qui unissent la conscience et la chair, l'être vivant et la nature, le corps dans son ensemble et chacune de ses parcelles. D'où l'apparition d'un vaste champ symbolique qui va donner un sens à l'entreprise humaine. L'homme va devenir le reflet de l'harmonie intime de la matière. Et comme la matière change, l'harmonie aussi en est bouleversée et l'homme avec elle. D'où l'effort de toutes les traditions hermétiques, en particulier de la quête alchimique, pour aller très loin dans la connaissance et l'intimité de la matière puisque à travers la matière se trouvera l'esprit.

A l'exploration alchimique du Moyen Age ou de la Renaissance, Michelet ne s'est guère attardé mais la façon dont il explore la Révolution ressemble un peu au cheminement des hermétistes vers la matière. Car la Révolution est pour lui, d'abord, une manifestation de l'Esprit. Elle marque dans l'aventure spirituelle un tournant capital puisque au lieu de demander l'illumination aux puissances célestes, l'homme demande lumière à son propre ciel intérieur : « L'homme est son propre Prométhée. » La lutte est donc entre les forces opaques, celles qui coupent l'homme de lui-même et cet extraordinaire désir de tirer de soi-même les sources de sa résurrection.

Pourquoi l'Esprit, né du ciel intérieur, a-t-il ainsi été brisé ? Pourquoi la Révolution a-t-elle échoué dans les profondeurs et s'est-elle ainsi condamnée à ne plus nourrir que des mythes exsangues qui couvrent mal l'immensité de son échec ? C'est à cette question que Michelet s'efforcera de répondre dans la suite de son œuvre, moins peut-être dans la suite de l'histoire de France (pont nécessaire entre le Moyen Age et la Révolution) que dans l'ensemble des livres de nature. Là Michelet, en un étrange mouvement de repli vers des paysages où l'homme perd sa situation privilégiée, tente de voir comment l'imagination se fraie chemin à travers la vie des bêtes, des plantes et des pierres. Ce n'est point là le terme d'une mélancolie ou d'une désillusion historique. Pas complètement en tout cas. On a le sentiment qu'en fouillant dans les entrailles de l'imaginaire naturel, Michelet va découvrir les rivages insoupçonnés de l'imaginaire humain. Une figure commune habite l'un et l'autre qui est l'amour : « Dans le monde, l'amour appelle incessamment de règne en règne la vie de plus en plus vivante, qui s'allume et va montant. Il suscite des profondeurs inconnues, des êtres qu'il émancipe... Le degré inférieur de l'amour, c'est de vouloir absorber la vie ; son degré supérieur, c'est de vouloir susciter la vie, une vie énergique et féconde. »

Quand il trace le mot « fin » au dernier volume de l'histoire de la Révolution, nous ne savons point si c'est là pour lui geste d'apaisement ou cri de dérision. L'écrivain ici est tout marqué par une sorte de pudeur enfantine. La porte est close ; un grand royaume a été parcouru où Michelet a laissé beaucoup de sa peine, de son angoisse, de son déchirement. Justice est rendue ainsi au père et à l'enfance. Ce fut souvent un itinéraire de la nausée mais c'est aussi une délivrance. En donnant parole à la Révolution, l'écrivain s'affranchit de sa propre origine, perd ses cendres dans les cendres mêmes de l'histoire où il a grandi et mûri. Alors se lève une autre aurore, celle où Michelet, au-delà du paysage humain, épouse dans sa multiplicité écrasante toutes les figures du créé. Au-delà des sociétés et de leurs convulsions, au-delà des désastres et des espérances dont se nourrissent les communautés humaines, il porte regard sur cette terre aveugle à laquelle l'esprit humain peut donner signification.

A bien des égards, les années que Michelet consacra à l'histoire de la Révolution française peuvent être considérées comme une de ces « descentes aux enfers » auxquelles nous sommes de temps à autre promis et qui n'ont d'autre objet que de nous confronter, dans l'égarement et la souffrance, à notre propre intériorité. Rencontre avec nos démons, pour en éprouver les masques et en surmonter la terreur. Au terme de l'expédition commence le passage vers une autre demeure. Novalis quelque temps avant Michelet écrivait : « Toute descente en soi — tout regard vers l'intérieur — est en même temps ascension-assomption — regard vers la véritable réalité extérieure. » Et c'est dans cette assomption que l'être, comme à travers une cuisson métallurgique se forge comme épée de lumière car, ajoute Novalis : « Le dépouillement de soi-même est la source de tout abaissement, aussi bien que la base de toute ascension véritable. Le premier pas est un regard vers l'intérieur, une contemplation exclusive de notre propre moi. Mais celui qui s'en tient là reste à mi-chemin. Le second pas doit être un regard efficace vers l'extérieur, une observation active, autonome, persévérante, du monde extérieur.» C'est dans ce passage du dedans au dehors que l'écrivain épouse sa destinée irréductible : être celui qui, au milieu des hommes de jadis et de maintenant, dans les décombres du passé et les frémissements du futur, veille en silence dans la nuit étoilée pour relier le sommeil des disparus aux rêves des vivants, unir les ombres des siècles obscurs aux fièvres du présent. Ainsi le veilleur au-delà de l'histoire, frappe-t-il aux portes d'éternité, là où toute parcelle de vie n'est pas cendre et poussière mais promesse et étincelle.

CLAUDE METTRA

PREFACE DE 1847

Chaque année, lorsque je descends de ma chaire, que je vois la foule écoulée, encore une génération que je ne reverrai plus, ma pensée retourne en moi.

L'été s'avance, la ville est moins peuplée, la rue moins bruyante, et le pavé plus sonore autour de mon Panthéon. Ses grandes dalles blanches et noires retentissent sous mes pieds.

Je rentre en moi. J'interroge sur mon enseignement, sur mon histoire, son tout-puissant interprète, l'esprit de la Révolution.

Lui, il sait, et les autres n'ont pas su. Il contient leur secret, à tous les temps antérieurs. En lui seulement la France eut conscience d'elle-même. Dans tout moment de défaillance où nous semblons nous oublier, c'est là que nous devons chercher, nous ressaisir. Là se garde toujours pour nous le profond mystère de vie, l'inextinguible étincelle.

La Révolution est en nous, dans nos âmes ; au-dehors, elle n'a point de monument. Vivant esprit de la France, où te saisirai-je, si ce n'est en moi ?... Les pouvoirs qui se sont succédé, ennemis dans tout le reste, ont semblé d'accord sur un point, relever, réveiller les âges lointains et morts... Toi, ils auraient voulu t'enfouir... Et pourquoi ?... Toi seul, tu vis.

Tu vis !... Je le sens, chaque fois qu'à cette époque de l'année. mon enseignement me lasse, et le travail pèse, et la saison s'alourdit... Alors je vais au Champ-de-Mars, je m'assieds sur l'herbe séchée, je respire le grand souffle qui court sur la plaine aride.

Le Champ-de-Mars, voilà le seul monument qu'a laissé la Révolution... L'Empire a sa colonne, et il a pris encore presque à lui seul l'Arc de Triomphe ; la royauté a son Louvre, ses Invalides ; la féodale Église de 1200 trône encore à Notre-Dame ; il n'est pas jusqu'aux Romains qui n'aient les Thermes de César. Et la Révolution a pour monument... le vide...

Son monument, c'est ce sable, aussi plan que l'Arabie... Un *tumulus* à droite, et un *tumulus* à gauche, comme ceux que la

Gaule élevait, obscurs et douteux témoins de la mémoire des héros...

Le héros, n'est-ce pas celui qui fonda le pont d'Iéna ?... Non, il y a ici quelqu'un de plus grand que celui-là, de plus puissant, de plus vivant, qui remplit cette immensité.

« Quel Dieu ? on n'en sait rien... Ici réside un Dieu ! »

Oui, quoiqu'une génération oublieuse ose prendre ce lieu pour théâtre de ses vains amusements, imités de l'étranger, quoique le cheval anglais batte insolemment la plaine... un grand souffle le parcourt que vous ne sentez nulle part, une âme, un tout-puissant esprit...

Et si cette plaine est aride, et si cette herbe est séchée, elle reverdira un jour.

Car dans cette terre est mêlée profondément la sueur féconde de ceux qui, dans un jour sacré, ont soulevé ces collines, le jour où, réveillés au canon de la Bastille, vinrent, du nord et du midi, s'embrasser la France et la France — le jour où trois millions d'hommes, levés comme un homme, armés, décrétèrent la paix éternelle.

Ah ! pauvre Révolution, si confiante à ton premier jour, tu avais convié le monde à l'amour et à la paix...

« O mes ennemis, disais-tu, il n'y a plus d'ennemis ! » Tu tendis la main à tous, leur offris ta coupe à boire à la paix des nations... Mais ils ne l'ont pas voulu.

Et lors même qu'ils sont venus pour la frapper par surprise, l'épée que la France a tirée, ce fut l'épée de la paix. C'est pour délivrer les peuples, pour leur donner la vraie paix, la liberté, qu'elle frappa les tyrans. Dante assigne pour fondateur aux portes de l'enfer l'Amour éternel. Ainsi sur son drapeau de guerre la Révolution écrivit : la Paix.

Ses héros, ses invincibles, furent, entre tous, les pacifiques. Les Hoche, les Marceau, les Desaix et les Kléber sont pleurés, comme les hommes de la paix, des amis et des ennemis, pleurés du Nil et du Rhin, pleurés de la guerre elle-même, de l'inflexible Vendée.

La France s'était fiée si bien à la puissance de l'idée qu'elle fit ce qu'elle pouvait pour ne pas faire de conquête. Tout peuple ayant même besoin, la liberté, poursuivant le même droit, d'où pouvait naître la guerre ? La Révolution qui n'était dans son principe que le triomphe du droit, la résurrection de la justice, la réaction tardive de l'idée contre la force brutale, pouvait-elle, sans provocation, employer la violence ?

Ce caractère profondément pacifique, bienveillant, de la Révolution, semble un paradoxe aujourd'hui. Tant on ignore ses origines, tant sa nature est méconnue, tant la tradition, au bout d'un temps si court, se trouve déjà obscurcie !

Les efforts violents, terribles, qu'elle fut obligée de faire, pour ne pas périr, contre le monde conjuré, une génération oublieuse les a pris pour la Révolution elle-même.

Et de cette confusion, il est résulté un mal grave, profond, très difficile à guérir chez ce peuple : l'adoration de la force.

La force de résistance, l'effort désespéré pour défendre l'unité, 93... Ils frémissent et ils se jettent à genoux.

La force d'attaque et de conquête, 1800, les Alpes abaissées, puis la foudre d'Austerlitz... Ils se prosternent, ils adorent.

Dirai-je qu'en 1815, trop faciles à louer la force, à prendre le succès comme le jugement de Dieu, ils ont eu, au fond de leur cœur, sous leur douleur et leur colère, un misérable argument pour amnistier l'ennemi. Beaucoup se sont dit tout bas : « Il est fort, donc il est juste. »

Ainsi deux maux, les plus graves qui puissent affliger un peuple, ont frappé la France à la fois. Sa propre tradition lui est échappée, elle s'est oubliée elle-même. Et chaque jour, plus incertaine, plus pâle et plus fugitive, a flotté devant ses yeux la douteuse image du Droit.

Ne cherchez pas pourquoi ce peuple va baissant, s'affaiblissant. N'expliquez pas sa décadence par les causes extérieures ; qu'il n'accuse ni le ciel, ni la terre ; le mal est en lui.

Qu'une tyrannie insidieuse ait eu prise pour le corrompre, c'est qu'il était corruptible. Elle l'a trouvé faible, désarmé, tout prêt pour la tentation ; il avait perdu de vue l'idée qui seule le soutenait ; il allait, misérable, aveugle, à tâtons dans la voie fangeuse, il ne voyait plus son étoile... Quelle ? l'astre de la victoire ?... Non, le soleil de la Justice et de la Révolution.

Que les puissances de ténèbres aient travaillé par toute la terre pour éteindre la lumière de la France, opérer l'éclipse du Droit, cela était naturel. Mais jamais, avec tous leurs efforts, elles n'y auraient réussi. L'étrange, c'est que les amis de la lumière ont aidé ses ennemis à la voiler et l'obscurcir.

Le parti de la liberté a présenté, aux derniers temps, deux graves et tristes symptômes d'un mal intérieur. Qu'il permette à un ami, à un solitaire, de lui dire toute sa pensée.

Une main perfide, odieuse, la main de la mort, s'est offerte à lui, avancée vers lui, et il n'a point retiré la sienne. Il a cru que les ennemis de la liberté religieuse pouvaient devenir les amis de la liberté politique. Vaines distinctions scolastiques, qui lui ont troublé la vue. Liberté, c'est liberté.

Et pour plaire à l'ennemi, il a renié l'ami... Que dis-je ? son propre père, le grand XVIIIe siècle. Il a oublié que ce siècle a fondé la liberté sur l'affranchissement de l'esprit, jusque-là lié par la chair, lié par le principe matériel de la double incarnation théologique et politique, sacerdotale et royale. Ce siècle, celui de l'esprit, abolit les dieux de chair, dans l'État, dans la religion, en sorte qu'il n'y eût plus d'idole, et qu'il n'y eût de Dieu que Dieu.

Et pourquoi des amis sincères de la liberté ont-ils pactisé avec le parti de la tyrannie religieuse ? C'est parce qu'ils s'étaient réduits à une faible minorité. Ils ont été étonnés de leur petit nombre, et n'ont osé repousser les avances d'un grand parti qui semblait s'offrir à eux.

Nos pères n'ont point agi ainsi. Ils ne se sont jamais comptés. Quand Voltaire enfant entra, sous Louis XVI même, dans la périlleuse carrière de la lutte religieuse, il paraissait être seul. Seul était Rousseau, au milieu du siècle, quand il osa, dans la dispute des chrétiens et des philosophes, poser le dogme nouveau... Il était seul ; le lendemain, le monde entier fut à lui.

Si les amis de la liberté voient leur nombre décroître, c'est qu'ils l'ont voulu eux-mêmes. Plusieurs se sont fait un système d'épuration progressive, de minutieuse orthodoxie, qui vise à faire d'un parti une secte, une petite Eglise. On rejette ceci, puis cela ; on abonde en restrictions, distinctions, exclusions. On découvre chaque jour quelque nouvelle hérésie.

De grâce, disputons moins sur la lumière du Thabor, comme faisait Byzance assiégée. Mahomet II est aux portes.

De même que, les sectes chrétiennes se multipliant, il y eut des jansénistes, des molinistes, etc., et il n'y eut plus de chrétiens, les sectes de la Révolution annulent la Révolution ; on se refait constituant, girondin, montagnard ; plus de révolutionnaire.

On fait peu de cas de Voltaire, on rejette Mirabeau, on exclut Mme Roland. Danton même n'est pas orthodoxe... Quoi ! il ne restera donc que Robespierre et Saint-Just ?

Sans méconnaître ce qu'il y eut dans ces hommes, sans vouloir les juger encore, qu'il suffise ici d'un mot : si la Révolution exclut, condamne leurs prédécesseurs, elle exclut précisément ceux qui lui donnèrent prise sur le genre humain, ceux qui firent un moment le monde entier révolutionnaire. Si elle déclare au monde qu'elle s'en tient à ceux-ci, si elle ne lui montre sur son autel que l'image de ces deux apôtres, la conversion sera lente, la propagande française n'est pas fort à craindre, les gouvernements absolus peuvent parfaitement dormir.

Fraternité ! fraternité ! ce n'est pas assez de redire le mot... Il faut, pour que le monde nous vienne, comme il fit d'abord, qu'il nous voie un cœur fraternel. C'est la fraternité de l'amour qui le gagnera, et non celle de la guillotine.

Fraternité ? Eh ! qui n'a dit ce mot depuis la création ? Croyez-vous qu'il ait commencé par Robespierre ou Mably ?

Déjà la cité antique parle de fraternité ; mais elle ne parle qu'aux citoyens, aux hommes ; l'esclave est une chose. Ici la fraternité est exclusive, inhumaine.

Quand les esclaves ou affranchis gouvernent l'Empire, quand ils s'appellent Térence, Horace, Phèdre, Epictète, il est difficile de ne pas étendre la fraternité à l'esclavage. « Soyez frères », dit le christianisme. Mais, pour être frère, il faut *être* ; or, l'homme n'est pas encore ; le droit et la liberté constituent seuls la vie de l'homme. Un dogme qui ne les donne pas n'est qu'une fraternité spéculative entre zéro et zéro.

« La Fraternité, *ou la mort* », a dit plus tard la Terreur. Encore fraternité d'esclaves. Pourquoi y joindre, par une dérision atroce, le saint nom de la liberté ?

Des frères qui se fuient, qui pâlissent à se regarder en face, qui avancent, qui retirent une main morte et glacée... Spectacle odieux, choquant. Si quelque chose doit être libre, c'est le sentiment fraternel.

La liberté seule, fondée au dernier siècle, a rendu possible la fraternité. La philosophie trouva l'homme sans droit, c'est-à-dire nul encore, engagé dans un système religieux et politique, dont l'arbitraire était le fond. Et elle dit : « Créons l'homme, qu'il soit par la liberté... » Créé à peine, il aima.

C'est par la liberté encore, que notre temps, réveillé, rappelé à sa vraie tradition, pourra à son tour commencer son œuvre. Il n'écrira pas dans la loi : « Sois mon frère, *ou meurs !* » Mais par une culture habile des meilleurs sentiments de l'âme humaine, il fera que tous, sans le dire, veuillent être frères en effet. L'État sera ce qu'il doit être, une initiation fraternelle, une éducation, un constant échange des lumières spontanées d'inspiration et de foi qui sont dans la foule, et des lumières réfléchies de science et de méditation qui se trouvent chez les penseurs.

Voilà l'œuvre de ce siècle. Puisse-t-il donc enfin s'y mettre sérieusement !

Il serait triste vraiment qu'au lieu de rien faire lui-même, il passât le temps à blâmer le plus laborieux des siècles, celui auquel il doit tout. Nos pères, il faut le répéter, firent ce qu'il fallait faire alors, commencèrent précisément comme il fallait commencer.

Ils trouvèrent l'arbitraire dans le ciel et sur la terre, et ils commencèrent le droit.

Ils trouvèrent l'individu désarmé, nu, sans garantie, confondu, perdu dans une apparente unité, qui n'était qu'une mort commune. Pour qu'il n'eût aucun recours, même au suprême tribunal, le dogme religieux l'enveloppait en même temps dans la solidarité d'une faute qu'il n'avait pas faite ; ce dogme, éminemment charnel, supposait que, du père au fils, l'injustice passe avec le sang.

Il fallait, avant toute chose, revendiquer le droit de l'homme si cruellement méconnu, rétablir cette vérité, trop vraie, et pourtant obscurcie : « L'homme a droit, il est quelque chose ; on ne peut le nier, l'annuler, même au nom de Dieu ; il répond, mais pour ses actions, pour ce qu'il fait de mal ou de bien. »

Ainsi disparaît du monde la fausse solidarité. *L'injustice transmission du bien,* perpétuée dans la noblesse ; *l'injustice transmission du mal,* par le péché originel, ou la flétrissure civile des descendants du coupable. La Révolution les efface.

Est-ce là, hommes de ce temps, ce que vous taxez d'individualisme, ce que vous appelez un droit égoïste ?...

Mais songez donc que, sans ce droit de l'individu qui seul l'a constitué, l'homme n'était pas, n'agissait pas, donc, ne pouvait fraterniser. Il fallait bien abolir la fraternité de la mort, pour fonder celle de la vie.

Ne parlez pas d'égoïsme. L'histoire répondrait ici, tout autant que la logique. C'est au premier moment de la Révolution, au moment où elle proclame le droit de l'individu, c'est alors que l'âme de la France, loin de se resserrer, s'étend, embrasse le monde entier d'une pensée sympathique, alors qu'elle offre à tous la paix, veut mettre en commun entre tous son trésor, la liberté.

Il semble que le moment de la naissance, l'entrée d'une vie douteuse encore, est pour tout être celui d'un légitime égoïsme ; le nouveau-né, nous le voyons, veut durer, vivre, avant tout...

Ici, il n'en fut pas de même.

La jeune liberté française, lorsqu'elle ouvrit les yeux au jour, lorsqu'elle dit le premier mot qui ravit toute créature nouvelle : « Je suis ! », eh bien ! alors même, sa pensée ne fut point limitée au *moi*, elle ne s'enferma pas dans une joie personnelle, elle étendit au genre humain sa vie et son espérance ; le premier mouvement qu'elle fit dans son berceau, ce fut d'ouvrir des bras fraternels. « Je suis ! dit-elle à tous les peuples ; ô mes frères, vous serez aussi ! »

Ce fut sa glorieuse erreur, sa faiblesse, touchante et sublime : la Révolution, il faut l'avouer, commença par aimer tout.

Elle alla jusqu'à aimer son ennemie, l'Angleterre.

Elle aima, s'obstina longtemps à sauver la royauté, la clé de voûte des abus qu'elle venait démolir. Elle voulait sauver l'Église ; elle tâchait de rester chrétienne, s'aveuglant volontairement sur la contradiction du vieux principe, la Grâce arbitraire, et du nouveau, la Justice.

Cette sympathie universelle qui, d'abord, lui fit adopter, mêler indiscrètement tant d'éléments contradictoires, la menait à l'inconséquence, à vouloir et ne pas vouloir, à faire, défaire en même temps. C'est l'étrange résultat de nos premières assemblées.

Le monde a souri sur cette œuvre ; qu'il n'oublie pas cependant que ce qu'elle eut de discordant, elle le dut en partie à la sympathie trop facile, à la bienveillance indistincte qui fit le premier caractère de notre Révolution.

Génie profondément humain ! j'aime à le suivre, à l'observer dans ces admirables fêtes où tout un peuple, à la fois acteur et témoin, donnait, recevait l'élan de l'enthousiasme moral, où chaque cœur grandissait de toute la grandeur de la France, d'une Patrie qui, pour son droit, proclamait le droit de l'Humanité.

A la fête du 14 juillet 1792, parmi les saintes images de la Liberté, de la Loi, dans la procession civique où figuraient avec les magistrats, les représentants, les veuves et les orphelins des morts de la Bastille, on voyait divers emblèmes, ceux des métiers utiles aux hommes, des instruments d'agriculture, des charrues, des gerbes, des branches chargées de fruit ; ceux qui les portaient étaient couronnés d'épis et de pampres verts. Mais on en voyait aussi d'autres en deuil, couronnés de cyprès ; ils portaient une table couverte d'un crêpe, et sous le crêpe, un glaive voilé, celui de la Loi... Touchante image ! la Justice qui montrait son glaive en deuil ne se distinguait plus de l'Humanité elle-même.

Un an après, le 10 août 1793, une fête tout autre fut célébrée, celle-ci héroïque et sombre. Mais la loi s'était mutilée, le pouvoir législatif avait été violé, le pouvoir judiciaire, sans garantie, annulé, était serf de la violence. On n'osa plus montrer le glaive ; l'œil ne l'aurait plus supporté.

Une chose qu'il faut dire, qu'il est trop facile d'établir, c'est que l'époque humaine et bienveillante de notre Révolution a pour acteur le peuple même, le peuple entier, tout le monde. Et l'époque des violences, l'époque des actes sanguinaires où plus tard le danger la pousse, n'a pour acteur qu'un nombre d'hommes minime, infiniment petit.

Voilà ce que j'ai trouvé, constaté et vérifié, soit par les témoignages écrits, soit par ceux que j'ai recueillis de la bouche des vieillards.

Elle restera, la parole d'un homme du faubourg Saint-Antoine : « Nous étions tous au 10 août, et pas un au 2 septembre. »

Une autre chose que cette histoire mettra en grande lumière, et qui est vraie de tout parti, c'est que le peuple valut généralement beaucoup mieux que ses meneurs. Plus j'ai creusé, plus j'ai trouvé que le meilleur était dessous, dans les profondeurs obscures. J'ai vu aussi que ces parleurs brillants, puissants, qui ont exprimé la pensée des masses, passent à tort pour les seuls acteurs. Ils ont reçu l'impulsion bien plus qu'ils ne l'ont donnée. L'acteur principal est le peuple. Pour le retrouver, celui-ci, le replacer dans son rôle, j'ai dû ramener à leurs proportions les ambitieuses marionnettes dont il a tiré les fils, et dans lesquelles, jusqu'ici, on croyait voir, on cherchait le jeu secret de l'histoire.

Ce spectacle, je dois l'avouer, m'a frappé moi-même d'étonnement. A mesure que je suis entré profondément dans cette étude, j'ai vu que les chefs de parti, les héros de cette histoire convenue, n'ont ni prévu, ni préparé, qu'ils n'ont eu l'initiative d'aucune des grandes choses, d'aucune spécialement de celles qui furent l'œuvre unanime du peuple au début de la Révolution. Laissé à lui-même, dans ces moments décisifs, par ses prétendus meneurs, il a trouvé ce qu'il fallait faire, et l'a accompli.

Grandes et surprenantes choses ! Mais le cœur qui les fit fut bien plus grand !... Les actes ne sont rien auprès. Cette richesse de cœur fut telle alors, que l'avenir, sans crainte de trouver le fond, peut y penser à jamais. Tout homme qui en approchera s'en ira plus homme.

Toute âme abattue, brisée, tout cœur d'homme ou de nation, n'a, pour se relever, qu'à regarder là ; c'est un miroir où chaque fois que l'humanité se voit, elle se trouve héroïque, magnanime, désintéressée ; une pureté singulière, qui craint l'or comme la boue, est alors la gloire de tous.

Je donne aujourd'hui l'époque unanime, l'époque sainte où la nation tout entière, sans distinction de parti, sans connaître encore (ou bien peu) les oppositions des classes, marcha sous un drapeau fraternel. Personne ne verra cette unité merveilleuse, un même cœur de vingt millions d'hommes, sans en rendre grâces à Dieu. Ce sont les jours sacrés du monde, jours bienheureux pour l'histoire. Moi, j'ai eu ma récompense, puisque je les ai racontés... Jamais, depuis ma Pucelle d'Orléans, je n'avais eu un tel rayon d'en haut, une si lumineuse échappée du ciel...

Et comme tout se mêle en la vie, pendant que j'avais tant de bonheur à renouveler la tradition de la France, la mienne s'est rompue pour toujours. J'ai perdu celui qui si souvent me conta la Révolution, celui qui était pour moi l'image et le témoin vénérable du grand siècle, je veux dire du XVIIIe. J'ai perdu mon père, avec qui j'avais vécu toute ma vie, quarante-huit années.

Lorsque cela m'est arrivé, je regardais, j'étais ailleurs, je réalisais à la hâte cette œuvre si longtemps rêvée. J'étais au pied de la Bastille, je prenais la forteresse, j'arborais sur les tours l'immortel drapeau... Ce coup m'est venu, imprévu, comme une balle de la Bastille...

Plusieurs de ces graves questions, qui m'obligeaient de sonder si profondément ma foi, elles se sont débattues en moi dans la plus grave circonstance de la vie humaine, entre la mort et les funérailles, lorsque celui qui survivait, mort déjà pour une part, siégeait, jugeait entre deux mondes.

Puis, j'ai repris mon chemin jusqu'au terme de cette œuvre, plein de mort et plein de vie, m'efforçant de tenir mon cœur au plus près de la justice, m'affermissant dans ma foi par mes pertes et mes espérances, me serrant, à mesure que mon foyer se brisait, au foyer de la patrie.

31 janvier 1847.

PREFACE DE 1868

Cette œuvre laborieuse, qui a rempli huit années de ma vie, n'a pas eu la bonne fortune des improvisations venues en temps paisible. Elle a été écrite en plein événement.

Deux volumes parurent en février. Ils donnaient le récit des plus belles journées de la Révolution, crédule encore, fraternelle et clémente, comme a été sa jeune sœur de 1848. Ils furent accueillis aux célèbres banquets de cette époque.

Des faits cruels survinrent. Je ne lâchai pas prise. Trois volumes parurent en 1850. Toute voix littéraire s'était tue ; toue vie semblait interrompue. Ne voyant que ma tâche, au fond de nos archives, travaillant seul encore sur les ruines d'un monde, je pus croire un moment que je restais le dernier homme.

Quittant Paris au 2 décembre, n'emportant d'autre bien que les matériaux de mes derniers volumes, les documents de la Terreur, je l'écrivis près Nantes, en grande solitude, à la porte de la Vendée.

Ainsi, contre vent et marée, à travers tout événement, elle alla cette histoire, elle alla jusqu'au bout, saignante, vivante d'autant plus, une d'âme et d'esprit, sans que les dures traverses du sort l'aient fait dévier de sa ligne première. Les obstacles, bien loin d'arrêter, y aidèrent. Dans une vieille maison transparente que perçaient les grandes pluies, en janvier 1853, j'écrivais sur le même mois correspondant de la Terreur : « Je plonge avec mon sujet dans la nuit et dans l'hiver. Les vents acharnés de tempêtes qui battent mes vitres depuis deux mois sur ces collines de Nantes accompagnent de leurs voix, tantôt graves, tantôt déchirantes, mon *Dies irae* de 93. Légitimes harmonies ! Je dois les remercier. Ce qu'elles m'ont dit souvent dans leurs fureurs apparentes, dans leurs aigres sifflements, dans le cliquetis sinistrement gai dont la grêle frappait mes fenêtres, c'était la chose forte et bonne, que tous ces semblants de mort n'étaient nullement la mort, mais la vie tout au contraire, le futur renouvellement... »

Au bout de quinze années, après le grand travail que je dus à l'ancienne France, je rentre en celle-ci, la France et la Révolution. J'y rentre comme en un foyer de famille, délaissé quelque temps. Mais changé ? Nullement. Refroidi ? Point du tout.

Epreuve singulière de se revoir ainsi au bout de tant d'années, de comparer les temps. Qu'étais-je ? et qu'étions-nous (nous France), et qu'est-ce que nous sommes devenus ?

Contenons notre cœur. Quelles que soient nos tristesses, d'un regard net et ferme observons la situation.

La dureté du temps a brisé bien des choses, mais elle a aussi profité. Nous avons compris à la longue ce qu'on démêlait peu en 48. Toutes les grandes questions se présentaient alors d'ensemble, impatientes, sans égard à leur ordre logique et naturel. Nous nous exagérions les nuances qui nous divisaient. Un grand progrès s'est fait sous ce rapport. Sans nous dédire en rien ni changer de langage, nous tous, enfants divers de la Révolution, nous concordons en elle, nous rapprochons de l'unité.

1. Les choses ont repris leur véritable perspective, et tous sont revenus à la tradition nationale. Nul de nous aujourd'hui qui ne voie dans la Liberté la question souveraine. *La question économique* qui lui fit ombre est une conséquence, un approfondissement essentiel de la Liberté. Mais celle-ci précède tout, doit couvrir et protéger tout.

2. *La question religieuse* paraissait secondaire. Nos avertissements touchaient peu. En vain les Bossuet, les de Maistre disaient hautement aux nôtres la profonde union des deux autorités. Ils l'ont sue un peu tard. Il leur a bien fallu s'éveiller en voyant le couvent près de la caserne, ces monuments jumeaux qui couronnent aujourd'hui les hauteurs des grandes villes, et proclament la coalition.

3. *Point de guerre.* Sur cela encore, nous sommes unanimes. Dans le travail immense où la France s'est engagée, elle a bien autre chose à faire. Elle est ravie de voir une Italie, une Allemagne, et les salue du cœur. Un point considérable, c'est que des deux côtés, les vaillants dédaignent la guerre, sachant que ce n'est plus une affaire de vaillance, mais de pure mécanique entre Delvigne et Chassepot.

4. Ce qui pourra sembler un peu bizarre à l'avenir, c'est que nos dissidences en 48, les plus âpres peut-être, étaient relatives au passé, *historiques, archéologiques.* Ces débats se mêlaient à l'actualité. On s'identifiait à ces lugubres ombres. L'un était Mirabeau, Vergniaud, Danton, un autre Robespierre. Nous gardons aujourd'hui nos sympathies sans doute à tel ou tel héros de la Révolution. Mais nous les jugeons mieux. Nous les voyons d'ensemble, nullement opposés et se donnant la main. Si quelques-uns de nous s'acharnent à ces débats, en revanche, une grande France, née

depuis 48, un demi-million d'hommes qui lisent, pensent et sont l'avenir, regardent tout cela comme chose curieuse, mais hors de toute application, avec des circonstances tellement différentes.

L'histoire contestée des vieux temps s'est, d'année en année, éclaircie d'elle-même par tant de documents livrés à la publicité. Mais nous autres historiens nous y avons fait quelque chose. Prenant chacun un point de vue, nous l'avons mis (par nos exagérations mêmes) en pleine lumière. Il est intéressant de voir combien cette diversité a servi. Je voudrais qu'une main habile esquissât l'histoire de l'histoire, je veux dire le progrès qui s'est fait dans nos études sur la Révolution.

La tirer de 89, c'est en faire un effet sans cause. La faire partir de Louis XV, c'est l'expliquer bien peu encore. Il faut creuser beaucoup plus loin. C'est toute la vie de la France qui en prépare, en fait comprendre le drame final. De moins en moins obscure, elle devient toute lumineuse au XVIIIe siècle, qui, loin d'être un chaos, ordonne, écrit splendidement notre Credo moderne, que la Révolution entreprend d'appliquer.

Labeur très long. J'en ai été payé quand (dans mon *Louis XV*, vers 1750) j'ai eu la joie de donner fort simplement ce Credo de lumière. En face, je posai les ténèbres, la *Conspiration de famille*. Dès le ministère de Fleury, l'intrigue espagnole-autrichienne et catholico-monarchique se noue par les parentés, mariages, etc. Le premier effet fut le règne de Marie-Thérèse à Versailles et la guerre de Sept Ans qui enterra la France, donna le monde à l'Angleterre. Le second effet fut le règne de Marie-Antoinette, l'explosion tardive (si tardive !) de 89.

Ceux qui veulent se persuader que cet événement immense fut l'œuvre d'un parti, un complot d'Orléans, un mouvement factice qu'impose Paris à la France, n'ont qu'à ouvrir les cent volumes in-folio des Cahiers, les vœux des provinces, leurs instructions aux députés de la Constituante. Du moins qu'ils prennent connaissance des extraits des Cahiers, si bien résumés par Chassin.

Dans mon premier volume (1847), j'avais indiqué à quel point les idées d'intérêt, de bien-être, qui ne peuvent manquer en nulle Révolution, en la nôtre pourtant sont restées secondaires, combien il faut la tordre, la fausser, pour y trouver déjà les systèmes d'aujourd'hui. Sur ce point, le beau livre de Quinet confirme le mien. Oui, la Révolution fut désintéressée. C'est son côté sublime et son signe divin.

Brillant éclair au ciel. Le monde en tressaillit. L'Europe délira à la prise de la Bastille ; tous s'embrassaient (et dans Pétersbourg même) sur les places publiques. Inoubliables jours ! Qui suis-je pour les avoir contés ? Je ne sais pas encore, je ne saurai jamais comment j'ai pu les reproduire. L'incroyable bonheur de retrouver cela si vivant, si brûlant, après soixante années, m'avait grandi le cœur d'une joie héroïque, et mon papier semblait enivré de mes larmes.

De cette âme agrandie il m'a été donné d'embrasser l'infini de la Révolution, de la refaire dans la variété de ses âges, de ses points de vue. C'eût été lui faire tort que d'en adopter un, de dénigrer le reste. Les opposés y concordent au fond. La grande âme commune, en chaque parti qui la révèle, est sentie, est comprise par des peuples divers, et le sera par d'autres générations dans l'avenir. Ce sont autant de langues que la Révolution, ce grand prophète, a parlées pour toute la terre. Chacun avait son droit, et devait être reproduit.

Enfermer la Révolution dans un club, c'est chose impossible. Le travail infini, la passion sincère de Louis Blanc n'y a pas réussi. Mettre cet océan dans la petite enceinte du cloître jacobin ! Vaine entreprise. Elle déborde de toutes parts. Elle y eut sa police contre la trahison, son œil, son gardien vigilant. Mais sa vraie force active, la Montagne elle-même en ses plus grands acteurs qui discouraient fort peu, ne siégeait pas aux Jacobins.

Le temps qui peu à peu dit tout, et la publication des documents, ne permettent plus d'être exclusif. L'apologie de la Gironde, si véhémente dans Lanfrey, aujourd'hui ne semble que juste. Une voix sortie de la mort même, la voix testamentaire de Pétion, Buzot, enfin s'est fait entendre (1866). Qui osera contredire maintenant ?

Tel était l'esprit de système que nos Robespierristes mettaient la Montagne même en jugement. Ils poursuivaient Danton. Villiaumé, Esquiros (dans son livre éloquent) le défendirent, et les actes encore mieux. Publiés récemment par Bougeart, Robinet, ils le couvrent aujourd'hui, absolvent sa grande mémoire.

On commence à voir clair, à mieux connaître la Montagne, que cachait jusqu'ici ce débat des individus. Les deux cents députés en mission, trop oubliés, reparaissent dans leur grandeur, dans leur indicible énergie qui fit notre salut. Deux médecins de vingt-cinq ans, Baudot, Lacoste, reprennent leur laurier de conquérants du Rhin. L'organisateur de la guerre (héros lui-même à Wattignies), le digne et bon Carnot nous est rendu enfin par la main de son fils. Les purs entre les purs, Romme, les cinq amis qui, les derniers, en prairial, ont signé et scellé la Révolution de leur sang, reparaissent en un livre qui m'a fait frissonner, celui de Claretie, si brûlant, cruellement vrai.

Les temps faibles ne comprendront plus comment, parmi ces tragédies sanglantes, un pied dans la mort même, ces hommes extraordinaires ne rêvaient qu'immortalité. Jamais tant d'idées organiques, tant de créations, tant de souci de l'avenir ! Une tendresse inquiète pour la postérité ! Et tout cela, non pas comme on le croit, après les grands périls, mais au fort de la crise. Le livre de

Despois *(Vandalisme révolutionnaire)* inaugure admirablement pour cet âge une histoire nouvelle, celle de ses créations.

J'ai mieux compris le mot du vénérable Lasteyrie. Lui parlant de ces temps et de l'impression qu'il en eut (lui fort exposé, en péril), j'en tirai ce mot seul : « Monsieur, c'était très beau ! » — Mais vous pouviez périr ! Vous cachiez-vous ? » — « Moi, point. J'allais, j'errais en France. J'admirais... Oui, c'était très beau. »

La Révolution, a-t-on dit, a eu un tort. Contre le fanatisme vendéen et la réaction catholique elle devait s'armer d'un Credo de secte chrétienne, se réclamer de Luther ou Calvin.

Je réponds : elle eût abdiqué. Elle n'adopta aucune Église. Pourquoi ? C'est qu'elle était une Église elle-même.

Comme agape et *Communion,* rien ne fut ici-bas comparable à 90, à l'élan des Fédérations. L'absolu, l'infini du *Sacrifice* en sa grandeur, le don de soi qui ne réserve rien, parut au plus sublime dans l'élan de 92 : guerre sacrée pour la paix, la délivrance du monde.

« Les symboles ont manqué ? » Mais toute religion met des siècles à se faire les siens. La foi est tout ; la forme est peu. Qu'importe le parement de l'autel ?

Il subsiste toujours, l'autel du Droit, du Vrai, de l'éternelle Raison. Il n'a pas perdu une pierre, et il attend tranquillement. Tel que nos philosophes, tel que nos grands légistes le bâtirent, solide, autant que les calculs de Laplace et de Lagrange qui y posèrent la loi du temps.

Qui ne le reconnut ? n'y sentit Dieu ?... Quel cercle on vit autour ? Le monde américain y fut en Thomas Payne, la Pologne en Kosciusko. Le maître du Devoir (ce roc de la Baltique), Kant s'émut. On y vit pleurer le vieux Klopstock, et ce fier enfant, Beethoven.

Le grand stoïcien Fichte, au plus cruel orage, ne s'en détacha pas. Il nous resta fidèle. En plein 93, il publia son livre sur l'immuable droit de la Révolution.

Cela lui fut compté. Il en garda ce cœur d'acier, qui, après Iéna, releva l'Allemagne, prépara le réveil du monde, opposant à la force une force plus grande, l'Idée — et, devant l'ennemi, enseignant la victoire du Droit, contre lequel on ne prescrit jamais.

*

Un mot sur la manière dont ce livre se fit.

Il est né au sein des Archives. Je l'écrivis six ans (1845-1850) dans ce dépôt central, où j'étais chef de la section historique. Après le 2 décembre, j'y mis deux ans encore, et l'achevai aux archives de Nantes, tout près de la Vendée, dont j'exploitais aussi les précieuses collections.

Armé des actes mêmes, des pièces originales et manuscrites, j'ai dû juger les imprimés et surtout les Mémoires qui sont des plaidoyers, parfois d'ingénieux pastiches (exemple, ceux que Roche a faits pour Levasseur).

J'ai jugé jour par jour *Le Moniteur,* que suivent trop MM. Thiers, Lamartine et Louis Blanc.

Dès l'origine, il est arrangé, corrigé chaque soir, par les puissants du jour. Avant le 2 septembre, la Gironde l'altère, et le 6, la Commune. De même en toute grande crise. Les procès-verbaux manuscrits des Assemblées illustrent tout cela, démentent *Le Moniteur,* et ses copistes, l'*Histoire parlementaire,* et autres, qui souvent estropient encore ce *Moniteur* estropié.

Un très rare avantage qu'aucun dépôt du monde ne présenterait peut-être au même degré, c'est que je trouvais dans les nôtres, pour chaque événement capital, des récits très divers et de nombreux détails qui se complètent et se contrôlent.

Pour les Fédérations, j'ai eu des récits par centaines, venus d'autant de villes et de villages *(Archives centrales).* Pour les grandes tragédies du Paris révolutionnaire, le dépôt de l'*Hôtel de Ville* m'en ouvrait le foyer aux registres de la Commune ; et la *Préfecture de police* m'en donnait la variété divergente dans les procès-verbaux de nos quarante-huit sections.

Pour le gouvernement, les Comités de Salut public et de Sûreté générale, j'avais sous les yeux tout ce qu'on a de leurs registres et j'y ai trouvé par jour la chronologie de leurs actes.

On m'a blâmé parfois d'avoir cité trop rarement. Je l'aurais fait souvent, si mes sources ordinaires avaient été des pièces détachées. Mais mon soutien habituel, ce sont ces grandes collections où tout se suit dans un ordre chronologique. Dès que je date un fait, on peut retrouver à l'instant ce fait à sa date précise au registre, au carton où je l'ai pris. Donc j'ai dû citer rarement. Pour les choses imprimées et les sources vulgaires, les renvois peu utiles ont l'inconvénient de couper le récit ou le fil des idées. C'est une vaine ostentation d'émailler constamment sa page de ces renvois à des livres connus, à des brochures de petite importance et d'attirer l'attention là-dessus. Ce qui donne autorité au récit, c'est sa suite, sa cohésion, plus que la multitude des petites curiosités bibliographiques.

Pour tel fait capital, mon récit, identique aux actes mêmes, est aussi immuable qu'eux. J'ai fait plus que d'extraire, j'ai copié de ma main (et sans y employer personne) les textes dispersés, et les ai réunis. Il en est résulté une lumière, une certitude, auxquelles on ne changera rien. Qu'on m'attaque sur le sens des faits, c'est bien.

Mais on devra d'abord reconnaître qu'on tient de moi les faits dont on veut user contre moi.

Ceux qui ont des yeux et savent voir, remarqueront très bien que ce récit, quelquefois trop ému peut-être et orageux, n'est pourtant jamais trouble, point vague, point flottant dans les vaines généralités. Ma passion elle-même, l'ardeur que j'y mettais, ne s'en seraient point contentées. Elles cherchaient, voulaient le propre caractère, la personne, l'individu, la vie très spéciale de chaque acteur. Les personnages ici ne sont nullement des idées, des systèmes, des ombres politiques ; chacun d'eux a été travaillé, pénétré, jusqu'à rencontrer l'homme intime. Ceux mêmes qui sont traités sévèrement, sous certains rapports, gagnent à être connus à ce point, atteints dans leur *humanité*. Je n'ai point flatté Robespierre. Eh bien ! ce que j'ai dit de sa vie intérieure, du menuisier, de la mansarde, de l'humide petite cour qui, dans sa sombre vie, mit pourtant un rayon, tout cela a touché, et tel de mes amis, de parti tout contraire, m'avoua qu'en lisant il en versa des larmes.

Nul de ces grands acteurs de la Révolution ne m'avait laissé froid. N'ai-je pas vécu avec eux, n'ai-je pas suivi chacun d'eux, au fond de sa pensée, dans ses transformations, en compagnon fidèle ? A la longue, j'étais un des leurs, un familier de cet étrange monde. Je m'étais fait la vue à voir parmi ces ombres, et elles me connaissaient, je crois. Elles me voyaient seul avec elles dans ces galeries, dans ces vastes dépôts rarement visités. Je trouvais quelquefois le signet à la place où Chaumette ou tel autre le mit au dernier jour. Telle phrase, dans le rude registre des Cordeliers, ne s'est pas achevée, coupée brusquement par la mort. La poussière du temps reste. Il est bon de la respirer, d'aller, venir, à travers ces papiers, ces dossiers, ces registres. Ils ne sont pas muets, et tout cela n'est pas si mort qu'il semble. Je n'y touchais jamais sans que certaine chose en sortît, s'éveillât... C'est l'âme.

En vérité, je méritais cela. Je n'étais pas *auteur*. J'étais à cent lieues de penser au public, au succès : j'aimais, et voilà tout. J'allais ici et là, acharné et avide ; j'aspirais, j'écrivais cette âme du tragique passé.

Cela fut fort senti, et d'hommes de nuances diverses : Béranger, Ledrul-Rollin, Proudhon.

Béranger, avait eu contre moi des préventions, et il en revint tout à fait. Il dit de cette histoire : « Pour moi, c'est livre saint. »

Proudhon savait combien je goûtais peu la plupart de ses paradoxes ; c'est de lui, cependant, que je reçus la lettre la plus forte, l'acceptation la plus complète de mon livre, celle du principe posé dans mon *Introduction* (1847) : l'inconciliable opposition du Christianisme avec le Droit et la Révolution. Il l'a pleinement adopté dans son livre *De la Justice* (1858).

Au beau jour des Fédérations, Camille Desmoulins fit la proposition touchante et chimérique d'un pacte fédératif entre les écrivains amis de la Révolution. Il est sûr qu'entre nous, unis (malgré nos dissidences) par un fonds de principes communs, il y a une sorte de parenté. Je l'ai plus que personne respecté. Je n'ai répondu jamais aux critiques des nôtres, quoiqu'elles fussent souvent un peu légères et que je pusse exercer des représailles faciles.

J'ai fini mon *Histoire de la Révolution* en 53, et depuis cette époque jusqu'en 62, Louis Blanc dans la sienne, dans ses dix ou douze volumes l'a attaquée avec une passion extraordinaire. On m'en avertissait ; mais j'étais occupé d'achever l'*Histoire de France* jusqu'en 89. J'ajournai la lecture et l'examen de Louis Blanc. Mon silence persévérant dut l'étonner et l'encourager fort. De volume en volume, ses violentes critiques continuaient. Il triomphait à l'aise, s'étendait à plaisir, et se trouva enfin avoir réellement fait un gros livre sur mon livre.

Je ne finis *Louis XVI* qu'à la fin de 1867. C'est en achevant ce volume que je revins à ma *Révolution* et m'occupai de celle de Louis Blanc. Je l'ouvris fort placidement, tout prêt à profiter de ses critiques, si elles étaient sérieuses.

Je connaissais et son talent et son caractère honorable, ses paradoxes aussi, son papisme socialiste et sa tyrannie du travail au nom de la fraternité. Mais je l'avais peu vu sur le terrain de l'histoire. J'avoue que je fus saisi d'étonnement en voyant sa faveur, sa prédilection fantaisiste... pour qui ?... pour l'intrigant Calonne !... Calonne, excellent citoyen qui ne ruine la France que pour faire la Révolution, qui ne gorge la Cour « que pour les conduire tous en riant au bord d'un abîme si profond qu'ils appelleraient de leurs vœux les nouveautés libératrices ». Tout cela sans la moindre preuve.

J'apprends des choses non moins fortes. Les Montagnards n'étaient nullement *les violents.* Sans doute c'étaient les modérés.

Les Girondins, qui ont tant exalté Rousseau, ce sont les ennemis de Rousseau chez Louis Blanc. C'est la Gironde qui conniva au 2 septembre ; elle en garde la tache de sang.

Robespierre, au contraire, qui parla, dénonça, et *avant* (le 1er), et *pendant* (le 2 même), en est pur, y est étranger.

Hébert, dans son *Père Duchesne,* malgré ses constants appels au massacre, n'en est pas moins un continuateur des modérés, des Girondins. Comment cela ? C'est qu'il est voltairien, égoïste et sensualiste, ennemi de Rousseau et du sensible Robespierre.

Louis Blanc, assez doux pour le roi, pour la reine, le duc d'Orléans, clément pour le clergé, est terrible, accablant pour Danton et les Girondins. En ces derniers, il voit la *bourgeoisie* qui lui fut si hostile au 15 mai 1848. Etrange confusion. La garde nationale du 15 mai détestait la guerre ; au contraire, la Gironde la prêcha, et la fit, pour le salut des nations. Elle forgea des millions de piques, et mit les armes aux mains des pauvres.

Il faut prendre largement le grand cours révolutionnaire, dans ses deux manifestations utiles et légitimes, et de croisade, et de police — les Girondins, les Jacobins.

J'ai tâché de le faire. J'ai marqué fortement les torts des Girondins, leur tort d'avoir toujours repoussé la Montagne en Danton et Cambon, leur tort d'avoir, malgré leur pureté, subi l'impur mélange des tourbes royalistes qui, se glissant chez eux dans les départements, entravaient la Révolution.

Je n'ai point contesté les services immenses que rendit l'institution jacobine. J'ai même, mieux que personne, marqué et nuancé ses trois âges si différents. Je n'ai point méconnu le terrible labeur, la grande volonté de Robespierre, sa vie si sérieuse. Là, je le trouve intéressant.

Cela même est mon crime. Je crois que Louis Blanc m'aurait mieux pardonné toute ma politique contraire, mes attaques à son dieu, que mon regard minutieux, l'observation exacte du saint des saints, le tort d'avoir vu de si près, décrit la petite chapelle, le féminin cénacle de Marthe, Marie, Madeleine, l'habit, le port, la voix, les lunettes, les tics de ce nouveau Jésus.

Une chose nous sépare bien plus qu'il ne paraît, une chose profonde. Nous sommes deux religions.

Il est demi-chrétien à la façon de Rousseau et de Robespierre. L'Être suprême, l'Évangile, le retour à l'Église primitive : c'est ce Credo vague et bâtard par lequel les politiciens croient atteindre, embrasser les partis opposés, philosophes et dévots.

La race et le tempérament ne sont pas peu non plus dans notre opposition. Il est né à Madrid. Il est Corse de mère, Français par son père (de Rodez). Il a la flamme sèche et le brillant des Méridionaux, avec un travail, une suite que ces races n'ont pas toujours. Il a étudié à Rodez, au pays des Bonald, des Frayssinous, qui nous fait tant de prêtres. Dans sa démocratie, il est autoritaire.

S'il n'avait pas été aveuglé par sa passion, avant de reprendre son livre interrompu, il aurait dû se dire :

« Peut-on à Londres écrire l'histoire du Paris révolutionnaire ? » Cela ne se peut qu'à Paris. A Londres, il est vrai, il y a une jolie collection de pièces françaises, imprimés, brochures et journaux, qu'un amateur, M. Croker, vendit douze mille francs au Musée Britannique, et qu'on étend un peu depuis. Mais une collection d'amateur, des curiosités détachées ne remplacent nullement les grands dépôts officiels où tout se suit, où l'on trouve et les faits, et leur liaison, où souvent un événement représenté vingt, trente, quarante fois, en ses versions différentes, peut être étudié, jugé et contrôlé. C'est ce que nous permettent les trois grands corps d'archives révolutionnaires de Paris.

Il s'est persuadé, ce semble, que la fréquence des critiques en suppléait la profondeur. Il n'est aucun exemple dans l'histoire littéraire d'une attaque si persévérante, de page en page, pendant tant de volumes. Je suis l'homme, après Robespierre, qui l'a certainement le plus occupé. J'ai eu ce don de ne point le lasser. J'admire les grandes passions. La sienne est véritablement intarissable, infatigable. Elle revient sans cesse, à propos, sans propos, sur les faits, sur le sens des faits, les moindres misères, enfin tout.

Il dit parfois des choses un peu bien fortes, par exemple, « que j'ai oublié tous les devoirs de l'historien ». Parfois, il me loue (c'est le pis) ; quelque part il me trouve « un pénétrant génie » ; mais avec ce génie j'ai si peu pénétré qu'à chacun des grands jours de la Révolution j'ai tout brouillé, me suis mépris complètement.

Je pourrais dire pourtant, ayant exhumé tant de choses, donné tant de secours et à lui et à tous, je pourrais dire : « Ces fameuses journées, qui les savait sans moi ? »

Au massacre du Champ-de-Mars (17 juillet 1791), j'ai tiré des Archives de la Seine le texte de la pétition qu'on signa sur l'autel et qu'on peut appeler le premier acte de la République. J'ai marqué l'action très directe des royalistes pour amener le massacre. Louis Blanc les en lave, mais ils ne veulent pas être lavés, ils s'en vantent. D'après les notes manuscrites d'un témoin oculaire, M. Moreau de Jonnès, j'ai dit le fait *certain :* c'est que la Garde soldée poursuivit barbarement le peuple qui se réfugia dans les rangs de la garde nationale. Chose grave ; première apparition du funeste militarisme. Je n'ai nullement nié le fait, cependant *incertain,* qu'affirme Louis Blanc, que beaucoup répétèrent, mais que ne vit personne, à savoir que quelques gardes nationaux (des Filles-Saint-Thomas ?) purent, avec la Garde soldée, tirer sur cet autel où était tout le peuple. Au 10 août, même témoignage. J'ai accepté ce récit d'un homme, très bon, fort peu passionné.

Grâce à M. Labat, archiviste de la police, j'ai trouvé et donné la pièce inestimable et capitale du 2 septembre, l'enquête d'après laquelle il constate que le premier massacre fut provoqué par les prisonniers mêmes, par les cris, les risées, qu'à la nouvelle de l'invasion poussaient par les fenêtres les imprudents de l'Abbaye.

Pour le 31 mai, pour le grand jour fatal de la Révolution où l'Assemblée fut décimée, j'ai mis un soin religieux à lire et copier les registres des quarante-huit sections. Ces copies m'ont fourni le récit immense, détaillé, qu'on lira, récit désormais authentique de ces funèbres jours qu'on ne connaissait guère. Il restera pour l'avenir que, des quarante-huit sections, cinq seulement (d'après les registres) autorisèrent le Comité d'insurrection.

Le Père Duchesne tirant à six cent mille, Robespierre, effrayé des six cent mille gueules aboyantes, étouffa ses velléités de ménager le sang (qu'il avait témoignées à Lyon) et qui l'auraient fait mettre au ciel, proclamer le sauveur des hommes. Il se cacha dans la Terreur.

Si, moi aussi, je voulais critiquer, je pourrais dire que Louis Blanc a fait ce qu'il a pu pour obscurcir cette bascule, dans laquelle Robespierre (terrifié, craignant Hébert, puis Saint-Just même) tua tout, modérés, enragés. Il n'est pas à son aise dans ce cruel récit. Il étrangle très spécialement le tragique moment où Robespierre, comme un chat qui a peur, qui avance et recule, voulant, ne voulant pas, lorgna la tête de Danton,

En vérité, il faut un grand courage pour suivre Robespierre dans l'épuration jacobine. Nul n'est pur à droite ou à gauche, nul révolutionnaire, ni Chaumette, ni Desmoulins. Et il garde les prêtres, l'infaillible élément de la contre-révolution !

La monarchie commence à la mort de Danton. Dès longtemps, il est vrai, Robespierre, par toute la France, avait ses Jacobins qui remplissaient les places. Mais c'est après Danton, subitement, en six semaines, qu'il prit le grand pouvoir central. Il avait sa police (Hermann), la police du Comité (Héron). Il avait la Justice (Dumas), le grand tribunal général, qui jugeait même pour les départements. Il avait la Commune (Payan), les quarante-huit comités des sections. Par la Commune, il avait dans la main l'armée révolutionnaire (Henriot). Et tout cela sans titre, sans écriture ni signature. Au Comité de Salut public, il ne paraissait pas, faisait signer ses actes par ses collègues, ne signait point pour eux.

Ainsi, il lui était loisible de se laver les mains de tout. Ses amis, aujourd'hui, peuvent nous le montrer comme un spéculatif, un philanthrope rêveur dans les bois de Montmorency ou aux Champs-Elysées, promeneur pacifique entre Brount et Cornélia.

Il jouait un gros jeu. *Dans son isolement,* dans son inertie apparente, il n'en tenait pas moins un procès et sur les grands hommes d'affaires du Comité (Carnot, Cambon, Lindet), et sur les deux cents Montagnards qui avaient eu des missions, avaient enduré tout, bravé tous les dangers, s'étaient violemment compromis. Ils voulaient que l'on constatât leur fortune avant et après, qu'on établît leur probité. Il refusa cela, se réservant de pouvoir les poursuivre un jour. Au 9 thermidor, il les eut contre lui. C'est ce que Louis Blanc se garde bien de dire. La Montagne, aussi bien que la droite et le centre, le repoussa alors. Les plus honnêtes gens, futurs martyrs de prairial, Romme, Soubrany, etc., lui étaient sympathiques, mais pourtant le voyaient, par la force des choses, dictateur et tyran. A ses cris, ils se turent et ne répondirent rien. Le jugement de ces grands citoyens scella celui de l'avenir.

Les trente et un procès-verbaux des sections qui subsistent, et que j'ai suivis pas à pas, montrent parfaitement que Paris était contre lui, qu'il n'eut pour lui *que ses comités* révolutionnaires (non élus, mais nommés, payés), et que les *sections,* le peuple, tout le monde, ne bougea, le laissa périr. Louis Blanc ne dit rien de ce vrai jugement du peuple.

Quant à l'appel aux armes contre la Loi qu'il commença d'écrire, n'acheva pas, on pouvait l'expliquer par un noble scrupule, s'il fut fait à minuit quand il avait des forces — ou par le désespoir, s'il fut fait vers une heure, lorsqu'il était abandonné. Nul témoin. J'ai suivi l'interprétation la plus digne de ce temps-là et celle qui honore sa mémoire, celle que Louis Blanc a suivie après moi.

Sa fin m'a fort touché, et la fatalité qui le poussa. Nul doute qu'il n'aimât la patrie, qu'en ajournant la liberté, il n'y rêvât pourtant. Il lisait constamment le fameux *Dialogue de Sylla et d'Eucrate*. Comme Sylla peut-être, il aurait de lui-même quitté la dictature.

Les rois, qui ne voyaient en lui qu'un homme d'ordre et de gouvernement, le recherchaient déjà, l'estimaient et le regrettèrent. La Russie le pleura, son grand historien, Karamsin.

Robespierre venait justement de se poser sous un aspect nouveau, « en guillotinant l'anarchie ». C'est ainsi qu'il appelait les premiers socialistes, Jacques Roux, etc. Au cœur de Paris même, dans les noires et profondes rues ouvrières (les Arcis, Saint-Martin) fermentait le socialisme, une révolution sous la révolution. Robespierre s'alarma, frappa, et se perdit. Il est certain qu'au 9 thermidor, bien avant les troupes de la Convention, ces sections marchèrent à la Grève et débauchèrent les canonniers de Robespierre. Dès cette heure, il était perdu.

Extraordinaire méprise. Dans ses douze volumes, Louis Blanc prend Robespierre comme apôtre et symbole du socialisme, qu'il frappait et qui le tua.

Je l'avais dit en toutes lettres, et d'après l'irrécusable témoignage des *Procès-verbaux des sections,* que j'ai fidèlement copiés.

Rien n'était plus facile que de voir mes copies. On s'entend entre gens de lettres. Quand je fis mon *Vico,* un de mes concurrents m'aida, en me fournissant un livre rare. Tout récemment, un savant suisse m'a envoyé ses propres notes sur un sujet que nous traitions tous deux. Si j'avais été averti, j'aurais très volontiers donné les miennes à Louis Blanc, sans demander s'il devait en user pour moi ou contre moi.

J'ai été vif dans ma courte réponse. C'est qu'il s'agit bien moins de moi que de la Révolution elle-même, tellement rétrécie, mutilée, décapitée, en tous ses partis différents, moins l'unique Parti jacobin. La réduire à ce point, c'est en faire un tronçon sanglant, terrible épouvantail pour la joie de nos ennemis.

C'est à cela que je devais répondre, m'opposer de mon mieux. Il ne fallait pas moins que ce devoir pour me sortir de mes habitudes pacifiques. Je n'aime pas à rompre l'unité de la grande Église.

Paris, 1er octobre 1868.

Introduction

PREMIÈRE PARTIE

De la religion du Moyen Age

I

Je définis la Révolution, l'avènement de la Loi, la résurrection du Droit, la réaction de la Justice.

La Loi, telle qu'elle apparut dans la Révolution, est-elle conforme, ou contraire, à la loi religieuse qui la précéda ? Autrement dit : la Révolution est-elle chrétienne, antichrétienne ?

Cette question, historiquement, logiquement, précède toute autre. Elle atteint, elle pénètre celles même qu'on croirait exclusivement politiques. Toutes les institutions d'ordre civil que trouva la Révolution étaient ou émanées du christianisme, ou calquées sur ses formes autorisées par lui.

Religieuse ou politique, les deux questions ont leurs profondes racines si inextricablement mêlées. Confondues dans le passé, elles apparaîtront demain ce qu'elles sont, unes et identiques.

Les disputes socialistes, les idées qu'on croit aujourd'hui nouvelles et paradoxales se sont agitées dans le sein du christianisme et de la Révolution. Il est peu de ces idées dans lesquelles les deux systèmes ne soient entrés bien avant. La Révolution spécialement, dans sa rapide apparition, où elle réalisa si peu, a vu, aux lueurs de la foudre, des profondeurs inconnues, des abîmes d'avenir.

Donc, malgré les développements que les théories ont pu prendre, malgré les formes nouvelles et les mots nouveaux, je ne vois encore sur la scène que deux grands faits, deux principes, deux acteurs et deux personnes, le christianisme, la Révolution.

Celui qui va raconter la crise où le nouveau principe surgit et se fit sa place ne peut se dispenser de lui demander ce qu'il est par rapport à son aîné, en quoi il le continue, en quoi il le dépasse, le domine ou l'abolit. Grave problème que personne n'a encore envisagé face à face.

C'est un spectacle curieux de voir que tous tournent autour, et personne n'y veut regarder sérieusement. Ceux même qui croient ou qui font semblant de croire la question surannée montrent assez, en l'évitant, qu'elle est vivante, actuelle, périlleuse et formidable... Si ce puits ne vous fait pas peur, pourquoi vous reculez-vous ? pourquoi rejetez-vous la tête ?... Il y a là apparemment une puissance de vertige, et d'attraction dangereuse...

Nos grands politiques ont aussi, il faut le dire, une raison mystérieuse d'éviter ces questions. Ils croient que le christianisme est encore un grand parti, qu'il est bon de ménager. Pourquoi se brouiller avec lui ?... Ils aiment mieux lui sourire, en se tenant à distance, lui faire politesse sans se compromettre... Ils croient d'ailleurs que cette foule religieuse est généralement fort simple, qu'il suffira, pour l'amuser, de vanter un peu l'Évangile. Cela n'engage pas beaucoup. L'Évangile, dans sa vague moralité, ne contient presque aucun des dogmes qui firent du christianisme une religion si positive, si prenante et si absorbante, si forte pour envelopper l'homme. Dire, comme les mahométans, que Jésus est un grand prophète, ce n'est pas être chrétien.

L'autre parti réclame-t-il ? Le zèle de Dieu qui le dévore lui met-il au cœur une indignation sérieuse contre ce jeu des politiques ? Nullement, il crie beaucoup, mais sur des choses accessoires ; sur le fond, il est trop heureux qu'on ne l'inquiète jamais. Les ménagements, un peu légers, des politiques, et parfois suspects d'ironie, ne lui font pas trop de chagrin. Il leur laisse croire qu'il s'y trompe. Tout vieux qu'il est, il a encore une prise infinie sur le monde. Pendant que les autres tournent dans leur manège parlementaire, roulant leur roue inutile, s'épuisant sans avancer, lui, le vieux parti, il tient encore ce qui est le fond de la vie, la famille et le foyer, la femme et par elle l'enfant... Ceux qui lui sont le plus hostiles lui livrent ce qu'ils aiment et tout leur bonheur... On lui remet chaque jour l'homme enfant, désarmé, faible, dont l'esprit, à l'état de rêve, ne peut se défendre encore. Ceci lui donne bien des chances. Qu'il le garde et le fortifie, ce vaste, ce muet empire, qu'on ne lui dispute pas, sa part encore est la meilleure ; il gémira, se plaindra, mais se gardera bien de forcer les politiques à formuler leur croyance.

Politiques des deux côtés ! connivence et connivence ! où me tournerai-je pour trouver les amis de la vérité ?

Les amis du saint et du Juste ?... Est-ce qu'il n'y aura plus donc en ce monde personne qui se soucie de Dieu ?

Enfants du christianisme, vous qui vous prétendez fidèles, nous vous adjurons ici... Passer ainsi Dieu sous silence, omettre, en toute dispute, ce qui est vraiment la foi, comme chose trop dangereuse, scandaleuse pour l'oreille, est-ce de la religion ?

Un jour que je parlais, devant un de nos meilleurs évêques, de la lutte de la Grâce et de la Justice, qui est le fond même du dogme chrétien, il m'arrêta et me dit : « Cette question heureusement n'occupe plus les esprits. Là-dessus, nous jouissons du repos et du silence... Tenons-nous-y, n'en sortons point. Il est superflu de rentrer dans ce débat... »

Et ce débat, monseigneur, n'est pas moins que la question de savoir si le dogme de la Grâce et du salut par le Christ, seule base du christianisme, est conciliable avec la Justice, de savoir si ce dogme est juste, de savoir s'il subsistera... Rien ne dure contre la Justice... La durée du christianisme vous paraît-elle donc une question accessoire ?

Je sais bien qu'après un débat de plusieurs siècles, après qu'on eut entassé des montagnes de distinctions, de subtilités scolastiques, sans avancer rien, le pape imposa silence, jugeant, comme mon évêque, que la question pouvait être négligée, désespérant de pacifier l'affaire, et laissant dans cette arène la justice et l'injustice s'arranger comme elles pourraient.

Ceci est beaucoup plus fort que ce qu'ont jamais fait les plus grands ennemis du christianisme. Ils lui ont, tout au moins, accordé ce respect de l'examiner, de ne pas le mettre hors de cour sans daigner l'entendre.

Nous qui ne sommes point ennemis, comment refuserions-nous l'examen et le débat ? La prudence ecclésiastique, la légèreté des politiques, leurs fins de non-recevoir, ne nous vont aucunement. Nous devons au christianisme de voir ce qu'il peut avoir de conciliable avec la Révolution, de savoir quel rajeunissement le vieux principe peut trouver dans le sein du nouveau. Nous avons très sincèrement souhaité qu'il se transformât, qu'il vécût encore. Dans quel sens cette transformation s'opérerait-elle ? quel espoir en devons-nous conserver ?

Historien de la Révolution, je ne puis, sans cette recherche, mais même un seul pas. Mais quand je n'y serais invinciblement mené par la loi de mon sujet, j'y serais poussé par mon cœur. La misérable connivence où restent les deux partis est une des causes dominantes de notre affaiblissement moral. Combat de condottieri, où personne ne combat ; on avance, on recule, on menace, sans se toucher, chose pitoyable à voir... Tant que les questions fondamentales restent ainsi éludées, il n'y a nul progrès à espérer, ni religieux, ni social. Le monde attend une foi, pour se remettre à marcher, à respirer, à vivre. Mais jamais dans le faux, dans la ruse, dans les traités du mensonge, ne peut commencer la foi.

Solitaire, désintéressé, je ferai, dans ma faiblesse, ce que ne font pas les forts. Je sonderai la question devant laquelle ils reculent, et j'aurai peut-être, avant de mourir, le prix de la vie, qui est de trouver le vrai et le dire selon son cœur.

Au moment de raconter les temps héroïques de la Liberté, j'ai espoir que peut-être elle me soutiendra elle-même, qu'elle fera son œuvre en ce livre, et fondera la base profonde sur laquelle un temps meilleur pourra édifier la foi de l'avenir.

II

Plusieurs esprits éminents, dans une louable pensée de conciliation et de paix, ont affirmé de nos jours que la Révolution n'était que l'accomplissement du christianisme, qu'elle venait le continuer, le réaliser, tenir tout ce qu'il a promis.

Si cette assertion est fondée, le XVIIIe siècle, les philosophes, les précurseurs, les maîtres de la Révolution se sont trompés, ils ont fait tout autre chose que ce qu'ils ont voulu faire. Généralement, ils ont un tout autre but que l'accomplissement du christianisme.

Si la Révolution était cela, rien de plus, elle ne serait pas distincte du christianisme, elle en serait un âge ; elle serait son âge viril, son âge de raison. Elle ne serait rien en elle-même. En ce cas, il n'y aurait pas deux acteurs, mais un seul, le christianisme. S'il n'y a qu'un acteur, il n'y a point de drame, point de crise ; la lutte que nous croyons voir est une pure illusion ; le monde paraît s'agiter, en réalité il est immobile.

Mais non, il n'en est pas ainsi. La lutte n'est que trop réelle. Ce n'est pas ici un combat simulé entre le même et le même. Il y a deux combattants.

Et il ne faut pas dire non plus que le principe nouveau n'est qu'une critique de l'ancien, un doute, une pure négation. Qui a vu une négation ? Qu'est-ce qu'une négation vivante, une négation qui agit, qui enfante comme celle-ci ?... Un monde est né d'elle hier... Non, pour produire, il faut être.

Donc, il y a deux choses, et non pas une, nous ne pouvons le méconnaître, deux principes, deux esprits, l'ancien, le nouveau.

En vain le jeune, sûr de vivre et d'autant plus pacifique, dirait doucement à l'ancien : « Je viens accomplir, et non abolir... » L'ancien ne se soucie nullement d'être *accompli.* Ce mot a pour lui quelque chose de funèbre et de sinistre, il repousse cette bénédiction filiale, ne veut ni pleurs, ni prières, il écarte le rameau qu'on vient secouer sur lui.

Il faut sortir des malentendus, si l'on veut savoir où l'on va.

La Révolution continue le christianisme, et elle le contredit. Elle en est à la fois l'héritière et l'adversaire.

Dans ce qu'ils ont de général et d'humain, dans le sentiment, les deux principes s'accordent. Dans ce qui fait la vie propre et spéciale, dans l'idée mère de chacun d'eux, ils répugnent et se contrarient.

Ils s'accordent dans le sentiment de la fraternité humaine. Ce sentiment, né avec l'homme, avec le monde, commun à toute société, n'en a pas moins été étendu, approfondi par le christianisme. A son tour, la Révolution, fille du christianisme, l'a enseigné pour le monde, pour toute race, toute religion qu'éclaire le soleil.

Voilà toute la ressemblance. Et voici la différence.

La Révolution fonde la fraternité sur l'amour de l'homme pour l'homme, sur le devoir mutuel, sur le droit et la Justice. Cette base est fondamentale, et n'a besoin de nulle autre.

Elle n'a point cherché à ce principe certain un douteux principe historique. Elle n'a point motivé la fraternité par une parenté commune, une filiation qui, du père aux enfants, transmettrait avec le sang la solidarité du crime.

Ce principe charnel, matériel, qui met la Justice et l'injustice dans le sang, qui les fait circuler, avec le flux de la vie, d'une génération à l'autre, contredit violemment la notion spirituelle de la Justice qui est au fond de l'âme humaine. Non, la Justice n'est pas un fluide qui se transmette avec la génération. La volonté seule est juste ou injuste, le cœur seul se sent responsable ; la Justice est toute en l'âme ; le corps n'a rien à voir ici.

Ce point de départ barbare et matériel étonne dans une religion qui a poussé plus loin qu'aucune autre la subtilité du dogme. Il imprime à tout le système un caractère profond d'arbitraire dont aucune subtilité ne le tirera. L'arbitraire atteint, pénètre les développements du dogme, toutes les institutions religieuses qui en dérivent, et enfin l'ordre civil, qui lui-même au Moyen Age dérive de ces institutions, en imite les formes, en subit l'esprit.

Donnons-nous ce grand spectacle.

1. Le point de départ est celui-ci : le crime vient d'un seul, le salut d'un seul ; Adam a perdu, le Christ a sauvé.

Il a sauvé, pourquoi ? parce qu'il a voulu sauver. Nul autre motif. Nulle vertu, nulle œuvre de l'homme, nul mérite humain ne peut mériter ce prodigieux sacrifice d'un Dieu qui s'immole. Il se donne, mais pour rien ; c'est là le miracle d'amour ; il ne demande à l'homme nulle œuvre, nul mérite antérieur.

2. Que demande-t-il, en retour de ce sacrifice immense ? Une seule chose : qu'on y croie, qu'on se croie en effet sauvé par le sang de Jésus-Christ. La foi est la condition du salut, non les œuvres de justice. Nulle justice hors de la foi. Qui ne croit pas, est injuste. La Justice, sans la foi, sert-elle à quelque chose ? A rien.

Saint Paul, en posant ce principe du salut par la foi seule a mis la Justice hors de cour. Elle n'est désormais tout au plus qu'un accessoire, une suite, un des effets de la foi.

3. Sortis une fois de la Justice, il nous faut aller toujours, descendre dans l'arbitraire.

Croire ou périr !... La question posée ainsi, on découvre avec terreur qu'on périra, que le salut est attaché à une condition indépendante de la volonté. On ne croit pas comme on veut.

Saint Paul avait établi que l'homme ne peut rien par ses œuvres de justice, qu'il ne peut que par la foi. Saint Augustin démontre son impuissance en la foi même, Dieu seul la donne ; la donne gratuitement, sans rien exiger, ni foi, ni justice. Ce don *gratuit,* cette *grâce,* est la seule cause de salut. Dieu fait *grâce* à qui il veut. Saint Augustin a dit : « Je crois, parce que c'est absurde. » Il pouvait dire en ce système : « Je crois, parce que c'est injuste. »

L'arbitraire ne va pas plus loin. Le système est consommé. Dieu aime, nulle autre explication, il aime qui lui plaît, le dernier de tous, le pécheur, le moins méritant. L'amour est sa raison à lui-même ; il n'exige aucun mérite.

Que serait donc le *mérite,* si nous pouvions encore employer ce mot ? Être aimé, élu de Dieu, prédestiné au salut.

Et le *démérite,* la damnation !... Être haï de Dieu, condamné d'avance, créé pour la damnation.

Hélas ! nous avions cru tout à l'heure que l'humanité était sauvée. Le sacrifice d'un Dieu semblait avoir effacé les péchés du monde ; plus de jugement, plus de Justice. Aveugles ! nous nous réjouissions, croyant la Justice noyée dans le sang de Jésus-Christ... Et voilà que le jugement reparaît plus dur, un jugement sans justice, ou du moins dont la justice nous sera toujours cachée. L'élu de Dieu, ce favori, reçoit de lui, avec le don de la foi, le don de faire des œuvres justes, le don du salut... Que la Justice soit un don !... Nous, nous l'avions crue active, l'acte même de la volonté. Et voilà qu'elle est passive, qu'elle se transmet en présent, de Dieu à l'élu de son cœur.

Cette doctrine, formulée durement par les protestants, n'en est pas moins celle du monde catholique, telle que la reconnaît le Concile de Trente. Si la Grâce, dit-il avec l'apôtre, n'était pas *gratuite*, comme son nom même l'indique, si elle devait être méritée par des œuvres de Justice, elle serait la Justice, et ne serait plus la Grâce (*Conc. Trid.* sess. VI, cap. VIII).

Telle a été, dit le concile, la croyance permanente de l'Église. Et il fallait bien qu'il en fût ainsi ; c'est le fond du christianisme ; hors de là, il y a philosophie, et non plus religion. Celle-ci, c'est la religion de la grâce, du salut gratuit, arbitraire et du bon plaisir de Dieu.

L'embarras fut grand lorsque le christianisme, avec cette doctrine opposée à la Justice, fut appelé à gouverner, à juger le monde, lorsque la jurisprudence descendit de son prétoire, et dit à la nouvelle foi : « Jugez à ma place. »

On put voir alors, au fond de cette doctrine qui semblait suffire au monde, un abîme d'insuffisance, d'incertitude, de découragement.

Si l'on restait fidèle au principe que le salut est un don, et non le prix de la Justice, l'homme se croisait les bras, s'asseyait et attendait ; il savait bien que ses œuvres ne pouvaient rien pour son sort. Toute activité morale cessait en ce monde.

Et la vie civile, l'ordre, la justice humaine, comment les maintiendrait-on ? Dieu aime et ne juge plus. Comment l'homme jugera-t-il ? Tout jugement religieux ou politique est une contradiction flagrante dans une religion uniquement fondée sur un dogme étranger à la justice.

On ne vit pas sans justice. Donc, il faut que le monde chrétien subisse la contradiction. Cela met dans beaucoup de choses du faux et du louche ; on ne se tire de cette double position que par des formules hypocrites. L'Église juge et ne juge pas, tue et ne tue pas. Elle a horreur de verser le sang ; voilà pourquoi elle brûle... Que dis-je ? Elle ne brûle pas. Elle remet le coupable à celui qui brûlera, et elle ajoute encore une petite prière, comme pour intercéder... Comédie terrible où la Justice, la fausse et cruelle Justice, prend le masque de la grâce.

Etrange punition de l'ambition extraordinaire qui voulut plus que la Justice, et la méprisa ! Cette Église est restée incapable de Justice. Quand elle voit, au Moyen Age, celle-ci qui se relève, elle voudrait s'en rapprocher. Elle essaie de dire comme elle, de prendre sa langue, elle avoue que l'homme peut quelque chose pour son salut par les œuvres de Justice. Vains efforts ! Le christianisme ne peut se réconcilier avec Papinien qu'en s'éloignant de saint Paul, en quittant sa propre base, s'inclinant hors de lui-même, au risque de perdre l'équilibre et de chavirer.

Parti de l'arbitraire, ce système doit rester dans l'arbitraire, il n'en peut sortir d'un pas.

Tous les mélanges bâtards par lesquels les scolastiques, et d'autres depuis, ont vainement essayé de faire un dogme *raisonnable*, un christianisme philosophe et juriste, ces mélanges doivent être écartés. Ils n'ont ni vertu, ni force. On a été obligé de les laisser de côté ; on les a fait rentrer dans l'oubli et le silence. Il faut voir le système en lui, dans sa pureté terrible, qui a fait toute sa force, il faut le suivre dans son règne du Moyen Age, le voir partir surtout à l'époque où, fixé enfin, complet, armé, inflexible, il prend possession du monde.

Sombre doctrine, qui, dans la destruction de l'Empire romain, lorsque l'ordre civil périt, et que la justice humaine est comme effacée, ferme le recours du tribunal suprême, et, pour mille ans, voile la face de la Justice éternelle.

L'iniquité de la conquête, confirmée par arrêt de Dieu, s'autorise, et se croit juste. Les vainqueurs sont les élus, les vaincus les réprouvés. Damnation sans appel. De longs siècles peuvent se passer, la conquête s'oublier. Mais le ciel, vide de justice, n'en pèsera pas moins sur la terre, la formant à son visage. L'arbitraire, qui fait le fond de cette théologie, se retrouvera partout, avec une fidélité désespérante, dans les institutions politiques, dans celles mêmes où l'homme avait cru bâtir un asile à la Justice. La monarchie divine, la monarchie humaine gouvernent pour les élus.

Où donc se réfugiera l'homme ? La grâce règne seule au ciel, et la faveur ici-bas.

Pour que la Justice, deux fois proscrite et bannie, se hasarde à relever la tête, il faut une chose difficile (tant le sens humain est étouffé sous la pesanteur des maux et la pesanteur des siècles), il faut que la Justice recommence à se croire juste, qu'elle s'éveille, se souvienne d'elle-même, reprenne conscience du droit.

Cette conscience, éveillée lentement pendant six cents ans de tentatives religieuses, elle éclate en 89 dans le monde politique et social.

La révolution n'est autre chose que la réaction tardive de la Justice contre le gouvernement de la faveur et la religion de la grâce.

III

Si vous avez voyagé quelquefois dans les montagnes, vous aurez peut-être vu ce qu'une fois je rencontrai.

Parmi un entassement confus de roches amoncelées, au milieu d'un monde varié d'arbres et de verdure, se dressait un pic immense. Ce solitaire, noir et chauve, était trop visiblement le fils des profondes entrailles du globe. Nulle verdure ne l'égayait, nulle saison ne le changeait ; l'oiseau s'y posait à peine, comme si, en touchant la masse échappée du feu central, il eût craint de brûler ses ailes. Ce sombre témoin des tortures du monde intérieur semblait y rêver encore, sans faire la moindre attention à ce qui l'environnait, sans se laisser jamais distraire de sa mélancolie sauvage...

Quelles furent donc les révolutions souterraines de la terre, quelles incalculables forces se combattirent dans son sein, pour que cette masse, soulevant les monts, perçant les rocs, fendant les bancs de marbre, jaillît jusqu'à la surface !... Quelles convulsions, quelles tortures arrachèrent du fond du globe ce prodigieux soupir !

Je m'assis, et, de mes yeux obscurcis, des larmes, lentes, pénibles, commencèrent à s'exprimer une à une... La nature m'avait trop rappelé l'histoire. Ce chaos de monts entassés m'opprimait du même poids qui, pendant tout le Moyen Age, pesa sur le cœur de l'homme, et dans ce pic désolé, que du fond de ses entrailles la terre lançait contre le ciel, je retrouvais le désespoir et le cri du genre humain.

Que la Justice ait porté mille ans sur le cœur cette montagne du dogme, qu'elle ait, dans cet écrasement, compté les heures, les jours, les années, les longues années... C'est là, pour celui qui sait, une source d'éternelles larmes. Celui qui, par l'histoire, partagea ce long supplice, n'en reviendra jamais bien ; quoi qu'il arrive, il sera triste ; le soleil, la joie du monde, ne lui donnera plus de la joie ; il a trop longtemps vécu dans le deuil et les ténèbres.

Ce qui m'a percé le cœur, c'est cette longue résignation, cette douceur, cette patience, c'est l'effort que l'humanité fit pour aimer ce monde de haine et de malédiction sous lequel on l'accablait.

Quand l'homme qui s'était démis de la liberté, défait de la Justice, comme d'un meuble inutile, pour se confier aveuglément aux mains de la Grâce, la vit se concentrer sur un point imperceptible, les privilégiés, les élus, et tout le reste perdu sur la terre, et sous la terre, perdu pour l'éternité, vous croiriez qu'il s'éleva de partout un hurlement de blasphème ! Non, il n'y eut qu'un gémissement...

Et ces touchantes paroles : « S'il vous plaît que je sois damné, que votre volonté soit faite, ô Seigneur ! »

Et ils s'enveloppèrent, paisibles, soumis, résignés, du linceul de damnation.

Chose grave, chose digne de mémoire, que la théologie n'eût prévue jamais. Elle enseignait que les damnés ne pouvaient rien que haïr. Mais ceux-ci aimaient encore. Ils s'exerçaient, ces damnés, à aimer les élus, leurs maîtres. Le prêtre, le seigneur, ces enfants préférés du Ciel, ne trouvèrent pendant des siècles que douceur, docilité, amour et confiance, dans cet humble peuple. Il servit, souffrit, en silence ; foulé, il remercia ; il ne pécha point contre ses lèvres, comme fit le saint homme Job.

Qui le préserva de la mort ? Une seule chose, il faut le dire, qui ranima, rafraîchit le patient dans son long supplice. Cette étonnante douceur d'âme qu'il y conservait, lui porta bonheur ; de ce cœur percé, mais si bon ! s'échappa une vive source d'aimable et tendre fantaisie, un flot de religion populaire contre la sécheresse de l'autre. Arrosée de ces eaux fécondes, la Légende fleurit et monta, elle ombragea l'infortuné de ses compatissantes fleurs... Fleurs du sol natal, fleurs de la patrie, qui couvrirent quelque peu et firent oublier parfois l'aride métaphysique byzantine et la théologie de la mort.

La mort pourtant fut sous ces fleurs. Le patron, le bon saint du lieu, ne suffisait pas à défendre son protégé contre un dogme d'épouvante. Le Diable attendait à peine que l'homme expirât pour le prendre. Il l'environnait vivant. Il était seigneur de ce monde ; l'homme était sa chose et son fief. Il n'y paraissait que trop à l'ordre social du temps. Quelle tentation constante de désespoir et de doute !... Que le servage d'ici-bas, avec toutes ses misères, fût le commencement, l'avant-goût de la damnation éternelle ! D'abord, une vie de douleur, puis, pour consolation, l'enfer !... Damnés d'avance !... Pourquoi alors ces comédies du Jugement qu'on joue aux parvis des églises ! N'y a-t-il pas barbarie à tenir dans l'incertitude, dans l'anxiété affreuse, toujours suspendu sur l'abîme, celui qui, avant de naître, est adjugé à l'abîme, lui est dû, lui appartient !

Avant de naître !... L'enfant, l'innocent, créé exprès pour l'enfer !... Mais, que dis-je, l'innocent ? C'est là l'horreur du système, il n'y a plus d'innocence.

Je ne sais point, mais j'affirme, hardiment, sans hésiter : là fut l'insoluble nœud où s'arrêta l'âme humaine, où branla la patience...

L'enfant damné ! J'ai indiqué ailleurs cette plaie profonde, effroyable, du cœur maternel... Je l'ai indiquée, et puis j'ai remis le voile... Celui qui la sonderait y trouverait beaucoup plus que les affres de la mort.

C'est de là, croyez-le bien, que partit le premier soupir... De protestation ? Nullement... Et pourtant, à l'insu même du cœur d'où il s'échappa, il y avait un *Mais* terrible dans cet humble, dans ce bas, dans ce douloureux soupir..

Si bas, mais si déchirant !... L'homme qui l'entendit dans la nuit ne dormit plus cette nuit... ni bien d'autres... Et le matin, avant le jour, il allait sur son sillon ; et alors, il trouvait là bien des choses changées. Il trouvait la vallée et la plaine de labour plus basses, beaucoup plus basses, profondes, comme un sépulcre ; et plus hautes, plus sombres, plus lourdes, les deux tours à l'horizon, sombre le clocher de l'église, sombre le donjon féodal... Et il commençait aussi à comprendre la voix des deux cloches. L'église sonnait : *Toujours.* Le donjon sonnait : *Jamais...* Mais en même temps, une voix forte parla plus haut dans son cœur... Cette voix disait : *Un jour !* Et c'était la voix de Dieu !

Un jour reviendra la justice ! Laisse là ces vaines cloches ; qu'elles jasent avec le vent... Ne t'alarme pas de ton doute. Ce doute, c'est déjà de la foi. Crois, espère ; le Droit ajourné aura son avènement, il viendra siéger, juger, dans le dogme et dans le monde... *Et ce jour* du Jugement s'appellera la Révolution.

IV

Je me suis souvent demandé en poursuivant la sombre étude du Moyen Age, par des chemins pleins de ronces, *tristis usque ad mortem :* « Comment la religion la plus douce dans son principe, celle qui part de l'amour même, a-t-elle donc pu couvrir le monde de cette vaste mer de sang ? »

L'Antiquité païenne, toute guerrière, meurtrière, destructive, avait prodigué la vie humaine, sans en connaître le prix. Jeune et sans pitié, belle et froide, comme la vierge de Tauride, elle tue et ne s'émeut pas. Vous ne trouvez pas dans ces grandes destructions la passion, l'acharnement, la fureur de haine qui caractérise au Moyen Age les combats et les vengeances de la religion de l'amour.

La première raison que j'en trouvai naguère, dans mon livre du *Prêtre,* c'est le prodigieux enivrement d'orgueil que cette croyance donne à son élu. Quel vertige ! tous les jours, amener Dieu sur l'autel, se faire obéir de Dieu !... Le dirai-je ? (J'hésitais, croyant blasphémer :) *Faire Dieu !...* Celui qui chaque jour accomplit ce miracle des miracles, comment le nommer lui-même ? Un Dieu ? ce ne serait pas assez.

Plus cette grandeur est étrange, contre nature, monstrueuse, plus celui qui la revendique est inquiet, troublé d'avance... Il me semble comme assis à la flèche de Strasbourg, sur la pointe de la croix... Imaginez ce qu'il aura de haine et de violence, pour tout homme qui le touchera, l'ébranlera, voudra le faire descendre ! Descendre ? on ne descend pas. On tombe d'une telle place, on tombe, d'une pesante chute, à s'enfoncer dans la terre.

Soyez bien convaincu que s'il peut, pour se maintenir, supprimer le monde d'un signe ; si, ce que Dieu fit d'un mot, il peut l'exterminer d'un mot, le monde est exterminé.

Cet état d'inquiétude, de colère, de haine tremblante, explique seul les incroyables fureurs de l'Église au Moyen Age, à mesure qu'elle voit monter contre elle cette rivale, la Justice...

Celle-ci, vous l'auriez vue à peine d'abord. Il n'y avait rien de si bas, de si petit, de si humble... Méchante petite herbe, oubliée dans le sillon : on se baissait, et c'est beaucoup si l'on pouvait la distinguer.

Justice, tout à l'heure si faible, qu'as-tu pour croître si vite ? Que je tourne un moment la tête, je ne te reconnais plus. Je te retrouve à chaque heure plus haute de dix coudées... La théologie se trouble, elle rougit, elle pâlit...

Une lutte commence alors, terrible, effroyable, pour laquelle manque toute parole... La théologie, jetant le masque doucereux de la grâce, s'abdiquant, se reniant, pour anéantir la Justice, s'efforçant de l'absorber, de la perdre en elle-même, de la plonger dans ses entrailles... Les voilà toutes deux en face ; laquelle, à la fin de cette mortelle bataille, se trouve avoir absorbé l'autre, incorporé, assimilé ?

Que la Terreur révolutionnaire se garde bien de se comparer à l'Inquisition. Qu'elle ne se vante jamais d'avoir, dans ses deux ou trois ans, rendu au vieux système ce qu'il nous fit six cents ans !... Combien l'Inquisition aurait droit de rire !... Qu'est-ce que c'est que les seize mille guillotinés de l'une devant ces millions d'hommes égorgés, pendus, rompus, ce pyramidal bûcher, ces masses de chairs brûlées, que l'autre a montées jusqu'au ciel ? La seule Inquisition d'une des provinces d'Espagne établit, dans un monument authentique, qu'en seize années elle brûla vingt mille hommes... Mais pourquoi parler de l'Espagne, plutôt que des Albigeois, plutôt que des Vaudois des Alpes, plutôt que des beggards de Flandre, que des protestants de France, plutôt que de l'épouvantable croisade des hussites, et de tant de peuples que le pape livrait à l'épée ?

L'histoire dira que, dans son moment féroce, implacable, la Révolution craignit d'aggraver la mort, qu'elle adoucit les supplices, éloigna la main de l'homme, inventa une machine pour abréger la douleur.

Et elle dira aussi que l'Église du Moyen Age s'épuisa en inventions pour augmenter la souffrance, pour la rendre poignante, pénétrante, qu'elle trouva des arts exquis de torture, des moyens ingénieux pour faire que, sans mourir, on savourât longtemps la mort, et qu'arrêtée dans cette route par l'inflexible nature qui, à tel degré de douleur, fait grâce en donnant la mort, elle pleura de ne pouvoir en faire endurer davantage.

Je ne puis, je ne veux pas remuer ici cette mer de sang. Si Dieu me donne d'y toucher un jour, il reprendra ce sang, sa vie bouillonnante, il roulera en torrents, pour noyer la fausse histoire, les flatteurs gagés du meurtre, pour emplir leur bouche menteuse...

Je sais bien que la meilleure partie de ces grandes destructions ne peut plus être racontée. Ils ont brûlé les livres, brûlé les hommes, rebrûlé les os calcinés, jeté la cendre... Quand retrouverai-je l'histoire des Vaudois, des Albigeois, par exemple ? Le jour où j'aurai l'histoire de l'étoile que j'ai vue filer cette nuit... Un monde, un monde tout entier a péri, sombré, corps et biens... On a retrouvé un poème, on a retrouvé des ossements au fond des cavernes, mais point de noms, point de signes... Est-ce avec ces tristes restes que je puis refaire cette histoire ?... Qu'ils triomphent, nos ennemis, de l'impuissance qu'ils nous ont faite, et d'avoir été si barbares qu'on ne peut avec certitude raconter leurs barbaries !... Tout au moins le désert raconte, et le désert du Languedoc, et les solitudes des Alpes, et les montagnes dépeuplées de la Bohême, tant d'autres lieux, où l'homme a disparu, où la terre est devenue à jamais stérile, où la nature, après l'homme, semble exterminée elle-même.

Mais une chose crie plus haut que toutes les destructions (chose authentique, celle-là), c'est que le système qui tuait au nom d'un principe, au nom d'une foi, se servit indifféremment de deux principes opposés, de la tyrannie des rois, de l'aveugle anarchie des peuples. En un siècle seulement, au XVIe, Rome change trois fois, elle se jette à droite, à gauche, sans pudeur, sans ménagement. D'abord elle se donne aux rois ; puis, elle se jette au peuple ; puis encore, retourne aux rois. Trois politiques, un seul but, comment atteint ? Il n'importe. Quel but ? La mort de la pensée.

Un écrivain a trouvé que le nonce du pape n'a pas su d'avance la Saint-Barthélemy. Et moi, j'ai trouvé que le pape l'avait préparée, travaillée dix ans.

« Bagatelle, dit un autre, simple affaire municipale, une vengeance de Paris. »

Malgré le dégoût profond, le mépris, le vomissement que me donnent ces théories, je les ai confrontées aux monuments de l'histoire, aux actes irrécusables. Et j'ai retrouvé de proche en proche la trace rouge du massacre. J'ai vérifié que, du jour où Paris proposa (1561) la vente générale des biens du clergé, du jour où l'Eglise vit le roi incertain, et tenté de cette proie, elle se tourna vivement, violemment vers le peuple, employant tous les moyens de prédication, d'aumône, d'influence diverse, son immense clientèle, ses couvents, ses marchands, ses mendiants, à organiser le meurtre.

« Affaire populaire », dites-vous. C'est vrai. Mais dites donc aussi par quelle ruse diabolique, quelle persévérance infernale, vous avez travaillé dix ans à pervertir le sens du peuple, le troubler, le rendre fol.

Esprit de ruse et de meurtre, j'ai vécu trop de siècles en face de toi, pendant tout le Moyen Age, pour que tu m'abuses. Après avoir nié si longtemps la Justice et la Liberté, tu pris leur nom pour cri de guerre. En leur nom, tu as exploité une riche mine de haine, l'éternelle tristesse que l'inégalité met au cœur de l'homme, l'envie du pauvre pour le riche... Tu as, sans hésitation, toi, tyran, toi, propriétaire, et le plus absorbant du monde, embrassé tout à coup, et passé d'un bond, les impraticables théories des niveleurs.

Avant la Saint-Barthélemy, le clergé disait au peuple, pour l'animer au massacre : « Les protestants *sont des nobles,* des gentilshommes de province. » Cela était vrai, le clergé ayant déjà exterminé, comprimé le protestantisme des villes. Les châteaux seuls étant fermés pouvaient être encore protestants. Mais lisez leurs premiers martyrs ; c'étaient des hommes des villes, petits marchands, ouvriers. Ces croyances qu'on désignait à la haine du peuple, comme celles de l'aristocratie, étaient sorties du peuple même. Et qui ne sait que Calvin fut le fils d'un tonnelier ?

Il me serait trop facile de montrer comment tout ceci a été embrouillé de nos jours par les écrivains valets du clergé, puis copié légèrement. J'ai voulu seulement montrer par un exemple la féroce adresse avec laquelle le clergé poussa le peuple et se fit une arme mortelle de la jalousie sociale. Le détail serait curieux ; je regrette de l'ajourner. Il faudrait dire comment, pour perdre un homme, une classe d'hommes, la calomnie élaborée par une presse spéciale, lentement manipulée aux écoles, aux séminaires, surtout aux parloirs des couvents, directement confiée (pour être répandue plus vite) aux pénitentes, aux marchands attitrés des curés et des chanoines, s'en allait grondant dans le peuple ; comment elle s'exaltait dans les mangeries, buveries, qu'on appelait confréries, à qui on livrait, entre autres choses, les grands biens des hôpitaux... Détails bas, mesquins, misérables, mais sans lesquels on ne comprend jamais les grandes exécutions de la démagogie catholique.

Parfois, s'il fallait perdre un homme en renom, on ajoutait à ces moyens un art supérieur. On trouvait, par argent, par crainte, quelque écrivain de talent qu'on lançait sur lui. Ainsi le confesseur du roi, pour parvenir à brûler Vallée, fit écrire contre lui Ronsard. Ainsi, pour perdre Théophile, le confesseur poussa Balzac, qui ne pouvait pardonner à Théophile d'avoir tiré l'épée pour lui, et de lui avoir sauvé des coups de bâton.

De nos jours, j'ai pu observer dans le petit, dans le bas, dans le ruisseau de la rue, comment on travaille ecclésiastiquement la haine et l'émeute. J'ai vu dans une ville de l'Ouest un jeune professeur de philosophie qu'on voulait chasser de sa chaire, suivi, montré dans la rue par des femmes ameutées. Que savaient-elles des questions ? Rien que ce qu'on leur apprenait dans le confessionnal. Elles n'étaient pas moins furieuses, se mettaient toutes sur la porte, le montraient, criaient : « Le voilà ! »

Dans une grande ville de l'Est, j'ai vu un autre spectacle, peut-être plus odieux. Un vieux pasteur protestant, presque aveugle, qui tous les jours, souvent plusieurs fois par jour, était suivi, insulté par les enfants d'une école, qui le tiraient par-derrière, et voulaient le faire tomber.

Voilà comment les choses commencent, par des agents innocents, contre lesquels vous ne pouvez vous défendre, des petits enfants, des femmes... Dans des temps plus favorables, dans des pays d'ignorance et d'exaltation facile, l'homme se met de la partie. Le maître qui tient à l'église, comme membre de confrérie, comme marchand, comme locataire, crie, gronde, cabale, ameute. Le compagnon, le valet, s'enivrent pour faire un mauvais coup ; l'apprenti les suit, les dépasse, frappe, sans savoir pourquoi ; l'enfant parfois assassine.

Puis, arrivent les esprits faux, les théoriciens ineptes, pour baptiser le pieux assassinat du nom de justice du peuple, pour canoniser le crime élaboré par les tyrans, au nom de la liberté.

C'est ainsi qu'en un même jour, on trouva moyen d'égorger d'un coup tout ce qui honorait la France, le premier philosophe du temps, le premier sculpteur et le premier musicien, Ramus, Jean Goujon, Goudimel. Combien plus eût-on égorgé notre grand jurisconsulte, l'ennemi de Rome et des Jésuites, le génie du droit, Dumoulin !...

Heureusement, il était à l'abri ; il leur avait sauvé un crime, réfugié sa noble vie en Dieu... Mais auparavant, il avait vu l'émeute organisée quatre fois par le clergé contre lui et sa maison. Cette sainte maison d'étude quatre fois forcée, pillée, ses livres, profanés, dispersés, ses manuscrits irréparables, patrimoine du genre humain, traînés au ruisseau, détruits... Ils n'ont pas détruit la

Justice ; le vivant esprit enfermé dans ces livres s'émancipa par la flamme, s'épandit, et remplit tout ; il pénétra l'atmosphère, en sorte que, grâce aux fureurs meurtrières du fanatisme, on ne put respirer d'air que celui de l'équité.

V

Quand il y avait eu au Colisée de Rome grande fête, grand carnage, quand le sable avait bu le sang, que les lions se couchaient repus, soûls de chair humaine, alors, pour divertir le peuple, lui faire un peu oublier, on lui donnait une farce. On mettait un œuf dans la main d'un misérable esclave condamné aux bêtes, et on le jetait dans l'arène. S'il arrivait jusqu'au bout, si par bonheur il parvenait à porter son œuf jusque sur l'autel, il était sauvé... La distance n'était pas longue, mais qu'elle lui semblait longue !... Ces bêtes, rassasiées, dormantes ou voulant bientôt dormir, ne laissaient pas de soulever, au petit bruit du léger pas, leurs paupières appesanties, elles bâillaient effroyablement, et semblaient se demander s'il fallait quitter leur repos, pour cette ridicule proie... Lui, moitié mort de frayeur, se faisant petit, courbé, tout affaissé sur lui-même, comme pour rentrer dans la terre, il eût dit (s'il eût pu dire) : « Hélas ! hélas ! je suis si maigre ! lions, seigneurs lions, de grâce, laissez passer ce squelette ; le repas n'est pas digne de vous... » Jamais bouffon, jamais mime n'eut tel effet sur le peuple ; les contorsions bizarres, les convulsions de la peur jetaient tous les assistants dans les convulsions du rire ; on se tordait sur les bancs ; c'était une tempête effroyable de gaieté, un rugissement de joie.

Je suis obligé de dire, quoi qu'il en coûte, que ce spectacle s'est renouvelé vers la fin du Moyen Age, lorsque le vieux principe, furieux de se voir mourir, crut qu'il aurait encore le temps de faire mourir la pensée humaine. On revit, comme au Colisée, de misérables esclaves porter à travers les bêtes, non rassasiées, non assoupies, mais furieuses, atroces, avides, le pauvre petit dépôt de la vérité proscrite, l'œuf fragile qui pouvait sauver le monde, s'il arrivait à l'autel...

D'autres riront... malheur à eux !... Moi, je ne rirai jamais à la vue de ce spectacle... Cette farce, ces contorsions, pour donner le change aux monstres aboyants, pour amuser ce peuple indigne, elles me percent de douleur. Ces esclaves que je vois passer là-bas sur l'arène sanglante, ce sont les rois de l'esprit, les bienfaiteurs du genre humain... O mes pères, ô mes frères, Voltaire, Molière, Rabelais, amis chéris de ma pensée, est-ce donc vous que je reconnais, tremblants, souffreteux, ridicules, sous ce triste déguisement ?... Génies sublimes, chargés de porter le dépôt de Dieu, vous avez donc accepté, pour nous, ce difforme martyre, d'être les bouffons de la peur ?...

Avilis !... oh ! non, jamais ! Du milieu de l'amphithéâtre, ils me disaient avec douceur : « Qu'importe, ami, qu'on rie de nous ? qu'importe que nous subissions la morsure des bêtes sauvages, l'outrage des hommes cruels, pourvu que nous arrivions, pourvu que le cher trésor, mis en sûreté sur l'autel, soit repris par le genre humain qu'il doit sauver tôt ou tard. Sais-tu bien quel est ce trésor ? La liberté, la justice, la vérité, la raison. »

Quand on songe par quels degrés, quelles difficultés, quels obstacles, surgit toute grande pensée, on s'étonne moins de voir les humiliations, les bassesses où peut descendre, pour la sauver, celui qui l'eut une fois... Qui nous donnera de pouvoir suivre, des profondeurs à la surface, l'ascension d'une pensée ? Qui dira les formes confuses, les mélanges, les retards funestes qu'elle subit pendant des siècles ? Combien, de l'instinct au rêve, à la rêverie, et de là au clair-obscur poétique, elle a lentement cheminé ! Comme elle a erré longtemps entre les enfants et les simples, entre les poètes et les fols !... Et un matin cette folie s'est trouvée le bon sens de tous !... Mais cela ne suffit pas. Tous pensent, personne n'ose dire... Pourquoi ? Le courage manque donc ? Oui, mais pourquoi manque-t-il ? Parce que la vérité trouvée n'est pas assez nette encore ; il faut qu'elle brille en sa lumière, pour qu'on se dévoue pour elle... Elle éclate enfin, lumineuse, dans un génie, et elle le rend héroïque, elle l'embrasse de dévouement, d'amour et de sacrifice... Il la place sur son cœur, et va à travers les lions...

De là, ce spectacle étrange que je voyais tout à l'heure, cette farce sublime et terrible... Voyez, voyez, comme il a peur, comme il passe, humble et tremblant, comme il serre, il cache, il presse, ce je ne sais quoi qu'il porte... Ah ! ce n'est pas pour lui qu'il tremble... Peur glorieuse, peur héroïque !... Ne voyez-vous pas qu'il porte le salut du genre humain ?

Une seule chose m'inquiète... Quel est donc le lieu de refuge où l'on va cacher ce dépôt ? quel autel assez sacré pour garder le sacré trésor ? Et quel dieu est assez dieu pour protéger ce qui n'est autre chose que la pensée de Dieu même ?

Grands hommes qui portez ce dépôt du salut, d'un embrassement si tendre, comme une mère son enfant, prenez garde, je vous supplie, prenez bien garde à l'asile auquel vous le confiez... Craignez les idoles humaines, évitez les dieux de chair ou de bois, qui, loin de protéger les autres, ne peuvent se protéger...

Je vous vois tous, dès la fin du Moyen Age, du XIIIe au XVIe siècle, bâtir à l'envi, grandir ce sanctuaire de refuge : l'autel de la Royauté. Pour détrôner les idoles, vous érigez une idole... Vous lui offrez tout, l'or, l'encens, la myrrhe... A elle, la douce sagesse ; à elle, la tolérance, la liberté, la philosophie ; à elle, la raison dernière des sociétés : le Droit.

Comment cette divinité ne grandirait-elle pas ? Les plus puissants esprits du monde, poursuivis, chassés à mort par le vieux principe implacable, travaillent à élever toujours plus haut leur asile ; ils voudraient le porter au ciel... De là, une suite de légendes, de mythes, parés, amplifiés par tous les efforts du génie : au XIIIe - siècle, le *saint* roi, plus prêtre que le prêtre même, le roi *chevalier* au XVIe, le *bon* roi dans Henri IV, le roi-Dieu, Louis XIV.

SECONDE PARTIE

De l'ancienne monarchie

I

Dès 1300, je vois le grand poète gibelin qui, contre le pape, affermit, élève au niveau du soleil le colosse de César. L'*unité,* c'est le salut ; *un* monarque, un seul pour la terre. Puis, suivant à l'aveugle sa logique austère, inflexible, il établit que, plus ce monarque est grand, plus il est tout, plus il est Dieu, et moins on doit craindre qu'il n'abuse jamais de rien. S'il a tout, il ne désire point ; encore moins peut-il envier, haïr... Il est parfait, il est parfaitement, souverainement juste ; il gouverne précisément, comme la justice de Dieu.

Voilà la base de toutes les théories qu'on a depuis entassées pour appuyer ce principe : l'*unité,* et le résultat opposé de l'unité, *la paix...* Et depuis, nous n'avons eu presque jamais que des guerres.

Il faut creuser plus bas que Dante, découvrir et regarder dans la terre la profonde assise populaire où fut bâti le colosse.

L'homme a besoin de justice. Captif dans l'enceinte d'un dogme qui porte tout entier sur la grâce arbitraire de Dieu, il crut sauver la Justice dans une religion politique, se créa d'un homme un *Dieu de justice,* espérant que ce Dieu visible lui garderait la lumière d'équité qu'on avait obscurcie dans l'autre.

J'entends ce mot sortir des entrailles de l'ancienne France, mot tendre, d'accent profond : « Mon roi ! »

Il n'y a pas là de flatterie. Louis XIV jeune fut véritablement aimé de deux personnes, du peuple et de La Vallière.

C'est, dans ce temps, la foi de tous. Le prêtre même semble retirer son Dieu de l'autel, pour faire place au nouveau dieu. Les

Jésuites effacent Jésus de la porte de leur maison pour y mettre Louis-le-Grand. Je lis aux voûtes de la chapelle de Versailles : *Intrabit templum suum dominator.* Le mot n'avait pas deux sens ; la Cour ne connaissait qu'un Dieu.

L'évêque de Meaux craint que Louis XIV n'ait pas assez de foi en lui-même, il l'encourage : « O rois, exercez hardiment votre puissance, elle est divine... Vous êtes des dieux ! »

Dogme étonnant ! Et pourtant le peuple ne demandait qu'à le croire. Il souffrait tant des tyrannies locales que, des points les plus éloignés, il appelait le Dieu de là-bas, le Dieu de la Monarchie. Nul mal ne lui est imputé. Si ses gens en font, c'est qu'il est trop haut ou trop loin... « Si le roi savait !... »

C'est ici un trait singulier de la France. Ce peuple n'a compris longtemps la politique que comme dévouement et amour.

Amour robuste, obstiné, aveugle, qui fait un mérite à son Dieu de toutes ses imperfections. Ce qu'il y voit d'humain, loin de s'en choquer, il l'en remercie. Il croit qu'il en sera plus près de lui, moins fier, moins dur, plus sensible. Il sait gré à Henri IV d'aimer Gabrielle.

Cet amour de la royauté, au début de Louis XIV et de Colbert fut idolâtrie. L'effort du roi pour faire justice égale à tous, diminuer l'odieuse inégalité de l'impôt, lui donna le cœur du peuple. Colbert biffa quarante mille prétendus nobles, les mit à la taille. Il força les bourgeois notables de rendre compte enfin des finances des villes qu'ils exploitaient à leur profit. Les nobles des provinces qui, à la faveur du désordre, se faisaient barons féodaux, reçurent les visites formidables des envoyés du Parlement. La justice royale fut bénie pour sa rigueur. Le roi apparut terrible, dans ses *Grands Jours,* comme le Jugement dernier, entre le peuple et la noblesse, le peuple à droite, se serrant contre son juge, plein d'amour et de confiance...

« Tremblez, tyrans, ne voyez-vous pas que nous avons Dieu avec nous ? » C'est exactement le discours de ce simple peuple, qui croit avoir le roi pour lui. Il s'imagine voir déjà en lui l'ange de la Révolution, il lui tend les bras, l'invoque, plein de tendresse et d'espoir. Rien de plus touchant à lire, entre autres faits de ce genre, que le récit des *Grands Jours d'Auvergne,* le naïf espoir du peuple, le tremblement de la noblesse. Un paysan, parlant à un seigneur, ne s'était pas découvert ; le noble jette le chapeau par terre : « Si vous ne le ramassez, dit le paysan, les Grands Jours vont venir, le roi vous fera couper la tête... » Le noble eut peur et ramassa.

Grande, sublime position de la royauté !... Pourquoi faut-il qu'elle en soit descendue, que le juge de tous soit le juge *de quelques-uns,* que ce Dieu de la justice, comme celui des théologiens, ait voulu avoir des *élus* ?

Tant de confiance et d'amour !... Tout cela trompé.

Ce roi tant aimé fut dur pour le peuple. Cherchez partout, dans les livres, les tableaux, voyez-le dans ses portraits ; pas un mouvement, pas un regard ne révèle un cœur touché. L'amour d'un peuple, cette chose si grande, si rare, ce vrai miracle, n'a réussi qu'à faire de son idole un miracle d'égoïsme.

Il a pris l'adoration au mot, s'est cru un Dieu. Mais ce mot Dieu, il n'y a rien compris. Etre Dieu, c'est vivre pour tous... Lui, de plus en plus, il se fait le roi de la Cour ; ceux qu'il voit, ce petit nombre, cette bande de mendiants dorés qui l'assiègent, c'est son peuple. Divinité étrange, il a rétréci, étouffé un monde dans un homme, au lieu d'étendre et d'agrandir cet homme à la mesure d'un monde. Tout son monde aujourd'hui, c'est Versailles ; là même, cherchez bien ; si vous trouvez un lieu petit, obscur, un sombre cabinet, une tombe déjà ! c'est ce qu'il lui faut ; assez pour un individu.

II

J'approfondirai tout à l'heure l'idée dont vivait la France, le gouvernement de la grâce et la Monarchie paternelle. Cet examen sera fort avancé peut-être, si j'établis d'abord par preuves authentiques les résultats où ce système avait abouti à la longue ; l'arbre se juge sur les fruits.

D'abord on ne peut contester qu'il n'ait assuré à ce peuple la gloire d'une prodigieuse et incroyable patience. Lisez les voyageurs étrangers des deux derniers siècles, vous les voyez stupéfaits, en traversant nos campagnes, de leur misérable apparence, de la tristesse, du désert, de l'horreur, de la pauvreté, des sombres chaumières nues et vides, du maigre peuple en haillons. Ils apprennent là ce que l'homme peut endurer sans mourir, ce que personne, ni Anglais, ni Hollandais, ni Allemand n'aurait supporté.

Ce qui les étonne encore plus, c'est la résignation de ce peuple, son respect pour ses maîtres, laïques, ecclésiastiques, son attachement idolâtrique pour ses rois... Qu'il garde, parmi de telles souffrances, tant de patience et de douceur, de bonté, de docilité, si peu de rancune pour l'oppression, c'est là un étrange mystère. Il s'explique peut-être en partie par l'espèce de philosophie insouciante, la facilité trop légère avec laquelle le Français accueille le mauvais temps ; le beau viendra tôt ou tard ; la pluie aujourd'hui, demain le soleil... Il n'en veut pas à la pluie.

La sobriété française aussi, cette qualité éminemment militaire, aidait à la résignation. Nos soldats, en ce genre, comme en tout autre, ont montré la limite de la force humaine. Leurs jeûnes, dans les marches pénibles, dans les travaux excessifs, auraient effrayé les fainéants solitaires de la Thébaïde, les Antoine et les Pacôme.

Il faut apprendre du maréchal de Villars comment vivaient les armées de Louis XIV : « Plusieurs fois, nous avons cru que le pain manquerait absolument, et puis, par des efforts, on en a fait arriver pour un demi-jour. On gagne le lendemain en jeûnant. Quand M. d'Artagnan a marché, il a fallu que les brigades qui ne marchaient pas jeûnassent... C'est un miracle que nos subsistances, et une merveille que la vertu et la fermeté des soldats... *Panem nostrum da nobis hodie,* me disent-ils quand je parcours les rangs, après qu'ils n'ont plus que le quart et que la demi-ration. Je les encourage, je leur fais des promesses ; ils se contentent de plier les épaules, et me regardent d'un air de résignation qui m'attendrit... « M. le Maréchal a raison, disent-ils, il faut savoir souffrir quelquefois. »

Patience ! vertu ! résignation ! Peut-on n'être pas touché, en retrouvant ces traces de la bonté de nos pères ?

Qui me donnera le pouvoir de faire l'histoire de leurs longues souffrances, de leur douceur, de leur modération ? Elle fit longtemps l'étonnement, parfois la risée de l'Europe : grand amusement pour les Anglais de voir ce soldat maigre et presque nu, gai pourtant, aimable et bon pour ses officiers, faisant sans murmure des marches immenses, et, s'il ne trouve rien le soir, soupant de chansons.

Si la patience mérite le ciel, ce peuple aux deux derniers siècles a vraiment dépassé tous les mérites des saints. Mais comment en faire la légende ?... Les traces en sont fort éparses. La misère est un fait général, la patience à la supporter une vertu chez nous si commune que les historiens les remarquent rarement. L'histoire manque d'ailleurs au XVIIIe siècle ; la France, après le cruel effort des guerres de Louis XIV, souffre trop pour se raconter. Plus de Mémoires ; personne n'a le courage d'écrire sa vie individuelle ; la vanité même se tait, n'ayant que de la honte à dire. Jusqu'au mouvement philosophique, ce pays est silencieux, comme le palais désert de Louis XIV, survivant à sa famille, comme la chambre du mourant qui gouverne, le vieux cardinal Fleury.

L'histoire de cette misère est d'autant moins aisée à faire que les époques n'en sont pas, comme ailleurs, marquées par des révoltes. Elles n'ont été plus rares chez aucun peuple... Celui-ci aimait ses maîtres ; il n'a pas eu de révolte, rien qu'une Révolution.

C'est de ses maîtres mêmes, rois, princes, ministres, prélats, magistrats, intendants, que nous allons apprendre les extrémités où il était parvenu. Ce sont eux qui vont caractériser le régime sous lequel on tenait le peuple.

Le chœur lugubre où ils semblent venir tous, l'un après l'autre raconter la mort de la France s'ouvre par Colbert en 1681 : « On ne peut plus aller », dit-il, et il meurt. On va pourtant, car on chasse un demi-million d'hommes industrieux vers 1685, et l'on en tue encore plus dans une guerre de trente années. Mais combien, grand Dieu ! il en meurt davantage de misère !

Dès 1698, le résultat est visible. Les intendants eux-mêmes, qui font le mal, le révèlent, le déplorent. Dans les mémoires qu'on leur demande pour le jeune duc de Bourgogne, ils déclarent que tel pays a perdu le quart de ses habitants, tel le tiers, tel la moitié. Et la population ne se répare pas ; le paysan est si misérable que ses enfants sont tous faibles, malades, ils ne peuvent vivre.

Suivons bien le cours des années. Cette époque déplorable de 1698 devient un objet de regret. Alors, nous dit un magistrat, Boisguillebert, alors « il y avait encore de l'huile dans la lampe. Aujourd'hui (1707), tout a pris fin, faute de matière... » Mot lugubre, et il ajoute un mot menaçant, on se croirait déjà en 89 : « Le procès va rouler maintenant entre ceux qui paient et ceux qui n'ont de fonction que recevoir. »

Le précepteur du petit-fils de Louis XIV, l'archevêque de Cambrai, n'est pas moins révolutionnaire que le petit juge normand : « Les peuples ne vivent plus en hommes, il n'est plus permis de compter sur leur patience. La vieille machine achèvera de se briser au premier choc... On n'oserait envisager le bout de ses forces, auquel on touche ; tout se réduit à fermer les yeux et à ouvrir la main pour prendre toujours... »

Louis XIV meurt enfin, on remercie Dieu. Voici heureusement le régent, ce bon duc d'Orléans qui, si Fénelon vivait, le prendrait pour conseiller ; il imprime le *Télémaque* ; la France sera une Salente. Plus de guerre. Nous sommes maintenant les amis de l'Angleterre ; nous lui livrons notre commerce, notre honneur, jusqu'à nos secrets d'Etat. Qui croirait qu'en pleine paix, pour sept années seulement, ce prince aimable trouve moyen d'ajouter aux deux milliards et demi de dettes que laisse Louis XIV, *sept cent cinquante millions* de plus ? Le tout, payé net... en papier.

« Si j'étais sujet, disait-il, je me révolterais à coup sûr. » Et comme on lui disait qu'en effet une émeute allait avoir lieu, il dit : « Le peuple a raison, il est bien bon de tant souffrir ! »

Fleury est aussi économe que le régent fut prodigue. La France se refait-elle ? J'en doute, quand je vois qu'en 1739 on présente à Louis XV le pain que mangeait le peuple, du pain de fougère. L'évêque de Chartres lui dit que, dans son diocèse les hommes broutaient avec les moutons. Ce qui peut-être est plus fort, c'est que M. d'Argenson (un ministre), parlant des souffrances du temps, lui oppose *le bon temps*. Devinez lequel ? Celui du régent et de M. le duc, le temps où la France, éreintée par Louis XIV, et n'étant plus qu'une plaie, y applique pour remède la banqueroute de trois milliards.

Tout le monde voit venir la crise. Fénelon le dit, dès 1709 : « La vieille machine se brisera au premier choc. » Elle ne se brise pas encore. La maîtresse de Louis XV, Mme de Châteauroux, vers 1743 : « Il y aura un grand bouleversement, je le vois, si l'on n'y apporte remède. » Oui, madame, tout le monde le voit, et le roi, et celle qui vous succède, Mme de Pompadour, et les économistes, et les philosophes, et les étrangers, tout le monde. Tous admirent la longanimité de ce peuple ; c'est Job entre les nations. O douceur, ô patience... Walpole en rit, moi j'en pleure. Il aime encore, ce peuple infortuné ! Il croit encore, il s'obstine à espérer. Il attend toujours un sauveur ; et quel ? Son dieu-homme, son roi.

Risible, touchante idolâtrie... Ce roi, ce dieu, que fera-t-il ? Il n'a ni la volonté forte, ni le pouvoir peut-être, de guérir le mal profond, invétéré, universel, qui ronge cette société, qui l'altère et qui l'affame, qui a bu ses veines et séché ses os.

Ce mal c'est que, du plus haut au plus bas, elle est organisée pour produire de moins en moins, et payer de plus en plus. Elle ira toujours grandissant, donnant, après le sang, la moelle, et il n'y aura pas de fin, jusqu'à ce qu'ayant atteint le dernier souffle vital, au point de le perdre, les convulsions de l'agonie la relèvent, remettent sur ces jambes ce corps faible et pâle... Faible ?... redevenu peut-être fort par la fureur !

Creusons, s'il vous plaît, ce mot : *Produisant de moins en moins.* Il est exact à la lettre.

Dès Louis XIV, les aides pèsent déjà tellement, qu'à Mantes, à Etampes et ailleurs, on arrache toutes les vignes.

Le paysan n'ayant point de meubles à saisir, le fisc n'a nul objet de saisie que le bétail ; il extermine peu à peu. Plus d'engrais. La culture des céréales, étendue au XVIIe siècle par d'immenses défrichements, se restreint au XVIIIe. La terre ne peut plus réparer ses forces génératrices, elle jeûne, elle s'épuise ; comme le bétail a fini, la terre semble finir elle-même.

Non seulement la terre produit moins, mais on cultive moins de terre. Elle ne vaut plus la peine, dans bien des lieux, d'être cultivée. Les grands propriétaires, las de faire aux métayers des avances qui ne rentrent plus, négligent la terre qui voudrait de coûteux amendements. Le pays cultivé se resserre, le désert s'étend. On parle d'agriculture, on écrit sur l'agriculture, on fait des livres, des essais coûteux, des cultures paradoxales. Et la culture, sans secours, sans bestiaux, devient sauvage. Les hommes s'attellent à la charrue, et les femmes, et les enfants. Ils cultiveraient avec les ongles, si nos anciennes lois ne défendaient au moins le soc, le pauvre et dernier outil qui ouvre le sein de la terre. Comment s'étonner que les récoltes maigrissent, avec ce maigre laboureur, que la terre pâtisse et refuse ? L'année ne nourrit plus l'année. A mesure qu'on avance vers 1879, la nature accorde moins. Comme la bête trop fatiguée qui ne veut plus avancer, qui aime mieux se coucher et mourir, elle attend et ne produit plus. La liberté n'est pas seulement la vie de l'homme, c'est celle de la nature.

III

Ne dites pas que la nature soit jamais devenue marâtre. Ne croyez pas que Dieu ait détourné de la terre son fécond regard. Elle est toujours, cette terre, la bonne mère nourrice qui ne demande qu'à aider l'homme ; stérile, ingrate à la surface, elle l'aime intérement.

Mais c'est l'homme qui n'aime plus, l'homme qui est ennemi de l'homme. La malédiction qui pèse sur lui, c'est la sienne, celle de l'égoïsme et de l'injustice, le poids d'une société injuste. Qui accusera-t-il ? Ni la nature, ni Dieu, mais lui-même, mais son œuvre, ses idoles, les dieux qu'il s'est faits.

Il a promené de l'un à l'autre son idolâtrie. A ces dieux de bois, il a dit : « Protégez-moi, soyez mes sauveurs... » Il l'a dit aux prêtres, il l'a dit aux nobles, il l'a dit au roi... Ah ! pauvre homme, sauve-toi toi-même.

Il les aimait, c'est son excuse ; elle explique son aveuglement. Comme il aimait, comme il croyait ! Quelle foi naïve au *bon Seigneur,* au *cher saint homme de Dieu !* Comme écrasé, foulé par eux, il s'obstinait à mettre en eux ses vœux et ses espérances !... Toujours mineur, toujours enfant, il trouvait je ne sais quelle douceur filiale à ne rien réserver contre eux, à leur abandonner tout le soin de son avenir. « Je n'ai rien, je suis un pauvre homme ; mais je suis l'homme du baron, du beau château qui est là-bas. » Ou bien : « J'ai l'honneur d'être serf de ce fameux monastère. Je ne puis pas manquer jamais. »

Va maintenant, va, bon homme, au jour de ta nécessité, va, frappe à leur porte.

Au château ? mais la porte est close, la grande table, où tous s'assirent, n'a pas servi depuis longtemps, la cheminée est froide, ni feu, ni fumée. Le seigneur est à Versailles. Il ne t'oublie pas pourtant. Il a laissé ici pour toi le procureur et l'huissier.

Eh bien ! j'irai au monastère. Cette maison de charité n'est-elle pas celle du pauvre ?... L'Église me dit tous les jours : « Dieu a tant aimé le monde !... Il s'est fait homme, il s'est fait aliment pour nourrir l'homme ! L'Église n'est rien, ou elle est la charité divine réalisée sur la terre. »

Frappe, frappe, pauvre Lazare ! tu resteras là longtemps. Tu ne sais donc pas que l'Église est maintenant retirée du monde, que toutes ces affaires de pauvres et de charité ne la regardent plus ? Elle eut deux choses au Moyen Age, des biens et des fonctions, dont elle était fort jalouse ; plus équitable au temps moderne, elle a fait deux parts ; les biens, elle les a gardés ; les fonctions, hôpitaux, aumônes, patronage du pauvre, toutes ces choses qui la mêlaient trop aux soins d'ici-bas, elle les a généreusement remises à la puissance laïque.

Elle a des devoirs qui l'absorbent, celui principalement de défendre jusqu'à la mort ces pieuses fondations dont elle est dépositaire, de n'en rien laisser dépérir, de les transmettre toujours augmentées. Là, elle est vraiment héroïque, prête au martyre, s'il le faut. En 1788, l'État obéré, aux abois, ne sachant plus que prendre à un peuple ruiné, s'adresse suppliant au clergé, le prie de payer l'impôt. Sa réponse est admirable, digne de mémoire : « Non, *le peuple* de France n'est pas imposable à volonté. »

Invoquer le nom du peuple pour se dispenser de venir en aide au peuple ! Dernier point, vraiment sublime, où devait monter la sagesse pharisienne ! Vienne maintenant 89 ! Ce clergé peut mourir, il n'irait jamais plus loin ; il a la consolation, si rare pour les mourants, d'avoir été au bout de ses voies.

IV

Le peuple au XVIIIe siècle n'espère rien du patronage, qui le soutint en d'autres temps, ni du clergé, ni de la noblesse. Ils ne feront rien pour lui. C'est au roi qu'il croit encore, il reporte au petit Louis XV sa foi et son besoin d'aimer. Celui-ci, reste unique d'une si grande famille, sauvé comme le petit Joas, il est sauvé apparemment pour qu'il sauve lui-même les autres. On pleure à le voir, cet enfant !... Que de mauvaises années se passent ! On attend, on espère toujours ; cette minorité, cette longue tutelle de vingt ou trente ans finira.

Quand on apprit à Paris que Louis XV, parti pour l'armée, était resté malade à Metz, c'était la nuit. « On se lève, on court en tumulte, sans savoir où l'on va ; les églises s'ouvrent en pleine nuit... On s'assemblait dans les carrefours, on s'abordait, on s'interrogeait sans se connaître. Il y eut plusieurs églises où le prêtre qui prononçait la prière pour la santé du roi interrompit le chant par ses pleurs, et le peuple lui répondit par ses sanglots et par ses cris... Le courrier qui apporta la nouvelle de sa convalescence fut embrassé et presque étouffé ; on baisait son cheval, on le menait en triomphe... Toutes les rues retentissaient d'un cri de joie. « Le roi est guéri ! »

Ceci en 1774. Louis XV est nommé le *Bien-Aimé*.

Dix ans passent. Le même peuple croit que le Bien-Aimé prend des bains de sang humain, que, pour rajeunir son sang épuisé, il se plonge dans le sang des enfants. Un jour que la police, selon son habitude atroce, enlevait des hommes, des enfants errants dans les rues, des petites filles (surtout les jolies), les mères poussent des cris affreux, le peuple s'assemble, une émeute éclate. Dès ce moment, le roi ne vint jamais à Paris. Il ne le traversait guère que pour aller de Versailles à Compiègne. Il fit faire à la hâte une route qui évitait Paris, dispensait le roi de voir son peuple. Cette route s'appelle encore le chemin de la Révolte.

Ces dix années sont la crise même du siècle (1744-1754). Le roi, ce dieu, cette idole, devient un objet d'horreur. Le dogme de l'incarnation royale périt sans retour.

Et à la place s'élève la royauté de l'esprit. Montesquieu, Buffon, Voltaire publient dans ce court intervalle leurs grandes œuvres : Rousseau commence la sienne.

L'unité reposait jusque-là sur l'idée d'incarnation, religieuse ou politique. Il fallait un dieu humain, un dieu de chair, pour unir l'Église ou l'État. L'humanité, faible encore, plaçait son union dans un signe, un signe visible, vivant, un homme, un individu. Désormais, l'unité plus pure, dispensée de cette condition matérielle, sera dans l'union des cœurs, la communauté de l'esprit, le profond mariage de sentiments et d'idées qui se fait de tous avec tous.

Ces grands docteurs de la nouvelle Église, dissidents encore dans les choses secondaires, s'accordent admirablement en deux choses essentielles, qui font le génie du siècle et celui de l'avenir.

1. L'esprit est libre chez eux des formes de l'incarnation ; ils le dégagent de ce vêtement de chair qu'il a porté si longtemps.

2. L'esprit pour eux n'est pas seulement lumière, il est chaleur, il est amour, l'ardent amour du genre humain. L'amour en soi, et non soumis à tel dogme, à telle condition de politique religieuse. La *charité* du Moyen Age, esclave de la théologie, a trop aisément suivi son impérieuse maîtresse ; trop docile, en vérité, conciliante, jusqu'à admettre tout ce qu'admettrait la haine. Qu'est-ce que la charité qui fait la Saint-Barthélemy, allume les bûchers, organise l'Inquisition ?

En écartant de la religion le caractère charnel, repoussant l'incarnation religieuse, ce siècle, d'abord timide dans son audace, reste longtemps charnel en politique, il voudrait pouvoir respecter l'incarnation royale, employer le roi, ce dieu homme, au bonheur des hommes. C'est la chimère des philosophes et des économistes, des Voltaire et des Turgot, de faire la Révolution par le roi.

Rien de plus curieux que de voir l'idole disputée par les deux partis. Les philosophes tirent à droite, les prêtres à gauche. Qui l'emportera ? Les femmes. Ce dieu est un dieu de chair.

Celle qui le retient vingt années, née Poisson, dame Pompadour, voudrait d'abord, contre la Cour, se faire un appui du public. Les philosophes sont mandés, Voltaire fait l'histoire du roi, des poèmes, des drames pour le roi ; d'Argenson devient ministre ; le contrôleur général, Machault, demande un état des biens ecclésiastiques... Ce coup réveille le clergé. Contre une femme, les Jésuites ne s'amusent pas à discourir ; ils opposent une femme, et triomphent... Quelle ? La propre fille du roi... Ici, il faudrait Suétone. Ces choses ne s'étaient guère vues, depuis les douze Césars.

Voltaire fut chassé, et d'Argenson, et plus tard, Machault. La Pompadour plia, communia, se mit aux pieds de la reine. Cependant, elle préparait une infâme et triste machine, par où elle reprit le roi, et le garda jusqu'à sa mort : un sérail, qu'on recrutait par des enfants achetées.

Là, s'éteignit Louis XV. Le dieu de chair abdiqua tout souvenir de l'esprit.

Fuyant Paris, fuyant son peuple, toujours isolé à Versailles, il y trouve trop d'hommes encore, trop de jour. Il lui faut l'ombre, les bois, la chasse, le secret de Trianon, ou son couvent du Parc-aux-Cerfs. Chose étrange, inexplicable, que ces amours, ces ombres du moins, ces images de l'amour ne puissent amollir son cœur ! Il achète les filles du peuple ; par elles, il vit avec le peuple, il en reçoit les caresses enfantines, en prend le langage. Et il reste l'ennemi du peuple, dur, égoïste, sans entrailles ; de roi, il se fait trafiquant de blé, spéculateur en famine...

Dans cette âme, si bien morte, une chose restait vivante : la peur de mourir. Sans cesse, il parlait de mort, de convoi, de funérailles. Il pressentait souvent celles de la Monarchie. Qu'elle vécût autant que lui, il n'en voulait pas davantage.

Dans une année de disette (elles n'étaient pas rares alors), il chassait à son ordinaire, dans la forêt de Sénart. Il rencontre un paysan qui portait une bière et demande : « Où portez-vous cela ? » — « A tel lieu. » — « Pour un homme ou une femme ? » — « Un homme. » — « De quoi est-il mort ? » — « De faim. »

V

Cet homme mort, c'est la vieille France ; cette bière c'est le cercueil de l'ancienne Monarchie. Mettons-y bien pour toujours les songes dont nous fûmes bercés, la royauté paternelle, le gouvernement de la grâce, la clémence du monarque et la charité du prêtre, la confiance filiale, l'abandon aux dieux d'ici-bas...

La fiction de ce vieux monde, la légende trompeuse qu'il eut toujours à la bouche, c'était de mettre l'*amour à la place de la loi.*

S'il peut renaître, ce monde presque anéanti au nom de l'Amour, meurtri par la Charité, navré par la Grâce, il renaîtra par la Loi, la Justice et l'Équité.

Blasphème ! ils avaient opposé la Grâce à la Loi, l'Amour à la Justice... Comme si la grâce injuste pouvait être encore la grâce, comme si ces choses que notre faiblesse divise n'étaient pas deux aspects du même, la droite et la gauche de Dieu.

Ils ont fait de la Justice une chose négative, qui défend, prohibe, exclut, un poteau pour arrêter, un couteau pour égorger... Ils ne savent pas que la Justice c'est l'œil de la Providence. L'amour, aveugle chez nous, clairvoyant en Dieu, voit par la Justice. Regard vital et fécond. Une force prolifique est dans la Justice de Dieu. Toutes les fois qu'elle touche la terre, celle-ci est heureuse, elle enfante. Le soleil et la rosée n'y suffisent, il faut la Justice. Qu'elle vienne, et les moissons viennent. Des moissons d'hommes et de peuples vont sourdre, germer, fleurir, au soleil de l'équité.

Un jour de Justice un seul, qu'on appelle la Révolution, a produit dix millions d'hommes.

Mais qu'elle paraît loin encore au milieu du XVIIIe siècle, reculée et impossible... Car avec quoi la ferai-je ? tout finit autour de moi. Pour bâtir, il faudrait des pierres, de la chaux et du ciment, et j'ai les mains vides. Les deux sauveurs de ce peuple, le prêtre et le roi, l'ont perdu, au point qu'on ne sait plus où prendre de quoi le faire revenir. Plus de vie féodale, ni de vie municipale ; perdue dans la royauté. Plus de vie religieuse, éteinte avec le clergé. Hélas ! pas même de légendes locales, de traditions nationales, plus de ces heureux préjugés qui font la vie du peuple enfant. Ils ont tout détruit chez lui, jusqu'à ses erreurs. Le voilà dénué et vide, table rase ; l'avenir écrira ce qu'il pourra.

Esprit pur, dernier habitant de ce monde détruit, héritier universel de toutes ces puissances éteintes, comment vas-tu nous ramener à la seule qui fasse vivre ? Comment nous rendras-tu la Justice et l'idée du droit ?

Tu ne vois rien ici qu'obstacles, vieilles ruines qu'il faut ruiner encore, mettre en poudre et passer outre. Rien n'est debout, rien n'est vivant. Quoi que tu fasses, au moins, tu auras la consolation de n'avoir tué que des morts.

Le procédé de l'esprit pur est celui même de Dieu, l'art de Dieu est son art. Sa construction est trop profondément harmonique au-dedans pour le paraître au-dehors. Ne cherchez pas ici les droites et les angles, les lignes rigides de vos bâtiments de pierre et de marbre. Dans un organisme vivant, l'harmonie, bien autrement forte, est surtout au fond des organes.

D'abord que ce monde nouveau ait la vie matérielle ; donnons-lui pour commencement, pour première assise, la colossale *Histoire naturelle ;* mettons l'ordre dans la nature ; pour elle, l'ordre c'est la Justice.

Mais l'ordre est impossible encore. De la nature qui bouillonne et s'anime, comme au réveil de l'Etna, flamboie un volcan immense. Toute science et tout art en éclatent... Une masse reste, l'éruption faite, mêlée de scories et d'or, masse énorme : l'*Encyclopédie.*

Voilà deux âges du jeune monde, deux jours de la création. L'ordre manque et l'unité manque. Créons l'homme, l'unité du monde, et qu'avec lui l'ordre vienne, et celle que nous attendons, cette désirée lumière de la Justice divine.

L'homme apparaît sous trois figures : Montesquieu, Voltaire et Rousseau. Trois interprètes du Juste.

Notons la Loi, cherchons la Loi ; peut-être la trouverons-nous cachée en quelque coin du globe. Peut-être est-il un climat favorable à la Justice, une terre meilleure qui d'elle-même porte le fruit de l'équité. Le voyageur, le chercheur, qui va la demandant par toute la terre, c'est le calme et grand Montesquieu. Mais la Justice fuit devant lui ; elle reste mobile et relative ; la Loi pour lui, c'est un rapport, loi abstraite et non vivante. Elle ne guérira pas la vie.

Montesquieu peut s'y résigner, non Voltaire. Voltaire est celui qui souffre, celui qui a pris pour lui toutes les douleurs des hommes, qui ressent, poursuit toute iniquité. Tout ce que le fanatisme et la tyrannie ont jamais fait de mal au monde, c'est à Voltaire qu'ils l'ont fait. Martyr, victime universelle, c'est lui qu'on égorgea à la Saint-Barthélemy, lui qu'on enterra aux mines du Nouveau-Monde, lui qu'on brûla à Séville, lui que le Parlement de Toulouse roua avec Calas... Il pleure, il rit dans les souffrances, rire terrible, auquel s'écroulent les bastilles des tyrans, les temples des Pharisiens.

Et s'écroulent en même temps toutes les petites barrières ou s'enfermait chaque Église, se disant universelle et voulant faire périr les autres. Elles tombent devant Voltaire, pour faire place à l'Église *humaine,* à la catholique Église qui les recevra, les contiendra toutes dans la Justice et dans la Paix.

Voltaire est le témoin du Droit, son apôtre et son martyr. Il a tranché la vieille question posée dès l'origine du monde : « Y a-t-il religion sans Justice, sans humanité ? »

VI

Montesquieu écrit, interprète le droit. Voltaire pleure et crie pour le droit. Et Rousseau le fonde.

Beau moment, où surprenant Voltaire accablé d'un nouveau malheur, le désastre de Lisbonne, Voltaire aveugle de larmes, et ne voyant plus le ciel, Rousseau le relève, lui rend Dieu et, sur les ruines du monde, proclame la Providence.

Car c'est bien plus que Lisbonne, c'est le monde qui s'écroule. La religion et l'Etat, les mœurs et les lois, tout périt... Et la famille, où est-elle ? l'amour ? l'enfant même, l'avenir ?... Oh ! que faut-il penser d'un monde où finit l'amour maternel ?

Et c'est toi, pauvre ouvrier, ignorant, seul, abandonné, haï des philosophes, haï des dévots, toi, malade en plein hiver, mourant sur la neige, dans ton pavillon tout ouvert de Montmorency, toi qui veux résister seul, écrire (l'encre gèle à ta plume), réclamer contre la mort.

Est-ce donc avec ton épinette et ton *Devin du Village,* pauvre musicien, que tu vas nous refaire un monde ?... Tu avais un filet de voix, de l'ardeur, une chaude parole, quand tu arrivas à Paris, riche de ton Pergolèse, de musique et d'espérance. Il y a déjà longtemps, tu as bientôt un demi-siècle, tu es vieux, tout est fini... Que parles-tu de renaissance à cette société mourante, quand toi-même tu n'es plus ?

Oui, c'était vraiment difficile, même pour un homme moins cruellement maltraité du sort, de tirer le pied du sable mobile, de la boue profonde, où tout allait s'enfonçant.

Où prit-il son point d'appui, l'homme fort qui, frappant du pied, s'arrêta, tint ferme ?... Et tout s'arrêta.

Où il le prit, ô monde infirme, hommes faibles et malades qui le demandez, ô fils oublieux de Rousseau et de la Révolution ?

Il le prit en ce qui chez vous a trop défailli... Dans son cœur. Il lut au fond de sa souffrance, il y lut distinctement ce que le Moyen Age n'a jamais pu lire : *Un Dieu juste...* Et ce qu'a dit un glorieux enfant de Rousseau : « *Le droit est le souverain du monde.* »

Ce mot magnifique n'est dit qu'à la fin du siècle ; il en est la révélation, la formule profonde et sublime.

Rousseau l'a dite par un autre, par Mirabeau. Et elle n'en est pas moins le fond du génie de Rousseau. Du moment qu'il s'est arraché de la fausse science du temps, d'une société non moins fausse, vous la voyez poindre dans ses écrits, cette belle lumière : le Devoir, le Droit !

Elle brille avec tout son éclat, sa douce et féconde puissance, dans la *Profession de Foi du Vicaire savoyard.* Dieu même soumis à la Justice, Dieu sujet du Droit ! Disons mieux : Dieu et Droit sont identiques.

Si Rousseau eût parlé dans les termes de Mirabeau, sa parole n'eût pas agi. Autres temps, autres besoins. A un monde prêt pour agir le jour même de l'action, Mirabeau dit : « Le droit est le souverain du monde », vous êtes les sujets du droit. A un monde endormi encore, faible, inerte et sans élan, Rousseau dit et devait dire : « La volonté, c'est le Droit et la Raison. » Votre volonté, c'est le Droit. Réveillez-vous donc, esclaves !

« Votre volonté collective, c'est la Raison elle-même. » Autrement dit : Vous êtes Dieux.

Et qui donc, sans se croire Dieu, pourrait faire aucune grande chose ?... C'est ce jour-là que vous pouvez, tranquille, passer le pont d'Arcole ; c'est ce jour, qu'on s'arrache, au nom du devoir, son plus cher amour, son cœur...

Soyons Dieu ! L'impossible devient possible et facile... Alors, renverser un monde, c'est peu ; mais on crée un monde.

Et voilà ce qui explique pourquoi ce faible souffle sorti d'une poitrine d'homme, cette mélodie échappée du cœur du pauvre musicien, nous ressuscita.

La France est remuée en ses profondeurs. L'Europe en est toute changée. La vaste, la massive Allemagne tressaille sur ses vieux fondements. Ils critiquent, mais obéissent... « Sentimentalité pure », disent-ils en tâchant de sourire. Ils n'en suivent pas moins, ces rêveurs. Les philosophes, eux-mêmes, les abstracteurs de quintessence, vont, malgré eux, par la voie simple du pauvre Vicaire savoyard.

Et que s'est-il donc passé ? Quelle lumière divine a donc lui, pour faire un si grand changement ? Est-ce la force d'une idée, d'une inspiration nouvelle, d'une révélation d'en haut ?... Oui, il y a eu révélation. Mais la nouveauté des doctrines n'est pas ce qui agit le plus. Il y a ici un phénomène plus étrange, plus mystérieux, une influence que ressentent ceux même qui ne lisent pas, qui ne pourraient jamais comprendre. On ne sait d'où cela vient, mais depuis que cette parole ardente s'est répandue dans les airs, la température a changé, c'est comme si une tiède haleine avait soufflé sur le monde ; la terre commence à porter des fruits qu'elle n'eût donnés jamais.

Qu'est-ce cela ? Si vous voulez que je vous le dise ? C'est ce qui trouble et fond les cœurs, c'est un souffle de jeunesse ; voilà pourquoi nous cédons tous. Vous nous prouveriez en vain que cette parole est trop souvent faible, ou forcée, parfois d'un sentiment vulgaire. La jeunesse est telle, telle la passion. Tels nous fûmes, et si parfois nous retrouvons là les faiblesses de notre jeune âge, nous n'y ressentons que mieux le charme doux et amer du temps qui ne reviendra plus.

Chaleur, mélodie pénétrante, voilà la magie de Rousseau. Sa force, comme elle est dans l'*Emile* et le *Contrat social,* peut être discutée, combattue. Mais par ses *Confessions,* ses *Rêveries,* par sa faiblesse, il a vaincu ; tous ont pleuré.

Les génies étrangers, hostiles, ont pu repousser la lumière ; mais ils ont subi la chaleur. Ils n'écoutaient pas la parole ; la musique les subjuguait... Les dieux de l'harmonie profonde, rivaux de l'orage, qui tonnaient du Rhin aux Alpes, ont eux-mêmes ressenti l'incantation toute-puissante de la douce mélodie, de la simple voix humaine, du petit chant matinal, chanté pour la première fois sous la vigne des Charmettes.

Cette jeune et touchante voix, cette mélodie du cœur, on l'entend, quand ce cœur si tendre est depuis longtemps dans la terre. Les *Confessions,* qui paraissent après la mort de Rousseau, semblent un soupir de la tombe. Il revient, il ressuscite, plus puissant, plus admiré, plus adoré que jamais.

Ce miracle, il l'a de commun avec son rival, Voltaire. Rival ? Non. Ennemi ? Non... Qu'ils soient à jamais sur le même piédestal, les deux apôtres de l'humanité.

Voltaire, presque octogénaire, enterré aux neiges des Alpes, brisé d'âge et de travaux, ressuscite aussi pourtant. La grande pensée du siècle, inaugurée par lui, doit être fermée par lui ; celui qui ouvrit le premier doit reprendre et finir le chœur. Glorieux siècle ! qu'il mérite d'être appelé à jamais l'âge héroïque de l'esprit. Voici un vieillard au bord du tombeau, il a vu passer les autres, Montesquieu, Diderot, Buffon ; il a assisté au violent succès de Rousseau, trois livres en trois ans... « Et la terre s'est tue... » Voltaire n'est point découragé ; le voici qui entre, vif et jeune, dans une carrière nouvelle... Où donc est le vieux Voltaire ? Il était mort. Mais une voix l'a tiré, vivant, du tombeau, celle qui l'avait toujours fait vivre : la voix de l'humanité.

Vieil athlète, à toi la couronne !... Te voici encore, vainqueur des vainqueurs ! Un siècle durant, par tous les combats, par toute arme et toute doctrine (opposée, contraire, n'importe), tu as poursuivi, sans te détourner jamais, un intérêt, une cause, l'humanité sainte... Et ils t'ont appelé sceptique ! et ils t'ont dit variable ! ils ont cru te surprendre aux contradictions apparentes d'une parole mobile qui servait la même pensée !

Ta foi aura pour sa couronne l'œuvre même de la foi. Les autres ont dit la Justice, toi, tu la feras ; tes paroles sont des actes, des réalités. Tu défends Calas et La Barre, tu sauves Sirven, tu brises l'échafaud des protestants. Tu as vaincu pour la liberté religieuse, et tout à l'heure, pour la liberté civile, avocat des derniers serfs, pour la réforme de nos procédures barbares, de nos lois criminelles qui elles-mêmes étaient des crimes.

Tout cela, c'est déjà la Révolution qui commence. Tu la fais, et tu la vois... Regarde, pour ta récompense, regarde ; la voilà là-bas ! Maintenant, tu peux mourir ; ta ferme foi t'a valu de ne point partir d'ici-bas avant d'avoir vu la terre sainte.

VII

Quand ces deux hommes ont passé, la Révolution est faite, dans la haute région des esprits.

A leurs fils maintenant, légitimes, illégitimes, de la divulguer, la répandre, en cent manières, tel en verbeuse éloquence, tel en ardente satire. Tel autre en fondra des médailles de bronze pour passer de main en main. Les Mirabeau, les Beaumarchais, les Raynal et les Mably, les Sieyès vont faire leur œuvre.

La Révolution est en marche, toujours Rousseau, Voltaire en tête. Les rois eux-mêmes à la suite, les Frédéric, les Catherine, les Joseph, les Léopold ; c'est la cour des deux chefs du siècle... Régnez, grands hommes, vrais rois du monde, régnez, ô mes rois !...

Tous paraissent convertis, tous veulent la Révolution ; chacun, il est vrai, la veut, non pour soi, mais pour les autres. La noblesse la ferait volontiers sur le clergé, le clergé sur la noblesse.

Turgot est leur épreuve à tous ; il les appelle à dire s'ils veulent vraiment s'amender. Tous disent unanimement : « Non... Que ce qui doit se faire se fasse ! »

En attendant, je vois la Révolution partout, dans Versailles même. Tous l'admettent, jusqu'à telle limite, où elle ne les blessera pas. Louis XVI jusqu'aux plans de Fénelon et du duc de Bourgogne, le comte d'Artois jusqu'à Figaro ; il force le roi de laisser jouer le terrible drame. La reine veut la Révolution, chez elle au moins, pour les parvenus ; cette reine, sans préjugés, met les grandes dames à la porte, pour garder sa belle amie, Mme de Polignac.

L'*emprunteur* Necker tue lui-même les emprunts en publiant la misère de la Monarchie. Révolutionnaire par la publicité, il croit l'être par ses petites assemblées provinciales, où les privilégiés diront ce qu'il faut ôter aux privilégiés.

Le spirituel Calonne vient ensuite, et ne pouvant, en crevant la caisse publique, soûler les privilégiés, il prend son parti, les accuse, les livre à la haine du peuple.

Il a fait la Révolution contre les notables. Loménie, prêtre philosophe, la fait contre les parlements.

Calonne dit un mot admirable, quand il avoua le déficit, montra le gouffre qui s'ouvrait : « Que reste-t-il pour le combler ? *Les abus.* »

C'était clair pour tous. La seule chose qui le fût moins, c'était de savoir si Calonne ne parlait pas au nom *du premier des abus,* de celui qui soutenait tous les autres, qui faisait la clé de voûte du triste édifice ?... En deux mots, ces abus, dénoncés par l'homme du roi, la royauté en était-elle le soutien, ou le remède ?

Que le clergé fût un abus, et la noblesse un abus, cela était trop évident.

Le privilège du clergé, fondé sur l'enseignement et l'exemple qu'il donnait jadis au peuple, était devenu un non-sens. Personne n'avait moins la foi. Dans sa dernière assemblée, il s'agite pour obtenir qu'on punisse les philosophes, et pour le demander, députe un athée et un sceptique, Loménie et Talleyrand.

Le privilège de la noblesse était de même un non-sens. Jadis, elle ne payait pas, parce qu'elle payait de son épée. Elle fournissait le ban, l'arrière-ban, vaste cohue indisciplinée, qu'on appela la dernière fois en 1674. Elle continua de donner seule les officiers, fermant la carrière aux autres, rendant impossible la création d'une véritable armée. L'armée civile, l'administration, la bureaucratie furent envahies par la noblesse. L'armée ecclésiastique, dans ses meilleurs postes, se remplit aussi de nobles. Ceux qui faisaient profession de vivre noblement, c'est-à-dire de ne rien faire, s'étaient chargés de faire tout. Et rien ne se faisait plus.

Le clergé et la noblesse, encore une fois, étaient un poids pour la terre, la malédiction du pays, un mal rongeur qu'il fallait couper. Cela sautait aux yeux de tous.

La seule question obscure était celle de la royauté. Question, non de pure forme, comme on l'a tant répété, mais de fond, question intime, plus vivace qu'aucune autre en France, question non de politique seulement, mais d'amour, de religion. Nul peuple n'a tant aimé ses rois.

Les yeux s'ouvrirent sous Louis XV, se refermèrent sous Louis XVI, la question s'obscurcit encore. L'espoir du peuple se plaça encore une fois dans la royauté. Turgot espéra, Voltaire espéra... Ce pauvre jeune roi, si mal né, si mal élevé, aurait voulu pouvoir le bien. Il lutta, et fut entraîné. Ses préjugés de naissance et d'éducation, ses vertus même de famille, le menèrent à la ruine... Triste problème historique !... Des justes l'ont excusé, des justes l'ont condamné... Duplicité, restrictions mentales (peu surprenantes sans doute dans l'élève du parti jésuite), voilà ses fautes, enfin son crime, qui le mena à la mort, son appel à l'étranger... Avec tout cela n'oublions pas qu'il avait été longtemps anti-autrichien, anti-anglais, qu'il avait mis une passion réelle à relever notre marine, qu'il avait fondé Cherbourg à dix-huit lieues de Portsmouth, qu'il aida à couper l'Angleterre. Cette larme que Carnot verse en signant son arrêt, elle lui reste dans l'histoire ; l'histoire et la Justice même, en le jugeant, pleureront.

Chaque jour amène sa peine. Ce n'est pas aujourd'hui que je dois raconter ces choses. Qu'il suffise de dire ici que le meilleur fut le dernier, grande leçon de la Providence ! afin qu'il parût bien à tous que le mal était moins dans l'homme que dans l'institution même, afin que ce fût plus que le jugement du roi, mais le jugement de l'ancienne royauté. Elle finit cette religion. Louis XV ou Louis XVI, infâme ou honnête, le Dieu n'est pas moins toujours homme ; s'il ne l'est par vice, il l'est par vertu, par bonté facile. Homme et faible, incapable de refuser, de résister, chaque jour immolant le peuple au peuple des courtisans, et comme le Dieu des prêtres, damnant la foule, sauvant ses *élus*.

Nous l'avons dit. La *religion de la grâce,* partiale pour les élus, *le gouvernement de la grâce,* dans les mains des favoris, sont tout à fait analogues. La mendicité privilégiée, qu'elle soit sale et monastique, ou dorée comme à Versailles, c'est toujours la mendicité. Deux puissances paternelles : la paternité ecclésiastique, caractérisée par l'Inquisition ; la paternité monarchique, par le Livre rouge et par la Bastille.

VIII

Du Livre rouge

Lorsque la reine Anne d'Autriche se trouva régente, « il n'y eut plus, dit le cardinal de Retz, que deux petits mots dans la langue : « La reine est si bonne ! »

Ce jour-là s'arrête l'élan de la France ; l'essor des classes inférieures qui, malgré la dure administration de Richelieu, avait été si puissant, il retombe sur lui-même. Pourquoi ? c'est que « la reine est bonne » ; elle comble la foule brillante qui se presse dans le palais ; toute la noblesse de province qui fuyait sous Richelieu vient, demande, obtient, prend et pille ; tout au moins exigent-ils des exemptions d'impôt. Le paysan qui est parvenu à acheter quelques terres paie seul, tout retombe sur lui, il est obligé de revendre, il redevient fermier, métayer, pauvre domestique.

Louis XIV est dur d'abord ; point d'exemption d'impôt ; Colbert en raie quarante mille. Le pays prospère. Mais Louis XIV devient bon ; il est de plus en plus touché du sort de la pauvre noblesse ; tout pour elle, les grades, les places, les pensions, les bénéfices même, et Saint-Cyr pour les nobles demoiselles... La noblesse est florissante, la France est aux abois.

Louis XVI est dur d'abord, grondeur, il refuse toujours ; les courtisans plaisantent amèrement sa rudesse, *ses coups de boutoir.* C'est qu'il a un mauvais ministre, cet inflexible Turgot ; c'est qu'hélas ! la reine ne peut rien encore. En 1778, le roi finit par céder ; la réaction de la nature agit puissamment pour la reine ; il ne peut plus rien refuser, ni à elle, ni à son frère. L'homme le plus aimable de France devient contrôleur général ; M. de Calonne met autant d'esprit, de grâce à donner, que ses prédécesseurs, mettaient d'adresse à éluder, refuser. « Madame, disait-il à la reine, si c'est possible, c'est fait ; impossible ? cela se fera. » La reine achète Saint-Cloud ; le roi, si serré jusque-là, se laisse entraîner lui-même ; il achète Rambouillet. Qui dira tout ce que la Diane de Polignac, dirigeant habilement la Jules de Polignac, surprit de biens et d'argent ? La Révolution gâta tout. Elle écarta durement le voile gracieux qui couvrait la ruine publique. Le voile arraché laissa voir le tonneau des Danaïdes. La monstrueuse affaire du Puy-Paulin et de Fenestrange, ces millions jetés (entre la disette et la banqueroute), jetés par une femme insensée dans le giron d'une femme, cela dépassa de beaucoup tout ce qu'avait dit la satire. On rit, mais on rit d'horreur.

L'inflexible rapporteur du comité des finances apprit à l'Assemblée un mystère que personne ne savait : « Le roi, pour les dépenses, est *le seul ordonnateur.* »

La seule mesure aux dépenses était la bonté du roi. Trop sensible pour refuser, pour affliger ceux qu'il voyait, il se trouvait en réalité dans leur dépendance. A la moindre velléité d'économie, on était triste, on le boudait : il lui fallait bien se rendre. Plusieurs étaient plus hardis ; ils parlaient haut, fort et ferme, remettaient le roi à sa place. M. de Coigny (premier ou second amant de la reine, par ordre de date) refusa de se prêter à l'économie qu'on eût voulu faire d'un de ses gros traitements ; il fit une scène à Louis XVI, s'emporta. Le roi plia les épaules, ne répondit rien. Il dit le soir : « Vraiment, il m'aurait battu, que je l'aurais laissé faire. »

Il n'est pas de grande famille, faisant quelque perte, point de mère illustre mariant sa fille, son fils, qui ne tire argent du roi. « Ces grandes familles concourent à l'éclat de la Monarchie, elles font la splendeur du trône, etc. » Le roi signe tristement, et copie dans son livre rouge : *A Madame... cinq cents livres.* La dame porte au ministre : « Je n'ai pas d'argent, madame. » Elle insiste, elle menace, elle peut nuire, elle a du crédit chez la reine. Le ministre finit par trouver l'argent... Il ajournera plutôt, comme Loménie, le paiement des petits rentiers ; qu'ils meurent de faim, s'ils veulent ; ou bien encore, comme il fit, il prendra les charités pour l'incendie et la grêle, il ira jusqu'à voler la caisse des hôpitaux.

La France est en bonnes mains. Tout va bien. Un si bon roi, une si aimable reine... La seule difficulté, c'est qu'indépendamment des *pauvres privilégiés* qui sont à Versailles, il y a une autre classe, non moins noble, et bien plus nombreuse, les *pauvres privilégiés* de province, qui n'ont rien, ne reçoivent rien, disent-ils ; ils percent l'air de leurs cris... Ceux-là, bien avant le peuple, commenceront la Révolution.

A propos, il y a un peuple. Entre ces pauvres et ces pauvres qui tous ont de la fortune, nous avions oublié le peuple.

Ah ! le peuple, ceci regarde MM. les fermiers généraux. Les choses sont bien changées. Jadis les financiers étaient des hommes fort durs. Aujourd'hui, tous philanthropes, doux, aimables, magnifiques ; d'une main ils affament, il est vrai, mais souvent de l'autre ils nourrissent. Ils mettent des millions d'hommes à la mendicité, et font des aumônes. Ils bâtissent des hôpitaux, et ils les remplissent.

« Persépolis, dit Voltaire dans un de ses contes, a trente rois de la finance, qui tirent des millions du peuple, et qui en rendent au roi quelque chose. » Sur la gabelle, par exemple, qui rapportait cent vingt millions, la Ferme générale en gardait soixante, et daignait en laisser cinquante ou soixante au roi.

La perception n'était rien de moins qu'une guerre organisée ; elle faisait peser sur le sol une armée de deux cent mille mangeurs. Ces sauterelles rasaient tout, faisaient place nette. Pour exprimer quelque substance d'un peuple ainsi dévoré, il fallait des lois cruelles, une pénalité terrible, les galères, la potence, la roue. Les agents de la Ferme étaient autorisés à employer les armes ; ils tuaient, et ils étaient jugés par les tribunaux spéciaux de la Ferme générale.

Le plus choquant du système, c'était la bonté, la facilité du roi, des fermiers généraux. D'une part, le roi, de l'autre, les trente rois de la finance, donnaient (ou vendaient à bon compte) les exemptions d'impôts ; le roi faisait des nobles ; les fermiers généraux se créaient des employés fictifs qui, à ce titre, étaient exempts. Ainsi, le fisc travaillait contre lui-même ; en même temps qu'il augmentait la somme à payer, il diminuait le nombre de ceux qui payaient ; le poids, pesant sur moins d'épaules, allait s'appesantissant.

Les deux ordres privilégiés payaient ce qui leur plaisait : le clergé un don gratuit imperceptible ; la noblesse contribuait pour certains droits, mais selon ce qu'elle voulait bien déclarer ; les agents du fisc, chapeau bas, enregistraient, sans examen, sans vérification. Le voisin payait d'autant plus.

Si c'était par la conquête, par la tyrannie d'un maître, que ce peuple périssait, il se résignerait encore. Il périt par la bonté ! Il souffrirait peut-être la dureté d'un Richelieu ; mais comment supporter la bonté d'un Loménie et d'un Calonne, la sensibilité des financiers, la philanthropie des fermiers généraux ?

Souffrir, mourir, à la bonne heure ! mais souffrir *par élection,* mourir du fait de l'*arbitraire,* de sorte que la *grâce* pour l'un soit mort et ruine de l'autre ! C'est trop, oh ! c'est trop de moitié.

Hommes sensibles qui pleurez sur les maux de la Révolution (avec trop de raison sans doute), versez donc aussi quelques larmes sur les maux qui l'ont amenée.

Venez voir, je vous prie, ce peuple couché par terre, pauvre Job, entre ses faux amis, ses patrons, ses fameux sauveurs, le clergé, la royauté. Voyez le douloureux regard qu'il lance au roi sans parler. Et ce regard, que dit-il ?

« O Roi, dont j'avais fait mon dieu, dont j'avais dressé l'autel, que j'implorais avant Dieu même, à qui, du fond de la mort, j'ai tant demandé mon salut, vous, mon espoir, vous, mon amour... Quoi ! vous n'avez donc rien senti ?... »

IX

La Bastille

Le médecin de Louis XV et de Mme de Pompadour, l'illustre Quesnay, qui logeait chez elle à Versailles, voit un jour le roi entrer à l'improviste, et se trouble. La spirituelle femme de chambre, Mme du Hausset, qui a laissé de si curieux Mémoires, lui demanda pourquoi il se déconcertait ainsi. « Madame, répondit-il, quand je vois le roi, je me dis : « Voilà un homme qui peut me faire couper la tête. » — « Oh ! dit-elle, le roi est *trop bon !* »

La femme de chambre résumait là d'un seul mot les garanties de la Monarchie.

Le roi était trop bon pour faire couper la tête à un homme ; cela n'était plus dans les mœurs. Mais il pouvait d'un mot le faire mettre à la Bastille, et l'y *oublier.*

Reste à savoir lequel vaut mieux, de périr d'un coup, ou de mourir lentement en trente ou quarante années.

Il y avait en France une vingtaine de Bastilles, dont six seulement (en 1775) contenaient trois cents prisonniers. A Paris, en 79, il y avait une trentaine de prisons, où l'on pouvait être enfermé sans jugement. Une infinité de couvents servaient de supplément à ces Bastilles.

Toutes ces prisons d'État, vers la fin de Louis XIV, furent, comme était tout le reste, gouvernées par les jésuites. Elles furent dans leurs mains des instruments de supplice pour les protestants et les jansénistes, des antres à conversion. Un secret plus profond que celui des *plombs,* des *puits* de Venise, l'oubli de la tombe, enveloppait tout. Les jésuites étaient confesseurs de la Bastille et de bien d'autres prisons ; les prisonniers morts étaient enterrés sous de faux noms à l'église des Jésuites. Tous les moyens de terreur étaient dans leurs mains, ces cachots surtout, d'où l'on sortait parfois l'oreille ou le nez mangé par les rats... Non seulement la terreur, mais la flatterie aussi... L'une et l'autre si puissantes sur les pauvres prisonnières. L'aumônier, pour rendre la grâce plus efficace, employait jusqu'à la cuisine, affamait, nourrissait bien, gâtait par des friandises celle qui cédait ou résistait. On cite telle prison d'État où les geôliers et les jésuites alternaient près des prisonnières et en avaient des enfants. Une aima mieux s'étrangler.

Le lieutenant de police allait de temps à autre déjeuner à la Bastille. Cela comptait pour visite, surveillance du magistrat. Ce magistrat ne savait rien, et c'était pourtant lui seul qui instruisait le ministre. Une famille, une dynastie, Châteauneuf et son fils La Vrillière, et son petit-fils Saint-Florentin (mort en 1777), eurent pendant un siècle le Département des prisons d'État et des lettres de cachet. Pour que cette dynastie subsistât, il fallait des prisonniers ; quand les protestants sortirent, on suppléa par des jansénistes ; puis on prit des gens de lettres, des philosophes, les Voltaire, les Fréret, les Diderot. Le ministre, généreusement, donnait des lettres de cachet en blanc aux intendants, aux évêques, aux gens en place. A lui seul, Saint-Florentin en donna cinquante mille. Jamais on ne fut plus prodigue du plus cher trésor de l'homme, de la liberté. Ces lettres de cachet étaient l'objet d'un profitable trafic ; on en vendait aux pères qui voulaient enfermer leurs fils ; on en donnait aux jolies femmes trop gênées par leurs maris. Cette dernière cause de réclusion était une des plus ordinaires.

Et tout cela par bonté. Le roi était trop bon pour refuser une lettre de cachet à un grand seigneur. L'intendant était trop aimable pour n'en pas accorder à la prière d'une dame. Les commis du ministère, les maîtresses des commis, les amis de ces maîtresses, par obligeance, par égards, simple politesse, obtenaient, donnaient, prêtaient ces ordres terribles par lesquels on était enterré vivant. Enterré, car telle était l'incurie, la légèreté de ces employés aimables, nobles presque tous, gens de société, tous occupés de plaisirs, que l'on n'avait plus le temps, le pauvre diable une fois enfermé, de songer à son affaire.

Ainsi le *gouvernement de la grâce,* avec tous ses avantages, descendant du roi au dernier commis de bureau, disposait, selon le caprice et l'inspiration légère, de la liberté, de la vie.

Comprenons bien ce système.

Pourquoi tel réussit-il ? Qu'a-t-il pour que tout lui cède ? Il a la grâce de Dieu. Il a la bonne grâce du roi.

Celui qui est en disgrâce, dans ce monde de la grâce, qu'il sorte du monde... Banni, damné et maudit.

La Bastille, la lettre de cachet, c'est l'excommunication du roi.

L'excommunié mourra-t-il ? Non. Il faudrait une décision du roi, une résolution pénible à prendre, dont souffrirait le roi même. Entre lui et sa conscience, ce serait un jugement. Dispensons-le de juger, de tuer. Il y a un milieu entre la vie et la mort : une vie morte, enterrée. Organisons un monde exprès pour l'oubli. Mettons le mensonge aux portes, au-dehors et au-dedans, pour que la vie et la mort ne restent pas incertaines... Le mort vivant ne sait plus rien des siens, ni de ses amis... « Mais ma femme ? » — « Ta femme est morte... je me trompe... remariée... » — « Et mes amis, vivent-ils ? ont-ils souvenir de moi ?... » — « Tes amis, eh ! radoteur, ce sont eux qui t'ont trahi... » Ainsi l'âme du misérable, livrée à leurs jeux féroces, est nourrie de dérisions, de vipères et de mensonges.

Oublié ! mot terrible. Qu'une âme ait péri dans les âmes !... Celui que Dieu fit pour la vie, n'avait-il donc pas le droit de vivre, au moins dans la pensée ? Qui osera, sur terre, donner même au plus coupable cette mort par-delà toute mort, le tuer dans le souvenir ?

Mais non, ne le croyez pas. Rien n'est oublié, nul homme, nulle chose. Ce qui a été une fois ne peut s'anéantir ainsi... Les murs même n'oublieront pas, le pavé sera complice, transmettra des sons, des bruits ; l'air n'oubliera pas ; de cette petite lucarne, où coud une pauvre fille, à la Porte Saint-Antoine, on a vu, on a compris... Que dis-je ? la Bastille sera touchée elle-même. Ce rude porte-clé est encore un homme. Je vois inscrit sur les murs l'hymne d'un prisonnier à la gloire d'un geôlier son bienfaiteur... Pauvre bienfait !... une chemise qu'il donna à ce Lazare, barbarement abandonné, mangé des vers dans son tombeau !

Pendant que j'écris ces lignes, une montagne, une Bastille a pesé sur ma poitrine. Hélas ! pourquoi m'arrêter si longtemps sur les prisons démolies, sur les infortunés que la mort a délivrés ?... Le monde est couvert de prisons, du Spielberg à la Sibérie, de Spandau au Mont-Saint-Michel. Le monde est une prison.

Vaste silence du globe, bas gémissement, humble soupir de la terre muette encore, je ne vous entends que trop... L'esprit captif, qui se tait dans les espèces inférieures, qui rêve dans le monde barbare de l'Afrique et de l'Asie, il pense, il souffre en notre Europe.

Où parle-t-il, sinon en France, malgré les entraves ? C'est encore ici que le génie muet de la terre trouve une voix, un organe. Le monde pense, la France parle.

Et c'est justement pour cela que la Bastille de France, la Bastille de Paris (j'aimerais mieux dire, la prison de la pensée), fut, entre toutes les Bastilles, exécrable, infâme et maudite. Dès le dernier siècle, Paris était déjà la voix du globe. La planète parlait par trois hommes : Voltaire, Jean-Jacques Rousseau et Montesquieu. Que les interprètes du monde vissent toujours pendue sur leur tête l'indigne menace, que l'étroite issue par où la douleur du genre humain pouvait exhaler ses soupirs, on essayât de la fermer, c'était trop... Nos pères l'écrasèrent, cette Bastille, en arrachèrent les pierres de leurs mains sanglantes, les jetèrent au loin. Et ensuite, ils les reprirent, et le fer leur donna une autre forme, et pour qu'à jamais elles fussent foulées sous les pieds du peuple, ils en bâtirent le pont de la Révolution...

Toutes les prisons s'étaient adoucies. Celle-ci s'était endurcie. De règne en règne, on diminuait ce que les geôliers appelaient pour rire : les libertés de la Bastille. Peu à peu, on bouchait les fenêtres, l'on ajoutait des grilles. Sous Louis XVI, on supprima le jardin et la promenade des tours.

Deux choses vers cette époque ajoutèrent à l'irritation, les Mémoires de Linguet, qui firent connaître l'ignoble et féroce intérieur, et, ce qui fut plus décisif, l'affaire de Latude non écrite, non imprimée, circulant mystérieusement en passant de bouche en bouche.

Pour moi, je dois avouer l'effet profond, cruel que me firent les lettres du prisonnier. Ennemi déclaré des fictions barbares sur l'éternité des peines, je me suis surpris à demander à Dieu un enfer pour les tyrans.

Ah ! monsieur de Sartine, ah ! madame de Pompadour, quel poids vous traînez ! Comme on voit par cette histoire comment, une fois dans l'injustice, on s'en va de mal en pis, comme la terreur qui pèse du tyran à l'esclave retourne au tyran. Ayant une fois tenu celui-ci prisonnier sans jugement pour une faute légère, il faut que la Pompadour, que Sartine le tiennent toujours, qu'ils scellent sur lui d'une pierre éternelle l'enfer du silence.

Et cela ne se peut pas. Cette pierre se soulève toujours... toujours, monte une voix basse, terrible, un souffle de feu... Dès 81, Sartine en ressent l'atteinte... 84, le roi même en est blessé... 89, le peuple sait tout, voit tout, l'échelle même par où s'enfuit le prisonnier... 93, on guillotine la famille de Sartine.

Pour le malheur des tyrans, il se trouva qu'ils avaient enfermé en ce prisonnier un homme ardent et terrible, que rien ne pouvait dompter, dont la voix ébranlait les murs, dont l'esprit, l'audace étaient invincibles... Corps de fer, indestructible, qui devait user toutes les prisons, et la Bastille, et Vincennes, et Charenton, enfin l'horreur de Bicêtre, où tout autre aurait péri.

Ce qui rend l'accusation lourde, accablante, sans appel, c'est que cet homme, tel quel, échappé deux fois, se livra deux fois lui-même. Une fois, de sa retraite, il écrit à Mme de Pompadour, et elle le fait reprendre... Quoi ! l'appartement du roi n'est donc pas un lieu sacré !...

Je suis malheureusement obligé de dire que dans cette société, molle, faible, caduque, il y eut force philanthropes, ministres, magistrats, grands seigneurs, pour pleurer sur l'aventure ; pas un ne fit rien. Malesherbes pleura, et de Gourgues, et Lamoignon, et Rohan, tous pleuraient à chaudes larmes.

Il était sur son fumier, à Bicêtre, mangé des poux *à la lettre,* logé sous terre, et souvent hurlant de faim. Il avait encore adressé un mémoire à je ne sais quel philanthrope, par un porte-clé ivre. Celui-ci heureusement le perd, une femme le ramasse. Elle le lit, elle frémit, elle ne pleure pas, celle-ci, mais elle agit à l'instant.

Mme Legros était une pauvre petite mercière qui vivait de son travail, en cousant dans sa boutique ; son mari, coureur de cachets, répétiteur de latin. Elle ne craignit pas de s'embarquer dans cette terrible affaire. Elle vit, avec un ferme bon sens, ce que les autres ne voyaient pas, ou bien ne voulaient pas voir : que le malheureux n'était pas fol, mais victime d'une nécessité affreuse de ce gouvernement, obligé de cacher, de continuer l'infamie de ses vieilles fautes. Elle le vit, et elle ne fut point découragée, effrayée. Nul héroïsme plus complet : elle eut l'audace d'entreprendre, la force de persévérer, l'obstination du sacrifice de chaque jour et de chaque heure, le courage de mépriser les menaces, la sagacité et toutes les saintes ruses, pour écarter, déjouer les calomnies des tyrans.

Trois ans de suite, elle suivit son but avec une opiniâtreté inouïe dans le bien, mettant à poursuivre le droit, la justice, cette âpreté singulière du chasseur ou du joueur, que nous ne mettons guère que dans nos mauvaises passions.

Tous les malheurs sur la route, et elle ne lâche pas prise. Son père meurt, sa mère meurt ; elle perd son petit commerce ; elle est blâmée de ses parents, vilainement soupçonnée. On lui demande si elle est la maîtresse de ce prisonnier auquel elle s'intéresse tant. La maîtresse de cette ombre, de ce cadavre, dévoré par la gale et la vermine !

La tentation des tentations, le sommet, la pointe aiguë du Calvaire, ce sont les plaintes, les injustices, les défiances de celui pour qui elle s'use et se sacrifie !

Grand spectacle de voir cette femme pauvre, mal vêtue, qui s'en va de porte en porte, faisant la cour aux valets pour entrer dans les hôtels, plaider sa cause devant les grands, leur demander leur appui.

La police frémit, s'indigne. Mme Legros peut être enlevée d'un moment à l'autre, enfermée, perdue pour toujours ; tout le monde l'en avertit. Le lieutenant de police la fait venir, la menace. Il la trouve immuable, ferme ; c'est elle qui le fait trembler.

Par bonheur on lui ménage l'appui de Mme Duchesne, femme de chambre de Mesdames. Elle part pour Versailles, à pied, en plein hiver ; elle était grosse de sept mois... La protectrice était absente ; elle court après, gagne une entorse, et elle n'en court pas moins. Mme Duchesne pleure beaucoup, mais, hélas ! que peut-elle faire ? Une femme de chambre contre deux ou trois ministres, la partie est forte ? Elle tenait en main la supplique ; un abbé de cour qui se trouva là, la lui arrache des mains, lui dit qu'il s'agit d'un enragé, d'un misérable, qu'il ne faut pas s'en mêler.

Il suffit d'un mot pareil pour glacer Marie-Antoinette, à qui l'on en avait parlé. Elle avait la larme à l'œil. On plaisanta. Tout finit.

Il n'y avait guère en France d'homme meilleur que le roi. On finit par aller à lui. Le cardinal de Rohan (un polisson, mais après tout charitable) parla trois fois à Louis XVI, qui par trois fois refusa. Louis XVI était trop bon pour ne pas en croire M. de Sartine. Il n'était plus en place, mais ce n'était pas une raison pour le déshonorer, le livrer à ses ennemis. Sartine à part, il faut le dire, Louis XVI aimait la Bastille, il ne voulait pas lui faire tort, la perdre de réputation.

Le roi était très humain. Il avait supprimé les bas cachots du Châtelet, supprimé Vincennes, créé la Force pour y mettre les prisonniers pour dettes, les séparer des voleurs.

Mais la Bastille ! la Bastille ! c'était un vieux serviteur que ne pouvait maltraiter à la légère la vieille monarchie. C'était un système de terreur, c'était, comme dit Tacite : « *Instrumentum regni.* »

Quand le comte d'Artois et la reine, voulant faire jouer *Figaro,* le lui lurent, il dit seulement, comme objection sans réponse : « Il faudrait donc alors que l'on supprimât la Bastille ! »

Quand la révolution de Paris eut lieu, en juillet 89, le roi, assez insouciant, parut prendre son parti. Mais, quand on lui dit que la municipalité parisienne avait ordonné la démolition de la Bastille, ce fut pour lui comme un coup à la poitrine : « Ah ! dit-il, voici qui est fort ! »

Il ne pouvait pas bien recevoir en 1781 une requête qui compromettait la Bastille. Il repoussa celle que Rohan lui présentait pour Latude. Des femmes de haut rang insistèrent. Il fit alors consciencieusement une étude de l'affaire, lut tous les papiers ; il n'y en avait guère d'autres que ceux de la police, ceux de gens intéressés à garder la victime en prison jusqu'à la mort. Il répondit définitivement que c'était un homme dangereux ; qu'il ne pouvait lui rendre la liberté *jamais.*

Jamais ! tout autre en fût resté là. Eh bien ! ce qui ne se fait pas par le roi se fera malgré le roi. Mme Legros persiste. Elle est accueillie des Condé, toujours mécontents et grondeurs ; accueillie du jeune duc d'Orléans, de sa sensible épouse, la fille du bon Penthièvre, accueillie des philosophes, de M. le marquis de Condorcet, secrétaire perpétuel de l'Académie des sciences, de Dupaty, de Villette, quasi-gendre de Voltaire, etc.

L'opinion va grondant ; le flot, le flot va montant. Necker avait chassé Sartine ; son ami et successeur Lenoir était tombé à son tour... La persévérance sera couronnée tout à l'heure. Latude s'obstine à vivre, et Mme Legros s'obstine à délivrer Latude.

L'homme de la reine, Breteuil, arrive en 83, qui voudrait la faire adorer. Il permet à l'Académie de donner le prix de vertu à Mme Legros, de la couronner... à la condition singulière qu'on ne motive pas la couronne.

Puis, 1784, on arrache à Louis XVI la délivrance de Latude. Et quelques semaines après, étrange et bizarre ordonnance qui prescrit aux intendants de n'enfermer plus personne, à la requête des familles, que *sur raison bien motivée,* d'indiquer *le temps précis* de la détention demandée, etc. C'est-à-dire qu'on dévoilait la profondeur du monstrueux abîme d'arbitraire où l'on avait tenu la France. Elle en savait déjà beaucoup, mais le gouvernement en avouait davantage.

Du prêtre au roi, de l'Inquisition à la Bastille, le chemin est direct, mais long. Sainte, sainte Révolution, que vous tardez à venir !... Moi qui vous attendais depuis mille ans, sur le sillon du Moyen Age, quoi ! je vous attends encore !... Oh ! que le temps va lentement ! Oh ! que j'ai compté les heures !... Arriverez-vous jamais ?

« Ah ! c'est fini, dit Mably, en 1784, nous sommes tombés trop bas, les mœurs sont devenues trop faibles. Jamais, oh ! plus jamais ne viendra la Révolution ! »

Hommes de peu de foi, ne voyez-vous pas que tant qu'elle restait parmi vous, philosophes, parleurs, sophistes, elle ne pouvait rien faire. Grâce à Dieu, la voilà partout, dans le peuple et dans les femmes... En voici une qui, par sa volonté persévérante, indomptable, ouvre les prisons d'État ; d'avance, elle a pris la Bastille... Le jour où la liberté, la raison, sort des raisonnements, et descend à la nature, au cœur (et le cœur du cœur, c'est la femme), tout est fini. Tout l'artificiel est détruit... Rousseau, nous te comprenons, tu avais bien raison de dire : « Revenez à la nature ! »

Une femme se bat à la Bastille. Les femmes font le 5 octobre. Dès février 89, je lis avec attendrissement la courageuse lettre des femmes et filles d'Angers : « Lecture faite des arrêtés de messieurs de la jeunesse, déclarons que *nous nous joindrons à la nation,* nous réservant de prendre soin des bagages, provisions, des consolations et services qui peuvent dépendre de nous ; nous périrons plutôt que d'abandonner nos époux, amants, fils et frères... »

O France, vous êtes sauvée ! ô monde, vous êtes sauvé !... Je revois au ciel ma jeune lueur, où j'espérais si longtemps, la lumière de Jeanne d'Arc... Que m'importe que de fille elle soit devenue un jeune homme, Hoche, Marceau, Joubert ou Kléber !

Grande époque, moment sublime, où les plus guerriers des hommes sont pourtant les hommes de paix ! Où le Droit, si longtemps pleuré, se retrouve à la fin des temps, où la Grâce, au nom de laquelle la tyrannie nous écrasa, se retrouve concordante, identique à la Justice.

Qu'est-ce que l'Ancien Régime, le roi, le prêtre, dans la vieille monarchie ? La tyrannie au nom de la Grâce.

Qu'est-ce que la Révolution ? La réaction de l'équité, l'avènement tardif de la Justice éternelle.

Justice, ma mère, Droit, mon père, qui ne faites qu'un avec Dieu...

Car, de qui me réclamerai-je, moi, un de la foule, un de ceux qui naquirent dix millions d'hommes, et qui ne seraient jamais nés sans notre Révolution ?...

Pardonnez-moi, ô Justice, je vous ai crue austère et dure, et je n'ai pas vu plus tôt que vous étiez la même chose que l'Amour et que la Grâce... Et voilà pourquoi j'ai été faible pour le Moyen Age, qui répétait ce mot d'Amour sans faire les œuvres de l'Amour. Aujourd'hui, rentré en moi-même, le cœur plus brûlant que jamais, je te fais amende honorable, belle Justice de Dieu... C'est toi qui es vraiment l'Amour, tu es identique à la Grâce...

Et comme tu es la Justice, tu me soutiendras dans ce livre, où mon cœur me frayait la route, jamais mon intérêt propre, ni aucune pensée d'ici-bas. Tu seras juste envers mois, et je le serai envers tous... Pour qui donc ai-je écrit ceci, si ce n'est pour toi, Justice éternelle ?

31 janvier 1847

Livre premier

Avril-juillet 1789

CHAPITRE PREMIER

Élections de 1789

Le peuple entier appelé à élire les électeurs, à écrire ses plaintes et ses demandes — On comptait sur l'incapacité du peuple — Sûreté de l'instinct populaire ; fermeté du peuple, son unanimité — On retarde les élections de Paris — Premier acte de souveraineté nationale — Les électeurs troublés par l'émeute — Émeute Réveillon — Qui y avait intérêt — Les élections s'achèvent — (Janvier-avril 1789).

La convocation des États généraux de 1789 est l'ère véritable de la naissance du peuple. Elle appela le peuple entier à l'exercice de ses droits.

Il put du moins écrire ses plaintes, ses vœux, élire les électeurs.

On a vu de petites sociétés républicaines admettre tous leurs membres à la participation des droits politiques, jamais un grand royaume, un empire, comme était la France. La chose était nouvelle, non seulement dans nos annales, mais dans celles même du monde.

Aussi, quand pour la première fois, à la fin des temps, ce mot fut entendu : *Tous* s'assembleront pour élire, *tous* écriront leurs plaintes, ce fut une commotion immense, profonde, comme un tremblement de terre ; la masse en tressaillit jusqu'aux régions obscures et muettes, où l'on eût le moins soupçonné la vie.

Toutes les villes élurent, et non pas seulement les *bonnes* villes, comme aux anciens états ; *les campagnes* élurent, et non pas seulement les villes.

On assure que cinq millions d'hommes prirent part à l'élection.

Grande scène, étrange, étonnante ! de voir tout un peuple qui d'une fois passait du néant à l'être, qui, jusque-là silencieux, prenait tout d'un coup une voix.

Le même appel d'égalité s'adressait à des populations prodigieusement inégales, non seulement de position, mais de culture, d'état moral et d'idées. Ce peuple, comment répondrait-il ? C'était une grande question. Le fisc d'une part, la féodalité de l'autre, semblaient lutter pour l'abrutir sous la pesanteur des maux. La royauté lui avait ôté la vie municipale, l'éducation que lui donnaient les affaires de la commune. Le clergé, son instituteur obligé, depuis longtemps ne l'enseignait plus. Ils semblaient avoir tout fait pour le rendre incapable, muet, sans parole et sans pensée, et c'est alors qu'ils lui disaient : « Lève-toi maintenant, marche, parle. »

On avait compté, trop compté sur cette incapacité ; autrement jamais on n'eût hasardé de faire ce grand mouvement. Les premiers qui prononcèrent le nom des États généraux, les parlements qui les réclamèrent, les ministres qui les promirent, Necker qui les convoqua, tous croyaient le peuple hors d'état d'y prendre une part sérieuse. Ils pensaient seulement, par cette évocation solennelle d'une grande masse inerte, faire peur aux privilégiés. La Cour, qui était elle-même le privilège des privilégiés, l'abus des abus, n'avait nulle envie de leur faire la guerre. Elle espérait seulement, des contributions forcées du clergé et de la noblesse, remplir la caisse publique dont elle faisait la sienne.

La reine, que voulait-elle ? Livrée aux parvenus, chansonnée par la noblesse, peu à peu méprisée et seule, elle voulait tirer de ces moqueurs une petite vengeance, les intimider, les obliger de se serrer près du roi. Elle voyait son frère Joseph essayer aux Pays-Bas d'opposer les petites villes aux grosses villes, aux prélats, aux grands. Cet exemple, sans nul doute, la rendit moins contraire aux idées de Necker ; elle consentit à donner au tiers autant de députés qu'en avaient la noblesse et le clergé réunis.

Et Necker, que voulait-il ? Deux choses tout à la fois : montrer beaucoup et faire peu.

Pour la montre, pour la gloire, pour être célébré, exalté des salons, du grand public, il fallait généreusement doubler les députés du Tiers.

En réalité, on voulait être généreux à bon marché.

Le Tiers, plus ou moins nombreux, ne ferait toujours qu'un des trois ordres, n'aurait qu'une voix contre deux ; Necker comptait bien maintenir le vote par ordre, qui avait tant de fois paralysé les anciens États généraux.

Le Tiers d'ailleurs, dans tous les temps, avait été très modeste, très respectueux, trop bien appris pour vouloir être représenté par des hommes du Tiers. Il nommait souvent des nobles pour députés, le plus souvent des anoblis, gens du Parlement et autres, qui se piquaient de voter avec la noblesse, contre les intérêts du Tiers qui les avait nommés.

Chose étrange, et qui prouve qu'on n'avait pas d'intention sérieuse, qu'on voulait seulement, par cette grande fantasmagorie, vaincre l'égoïsme des privilégiés, desserrer leur bourse, c'est que dans ces états appelés contre eux, on s'arrangeait néanmoins pour leur assurer une influence dominante. Les assemblées populaires devaient élire *à haute voix.* On ne supposait pas que les petites gens, dans un tel mode d'élection, en présence des nobles et notables, eussent assez de fermeté pour leur tenir tête, assez d'assurance pour prononcer d'autres noms que ceux qui leur seraient dictés.

En appelant à l'élection les gens de la campagne, des villages, Necker croyait faire, on n'en peut douter, une chose très politique ; autant l'esprit démocratique s'était éveillé dans les villes, autant les campagnes étaient dominées par les nobles et le clergé, possesseurs des deux tiers des terres. Des millions d'hommes arrivaient ainsi à l'élection, qui dépendaient des privilégiés, comme fermiers, métayers, etc., ou qui indirectement devaient être influencés, intimidés par leurs agents, intendants, procureurs, hommes d'affaires. Necker savait, par l'expérience de la Suisse et des petits cantons, que le suffrage universel peut être, dans certaines conditions, l'appui de l'aristocratie. Les notables qu'il consulta entrèrent si bien dans cette idée qu'ils voulaient faire électeurs les domestiques même. Necker n'y consentit pas, l'élection fût tombée entièrement dans les mains des grands propriétaires.

L'événement trompa tout calcul. Ce peuple, si peu préparé, montra un instinct très sûr. Quand on l'appela à l'élection, et qu'on lui apprit son droit, il se trouva qu'on avait peu à lui apprendre. Dans ce prodigieux mouvement de cinq ou six millions d'hommes, il y eut quelque hésitation, par l'ignorance des formes, et spécialement parce que la plupart ne savaient écrire. Mais ils surent parler ; ils surent, en présence de leurs seigneurs, sans sortir de leurs habitudes respectueuses, ni quitter leur humble maintien, nommer de dignes électeurs qui tous nommèrent des députés sûrs et fermes.

L'admission des campagnes à l'élection eut le résultat inattendu de placer dans les députés même des ordres privilégiés une démocratie nombreuse, à laquelle on ne pensait pas, deux cents curés et davantage, très hostiles à leurs évêques. Dans la Bretagne, dans le Midi, le paysan nommait volontiers son curé, qui, d'ailleurs, sachant seul écrire, recevait les votes, et menait toute l'élection.

Le peuple des villes, un peu mieux préparé, ayant reçu quelques lueurs de la philosophie du siècle, montra une admirable ardeur, une vive conscience de son droit. Il y parut aux élections, à la rapidité, à la certitude avec laquelle des masses d'hommes inexpérimentés firent ce premier pas politique. Il y parut à l'uniformité des cahiers, où ils consignèrent leurs plaintes, accord inattendu, imposant, qui donna au vœu public une irrésistible force. Ces plaintes, depuis combien de temps elles étaient dans les cœurs !... Il n'en coûta guère d'écrire. Tel cahier d'un de nos districts, qui comprenait presque un code, fut commencé à minuit, et terminé à trois heures.

Un mouvement si vaste, si varié, si peu préparé, et néanmoins unanime !... c'est un phénomène admirable. Tous y prirent part, et (moins un nombre imperceptible) tous voulurent la même chose.

Unanime ! il y eut un accord complet, sans réserve, une situation toute simple, la nation d'un côté et le privilège de l'autre. Et dans la nation, alors, aucune distinction possible de peuple et de bourgeoisie ; une seule distinction parut, les lettrés et les illettrés ; les lettrés seuls parlèrent, écrivirent, mais ils écrivirent la pensée de tous. Ils formulèrent les demandes communes, et ces demandes, c'étaient celles des masses muettes, autant et plus que les leurs.

Ah ! qui ne serait touché au souvenir de ce moment unique, qui fut notre point de départ ? Il dura peu, mais il reste pour nous l'idéal où nous tendrons toujours, l'espoir de l'avenir ?... Sublime accord, où les libertés naissantes des classes, opposées plus tard, s'embrassèrent si tendrement, comme des frères au berceau, est-ce que nous ne vous verrons pas revenir sur cette terre ?

Cette union des classes diverses, cette grande apparition du peuple dans sa formidable unité, était l'effroi de la Cour. Elle faisait les derniers efforts auprès du roi pour le décider à manquer à sa parole. Le comité Polignac avait imaginé, pour le mettre entre deux peurs, de faire écrire, signer des princes une lettre audacieuse où ils menaçaient le roi, se portaient pour chefs des privilégiés, parlaient de refus d'impôt, de scission, presque de guerre civile.

Et pourtant, comment le roi eût-il éludé les États ? Indiqués par la cour des Aides, demandés par les parlements et par les notables, promis par Brienne et promis par Necker, ils devaient enfin ouvrir le 27 avril. On les ajourna encore au 4 mai... Périlleux délai ! A tant de voix qui s'élevaient, une s'était jointe, hélas ! qui fut souvent entendue au XVIIIe siècle, la voix de la terre... la terre désolée, stérile, refusant la vie aux hommes !... L'hiver avait été terrible, l'été fut sec et ne donna rien, la famine commença. Les boulangers, toujours en péril devant la foule ameutée et affamée, dénoncèrent eux-mêmes des compagnies qui accaparaient les grains. Une seule chose contenait le peuple, le faisait patiemment jeûner, attendre : l'espoir des États généraux. Vague espoir, mais qui soutenait ; la prochaine assemblée était un Messie ; il suffisait qu'elle parlât, et les pierres allaient se changer en pain.

Les élections, tant retardées, le furent encore plus à Paris. Elles ne furent convoquées qu'à la veille des États. On espérait que les députés n'assisteraient pas aux premières séances, et qu'avant leur arrivée, on assurerait la séparation des trois ordres, qui donnaient la majorité aux privilégiés.

Autre sujet de mécontentement, et plus grave, pour Paris. Dans cette ville, la plus éclairée du royaume, l'élection était assujettie à des conditions plus sévères. Un règlement spécial, donné après la convocation, appelait comme électeurs primaires, non pas tous les imposés, mais ceux-là seulement qui payaient six livres d'impôt.

Paris fut rempli de troupes, les rues de patrouilles, tous les lieux d'élection furent entourés de soldats. Les armes furent chargées dans la rue devant la foule.

En présence de ces vaines démonstrations, les électeurs furent très fermes. A peine réunis, ils destituèrent les présidents que le roi leur avait donnés. Sur soixante districts, trois seulement renommèrent le président nommé par le roi, en lui faisant déclarer qu'il présidait comme élu. Grave mesure, premier acte de la souveraineté nationale. Et c'était elle en effet qu'il fallait fonder. Les questions d'argent, de réformes ne venaient qu'après. Hors du droit, quelle garantie, quelle réforme sérieuse ?

Les électeurs, créés par ces assemblées de districts, agirent précisément de même. Ils élurent président l'avocat Target ; vice-président Camus, l'avocat du clergé ; secrétaires, l'académicien Bailly et le docteur Guillotin, un médecin philanthrope.

La Cour fut étonnée de la décision, de la fermeté, de la suite avec laquelle procédèrent vingt-cinq mille électeurs primaires si neufs dans la vie politique. Il n'y eut aucun désordre. Assemblés dans les églises, ils y portèrent l'émotion de la chose grande et sainte qu'ils accomplissaient. La mesure la plus hardie, la destitution des présidents nommés par le roi, s'accomplit sans bruit, sans cris, avec la simplicité vigoureuse que donne la conscience du droit.

Les électeurs, sous un président de leur choix, siégeaient à l'Archevêché, ils allaient procéder à la fusion des cahiers de districts et à la rédaction du cahier commun ; ils s'accordaient déjà sur une chose, que Sieyès avait conseillée, l'utilité de placer en tête une déclaration des droits de l'homme. Au milieu de cette délicate et difficile besogne métaphysique, un bruit terrible les interrompit. C'était la foule en guenilles qui venait demander la tête d'un de leurs collègues, d'un électeur, Réveillon, fabricant de papier au faubourg Saint-Antoine. Réveillon était caché ; mais le mouvement n'en était pas moins dangereux. On était déjà au 28 avril ; les Etats généraux, promis pour le 27, puis remis encore au 4 mai, risquaient fort, si le mouvement durait, d'être ajournés de nouveau.

Il avait commencé précisément le 27, et il n'était que trop facile de le propager, le continuer, l'agrandir, dans une population affamée. On avait répandu dans le faubourg Saint-Antoine que le papetier Réveillon, ex-ouvrier enrichi, avait dit durement qu'il fallait abaisser les journées à quinze sols ; on ajoutait qu'il devait être décoré du cordon noir. Sur ce bruit, grand mouvement. Voilà d'abord une bande qui, devant la porte de Réveillon, pend son effigie décorée du cordon, la promène, la porte à la Grève, la brûle en cérémonie, sous les fenêtres de l'Hôtel de Ville, sous les yeux de l'autorité municipale, qui ne s'émeut pas. Cette autorité et les autres, si éveillées tout à l'heure, semblent endormies. Le lieutenant de police, le prévôt des marchands Flesselles, l'intendant Berthier, tous ces agents de la Cour, qui naguère entouraient les élections de soldats, ont perdu leur activité.

La bande a dit tout haut qu'elle irait le lendemain faire justice chez Réveillon. Elle tient parole. La police, si bien informée, ne prend nulle précaution. C'est le colonel des gardes françaises qui, de lui-même, envoie trente hommes, secours ridicule ; dans une foule compacte de mille ou deux mille pillards et de cent mille curieux, les soldats ne veulent, ne peuvent rien faire. La maison est forcée, on brise, on casse, on brûle tout. Rien ne fut emporté, sauf cinq cents louis en or. Beaucoup s'établirent aux caves, burent le vin et les couleurs de la fabrique, qu'ils prirent pour du vin.

Chose incroyable, cette vilaine scène dura tout le jour. Remarquez qu'elle se passait à l'entrée même du faubourg, sous le canon de la Bastille, à la porte du fort. Réveillon, qui y était caché, voyait tout des tours. On envoyait de temps à autre des compagnies de gardes françaises, qui tiraient, à poudre d'abord, puis à balles. Les pillards n'en tenaient pas compte, quoiqu'ils n'eussent que des pierres à jeter. Tard, bien tard, le commandant Besenval envoya des Suisses, les pillards résistèrent encore, tuèrent quelques hommes ; les soldats répondirent par des décharges meurtrières qui laissèrent sur le carreau nombre de blessés et de morts. Beaucoup de ces morts en guenilles avaient de l'argent dans leurs poches.

Si, pendant ces deux longs jours où les magistrats dormirent, où Besenval s'abstint d'envoyer des troupes, le faubourg Saint-Antoine s'était laissé aller à suivre la bande qui saccageait Réveillon, si cinquante mille ouvriers sans travail, sans pain, s'étaient mis, sur cet exemple, à piller les maisons riches, tout changeait de face ; la Cour avait un excellent motif pour concentrer une armée sur Paris et sur Versailles, un prétexte spécieux pour ajourner les états. Mais la grande masse du faubourg resta honnête et s'abstint ; elle regarda, sans bouger. L'émeute, ainsi réduite à quelques centaines de gens ivres et de voleurs, devenait honteuse pour l'autorité qui la permettait. Besenval trouva, à la fin, son rôle trop ridicule, il agit et finit tout brusquement. La Cour lui en sut mauvais gré ; elle n'osa le blâmer, mais ne lui dit pas un mot. Le Parlement ne put se dispenser, pour son honneur, d'ouvrir une enquête, et l'enquête resta là. On a dit, sans preuve suffisante, qu'il lui fut fait défense, au nom du roi, de passer outre.

Quels furent les instigateurs ? Peut-être personne. Le feu, dans ces moments d'orage, prend bien de lui-même. On ne manqua pas d'accuser « le parti révolutionnaire ». Qu'était-ce que ce parti ? Il n'y avait encore nulle association active.

On prétendit que le duc d'Orléans avait donné de l'argent. Pourquoi ? Qu'y gagnait-il alors ? Le grand mouvement qui commençait offrait à son ambition trop de chances légales pour qu'à cette époque il eût besoin de recourir à l'émeute. Il était mené, il est vrai, par des intrigants prêts à tout ; mais leur plan, à cette époque, était entièrement dirigé vers les états généraux ; seul populaire entre les princes, leur duc, ils s'en croyaient sûrs, allait y jouer le premier rôle. Tout événement qui pouvait retarder les états leur paraissait un malheur.

Qui désirait les retarder ? qui trouvait son compte à terrifier les électeurs ? qui profitait à l'émeute ?

La Cour seule, il faut l'avouer. L'affaire venait tellement à point pour elle qu'on pourrait l'en croire auteur. Il est néanmoins plus probable qu'elle ne la commença point, mais la vit avec plaisir, ne fit rien pour l'empêcher, et regretta qu'elle finît. Le faubourg Saint-Antoine n'avait pas alors sa terrible réputation ; l'émeute, sous le canon même de la Bastille, ne semblait pas dangereuse.

Les nobles de Bretagne avaient donné l'exemple de troubler les opérations légales des états provinciaux, en remuant les paysans, en lançant contre le peuple une populace mêlée de laquais. A Paris même, un journal, *L'Ami du Roi,* peu de jours avant l'affaire Réveillon, semblait essayer des mêmes moyens : « Qu'importe ces élections, disait-il hypocritement, le pauvre sera toujours pauvre ; le sort de la plus intéressante portion du royaume est oublié, etc. » Comme si les premiers résultats de la Révolution — que ces élections commençaient — la suppression de la dîme, la suppression de l'octroi et des aides, la vente à bas prix de moitié des terres du royaume, n'avaient pas produit la plus subite amélioration dans le sort du pauvre qu'aucun peuple eût vue jamais !

Le 29 avril, au matin, tout se retrouva tranquille. L'assemblée des électeurs put reprendre paisiblement ses travaux. Ils durèrent jusqu'au 20 mai, et la Cour obtint l'avantage qu'elle s'était proposé par cette convocation tardive, d'empêcher la députation de Paris de siéger aux premières séances des États généraux. Le dernier élu de Paris et de la France fut celui qui, dans l'opinion, était le premier de tous, celui qui d'avance avait tracé à la Révolution une marche si droite et si simple, qui en avait marqué les premiers pas, un à un. Tout avançait sur le plan donné par Sieyès, d'un mouvement majestueux, pacifique et ferme, comme la loi.

La loi seule allait régner ; après tant de siècles d'arbitraire et de caprice, le temps arrivait où personne n'aurait raison contre la raison.

Qu'ils s'assemblent donc, qu'ils s'ouvrent, ces redoutés États généraux ! Ceux qui les ont convoqués, et qui maintenant voudraient qu'on n'en eût parlé jamais, n'y peuvent rien faire. C'est un Océan qui monte ; des causes infinies, profondes, agissant du fond des siècles en soulèvent la masse grondante... Opposez-lui, je vous prie, toutes les armées du monde, ou bien le doigt d'un enfant, il n'en fait pas la différence... Dieu le pousse, la justice tardive, l'expiation du passé, le salut de l'avenir !

CHAPITRE II

Ouverture des États Généraux

Processions des États généraux — Ouverture, 5 mai — Discours de Necker — Question de la séparation des ordres — Le tiers invite à la réunion — Inaction de l'Assemblée — Pièges qu'on lui tend (4 mai-9 juin 1789).

La veille de l'ouverture des États généraux, on dit solennellement à Versailles la messe du Saint-Esprit. C'était bien ce jour, ou jamais, qu'on pouvait chanter l'hymne prophétique : « Tu vas créer des peuples, et la face de la terre en sera renouvelée. »

Ce grand jour fut le 4 mai. Les douze cents députés, le roi, la reine, toute la Cour, entendirent à l'église de Notre-Dame le *Veni Creator.* Puis, l'immense procession, traversant toute la ville, se rendit à Saint-Louis. Les larges rues de Versailles, bordées de gardes françaises et de gardes suisses, tendues de tapisseries de la couronne, ne pouvaient contenir la foule.

Tout Paris était venu. Les fenêtres, les toits même, étaient chargés de monde. Les balcons étaient ornés d'étoffes précieuses, parés de femmes brillantes, dans la toilette coquette et bizarre qu'on portait alors, mêlée de plumes et de fleurs. Tout ce monde était ému, attendri, plein de trouble et d'espérance.

Une grande chose commençait ; quel en serait le progrès, l'issue, les résultats, qui pouvait le dire ?... L'éclat d'un tel spectacle, si varié, si majestueux, la musique, qui se faisait entendre de distance en distance, faisaient taire toute autre pensée.

Beau jour, dernier jour de paix, premier d'immense avenir !...

Les passions étaient vives, diverses, opposées sans doute, mais elles n'étaient pas aigries, comme elles le furent bientôt. Ceux mêmes qui avaient le moins souhaité cette ère nouvelle ne pouvaient s'empêcher de partager l'émotion commune. Un député de la noblesse avoue qu'il pleurait de joie : « Cette France, ma patrie, je la voyais, appuyée sur la religion, nous dire : Etouffez vos querelles !... Des larmes coulaient de mes yeux. Mon Dieu, ma patrie, mes concitoyens étaient devenus moi-même. »

En tête de la procession apparaissait d'abord une masse d'hommes, vêtus de noir, le fort et profond bataillon des cinq cent cinquante députés du Tiers ; sur ce nombre, plus de trois cents légistes, avocats ou magistrats, représentaient avec force l'avènement de la loi. Modestes d'habits, fermes de marche et de regards, ils allaient encore, sans distinction de partis, tous heureux de ce grand jour qu'ils avaient fait et qui était leur victoire.

La brillante petite troupe des députés de la noblesse venait ensuite, avec ses chapeaux à plumes, ses dentelles, ses parements d'or. Les applaudissements qui avaient accueilli le tiers cessèrent tout à coup. Sur ces nobles, cependant, quarante environ semblaient de chauds amis du peuple, autant que les hommes du tiers.

Même silence pour le clergé. Dans cet ordre, on voyait très distinctement deux ordres : une noblesse, un tiers état ; une trentaine de prélats en rochets et robes violettes ; à part et séparés d'eux par un chœur de musiciens, l'humble troupe des deux cents curés dans leurs noires robes de prêtres.

A regarder cette masse importante de douze cents hommes animés de grande passion, une chose put frapper l'observateur attentif. Ils offraient très peu d'individualités fortes, beaucoup d'hommes honorables sans doute et d'un talent estimé, aucun de ceux qui, par l'autorité réunie du génie et du caractère, ont le droit d'entraîner la foule, nul grand inventeur, nul héros.

Les puissants novateurs qui avaient ouvert les voies à ce siècle n'existaient plus alors. Il restait leur pensée pour mener les nations. De grands orateurs surgirent pour l'exprimer, l'appliquer, mais ils n'y ajoutèrent pas. La gloire de la Révolution dans ces premiers moments, mais son péril aussi, ce qui pouvait la rendre moins certaine dans sa marche, c'était de se passer d'hommes, d'aller seule, par l'élan des idées, sur la foi de la raison pure, sans idole et sans faux Dieu.

Le corps de la noblesse, qui se présentait comme dépositaire et gardien de notre gloire militaire, n'offrait aucun général célèbre. « C'étaient d'illustres obscurs que tous les grands seigneurs de France. » Un seul peut-être excitait l'intérêt, celui qui, malgré la Cour, avait le premier pris part à la guerre d'Amérique, le jeune et blond La Fayette. Personne ne soupçonnait le rôle exagéré qu'allait lui donner la fortune.

Le Tiers, dans sa masse obscure, portait déjà la Convention. Mais qui aurait su la voir ? qui distinguait, dans cette foule d'avocats, la taille roide, la pâle figure de tel avocat d'Arras ?

Deux choses étaient remarquées, l'absence de Sieyès, la présence de Mirabeau.

Sieyès n'était pas venu encore ; on cherchait dans ce grand mouvement celui dont la sagacité singulière l'avait vu, formulé et calculé.

Mirabeau était présent, et il attirait tous les regards. Son immense chevelure, sa tête léonine, marquée d'une laideur puissante, étonnaient, effrayaient presque ; on n'en pouvait détacher les yeux. C'était un homme celui-là, visiblement, et les autres étaient des ombres ; un homme malheureusement de son temps et de sa classe, vicieux comme l'était la haute société du temps, scandaleux de plus, bruyant et courageux dans le vice : voilà ce qui l'avait perdu. Le monde était plein du roman de ses aventures, de ses captivités, de ses passions. Car il avait eu des passions, et violentes, furieuses... Qui alors en avait de telles ? Et la tyrannie de ses passions, exigeantes et absorbantes, l'avait souvent mené bien bas... Pauvre par la dureté de sa famille, il eut les misères morales, les vices du pauvre, par-dessus les vices du riche. Tyrannie de la famille, tyrannie de l'État, tyrannie morale, intérieure, celle de la passion... Ah ! personne ne devait saluer avec plus d'ardeur cette aurore de la liberté, le renouvellement de l'âme, il le disait à ses amis. Il allait renaître jeune avec la France, jeter son vieux manteau taché... Seulement, il fallait vivre encore ; au seuil de cette vie nouvelle qui s'ouvrait, fort, ardent, passionné, il n'en était pas moins entamé profondément ; son teint était altéré, ses joues s'affaissaient... N'importe ! il portait haut sa tête énorme, son regard était plein d'audace. Tout le monde pressentait en lui la grande voix de la France.

Le Tiers fut applaudi en général ; puis, dans la noblesse, le seul duc d'Orléans, le roi enfin, qu'on remerciait ainsi d'avoir convoqué les États. Telle fut la justice du peuple.

Au passage de la reine, il y eut quelques murmures, des femmes crièrent : « Vive le duc d'Orléans ! » croyant la blesser davantage en nommant son ennemi... L'impression fut forte sur elle, elle pensa s'évanouir, on la soutint, mais elle se remit bien vite, relevant sa tête hautaine, belle encore. Elle s'essayait dès lors à repousser la haine publique d'un regard ferme et méprisant... Triste effort qui n'embellit pas. Dans le solennel portrait que nous a laissé d'elle, en 1788, son peintre, Mme Lebrun, qui l'aimait, et qui a dû la parer de son affection même, on sent déjà pourtant quelque chose de répulsif, de dédaigneux, d'endurci.

Ainsi, cette belle fête de paix, d'union, trahissait la guerre. On indiquait un jour à la France pour s'unir et s'embrasser dans une pensée commune, et l'on faisait en même temps ce qu'il fallait pour la diviser. Rien qu'à voir cette diversité de costumes imposée aux députés, on trouvait réalisé le mot dur de Sieyès : « Trois ordres ? Non, trois nations. »

La Cour avait fait fouiller les vieux livres, pour y retrouver le détail odieux d'un cérémonial gothique, ces oppositions de classes, ces signes de distinction et de haine sociale qu'il eût fallu plutôt enfouir. Des blasons, des figures, des symboles, après Voltaire, après *Figaro !* c'était tard. A vrai dire, ce n'était pas tant la manie de vieilleries qui avait guidé la Cour, mais bien le plaisir secret de mortifier, d'abaisser ces petites gens qui, aux élections, avaient fait les rois, de les rappeler à leurs basses origines... La faiblesse se jouait au dangereux amusement d'humilier une dernière fois les forts.

Dès le 3 mai, la veille de la messe du Saint-Esprit, les députés étaient présentés à Versailles ; à ce moment de cordialité, de facile émotion, le roi glaça les députés, qui presque tous arrivaient favorablement disposés pour lui. Au lieu de les recevoir mêlés par provinces, il les fit entrer par ordres ; le clergé, la noblesse d'abord... puis, après une pause, le Tiers.

On aurait voulu imputer ces petites insolences aux officiers, aux valets ; mais Louis XVI ne montra que trop qu'il tenait lui-même au vieux cérémonial. A la séance du 5, le roi s'étant couvert, et la noblesse après lui, le Tiers voulut en faire autant ; mais le roi, pour l'empêcher de prendre ainsi l'égalité avec la noblesse, aima mieux se découvrir.

Qui croirait que cette cour insensée se rappelât, regrettât l'usage absurde de faire haranguer le Tiers à genoux ? On ne voulut pas l'en dispenser expressément, et l'on aima mieux décider que le président du Tiers ne ferait pas de harangue. C'est-à-dire que, au bout de deux cents ans de séparation et de silence, le roi revoyait son peuple et lui défendait de parler.

Le 5 mai, l'assemblée s'ouvrit, non chez le roi, au château, mais dans l'avenue de Paris, à la salle des Menus. Cette salle, qui malheureusement n'existe plus, était immense ; elle pouvait contenir, outre les douze cents députés, quatre milliers d'auditeurs.

Un témoin oculaire, Mme de Staël, fille de Necker, qui était venue là pour voir applaudir son père, nous dit qu'il le fut en effet, et que Mirabeau venant prendre place, on entendit quelques murmures... Murmures contre l'homme immoral ? Cette société brillante, qui se mourait de ses vices, et tenait à sa dernière fête, n'avait pas droit de sévérité.

L'assemblée essuya trois discours, celui du roi, celui du garde des sceaux, et celui de Necker, tous sur le même texte, tous indignes de la circonstance. Le roi se retrouvait enfin en présence de la nation, et il n'avait pas une parole paternelle à dire, pas un mot du cœur pour le cœur. L'exorde, c'était une gronderie gauche, timide, sournoise, sur l'esprit d'innovation. Il exprimait sa sensibilité... pour les deux ordres supérieurs, « qui se montraient disposés à renoncer à leurs privilèges pécuniaires ». La préoccupation d'argent dominait les trois discours ; peu ou rien, sur la question de droit, celle qui remplissait, élevait toutes les âmes, le droit de l'égalité. Le roi et ses deux ministres, dans un pathos maladroit où l'enflure alterne avec la bassesse, semblent convaincus qu'il s'agit uniquement d'impôt, d'argent, de subsistances, de la question du ventre. Ils croient que si les privilégiés accordent au Tiers, en aumône, l'égalité de l'impôt, tout va s'arranger de soi-même. De là, trois éloges, dans les trois discours, pour le sacrifice des ordres supérieurs qui veulent bien renoncer à leurs exemptions. Les éloges vont *crescendo,* jusqu'à Necker, qui ne voit aucun héroïsme comparable dans l'histoire.

Ces éloges, qui ont plutôt l'air d'une invitation, annoncent trop clairement que ce sacrifice admirable et tant loué n'est pas fait encore. Qu'il se fasse donc bien vite ! c'est toute la question pour le roi et les ministres, qui ont appelé là le Tiers comme épouvantail, et le renverraient volontiers. De ce grand sacrifice, ils n'ont encore que des assurances partielles, douteuses ; quelques seigneurs l'ont offert, mais les autres se sont moqués d'eux. Plusieurs membres du clergé, contre l'opinion connue de l'Assemblée du clergé, ont donné cette espérance. Les deux ordres n'ont pas hâte de s'expliquer là-dessus ; le mot décisif ne peut sortir de leur bouche, il reste à la gorge. Il faut deux mois, les plus graves, les plus terribles circonstances, disons-le, la victoire du Tiers, pour qu'enfin, le 26 juin, le clergé vaincu renonce, et même alors la noblesse *promet* seulement de renoncer.

Necker parla trois heures de finance et de morale : « Rien, dit-il, sans la morale publique, sans la morale particulière. » Son discours n'en était pas moins l'immorale énumération des moyens qu'avait le roi pour se passer d'états généraux, continuer l'arbitraire. Les États, dès lors, étaient un vulgaire don, une faveur octroyée et révocable.

Il avouait imprudemment que le roi *était inquiet*... Il exprimait le désir que les deux ordres supérieurs, restant seuls et libres, accomplissent leurs sacrifices, sauf à se réunir au Tiers pour discuter plus tard les questions d'intérêt commun. Dangereuse insinuation ! Le ministre, une fois libre de puiser l'impôt à ces riches sources de la grande propriété, n'eût guère insisté pour obtenir la réunion des ordres. Les privilégiés auraient gardé leur fausse majorité ; deux ordres ligués contre un auraient empêché les réformes. Qu'importe ! la banqueroute étant évitée, la disette ayant cessé, l'opinion s'étant rendormie, la question de droit, de garantie, était ajournée, l'inégalité et l'arbitraire raffermis, Necker régnait, ou plutôt la Cour qui, une fois quitte du péril, eût renvoyé à Genève le banquier sentimental.

Le 6 mai, les députés du Tiers prennent possession de la grande salle ; la foule impatiente, qui assiégeait les portes, s'élance à leur suite.

La noblesse à part, le clergé à part, s'établissent dans leurs chambres, et, sans perdre de temps, décident que les pouvoirs doivent être vérifiés par chaque ordre et dans son sein. Forte majorité dans la noblesse, petite dans le clergé ; un grand nombre de curés voulaient se réunir au tiers.

Le Tiers, fort de son grand nombre et maître de la grande salle, déclare *qu'il attend les deux autres ordres.* Le vide de cet immense local semblait accuser leur absence : la salle elle-même parlait.

La question de la réunion des ordres contenait toutes les autres. Celui du Tiers, déjà double de nombre, devait y gagner la voix de cinquante nobles environ et d'une centaine de curés, partant dominer les deux ordres d'une majorité énorme, et se trouver en tout leur juge. Le privilège jugé par ceux contre qui il fut établi ! il était facile de prévoir l'arrêt.

Donc, le Tiers attendait le clergé et la noblesse ; il attendait dans sa force, patiemment, comme toute chose éternelle. Les privilégiés s'agitaient ; ils se retournaient, trop tard, vers le grand privilégié, le roi, leur centre naturel, qu'ils avaient ébranlé eux-mêmes. Ainsi, dans ce moment d'attente qui dura un mois et plus, les choses se classèrent selon leurs affinités : les privilégiés avec le roi, l'Assemblée avec le peuple.

Elle vivait avec lui, parlait avec lui, les portes toutes grandes ouvertes ; nulle barrière encore. Paris siégeait à Versailles, pêle-mêle avec les députés. Une communication continuelle existait sur toute la route. L'assemblée des électeurs de Paris, l'assemblée irrégulière, tumultueuse, que la foule tenait au Palais-Royal, demandait de moment en moment nouvelle des députés ; on interrogeait avidement tout ce qui venait de Versailles. Le Tiers, qui voyait la Cour s'irriter de plus en plus et s'entourer de soldats, ne se sentait qu'une défense, la foule qui l'écoutait, la presse qui le faisait écouter de tout le royaume. Le jour même de l'ouverture des Etats, la Cour essaya d'étouffer la presse ; un arrêt du Conseil supprima, condamna le journal des États généraux, que Mirabeau publiait ; un autre arrêt défendit qu'aucun écrit périodique parût sans permission. Ainsi la censure, inactive depuis plusieurs mois et comme suspendue, était rétablie en face de la nation assemblée, rétablie pour les communications nécessaires, indispensables, des députés et de ceux qui les avaient députés. Mirabeau n'en tint compte, et continua sous ce titre : *Lettres à mes Commettants.* L'assemblée des électeurs de Paris, qui travaillait encore à ses cahiers, s'interrompit (7 mai) pour réclamer unanimement contre l'arrêt du Conseil. Ce fut la première intervention de Paris dans les affaires générales. La grande et capitale question de la liberté de la presse se trouva emportée d'emblée. La Cour pouvait dès lors rassembler des canons et des armées ; une artillerie plus puissante, celle de la presse, tonnait désormais à l'oreille du peuple, tout le royaume entendait.

Le 7 mai, le Tiers, sur la proposition de Malouet et de Mounier, permit à quelques-uns des siens d'inviter le clergé et la noblesse à venir siéger. La noblesse passa outre, se constitua en assemblée. Le clergé, plus divisé, plus craintif, voulut voir venir les choses ; les prélats, d'ailleurs, croyaient avec le temps gagner des voix parmi les curés.

Six jours perdus. Le 12 mai, Rabaud Saint-Etienne, député protestant de Nîmes, fils du vieux martyr des Cévennes, proposa de conférer pour amener la réunion. A quoi le Breton Chapelier voulait qu'on substituât « une *notification* de l'étonnement où le Tiers se trouvait de l'absence des autres ordres, de l'impossibilité de conférer ailleurs qu'en réunion commune, de l'intérêt et du droit qu'avait chaque député de juger la validité du titre de tous ; les États ouverts, il n'y a plus de député d'ordre ou de province, mais des représentants de la nation ; les députés du privilège y gagnent, leurs fonctions en sont agrandies ».

L'avis de Rabaut l'emporta comme le plus modéré. Des conférences eurent lieu, et elles ne servirent qu'à aigrir les choses. Le 24 mai, Mirabeau reproduit un avis qu'il avait ouvert, d'essayer de détacher le clergé de la noblesse, de l'inviter à la réunion, « au nom du Dieu de paix ». L'avis était très politique ; nombre de curés attendaient impatiemment l'occasion de se réunir. La nouvelle invitation faillit entraîner l'ordre entier. A grand-peine les prélats obtinrent un délai. Le soir ils coururent au château, au comité Polignac. Par la reine, on tira du roi une lettre où il déclarait « désirer que les conférences reprissent en présence du garde des sceaux et d'une commission royale ». Le roi empêchait ainsi la réunion du clergé au Tiers, et se faisait visiblement l'agent des privilégiés.

Cette lettre, peu royale, était un piège tendu. Si le Tiers acceptait, le roi, juge des conférences, pouvait étouffer la question par un arrêt du Conseil, et les ordres restaient divisés. Si le Tiers refusait seul, les autres ordres acceptant, il portait seul l'odieux de l'inaction commune ; seul, dans ce moment de misère et de famine, il ne voulait pas faire un pas pour secourir la nation. Mirabeau, en montrant le piège, conseilla à l'Assemblée de paraître dupe, d'accepter les conférences, en protestant par une adresse.

Nouveau piège. Dans ces conférences, Necker fit appel au sentiment, à la générosité, à la confiance. Il conseillait que chaque ordre s'en remît aux autres de vérifier ses pouvoirs ; en cas de dissentiment, *le roi jugerait*. Le clergé accepta sans hésiter. Si la noblesse eût accepté, le Tiers restait seul contre deux. Qui le tira de ce danger ? La noblesse elle-même, folle et courant à sa perte. Le comité Polignac ne voulut point d'un expédient proposé par son ennemi. Avant même de lire la lettre du roi, la noblesse avait décidé, pour fermer la voie à toute conciliation, que la délibération par ordres et le *vcto* de chaque ordre sur les décisions des autres étaient des principes constitutifs de la monarchie. Le plan de Necker tentait beaucoup de nobles modérés ; deux anoblis de grand talent, mais violents et de faibles têtes, Cazalès et d'Eprémesnil, embrouillèrent la question et parvinrent à éluder ce dernier moyen de salut, à repousser la planche que le roi leur tendait dans leur naufrage (6 juin).

Un mois de retard, après le retard des trois ajournements qu'avait subis la convocation ! un mois, en pleine famine !... Notez que, dans cette grande attente, les riches se tenaient immobiles, ajournaient toute dépense. Le travail avait cessé. Celui qui n'a que ses bras, son travail du jour pour nourrir le jour, allait chercher du travail, n'en trouvait pas, mendiait, ne recevait pas, volait... Des bandes affamées couraient le pays ; où il y avait résistance, elles devenaient furieuses, tuaient, brûlaient... L'effroi s'étendait au loin ; les communications cessaient, la disette allait croissant. Mille contes absurdes circulaient. C'étaient, disait-on, des brigands payés par la Cour. Et la Cour rejetait l'accusation du duc d'Orléans.

La position de l'Assemblée était difficile. Il lui fallait siéger inactive, lorsque tout le remède qu'on pouvait espérer était dans son action. Il lui fallait fermer l'oreille en quelque sorte au cri douloureux de la France, pour sauver la France même, lui fonder la liberté !...

Le clergé aggrava cette position cruelle, et s'avisa contre le Tiers d'une invention vraiment pharisienne. Un prélat vint, dans l'Assemblée, pleurer sur le pauvre peuple, sur la misère des campagnes. Devant les quatre mille personnes qui assistaient à la séance, il tira de sa poche un affreux morceau de pain noir : « Voilà, dit-il, le pain du paysan. » Le clergé proposait d'agir, de former une commission pour conférer ensemble sur la question des subsistances, sur la misère des pauvres.

Dangereux piège. Ou l'Assemblée cédait, se mettait en activité et consacrait ainsi la séparation des ordres, ou bien elle se déclarait insensible aux malheurs publics. La responsabilité du désordre, qui commençait partout, tombait sur elle d'aplomb. Les parleurs ordinaires se turent sur cette question compromettante. Mais des députés obscurs, MM. Populus et Robespierre, exprimèrent avec violence, avec talent, le sentiment général. On invita le clergé à venir *dans la salle commune* délibérer sur ces maux publics dont l'Assemblée n'était pas moins touchée que lui.

Cette réponse ne diminuait pas le péril. Quelle facilité la Cour, les nobles, les prêtres n'avaient-ils pas désormais pour tourner le peuple ? Quel beau texte qu'une assemblée d'avocats, orgueilleuse, ambitieuse, qui avait promis de sauver la France, et la laissait mourir de misère plutôt que de rien céder d'une injuste prétention.

La Cour saisit avidement cette arme, et crut tuer l'Assemblée. Le roi dit au président du clergé qui vint lui soumettre la proposition charitable de son ordre sur l'affaire des subsistances « qu'il verrait avec plaisir se former une commission des Etats généraux, qui pût l'aider de ses conseils ».

Donc le clergé songeait au peuple, le roi aussi ; rien n'empêchait la noblesse de dire les mêmes paroles. Et alors, le Tiers serait resté seul. Il allait être constaté que tous voulaient le bien du peuple, le Tiers seul ne le voulait pas.

CHAPITRE III

Assemblée nationale

Dernière sommation du tiers, 10 juin — Il prend le nom de Communes — Les Communes prennent le titre d'Assemblée nationale, 17 juin — Elles se saisissent du droit de l'impôt — Le roi fait fermer la salle — L'Assemblée au Jeu de Paume, 20 juin 1789.

Le 10 juin, Sieyès dit, en entrant dans l'Assemblée : « Coupons le câble, il est temps. » Depuis ce jour, le vaisseau de la Révolution, malgré les tempêtes et malgré les calmes, retardé, jamais arrêté, cingle vers l'avenir.

Ce grand théoricien, qui d'avance avait calculé si juste, se montra ici vraiment homme d'État ; il avait dit ce qu'il fallait faire, et il le fit au moment.

Il n'y a qu'un moment pour chaque chose. Ici, c'était le 10 juin, pas plus tôt, pas plus tard. Plus tôt, la nation n'était pas assez convaincue de l'endurcissement des privilégiés ; il leur fallait un mois pour bien mettre en lumière toute leur mauvaise volonté. Plus tard, deux choses étaient à craindre, ou que le peuple, poussé à bout, ne laissât la liberté pour un morceau de pain, que les privilégiés ne finissent tout, en renonçant à leur exemption d'impôt ; ou bien que la noblesse, s'unissant au clergé, ne formât (comme on le leur conseillait) une chambre haute. Une telle chambre qui, de nos jours, n'a nul rôle que d'être une machine commode à la royauté, eût été en 89 une puissance par elle-même : elle eût réuni ceux qui possédaient alors la moitié ou les deux tiers des terres du royaume, ceux qui, par leurs agents, leurs fermiers, leur domestiques innombrables, avaient tant de moyens d'influer sur les campagnes. On venait de voir aux Pays-Bas le formidable accord de ces deux ordres, qui avait entraîné le peuple, chassé les Autrichiens, dépossédé l'empereur.

Le mercredi 10 juin 1789, Sieyès proposa de *sommer* une dernière fois le clergé et la noblesse, de les avertir que l'appel se ferait *dans une heure,* et qu'il serait *donné défaut* contre les non-comparants.

Cette sommation dans la forme judiciaire était un coup inattendu. Les députés des communes prenaient, à l'égard de ceux qui leur contestaient l'égalité, une position supérieure, celle de juges, en quelque sorte.

Cela était sage, on risquait trop à attendre, mais cela était hardi. On a répété souvent que ceux qui avaient tout un peuple derrière eux, une ville comme Paris, n'avaient rien à craindre, qu'ils étaient les forts, qu'ils avançaient sans péril... Après coup, et toute chose ayant réussi, on peut soutenir la thèse. Sans doute, ceux qui franchirent ce pas se sentaient une grande force, mais cette force n'était nullement organisée ; le peuple n'était pas militaire, comme il l'est devenu plus tard. Une armée entourait Versailles, allemande et suisse en partie (neuf régiments au moins sur quinze) ; une batterie de canons était devant l'Assemblée... La gloire du grand logicien qui formula la pensée nationale, la gloire de l'Assemblée qui accepta la formule, fut de ne rien voir de cela, mais de croire à la logique, et d'avancer dans sa foi.

La Cour, très irrésolue, ne sut rien faire que s'enfermer dans un dédaigneux silence. Deux fois, le roi évita de recevoir le président des Communes ; il était à la chasse, disait-on, ou bien, il était trop affligé de la mort récente du dauphin. Et l'on savait qu'il recevait tous les jours les prélats, les nobles, les parlementaires. Ils commençaient à s'effrayer, ils venaient s'offrir au roi. La Cour les écoutait, les marchandait, spéculait sur leurs craintes. Toutefois, il était visible que le roi, obsédé par eux, leur prisonnier en quelque sorte, leur appartiendrait tout entier, et se montrerait de plus en plus ce qu'il était, un privilégié à la tête des privilégiés. La situation devenait nette et facile à saisir ; il ne restait que deux choses, le privilège d'un côté, le droit de l'autre.

L'Assemblée avait parlé haut. Elle attendait de sa démarche la réunion d'une partie du clergé. Les curés se sentaient peuple, et voulaient aller prendre leur vraie place à côté du peuple. Mais les habitudes de subordination ecclésiastique, les intrigues des prélats, leur autorité, leur voix menaçante, la Cour, la reine d'autre part, les tenaient encore fixés sur leurs bancs. Trois seulement se hasardèrent, puis sept, enfin dix-huit en tout. Grande risée à la Cour sur la belle conquête que faisait le Tiers.

L'Assemblée devait ou périr, ou avancer, faire un second pas. Elle devait envisager hardiment la situation simple, terrible, que nous indiquions tout à l'heure, le droit en face du privilège, le droit de la nation concentré dans l'Assemblée... Et il ne suffisait pas de voir cela, il fallait le faire voir et le promulguer, donner à l'Assemblée son vrai nom : *Assemblée nationale*.

Dans sa fameuse brochure que tout le monde savait par cœur, Sieyès avait dit ce mot remarquable qui ne tomba pas en vain : « Le

Tiers seul, dira-t-on, ne peut pas former les États généraux... Eh ! tant mieux, il composera une *Assemblée nationale.* »

Prendre ce titre, s'intituler ainsi la nation, réaliser le dogme révolutionnaire posé par Sieyès : *Le Tiers, c'est le tout,* c'était un pas trop hardi pour le franchir tout d'abord. Il fallait y préparer les esprits, s'acheminer vers ce but peu à peu et par degré.

D'abord le mot d'*Assemblée nationale* ne se dit point dans l'Assemblée même, mais à Paris entre les électeurs qui avaient élu Sieyès, et ne craignaient pas de parler sa langue.

Le 15 mai, M. Boissy d'Anglas, obscur alors et sans influence, prononça le mot, mais pour l'éloigner, l'ajourner, avertissant la Chambre qu'elle devait se garder de toute précipitation, s'affranchir du moindre reproche de *légèreté...* Avant que le mouvement commençât, il voulait déjà l'enrayer.

L'Assemblée s'en tint au nom de *Communes,* qui, dans son humble signification, mal définie, la débarrassait pourtant de ce petit nom spécial, inexact, de *Tiers.* Vives réclamations de la part de la noblesse.

Le 15 juin, Sieyès, avec audace et prudence, demanda que les Communes s'intitulassent : Assemblée des représentants connus et vérifiés *de la nation française.* Il semblait n'énoncer qu'un fait impossible à contester, les députés des Communes avaient soumis leurs pouvoirs à une vérification publique, faite solennellement dans la grande salle ouverte et devant la foule. Les deux autres ordres avaient vérifié entre eux, à huis clos. Le simple mot de députés *vérifiés* réduisait les autres au nom de députés *présumés ;* ces derniers pouvaient-ils empêcher les autres d'agir ? les absents pouvaient-ils paralyser les *présents ?* Sieyès rappelait que ceux-ci *représentaient déjà les quatre-vingt-seize centièmes* (au moins) *de la nation.*

On connaissait trop bien Sieyès pour douter que cette proposition ne fût un degré pour amener à une autre, plus hardie, plus décisive. Mirabeau lui reprocha tout d'abord « de lancer l'Assemblée dans la carrière, sans lui montrer le but auquel il voulait la conduire ».

Et en effet, au second jour de la bataille, la lumière se fit. Deux députés servirent de précurseurs à Sieyès. M. Legrand proposa que l'Assemblée se constituât en assemblée *générale* : qu'elle ne se tînt arrêtée par rien de ce qui sortirait de *l'indivisibilité d'une Assemblée nationale.* M. Galand demanda que, le clergé et la noblesse étant simplement deux corporations, la nation étant une et indivisible, l'Assemblée se constituât Assemblée légitime et active *des représentants de la nation française.* Sieyès alors sortit des obscurités, laissa les ambages, et proposa le titre d'*Assemblée nationale.*

Depuis la séance du 10, Mirabeau regardait Sieyès marcher sous la terre, et il était effrayé. Cette marche rectiligne aboutissait à un point où elle rencontrait de front la royauté, l'aristocratie. S'arrêterait-elle par respect devant l'idole vermoulue ? il n'y avait pas d'apparence. Or, malgré la dure discipline par laquelle la tyrannie forma Mirabeau pour la liberté, il faut dire que le fameux tribun était aristocrate de goût et de mœurs, royaliste de cœur ; il l'était d'origine et de sang, pour ainsi dire. Deux choses, l'une grande, l'autre basse, le poussaient aussi. Entouré de femmes avides, il lui fallait de l'argent ; et la monarchie lui paraissait la main ouverte et prodigue, versant l'argent, les faveurs. Elle lui avait été dure, cruelle, cette royauté ; mais cela même la servait maintenant auprès de lui ; il eût trouvé beau de sauver un roi qui avait signé dix-sept fois l'ordre de l'emprisonner. Tel fut ce pauvre grand homme, si magnanime et généreux, qu'on voudrait pouvoir rejeter ses vices sur son déplorable entourage, sur la barbarie paternelle, qui l'isola de la famille. Son père le persécuta toute sa vie, et il a demandé en mourant d'être enterré auprès de son père.

Le 10, lorsque Sieyès proposa de *donner défaut* contre les non-comparants, Mirabeau appuya ce mot dur, parla fort et ferme. Mais le soir, voyant le péril, il prit sur lui d'aller voir Necker, son ennemi ; il voulait l'éclairer sur la situation, offrir à la royauté le secours de sa parole puissante.

Mal reçu et indigné, il n'entreprit pas moins de barrer la route à Sieyès, de se mettre, lui tribun, lui relevé d'hier par la Révolution, et qui n'avait de force qu'elle, il voulut, dis-je, se mettre en face d'elle, et s'imagina l'arrêter.

Tout autre y eût péri d'abord, sans pouvoir s'en tirer jamais. Qu'il soit plus d'une fois tombé dans l'impopularité, et qu'il ait pu remonter toujours, c'est ce qui donne une idée bien grande du pouvoir de l'éloquence sur cette nation, sensible entre toutes au génie de la parole.

Quoi de plus difficile que la thèse de Mirabeau ! Il essayait, devant cette foule émue, exaltée, devant un peuple élevé au-dessus de lui-même par la grandeur de la crise, d'établir « que le peuple ne s'intéressait pas à de telles discussions, qu'il demandait seulement de ne payer que ce qu'il pouvait et de porter paisiblement sa misère ».

Après ces paroles basses, affligeantes, décourageantes, fausses d'ailleurs en général, il se hasardait à poser la question de principe : « Qui vous a convoqués ? Le roi... Vos mandats, vos cahiers, vous autorisent-ils à vous déclarer l'assemblée des seuls représentants connus et vérifiés ?... Et si le roi vous refuse sa sanction ?... La suite en est évidente. Vous aurez des pillages, des boucheries, vous n'aurez pas même l'exécrable honneur d'une guerre civile. »

Quel titre fallait-il donc prendre ?

Mounier et les imitateurs du Gouvernement anglais proposaient : « Représentants *de la majeure partie* de la nation, en l'absence de la mineure partie. » Cela divisait la nation en deux, conduisait à l'établissement des deux chambres.

Mirabeau préférait la formule : « Représentants du *peuple* français. » Ce mot, disait-il, était élastique, pouvait dire peu ou beaucoup.

C'est précisément le reproche que lui firent deux légistes éminents, Target (de Paris), Thouret (de Rouen). Ils lui demandèrent si *peuple* signifiait *plebs* ou *populus*. L'équivoque était mise à nu. Le roi, le clergé, la noblesse auraient sans nul doute interprété *peuple* dans le sens de *plebs*, du peuple inférieur, d'une simple *partie* de la nation.

Beaucoup n'avaient pas senti l'équivoque, ni combien elle allait faire perdre de terrain à l'Assemblée. Tous le comprirent, lorsque Malouet, l'ami de Necker, accepta ce mot de *peuple*.

La peur que Mirabeau essayait de faire du *veto* royal, ne fit qu'indigner. Le janséniste Camus, l'un des plus fermes caractères de l'Assemblée, répondit ces fortes paroles : « Nous sommes ce que nous sommes. Le *veto* peut-il empêcher que la vérité ne soit une et immuable ? La sanction royale peut-elle changer l'ordre des choses, et altérer leur nature ? »

Mirabeau, irrité par la contradiction, et perdant toute prudence, s'emporta jusqu'à dire : « Je crois le *veto* du roi tellement nécessaire que j'aimerais mieux vivre à Constantinople qu'en France, s'il ne l'avait pas... Oui, je déclare, je ne connaîtrais rien de plus terrible que l'aristocratie souveraine de six cents personnes qui demain pourraient se rendre inamovibles, après-demain héréditaires, et finiraient, comme les aristocrates de tous les pays du monde, par tout envahir. »

Ainsi, de deux maux, l'un possible, l'autre présent, Mirabeau préférait le mal présent et certain. Dans l'hypothèse qu'un jour cette Assemblée pourrait vouloir se perpétuer et devenir un tyran héréditaire, il armait du pouvoir tyrannique d'empêcher toute réforme, cette cour incorrigible qu'il s'agissait de réformer... *Le roi ! le roi !* pourquoi abuser toujours de cette vieille religion ? Qui ne savait que depuis Louis XIV il n'y avait point de roi ? La guerre était entre deux républiques, l'une qui siégeait dans l'Assemblée, c'étaient les grands esprits du temps, les meilleurs citoyens, c'était la France elle-même ; l'autre, la république des abus, tenait son conciliabule chez Diane de Polignac, aux vieux cabinets des Dubois, des Pompadour et des du Barry.

Le discours de Mirabeau fut accueilli d'un tonnerre d'indignation, d'une tempête d'imprécations et d'insultes. La rhétorique éloquente par laquelle il réfutait ce que personne n'avait dit (que le mot de *peuple* est vil) n'avait nullement donné le change.

Il était neuf heures du soir. On ferma la discussion pour aller aux voix. La netteté singulière avec laquelle la question s'était posée sur la royauté elle-même faisait craindre que la Cour ne fît la seule chose qu'elle avait à faire pour empêcher le peuple d'être roi le lendemain ; elle avait la force brutale, une armée autour de Versailles ; elle pouvait l'employer, enlever les principaux députés, dissoudre les États, et si Paris remuait, affamer Paris... Ce crime hardi était son dernier coup de dé ; on croyait qu'elle le jouerait. On voulait le prévenir en constituant l'Assemblée cette nuit même. C'était l'avis de plus de quatre cents députés ; une centaine, au plus, était contre. Cette petite minorité empêcha toute la nuit, par les cris et la violence, qu'on ne pût faire l'appel nominal. Mais ce spectacle honteux d'une majorité tyrannisée, de l'Assemblée mise en péril par le retard, l'idée que, d'un moment à l'autre, l'œuvre de la liberté, le salut de l'avenir, pouvaient être anéantis, tout exalta jusqu'au transport la foule qui remplissait les tribunes ; un homme s'élança, et saisit au collet Malouet, le meneur principal de ces crieurs obstinés. L'homme s'évada. Les cris continuèrent. « En présence de ce tumulte, dit Bailly qui présidait, l'Assemblée resta ferme et digne ; patiente autant que forte, elle attendait en silence que cette bande turbulente fût épuisée par ses cris. » A une heure après minuit, les députés étaient moins nombreux, on remit le vote au matin.

Le matin, au moment du vote, on annonça au président qu'il était mandé à la chancellerie pour prendre une lettre du roi. Cette lettre, où il rappelait qu'on ne pouvait rien sans le concours des trois ordres, serait arrivée bien à point pour fournir un texte aux cent opposants, donner lieu à de longs discours, inquiéter, refroidir beaucoup d'esprits faibles. L'Assemblée, avec une gravité royale, ajourna la lettre du roi, défendit à son président de quitter la salle avant la fin de la séance. Elle voulait voter et vota.

Les diverses motions pouvaient se réduire à trois, ou plutôt à deux ;

1° Celle de Sieyès : Assemblée *nationale ;*

2° Celle de Mounier : Assemblée des représentants de la *majeure partie* de la nation, en l'absence de la *mineure partie.* La formule équivoque de Mirabeau rentrait dans celle de Mounier, le mot *peuple* pouvant se prendre dans un sens restreint, et comme la *majeure partie de la nation.*

Mounier avait l'avantage apparent d'une littéralité judaïque, d'une justesse arithmétique, au fond contraire à la justice. Elle opposait symétriquement, mettait en regard, et comme de niveau, deux valeurs énormément différentes. L'Assemblée représentait la nation, moins les privilégiés, c'est-à-dire quatre-vingt-seize ou quatre-vingt-dix-huit centièmes, contre quatre centièmes (selon Sieyès), deux centièmes (selon Necker). Pourquoi donner à ces deux ou quatre centièmes une si énorme importance ? Ce n'était pas à coup sûr pour ce qu'ils gardaient de puissance morale, ils n'en avaient plus ; c'était dans la réalité parce que toute la grande propriété du royaume, les deux tiers des terres, étaient dans leurs mains. Mounier était l'avocat de la propriété contre la population, de la terre contre l'homme. Point de vue féodal, anglais et matérialiste ; Sieyès avait donné la formule française.

Avec l'arithmétique de Mounier, sa justesse injuste, avec l'équivoque de Mirabeau, la nation restait *une classe,* et la grande propriété, la terre, constituait aussi *une classe* en face de la nation. Nous restions dans l'injustice antique ; le Moyen Age continuait, le système barbare où la glèbe compta plus que l'homme, où la terre, le fumier, la cendre furent suzerains de l'esprit.

Sieyès, mis aux voix d'abord, eut près de cinq cents voix pour lui, et il n'y eut pas cent opposants. Donc l'Assemblée fut proclamée *Assemblée nationale.* Beaucoup crièrent : « Vive le roi ! »

Deux interruptions vinrent encore, comme pour arrêter l'Assemblée, l'une de la noblesse qui envoyait sous un prétexte ; l'autre de certains députés qui voulaient qu'avant tout on créât un président, un bureau régulier. L'Assemblée passa outre, et procéda à la solennité du serment. En présence d'une foule émue de quatre mille spectateurs, les six cents députés, debout, la main levée, dans un silence profond, les yeux fixés sur l'honnête et grave figure de leur président, l'écoutèrent lisant la formule, et crièrent : « Nous le jurons ! » Un sentiment universel de respect et de religion remplit tous les cœurs.

L'Assemblée était fondée, elle vivait ; il lui manquait la force, la certitude de vivre. Elle se l'assura, en saisissant le droit d'impôt. Elle déclara que l'impôt, *illégal jusqu'alors,* serait perçu *provisoirement* « jusqu'au jour de la séparation de la présente Assemblée ». C'était, d'un coup, condamner tout le passé, s'emparer de l'avenir.

Elle adoptait hautement la question de l'honneur, la dette, et s'en portait garant.

Et tous ces actes royaux étaient en langage royal, dans les formules même que le roi seul prenait jusqu'ici : « L'Assemblée *entend et décrète...* »

Finalement, elle s'inquiétait des subsistances publiques. Le pouvoir administratif ayant défailli autant que les autres, la législature, seule autorité respectée alors, était forcée d'intervenir. Elle demandait au reste pour son comité de subsistances ce que le roi lui-même avait offert à la députation du clergé, la communication des renseignements qui éclairaient cette matière. Mais ce qu'il offrait alors, il ne voulut plus l'accorder.

Le plus surpris de tous fut Necker ; il croyait naïvement mener le monde, et le monde avançait sans lui. Il avait toujours regardé la jeune Assemblée comme sa fille, sa pupille ; il répondait au roi qu'elle serait docile et sage ; et voilà que tout à coup, sans consulter le tuteur, elle allait seule, avançait, enjambait les vieilles barrières sans daigner même y regarder... Dans sa stupéfaction immobile,

Necker reçut deux conseils, d'un royaliste, d'un républicain, et les deux revenaient au même. Le royaliste était l'intendant Bertrand de Molleville, un intendant d'Ancien Régime, passionné et borné ; le républicain était Durovray, un de ces démocrates que le roi avait chassés de Genève en 1782.

Il faut savoir ce que c'était que cet étranger qui, dans une crise si grave, s'intéressait tant à la France, et se hasardait à donner conseil. Durovray, établi en Angleterre, pensionné par les Anglais, devenu Anglais de cœur et de maximes, fut un peu plus tard un chef d'émigrés. En attendant, il faisait partie d'un petit comité genevois qui, malheureusement pour nous, circonvenait Mirabeau. L'Angleterre semblait entourer le principal organe de la liberté française. Peu favorable aux Anglais jusque-là, le grand homme s'était laissé prendre à ces ex-républicains, soi-disant martyrs de la liberté. Les Durovray, les Dumont et autres faiseurs médiocres, infatigables, étaient toujours là pour aider la paresse. Il était déjà malade, et faisait ce qu'il fallait pour l'être de plus en plus. Ses nuits tuaient ses jours ; au matin, il se souvenait de l'Assemblée, des affaires, et il cherchait sa pensée ; il avait là tout à point la pensée anglaise, rédigée par les Genevois ; il prenait les yeux fermés, et il y mettait le talent. Telle était sa facilité, son imprévoyance, qu'à la tribune même sa parole admirable n'était parfois qu'une traduction des notes que ces Genevois, de moment en moment, lui faisaient passer.

Durovray, qui n'était point en rapport avec Necker, se fit conseiller officieux dans cette grave circonstance.

Il voulait, comme Bertrand de Molleville, que le roi *cassât le décret* de l'Assemblée, lui ôtât son nom d'*Assemblée nationale,* ordonnât la réunion des trois ordres, se déclarât le *législateur provisoire de la France,* fît, *par l'autorité royale,* ce que les communes avaient fait sans elle. Bertrand croyait avec raison qu'après ce coup, il ne restait qu'à dissoudre. Durovray prétendait que l'Assemblée brisée, humiliée, sous la prérogative royale, acceptait son petit rôle de machine à faire des lois.

Dès le 17 au soir, les chefs du clergé, le cardinal de La Rochefoucauld et l'archevêque de Paris, avaient couru à Marly implorer le roi, la reine. Le 19, vaines disputes dans la Chambre de la noblesse ; Orléans propose de s'unir au Tiers, Montesquiou de s'unir au clergé. Le même jour, les curés avaient emporté la majorité de leur ordre pour la réunion au Tiers, coupé l'ordre en deux. Le cardinal, l'archevêque, le soir même, retournent encore à Marly, se jettent aux genoux du roi : « C'est fait de la religion. » Puis viennent les gens du Parlement : « La Monarchie est perdue si l'on ne dissout les Etats. »

Parti dangereux, déjà impossible à suivre. Le flot montait d'heure en heure. Versailles, Paris frémissaient... Necker avait persuadé à deux ou trois des ministres, au roi même, que son projet était le seul moyen de salut. On l'avait relu, ce projet, dans un dernier conseil définitif, le vendredi 19, au soir ; tout était fini, convenu : « Déjà les portefeuilles se refermaient, dit Necker, lorsqu'on vit entrer un officier de service ; il parla bas au roi, et, sur-le-champ, Sa Majesté se leva, ordonnant à ses ministres de rester en place. M. de Montmorin, assis près de moi, me dit : « Il n'y a rien de fait ; la reine seule a pu se permettre d'interrompre le Conseil d'État ; les princes apparemment l'ont circonvenue. »

Tout fut arrêté : on pouvait le prévoir ; c'était pour cela, sans nul doute, qu'on avait mené le roi à Marly, loin de Versailles et du peuple, seul avec la reine, plus tendre et plus faible pour elle, dans leur douleur commune pour la mort de leur enfant... Belle occasion, forte prise pour les suggestions des prêtres. La mort du dauphin n'était-elle pas un avis sévère de la Providence, lorsque le roi se prêtait aux innovations dangereuses d'un ministre protestant ?

Le roi flottant encore, mais déjà presque vaincu, se contenta d'ordonner, pour empêcher le clergé de se réunir au Tiers, que la salle serait fermée le lendemain samedi (20 juin) ; le prétexte était les préparatifs nécessaires pour une séance royale qui se tiendrait le lundi.

Tout cela arrêté dans la nuit, affiché dans Versailles à six heures du matin. Le président de l'Assemblée nationale apprend par hasard qu'elle ne peut se réunir. Il était plus de sept heures, lorsqu'il reçoit une lettre, non du roi (comme il était naturel, le roi écrivait bien de sa main au président du Parlement), mais simplement un avis du jeune Brézé, maître des cérémonies. Ce n'était pas au président, à M. Bailly en son logis, qu'un tel avis devait être donné, mais à l'Assemblée elle-même. Bailly n'avait pas pouvoir pour agir à sa place. A l'heure indiquée la veille pour la séance, à huit heures, il se rend à la porte de la salle avec beaucoup de députés. Arrêté par la sentinelle, il proteste contre l'empêchement, déclare la séance tenante. Plusieurs jeunes députés firent mine de forcer la porte ; l'officier fit prendre les armes, annonçant ainsi que sa consigne ne faisait nulle réserve pour l'inviolabilité.

Voilà donc nos nouveaux rois, mis et tenus à la porte, comme des écoliers indociles. Les voilà errants à la pluie parmi le peuple sur l'avenue de Paris. Tous s'accordent sur la nécessité de tenir séance, et de s'assembler. Les uns disent : « A la place d'armes ! » D'autres : « A Marly ! » Tel : « A Paris ! » Ce parti était extrême, il mettait le feu aux poudres...

Le député Guillotin ouvrit l'avis moins hasardé de se rendre aux Vieux-Versailles, et de s'établir au Jeu de Paume... Triste lieu, laid, démeublé, pauvre... Et il n'en valait que mieux. L'Assemblée y fut pauvre, et représenta ce jour-là d'autant plus le peuple. Elle resta debout tout le jour, ayant à peine un banc de bois... Ce fut comme la crèche pour la nouvelle religion, son étable de Bethléem.

Un de ces curés intrépides qui avaient décidé la réunion du clergé, l'illustre Grégoire, longtemps après, lorsque l'Empire avait si cruellement effacé la Révolution sa mère, allait souvent près de Versailles voir les ruines de Port-Royal ; un jour (en revenant sans doute), il entra dans le Jeu de Paume... L'un ruiné, l'autre abandonné... Des larmes coulèrent des yeux de cet homme si ferme, qui n'avait molli jamais... Deux religions à pleurer, c'était trop pour un cœur d'homme !

Nous aussi, nous l'avons revu, en 1846, ce témoin de la liberté, ce lieu dont l'écho répéta sa première parole, qui reçut, qui garde encore son mémorable serment... Mais que pouvions-nous lui dire ? quelles nouvelles lui donner du monde qu'il enfanta ?... Ah ! le temps n'a pas marché vite, les générations se sont succédé, l'œuvre n'a guère avancé... Quand nous posâmes le pied sur ses dalles vénérables, la honte nous vint au cœur de ce que nous sommes, du peu que nous avons fait. Nous nous sentîmes indigne, et sortîmes de ce lieu sacré.

CHAPITRE IV

Serment du Jeu de Paume

Serment du Jeu de Paume, 20 juin 1789 — L'Assemblée errante — Coup d'État ; projet de Necker ; déclaration du roi, 23 juin 1789 ; l'Assemblée refuse de se séparer ; le roi prie Necker de rester, mais ne révoque point sa Déclaration.

Les voilà dans le Jeu de Paume, assemblés malgré le roi... Mais que vont-ils faire ?

N'oublions pas qu'à cette époque, l'Assemblée tout entière est royaliste, sans excepter un seul membre.

N'oublions pas qu'au 17, quand elle se donna le titre d'Assemblée nationale, elle cria « Vive le roi ! » Et quand elle s'attribua le droit de voter l'impôt, déclarant illégal l'impôt perçu jusqu'alors, les opposants étaient sortis plutôt que de consacrer par leur présence cette atteinte à l'autorité royale.

Le roi, cette vieille ombre, cette superstition antique, si puissante dans la salle des Etats généraux, elle pâlit au Jeu de Paume. La misérable enceinte, toute moderne, nue, démeublée, n'a pas un seul recoin où les songes du passé puissent s'abriter encore. Règnent donc ici l'esprit pur, la raison, la justice, ce roi de l'avenir.

Ce jour, il n'y eut plus d'opposant ; l'Assemblée fut une, de pensée et de cœur. Ce fut un des modérés, Mounier de Grenoble, qui proposa à l'Assemblée la déclaration célèbre : « Qu'en quelque lieu qu'elle fût forcée de se réunir, là était toujours l'Assemblée nationale, *que rien ne pouvait l'empêcher* de continuer ses délibérations ; que, jusqu'à l'achèvement et l'affermissement de la Constitution, elle faisait *le serment de ne se séparer jamais.* »

Bailly jura le premier, et prononça le serment si distinctement, si haut, que toute la foule du peuple, qui se pressait au-dehors, put entendre, et applaudit, dans l'ivresse de l'enthousiasme... Des cris de « Vive le roi » s'élevèrent de l'Assemblée et du peuple... C'était le cri de la vieille France, dans les vives émotions, et il se mêla encore au serment de la résistance.

En 1792, Mounier, émigré alors, seul sur la terre étrangère, s'interroge et se demande si sa proposition du 20 juin fut fondée en droit, si sa loyauté de royaliste et son devoir de citoyen ont été d'accord... Et là même, dans l'émigration, parmi tous les préjugés de la haine et de l'exil, il se répond : Oui !

Oui, dit-il, le serment fut juste ; on voulait la dissolution, elle eût eu lieu sans le serment ; la Cour, délivrée des États, ne les eût convoqués jamais ; il fallait renoncer à fonder cette constitution réclamée unanimement dans les vœux écrits de la France... Voilà ce qu'un royaliste, le modéré des modérés, un juriste habitué à trouver des décisions morales dans les textes positifs, prononce sur l'acte primordial de notre Révolution.

Que faisait-on pendant ce temps à Marly ? Le samedi et le dimanche, Necker fut aux prises avec les gens du Parlement auxquels le roi l'avait livré, et qui, avec le sang-froid qu'ont parfois les fous, bouleversaient son projet, en effaçaient ce qui l'aurait pu faire passer, lui ôtaient son caractère bâtard, pour en faire un pur coup d'État, brutal, à la Louis XV, un simple Lit de justice, comme le Parlement en avait subi tant de fois. Les discussions furent poussées dans la soirée. Ce fut à minuit seulement que le président apprit dans son lit que la séance royale ne pouvait avoir lieu le matin, qu'elle était remise à mardi.

La noblesse était venue le dimanche à Marly, à grand bruit et en grand nombre. Elle avait, dans une adresse, remontré au roi qu'il s'agissait de lui, maintenant, bien plus que de la noblesse. La Cour s'était animée d'audace chevaleresque ; les gens d'épée semblaient n'attendre qu'un signal contre les hommes de plume. Le comte d'Artois, au milieu de ces bravades, devint ivre d'insolence, jusqu'à faire dire au Jeu de Paume qu'il jouerait le lendemain.

L'Assemblée se retrouve donc, au lundi matin, sur le pavé de Versailles, errante, sans feu ni lieu. Digne amusement pour la

Cour. Le maître de la salle a peur, craint les princes. L'Assemblée ne réussit pas mieux à la Porte des Récollets où elle s'en va frapper ; les moines n'osent se compromettre... Quels sont donc ces vagabonds, cette bande dangereuse devant laquelle se ferment toutes les portes ?... Rien que la nation elle-même.

Et pourquoi ne pas délibérer sous le ciel ? Quel plus noble lieu d'assemblée ?... Mais ce jour même la majorité du clergé veut venir siéger avec les Communes. Où les recevoir ? Heureusement, déjà les cent trente-quatre curés, et quelques prélats à leur tête, s'étaient établis le matin dans l'église de Saint-Louis. L'Assemblée y fut introduite dans la nef, et les ecclésiastiques, d'abord réunis dans le chœur, en sortirent pour venir prendre place dans son sein. Beau moment, et de joie sincère ! « Le temple de la religion, dit un orateur ému, devint celui de la patrie. »

Ce même jour, lundi 22, Necker bataillait encore en vain. Son projet, funeste à la liberté parce qu'il y conservait une ombre de modération, fit place à un autre plus franc, plus propre à mettre les choses dans leur véritable jour. Necker n'était plus qu'un médiateur coupable entre le bien et le mal, gardant un semblant d'équilibre entre le juste et l'injuste, courtisan à la fois du peuple et des ennemis du peuple. Au dernier conseil qui se tint le lundi, à Versailles, les princes y furent appelés, rendirent à la Liberté le service essentiel d'écarter cet intermédiaire équivoque qui empêchait à la raison et la déraison de se bien voir face à face.

Avant que la séance commence, je veux examiner les deux projets, celui de Necker, celui de la Cour. Sur le premier, je n'en veux croire que Necker lui-même.

PROJET DE NECKER

Dans son livre de 1796, écrit en pleine réaction, Necker nous avoue confidentiellement ce que c'était que son projet ; il montre que ce projet était *hardi, très hardi...* en faveur des privilégiés. Cet aveu lui coûte un peu à faire, mais enfin, il en fait l'effort. « Le défaut de mon projet est sa trop grande hardiesse ; je risquais tout ce que je pouvais risquer... Expliquez-vous... Je le ferai, je le dois. Daignez m'écouter. »

C'est aux émigrés qu'il parle, qu'il adresse cette apologie. Vaine entreprise ! Comment lui pardonneront-ils jamais d'avoir appelé le peuple à la vie politique, fait cinq millions d'électeurs ?

1. Les réformes nécessaires, infaillibles, que la Cour avait refusées si longtemps, et qu'elle acceptait par force, il les promulguait par le roi. Lui, qui savait à ses dépens que le roi était un jouet pour la reine et la Cour, une simple affiche, rien de plus, il se prêtait à continuer cette triste comédie.

La Liberté, le droit sacré qui existe par lui-même, il en faisait un don du roi, *une charte octroyée,* comme fut en 1814 la charte de l'invasion. Mais il fallait trente ans de guerre, et toute l'Europe à Paris pour que la France acceptât cette constitution du mensonge.

2. Point d'unité législative, *deux chambres* au moins. C'était comme un conseil timide à la France de se faire anglaise ; à quoi il y avait en effet deux avantages : de fortifier les privilégiés, prêtres et nobles, désormais concentrés en une chambre haute ; puis, de faciliter au roi les moyens d'amuser le peuple, d'empêcher par la chambre haute au lieu d'empêcher lui-même, d'avoir (nous le voyons aujourd'hui) deux veto pour un.

3. Le roi permettrait aux trois ordres de délibérer en commun sur les affaires *générales* ; mais quant aux *privilèges* de distinction personnelle, d'honneur, quant aux *droits attachés aux fiefs,* nulle discussion commune... C'était justement là ce que la France regardait comme l'affaire *générale* par excellence. Qui donc osait voir une affaire spéciale dans la question d'honneur ?

4. Ces États boiteux, tantôt réunis, tantôt séparés en trois ordres, tantôt actifs, tantôt immobiles par leur triple mouvement, Necker les balance encore, les entrave, les neutralise par des *états provinciaux,* augmentant la division, quand la France a soif d'unité.

5. Voilà ce qu'il donne, et dès qu'il l'a donné, il le retire à l'instant... Cette belle machine législative, personne ne la verra jouer, il nous en envie le spectacle, elle fonctionne à huis clos : *nulle publicité des séances.* La loi se fera ainsi, loin du jour, dans les ténèbres, comme pourrait se faire un complot contre la loi.

6. La loi ! que signifie ce mot, sans liberté personnelle ? Qui peut agir, élire, voter librement, quand personne n'est sûr de coucher chez soi ? Cette première condition de vie sociale, antérieure, indispensable à l'action politique, Necker ne l'assure pas encore. Le roi invitera l'Assemblée *à rechercher les moyens qui pourraient permettre* l'abolition des lettres de cachet... En attendant, il les garde, les enlèvements arbitraires, les prisons d'État, la Bastille.

Voilà l'extrême concession, que, dans son meilleur moment, poussée par un ministre populaire, fait la vieille royauté. Encore, ne peut-elle aller jusque-là. Le roi nominal promet ; le vrai roi, qui est la Cour, se moque de la promesse... Qu'ils meurent dans leur péché !

DÉCLARATION DU ROI (23 JUIN 89)

Le plan de la Cour vaut mieux que le plan bâtard de Necker. Au moins, on y voit plus clair. Tout ce qui est mal chez Necker est conservé précieusement, mais richement augmenté.

Cet acte, qu'on peut appeler le testament du despotisme, se divise en deux parties : 1° la prohibition des garanties, sous ce titre : Déclaration concernant la *présente* tenue des Etats ; 2° les réformes, les bienfaits, comme ils disent : Déclaration des *intentions* du roi, de ses vœux, de ses désirs, pour le futur contingent. Le mal est sûr, et le bien possible. Voyons le détail :

I. Le roi brise la volonté de cinq millions d'électeurs, déclarant que leurs demandes ne sont que des renseignements.

Le roi brise les décisions des députés du Tiers, les déclarant « nulles, illégales, inconstitutionnelles ».

Le roi veut que les ordres restent distincts, qu'un seul puisse entraver les autres (que deux centièmes de la nation pèsent autant que la nation).

S'ils veulent se réunir, il le permet, *pour cette fois seulement,* et seulement encore pour les affaires générales ; dans ces affaires générales *ne sont compris* ni les droits des trois ordres, ni la constitution des prochains Etats, ni les propriétés féodales et seigneuriales, ni les privilèges d'argent ou d'honneur... C'est tout l'Ancien Régime qui se trouve ainsi excepté.

Tout ceci est de la Cour. Voici, selon toute apparence, l'article du roi, celui qui lui tenait au cœur, qu'il aura écrit lui-même : l'ordre du clergé aura un veto spécial (contre la noblesse et le Tiers) pour tout ce qui touche la religion, la discipline, le régime des ordres séculiers *et réguliers.* Ainsi, pas un moine de moins, nulle réforme à faire. Ces couvents chaque jour plus odieux et plus inutiles, qu'on ne pouvait plus recruter, le clergé voulait les maintenir tous... La noblesse fut furieuse. Elle perdait son plus bel espoir ; elle avait bien compté qu'un jour ou l'autre cette proie lui reviendrait ; tout au moins espérait-elle que si le roi et le peuple la pressaient trop de faire quelque sacrifice, elle ferait généreusement celui du clergé.

Veto sur veto... A quoi bon ? Voici un luxe de précautions, bien plus sûres pour rendre tout résultat impossible. Dans les délibérations communes des trois ordres, il suffit que les *deux tiers d'un seul ordre* réclament contre la délibération pour que la décision soit remise au roi. Bien plus, la chose décidée, *il suffit que cent membres* réclament pour qu'il n'y ait rien de décidé... C'est-à-dire que ces mots d'assemblée, de délibération, de décision, ne sont qu'une mystification, une farce... Mais, qui la jouerait sans rire ?...

II. Maintenant, arrivent les *bienfaits* : publicité des finances, vote de l'impôt, fixité des dépenses pour laquelle *les états indiqueront les moyens,* et Sa Majesté « les adoptera, *s'ils s'accordent avec la dignité royale* et la célérité du service public ».

Second bienfait : le roi sanctionnera l'égalité d'impôt, *quand le clergé et la noblesse voudront renoncer à leurs privilèges pécuniaires.*

Troisième bienfait : les propriétés seront respectées, *spécialement les dîmes, droits et devoirs féodaux.*

Quatrième bienfait : liberté individuelle ? Non. Le roi invite les états à *chercher,* et à lui *proposer* des moyens pour *concilier* l'abolition des *lettres de cachet* avec les précautions *nécessaires,* soit pour ménager l'honneur de familles, soit pour réprimer les commencements de sédition, etc.

Cinquième : liberté de la presse ? Non. Les états chercheront le moyen de *concilier* la liberté de la presse avec *le respect dû à la religion,* aux mœurs et à l'honneur des citoyens.

Sixième : admission de tous aux emplois ? Non. Refusé *expressément pour l'armée.* Le roi déclare *de la manière la plus expresse* qu'il veut *conserver* en entier, sans la moindre atteinte, *l'institution de l'armée.* C'est-à-dire que le roturier n'arrivera jamais aux grades, etc. Ainsi, le législateur idiot pousse les choses à la violence, à la force, à l'épée. Et c'est ce moment qu'il prend pour briser la sienne. Qu'il appelle maintenant des soldats, qu'il en entoure l'Assemblée, qu'il les pousse vers Paris, c'est autant de défenseurs qu'il donne à la Révolution.

La veille du grand jour, à minuit, trois députés nobles, MM. d'Aiguillon, de Menou, de Montmorency, vinrent avertir le président des résultats du dernier conseil tenu le soir même à Versailles : « M. Necker n'appuiera pas de sa présence un projet contraire au sien, il n'ira pas à la séance, et sans doute il va partir. » La séance s'ouvrait à dix heures ; Bailly put dire aux députés, et ceux-ci à bien d'autres, le grand secret de la journée. L'opinion eût pu se diviser, prendre le change, si l'on eût vu le ministre populaire siéger à côté du roi ; lui absent, le roi restait découvert, délaissé de l'opinion. La Cour espérait faire son coup sous l'abri de Necker, à ses dépens ; elle ne lui a jamais pardonné de ne point s'être laissé abuser et déshonorer par elle.

Ce qui prouve que tout était su, c'est qu'à la sortie même du château, le roi trouva dans la foule un morne silence. L'affaire était éventée, la grande scène tant préparée n'avait plus d'effet.

Le misérable petit esprit d'insolence qui menait la Cour avait fait imaginer de faire entrer les deux ordres supérieurs par-devant, par la grande porte, les Communes par-derrière, de les tenir sous un hangar, moitié à la pluie.

Le Tiers, ainsi humilié, sali et mouillé, serait entré tête basse, pour recevoir sa leçon.

Personne pour introduire, porte fermée, la garde au-dedans. Mirabeau au président : « Monsieur, conduisez la nation au-devant du roi ! » Le président frappe à la porte ; les gardes du corps du dedans : « Tout à l'heure. » Le président : « Messieurs, où donc est le maître des cérémonies ? » Les gardes du corps : « Nous n'en savons rien. » Les députés : « Eh bien ! partons, allons-nous-en ! » Enfin, le président parvient à faire venir le capitaine des gardes, qui s'en va chercher Brézé.

Les députés, entrant à la file, trouvent dans la salle le clergé et la noblesse qui, déjà en place et siégeant, semblent les attendre, comme juges... Du reste, la salle est vide. Rien de plus triste que cette salle immense, d'où le peuple est exilé.

Le roi lut avec sa simplicité ordinaire la harangue qu'on lui avait composée, ces paroles despotiques si étranges dans sa bouche. Il en sentait peu la violence provocante, car il se montra surpris de l'aspect que présentait l'Assemblée. Les nobles ayant applaudi l'article qui consacrait les droits féodaux, des voix hautes et claires dirent : « Paix là ! »

Le roi, après un moment de silence et d'étonnement, finit par un mot grave, intolérable, qui jetait le gant à l'Assemblée, commençait la guerre : « Si vous m'abandonnez dans une si belle entreprise, seul, je ferai le bien de mes peuples, *seul, je me considérerai comme leur véritable représentant.* »

Et enfin : « *Je vous ordonne, messieurs, de vous séparer tout de suite,* et de vous rendre demain matin dans les chambres affectées à votre ordre, pour y reprendre vos séances. »

Le roi sortit, la noblesse et le clergé suivirent. Les Communes demeurèrent assises, tranquilles, en silence.

Le maître des cérémonies entre alors et, d'une voix basse, dit au président : « Monsieur, vous avez entendu l'ordre du roi ? » Il répondit : « L'Assemblée s'est ajournée après la séance royale ; je ne puis la séparer sans qu'elle en ait délibéré. » Puis se tournant vers ses collègues voisins de lui : « Il me semble que la nation assemblée ne peut pas recevoir d'ordre. »

Ce mot fut repris admirablement par Mirabeau ; il l'adressa au maître des cérémonies ; de sa voix forte, imposante, et dans une majesté terrible, il lui lança ces paroles : « Nous avons entendu les intentions qu'on a suggérées au roi ; et vous, monsieur, qui ne sauriez être son organe auprès de l'Assemblée nationale, vous qui n'avez ici ni place, ni voix, ni droit de parler, vous n'êtes pas fait pour nous rappeler son discours... Allez dire à ceux qui vous envoient que nous sommes ici par la volonté du peuple, et qu'on ne nous en arrachera que par la puissance des baïonnettes. »

Brézé fut déconcerté, atterré ; il sentit la royauté nouvelle et rendant à celle-ci ce que l'étiquette ordonnait pour l'autre, il sortit à reculons comme on le faisait devant le roi.

La Cour avait imaginé un autre moyen de renvoyer les Communes, moyen brutal employé jadis avec succès dans les Etats généraux, de faire simplement démeubler la salle, démolir l'amphithéâtre, l'estrade du roi. Des ouvriers entrent en effet ; mais, sur un mot du président, ils s'arrêtent, déposent leurs outils, contemplent avec admiration la majesté calme de l'Assemblée, deviennent des auditeurs attentifs et respectueux.

Un député proposa de discuter le lendemain les résolutions du roi. Il ne fut pas écouté. Camus établit avec force, et fit déclarer : « Que la séance n'était qu'un acte ministériel, que l'Assemblée persistait dans ses arrêtés. »

Le jeune Dauphinois Barnave : « Vous avez déclaré ce que vous êtes ; vous n'avez pas besoin de sanction. »

Le Breton Glezen : « Quoi donc ! le souverain parle en maître, quand il devrait consulter. »

Pétion, Buzot, Garat; Grégoire parlèrent aussi fortement. Et Sieyès, avec simplicité : « Messieurs, vous êtes aujourd'hui ce que vous étiez hier. »

L'Assemblée déclara ensuite, sur la proposition de Mirabeau, que ses membres étaient inviolables, que quiconque mettait la main sur un député était traître, infâme et digne de mort.

Ce décret n'était pas inutile. Les gardes du corps s'étaient formés en ligne devant la salle.

On croyait que soixante députés seraient enlevés dans la nuit.

La noblesse, son président en tête, alla tout droit remercier son sauveur, le comte d'Artois, puis Monsieur, qui fut prudent et se garda bien d'être chez lui. Beaucoup allèrent voir la reine, triomphante, rayonnante, qui, donnant la main à sa fille, portant le dauphin, leur dit : « Je le confie à la Noblesse. »

Le roi ne partageait aucunement cette joie. Le silence du peuple, si nouveau pour lui, l'avait accablé. Quand Brézé vint lui apprendre que les députés du Tiers restaient en séance et lui demanda ses ordres, il se promena quelques minutes, et du ton d'un homme ennuyé, dit enfin : « Eh bien ! qu'on les laisse. »

Le roi parlait sagement. Il y avait tout à craindre. Un pas de plus, et Paris marchait sur Versailles. Déjà Versailles était bouleversé. Voilà cinq mille, six mille hommes qui montent au château. La reine voit avec terreur cette étrange cour, toute nouvelle, qui remplit en un moment les jardins, les terrasses, déjà les appartements. Elle prie, supplie le roi de défaire ce qu'elle a fait, de rappeler Necker... Il n'avait pas à revenir de bien loin ; il était là, tout à côté, convaincu à son ordinaire que rien n'irait jamais sans lui. Louis XVI lui dit avec bonhomie : « Moi, je n'y tiens nullement, à cette déclaration. »

Necker n'en voulut pas davantage, ne fit aucune condition. Sa vanité satisfaite, l'ivresse d'entendre crier *Necker !* lui ôtait toute autre pensée. Il sortit, gonflé de joie, dans la grande cour du château, et pour rassurer la foule, il passa tout au travers... Là, des fols se mirent à genoux, lui baisèrent les mains... Lui, troublé : « Oui, mes enfants, oui, mes enfants, je reste, rassurez-vous... » Et il alla fondre en larmes dans son cabinet. Pauvre instrument de la Cour, il restait sans exiger rien, il restait pour couvrir la cabale de son nom, lui servir d'affiche, la rassurer contre le peuple ; il rendait cœur à ces braves, et leur donnait le temps d'appeler encore des troupes.

CHAPITRE V

Mouvement de Paris

Assemblée des électeurs, 25 juin — Mouvement des gardes françaises — Agitation du Palais-Royal — Intrigues du parti d'Orléans — Le roi ordonne la réunion des ordres, 27 juin — Le peuple délivre les gardes françaises, 30 juin — La Cour prépare la guerre — Paris demande à s'armer — Renvoi de Necker, 11 juillet 1789.

La situation était étrange, visiblement provisoire.

L'Assemblée n'avait pas obéi. Mais le roi n'avait rien révoqué.

Le roi avait rappelé Necker. Mais il tenait l'Assemblée comme prisonnière au milieu des troupes. Mais il avait exclu le public des séances ; la grande porte restait fermée ; l'Assemblée entrait par la petite et discutait à huis clos.

L'Assemblée réclama faiblement, mollement. La résistance du 23 semblait avoir épuisé ses forces.

Paris ne mollit pas de même.

Il ne se résigna pas à voir ses députés lui faire des lois en prison.

Le 24, la fermentation fut terrible.

Elle éclate le 25, de trois manières à la fois : par les électeurs, par la foule, par les soldats. Le siège de la révolution se place à Paris.

Les électeurs s'étaient promis, après les élections, de se réunir encore, pour compléter leurs instructions aux députés qu'ils avaient élus. Quoique le ministère leur en refusât la permission, le coup d'État du 23 les fit passer outre ; ils firent aussi leur coup d'État, et d'eux-mêmes se réunirent, le 25, rue Dauphine. Une misérable salle de traiteur, occupée à ce moment même par une noce qui fit place, reçut d'abord l'assemblée des électeurs de Paris. Ce fut leur Jeu de Paume, à eux.

Là, Paris, par leur organe, prit l'engagement de soutenir l'Assemblée nationale. L'un d'eux, Thuriot, leur conseilla d'aller à l'Hôtel de Ville, à la grande salle Saint-Jean, qu'on n'osa leur refuser.

Ces électeurs étaient pour la plupart des riches, des bourgeois notables ; l'aristocratie y était en nombre. Mais il y avait parmi eux des têtes fort exaltées. Deux hommes d'abord, ardents révolutionnaires, avec une tendance singulière au mysticisme ; l'un était l'abbé Fauchet, éloquent et intrépide ; l'autre, son ami Bonneville (le traducteur de Shakespeare). Tous deux au XIIIe siècle se seraient fait brûler comme hérétiques, à coup sûr. Au XVIIIe ils prirent autant et plus que personne, l'initiative de la résistance, qu'on n'aurait guère attendue de l'assemblée bourgeoise des électeurs. Bonneville, le 6 juin, proposa qu'on armât Paris, et le premier cria : « Aux armes ! »

Fauchet, Bonneville, Bertolio, Carra, un violent journaliste, firent les motions hardies qui auraient dû se faire dans l'Assemblée nationale : 1° la garde bourgeoise ; 2° l'organisation prochaine d'une vraie commune, élective et annuelle ; 3° une adresse au roi pour l'éloignement des troupes et la liberté de l'Assemblée, pour la révocation du coup d'Etat du 23.

Le jour même de la première assemblée des électeurs, comme si le cri « Aux armes ! » eût retenti dans les casernes, les soldats des gardes-françaises, retenus depuis plusieurs jours, forcèrent la consigne, se promenèrent dans Paris et vinrent fraterniser avec le peuple du Palais-Royal. Déjà, depuis quelque temps, des sociétés secrètes s'organisaient parmi eux ; ils juraient de n'obéir à aucun ordre qui serait contraire aux ordres de l'Assemblée. L'acte du 23, dans lequel le roi déclare de la manière la plus forte *qu'il ne changerait jamais l'institution de l'armée,* c'est-à-dire que la noblesse aurait toujours tous les grades, que le roturier ne pourrait monter, que le soldat mourrait soldat, cette déclaration insensée dut achever ce que la contagion révolutionnaire avait commencé.

Ces gardes-françaises, habitués dans Paris, mariés pour la plupart, avaient vu supprimer peu auparavant, par leur colonel, un homme dur, M. du Châtel, le dépôt où l'on élevait gratis les enfants de troupe. Le seul changement qu'on fit *aux institutions militaires,* on le fit contre eux.

Pour bien apprécier ce mot *institutions de l'armée* il faut savoir qu'au budget de ce temps, les officiers comptaient pour quarante-six millions, les soldats pour quarante-quatre. Il faut savoir que Jourdan, Joubert, Kléber, qui d'abord avaient servi, quittèrent l'état militaire, comme une impasse, une carrière désespérée. Augereau était sous-officier d'infanterie. Hoche était sergent des gardes-françaises, Marceau soldat ; ces jeunes gens de grand cœur et de haute ambition étaient cloués là pour toujours. Hoche, qui avait vint et un ans, n'en faisait pas moins son éducation, comme pour être général en chef ; littérature, politique, philosophie même, il dévorait tout. Faut-il dire que ce grand homme, pour acheter quelques livres, brodait des gilets d'officiers, et les vendait dans un café ! La faible paie du soldat était, sous un prétexte ou l'autre, absorbée par des retenues que des officiers, dit-on, dissipaient entre eux.

Le mouvement des gardes-françaises n'était point une émeute prétorienne, un brutal mouvement de soldats. Il arrivait à l'appui des déclarations des électeurs et du peuple.

Cette troupe vraiment française, parisienne en grande partie, suivait Paris, suivait la loi, la loi vivante, l'Assemblée nationale.

Ils arrivent au Palais-Royal, salués, pressés de la foule, embrassés, presque étouffés. Le soldat, ce vrai paria de l'ancienne monarchie, si maltraité par les nobles, est recueilli par le peuple... Et qu'est-il, sous l'uniforme, sinon le peuple lui-même ? Deux frères se sont retrouvés, le soldat, le citoyen, deux enfants d'une même mère ; ils tombent dans les bras l'un de l'autre, les larmes coulent...

La haine et l'esprit de parti ont rabaissé tout cela, défiguré ces grandes scènes, obscurci l'histoire à plaisir. On s'est attaché à telle ou telle anecdote ridicule. Digne amusement des petits esprits ! On a donné à ces mouvements immenses je ne sais quelles misérables, quelles imperceptibles causes... Eh ! malheureux ! expliquez donc par la paille que la vague emporte l'agitation de l'Océan.

Non, ces mouvements furent ceux d'un peuple, vrais, sincères, immenses, unanimes ; la France y prit part, Paris y prit part, tous (chacun dans sa mesure), tous agirent, ceux-ci du bras et de la voix, ceux-là de leur pensée, de leur ardent désir, du plus profond de leur cœur.

Et que disais-je, la France ? Le monde, eût été mieux dit. Un ennemi, un envieux, un Genevois imbu de tous les préjugés anglais, ne peut s'empêcher d'avouer que, dans ce moment décisif, le monde entier regardait, qu'il observait avec une sympathie inquiète la marche de notre Révolution, qu'il sentait que la France faisait à ses risques et périls les affaires du genre humain...

Un agronome anglais, Arthur Young, homme positif, spécial, venu ici, chose bizarre, pour étudier l'agriculture, dans un tel moment, s'étonne du silence profond qui règne autour de Paris ; nulle voiture, à peine un homme. La terrible agitation qui concentrait tout au-dedans, faisant du dehors un désert... Il entre, le tumulte l'effraie ; il traverse avec étonnement cette capitale du bruit. On le mène au Palais-Royal, au centre de l'incendie, au point brûlant de la fournaise. Dix mille hommes parlaient à la fois ; aux croisées dix mille lumières ; c'était un jour de victoire pour le peuple, on tirait des feux d'artifice, on faisait des feux de joie... Ebloui, étourdi, devant cette mouvante Babel, il s'en retire à la hâte... Cependant l'émotion si grande, si vive de ce peuple uni dans une pensée, gagne bientôt le voyageur ; il s'associe peu à peu, sans s'avouer son changement, aux espérances de la liberté ; l'Anglais fait des vœux pour la France !

Tous s'oubliaient. Le lieu, l'étrange lieu où la scène se passait, semblait, dans de tels moments, s'oublier lui-même. Le Palais-Royal n'était plus le Palais-Royal. Le vice, dans la passion d'une grandeur si sincère, à la flamme de l'enthousiasme devenait pur un instant. Les plus dépravés relevaient la tête et regardaient dans le ciel ; leur passé, ce mauvais songe, était mort au moins pour un jour ; honnêtes ? ils ne pouvaient pas l'être, mais ils se sentaient héroïques, au nom des libertés du monde !... Amis du peuple, frères entre eux, n'ayant plus rien d'égoïste, tout prêts à tout partager.

Qu'il y eût des agitateurs intéressés dans cette foule, cela ne peut faire un doute. La minorité de la noblesse, hommes d'ambition et de bruit, les Lameth et les Duport, travaillaient le peuple par leurs brochures, par leurs agents. D'autres bien pires s'y joignaient. Tout cela se passait, il faut bien le dire, sous les fenêtres du duc d'Orléans, sous les yeux de cette cour intrigante, avide, immonde... Hélas ! qui n'aurait pitié de notre Révolution ? ce mouvement naïf, désintéressé, sublime, épié, couvé des yeux par ceux qui croient un jour ou l'autre le tourner à leur profit !

Regardons à ces fenêtres. J'y vois distinctement une femme blanche, un homme noir. Ce sont les conseillers du prince, le vice et la vertu, Mme de Genlis et Choderlos de Laclos. Les rôles sont divisés. Dans cette maison où tout est faux, la vertu est représentée par Mme de Genlis, sécheresse et sensiblerie, un torrent de larmes et d'encre, le charlatanisme d'une éducation modèle, la constante exhibition de la jolie Paméla. De ce côté du palais est le bureau philanthropique où la charité s'organise à grand bruit la veille des élections.

Le temps n'est plus où le prince jockey pariait, après souper, de courir tout nu de Paris à Bagatelle. C'est aujourd'hui un homme d'État avant tout, un chef de parti ; ses maîtresses le veulent ainsi. Elles ont rêvé deux choses, une bonne loi de divorce et un changement de dynastie. Le confident politique du prince est cet homme sombre, taciturne, qui semble vous dire : « Je conspire, nous conspirons. » Ce profond Laclos qui, par son petit livre des *Liaisons dangereuses,* se flatte d'avoir fait passer le roman du vice au crime, y insinue que la galanterie scélérate est un prélude utile au scélérat politique. C'est ce nom qu'il ambitionne, ce rôle qu'il joue à ravir... Plusieurs disent, pour flatter le prince : « Laclos est un homme noir. »

Il n'était pourtant pas facile de faire un chef de parti de ce duc d'Orléans ; il était usé, à cette époque, fini de corps et de cœur, très faible d'esprit. Des fripons lui faisaient faire de l'or dans les greniers du Palais-Royal, et ils lui avaient fait faire connaissance du diable.

Une autre difficulté, c'est que ce prince, sous tous les vices acquis, en avait un naturel, fondamental et durable, qui ne finit pas par l'épuisement, comme les autres, qui reste fidèle à son homme. Je parle de l'avarice. « Je donnerais, disait-il, l'opinion publique pour un écu de six francs. » Ce n'était pas un mot en l'air. Il l'avait bien appliqué, lorsque, malgré la clameur publique, il avait bâti le Palais-Royal.

Ses conseillers politiques n'étaient pas assez habiles pour le relever de là. Ils lui firent faire plus d'une démarche imprudente.

En 1788, le frère de Mme de Genlis, un jeune homme sans autre titre que celui d'officier de la maison d'Orléans, écrit au roi, pour demander... rien autre chose que le premier ministère, la place de Necker et de Turgot ; il se fait fort de rétablir en un moment les finances de la monarchie. Le duc d'Orléans se fait porteur de l'incroyable missive, la remet au roi, l'appuie et devient l'amusement de la Cour.

Les sages conseillers du prince avaient cru faire passer ainsi tout doucement le pouvoir entre ses mains. Trompés dans cette espérance, ils agirent plus ouvertement, essayèrent de faire un Guise, un Cromwell, se tournèrent du côté du peuple. Là aussi, ils rencontrèrent de grandes difficultés. Tous ne furent pas dupes ; la ville d'Orléans n'élut pas le prince et, par représailles, il lui retira brusquement les bienfaits par lesquels il avait cru acheter son élection.

Rien n'avait été épargné cependant, ni l'argent ni l'intrigue. Ceux qui conduisaient l'affaire avaient imaginé de coller une brochure tout entière de Sieyès aux instructions électorales que le duc envoyait dans ses domaines, et de placer ainsi leur maître sous l'affiche et le patronnage du grand penseur, alors si populaire, qui n'avait pourtant nul rapport avec le duc d'Orléans.

Quand les Communes firent le pas décisif de prendre le titre d'*Assemblée nationale,* on avertit le duc d'Orléans que le moment était venu de se montrer, de parler, d'agir, qu'un chef de parti ne pouvait rester un personnage muet. On obtint de lui qu'il lirait au moins un discours de quatre lignes pour engager la noblesse à se réunir au tiers. Il le fit, mais en lisant le cœur lui faillit, il se trouva mal. On vit, en le déboutonnant, que dans la crainte d'être assassiné par la Cour, ce prince trop prudent mettait, en guise de cuirasse, cinq ou six gilets l'un sur l'autre.

Le jour du coup d'État manqué (23 juin), le duc crut le roi perdu, et lui roi demain ou après ; il ne put cacher sa joie. La terrible fermentation de Paris, au soir et le lendemain, annonçait assez qu'un grand mouvement éclaterait. Le 25, la minorité de la noblesse sentit qu'elle baissait beaucoup, si Paris prenait l'initiative ; elle alla, le duc d'Orléans en tête, s'unir aux Communes. L'homme du prince, Sillery, le commode mari de Mme de Genlis, fit, au nom de tous, un discours peu convenable, celui qu'aurait fait un médiateur, un arbitre accepté entre le roi et le peuple : « Ne perdons jamais de vue le respect que nous devons au meilleur des rois... Il nous offre la paix, pourrions-nous ne pas l'accepter ? etc. »

Le soir, grande joie à Paris pour cette réunion des nobles amis du peuple. Une adresse à l'Assemblée se trouve au Café de Foy ; tout le monde signe, jusqu'à trois mille personnes, à la hâte, la plupart sans lire. Cette pièce, faite de bonne main, contenait un mot étrange sur le duc d'Orléans : « Ce prince, objet de la *vénération* publique. » Un tel mot pour un tel homme semblait cruellement dérisoire ; un ennemi n'aurait pas dit mieux. Les agents maladroits du prince crurent apparemment que l'éloge le plus hasardé serait le mieux payé aussi.

Grâce à Dieu, la grandeur, l'immensité du mouvement, épargna à la Révolution l'indigne médiateur. Depuis le 25, l'élan fut tellement unanime, l'accord si puissant, que les agitateurs emportés eux-mêmes durent perdre la prétention de rien diriger. Paris mena ses meneurs. Les Catilinas de salons et de cafés n'eurent qu'à se ranger à la suite. Une autorité se trouva tout à coup dans Paris, que l'on avait cru sans chef et sans guide, l'assemblée des électeurs. D'autre part, les gardes françaises commençant à se déclarer, on peut prévoir que la force ne manquerait pas à l'autorité nouvelle. Pour tout résumer d'un mot, les médiateurs obligeants pouvaient se tenir tranquilles ; si l'Assemblée était à Versailles, elle avait son asile ici, au cœur même de la France, et au besoin Paris pour armée.

La Cour indignée, frémissante, mais encore plus effrayée, se décida, le 26 au soir, à accorder la réunion des ordres. Le roi y invita la noblesse, et pour ménager un moyen de protester contre tout ce qui se faisait, on fit écrire par le comte d'Artois cette parole imprudente (fausse alors) : « La vie du roi est en danger. »

Le 27 eut donc lieu la réunion tant attendue. La joie fut excessive dans Versailles, insensée et folle. Le peuple fit des feux de joie, il cria : « Vive la reine ! » Il fallut qu'elle vînt au balcon. La foule lui demanda qu'elle lui montrât le dauphin, en signe de réconciliation complète et de raccommodement. Elle y consentit encore, et reparut avec son enfant. Elle n'en méprisait que plus cette foule crédule, et elle appelait des troupes.

Elle n'avait pris aucune part à la réunion des ordres. Et pouvait-on bien dire qu'il y eût réunion ? C'était toujours des ennemis qui maintenant étaient dans une même salle, se voyaient, se coudoyaient. Le clergé avait fait expressément ses réserves. Les protestations des nobles arrivaient une à une, comme autant de défis, et remplissaient des séances ; ceux qui venaient ne daignaient s'asseoir, ils erraient, se tenaient debout comme simples spectateurs. Ils siégeaient, mais ailleurs, dans un conciliabule. Beaucoup avaient dit qu'ils partaient, et ils restaient à Versailles ; visiblement, ils attendaient.

L'Assemblée perdait le temps. Les avocats qui y étaient en majorité parlaient beaucoup et longtemps, croyaient trop à la parole. Que la Constitution se fît, tout était sauvé, selon eux. Comme si la Constitution peut être quelque chose, avec un gouvernement en conspiration permanente ! Une liberté de papier, écrite ou verbale, tandis que le despotisme aurait la force et l'épée ! Non-sens, dérision !

Mais ni la Cour ni Paris, ne voulaient de compromis. Tout tournait à la violence ouverte. Les militaires de cour étaient impatients d'agir. Déjà, M. du Châtelet, colonel des gardes-françaises, avait mis à l'Abbaye onze de ces soldats qui avaient juré de n'obéir à aucun ordre contraire à ceux de l'Assemblée. Et il ne s'en tint pas là. Il voulut les tirer de la prison militaire, et les envoyer à celle des voleurs, à cet épouvantable égout, prison, hôpital à la fois, qui réunissait sous le même fouet les galériens et les vénériens. L'affaire terrible de Latude, plongé là pour y mourir, avait révélé Bicêtre, jeté une première lueur ; un livre récent de Mirabeau avait soulevé les cœurs, terrifié les esprits... Et c'était là qu'on allait mettre des hommes dont le crime était de ne vouloir être que les soldats de la loi.

Le jour même où on va les transférer à Bicêtre, on l'apprend au Palais-Royal. Un jeune homme monte sur une chaise, crie : « A l'Abbaye ! allons délivrer ceux qui n'ont pas voulu tirer sur le peuple ! » Des soldats s'offrent ; les citoyens les remercient et vont seuls. La foule grossit en route, les ouvriers s'y joignent avec de bonnes barres de fer. A l'Abbaye, ils étaient quatre mille. On enfonce le guichet ; on brise, à grands coups de maillets, de haches, de barres, les grosses portes intérieures. Les victimes sont délivrées. On sortait, lorsqu'on rencontre des hussards et des dragons qui venaient bride abattue, l'épée haute... Le peuple saute à la bride ; on s'explique ; les soldats ne veulent pas massacrer les libérateurs des soldats ; ils rengainent, ôtent leurs casques, on apporte du vin, et tous boivent ensemble au roi et à la nation.

Tout ce qui était en prison fut délivré en même temps. La foule mène sa conquête chez elle, à son Palais-Royal. Parmi les délivrés, on portait un vieux soldat qui, depuis des années, pourrissait à l'Abbaye et ne pouvait plus marcher. Le pauvre diable, qui depuis si longtemps n'éprouvait que des rigueurs, était trop ému : « J'en mourrai, messieurs, disait-il, je mourrai de tant de bonté ! »

Il n'y en avait qu'un de bien coupable, on le ramena en prison. Tout le reste, pêle-mêle, citoyens, soldats, prisonniers, un cortège immense, arrive au Palais-Royal ; on dresse une table dans le jardin, on les fait asseoir. La difficulté était de les loger ; on les couche au spectacle dans la salle des Variétés ; et on monte la garde à la porte. Le lendemain, établis en un hôtel qui se trouvait sous les arcades, soldés, nourris par le peuple. Toute la nuit, on avait illuminé des deux côtés de Paris, et autour de l'Abbaye, et dans le Palais-Royal. Bourgeois, ouvriers, riches et pauvres, dragons, hussards, gardes-françaises, tous se promenaient ensemble, sans qu'il y eût d'autre bruit, que les cris « Vive la nation ! » Tous se livraient au transport de cette réunion fraternelle, à leur jeune confiance dans l'avenir de la liberté.

Le matin, de bonne heure, les jeunes gens étaient à Versailles, aux portes de l'Assemblée. Là, ils ne trouvèrent que glace. Une révolte militaire, une prison forcée, tout cela apparaissait à

Versailles sous l'aspect le plus sinistre. Mirabeau, se tenant à côté de la question, proposa une adresse aux Parisiens pour leur conseiller d'être sages. On s'arrêta à l'avis (peu rassurant pour ceux qui réclamaient l'intercession de l'Assemblée) de déclarer que l'affaire ne regardait que le roi, qu'on ne pouvait qu'implorer sa clémence.

C'était le 1er juillet. Le 2, le roi écrit, non à l'Assemblée, mais à l'archevêque de Paris, que, si les coupables rentrent en prison, il pourra faire grâce. La foule trouva cette promesse si peu sûre qu'elle alla demander à la ville, aux électeurs, ce qu'il fallait croire. Longue hésitation de ceux-ci ; mais la foule insiste, elle augmente à chaque instant. A une heure après minuit, les électeurs s'engagent à aller demain à Versailles, *à ne point rentrer sans la grâce.* Sur leur parole, les délivrés se mirent eux-mêmes en prison et furent élargis bientôt.

Ceci n'était point de la paix. La guerre enveloppait Paris, tous les régiments étrangers étaient arrivés. On avait appelé pour les commander l'Hercule et l'Achille de la vieille monarchie, le vieux maréchal de Broglie. La reine avait mandé Breteuil, son homme de confiance, ex-ambassadeur à Vienne, homme de plume qui, pour le bruit et les bravades, valait tout homme d'épée. « Son gros son de voix ressemblait à de l'énergie ; il marchait à grand bruit, en frappant du pied, comme s'il avait voulu faire sortir une armée de terre... »

Tout cet appareil de guerre réveilla enfin l'Assemblée. Mirabeau, qui déjà le 27 avait lu, sans être écouté, une adresse pour la paix, en proposa une nouvelle pour l'éloignement des troupes ; cette pièce, harmonieuse et sonore, flatteuse à l'excès pour le roi, fut très goûtée par l'Assemblée. La meilleure chose qu'elle contînt, la demande d'une garde bourgeoise, fut la seule qu'on en ôta.

Les électeurs de Paris qui, les premiers, avaient fait cette demande écartée par l'Assemblée, la reprirent avec force le 10 juillet.

Carra, dans une dissertation fort abstraite, à la Sieyès, posa le droit de la Commune, droit imprescriptible, et, dit-il, *antérieur même à celui de la Monarchie,* lequel droit comprend spécialement celui de se garder soi-même. Bonneville, en son nom, au nom de son ami Fauchet, demandait qu'on passât à l'application, qu'on avisât à se constituer en Commune, conservant *provisoirement le prétendu* corps municipal. Charton voulait de plus *que les soixante districts fussent assemblés* de nouveau, qu'on transmît leurs décisions à l'Assemblée nationale, qu'on *s'entendît avec les grandes villes* du royaume.

Toutes ces motions hardies se faisaient dans la grande salle Saint-Jean de l'Hôtel de Ville, par-devant un peuple immense ;

Paris semblait se serrer autour de cette autorité qu'il avait créée, il ne se fiait à nulle autre ; il eût voulu en tirer l'ordre de s'organiser, s'armer, d'assurer son salut lui-même.

La mollesse de l'Assemblée nationale n'était pas pour le rassurer. Le 11 juillet, elle reçut la réponse du roi à l'adresse, et s'en contenta. Quelle réponse cependant ! Que les troupes étaient là pour assurer la liberté de l'Assemblée, que si elles causaient ombrage, le roi la transférerait à Noyon ou à Soissons, c'est-à-dire la placerait entre deux ou trois corps d'armée. Mirabeau ne put obtenir que l'on insistât pour le renvoi des troupes. Visiblement, la réunion des cinq cents députés du clergé et de la noblesse avait énervé l'Assemblée. Elle laissa la grande affaire, et se mit à écouter une déclaration des droits de l'homme que présenta La Fayette.

Un modéré, très modéré, le philanthrope Guillotin, vint tout exprès à Paris pour communiquer cette quiétude à l'assemblée des électeurs. Honnête homme, et trompé sans doute, il assura que tout allait bien, que M. Necker était plus solide que jamais. Des applaudissements accueillirent cette excellente nouvelle, et les électeurs, non moins dupes que l'Assemblée, s'amusèrent, comme elle, à l'admirable Déclaration des droits, que par bonheur on venait d'apporter de Versailles. Ce jour même, pendant que le bon Guillotin parlait, M. Necker, congédié, était déjà bien loin sur le chemin de Bruxelles.

Quand Necker reçut l'ordre de s'éloigner à l'instant, il se mettait à table, il était trois heures. Le pauvre homme, qui avait si tendrement épousé le ministère, ne le quitta jamais qu'en pleurant, sut pourtant se contraindre devant ses convives et fit bonne contenance. Après dîner, sans même avertir sa fille, il partit avec sa femme, prenant la route la plus courte pour sortir du royaume, celle des Pays-Bas. Les gens de la reine, chose indigne, étaient d'avis qu'on l'arrêtât : ils connaissaient si peu Necker qu'ils avaient peur qu'il ne désobéît au roi et ne se jetât dans Paris !

MM. de Broglie et de Breteuil, au premier jour qu'on les manda, avaient été eux-mêmes effrayés de voir où l'on s'engageait. Broglie ne voulait pas qu'on renvoyât Necker, Breteuil aurait dit : « Donnez-nous donc alors cent mille hommes et cent millions. » — « Vous les aurez », dit la reine. Et l'on se mit à fabriquer secrètement une monnaie de papier.

M. de Broglie, pris au dépourvu, lourd de ses soixante et onze ans, s'agitait beaucoup sans agir. Ordres, contrordres se croisaient. Son hôtel était un quartier général, plein de commis, d'ordonnances, d'aides de camp prêts à monter à cheval. « On dressait une liste d'officiers généraux ; on faisait un ordre de bataille. »

Les autorités militaires n'étaient pas trop d'accord entre elles. Il n'y avait pas moins de trois chefs : Broglie qui allait être ministre, Puységur qui l'était encore, enfin Besenval qui, depuis huit ans, avait le commandement des provinces de l'intérieur, et à qui l'on signifia sèchement qu'il obéirait au vieux maréchal. Besenval lui expliqua la situation, le danger, et qu'on n'était pas en campagne, mais devant une ville de huit cent mille âmes au dernier degré de l'exaltation. Broglie ne voulut pas l'écouter. Ferme sur sa guerre de Sept Ans, ne connaissant que le soldat, que les forces brutes, plein de mépris pour le bourgeois, il était convaincu qu'à la seule vue d'un uniforme le peuple fuirait. Il ne crut pas nécessaire d'envoyer des troupes à Paris ; seulement il l'environna de régiments étrangers, ne s'inquiétant pas d'augmenter par là l'irritation populaire. Tous ces soldats allemands présentaient l'aspect d'une invasion autrichienne ou suisse ; les noms barbares de leurs régiments effarouchaient les oreilles : Royal-Cravate était à Charenton, à Sèvres, Reinach et Diesbach, Nassau était à Versailles, Salis-Samade à Issy, les hussards de Bercheny à l'Ecole militaire ; ailleurs, Châteauvieux, Esterhazy, Rœmer, etc.

La Bastille, assez défendue de ses épaisses murailles, venait de recevoir un renfort de Suisses. Elle avait des munitions, une monstrueuse masse de poudre, à faire sauter toute la ville. Les canons, en batterie sur les tours depuis le 30 juin, regardaient Paris de travers, et, tout chargés, passaient leur gueule menaçante entre les créneaux.

CHAPITRE VI

Insurrection de Paris

Danger de Paris. Explosion de Paris, 12 juillet 1789 — Inaction de Versailles — Provocation des troupes ; Paris prend les armes — L'Assemblée nationale s'adresse en vain au roi, 13 juillet — Les électeurs de Paris autorisent l'armement — Organisation de la garde bourgeoise — Hésitation des électeurs — Le peuple saisit des poudres, cherche des fusils — Sécurité de la Cour.

Du 23 juin au 12 juillet, de la menace du roi à l'explosion du peuple, il y eut une halte étrange. C'était, dit un observateur, c'était un temps orageux, lourd, sombre, comme un songe agité et pénible, plein d'illusions, de troubles. Fausses alarmes, fausses nouvelles ; fables, inventions de toutes sortes. On savait, on ne savait pas. On voulait tout expliquer, tout deviner. On voyait des causes profondes, même aux choses indifférentes. Des mouvements commençaient sans auteur et sans projet, d'eux-mêmes, d'un fonds général de défiance, de sourde colère. Le pavé brûlait, le sol était comme miné, vous entendiez dessous déjà gronder le volcan.

On a vu que dès la première assemblée des électeurs, Bonneville avait crié : « Aux armes ! » Cri étrange dans cette assemblée des notables de Paris, et qui tombait de lui-même. Plusieurs frémirent, d'autres sourirent, et l'un d'eux prophétiquement : « Jeune homme, remettez votre motion à quinze jours. »

Aux armes ? Contre une armée tout organisée qui était aux portes. Aux armes, quand cette armée pouvait si aisément affamer la ville, quand la disette s'y faisait déjà sentir, quand on voyait la queue s'allonger à la porte des boulangers... Les pauvres gens des campagnes entraient par toutes les barrières, hâves, déguenillés, sur leurs longs bâtons de voyage. Une masse de vingt mille mendiants, qu'on occupait à Montmartre, était suspendue sur la ville ; si Paris faisait un mouvement, cette autre armée pouvait descendre. Déjà quelques-uns avaient essayé de brûler et de piller les barrières.

Il y avait à parier que la Cour porterait les premiers coups. Il lui fallait faire sortir le roi des scrupules, des velléités de paix, en finir une fois avec tous les compromis... Pour cela, il fallait vaincre.

De jeunes officiers de hussards, des Sombreuil et des Polignac, allèrent jusque dans le Palais-Royal narguer la foule, et ils sortirent le sabre à la main. Visiblement la Cour se croyait trop forte ; elle souhaitait des violences.

Le dimanche 12 juillet, au matin, jusqu'à dix heures, personne encore à Paris ne savait le renvoi de Necker. Le premier qui en parla au Palais-Royal fut traité d'aristocrate, menacé. Mais la nouvelle se confirme, elle circule, la fureur aussi... A ce moment, il était midi, le canon du Palais-Royal vint à tonner. « On ne peut rendre, dit l'*Ami du Roi,* le sombre sentiment de terreur dont ce bruit pénétra les âmes. » Un jeune homme, Camille Desmoulins, sort du Café de Foy, saute sur une table, tire l'épée, montre un pistolet : « Aux armes ! les Allemands du Champ-de-Mars entreront ce soir dans Paris pour égorger les habitants ! Arborons une cocarde ! » Il arrache une feuille d'arbre et la met à son chapeau : tout le monde en fait autant ; les arbres sont dépouillés.

« Point de théâtres ! point de danse ! c'est un jour de deuil ! » On va prendre au cabinet des figures de cire le buste de Necker ; d'autres, toujours là pour profiter des circonstances, y joignent celui d'Orléans. On les porte couverts de crêpes à travers Paris ; le cortège, armé de bâtons, d'épées, de pistolets, de haches, suit d'abord la rue Richelieu, puis, en tournant le boulevard, les rues Saint-Martin, Saint-Denis, Saint-Honoré, et vient à la place Vendôme. Là, devant les hôtels des fermiers généraux, un détachement de dragons attendait le peuple ; il fondit sur lui, le dispersa, lui brisa son Necker ; un garde-française sans armes resta ferme, et fut tué.

Les barrières, qu'on achevait à peine, ces lourdes petites bastilles de la ferme générale, furent partout, ce même dimanche, attaquées par le peuple, mal défendues par la troupe, qui pourtant tua du monde. Elles brûlèrent pendant la nuit.

La Cour, si près de Paris, ne pouvait rien ignorer. Elle resta immobile, n'envoya ni ordre, ni troupe. Elle attendait apparemment que le trouble augmentant, devenant révolte et guerre, lui donnât ce que l'affaire Réveillon, étouffée trop tôt, n'avait pu donner, un prétexte spécieux pour dissoudre l'Assemblée. Donc, elle laissait à loisir Paris s'enfoncer dans son tort. Elle gardait bien Versailles, les ponts de Sèvres et de Saint-Cloud, coupait toute communication, et se croyait sûre de pouvoir toujours, au pis aller, affamer Paris. Elle-même, entourée de troupes allemandes, pour les deux tiers, qu'avait-elle à craindre ?... Rien, que de perdre la France.

Le ministre de Paris (il y en avait un alors) resta à Versailles. Les autres autorités, le lieutenant de police, le prévôt des marchands Flesselles, l'intendant Berthier parurent de même inactifs. Flesselles, mandé à la Cour, ne put s'y rendre, mais vraisemblablement il en eut les instructions.

Le commandant Besenval, sans responsabilité, puisqu'il ne pouvait agir que par les ordres de Broglie, restait paresseusement à l'Ecole militaire. Il n'osait se servir des gardes-françaises, et les tenait consignés. Mais il avait plusieurs détachements de divers corps, et trois régiments disponibles, un de Suisses et deux de cavalerie allemande. Vers l'après-midi, voyant le trouble augmenter, il mit ses Suisses dans les Champs-Elysées avec quatre pièces de canon, et réunit ses cavaliers sur la place Louis-XV. Avant le soir, avant l'heure où l'on rentre le dimanche, la foule revenait par les Champs-Elysées, remplissait les Tuileries ; c'était généralement des promeneurs inoffensifs, des familles qui voulaient rentrer de bonne heure, « parce qu'il y avait du bruit ». Cependant, la vue de ces soldats allemands en bataille sur la place ne laissait pas d'émouvoir. Des hommes dirent des injures, des enfants jetèrent des pierres. C'est alors que Besenval, craignant à la fin qu'on ne lui reprochât à Versailles de n'avoir rien fait, donna l'ordre insensé, barbare, digne de son étourderie, de pousser ce peuple avec les dragons. Ils ne pouvaient se mouvoir dans cette foule compacte qu'en écrasant quelques personnes. Leur colonel, le prince de Lambesc, entre dans les Tuileries, mais d'abord au pas. Il rencontre une barricade de chaises ; les bouteilles, les pierres commencent à pleuvoir sur lui ; il répond par des coups de feu. Les femmes jettent des cris perçants ; les hommes se mettent à fermer les Tuileries derrière Lambesc. Il jugea prudent de sortir. Un homme fut renversé, foulé ; un vieillard qui fuyait fut blessé grièvement.

La foule, sortie des Tuileries avec des cris d'effroi et d'indignation, remplit Paris du récit de cette brutalité, de ces Allemands poussant leurs chevaux contre des femmes et des enfants, du vieillard blessé, disait-on, de la main même du prince... Alors, on court aux armuriers, on prend ce qu'on trouve. On court à l'Hôtel de Ville pour demander des armes, sonner le tocsin. Nul magistrat municipal n'était à son poste. Quelques électeurs de bonne volonté s'y rendirent vers six heures du soir, occupèrent dans la grande salle leur enceinte réservée, et tâchèrent de calmer la foule. Mais derrière cette foule, déjà entrée, il y en avait une autre sur la place, qui criait « des armes ! » qui croyait que la ville avait un arsenal caché, qui menaçait de brûler tout. Ils forcent le poste, envahissent la salle, poussent la barrière, pressent les électeurs jusque sur leur bureau. Alors, ils leur font à la fois mille récits de ce qui vient de se passer... Les électeurs ne peuvent refuser les armes des gardes de la ville ; mais déjà le peuple les a cherchées, trouvées, prises ; déjà un homme en chemise, sans bas ni souliers, a pris la place du factionnaire, et, le fusil sur l'épaule, monte fièrement la garde à la porte de la salle.

Les électeurs reculaient devant la responsabilité d'autoriser le mouvement. Ils accordèrent seulement la convocation des districts, et envoyèrent quelques-uns des leurs « aux postes des citoyens armés, pour les prier, au nom de la patrie, de surseoir aux attroupements et voies de fait ». Elles avaient commencé le soir d'une manière fort sérieuse. Des gardes-françaises, échappés de leurs casernes, se formèrent au Palais-Royal, marchèrent sur les Allemands et vengèrent leur camarade. Ils tuèrent trois cavaliers sur le boulevard, puis allèrent à la place Louis-XV, qu'ils trouvèrent évacuée.

Le lundi 13 juillet, le député Guillotin, puis deux électeurs, allèrent à Versailles, et supplièrent l'Assemblée « de concourir à établir une garde bourgeoise ». Ils firent un tableau effrayant de la crise de Paris. L'Assemblée vota deux députations, l'une au roi, l'autre à la Ville. Elle ne tira du roi qu'une sèche et ingrate réponse, bien étrange quand le sang coulait : « Qu'il ne pouvait rien changer aux mesures qu'il avait prises, qu'il était seul juge de leur nécessité, que la présence des députés à Paris ne pouvait faire aucun bien... » L'Assemblée indignée arrêta : 1° que M. Necker emportait les regrets de la nation ; 2° qu'elle insistait pour l'éloignement des troupes ; 3° que non seulement les ministres, mais les conseils du roi, *de quelque rang* qu'ils pussent être, étaient personnellement responsables des malheurs présents ; 4° que nul pouvoir n'avait droit de prononcer l'infâme mot de banqueroute. L'article 3 désignait assez la reine et les princes ; le dernier les flétrissait. L'Assemblée reprit ainsi sa noble attitude ; désarmée au milieu des troupes, sans autre appui que le roi, menacée pour le soir même de dispersion, d'enlèvement, elle marqua bravement ses ennemis à la face, de leur vrai nom : *banqueroutiers.*

L'Assemblée, après ce vote, n'avait qu'un asile, l'assemblée même, la salle qu'elle occupait ; hors de là, pas un pouce de terre au monde ; aucun de ses membres n'osait plus coucher chez lui. Elle craignait aussi que la Cour ne mît la main sur ses archives. La veille, le dimanche, l'un des secrétaires, Grégoire, avait enveloppé, scellé, caché tous les papiers dans une maison de Versailles. Le lundi, il présida par *intérim,* soutint de son grand courage ceux qui molissaient, leur rappelant le Jeu de Paume, et le mot du Romain : « Que le monde croule, les ruines le frapperont sans l'effrayer. » *(Impavidum ferient ruinae.)*

On déclara la séance permanente, et elle continua pendant soixante-douze heures. M. de La Fayette, qui n'avait pas peu contribué au vigoureux arrêté, fut nommé vice-président.

Paris était cependant dans la plus vive anxiété. Le faubourg Saint-Honoré croyait de moment en moment voir entrer les troupes. Malgré les efforts des électeurs qui coururent la nuit pour faire déposer les armes, tout le monde s'armait ; personne n'était disposé à recevoir paisiblement les Croates et les Pandours, à porter les clés à la reine. Le lundi matin, dès six heures, toutes les cloches de toutes les églises sonnant coup sur coup le tocsin, quelques électeurs se rendent à l'Hôtel de Ville, y trouvent déjà la foule, la renvoient dans les districts. A huit heures, voyant qu'elle insiste, ils affirment que la garde bourgeoise est autorisée, ce qui n'était pas encore. Le peuple crie toujours : « Des armes ! » A quoi les électeurs répondent : « Si la Ville en a, on ne peut les obtenir que par le prévôt des marchands. » — « Eh bien ! envoyez-le chercher ! »

Le prévôt Flesselles, ce même jour, était mandé à Versailles par le roi, à l'Hôtel de Ville par le peuple. Soit qu'il n'osât se refuser à cet appel de la foule, soit qu'il crût pouvoir mieux servir le roi à Paris, il alla à l'Hôtel de Ville, fut applaudi dans la Grève, dit paternement : « Vous serez contents, mes amis, je suis votre père. » Il déclara dans la salle qu'il ne voulait présider que par élection du peuple. Là-dessus, nouveaux transports.

Il n'y avait pas encore d'armée parisienne, et l'on discutait déjà quel serait le général. L'Américain Moreau de Saint-Méry, qui présidait les électeurs, montra un buste de La Fayette, et ce nom fut fort applaudi. D'autres proposèrent, obtinrent qu'on offrît le commandement au duc d'Aumont qui demanda vingt-quatre heures pour réfléchir, et puis refusa. Le commandant en second fut le marquis de La Salle, militaire éprouvé, écrivain patriote, plein de dévouement et de cœur.

Tout cela traînait, et la foule frémissait d'impatience ; elle avait hâte d'être armée, et non sans raison. Les mendiants de Montmartre jetaient la pioche, descendaient en ville ; des masses d'hommes remuaient, inconnus, sans aveu. L'effroyable misère des campagnes avait rabattu de toutes parts des troupeaux d'affamés sur Paris; la famine le peuplait.

Dès le matin, sur un bruit qu'il y avait du blé à Saint-Lazare, la foule y court, et y trouve en effet une masse énorme de farines, que les bons pères avaient entassées, de quoi charger plus de cinquante voitures, qui furent conduites à la Halle. On brisa tout, on mangea, on but ce qui était dans la maison ; du reste, on n'emporta rien; le premier qui essaya de le faire fut pendu par le peuple même.

Les prisonniers de Saint-Lazare avaient échappé. On délivra ceux de la Force, qui étaient détenus pour dettes. Les criminels du Châtelet voulaient profiter du moment, et déjà enfonçaient les portes. Le concierge appela une bande de peuple qui passait ; elle entra, fit feu sur les rebelles, et les força de rentrer dans l'ordre.

Les armes du Garde-Meuble furent enlevées ; mais plus tard remises fidèlement.

Les électeurs, ne pouvant plus différer l'armement, essayèrent de le limiter. Ils votèrent, et le prévôt prononça que chacun des soixante districts élirait, armerait deux cents hommes, et que tout le reste serait désarmé. C'était une armée de *douze mille* notables ; à merveille pour la police, mais très mal pour la défense. Paris eût été livré. Le même jour, l'après-midi, on décida que la milice parisienne serait de *quarante-huit mille* hommes. La cocarde aux couleurs de la ville, bleue et rouge. Cet arrêté fut le jour même confirmé par tous les districts.

Un comité permanent est nommé pour veiller, nuit et jour, à l'ordre public. On le forme d'électeurs. « Pourquoi les seuls électeurs ? » dit un homme qui s'avance. « Et qui voulez-vous qu'on nomme ? » « Moi, dit-il. » — Il est nommé par acclamation.

Le prévôt hasarda alors une question grave : « A qui prêtera-t-on serment ? » — « A l'assemblée des citoyens », dit vivement un électeur.

L'affaire des subsistances pressait autant que celle des armes. Le lieutenant de police, mandé par les électeurs, dit que les arrivages ne le regardaient en rien. La ville dut aviser à se nourrir comme elle pourrait. Tous ses abords étaient occupés par les troupes ; il fallait que les fermiers, les marchands qui apportaient les denrées, se hasardassent à traverser des postes et des camps d'étrangers qui ne parlaient qu'allemand. En supposant qu'ils arrivassent, ils trouvaient mille difficultés pour repasser les barrières.

Paris devait mourir de faim ou vaincre, et vaincre en un jour. Comment espérer ce miracle ? Il y avait l'ennemi dans la ville même, à la Bastille et à l'Ecole militaire, l'ennemi à toutes les barrières ; les gardes-françaises, sauf un petit nombre, restaient dans leurs casernes, ne se décidaient pas encore. Que le miracle se fît par les

Parisiens tout seuls, c'était presque ridicule à dire. Ils passaient pour une population douce, amollie, *bon enfant*. Que ce peuple devînt tout à coup une armée, et une armée aguerrie, rien n'était moins vraisemblable.

Voilà certainement ce que pensaient les hommes froids, les notables, les bourgeois qui composaient le comité de la ville. Ils voulaient gagner du temps, ne pas aggraver l'immense responsabilité qui déjà pesait sur eux. Ils gouvernaient Paris depuis le 12 ; était-ce comme électeurs ? Le pouvoir électoral s'étendait-il jusque-là ? Ils croyaient à tout moment voir le vieux maréchal Broglie venir avec toutes ses troupes, leur demander compte... De là leurs hésitations, leur conduite longtemps équivoque ; de là la défiance du peuple, qui trouvait en eux son obstacle principal, et fit ses affaires sans eux.

Vers le milieu du jour, les électeurs envoyés à Versailles en reviennent ; ils rapportent la réponse menaçante du roi, le décret de l'Assemblée.

C'était tout de bon la guerre. Les envoyés avaient rencontré sur les routes la cocarde verte, couleur du comte d'Artois. Ils avaient passé à travers la cavalerie, toutes les troupes allemandes qui stationnaient sur la route, dans leurs blancs manteaux autrichiens.

La situation était terrible, dénuée de peu d'espoir, à voir le matériel. Mais le cœur était immense, chacun le sentait grandir d'heure en heure dans sa poitrine. Tous venaient, à l'Hôtel de Ville, s'offrir au combat ; c'étaient des corporations, des quartiers qui formaient des légions de volontaires. La compagnie de l'arquebuse offrit ses services. l'Ecole de chirurgie vint, Boyer en tête ; la Basoche voulait passer devant, combattre à l'avant-garde ; tous ces jeunes gens juraient de mourir jusqu'au dernier.

Combattre ? Mais avec quoi : sans armes, sans fusils, sans poudre ?

L'arsenal, disait-on, était vide. Le peuple ne se tint pas content. Un invalide et un perruquier firent sentinelle aux environs, et bientôt ils virent sortir une grande quantité de poudre, qui allait être embarquée pour Rouen. Ils coururent à l'Hôtel de Ville, et obligèrent les électeurs de faire apporter ces poudres. Un brave abbé se chargea de la mission périlleuse de les garder et de les distribuer au peuple.

Il ne manquait plus que des fusils. On savait qu'il y en avait un grand dépôt dans Paris... L'intendant Berthier en avait fait venir trente mille, et il avait ordonné la fabrication de deux cent mille cartouches. Le prévôt ne pouvait ignorer ce grand mouvement de l'intendance. Pressé d'indiquer le dépôt, il dit que la manufacture de Charleville lui promettait trente mille fusils, et que, de plus, douze mille allaient arriver d'un moment à l'autre. A l'appui de ce mensonge, voilà des chariots qui traversent la Grève, portant ce mot : Artillerie. Ce sont les fusils sans doute. Le prévôt fait emmagasiner les caisses. Mais il veut des gardes-françaises pour en faire la distribution. On court aux casernes, et comme on devait l'attendre, les officiers ne donnent pas un soldat. Il faut donc que les électeurs distribuent les fusils eux-mêmes. Ils ouvrent les caisses !... Qu'y trouvent-ils ? Des chiffons. La fureur du peuple est au comble, il crie à la trahison. Flesselles, ne sachant que dire, s'avise de les envoyer aux Célestins, aux Chartreux : « Les moines ont des armes cachées. » Nouveau désappointement : les Chartreux ouvrent, montrent tout ; la perquisition la plus exacte ne donne pas un fusil.

Les électeurs autorisèrent les districts à fabriquer cinquante mille piques, et elles furent forgées en trente-six heures ; mais ce temps si court était long pour une telle crise. Tout pouvait être fini dans la nuit. Le peuple, qui savait toujours, quand ses chefs ne savaient pas, apprit le soir l'existence du grand dépôt de fusils qui était aux Invalides. Les députés d'un district allèrent le soir même trouver le commandant Besenval, et Sombreuil, gouverneur de l'hôtel. « J'en écrivai à Versailles », dit froidement Besenval. Il avertit en effet le maréchal de Broglie. Chose étrange, prodigieuse ! il n'eut aucune réponse.

Ce silence inconcevable tenait sans doute, on l'a dit, à l'anarchie complète qui régnait dans le Conseil, tous étant discordants sur tout, sauf un point bien arrêté, la dissolution de l'Assemblée nationale. Il tenait aussi, je le crois, à la méprise de la Cour, qui trop fine et trop subtile, voyait dans ce grand mouvement l'effet d'une petite intrigue, croyait que le Palais-Royal faisait tout, et qu'Orléans payait tout... Explication puérile : est-ce qu'on solde des millions d'hommes ? Le duc avait donc aussi payé le soulèvement de Lyon et du Dauphiné, qui, au même moment, proclamaient le refus de l'impôt ? Il avait payé les villes de Bretagne, qui prenaient les armes, payé les soldats, qui, à Rennes, refusèrent de tirer sur les bourgeois ?

Le buste du prince, il est vrai, avait été porté en triomphe. Mais le prince lui-même était venu à Versailles se remettre à ses ennemis, protester qu'il avait autant, et plus que personne, peur de cette émeute. On le pria de vouloir bien coucher au château. La Cour l'ayant sous la main, croyant tenir le fabricateur de toute la machination, en eut peu d'inquiétude. Le vieux maréchal, à qui toutes les forces militaires étaient confiées en ce moment, s'enveloppa bien de troupes, tint le roi en sûreté, mit en défense Versailles, à qui personne ne songeait, et laissa les vaines fumées de Paris se dissiper d'elles-mêmes.

CHAPITRE VII

Prise de la Bastille (14 juillet 1789)

Difficulté de prendre la Bastille — L'idée de l'attaque appartient au peuple — Haine du peuple pour la Bastille — Joie du monde en apprenant la prise de la Bastille — Le peuple enlève les fusils aux Invalides — La Bastille était en défense — Thuriot somme la Bastille — Les électeurs y envoient inutilement plusieurs députations — Dernière attaque ; Élie, Hullin — Danger du retard — Le peuple se croit trahi, menace le prévôt, les électeurs — Les vainqueurs à l'Hôtel de Ville — Comment la Bastille se livra — Mort du gouverneur — Prisonniers mis à mort — Prisonniers graciés — Clémence du peuple.

Versailles, avec un gouvernement organisé, un roi, des ministres, un général, une armée, n'était qu'hésitation, doute, incertitude, dans la plus complète anarchie morale.

Paris, bouleversé, délaissé de toute autorité légale, dans un désordre apparent, atteignit, le 14 juillet, ce qui moralement est l'ordre le plus profond, l'unanimité des esprits.

Le 13 juillet, Paris ne songeait qu'à se défendre. Le 14, il attaqua.

Le 13 au soir, il y avait encore des doutes, et il n'y en eut plus le matin. Le soir était plein de trouble, de fureur désordonnée. Le matin fut lumineux et d'une sérénité terrible.

Une idée se leva sur Paris avec le jour, et tous virent la même lumière. Une lumière dans les esprits, et dans chaque cœur une voix : « Va, et tu prendras la Bastille ! »

Cela était impossible, insensé, étrange à dire... Et tous le crurent néanmoins. Et cela se fit.

La Bastille, pour être une vieille forteresse, n'en était pas moins imprenable, à moins d'y mettre plusieurs jours, et beaucoup d'artillerie. Le peuple n'avait, en cette crise, ni le temps, ni les moyens de faire un siège régulier. L'eût-il fait, la Bastille n'avait pas à craindre, ayant assez de vivres pour attendre un secours si proche, et d'immenses munitions de guerre. Ses murs de dix pieds d'épaisseur au sommet des tours, et trente ou quarante à la base, pouvaient rire longtemps des boulets ; et ses batteries, à elle, dont le peu plongeait sur Paris, auraient pu en attendant démolir tout le Marais, tout le faubourg Saint-Antoine. Ses tours, percées d'étroites croisées et de meurtrières, avec doubles et triples grilles, permettaient à la garnison de faire en toute sûreté un affreux carnage des assaillants.

L'attaque de la Bastille ne fut nullement raisonnable. Ce fut un acte de foi.

Personne ne proposa. Mais tous crurent, et tous agirent. Le long des rues, des quais, des ponts, des boulevards, la foule criait à la foule : « A la Bastille ! à la Bastille !... » Et, dans le tocsin qui sonnait, tous entendaient : « A la Bastille ! »

Personne, je le répète, ne donna l'impulsion. Les parleurs du Palais-Royal passèrent le temps à dresser une liste de proscription, à juger à mort la reine, la Polignac, Artois, le prévôt Flesselles, d'autres encore. Les noms des vainqueurs de la Bastille n'offrent pas un seul des faiseurs de motions. Le Palais-Royal ne fut pas le point de départ, et ce n'est pas non plus au Palais-Royal que les vainqueurs ramenèrent les dépouilles et les prisonniers.

Encore moins les électeurs qui siégeaient à l'Hôtel de Ville eurent-ils l'idée de l'attaque. Loin de là, pour l'empêcher, pour prévenir le carnage que la Bastille pouvait faire si aisément, ils allèrent jusqu'à promettre au gouverneur que, s'il retirait ses canons, on ne l'attaquerait pas. Les électeurs ne trahissaient point, comme ils en furent accusés, mais ils n'avaient pas la foi.

Qui l'eut ? Celui qui eut aussi le dévouement, la force, pour accomplir sa foi. Qui ? Le peuple, tout le monde.

Les vieillards qui ont eu le bonheur et le malheur de voir tout ce qui s'est fait dans ce demi-siècle unique où les siècles semblent entassés, déclarent que tout ce qui suivit de grand, de national, sous la République et l'Empire, eut cependant un caractère partiel, non unanime, que le seul 14 juillet fut le jour du peuple entier. Qu'il reste donc, ce grand jour, qu'il reste une des fêtes éternelles du genre humain, non seulement pour avoir été le premier de la délivrance, mais pour avoir été le plus haut dans la concorde !

Que se passa-t-il dans cette courte nuit, où personne ne dormit, pour qu'au matin tout dissentiment, toute incertitude disparaissant avec l'ombre, ils eurent les mêmes pensées ?

On sait ce qui se fit au Palais-Royal, à l'Hôtel de Ville ; mais ce qui se passa au foyer du peuple, c'est là ce qu'il faudrait savoir.

Là pourtant, on le devine assez par ce qui suivit, là chacun fit dans son cœur le jugement dernier du passé, chacun, avant de frapper, le condamna sans retour... L'histoire revint cette nuit-là, une longue histoire de souffrances, dans l'instinct vengeur du peuple. L'âme des pères qui, tant de siècles, souffrirent, moururent en silence revint dans les fils, et parla.

Hommes forts, hommes patients, jusque-là si pacifiques, qui deviez frapper en ce jour le grand coup de la Providence, la vue de vos familles, sans ressource autre que vous, n'amollit pas votre cœur. Loin de là, regardant une fois encore vos enfants endormis, ces enfants dont ce jour allait faire la destinée, votre pensée grandie embrassa les libres générations qui sortiraient de leur berceau, et sentit dans cette journée tout le combat de l'avenir !...

L'avenir et le passé faisaient tous deux même réponse ; tous deux ils dirent : « Va !... »

Et ce qui est hors du temps, hors de l'avenir et hors du passé, l'immuable droit le disait aussi. L'immortel sentiment du Juste donna une assiette d'airain au cœur agité de l'homme, il lui dit : « Va paisible, que t'importe ? quoi qu'il t'arrive, mort, vainqueur, je suis avec toi ! »

Et qu'est-ce que la Bastille faisait à ce peuple ? Les hommes du peuple n'y entrèrent presque jamais... Mais la justice lui parlait, et une voix qui plus fortement encore parle au cœur, la voix de l'humanité et de la miséricorde ; cette voix douce qui semble faible et qui renverse les tours, déjà, depuis dix ans, elle faisait chanceler la Bastille.

Il faut dire vrai ; si quelqu'un eut la gloire de la renverser, c'est cette femme intrépide qui, si longtemps, travailla à la délivrance de Latude contre toutes les puissances du monde. La royauté refusa, la nation arracha la grâce ; cette femme, ou ce héros, fut couronnée dans une solennité publique. Couronner celle qui avait pour ainsi dire forcé les prisons d'État, c'était déjà les flétrir, les vouer à l'exécration publique, les démolir dans le cœur et dans le désir des hommes... Cette femme avait pris la Bastille.

Depuis ce temps, le peuple de la ville et du faubourg, qui sans cesse, dans ce lieu si fréquenté, passait, repassait dans son ombre, ne manquait pas de la maudire. Elle méritait bien cette haine. Il y avait bien d'autres prisons, mais celle-ci, c'était celle de l'arbitraire capricieux, du despotisme fantasque, de l'inquisition ecclésiastique et bureaucratique. La Cour, si peu religieuse en ce siècle, avait fait de la Bastille le domicile des libres esprits, la prison de la pensée. Moins remplie sous Louis XVI, elle avait été plus dure (la promenade fut ôtée aux prisonniers), plus dure, et non moins injuste : on rougit pour la France d'être obligé de dire que le crime d'un des prisonniers était d'avoir donné un secret utile à notre marine ! On craignit qu'il ne le portât ailleurs.

Le monde entier connaissait, haïssait la Bastille. Bastille, tyrannie, étaient, dans toutes les langues, deux mots synonymes. Toutes les nations, à la nouvelle de sa ruine, se crurent délivrées.

En Russie, dans cet empire du mystère et du silence, cette Bastille monstrueuse entre l'Europe et l'Asie, la nouvelle arrivait à peine que vous auriez vu des hommes de toutes nations crier, pleurer sur les places ; ils se jetaient dans les bras l'un de l'autre, en se disant la nouvelle : « Comment ne pas pleurer de joie ? *La Bastille était prise !* »

Le matin même du grand jour, le peuple n'avait pas d'armes encore.

La poudre qu'il avait prise la veille à l'arsenal, et mise à l'Hôtel de Ville, lui fut lentement distribuée pendant la nuit par trois hommes seulement. La distribution ayant cessé un moment vers deux heures, la foule désespérée enfonça les portes du magasin à coups de marteau ; chaque coup faisait feu sur les clous.

Point de fusils ! il fallait aller les prendre, les enlever des Invalides. Cela était très hasardeux. Les Invalides sont, il est vrai, une maison tout ouverte. Mais le gouverneur Sombreuil, vieux et brave militaire, avait reçu un fort détachement d'artillerie et des canons, sans compter ceux qu'il avait. Pour peu que ces canons servissent, la foule pouvait être prise en flanc par les régiments que Besenval avait à l'École militaire, facilement dispersée.

Ces régiments étrangers auraient-ils refusé d'agir ? Quoi qu'en dise Besenval, il est permis d'en douter. Ce qui apparaît bien mieux, c'est que, laissé sans ordre, il était lui-même plein d'hésitation et comme paralysé d'esprit. Le matin même, à cinq heures, il avait eu une visite étrange. Un homme entre, pâle, les yeux enflammés, la parole rapide et courte, le maintien audacieux... Le vieux fat, qui était l'officier le plus frivole de l'ancien régime, mais brave et froid, regarde l'homme, et le trouve beau ainsi : « Monsieur le baron, dit l'homme, il faut qu'on vous avertisse pour éviter la résistance. Les barrières seront brûlées aujourd'hui ; j'en suis sûr, et n'y peux rien, vous non plus. N'essayez pas de l'empêcher. »

Besenval n'eut pas peur. Mais il n'avait pas moins reçu le coup, subi l'effet moral. « Je lui trouvai, dit-il, je ne sais quoi d'éloquent qui me frappa... J'aurais dû le faire arrêter, et je n'en fis rien. » C'étaient l'ancien régime et la Révolution qui venaient de se voir face à face, et celle-ci laissait l'autre saisi de stupeur.

Il n'était pas neuf heures, et déjà trente mille hommes étaient devant les Invalides. On voyait en tête le procureur de la ville ; le comité des électeurs n'avait osé le refuser. On voyait quelques compagnies de gardes-françaises, échappées de leur caserne. On remarquait au milieu les clercs de la Basoche, avec leur vieil habit rouge, et le curé de Saint-Etienne-du-Mont, qui, nommé président de l'assemblée réunie dans son église, ne déclina pas l'office périlleux de conduire la force armée.

Le vieux Sombreuil fut très habile. Il se présenta à la grille, dit qu'il avait effectivement des fusils, mais que c'était un dépôt qui lui était confié, que sa délicatesse de militaire et de gentilhomme ne lui permettait pas de trahir. Cet argument imprévu arrêta la foule tout court ; admirable candeur du peuple, à ce premier âge de la Révolution. Sombreuil ajoutait qu'il avait envoyé un courrier à Versailles, qu'il attendait la réponse, le tout avec force protestations d'attachement et d'amitié pour l'Hôtel de Ville et la ville en général.

La plupart voulaient attendre. Il se trouva là heureusement un homme moins scrupuleux qui empêcha la foule d'être mystifiée. Il n'y avait pas de temps à perdre ; et ces armes, à qui étaient-elles, sinon à la nation ?... On sauta dans les fossés, et l'hôtel fut envahi ;

vingt-huit mille fusils furent trouvés dans les caves, enlevés, avec vingt pièces de canon.

Tout ceci entre neuf et onze. Mais courons à la Bastille.

Le gouverneur de Launey était sous les armes, dès le 13, dès deux heures de nuit. Il n'avait négligé aucune précaution. Outre ses canons de tours, il en avait de l'Arsenal, qu'il mit dans la cour, chargés à la mitraille. Sur les tours, il fit porter six voitures de pavés, de boulets et de ferraille, pour écraser les assaillants. Dans les meurtrières du bas, il avait douze gros fusils de rempart qui tiraient chacun une livre et demie de balles. En bas, il tenait ses soldats les plus sûrs, trente-deux Suisses, qui n'avaient aucun scrupule de tirer sur des Français. Ses quatre-vingt-deux invalides étaient pour la plupart dispersés, loin des portes, sur les tours. Il avait évacué les bâtiments avancés qui couvraient le pied de la forteresse.

Le 13, rien, sauf des injures que les passants venaient dire à la Bastille.

Le 14, vers minuit, sept coups de fusils sont tirés sur les factionnaires des tours. Alarme ! Le gouverneur monte avec l'état-major, reste une demi-heure, écoutant les bruits lointains de la ville ; n'entendant plus rien, il descend.

Le matin, beaucoup de peuple, et de moment en moment, des jeunes gens (du Palais-Royal ? ou autres) ; ils crient qu'il faut leur donner des armes. On ne les écoute pas. On écoute, on introduit la députation pacifique de l'Hôtel de Ville qui, vers dix heures, prie le gouverneur de retirer ses canons, promettant que, s'il ne tire point, on ne l'attaquera pas. Il accepte volontiers, n'ayant nul ordre de tirer, et plein de joie, oblige les envoyés de déjeuner avec lui.

Comme ils sortaient, un homme arrive, qui parle d'un tout autre ton.

Un homme violent, audacieux, sans respect humain, sans peur ni pitié, ne connaissant nul obstacle, ni délai, portant en lui le génie colérique de la Révolution... Il venait sommer la Bastille.

La terreur entre avec lui. La Bastille a peur ; le gouverneur ne sait pourquoi, mais il se trouble, il balbutie.

L'homme, c'était Thuriot, un dogue terrible, de la race de Danton ; nous le retrouverons deux fois, au commencement et à la fin ; sa parole est deux fois mortelle : il tue la Bastille, il tue Robespierre.

Il ne doit pas passer le pont, le gouverneur ne le veut pas, et il passe. De la première cour, il marche à la seconde ; nouveau refus, et il passe ; il franchit le second fossé par le pont-levis. Et le voilà en face de l'énorme grille qui fermait la troisième cour. Celle-ci semblait moins une cour qu'un puits monstrueux, dont les huit tours, unies entre elles, formaient les parois. Ces affreux géants ne regardaient point du côté de cette cour, n'avaient point une fenêtre. A leur pied, dans leur ombre, était l'unique promenade du prisonnier ; perdu au fond de l'abîme, oppressé de ces masses énormes, il n'avait à contempler que l'inexorable nudité des murs. D'un côté seulement, l'on avait placé une horloge entre deux figures de captifs aux fers, comme pour enchaîner le temps et faire plus lourdement peser la lente succession des heures.

Là étaient les canons chargés, la garnison, l'état-major.

Rien n'imposa à Thuriot : « Monsieur, dit-il au gouverneur, je vous somme au nom du peuple, au nom de l'honneur et de la patrie, de retirer vos canons, et de rendre la Bastille. » Et, se tournant vers la garnison, il répéta les mêmes mots.

Si M. de Launey eût été un vrai militaire, il n'eût pas introduit ainsi le parlementaire au cœur de la place ; encore moins l'eût-il laissé haranguer la garnison. Mais il faut bien remarquer que les officiers de la Bastille étaient la plupart officiers par la grâce du lieutenant de police ; ceux mêmes qui n'avaient servi jamais portaient la Croix de Saint-Louis. Tous, depuis le gouverneur jusqu'aux marmitons, avaient acheté leurs places, et ils en tiraient parti. Le gouverneur, à ses soixante mille livres d'appointement, trouvait moyen chaque année d'en ajouter tout autant par ses rapines. Il nourrissait sa maison aux dépens des prisonniers ; il avait réduit leur chauffage, gagnait sur leur vin, sur leur triste mobilier. Chose impie, barbare, il louait à un jardinier le petit jardin de la Bastille, qui couvrait un bastion, et pour ce misérable gain, il avait ôté aux prisonniers cette promenade, ainsi que celle des tours, c'est-à-dire l'air et la lumière.

Cette âme basse et avide avait encore une chose qui lui abaissait le courage : il savait qu'il était connu ; les terribles Mémoires de Linguet avaient rendu de Launey illustre en Europe. La Bastille était haïe, mais le gouvernement était personnellement haï. Les cris furieux du peuple, qu'il entendait, il les prenait pour lui-même ; il était plein de trouble et de peur.

Les paroles de Thuriot eurent un effet différent sur les Suisses et sur les Français. Les Suisses ne les comprirent pas ; leur capitaine, M. de Flue, fut résolu à tenir. Mais l'état-major, mais les invalides furent ébranlés ; ces vieux soldats, en rapport habituel avec le peuple du faubourg, n'avaient nulle envie de tirer sur lui. Voilà la garnison divisée ; que feront les deux partis ? S'ils ne peuvent s'accorder, vont-ils tirer l'un sur l'autre ?

Le triste gouverneur, d'un ton apologétique, dit ce qui venait d'être convenu avec la Ville. Il jura et fit jurer à la garnison que, s'ils n'étaient attaqués, ils ne commenceraient pas.

Thuriot ne s'en tint pas là. Il veut monter sur les tours, voir si effectivement les canons sont retirés. De Launey, qui n'en était pas à se repentir de l'avoir déjà laissé pénétrer si loin, refuse ; mais ses officiers le pressent, il monte avec Thuriot.

Les canons étaient reculés, masqués, toujours en direction. La vue de cette hauteur de cent quarante pieds était immense, effrayante ; les rues, les places, pleines de peuple ; tout le jardin de l'arsenal comble d'hommes armés... Mais voilà de l'autre côté une masse noire qui s'avance... C'est le faubourg Saint-Antoine.

Le gouverneur devint pâle. Il prend Thuriot au bras : « Qu'avez-vous fait ? Vous abusez du titre de parlementaire ! Vous m'avez trahi ! »

Tous deux étaient sur le bord, et de Launey avait une sentinelle sur la tour. Tout le monde dans la Bastille faisait serment au gouverneur ; il était, dans sa forteresse, le roi et la loi. Il pouvait se venger encore...

Mais ce fut au contraire Thuriot qui lui fit peur : « Monsieur, dit-il, un mot de plus, et je vous jure qu'un de nous deux tombera dans le fossé. »

Au moment même, la sentinelle approche, aussi troublée que le gouverneur, et, s'adressant à Thuriot : « De grâce, monsieur, montrez-vous, il n'y a pas de temps à perdre ; voilà qu'ils s'avancent... Ne vous voyant pas, ils vont attaquer. » Il passa la tête aux créneaux ; et le peuple, le voyant en vie, et fièrement monté sur la tour, poussa une immense clameur de joie et d'applaudissement.

Thuriot descendit avec le gouverneur, traversa de nouveau la cour, et parlant encore à la garnison : « Je vais faire mon rapport ; j'espère que le peuple ne se refusera pas à fournir une garde bourgeoise qui garde la Bastille avec vous. »

Le peuple s'imaginait entrer dans la Bastille, à la sortie de Thuriot. Quand il le vit partir pour faire son rapport à la Ville, il le prit pour traître et le menaça. L'impatience allait jusqu'à la fureur ; la foule prit trois invalides, et voulait les mettre en pièces. Elle s'empara d'une demoiselle qu'elle croyait être la fille du gouverneur, il y en avait qui voulaient la brûler, s'il refusait de se rendre. D'autres l'arrachèrent de leurs mains « Que deviendrons-nous, disaient-ils, si la Bastille n'est pas prise avant la nuit ?... » Le gros Santerre, un brasseur que le faubourg s'était donné pour commandant, proposait d'incendier la place en y lançant de l'huile d'œillet et d'aspic, qu'on avait saisie la veille et qu'on enflammerait avec du phosphore. Il envoyait chercher des pompes.

Un charron, ancien soldat, sans s'amuser à ce parlage, se mit bravement à l'œuvre. Il avance, la hache à la main, monte sur le toit d'un petit corps de garde, voisin du premier pont-levis, et, sous une grêle de balles, il travaille paisiblement, coupe, abat les chaînes, fait tomber le pont. La foule passe ; elle est dans la cour. On tirait à la fois des tours et des meurtrières qui étaient au bas. Les assaillants tombaient en foule et ne faisaient aucun mal à la garnison. De tous les coups de fusils qu'ils tirèrent tout le jour, deux portèrent : un seul des assiégés fut tué.

Le comité des électeurs, qui déjà voyait arriver les blessés à l'Hôtel de Ville, qui déplorait l'effusion du sang, aurait voulu l'arrêter. Il n'y avait plus qu'un moyen pour cela, c'était de sommer la Bastille au nom de la Ville, et d'y faire entrer la garde bourgeoise. Le prévôt hésitait fort ; Fauchet insista ; d'autres électeurs pressèrent. Ils allèrent, comme députés ; mais, dans le feu et la fumée, ils ne furent pas même vus ; ni la Bastille ni le peuple ne cessèrent de tirer. Les députés furent dans le plus grand péril.

Une seconde députation, le procureur de la Ville marchant à la tête, avec un tambour et un drapeau, fut aperçue de la place. Les soldats qui étaient sur les tours arborèrent un drapeau blanc, renversèrent leurs armes. Le peuple cessa de tirer, suivit la députation, entra dans la cour. Arrivés là, ils furent accueillis d'une furieuse décharge qui coucha plusieurs hommes par terre, à côté des députés. Très probablement, les Suisses qui étaient en bas avec de Launey ne tinrent compte des signes que faisaient les invalides.

La rage du peuple fut inexprimable. Depuis le matin, on disait que le gouverneur avait attiré la foule dans la cour pour tirer dessus ; ils se crurent trompés deux fois, et résolurent de périr ou de se venger des traîtres. A ceux qui les rappelaient, ils disaient dans leur transport : « Nos cadavres serviront du moins à combler les fossés ! » Et ils allèrent obstinément, sans se décourager jamais, contre la fusillade, contre ces tours meurtrières, croyant qu'à force de mourir, ils pourraient les renverser.

Mais alors, et de plus en plus, nombre d'hommes généreux qui n'avaient encore rien fait s'indignèrent d'une lutte tellement inégale qui n'était qu'un assassinat. Ils voulurent en être. Il n'y eut plus moyen de tenir les gardes-françaises ; tous prirent parti pour le peuple. Ils allèrent trouver les commandants nommés par la Ville et les obligèrent de leur donner cinq canons. Deux colonnes se formèrent, l'une d'ouvriers et de bourgeois, l'autre de gardes-françaises. La première prit pour chef un jeune homme d'une taille et d'une force héroïques, Hullin, horloger de Genève, mais devenu domestique, chasseur du marquis de Conflans, le costume hongrois de chasseur fut pris sans doute pour un uniforme ; les livrées de la servitude guidèrent le peuple au combat de la liberté. Le chef de l'autre colonne fut Élie, officier de fortune, du régiment de la reine, qui, d'abord en habit bourgeois, prit son brillant uniforme, se désignant bravement aux siens et à l'ennemi. Dans ses soldats, il en avait un, admirable de vaillance, de jeunesse, de pureté, l'une des gloires de la France, Marceau, qui se contenta de combattre et ne réclama rien dans l'honneur de la victoire.

Les choses n'étaient guère avancées quand ils arrivèrent. On avait poussé, allumé trois voitures de paille, brûlé les casernes et les cuisines. Et l'on ne savait plus que faire. Le désespoir du peuple retombait sur l'Hôtel de Ville. On accusait le prévôt, les électeurs, on les pressait avec menaces d'ordonner le siège de la Bastille. Jamais on n'en put tirer l'ordre.

Divers moyens bizarres, étranges, étaient proposés aux électeurs pour prendre la forteresse. Un charpentier conseillait un ouvrage de charpenterie, une catapulte romaine pour lancer des pierres contre les murailles. Les commandants de la Ville disaient qu'il fallait attaquer dans les règles, ouvrir la tranchée. Pendant ces longs et vains discours, on apporta, on lut un billet que l'on venait de saisir ; Besenval écrivait à de Launey de tenir jusqu'à la dernière extrémité.

Pour sentir le prix du temps, dans cette crise suprême, pour s'expliquer l'effroi du retard, il faut savoir qu'à chaque instant il y avait de fausses alertes. On supposait que la Cour, instruite à deux heures de l'attaque de la Bastille, commencée depuis midi, prendrait ce moment pour lancer sur Paris ses Suisses et ses Allemands. Ceux de l'École militaire passeraient-ils le jour sans agir ? Cela n'était pas vraisemblable. Ce que dit Besenval du peu de fonds qu'il pouvait faire sur ses troupes a l'air d'une excuse. Les Suisses se montrèrent très fermes à la Bastille, il y parut au carnage ; les dragons allemands avaient tiré plusieurs fois le 12, tué des gardes-françaises ; ceux-ci avaient tué des dragons ; la haine de corps assurait la fidélité.

Le faubourg Saint-Honoré dépavait, se croyait attaqué de moment en moment ; La Villette était dans les mêmes transes, et effectivement un régiment vint l'occuper, mais trop tard.

Toute lenteur semblait trahison. Les tergiversations du prévôt le rendaient suspect, ainsi que les électeurs. La foule indignée sentit qu'elle perdait le temps avec eux. Un vieillard s'écrie : « Amis, que faisons-nous là avec ces traîtres ? allons plutôt à la Bastille ! » Tout s'écoula ; les électeurs stupéfaits se trouvèrent seuls... L'un d'eux sort, et rentrant tout pâle, avec le visage d'un spectre : « Vous n'avez pas dix minutes à vivre, si vous restez... La Grève frémit de rage... Les voilà qui montent... » Ils n'essayèrent pas de fuir, et c'est ce qui les sauva.

Toute la fureur du peuple se concentra sur le prévôt des marchands. Les envoyés des districts venaient successivement lui jeter sa trahison à la face. Une partie des électeurs se voyant compromis devant le peuple, par son imprudence et ses mensonges, tournèrent contre lui, l'accusèrent. D'autres, le bon vieux Dussaulx (le traducteur de Juvénal), l'intrépide Fauchet, essayèrent de le défendre, innocent ou coupable, de le sauver de la mort. Forcé par le peuple de passer du bureau dans la grande salle Saint-Jean, ils l'entourèrent, et Fauchet s'assit à côté de lui. Les affres de la mort étaient sur son visage : « Je le voyais, dit Dussaulx, mâchant sa dernière bouchée de pain, elle lui restait aux dents, et il la garda deux heures sans venir à bout de l'avaler. » Environné de papiers, de lettres, de gens qui venaient lui parler affaires, au milieu des cris de mort, il faisait effort pour répondre avec affabilité. Ceux du Palais-Royal et du district de Saint-Roch étant les plus acharnés, Fauchet y courut pour demander grâce. Le district était assemblé dans l'église de Saint-Roch ; deux fois, Fauchet monta en chaire, priant, pleurant, disant les paroles ardentes que son grand cœur pouvait trouver dans cette nécessité ; sa robe, toute criblée de balles de la Bastille, était éloquente aussi ; elle priait pour le peuple même, pour l'honneur de ce grand jour, pour laisser pur et sans tache le berceau de la liberté.

Le prévôt, les électeurs, restaient à la salle Saint-Jean, entre la vie et la mort, plusieurs fois couchés en joue. Tous ceux qui étaient là, dit Dussaulx, étaient comme des sauvages : parfois, ils écoutaient, regardaient en silence ; parfois, un murmure terrible, comme un tonnerre sourd, sortait de la foule. Plusieurs parlaient et criaient, mais la plupart étaient étourdis de la nouveauté du spectacle. Les bruits, les voix, les nouvelles, les alarmes, les lettres saisies, les découvertes vraies ou fausses, tant de secrets révélés, tant d'hommes amenés au tribunal, brouillaient l'esprit et la raison ; un des électeurs disait : « N'est-ce pas le Jugement dernier ?... » L'étourdissement était arrivé à ce point qu'on avait tout oublié, le prévôt et la Bastille.

Il était cinq heures et demie. Un cri monte de la Grève. Un grand bruit, d'abord lointain, éclate, avance, se rapproche, avec la rapidité, le fracas de la tempête... La Bastille est prise !

Dans cette salle déjà pleine, il entre d'un coup mille hommes, et dix mille poussaient derrière. Les boiseries craquent, les bancs se renversent, la barrière est poussée sur le bureau, le bureau sur le président.

Tous armés, de façons bizarres, les uns presque nus, d'autres vêtus de toutes couleurs. Un homme était porté sur les épaules et couronné de lauriers ; c'était Élie, toutes les dépouilles et les prisonniers autour. En tête, parmi ce fracas où l'on n'aurait pas entendu la foudre, marchait un jeune homme recueilli et plein de religion ; il portait, suspendue et percée de sa baïonnette, une chose impie, trois fois maudite : le règlement de la Bastille.

Les clés aussi étaient portées, ces clés monstrueuses, ignobles, grossières, usées par les siècles et par les douleurs des hommes. Le hasard ou la Providence voulut qu'elles fussent remises à un homme qui ne les connaissait que trop, à un ancien prisonnier. L'Assemblée nationale les plaça dans ses archives, la vieille machine des tyrans à côté des lois qui ont brisé les tyrans. Nous les tenons encore aujourd'hui, ces clés, dans l'armoire de fer des Archives de la France... Ah ! puissent, dans l'armoire de fer, venir s'enfermer les clés de toutes les Bastille du monde !

La Bastille ne fut pas prise, il faut le dire, elle se livra. Sa mauvaise conscience la troubla, la rendit folle et lui fit perdre l'esprit.

Les uns voulaient qu'on se rendît, les autres tiraient, surtout les Suisses qui, cinq heures durant, sans péril, n'ayant nulle chance d'être atteints, désignèrent, visèrent à leur aise, abattirent qui ils voulaient. Ils tuèrent quatre-vingt-trois hommes, en blessèrent quatre-vingt-huit. Vingt des morts étaient de pauvres pères de famille qui laissaient des femmes, des enfants pour mourir de faim.

La honte de cette guerre sans danger, l'horreur de verser le sang français, qui ne touchaient guère les Suisses, finirent par faire tomber les armes des mains des invalides. Les sous-officiers, à quatre heures, prièrent, supplièrent de Launey de finir ces assassinats. Il savait ce qu'il méritait ; mourir pour mourir, il eut envie un moment de se faire sauter, idée horriblement féroce : il aurait détruit un tiers de Paris. Ses cent trente-cinq barils de poudre auraient soulevé la Bastille dans les airs, écrasé, enseveli tout le faubourg, tout le Marais, tout le quartier de l'Arsenal... Il prit la mèche d'un canon. Deux sous-officiers empêchèrent le crime, ils croisèrent la baïonnette et lui fermèrent l'accès des poudres. Il fit mine alors de se tuer, et prit un couteau qu'on lui arracha.

Il avait perdu la tête, et ne pouvait donner d'ordre. Quand les gardes-françaises eurent mis leurs canons en batterie, et tiré (selon quelques-uns), le capitaine des Suisses vit bien qu'il fallait traiter ; il écrivit, il passa un billet où il demandait à sortir avec les honneurs de la guerre. Refusé. Puis, la vie sauve. Hullin et Élie promirent.

La difficulté était de faire exécuter la promesse. Empêcher une vengeance entassée depuis des siècles, irritée par tant de meurtres que venait de faire la Bastille, qui pouvait cela ?... Une autorité qui datait d'une heure, qui venait de la Grève à peine, qui n'était même connue que des deux petites bandes de l'avant-garde, n'était pas suffisante pour contenir cent mille hommes qui suivaient.

La foule était enragée, aveugle, ivre de son danger même. Elle ne tua cependant qu'un seul homme dans la place, elle épargna ses ennemis les Suisses, qu'à leurs sarraux elle prenait pour des domestiques ou des prisonniers ; elle blessa, maltraita ses amis les invalides. Elle aurait voulu pouvoir exterminer la Bastille ; elle brisa à coups de pierres les deux esclaves du cadran ; elle monta aux tours pour insulter les canons ; plusieurs s'en prenaient aux pierres, et s'ensanglantaient les mains à les arracher. On alla vite aux cachots délivrer les prisonniers ; deux étaient devenus fous. L'un, effarouché du bruit, voulait se mettre en défense ; il fut tout surpris quand ceux qui brisèrent sa porte se jetèrent dans ses bras en le mouillant de leurs larmes. Un autre, qui avait une barbe jusqu'à la ceinture, demanda comment se portait Louis XV ; il croyait qu'il régnait encore. A ceux qui demandaient son nom il disait qu'il s'appelait le major de l'Immensité.

Les vainqueurs n'avaient pas fini ; ils soutenaient dans la rue Saint-Antoine un autre combat. En avançant vers la Grève, ils rencontraient de proche en proche des foules d'hommes, qui, n'ayant pas pris part au combat, voulaient pourtant faire quelque chose, tout au moins massacrer les prisonniers. L'un fut tué dès la rue des Tournelles, un autre sur le quai. Des femmes suivaient échevelées, qui venaient de reconnaître leurs maris parmi les morts, et elles les laissaient là pour courir aux assassins ; l'une d'elles, écumante, demandait à tout le monde qu'on lui donnât un couteau.

De Launey était mené, soutenu, dans ce grand péril, par deux hommes de cœur et d'une force peu commune, Hullin, et un autre. Ce dernier alla jusqu'au Petit-Antoine, et fut arraché de lui par un tourbillon de foule. Hullin ne lâcha pas prise. Conduire son homme de là à la Grève, qui est si près, c'était plus que les douze travaux d'Hercule. Ne sachant plus comment faire, et voyant qu'on ne connaissait de Launey qu'à une chose, que seul il était sans chapeau, il eut l'idée héroïque de lui mettre le sien sur la tête, et dès ce moment reçut les coups qu'on lui destinait. Il passa enfin l'Arcade-Saint-Jean ; s'il pouvait lui faire monter le perron, le lancer dans l'escalier, tout était fini. La foule le voyait bien ; aussi, de son côté, fit-elle un furieux effort. La force de géant qu'Hullin avait déployée ne lui servit plus ici. Étreint du boa énorme que la masse tourbillonnante serrait et resserrait sur lui, il perdit terre, fut poussé, repoussé, lancé sur la pierre. Il se releva par deux fois. A la seconde, il vit dans l'air, au bout d'une pique, la tête de De Launey.

Une autre scène se passait dans la salle Saint-Jean. Les prisonniers étaient là, en grand danger de mort ; on s'acharnait surtout contre trois invalides qu'on croyait avoir été les canonniers de la Bastille. L'un était blessé ; le commandant de La Salle, par d'incroyables efforts, en invoquant son titre de commandant, vint à bout de le sauver ; pendant qu'il le menait dehors, les deux autres furent entraînés, accrochés à la lanterne du coin de la Vannerie, en face de l'Hôtel de Ville.

Ce grand mouvement, qui semblait avoir fait oublier Flesselles, fut pourtant ce qui le perdit. Ses implacables accusateurs du Palais-Royal, peu nombreux, mais mécontents de voir la foule occupée de toute autre affaire, se tenaient près du bureau, le menaçaient, le sommaient de les suivre... Il finit par leur céder, soit qu'une si longue attente de la mort lui parût pire que la mort même, soit qu'il espérât échapper dans la préoccupation universelle du grand événement du jour : « Eh bien ! messieurs, dit-il, allons au Palais-Royal. » Il n'était pas au quai, qu'un jeune homme lui cassa la tête d'un coup de pistolet.

La masse du peuple accumulé dans la salle ne demandait pas de sang ; il le voyait couler avec stupeur, dit un témoin oculaire. Il regardait bouche béante ce prodigieux spectacle, bizarre, étrange à rendre fou. Les armes du Moyen Age, de tous les âges, se mêlaient ; les siècles étaient présents. Élie, debout sur une table, le casque en tête, à la main son épée faussée à trois places, semblait un guerrier romain. Il était tout entouré de prisonniers, et priait pour eux. Les gardes-françaises demandaient pour récompense la grâce des prisonniers.

A ce moment on amène, on apporte plutôt, un homme suivi de sa femme ; c'était le prince de Montbarry, ancien ministre, arrêté à la barrière. La femme s'évanouit, l'homme est jeté sur le bureau, tenu sous les bras de douze hommes, plié en deux... Le pauvre diable, dans cette étrange attitude, expliqua qu'il n'était plus ministre depuis longtemps, que son fils avait eu grande part à la révolution de sa province... Le commandant de La Salle parlait pour lui, et s'exposait beaucoup lui-même. Cependant on s'adoucit, on lâcha prise un moment. De La Salle, qui était très fort, enleva le malheureux... Ce coup de force plut au peuple et fut applaudi...

Au moment même, le brave et excellent Élie trouva moyen de finir d'un coup tout procès, tout jugement. Il aperçut les enfants du service de la Bastille, et se mit à crier : « Grâce pour les enfants ! grâce ! »

Vous auriez vu alors les visages bruns, les mains noircies par la poudre, qui commençaient à se laver de grosses larmes, comme tombent après l'orage les grosses gouttes de pluie... Il ne fut plus question de justice, ni de vengeance. Le tribunal était brisé. Élie avait vaincu les vainqueurs de la Bastille. Ils firent jurer aux prisonniers fidélité à la nation, et les emmenèrent avec eux ; les invalides s'en allèrent paisiblement à leur hôtel ; les gardes-françaises s'emparèrent des Suisses, les mirent en sûreté dans leurs rangs, les conduisirent à leurs propres casernes, les logèrent et les nourrirent.

Les veuves, chose admirable ! se montrèrent aussi magnanimes. Indigentes et chargées d'enfants, elles ne voulurent pas recevoir seules une petite somme qui leur fut distribuée ; elles mirent dans le partage la veuve d'un pauvre invalide qui avait empêché la Bastille de sauter, et qui fut tué par méprise. La femme de l'assiégé fut ainsi comme adoptée par celles des assiégeants.

Livre II

14 juillet - 6 octobre 1789

CHAPITRE PREMIER

La fausse paix

Versailles, le 14 juillet — Le roi à l'Assemblée, 15 juillet — Deuil et misère de Paris — Députation à l'Assemblée de la ville de Paris, 15 juillet — La fausse paix — Le roi va à Paris, 17 juillet — Première émigration — Artois, Condé, Polignac, etc. — Isolement du roi.

L'Assemblée passa toute la journée du 14 entre deux craintes, les violences de la Cour, les violences de Paris, les chances d'une insurrection, peut-être malheureuse, qui tuerait la liberté. On écoutait tous les bruits, on mettait l'oreille à terre, on croyait reconnaître le retentissement d'une canonnade lointaine. Ce mouvement pouvait être le dernier ; plusieurs voulaient qu'on posât à la hâte les bases de la Constitution, que l'Assemblée, si elle devait être dispersée, détruite, laissât d'elle ce testament, cette lumière pour guider la résistance.

La Cour organisait l'attaque ; peu de choses manquaient pour l'exécution. A deux heures, l'intendant Bertier en ordonnait encore les détails à l'Ecole militaire. Son beau-père, Foulon, sous-ministre de la Guerre, achevait à Versailles les préparatifs. Paris devait, à la nuit, être attaqué de sept côtés à la fois. On discutait en conseil la liste des députés qui seraient enlevés le soir ; on proscrivait celui-ci, on exemptait celui-là ; M. de Breteuil défendait l'innocence de Bailly. La reine cependant et Mme de Polignac allaient à l'Orangerie animer les troupes, faire donner du vin aux soldats, qui dansaient et formaient des rondes. Pour compléter l'enivrement, la belle des belles emmenait chez elle les officiers, les troublait de liqueurs, de ses douces paroles et de ses regards... Ces aveugles une fois lancés, la nuit aurait été sanglante... On surprit leurs lettres, où ils écrivaient : « Nous marchons à l'ennemi... » Quel ennemi ? La loi et la France.

Voilà cependant un tourbillon de poussière sur l'avenue de Paris, c'est un gros de cavaliers, c'est le prince de Lambesc, avec tous ses officiers, qui fuit le peuple de Paris... Mais il trouve celui de Versailles ; si l'on n'eût craint de blesser les autres, on aurait tiré sur lui.

M. de Noailles arrive : « La Bastille est prise. » M. de Wimpfen arrive : « Le gouverneur est tué, il a failli être traité comme lui. » Deux envoyés des électeurs viennent enfin, exposent à l'Assemblée l'état affreux de Paris. On s'indigne, on invoque contre la Cour et les ministres la vengeance de Dieu et des hommmes... « Des têtes ! dit Mirabeau ; il nous faut M. de Broglie. »

Une députation de l'Assemblée va trouver le roi, et n'en tire que deux paroles équivoques. Il envoie des officiers pour prendre le commandement de la milice bourgeoise... Il ordonne aux troupes du Champ-de-Mars de se replier... Mouvement très bien attendu pour l'attaque générale.

Indignation de l'Assemblée, clameur, envoi d'une seconde députation... « Le cœur du roi est déchiré, mais il ne peut rien de plus. »

Louis XVI, dont on a si souvent déploré la faiblesse, avait ici les apparences d'une fermeté déplorable.

Bertier était venu près de lui ; il était dans son cabinet, l'affermissait, lui disait que le mal était peu de chose. Dans le trouble où était Paris, il y avait encore des chances pour la grande attaque du soir. Cependant, on sut bientôt que la ville était sur ses gardes. Elle avait déjà placé des canons sur Montmartre, qui couvraient La Villette, tenaient en respect Saint-Denis.

Parmi les rapports contradictoires, le roi ne donna nul ordre, et, fidèle à ses habitudes, alla se coucher de bonne heure. Le duc de Liancourt qui, par le droit de sa charge, entrait toujours, même de nuit, ne put le voir périr ainsi, dans son apathie et son ignorance. Il entra, il l'éveilla. Il aimait le roi, et il voulait le sauver. Il lui dit son danger, la grandeur du mouvement, son irrésistible force, qu'il devait l'accepter, devancer le duc d'Orléans, se rapprocher de l'Assemblée... Louis XVI, mal éveillé (et qui ne s'éveilla jamais) : « Mais quoi ? c'est donc une révolte ? » — « Sire, c'est une révolution. »

Le roi ne cachait rien à la reine ; on sut tout chez le comte d'Artois. Ses serviteurs eurent grand-peur ; la royauté pouvait se sauver à leurs dépens. Un d'eux, qui connaissait le prince, le prit par son côté sensible, par la peur, lui dit qu'il était proscrit au Palais-Royal, comme Flesselles et de Launey, qu'il pouvait calmer les esprits, en s'unissant au roi dans la démarche populaire qu'imposait la nécessité. Le même homme, qui était député, courut à l'Assemblée (il était minuit), y trouva le bonhomme Bailly qui n'osait aller coucher, et lui demanda, de la part du prince, un discours que le roi pût prononcer le lendemain.

Il y avait quelqu'un, à Versailles, affligé autant que personne. Je parle du duc d'Orléans. Le 12 juillet, son buste avait été porté triomphalement, et puis brutalement cassé. Et tout avait fini là, personne ne s'en était ému. Le 13, quelques-uns parlèrent de lieutenance générale, mais ce peuple était comme sourd, il n'entendait pas, ou ne voulait pas entendre. Le 14, au matin, Mme de Genlis fit la démarche, audacieuse, incroyable, d'envoyer sa Paméla avec un rouge laquais, tout au milieu de l'émeute. Quelqu'un dit : « Que n'est-ce la reine ! » Et ce mot tomba encore... Toutes les petites intrigues furent comme noyées dans ce mouvement immense ; tout misérable intérêt périt dans l'élan de ce jour sacré.

Le pauvre duc d'Orléans alla le matin du 15 au château, au conseil. Mais il resta à la porte. Il attendit, puis écrivit, non pas pour demander la lieutenance générale, non pour offrir sa médiation (comme il était convenu entre lui, Mirabeau et quelques autres), mais pour assurer le roi, en bon et loyal sujet, que si les temps devenaient plus fâcheux, il passerait en Angleterre. Il ne bougea tout le jour de l'Assemblée, de Versailles, le soir alla au château ; contre toute accusation de complot, il s'assurait l'*alibi,* il se lavait les mains pour la prise de la Bastille. Mirabeau fut furieux, et dès lors s'éloigna de lui. Il dit (j'adoucis les termes) : « C'est un eunuque pour le crime ; il voudrait, mais il ne peut ! »

L'homme du duc d'Orléans, Sillery-Genlis, pendant que le duc faisait antichambre à la porte du conseil, travaillait à le venger; il lisait, faisait adopter un insidieux projet d'adresse, qui pouvait amoindrir l'effet de la visite du roi, lui ôter la grâce de l'imprévu, glacer d'avance les cœurs : « Venez, sire, Votre Majesté verra la consternation de l'Assemblée, mais elle sera peut-être étonnée de son calme, etc. » Et, en même temps, il annonçait que des farines qui allaient à Paris avaient été arrêtées à Sèvres... « Que sera-ce, si cette nouvelle parvient à la capitale ! »

A quoi Mirabeau ajouta une effrayante sortie. S'adressant aux députés que l'on envoyait au roi : « Eh bien ! dites au roi que les hordes étrangères dont nous sommes investis ont reçu hier la visite des princes et des princesses, des favoris et des favorites, et leurs caresses, et leurs exhortations, et leurs présents. Dites-lui que, toute la nuit, ces satellites étrangers, gorgés de vin et d'or, ont prédit, dans leurs chants impies, l'asservissement de la France, et que leurs vœux brutaux invoquaient la destruction de l'Assemblée nationale. Dites-lui que, dans son palais même, les courtisans ont mêlé leurs danses au son de cette musique barbare, et que telle fut l'avant-scène de la Saint-Barthélemy !... Dites-lui que ce Henri dont l'univers bénit la mémoire, celui de ses aïeux qu'il affectait de vouloir prendre pour modèle, faisait passer des vivres dans Paris révolté, qu'il assiégeait en personne ; et que ses féroces conseillers font rebrousser les farines que le commerce apporte dans Paris affamé et fidèle. »

La députation sortait. Mais voilà que le roi arrive ; il entre, sans gardes, avec ses frères. Il fait quelques pas dans la salle, et debout, en face de l'Assemblée, il annonce qu'il a donné ordre aux troupes de s'éloigner *de Paris et de Versailles,* et il invite l'Assemblée à en avertir Paris... Triste aveu que sa parole obtiendra peu de créance, si l'Assemblée n'assure que le roi n'a pas menti !... Il ajouta pourtant un mot plus noble, plus habile : « On a osé publier que vos personnes n'étaient pas en sûreté. Serait-il donc nécessaire de rassurer sur des bruits aussi coupables, démentis d'avance par mon caractère connu ? Eh bien ! c'est moi qui ne suis qu'un avec la nation, c'est moi qui me fie à vous. »

Eloigner les troupes de Paris et de Versailles, sans indiquer la distance, c'était encore une promesse obscure, équivoque, médiocrement rassurante. Mais l'Assemblée était généralement si alarmée de l'immensité obscure qui s'entrouvrait devant elle, elle avait tant besoin d'ordre, qu'elle se montra crédule, enthousiaste pour le roi, jusqu'à oublier ce qu'elle se devait à elle-même.

Les voilà qui se précipitent tous, le suivent ; il retourne à pied. L'Assemblée, le peuple, l'entourent, le pressent ; le roi, fort replet, traversant la zone torride de la place d'Armes, n'en pouvait plus ; des députés, entre autres le duc d'Orléans, firent la chaîne autour de lui. A l'arrivée, la musique joua l'air : « Où peut-on être mieux qu'au sein de sa famille ?... » Famille trop limitée, le peuple n'en était pas ; on ferma les portes sur lui. Le roi dit qu'on les rouvrît. Cependant il s'excusa de recevoir les députés qui voulaient le voir encore ; il allait à sa chapelle remercier Dieu. La reine parut au balcon avec ses enfants et ceux du comte d'Artois, montrant une joie contrainte, et ne sachant trop que croire d'un enthousiasme si peu mérité.

Versailles nageait dans la joie. Paris, malgré sa victoire, était encore dans l'alarme et dans le deuil. On y enterrait les morts ; beaucoup d'entre eux laissaient des familles sans ressource. Ceux qui n'avaient pas de famille, leurs camarades leur rendaient les derniers devoirs. Ils avaient mis un chapeau à côté d'un des morts, et ils disaient aux passants : « Monsieur, pour ce pauvre diable qui s'est fait tuer pour la nation ! Madame, pour ce pauvre diable qui s'est fait tuer pour la nation !... » Humble et simple oraison funèbre pour des hommes dont la mort donnait la vie à la France...

Tout le monde gardant Paris, personne ne travaillait. Plus d'ouvrage. Peu de subsistance, et chère. L'Hôtel de Ville assurait que Paris avait des vivres pour quinze jours, et il n'en avait pas pour trois. Il fallut ordonner un impôt pour la subsistance des pauvres. Les farines étaient arrêtées par les troupes à Sèvres et à Saint-Denis. Deux nouveaux régiments arrivaient, pendant qu'on promettait le renvoi des troupes. Les hussards venaient reconnaître les barrières. Le bruit courait qu'on avait essayé de surprendre la Bastille. Les alarmes étaient enfin telles qu'à deux heures le comité des électeurs ne put refuser au peuple un ordre pour dépaver Paris.

A deux heures, précisément, un homme arrive, haletant, tout prêt de se trouver mal... Il a couru depuis Sèvres, où les troupes voulaient l'arrêter... Tout est fini, la Révolution est finie, le roi est venu dans l'Assemblée, il a dit : « Je me fie à vous... » Cent députés partent en ce moment de Versailles, envoyés par l'Assemblée à la ville de Paris.

Ces députés s'étaient mis sur-le-champ en route ; Bailly ne voulut pas dîner. Les électeurs eurent à peine le temps de courir à leur rencontre, comme ils étaient, en désordre, ne s'étant pas couchés depuis plusieurs nuits. On voulait tirer le canon ; il était encore en batterie, on ne put le faire venir. Il n'y en avait pas besoin pour solenniser la fête. Paris était assez beau de son soleil de juillet, de son trouble, de tout ce grand peuple armé. Les cent députés, précédés des gardes-françaises, des Suisses, des officiers de la milice citoyenne, des députés des électeurs, s'avançaient par la rue Saint-Honoré au son des trompettes... Tous les bras étaient tendus vers eux, les cœurs s'élançaient... De toutes les fenêtres les bénédictions, les fleurs pleuvaient, et les larmes...

L'Assemblée nationale et le peuple de Paris, le serment du Jeu de Paume, la prise de la Bastille et la victoire venaient s'embrasser !

Plusieurs députés baisèrent en pleurant les drapeaux des gardes-françaises : « Drapeaux de la patrie ! disaient-ils, drapeaux de la liberté ! »

Arrivés à l'Hôtel de Ville, on fit asseoir au bureau La Fayette, Bailly, l'archevêque de Paris, Sieyès et Clermont-Tonnerre. La Fayette parla, froidement, sagement, puis Lally-Tollendal avec son entraînement irlandais, ses larmes faciles. C'était à cette même Grève que, trente ans auparavant, l'ancien régime avait bâillonné, décapité le père de Lally ; son discours, tout attendri, n'était justement qu'une sorte d'amnistie de l'ancien régime, amnistie vraiment trop précipitée, lorsqu'il tenait encore Paris tout enveloppé de troupes.

L'attendrissement n'en gagna pas moins dans cette assemblée bourgeoise de l'Hôtel de Ville. « Le plus gras des hommes sensibles », comme on appelait Lally, fut couronné de fleurs, porté plutôt que conduit à la fenêtre, montré à la foule... Résistant tant qu'il pouvait, il mit la couronne sur la tête de Bailly, du premier président qu'ait eu l'Assemblée nationale. Bailly refusait aussi, elle fut retenue, affermie sur sa tête par la main de l'archevêque... Etrange et bizarre spectacle, qui faisait bien ressortir le faux de la situation. Le président du Jeu de Paume fut couronné par la main du prélat qui conseilla le coup d'Etat et qui força Paris à vaincre... La contradiction fut si peu sentie, que l'archevêque ne craignit pas de proposer un *Te Deum,* et que tout le monde le suivit à Notre-

Dame... C'était plutôt un *De profundis* qu'il devait dire à ces morts qu'il avait faits.

Malgré l'émotion commune, le peuple resta dans son bon sens. Il ne souffrit pas volontiers qu'on touchât à sa victoire ; cela n'était ni juste, ni utile, il faut le dire ; cette victoire n'était pas assez complète pour la sacrifier, l'oublier déjà. L'effet moral en était immense ; mais le résultat matériel, faible encore et incertain. Dès la rue Saint-Honoré, la garde citoyenne (alors c'était tout le peuple) amena au-devant des députés, au son de la musique militaire, le garde-française qui, le premier, avait arrêté le gouverneur de la Bastille ; il était conduit en triomphe sur la voiture de de Launey, couronné de lauriers, portant la Croix de Saint-Louis, que le peuple arracha au geôlier pour la mettre à son vainqueur... Il ne voulait pas la garder ; toutefois, avant de la rendre, en présence des députés, il s'en para bravement, la montrant sur sa poitrine... La foule applaudit, les députés applaudirent, couvrant de leur approbation ce qui s'était fait la veille.

Autre incident, plus clair encore. Dans les discours qu'on fit à l'Hôtel de Ville, M. de Liancourt, bon homme, mais étourdi, dit que le roi *pardonnait* volontiers aux gardes-françaises. Plusieurs d'entre eux étaient là qui s'avancèrent, et l'un d'eux : « Nous n'avons que faire de pardon, dit-il. En servant la nation, nous servons le roi ; les intentions qu'il manifeste aujourd'hui prouvent assez à la France que nous seuls peut-être nous avons été fidèles au roi et à la patrie. »

Bailly est proclamé maire, La Fayette commandant de la milice citoyenne. On part pour le *Te Deum.* L'archevêque donnait le bras à ce brave abbé Lefebvre qui avait gardé et distribué les poudres, qui sortait pour la première fois de son antre, et était tout noir encore. Bailly était de même conduit par Hullin, applaudi, pressé de la foule, presque à étouffer. Quatre fusiliers le suivaient ; malgré la joie de ce jour et l'honneur inattendu de sa position nouvelle, il ne put s'empêcher de songer « qu'il avait l'air d'un homme qu'on mène en prison... » S'il eût pu mieux prévoir, il aurait dit : « A la mort ! »

Qu'était-ce que ce *Te Deum,* sinon un mensonge ? Qui pouvait croire que l'archevêque remerçiât Dieu de bon cœur pour la prise de la Bastille ? Rien n'avait changé, ni les hommes, ni les principes... La Cour était toujours la Cour, l'ennemi toujours l'ennemi.

Ce qui était fait était fait. L'Assemblée nationale, les électeurs de Paris, avec leur toute-puissance, ne pouvaient rien sur le passé. Il y avait eu, le 14 juillet, un vaincu qui était le roi, un vainqueur qui était le peuple. Comment donc défaire cela, faire que cela ne fût point, biffer l'histoire, changer la réalité des événements accomplis, donner le change au roi, au peuple, de sorte que le premier se tînt heureux d'être battu, que l'autre, sans défiance, se remît aux mains d'un maître si cruellement provoqué ?

Mounier, racontant le 16 dans l'Assemblée nationale la visite des cent députés de la ville de Paris, fit l'étrange proposition (reprise le lendemain et votée à l'Hôtel de Ville), d'élever une statue à Louis XVI sur la place de la Bastille démolie... Une statue pour une défaite, c'était neuf, original... Le ridicule était sensible ; qui pouvait-on tromper ainsi ? Faire triompher le vaincu, était-ce vraiment assez pour escamoter la victoire ?

L'obstination du roi dans toute la journée du 14 faisait sentir aux plus simples que sa démarche du 15 n'était nullement spontanée. Au moment même où l'Assemblée le ramenait au château, dans ce délire feint ou réel, une femme embrassa ses genoux et ne craignit pas de dire : « Ah ! sire, êtes-vous bien sincère ? ne vont-ils pas vous faire changer ? »

Le peuple de Paris avait les idées les plus sombres. Il ne pouvait croire qu'avec quarante mille hommes autour de Versailles la Cour ne fît rien du tout. Il croyait que la démarche du roi n'était qu'un moyen d'endormir pour attaquer avec plus d'avantage. Il se défiait des électeurs : deux d'entre eux, envoyés le 15 à Versailles, furent ramenés, menacés comme traîtres, en grand péril. Les gardes-françaises craignaient quelque embûche dans leurs casernes, et ne voulaient pas y entrer. Le peuple s'obstinait à croire que, si la Cour n'osait combattre, elle se vengerait par quelque noir attentat, qu'elle pouvait avoir quelque part une mine pour faire sauter Paris.

La crainte n'était pas ridicule, mais plutôt la confiance. Pourquoi serait-on rassuré ? Les troupes, malgré la promesse, ne s'éloignaient pas. Le baron de Falckenheim, qui commandait à Saint-Denis, disait qu'il n'avait pas d'ordre. On arrêta à la barrière deux de ses officiers qui étaient venus observer. Une chose non moins grave, c'est que le lieutenant de police donnait sa démission, l'intendant Bertier avait fui, et avec lui tous les préposés de l'administration des subsistances. Un jour ou deux de plus, peut-être, la Halle était sans farine, le peuple allait à l'Hôtel de Ville demander du pain et la tête des magistrats. Les électeurs envoyèrent plusieurs des leurs chercher des blés à Senlis, à Vernon, jusqu'au Havre même.

Paris attendait le roi. Il croyait que, s'il avait parlé bien franchement et de cœur, il laisserait son Versailles et ses mauvais conseillers, se jetterait dans les bras du peuple. Rien n'eût été plus habile, ni d'un plus grand effet le 15 ; il devait partir pour Paris en sortant de l'Assemblée, *se confier,* non de parole, mais vraiment et de sa personne, entrer hardiment dans la foule, se confondre à ce peuple armé... L'émotion, si grande, tournait tout entière pour lui.

Voilà ce que le peuple attendait, ce qu'il croyait et disait. Il le dit à l'Hôtel de Ville, il le répétait dans les rues. Le roi hésita, consulta, différa d'un jour, et tout fut manqué.

Où le passa-t-il, ce jour irréparable ? Le 15 au soir, le 16 au matin, il était enfermé encore avec ces mêmes ministres dont l'audacieuse ineptie avait ensanglanté Paris, ébranlé pour jamais le trône. A ce conseil, la reine voulait fuir, éloigner le roi, le mettre à la tête des troupes, commencer la guerre civile. Mais les troupes étaient-elles sûres ? Qu'arriverait-il, si la guerre éclatait dans l'armée même, entre les soldats français et les mercenaires étrangers ? Ne valait-il pas mieux louvoyer, gagner du temps, amuser le peuple... Louis XVI, entre ces deux avis, n'en eut aucun, ne voulut rien ; il était prêt à suivre indifféremment l'un ou l'autre. La majorité du Conseil fut pour le second parti, et le roi resta.

Un maire de Paris, un commandant de Paris, nommés sans l'aveu du roi par les électeurs, ces places acceptées par des hommes aussi graves que Bailly et La Fayette, les nominations confirmées par l'Assemblée, sans rien demander au roi, ceci n'était plus l'émeute, c'était une révolution, bien et dûment organisée. La Fayette, « ne doutant pas que toutes les communes ne voulussent confier leur défense à des citoyens armés », proposa d'appeler la milice citoyenne *garde nationale* (nom déjà trouvé par Sieyès). Ce nom semblait généraliser, étendre l'armement de Paris à tout le royaume, de même que la cocarde bleue et rouge de la ville, augmentée du blanc, la vieille couleur française, devint celle de la France entière.

Si le roi restait à Versailles, s'il tardait, il hasardait Paris. Les dispositions, de moment en moment, étaient plus hostiles. Les districts étant invités à joindre leurs députés à ceux de l'Hôtel de Ville, pour aller remercier le roi, plusieurs répondirent « qu'il n'y avait pas lieu de remercier encore ».

Ce fut seulement le 16 au soir que Bailly, ayant vu par hasard Vicq-d'Azyr, le médecin de la reine, l'avertit que la Ville de Paris désirait, attendait le roi. Le roi promit, et le soir même écrivit à M. Necker pour l'inviter à revenir.

Le 17, le roi se mit en route à neuf heures, fort sérieux, triste, pâle ; il avait entendu la messe, communié, remis à Monsieur sa nomination de lieutenant général, en cas qu'il fût tué ou retenu prisonnier ; la reine, dans son absence, écrivit d'une main agitée le discours qu'elle irait prononcer à l'Assemblée, si l'on retenait le roi.

Sans gardes, mais entouré de trois ou quatre cents députés, il arriva à trois heures à la barrière. Le maire lui présentant les clés, dit : « Ce sont les mêmes clés qui ont été présentées à Henri IV ; il avait reconquis son peuple, ici le peuple a reconquis son roi. » Ce dernier mot, si vrai, si fort, dont Bailly même ne sentait pas bien la portée, fut applaudi vivement.

La place Louis-XV offrait un cercle de troupes, au centre, en bataillon carré, les gardes-françaises. Le bataillon s'ouvrit, se mit en files, laissant voir dans son sein des canons. (Ceux de la Bastille ?) Il prit la tête du cortège, traînant ses canons... et le roi après.

Devant la voiture du roi, allait à cheval, en habit bourgeois, l'épée à la main, la cocarde et le panache au chapeau, le commandant La Fayette. Tout suivait son moindre signe. L'ordre était grand, le silence aussi ; pas un cri de « Vive le roi ! » De moment en moment, on criait : « Vive la nation ! » Du Point-du-Jour à Paris, de la barrière à l'Hôtel de Ville, il y avait deux cent mille hommes sous les armes, trente mille fusils et davantage, cinquante mille piques, et, pour le reste, des lances, des sabres, des épées, des fourches, des faux. Point d'uniformes, mais deux lignes régulières dans toute cette longueur immense, sur trois hommes d'épaisseur, parfois sur quatre ou sur cinq.

Formidable apparition de la nation armée !... Le roi ne pouvait s'y méprendre ; ce n'était pas un parti. Tant d'armes, tant d'habits différents, même âme et même silence !

Tous étaient là, tous avaient voulu venir ; personne ne manquait à cette revue solennelle. On voyait même des dames armées près de leurs maris, des filles près de leurs pères. Une femme figurait dans les vainqueurs de la Bastille.

Des moines, croyant aussi qu'ils étaient hommes et citoyens, étaient venus prendre leur part de cette grande croisade. Les Mathurins étaient en ligne sous la bannière de leur ordre, devenue le drapeau du district des Mathurins. Des capucins portaient sur l'épaule l'épée, le mousquet. Les *dames de la place Maubert* avaient mis la révolution de Paris sous la protection de sainte Geneviève, et la veille, offert un tableau où la sainte encourageait l'ange exterminateur à renverser la Bastille, qu'on voyait croulante, avec des couronnes, des sceptres brisés.

On applaudissait deux hommes, Bailly, La Fayette ; c'était tout. Les députés marchaient autour de la voiture du roi, l'air triste, agité ; il y avait quelque chose de sombre dans cette fête... Ces armes sauvages, ces fourches et ces faux ne charmaient point le regard. Les canons qui dormaient là sur ces places, muets, parés de fleurs, semblaient ne pas bien dormir... Sur tous les semblants de paix planait une image de guerre, claire et significative, les lambeaux déchirés du drapeau de la Bastille.

Le roi descend, et Bailly lui présente la nouvelle cocarde, aux couleurs de la ville, qui devient celle de la France. Il le prie d'accepter « ce signe distinctif des Français ». Le roi la mit à son chapeau, et, séparé de sa suite par la foule, il monta la sombre voûte de l'Hôtel de Ville ; sur sa tête, les épées croisées formaient un berceau d'acier ; honneur bizarre emprunté aux usages maçonniques, qui semblait à double sens, et qui pouvait faire croire que le roi passait sous les Fourches Caudines.

Il n'y avait nulle intention de déplaire, ni d'humilier. Loin de là, il fut accueilli avec un attendrissement extraordinaire. La grande salle, mêlée de notables et d'hommes de toutes classes, présenta un spectacle étrange ; ceux qui étaient au milieu se tenaient à genoux, pour ne pas priver les autres de voir le roi, tous, les mains levées vers le trône, et les yeux remplis de larmes.

Bailly avait, dans son discours, prononcé le mot d'*Alliance* entre le roi et le peuple. Le président des électeurs, Moreau de Saint-Méry (celui qui avait tenu le fauteuil dans les grandes journées, donné trois mille ordres en trente heures) hasarda un mot qui semblait engager le roi : « *Vous venez promettre* à vos sujets que les auteurs de ces conseils désastreux ne vous entoureront plus, que la Vertu, trop longtemps exilée, restera votre appui. » La vertu voulait dire Necker.

Le roi, soit timidité, soit prudence, ne disait rien. Le procureur de la Ville émit la proposition de la statue à élever sur la place de la Bastille ; votée à l'unanimité. Puis, Lally, toujours éloquent, mais trop sensible et pleureur, avoua *le chagrin du roi, le besoin qu'il avait de consolation...* C'était le montrer vaincu, au lieu de l'associer à la victoire du peuple sur les ministres qui partaient. « Eh bien ! citoyens, êtes-vous satisfaits ? Le voilà ce roi, etc. » Ce *Voilà*, trois fois répété, fit l'effet d'une triste paraphrase de l'*Ecce homo*.

Ceux qui faisaient ce rapprochement l'achevèrent, le trouvèrent complet, quand Bailly montra le roi à la fenêtre de l'Hôtel de Ville, la cocarde à son chapeau. Il y resta un quart d'heure, sérieux, silencieux. Au départ, on lui dit tout bas qu'il devrait dire un mot lui-même. Mais on n'en put rien tirer que la confirmation de la garde bourgeoise, du maire et du commandant, et cette trop brève parole : « Vous pouvez toujours compter sur mon amour. »

Les électeurs s'en contentèrent, mais le peuple non. Il s'était imaginé que le roi, quitte de ses mauvais conseillers, venait fraterniser avec la ville de Paris. Mais, quoi ! pas un mot, pas un signe !... La foule applaudit cependant au retour ; elle semblait avoir besoin d'épancher enfin un sentiment contenu. Toutes les armes étaient renversées en signe de paix. On criait : « Vive le roi ! » Il fut porté à sa voiture. Une femme de la Halle lui sauta au col. Des hommes armés de bouteilles arrêtèrent ses chevaux, versèrent du vin au cocher, aux valets, burent avec eux à la santé du roi. Il sourit, mais il ne dit rien encore. Le moindre mot de bonté, prononcé à ce moment, eût été répété, célébré avec un effet immense.

Il ne rentra au château qu'à plus de neuf heures du soir. Sur l'escalier, il trouva la reine et ses enfants en larmes qui vinrent se jeter dans ses bras... Le roi avait donc couru un bien grand danger en allant visiter son peuple ! Ce peuple, était-ce l'ennemi ?... Et qu'aurait-on fait de plus pour un roi délivré, pour Jean ou François Ier, sortant de Londres ou de Madrid ?

Le même jour, vendredi 17, comme pour protester que le roi ne faisait rien, ne disait rien à Paris que par force et par contrainte, son frère le comte d'Artois, les Condé et les Conti, les Polignac, Vaudreuil, Broglie, Lambesc et autres, se sauvèrent de France. Ce ne fut pas sans difficulté. Ils trouvèrent partout l'horreur de leur nom, le peuple soulevé contre eux. Les Polignac et Vaudreuil ne purent échapper qu'en déclamant sur leur route contre Vaudreuil et Polignac.

La conspiration de la Cour aggravée de mille récits populaires, étranges et horribles, avait saisi les imaginations, les avait rendues incurablement soupçonneuses et méfiantes. Versailles, exalté au moins autant que Paris, veillait le château nuit et jour, comme le foyer des trahisons. Il semblait désert, ce palais immense. Beaucoup n'osaient plus y venir. L'aile du nord, celle des Condé, était presque vide ; l'aile du midi, celle du comte d'Artois, les sept vastes appartements de Mme de Polignac étaient fermés pour toujours. Plusieurs domestiques du roi auraient voulu quitter leur maître. Ils commençaient à avoir d'étranges idées sur lui.

Pendant trois jours, dit Besenval, le roi n'eut guère auprès de lui que M. de Montmorin et moi. Le 19, tout ministre était absent, j'étais entré chez le roi pour lui faire signer l'ordre de donner des chevaux à un colonel qui s'en retournait. Comme je présentais cet ordre, un valet de pied se place entre le roi et moi, pour voir ce qu'il écrivait. Le roi se retourne, aperçoit l'insolent, et se saisit des pincettes. Je l'empêchai de suivre ce mouvement d'une colère très naturelle ; il me serra la main pour m'en remercier, et je remarquai des larmes dans ses yeux.

CHAPITRE II

Jugements populaires

Aucun pouvoir n'inspire confiance — Le pouvoir judiciaire a perdu la confiance — Club breton — Avocats, basoche — Danton et Camille Desmoulins — Barbarie des lois, des supplices — Jugement au Palais-Royal — La Grève et la faim — Mort de Foulon et de Bertier, 22 juillet 1789.

La royauté reste seule. Les privilégiés s'exilent ou se soumettent ; ils déclarent qu'ils voteront désormais dans l'Assemblée nationale, subiront la majorité ; isolée et découverte, la royauté apparaît ce que depuis longtemps elle était au fond : un néant.

Ce néant, c'était la vieille foi de la France ; et cette foi déçue fait maintenant sa méfiance, son incrédulité ; elle la rend prodigieusement inquiète et soupçonneuse. Avoir cru, avoir aimé, avoir été depuis un siècle toujours trompé dans cet amour, c'est de quoi ne plus croire à rien.

Où sera la foi maintenant ?... On éprouve à cette question un sentiment de terreur et de solitude, comme Louis XVI lui-même au fond de son palais désert. La foi ne sera plus dans aucun pouvoir mortel.

Le pouvoir législatif lui-même, cette Assemblée chère à la France, elle a maintenant le malheur d'avoir absorbé ses ennemis, cinq ou six cents nobles et prêtres, et de les contenir dans son sein. Autre mal, elle a trop vaincu, elle va être maintenant l'autorité, le gouvernement, le roi... Et tout roi est impossible.

Le pouvoir électoral, qui de même s'est trouvé obligé de se faire gouvernement, en quelques jours il est tué ; il le sent, il prie les districts de lui créer un successeur. Au canon de la Bastille, il a frémi, il a douté. Gens de peu de foi ?... Perfides ? Non. Cette bourgeoisie de 89, nourrie du grand siècle de la philosophie, était certainement moins égoïste que la nôtre. Elle était flottante, incertaine, hardie de principes, timide d'application ; elle avait servi si longtemps !

C'est la vertu du pouvoir judiciaire, lorsqu'il reste entier et fort, de suppléer tous les autres ; et lui, nul ne le supplée. Il fut le soutien, la ressource de notre ancienne France, dans ses plus terribles crises. Au XIVe siècle, au XVIe, il siégea immuable et ferme, en sorte que, dans la tempête, la patrie, presque perdue, se reconnaissait, se retrouvait toujours au sanctuaire inviolable de la justice civile.

Eh bien ! ce pouvoir est brisé.

Brisé de son inconséquence et de ses contradictions. Servile et hardi à la fois, pour le roi et contre le roi, pour le pape et contre le pape, défenseur de la loi et champion du privilège, il parle de liberté et résiste un siècle à tout progrès libéral. Lui aussi, autant que le roi, il a trompé l'espoir du peuple. Quelle joie, quel enthousiasme, quand le Parlement revint de l'exil à l'avènement de Louis XVI ! Et c'est pour répondre à cette confiance qu'il s'unit aux privilégiés, arrête toute réforme, fait chasser Turgot ! En 1787, le peuple le soutient encore, et, pour l'en récompenser, le Parlement demande que les Etats généraux soient calqués sur la vieille forme de 1614, c'est-à-dire inutiles, impuissants et dérisoires !

Non, le peuple ne peut se fier au pouvoir judiciaire.

Chose étrange, c'est ce pouvoir, gardien de l'ordre et des lois, qui a commencé l'émeute. Elle s'essaie autour du Parlement, à chaque Lit de justice. Elle est encouragée du sourire du magistrat. Les jeunes conseillers, les d'Esprémenil, les Duport, pleins des souvenirs de la Fronde, ne demandent qu'à copier Broussel et le coadjuteur. La basoche organisée fournit une armée de clercs ; elle a son roi, ses jugements, ses prévôts, vieux étudiants, comme était Moreau à Rennes, brillants parleurs et duellistes, comme Barnave à Grenoble. La solennelle défense faite aux clercs de porter l'épée ne les rend que plus belliqueux..

Le premier club fut celui que le conseiller Duport ouvrit chez lui, rue du Chaume, au Marais. Il y réunit les parlementaires les plus avancés, des députés, des avocats, les Bretons surtout. Le club, transporté à Versailles, s'appela *le Club breton.* Revenu à Paris avec l'Assemblée, et changeant de caractère, il s'établit aux Jacobins.

Mirabeau n'alla qu'une fois chez Duport; il appelait Duport, Barnave et Lameth, le *Triumgueusat.* Sieyès y alla aussi et n'y voulut pas retourner : « C'est une politique de caverne, disait-il ; ils prennent des attentats pour des expériences. » Il les désigne ailleurs plus durement encore : « On peut se les représenter comme une troupe de polissons méchants toujours en action, criant, intriguant, s'agitant au hasard et sans mesure, puis riant du mal qu'ils avaient fait. On peut leur attribuer la meilleure part dans l'égarement de la Révolution. Heureuse encore la France si les agents subalternes de ces premiers perturbateurs, devenus chefs à leur tour, par un genre d'hérédité ordinaire dans les longues révolutions, avaient renoncé à l'esprit dont ils furent agités si longtemps ! »

Ces subalternes dont parle Sieyès, qui succédèrent à leurs chefs (et qui leur sont bien supérieurs), furent surtout deux hommes, deux forces révolutionnaires, Camille Desmoulins et Danton. Ces deux hommes, le roi du pamphlet, le foudroyant orateur du Palais-Royal, avant d'être celui de la Convention, nous n'en pouvons parler ici. Ils vont nous suivre, au reste, ils ne nous lâcheront pas. La comédie, la tragédie de la Révolution, sont en eux, ou dans personne.

Ils laisseront leurs maîtres tout à l'heure faire les Jacobins et ils fonderont les *Cordeliers.* Pour le moment, tout est mêlé ; le grand club de cent clubs, parmi les cafés, les jeux et les filles, c'est encore le Palais-Royal. C'est là que, le 12 juillet, Desmoulins cria : « Aux armes ! » C'est là que, la nuit du 13 au 14, se firent les jugements de Flesselles et de De Launey. Ceux du comte d'Artois, des Condé, des Polignac, leur furent expédiés à eux-mêmes ; ils eurent l'étonnant effet, qu'on aurait à peine attendu de plusieurs batailles, de les faire partir de la France. De là, une prédilection funeste pour les moyens de terreur, qui avaient si bien réussi à Desmoulins, dans un discours qu'il fait tenir à la lanterne de la Grève, lui fait dire « que les étrangers sont en extase devant elle ; qu'ils admirent qu'une lanterne ait fait plus en deux jours que tous leurs héros en cent ans ».

Desmoulins renouvelle avec une verve intarissable la vieille plaisanterie qui remplit tout le Moyen Age sur la potence, la corde, les pendus, etc. Ce supplice hideux, atroce, qui rend l'agonie risible, était le texte ordinaire des contes les plus joyeux, l'amusement du populaire, l'inspiration de la basoche. Celle-ci trouva tout son génie dans Camille Desmoulins. Le jeune avocat picard, très léger d'argent, plus léger de caractère, traînait sans cause au Palais-Royal. Pour être quelque peu bègue, il n'était que plus amusant. Les saillies errantes, sur sa lèvre embarrassée, s'échappaient comme des dards. Il suivait sa verve comique, sans trop s'informer si la tragédie n'allait pas en résulter. Les fameux jugements de la basoche, ces farces judiciaires qui avaient tant amusé l'ancien palais, n'étaient pas plus gais que les jugements du Palais-Royal ; la différence est que ceux-ci souvent s'exécutaient en Grève. Chose étrange et qui fait rêver, c'est Desmoulins, ce polisson de génie aux plaisanteries mortelles, c'est ce taureau de Danton qui rugit le meurtre, ce sont eux, dans quatre années, qui périront pour avoir proposé *le comité de la clémence !*

Mirabeau, Duport, les Lameth, bien d'autres plus modérés, approuvaient les violences ; plusieurs disent qu'ils les conseillaient. Sieyès, en 88, demandait la mort des ministres. Mirabeau, le 14 juillet, cria : « La tête de Broglie ! » Il logeait chez lui Desmoulins. Il marchait volontiers entre Desmoulins et Danton ; ennuyé de ses Genevois, il aimait bien mieux ceux-ci, faisait écrire l'un, parler l'autre.

Un homme très modéré, très sage, une tête froide, Target, était intimement lié avec Desmoulins, et donnait son approbation au pamphlet de la Lanterne.

Ceci mérite explication:

Personne ne croyait à la justice, sinon à celle du peuple.

Les légistes spécialement méprisaient la loi, le droit d'alors, en contradiction avec toutes les idées du siècle. Ils connaissaient les tribunaux, et savaient que la Révolution n'avait pas d'adversaires plus passionnés que le Parlement, le Châtelet, les juges en général.

Un tel juge, c'était l'ennemi. Remettre le jugement de l'ennemi à l'ennemi, le charger de décider entre la Révolution et les contre-révolutionnaires, c'était absoudre ceux-ci, les rendre plus fiers et plus forts, les envoyer aux armées commencer la guerre civile. Le pouvaient-ils ? Oui, malgré l'élan de Paris et la prise de la Bastille. Ils avaient des troupes étrangères, ils avaient tous les officiers ; ils avaient spécialement un corps formidable, qui faisait alors la gloire militaire de la France, les officiers de la marine.

Le peuple seul, dans cette crise rapide, pouvait saisir et frapper des coupables si puissants. « Mais si le peuple se trompe ?... » L'objection n'embarrassait pas les amis de la violence. Ils récriminaient. « Combien de fois, répondaient-ils, le Parlement, le Châtelet, ne se sont-ils pas trompés ? » Ils citaient les fameuses méprises des Calas et des Sirven ; ils rappelaient le terrible mémoire de Duparty pour trois hommes condamnés à la roue, ce mémoire brûlé par le Parlement, qui ne pouvait y répondre.

Quels jugements populaires, disaient-ils encore, seront jamais plus barbares que les procédures des tribunaux réguliers comme elles sont encore en 89 ?... Procédures secrètes, faites tout entières sur pièces que l'accusé ne voit pas ; les pièces non communiquées, les témoins non confrontés, sauf ce dernier petit moment où l'accusé, sorti à peine de la nuit de son cachot, effaré du jour, vient sur la sellette, répond ou ne répond pas, voit ses juges pendant deux minutes pour s'entendre condamner ?... Barbares procédures, jugements plus barbares. On n'ose rappeler Damiens, écartelé, tenaillé, arrosé de plomb fondu... Peu avant la Révolution, on brûla un homme à Strasbourg. Le 11 août 89, le Parlement de Paris, qui meurt lui-même, condamne encore un homme à expirer sur la roue. De tels supplices, qui pour le spectateur même étaient des supplices, troublaient les âmes à fond, les effarouchaient, les rendaient folles, brouillaient toute idée de justice, tournaient la justice à rebours ; le coupable qui souffrait tant ne paraissait plus coupable ; le coupable, c'était le juge ; des montagnes de malédictions s'entassaient sur lui... La sensibilité s'exaltait jusqu'à la fureur, la pitié devenait féroce. L'histoire offre plusieurs exemples de cette sensibilité furieuse qui souvent mettait le peuple hors de tout respect, de toute crainte, et lui faisait rouer, brûler les officiers de justice en place du criminel.

C'est un fait trop peu remarqué, mais qui fait comprendre bien des choses : plusieurs de nos terroristes furent des hommes d'une sensibilité exaltée, maladive, qui ressentirent cruellement les maux du peuple, et dont la pitié tourna en fureur.

Ce remarquable phénomène se présentait principalement chez les hommes nerveux, d'une imagination faible et irritable, chez les artistes en tout genre ; l'artiste est un homme-femme. Le peuple, dont les nerfs sont plus forts, suivit cet entraînement ; mais jamais, dans les premiers temps, il ne donnait l'impulsion. Les violences partaient du Palais-Royal, où dominaient les bourgeois, les avocats, les artistes et gens de lettres.

La responsabilité même, entre ceux-ci, n'était entière à personne. Un Camille Desmoulins levait le lièvre, ouvrait la chasse ; un Danton la poussait à mort... en paroles, bien entendu. Mais il ne manquait pas de muets pour exécuter, d'hommes pâles et furieux pour porter la chose à la Grève, où elle était poussée par des Dantons inférieurs. Dans la foule misérable qui environnait ceux-ci, il y avait d'étranges figures comme échappées de l'autre monde ; des hommes à face de spectres, mais exaltés par la faim, ivres de jeûne, et qui n'étaient plus des hommes. On affirmait que plusieurs, au 20 juillet, ne mangeaient pas depuis trois jours. Parfois, ils se résignaient, mouraient, sans faire mal à personne. Les femmes ne se résignaient pas, *elles avaient des enfants*. Elles erraient comme des lionnes. En toute émeute, elles étaient les plus âpres, les plus furieuses ; elles poussaient des cris frénétiques, faisaient honte aux hommes de leurs lenteurs ; les jugements sommaires de la Grève étaient toujours trop longs pour elles. Elles pendaient tout d'abord.

L'Angleterre a eu en ce siècle la poésie de la faim. Qui donnera son histoire en France ?... Terrible histoire au dernier siècle, négligée des historiens, qui ont gardé leur pitié pour les artisans de la famine... J'ai essayé d'y descendre, dans les cercles de cet enfer, guidé de proche en proche par de profonds cris de douleur. J'ai montré la terre de plus en plus stérile, à mesure que le fisc saisit, détruit le bétail, et que la terre, sans engrais, est condamnée à un jeûne perpétuel. J'ai montré comment les nobles, les exempts d'impôts se multipliant, l'impôt allait pesant sur une terre toujours plus pauvre. Je n'ai pas assez montré comment l'aliment devient, par sa rareté même, l'objet d'un trafic éminemment productif. Les profits en sont si clairs que le roi veut aussi en être. Le monde voit avec étonnement un roi qui trafique de la vie de ses sujets, un roi qui spécule sur la disette et la mort, un roi assassin du peuple. La famine n'est plus seulement le résultat des saisons, un phénomène naturel ; ce n'est ni la pluie ni la grêle. C'est un fait d'ordre civil : on a faim. De par le roi.

Le roi, ici, c'est le système. On eut faim sous Louis XIV, on a faim sous Louis XVI.

La famine est alors une science, un art compliqué d'administration, de commerce. Elle a son père et sa mère, le fisc, l'accaparement. Elle engendre une race à part, race bâtarde de fournisseurs, banquiers, financiers, fermiers généraux, intendants, conseillers, ministres. Un mot profond sur l'alliance des spéculateurs et des politiques sortit des entrailles du peuple : Pacte de famine.

Foulon était spéculateur, financier, traitant d'une part, de l'autre membre du Conseil, qui seul jugeait les traitants. Il comptait bien être ministre. Il serait mort de chagrin, si la banqueroute s'était faite par un autre que par lui. Les lauriers de l'abbé Terray ne le laissaient pas dormir. Il avait le tort de prêcher trop haut son système ; sa langue travaillait contre lui, et le rendait impossible. La Cour goûtait fort l'idée de ne pas payer, mais elle voulait emprunter, et, pour allécher les prêteurs, il ne fallait pas appeler au ministère l'apôtre de la banqueroute.

On lui attribuait une parole cruelle : « S'ils ont faim, qu'ils broutent l'herbe... Patience ! que je sois ministre, je leur ferai manger du foin ; mes chevaux en mangent... » On lui imputait encore ce mot terrible : « Il faut faucher la France... »

Foulon avait un gendre selon son cœur, un homme capable, mais dur, de l'aveu des royalistes, Bertier, intendant de Paris. Il savait trop bien qu'il était détesté des Parisiens, et fut trop heureux de trouver l'occasion de leur faire la guerre. Avec le vieux Foulon, il était l'âme du ministère de trois jours. Le maréchal de Broglie n'en augurait rien de bon, il obéissait. Mais Foulon, mais Bertier étaient très ardents. Celui-ci montra une activité diabolique à rassembler tout, armes, troupes, à fabriquer des cartouches. Si Paris ne fut point mis à feu et à sang, ce ne fut nullement sa faute.

On s'étonne que des gens si riches, si parfaitement informés, mûrs d'ailleurs et d'expérience, se soient jetés dans ces folies. C'est que les grands spéculateurs financiers participent tous du joueur ; ils en ont les tentations. Or, l'affaire la plus lucrative qu'ils pouvaient trouver jamais, c'était d'être ainsi chargés de faire la banqueroute par exécution militaire. Cela était hasardeux. Mais quelle grande affaire sans hasard ? on gagne sur la tempête, on gagne sur l'incendie ; pourquoi pas sur la guerre et sur la famine ? Qui ne risque rien, n'a rien.

La famine et la guerre, je veux dire Foulon et Bertier, qui croyaient tenir Paris, se trouvèrent déconcertés par la prise de la Bastille.

Le soir du 13, Bertier essaya de rassurer Louis XVI ; s'il en tirait un petit mot, il pouvait encore lancer ses Allemands sur Paris.

Louis XVI ne dit rien, ne fit rien. Les deux hommes, dès ce moment, sentirent bien qu'ils étaient morts. Bertier s'enfuit vers le nord filant la nuit d'un lieu à l'autre ; il passa quatre nuits sans dormir, sans s'arrêter, et n'alla pas plus loin que Soissons. Foulon n'essaya pas de fuir ; d'abord, il fit dire partout qu'il n'avait pas voulu du ministère, puis qu'il était frappé d'une apoplexie, puis il fit le mort. Il s'enterra lui-même magnifiquement (un de ses domestiques venait fort à point de mourir). Cela fait, il alla tout doucement chez son digne ami Sartine, l'ancien lieutenant de police.

Il avait sujet d'avoir peur. Le mouvement était terrible. Remontons un peu plus haut.

Dès le mois de mai, la famine avait chassé des populations entières, les poussait l'une sur l'autre. Caen et Rouen, Orléans, Lyon, Nancy avaient eu des combats à soutenir pour les grains. Marseille avait vu à ses portes une bande de huit mille affamés qui devaient piller ou mourir ; toute la ville, malgré le gouvernement, malgré le Parlement d'Aix, avait pris les armes, et restait armée.

Le mouvement se ralentit un moment en juin ; la France entière, les yeux fixés sur l'Assemblée, attendait qu'elle vainquît ; nul autre espoir de salut. Les plus extrêmes souffrances se turent un moment ; une pensée dominait tout...

Qui peut dire la rage, l'horreur de l'espoir trompé, à la nouvelle du renvoi de Necker ? Necker n'était pas un politique ; il était, comme on a vu, timide, vaniteux, ridicule. Mais dans l'affaire des subsistances, il fut, on lui doit cette justice, il fut administrateur infatigable, ingénieux, plein d'industrie et de ressources. Il s'y montra, ce qui est bien plus, plein de cœur, bon et sensible ; personne ne voulant prêter à l'Etat, il emprunta en son nom, il engagea son crédit, jusqu'à deux millions, la moitié de sa fortune. Renvoyé, il ne retira pas sa garantie ; il écrivit aux prêteurs qu'il la maintenait. Pour tout dire, s'il ne sut pas gouverner, il nourrit le peuple, le nourrit de son argent.

Le mot Necker, le mot subsistance, cela sonnait du même son à l'oreille du peuple. Renvoi de Necker, et famine, la famine sans espoir et sans remède, voilà ce que sentit la France, au moment du 12 juillet.

Les Bastilles de province, celle de Caen, celle de Bordeaux furent forcées, ou se livrèrent, pendant qu'on prenait celle de Paris. A Rennes, à Saint-Malo, à Strasbourg, les troupes fraternisèrent avec le peuple. A Caen, il y eut lutte entre les soldats. Quelques hommes du régiment d'Artois portaient des insignes patriotiques ; ceux du régiment de Bourbon, profitant de ce qu'ils étaient sans armes, les leur arrachèrent. On crut que le major Belsunce les avait payés pour faire cette insulte à leurs camarades. Belsunce était un joli officier et spirituel, mais impertinent, violent, hautain. Il faisait bruit de son mépris pour l'Assemblée nationale, pour le peuple, la canaille ; il se promenait dans la ville, armé jusqu'aux dents, avec un domestique d'une mine féroce. Ses regards étaient provocants. Le peuple perdit patience, menaça, assiégea la caserne ; un officier eut l'imprudence de tirer ; et alors la foule alla chercher du canon ; Belsunce se livra ou fut livré pour être conduit en prison ; il ne put y arriver ; il fut tué à coups de fusils, son corps déchiré ; une femme mangea son cœur.

Il y eut du sang à Rouen, à Lyon ; à Saint-Germain, un meunier fut décapité ; un boulanger accapareur faillit périr à Poissy ; il ne fut sauvé que par une députation de l'Assemblée, qui se montra admirable de courage et d'humanité, risqua sa vie, n'emmena l'homme qu'après l'avoir demandé au peuple, à genoux.

Foulon eût peut-être passé ce moment d'orages, s'il n'eût été haï que de toute la France. Son malheur était de l'être de ceux qui le connaissaient le mieux, de ses vassaux et serviteurs. Ils ne le perdaient pas de vue, ils n'avaient pas été dupes du prétendu enterrement. Ils suivirent, ils trouvèrent le mort, qui se promenait bien portant dans le parc de M. de Sartine : « Tu voulais nous donner du foin, c'est toi qui en mangeras ! » On lui met une botte de foin sur le dos, un bouquet d'orties, un collier de chardons. On le mène à pied à Paris, à l'Hôtel de Ville, on demande son jugement à la seule autorité qui restât, aux électeurs.

Ceux-ci durent alors regretter de n'avoir pas hâté davantage la décision populaire qui allait créer un véritable pouvoir municipal, leur donner des successeurs, et finir leur royauté. Royauté est le mot propre ; les gardes-françaises ne montaient la garde à Versailles, près du roi, qu'en prenant l'ordre (chose étrange) des électeurs de Paris.

Ce pouvoir illégal, invoqué pour tout, impuissant pour tout, affaibli encore dans son association fortuite avec les anciens échevins, n'ayant pour tête que le bonhomme Bailly, le nouveau maire, n'ayant pour bras que La Fayette, commandant d'une garde nationale qui s'organisait à peine, allait se trouver en face d'une nécessité terrible.

Ils apprirent presque à la fois qu'on avait arrêté Bertier à Compiègne et qu'on amenait Foulon. Pour le premier, ils prirent une responsabilité grave, hardie (la peur l'est parfois), celle de dire aux gens de Compiègne « qu'il n'existait aucune raison de détenir M. Bertier ». Ceux-ci répondirent qu'il serait alors tué sûrement à Compiègne, qu'on ne pouvait le sauver qu'en l'amenant à Paris.

Quant à Foulon, on décida que désormais les accusés de ce genre seraient déposés à l'Abbaye, et qu'on inscrirait ces mots sur la porte : « Prisonniers mis sous la main de la nation. » Cette mesure générale, prise dans l'intérêt d'un homme, assurait à l'ex-conseiller d'être jugé par ses amis et collègues, les anciens magistrats, seuls juges qui fussent alors.

Tout cela était trop clair ; mais aussi fort surveillé par des gens clairvoyants, les procureurs et la basoche, par les rentiers, ennemis du ministre de la banqueroute, par beaucoup d'hommes enfin qui avaient des effets publics et que ruinait la baisse. Un procureur fit passer une note à la charge de Bertier, sur ses dépôts de fusils. La basoche soutenait qu'il avait encore un de ces dépôts chez l'abbesse de Montmartre, et força d'y envoyer. La Grève était pleine d'hommes étrangers au peuple, « *d'un extérieur décent* », quelques-uns fort bien vêtus. La Bourse était à la Grève.

On venait, en même temps, dénoncer à l'Hôtel de Ville un autre financier, Beaumarchais, qui avait volé des papiers à la Bastille. On les lui fit rapporter.

On crut faire taire au moins les pauvres en leur remplissant la bouche ; on baissa le prix du pain, au moyen d'un sacrifice de trente mille francs par jour ; il fut mis à treize sols et demi les quatre livres (qui en vaudraient vingt aujourd'hui).

La Grève n'en criait pas moins. A deux heures, Bailly descend, tous lui demandent justice. « Il exposa les principes », et fit quelque impression sur ceux qui pouvaient l'entendre. Les autres criaient : « Pendu ! pendu ! » Bailly alla prudemment s'enfermer au bureau des subsistances. La garde était forte, dit-il, mais M. de La Fayette, qui comptait sur son ascendant, eut l'imprudence de la diminuer.

La foule était dans une terrible inquiétude que Foulon ne se sauvât. On le leur montra à une fenêtre ; ils n'en forcèrent pas moins les portes ; il fallut l'asseoir sur une chaise devant le bureau dans la salle Saint-Jean. Là, on recommença à les prêcher, à « leur exposer les principes », qu'il devait être jugé... « Jugé de suite, et pendu ! »

dit la foule. Elle nomma sur-le-champ des juges, entre autres deux curés qui refusèrent... Mais place ! voici M. de La Fayette qui arrive. Il parle à son tour, avoue que Foulon est un *scélérat,* mais dit qu'il faut connaître ses complices. « Qu'on le mène à l'Abbaye ! » Les premiers rangs qui entendent consentent, les autres, non. « Vous vous moquez du monde, dit un homme bien vêtu ; faut-il du temps pour juger un homme qui est jugé depuis trente ans ? » En même temps, un cri s'élève, une foule nouvelle pénètre ; les uns disent : « C'est le faubourg ! » les autres : « C'est le Palais-Royal ! » Foulon est enlevé, porté à la lanterne d'en face ; on lui fait demander pardon à la nation. Puis hissé... Par deux fois la corde casse. On persiste, on en va chercher une neuve. Pendu enfin, décapité, la tête portée dans Paris.

Cependant, Bertier arrivait par la Porte Saint-Martin, à travers le plus épouvantable rassemblement qu'on ait vu jamais ; on le suivait depuis vingt lieues. Il était venu dans un cabriolet, dont on avait brisé l'impériale afin de le voir. Près de lui, un électeur, Etienne de la Rivière, qui vingt fois faillit périr en le défendant, et le couvrit de son corps. Des enragés dansaient devant ; d'autres lui jetaient du pain noir dans la voiture : « Tiens, brigand, voilà le pain que tu nous faisais manger ! » Ce qui exaspérait aussi toute la population des environs de Paris, c'est qu'au milieu de la disette, la nombreuse cavalerie, rassemblée par Bertier et Foulon, avait détruit, mangé en vert une grande quantité de jeune blé. On attribuait ces dégâts aux ordres de l'intendant, à une ferme résolution d'empêcher toute récolte et de faire mourir le peuple.

Pour orner ce terrible triomphe de la mort, on portait devant Bertier, comme aux triomphes romains, des inscriptions à sa gloire : « Il a volé le roi et la France. — Il a dévoré la substance du peuple. — Il a été l'esclave des riches, et le tyran des pauvres. — Il a bu le sang de la veuve et de l'orphelin. — Il a trompé le roi. — Il a trahi sa patrie... »

On eut la barbarie, à la fontaine Maubuée, de lui montrer la tête de Foulon, livide et du foin dans la bouche. A cette vue, ses yeux devinrent ternes, il pâlit et il sourit.

On força Bailly, à l'Hôtel de Ville, de l'interroger. Bertier allégua des ordres supérieurs, ceux du ministre. Le ministre était son beau-père, c'était la même personne... Au reste, si la salle Saint-Jean écoutait un peu, la Grève n'écoutait pas, n'entendait pas ; les cris étaient si affreux que le maire et les électeurs se troublaient de plus en plus. Un flot tout nouveau de foule ayant percé la foule même, il n'y eut plus moyen de tenir. Le maire, sur l'avis du bureau, dit : « A l'Abbaye ! » ajoutant que la garde répondait du prisonnier. Elle ne put le défendre, mais lui, il se défendit, il empoigna un fusil... Cent baïonnettes le percèrent ; un dragon, qui lui imputait la mort de son père, lui arracha le cœur et l'alla montrer à l'Hôtel de Ville.

Ceux qui avaient observé, des fenêtres, dans la Grève, l'habileté des meneurs à pousser, échauffer les groupes, crurent que les complices de Bertier avaient bien pris leurs mesures pour qu'il n'eût pas le temps de faire des révélations. Lui seul, peut-être, avait la vraie pensée du parti. Dans son portefeuille, on trouva le signalement de beaucoup d'amis de la liberté, qui, sans doute, n'avaient rien de bon à attendre si la Cour avait vaincu.

Quoi qu'il en soit, un grand nombre des camarades du dragon lui déclarèrent qu'ayant déshonoré le corps, il devait mourir et que tous, ils se battraient contre lui jusqu'à ce qu'il fût tué. Il le fut dès le soir même.

CHAPITRE III

La France armée

Embarras de l'Assemblée — Elle invite à la confiance, 23 juillet — Défiance du peuple, craintes de Paris, alarme des provinces — Complot de Brest ; la Cour compromise par l'ambassadeur d'Angleterre, 27 juillet — Fureur des nobles et anoblis ; menaces et complots — Terreur des campagnes — Le paysan prend les armes contre les brigands ; il brûle les chartes féodales, incendie plusieurs châteaux — Juillet-août 1789.

Les vampires de l'ancien régime, dont la vie avait fait tant de mal à la France, en firent encore plus par leur mort.

Ces gens que Mirabeau nommait si bien « le rebut du mépris public », sont comme réhabilités par le supplice. La potence est pour eux l'apothéose. Les voilà devenus d'intéressantes victimes, les martyrs de la monarchie ; leur légende ira s'augmentant de fictions pathétiques. M. Burke va tout à l'heure les canoniser et prier sur leur tombeau.

Les violences de Paris, celles dont les provinces furent en même temps le théâtre, placèrent l'Assemblée nationale dans une situation difficile dont elle ne pouvait bien sortir.

Si elle ne faisait rien, elle semblait encourager le désordre, autoriser l'assassinat ; elle fournissait un texte aux calomnies éternelles.

Si elle essayait de remédier au désordre, de relever l'autorité, elle rendait, au roi ? non, mais à la reine, à la Cour, l'épée que le peuple avait brisée dans leurs mains.

Dans l'une ou l'autre hypothèse, l'arbitraire et le bon plaisir allaient être rétablis, pour la vieille royauté ou la royauté de la rue... On démolit en ce moment l'odieux symbole de l'arbitraire, la Bastille, et voilà qu'un autre arbitraire, une Bastille se relève... L'Anglais se frotte ici les mains, il remercie la Lanterne : « Grâce à Dieu, dit-il, la Bastille ne disparaîtra jamais. »

Qu'auriez-vous fait ? Dites-le, officieux conseillers, nos amis les ennemis, sages de l'aristocratie européenne, qui si soigneusement arrosez de calomnies la haine que vous avez plantée... Assis à votre aise sur le cadavre de l'Irlande, de l'Italie, de la Pologne, veuillez nous répondre ; vos révolutions d'intérêts n'ont-elles pas coûté plus de sang que nos révolutions d'idées ?...

Qu'auriez-vous fait ? Sans nul doute ce que, la veille et le lendemain du 22 juillet, conseillaient Lally-Tollendal, Mounier, Malouet ; ils voulaient, pour rétablir l'ordre, qu'on rendît le pouvoir au roi ; Lally se confiait tout à fait aux vertus du roi, Malouet voulait qu'on priât le roi d'user de sa puissance, de prêter main-forte au pouvoir municipal. Le roi aurait armé, et le peuple non ; point de garde nationale... Le peuple se plaint ; eh bien ! qu'il s'adresse au Parlement, au procureur général. N'avons-nous pas des magistrats ?

Foulon était magistrat. Malouet renvoyait Foulon au tribunal de Foulon.

On doit, disait-on très bien, réprimer les troubles.

Seulement, il fallait s'entendre... Ce mot comprenait bien des choses !

Des vols, d'autres crimes ordinaires, des pillages de gens affamés, des meurtres d'accapareurs, des justices irrégulières sur les ennemis du peuple, la résistance à leurs complots, la résistance légale, la résistance à main armée... Tout cela sous le mot *troubles*... Voulait-on y appliquer une répression égale ? Si l'on chargeait l'autorité royale de réprimer les troubles, le plus grand pour elle, à coup sûr, c'était d'avoir pris la Bastille, elle aurait puni celui-là d'abord.

C'est ce que répondirent Buzot et Robespierre, le 20 juillet, deux jours avant la mort de Foulon. C'est ce que Mirabeau, même après l'événement, dit dans son journal. Il expliqua ce malheur à l'Assemblée par sa véritable cause, l'absence de toute autorité de Paris, l'impuissance des électeurs, qui, sans délégation légitime, continuaient d'exercer les fonctions municipales. Il voulait que les municipalités s'organisassent, prissent la force, se chargeassent du maintien de l'ordre. Quel autre moyen en effet que de fortifier le pouvoir local, quand le pouvoir central était si justement suspect ?

Barnave dit qu'il fallait trois choses : des municipalités bien organisées, des gardes bourgeoises et une justice légale qui pût rassurer le peuple.

Quelle serait cette justice ?

Un député suppléant, Dufresnoy, envoyé par un district de Paris, demandait soixante jurés, pris dans les soixante districts. Cette proposition, appuyée par Pétion, était modifiée par un autre député qui voulait, aux jurés, associer des magistrats.

L'Assemblée ne décida rien. A une heure après minuit, de guerre lasse, elle adopta une proclamation dans laquelle elle réclamait la poursuite des crimes de lèse-nation, *se réservant d'indiquer dans la constitution le tribunal qui jugerait...* C'était remettre à longtemps... Elle invitait à la paix, sur le motif que le roi avait acquis plus de droits *que jamais à la confiance* du peuple, qu'il existait un *concert parfait,* etc.

Confiance ! et jamais plus il n'y eut de confiance !

Au moment même où l'Assemblée parlait de confiance, une triste lumière avait lui ; on voyait de nouveaux périls.

L'Assemblée avait eu tort ; le peuple avait eu raison.

Quelque envie qu'on eût de se tromper, de croire tout fini, le bons sens disait que l'ancien régime, vaincu, voudrait prendre sa revanche. Un pouvoir qui avait, depuis des siècles, toutes les forces du pays dans ses mains, administration, finances, armées, tribunaux, qui avait encore partout ses agents, ses officiers, ses juges, sans aucun changement, et, pour partisans forcés, deux ou trois cent mille nobles ou prêtres, propriétaires d'une moitié ou des deux tiers du royaume, ce pouvoir immense, multiple, qui couvrait la France, pouvait-il mourir comme un homme, d'un seul coup, en une fois ? était-il tombé roide mort sous une balle de juillet ? C'est ce qu'on n'aurait pas pu faire croire au plus simple des enfants.

Il n'était pas mort. Il avait été frappé, blessé ; moralement il était mort ; physiquement il ne l'était pas. Il pouvait ressusciter... Comment le revenant apparaîtrait-il, c'était toute la question que le peuple s'adressait ; c'était celle qui lui troublait l'imagination... Le bon sens prit ici mille formes de superstitions populaires.

Tout le monde allait voir la Bastille ; tous regardaient avec terreur la prodigieuse échelle de cordes par laquelle Latude descendit des tours. On visitait ces tours sinistres, ces cachots noirs, profonds, fétides, où le prisonnier, au niveau des égouts, vivait assiégé, menacé des crapauds, des rats, de toutes les bêtes immondes.

On trouva sous un escalier deux squelettes, avec une chaîne, un boulet, que sans doute traînait l'un des deux infortunés. Ces morts indiquaient un crime. Car jamais les prisonniers n'étaient enterrés dans la forteresse ; on les portait la nuit au cimetière de Saint-Paul, l'église des Jésuites (confesseurs de la Bastille), ils y étaient enterrés sous des noms de domestiques, de sorte qu'on ne sût jamais s'ils étaient morts ou vivants. Pour ces deux, les ouvriers qui les trouvèrent leur donnèrent la seule réparation que ces morts pouvaient recevoir ; douze d'entre eux, armés de leurs outils, portant le poêle avec respect, les menèrent et les inhumèrent à la paroisse honorablement.

On espérait faire d'autres découvertes dans cette vieille caverne des rois. L'humanité outragée se vengeait ; on jouissait d'un sentiment mêlé de haine et de peur, de curiosité... Curiosité insatiable, qui, lorsqu'on avait tout vu, cherchait et fouillait encore, voulait pénétrer plus loin, soupçonnait quelque autre chose, sous les prisons rêvait des prisons, des cachots sous les cachots au plus profond de la terre.

Les imaginations étaient vraiment malades de cette Bastille... Tant de siècles, de générations de prisonniers qui s'étaient succédé là, ces cœurs brisés de désespoir, ces larmes de rage, ces fronts heurtés contre la pierre... Quoi ! rien n'avait laissé trace ! A peine, à peine, quelque pauvre inscription, gravée d'un clou, illisible... Cruelle envie du temps, complice de la tyrannie qui s'est accordée avec elle pour effacer les victimes !

On ne pouvait rien voir, mais on écoutait... Il y avait certainement des bruits, des gémissements, d'étranges soupirs. Etait-ce imagination ? mais tout le monde entendait... Fallait-il croire que des malheureux fussent encore ensevelis au fond de quelque oubliette, connue du gouverneur seul, qui avait péri ? Le district de l'île Saint-Louis, d'autres encore, demandaient qu'on recherchât la cause de ces voix lamentables. Une fois, et deux, et plusieurs, le peuple revenait à la charge ; quelque enquête que l'on fît, il ne prenait pas son parti ; il était plein de trouble, d'inquiétude pour ces infortunés, peut-être enterrés vivants.

Et si ce n'était pas des prisonniers, n'était-ce pas des ennemis ? n'y avait-il pas, sous le faubourg, quelque communication des souterrains de la Bastille aux souterrains de Vincennes ?... Du donjon à l'autre donjon, ne pouvait-on faire passer des poudres, exécuter ce que de Launey avait eu l'idée de faire, lancer la Bastille dans les airs, renverser, écraser le faubourg de la liberté ?

On fit des recherches publiques, une enquête solennelle et authentique pour rassurer les esprits. L'imagination alors transporta son rêve ailleurs. Elle plaça sa mine, et sa peur, de l'autre côté de Paris, dans ces cavités immenses d'où nos monuments sont sortis, aux abîmes d'où l'on a tiré le Louvre, Notre-Dame et autres églises. En 1786, on y avait versé, sans qu'il y parût (tant ces souterrains sont vastes), tout Paris mort depuis mille ans, une terrible masse de morts qui, pendant cette année, allait la nuit dans les chars de deuil, le clergé en tête, chercher, des Innocents à la Tombe-Issoire, le repos définitif et l'oubli complet.

Ces morts appelaient les autres, et c'était sans doute là qu'un volcan se préparait ; la mine, du Panthéon au ciel, allait soulever Paris, et, le laissant retomber, confondrait, brisés, sans formes, les vivants avec les morts, le pêle-mêle des chairs palpitantes, des cadavres et des ossements.

Ces moyens d'extermination ne semblaient pas nécessaires ; la famine suffisait. Après une mauvaise année, venait une année mauvaise ; le peu de blé qui avait levé autour de Paris fut foulé, gâté, mangé par la cavalerie nombreuse qu'on avait rassemblée. Et même sans cavaliers, le blé s'en allait. On voyait ou on croyait voir des bandes armées qui venaient la nuit couper le blé vert. Foulon, tout mort qu'il était, semblait revenir exprès pour faire à la lettre ce qu'il avait dit : « Faucher la France. » Faucher le blé vert, le détruire, la seconde année de famine, c'était aussi faucher les hommes.

La terreur allait s'étendant ; les courriers, répétant ces bruits, la portaient chaque jour d'un bout du royaume à l'autre. Ils n'avaient pas vu les brigands, mais d'autres les avaient vus ; ils étaient ici et là, ils étaient en route, nombreux, armés jusqu'aux dents ; ils arriveraient la nuit probablement, ou demain sans faute. En plein jour, à tel endroit, ils avaient coupé les blés ; c'est ce que la Municipalité de Soissons écrivait éperdue à l'Assemblée nationale, en demandant du secours ; toute une armée de brigands marchait sur cette ville. On chercha ; ils avaient disparu dans les fumées du soir ou les fumées du matin.

Ce qui était plus réel, c'est qu'à cet affreux fléau de la faim, quelques-uns avaient eu l'idée d'en joindre un autre, qui fait frissonner, quand on songe aux cent années de guerre qui, dans le XIVe, le XVe siècle, firent un cimetière de notre malheureux pays. Ils voulaient amener les Anglais en France. La chose a été contestée ; pourquoi ? elle est infiniment vraisemblable, puisqu'elle a été sollicitée plus tard, tentée, manquée, à Quiberon.

Mais cette fois il s'agissait, non pas d'amener leur flotte sur une plage difficile, sans défense et sans ressources, mais bien de les établir dans une bonne place défendable, de leur mettre en main l'arsenal naval où la France, un siècle durant, a entassé ses millions, ses travaux, tout son effort... La pointe, la proue du grand vaisseau national, l'écueil du vaisseau britannique... Il s'agissait de livrer Brest.

Depuis que la France avait aidé à la délivrance de l'Amérique, divisé l'Empire anglais, l'Angleterre souhaitait non son malheur, mais sa ruine et destruction complète, qu'une forte marée d'automne soulevât l'Océan de son lit et couvrît d'une belle nappe tout ce qu'il y a de terre de Calais aux Vosges, aux Pyrénées et aux Alpes.

Cependant, il y avait une chose plus belle à voir, c'était que cette mer nouvelle fût de sang, du sang de la France, tirée par elle de ses veines, qu'elle s'égorgeât elle-même et s'arrachât les entrailles.

A cela, le complot de Brest était un bon commencement. Seulement, il était à craindre que l'Angleterre, donnant la main aux scélérats qui lui vendaient leur pays, n'unît toute la France contre elle, qu'elle ne nous réconciliât dans une indignation commune, qu'il n'y eût plus de parti...

Une autre cause eût suffi pour retenir le Gouvernement anglais : c'est que, dans le premier moment, l'Angleterre, malgré sa haine, souriait à notre révolution. Elle n'en soupçonnait aucunement la portée ; dans ce grand mouvement français et européen qui n'est pas moins que l'avènement du droit éternel, elle croyait voir une imitation de sa petite révolution insulaire et égoïste du XVIIe siècle. Elle applaudissait la France, comme une mère encourage l'enfant qui tâche de marcher derrière elle. Etrange mère qui ne savait pas bien au fond si elle désirait que l'enfant marchât ou se rompît le col.

Donc, l'Angleterre résista à la tentation de Brest. Elle fut vertueuse et révéla la chose aux ministres de Louis XVI, sans dire le nom des personnes. Dans cette demi-révélation elle trouvait un avantage immense, celui de brouiller la France, de porter au comble la défiance et les soupçons, d'avoir une prise terrible sur ce faible gouvernement, de prendre hypothèque sur lui. Il y avait à parier qu'il ne rechercherait pas sérieusement le complot, craignant de trop bien trouver, de frapper sur ses amis. Et, s'il ne recherchait rien, s'il gardait ce secret pour lui, l'Anglais était toujours à même de le faire éclater, cet affreux secret. Il tenait cette épée suspendue sur la tête de Louis XVI.

Dorset, l'ambassadeur anglais, était un homme agréable ; il ne bougeait pas de Versailles ; plusieurs croyaient qu'il avait plu à la reine et qu'il avait eu son tour. Cela n'empêcha pas qu'après la prise de la Bastille, sondant la profondeur du coup que le roi avait reçu, il ne saisît l'occasion de le perdre autant qu'il était en lui.

Une lettre assez équivoque de Dorset au comte d'Artois ayant été saisie par hasard, il écrivit au ministre qu'on le soupçonnait à tort d'avoir influé en rien sur les troubles de Paris. « Loin de là, ajoutait-il doucement, Votre Excellence sait bien l'empressement que j'ai mis à lui faire connaître l'affreux complot de Brest *au commencement de juin,* l'horreur qu'il inspirait à ma cour et l'assurance nouvelle de son attachement sincère pour le roi et la nation... » Et il priait le ministre de communiquer sa lettre à l'Assemblée nationale.

Autrement dit, il le priait de se mettre la corde au cou. Sa lettre, *du 26 juillet,* constatait, mettait en lumière que la Cour, deux mois entiers, avait gardé le secret, sans agir et sans poursuivre, réservant apparemment ce complot comme un *en-cas* de guerre civile, une arme dernière, le *poignard de miséricorde,* comme disait le Moyen

Age, que l'homme gardait toujours, afin que l'épée brisée, vaincu, terrassé, il pût, en demandant grâce, assassiner son vainqueur.

Le ministre Montmorin, traîné par l'Anglais au grand jour, à l'Assemblée nationale, n'eut à donner qu'une assez pauvre explication, à savoir que, n'ayant pas le nom des coupables, on n'avait pas pu poursuivre. L'Assemblée n'insista pas : mais le coup était porté et n'en fut que plus profond. La France entière le sentit.

L'affirmation de Dorset, qu'on eût pu croire mensongère, une fiction, un brandon que nos ennemis jetaient au hasard, parut confirmée par l'imprudence des officiers de la garnison de Brest, qui, sur la nouvelle de la prise de la Bastille, firent la démonstration de se retrancher au château, la menace de traiter militairement la ville si elle bougeait. C'est ce qu'elle fit à l'instant ; elle prit les armes, s'empara de la garde du port. Les soldats, les marins, travaillés en vain par leurs officiers, qui leur donnaient de l'argent, se rangèrent du côté du peuple. Le noble corps de la marine était fort aristocrate, mais nullement anglais, à coup sûr. Les soupçons ne s'étendirent pas moins sur eux, et, d'autre part, sur la noblesse de Bretagne. Celle-ci s'indigna en vain, en vain protesta de sa loyauté.

L'irritation, portée au comble, faisait croire aux plus noirs complots. La longue obstination de la noblesse à rester séparée du tiers dans les états généraux, l'amère, l'âcre polémique qui s'était élevée à cette occasion dans les villes, grandes et petites, dans les villages et hameaux, souvent dans la même maison, avaient inculqué au peuple une idée ineffaçable, que le noble c'était l'ennemi.

Une partie considérable de la haute noblesse, illustre, historique, fit ce qu'il fallait pour prouver que cette idée était fausse, craignant peu la Révolution, et croyant que, quoi qu'elle fît, elle ne tuerait pas l'histoire. Mais les autres et les plus petits, moins rassurés sur leur rang, plus vaniteux ou plus francs, blessés aussi chaque jour par l'élan nouveau du peuple qu'ils voyaient de bien plus près, qui les serrait davantage, se déclaraient hardiment ennemis de la Révolution.

Les anoblis, les parlementaires, étaient les plus furieux ; les magistrats étaient devenus plus guerriers que les militaires, ils ne parlaient que de combats, juraient mort, sang et ruine. Ceux d'entre eux qui jusque-là avaient été l'avant-garde de la résistance aux volontés de la Cour, qui avaient savouré le plus la popularité, l'amour, l'enthousiasme public, étaient étonnés, indignés de se voir tout à coup indifférents ou haïs. Ils haïssaient, et sans bornes... Ils cherchaient souvent la cause de ce changement, si prompt dans l'artificieuse machination de leurs ennemis personnels, et les haines politiques s'envenimaient encore de vieilles haines de familles. A Quimper, un Kersalaun, membre du Parlement de Bretagne, ami de la Chalotais, naguère ardent champion de l'opposition parlementaire, puis tout à coup royaliste, aristocrate encore plus ardent, se promenait gravement au milieu des huées du peuple, qui pourtant n'osait le toucher, et, nommant ses ennemis tout haut, disait avec gravité : « Je les jugerai sous peu, et laverai mes mains dans leur sang. »

Un de ces parlementaires, seigneur en Franche-Comté, M. Memmay de Quincey, ne s'en tint pas à la menace. Ulcéré probablement par des haines de voisinage, l'esprit troublé de fureur, entraîné peut-être aussi par cette pente à l'imitation qui fait qu'un crime célèbre engendre bien souvent des crimes, il réalisa précisément ce que de Launey avait voulu faire, ce que le peuple de Paris croyait encore avoir à craindre. Il fit savoir à Vesoul, et dans les alentours, qu'en réjouissance de la bonne nouvelle, il donnerait une fête et traiterait à table ouverte. Paysans, bourgeois, soldats, tous arrivent, boivent, dansent... La terre s'ouvre, une mine éclate, lance, brise, tue au hasard ; le sol est jonché de membres sanglants... Le tout attesté par le curé, qui confessa quelques blessés qui survivaient, attesté par la gendarmerie, apporté le 25 juillet à l'Assemblée nationale. L'Assemblée, indignée, obtint du roi qu'on écrirait à toutes les puissances pour demander l'extradition des coupables.

L'opinion s'étendait, s'affermissait, que les brigands qui coupaient les blés pour faire mourir de faim le peuple n'étaient point des étrangers, comme on l'avait pensé d'abord, point Italiens, point Espagnols, comme Marseille le croyait en mai, mais des ennemis français de la France, de furieux ennemis de la Révolution, leurs agents, leurs domestiques, des bandes soldées par eux.

La terreur en augmenta, chacun croyant avoir près de soi des démons exterminateurs. Le matin, on courait au champ voir s'il n'était pas dévasté. Le soir, on s'inquiétait, craignant de brûler dans la nuit... Au nom des brigands, les mères serraient, cachaient leurs enfants.

Où donc était cette protection royale sur la foi de laquelle le peuple avait si longtemps dormi ? Cette vieille tutelle qui le rassurait si bien qu'il en était resté mineur, qu'il avait en quelque sorte grandi sans cesser d'être enfant ? On commençait à sentir que, quelque homme que fût Louis XVI, la royauté était l'intime amie de l'ennemi.

Les troupes du roi qui, en d'autres temps, eussent paru une protection, étaient justement ce qui faisait peur. Qui voyait-on à leur tête ? Les plus insolents des nobles, ceux qui cachaient le moins leur haine. Ils animaient, payaient au besoin le soldat contre le peuple, enivraient leurs Allemands ; ils semblaient préparer un coup.

L'homme devait compter sur soi, sur nul autre. Dans cette absence complète d'autorité et de protection publique, son devoir de père de famille le constituait défenseur des siens. Il devenait, dans sa maison, le magistrat, le roi, la loi et l'épée pour exécuter la loi, conformément au vieux proverbe : « Pauvre homme en sa maison *roi* est. »

La main de justice, l'épée de justice, pour ce roi, c'est ce qu'il a, sa faux, au défaut de fusil, son hoyau, sa fourche de fer... Viennent maintenant les brigands !... Mais il ne les attend pas. Voisins et voisins, village et village armés, ils vont voir dans la campagne si ces scélérats oseront venir... On avance, on voit une troupe... Ne tirez pas cependant... Ce sont les gens d'un autre village, amis et parents, qui cherchent aussi...

La France fut armée en huit jours. L'Assemblée nationale apprit coup sur coup les progrès miraculeux de cette révolution, elle se vit en un moment à la tête de l'armée la plus nombreuse qui fut depuis les croisades. Chaque courrier qui arrivait l'étonnait, l'effrayait presque. Un jour, on venait lui dire : « Vous avez deux cent mille hommes. » Le lendemain, on lui disait : « Vous avez cinq cent mille hommes. » D'autres arrivaient : « Un million d'hommes sont armés cette semaine, deux millions, et trois millions... »

Et tout ce grand peuple armé, dressé tout à coup du sillon, demandait à l'Assemblée ce qu'il fallait faire.

Où donc est l'ancienne armée ? elle a comme disparu. La nouvelle, si nombreuse, l'eût étouffée sans combattre, seulement en se serrant...

La France est un soldat, on l'a dit, elle l'est depuis ce jour. Ce jour, une race nouvelle sort de terre, chez laquelle les enfants naissent avec des dents pour déchirer la cartouche, avec de grandes jambes infatigables pour aller du Caire au Kremlin, avec le don magnifique de pouvoir marcher, combattre sans manger, de vivre d'esprit.

D'esprit, de gaieté, d'espérance. Qui donc a droit d'espérer, si ce n'est celui qui porte en lui l'affranchissement du monde ?

La France était-elle avant ce jour, on pourrait le contester. Elle devint tout à la fois une épée et un principe. Etre ainsi armé, c'est *être.* Qui n'a ni l'idée, ni la force, n'existe que par pitié.

Ils *étaient* en fait ; et ils voulurent *être* en droit.

Le barbare Moyen Age n'admettait pas leur existence, il les niait comme hommes, et n'y voyait que des choses. Dans sa bizarre scolastique, il enseignait que les âmes, rachetées du même prix, valent toutes le sang d'un Dieu, et ces âmes, ainsi relevées, il les rabaissait à la bête, les fixait sur leur sillon, les adjugeait au servage éternel et damnait la liberté.

Ce droit sans droit alléguait la conquête, c'est-à-dire l'ancienne injustice ; la conquête, disait-il, a fait les nobles, les seigneurs. « N'est-ce que cela ? dit Sieyès, nous serons conquérants à notre tour ! »

Le droit féodal alléguait encore ces actes hypocrites, où l'on suppose que l'homme stipula contre lui-même, où le faible, par peur ou par force, se donnait sans réserver rien, donnait l'avenir, le possible, ses enfants à naître, les générations futures. Ces coupables parchemins, la honte de la nature, dormaient impunis depuis des siècles au fond des châteaux.

On parlait fort du grand exemple de Louis XVI, qui avait affranchi les derniers serfs de ses domaines. Imperceptible sacrifice qui coûta peu au Trésor, et qui n'eut en France presque aucun imitateur.

Quoi ! dira-t-on, les seigneurs étaient-ils en 89 des hommes durs, impitoyables !

Nullement. C'était une classe d'hommes très mêlés, mais généralement faibles et physiquement déchus, légers, sensuels et sensibles, si sensibles qu'ils ne pouvaient voir de près les malheureux. Ils les voyaient dans les idylles, les opéras, les contes, les romans qui font verser de douces larmes ; ils pleuraient avec Bernardin de Saint-Pierre, avec Grétry et Sedaine, avec Berquin, Florian ; ils se savaient gré de pleurer, et se disaient : « Je suis bon. »

Avec cette faiblesse de cœur, cette facilité de caractère, la main ouverte, incapable de résister aux occasions de dépense, il leur fallait de l'argent, beaucoup d'argent, plus qu'à leurs pères. De là la nécessité de tirer beaucoup des terres, de livrer le paysan aux hommes d'argent, intendants et gens d'affaires. Plus les maîtres avaient bon cœur, plus ils étaient généreux et philanthropes à Paris, plus leurs vassaux mouraient de faim ; ils vivaient moins dans leurs châteaux, pour ne pas voir cette misère, dont leur sensibilité aurait eu trop à souffrir.

Telle était en général cette société, faible, vieille et molle. Elle s'épargnait volontiers la vue de l'oppression, n'opprimait que par procureur. Il ne manquait pas cependant de nobles provinciaux qui se piquaient de maintenir dans leurs castels les rudes traditions féodales, qui gouvernaient durement leur famille et leurs vassaux. Rappelons seulement ici le célèbre *Ami des Hommes,* le père de Mirabeau, l'ennemi de sa famille, qui tenait enfermés tous les siens, femme, fils et filles, peuplait les prisons d'Etat, plaidait contre ses voisins, désolait ses gens. Il conte que, donnant une fête, il fut étonné lui-même de l'aspect sombre, sauvage de ses paysans. Je le crois sans peine ; ces pauvres gens craignaient vraisemblablement que l'*Ami des Hommes* ne les prît pour ses enfants.

Il ne faut pas s'étonner si le paysan, ayant une fois saisi les armes, s'en servit et prit sa revanche. Plusieurs seigneurs avaient cruellement vexé leurs communes, qui ce jour-là s'en souvinrent. L'un avait entouré de murs la fontaine du village, l'avait confisquée pour lui. Un autre s'était emparé des communaux. Ils périrent. On cite encore plusieurs autres meurtres qui, sans doute, furent des vengeances.

L'armement général des villes fut imité par les campagnes. La prise de la Bastille les encouragea à attaquer leurs bastilles. Tout ce dont il faut s'étonner, quand on sait ce qu'ils souffraient, c'est qu'ils aient commencé si tard. Les souffrances, les vengeances, s'étaient accumulées par le retard, entassées à une hauteur effrayante... Quand cette monstrueuse avalanche, retenue longtemps à l'état de glace et de neige, fondit tout à coup, une telle masse déborda que son seul déplacement pouvait tout anéantir.

Il faudrait pouvoir démêler, dans cette scène immense et confuse, ce qui appartient aux *bandes errantes* de pillards, de gens chassés par la famine, et ce que fit le *paysan domicilié,* la commune contre le seigneur.

On a recueilli le mal soigneusement, le bien pas assez. Plusieurs seigneurs trouvèrent des défenseurs dans leurs vassaux ; par exemple, le marquis de Montfermeil, qui, l'année précédente, avait emprunté cent mille francs pour les secourir. Les plus furieux eux-mêmes s'arrêtèrent quelquefois devant la faiblesse. En Dauphiné, par exemple, un château fut respecté, parce qu'on n'y trouva qu'une dame malade, au lit, avec ses enfants ; on se borna à détruire les archives féodales.

Généralement, le paysan montait d'abord au château pour se faire donner des armes ; puis il osait davantage, il brûlait les actes et les titres. La plupart de ces instruments de servitude, les plus actuels, les plus oppresseurs, étaient bien plutôt dans les greffes, chez les procureurs et notaires. Le paysan y alla peu. Il s'attaqua de préférence aux antiquités, aux chartes originales. Ces titres primitifs, sur beaux parchemins, ornés de sceaux triomphants, restaient au trésor du château pour être montrés aux bons jours. Ils habitaient les somptueux casiers, les portefeuilles de velours au fond d'une arche de chêne qui faisait l'honneur de la tourelle. Point de manoir important qui, près du colombier féodal, ne montrât la tour des archives.

Nos gens allaient droit à la tour. Là pour eux était la Bastille, la tyrannie, l'orgueil, l'insolence, le mépris des hommes ; la tour, depuis bien des siècles, se moquait de la vallée, elle la stérilisait, l'attristait, l'écrasait de son ombre pesante. Gardien du pays dans les temps barbares, sentinelle de la contrée, elle en fut l'effroi plus tard. En 89, qu'est-elle sinon l'odieux témoin du servage, un outrage perpétuel, pour redire tous les matins à l'homme qui va labourer l'antique humiliation de sa race... « Travaille, travaille, fils de serf, gagne, un autre profitera, travaille et n'espère jamais. »

Chaque matin et chaque soir, mille ans, davantage peut-être, la tour fut maudite. Un jour vint qu'elle tomba.

Que vous avez tardé, grand jour ! combien de temps nos pères vous ont attendu et rêvé... ! L'espoir que leurs fils vous verraient enfin a pu seul les soutenir ; autrement ils n'auraient pas voulu vivre, ils seraient morts à la peine... Moi-même, leur compagnon, labourant à côté d'eux dans le sillon de l'histoire, buvant à leur coupe amère, qui m'a permis de revivre le douloureux Moyen Age, et pourtant de n'en pas mourir, n'est-ce pas vous, ô beau jour, premier jour de la délivrance ?... J'ai vécu pour vous raconter !

CHAPITRE IV

Nuit du 4 août

Déclaration des droits de l'homme et du citoyen — Désordres ; danger de la France — L'Assemblée crée le comité des recherches, 27 juillet — Tentatives de la Cour : elle veut empêcher le jugement de Besenval ; le Parti royaliste veut se faire une arme de la charité publique — La noblesse révolutionnaire offre l'abandon des droits féodaux — Nuit du 4 août, abandon des privilèges de classes ; résistance du clergé ; abandon des privilèges de provinces.

Au-dessus de ce grand mouvement, dans une région plus sereine, sans se laisser distraire aux bruits, aux clameurs, l'Assemblée nationale pensait, méditait.

La violence des partis qui la divisait sembla dominée, contenue dans la grande discussion par laquelle s'ouvraient ces travaux. On vit alors combien l'aristocratie, adversaire-née des intérêts de la Révolution, avait été elle-même atteinte au cœur de ses idées.

Tous étaient Français avant tout, tous fils du XVIIIe siècle et de la philosophie.

Les deux côtés de l'Assemblée, en conservant leur opposition, n'en apportèrent pas moins un sentiment de religion au solennel examen de la *Déclaration des droits.*

Il ne s'agissait point d'une pétition de droits, comme en Angleterre, d'un appel au droit écrit, aux chartes contestées, aux libertés, vraies ou fausses, du Moyen Age.

Il ne s'agissait pas, comme en Amérique, d'aller chercher, d'Etat en Etat, les principes que chacun d'eux reconnaissait, de les résumer, généraliser, et d'en construire, *a posteriori,* la formule totale qu'accepterait la fédération.

Il s'agissait de donner d'en haut, en vertu d'une autorité souveraine, impériale, pontificale, le *credo* du nouvel âge. Quelle autorité ? La raison, discutée par tout un siècle de philosophes, de profonds penseurs, acceptée de tous les esprits et pénétrant dans les mœurs, arrêtée enfin, formulée par les logiciens de l'Assemblée constituante... Il s'agissait d'imposer comme autorité à la raison ce que la raison avait trouvé au fond du libre examen.

C'était la philosophie du siècle, son législateur, son Moïse, qui descendait de la montagne, portant au front les rayons lumineux, et les tables dans ses mains...

On a beaucoup discuté pour et contre la Déclaration des droits, et disputé dans le vide.

D'abord, nous n'avons rien à dire aux Bentham, aux Dumont, aux utilitaires, aux empiriques, qui ne connaissent de loi que la loi écrite, qui ne savent point que le droit n'est droit qu'autant qu'il est conforme au Droit, à la Raison absolue. Simples procureurs, rien de plus, sous l'habit de philosophes, quelle raison ont-ils eue de mépriser les praticiens ? Comme eux, ils écrivent la loi sur papier et parchemin ; nous, nous voulions graver la nôtre sur la pierre du droit éternel, sur le roc qui porte le monde : l'invariable justice et l'indestructible équité.

Pour répondre à nos ennemis, qu'il nous suffise d'eux-mêmes et de leurs contradictions. Ils raillent la Déclaration, et ils s'y soumettent ; ils lui font la guerre trente ans, en promettant à leurs peuples les libertés qu'elle consacre. Vainqueurs en 1814, le premier mot qu'ils adressent à la France, ils l'empruntent à la grande fortune qu'elle a posée... Vainqueurs ? Non, vaincus plutôt, et vaincus dans leur propre cœur, puisque leur acte le plus personnel, le Traité de la Sainte-Alliance, reproduit le droit qu'ils ont blasphémé.

La Déclaration des *droits* atteste l'Etre suprême, garant de la morale humaine. Elle respire le sentiment du *devoir*. Le devoir, non exprimé, n'y est pas moins présent partout ; partout vous y sentez sa gravité austère. Quelques mots empruntés à la langue de Condillac n'empêchent pas de reconnaître dans l'ensemble le vrai génie de la Révolution, gravité romaine, esprit stoïcien.

C'est du *droit* qu'il fallait parler, dans un tel moment, c'est le droit qu'il fallait attester, revendiquer pour le peuple. On avait cru jusque-là qu'il n'avait que des *devoirs*.

Quelque haut et général que soit un tel acte, et fait pour durer toujours, peut-on bien lui demander de ne rappeler en rien l'heure agitée de sa naissance, de ne pas porter le signe de la tempête ?

La première parole est dite trois jours avant le 14 juillet et la prise de la Bastille ; la dernière, quelques jours avant que le peuple amène le roi à Paris (6 octobre). Sublime apparition du Droit entre l'orage et l'orage.

Nulles circonstances ne furent plus terribles, nulle discussion plus majestueuse, plus grave, dans l'émotion même. La crise prêtait des arguments spécieux aux deux partis.

Prenez garde, disait l'un, vous enseignez à l'homme son droit, lorsqu'il le sent trop bien lui-même ; vous le transportez sur une haute montagne, vous lui montrez son empire sans limites... Qu'adviendra-t-il, lorsque, descendu, il se verra arrêté par les lois spéciales que vous allez faire, lorsqu'il va rencontrer des bornes à chaque pas ? (Discours de Malouet.)

Il y avait plus d'une réponse, mais certainement la plus forte était dans la situation. On était en pleine crise, dans un combat douteux encore. On ne pouvait trouver une trop haute montagne pour y planter le drapeau... Il fallait, s'il était possible, le placer si haut, ce drapeau, que la terre entière le vît, que sa flamme tricolore ralliât les nations. Reconnu pour le drapeau commun de l'humanité, il devenait invincible.

Il y a encore des gens qui pensent que cette grande discussion agita, arma le peuple, qu'elle lui mit la torche à la main, qu'elle fit la guerre et l'incendie. La première difficulté à cela, c'est que les violences commencèrent avant la discussion. Les paysans n'eurent pas besoin de cette métaphysique pour se mettre en mouvement. Même après, elle influa peu. Ce qui arma les campagnes, ce fut, nous l'avons dit, la nécessité de repousser le pillage, ce fut la contagion des villes qui prenaient les armes, ce fut plus que toutes choses l'ivresse et l'exaltation de la prise de la Bastille.

La grandeur de ce spectacle, la variété de ses accidents terribles, a troublé la vue de l'histoire. Elle a mêlé et confondu trois faits distincts, et même opposés, qui se passaient en même temps :

1. Les courses des vagabonds, des affamés, qui coupaient les blés la nuit, rasaient la terre, comme les sauterelles. Ces bandes, quand elles étaient fortes, forçaient les maisons isolées, les fermes, les châteaux même.

2. Le paysan, pour repousser ces bandes, eut besoin d'armes, les demanda, les exigea des châteaux. Armé et maître, il détruisit les chartes où il voyait un instrument d'oppression. Malheur au seigneur haï ! on ne s'en prenait pas seulement à ses parchemins, mais à sa personne même.

3. Les villes, dont l'armement avait entraîné celui des campagnes, furent contraintes de les réprimer. Les gardes nationales, qui alors n'avaient rien d'aristocratique, puisqu'elles comprenaient tout le monde, marchèrent pour rétablir l'ordre ; elles allèrent secourir ces châteaux qu'elles détestaient. Elles ramenaient souvent à la ville les paysans prisonniers, mais on les relâchait bientôt.

Je parle des paysans domiciliés du voisinage. Quant aux bandes de gens sans aveu, de pillards, aux brigands, comme on disait, les tribunaux, les municipalités mêmes en firent souvent de cruelles justices ; un grand nombre furent mis à mort. La sécurité fut rétablie à la longue, et la culture assurée. Si, les désordres continuant, la culture avait cessé, la France mourait l'année suivante.

Etrange situation d'une Assemblée qui discute, calcule, pèse les syllabes au sommet de ce monde en feu. Deux dangers à droite, à gauche. Pour réprimer le désordre, elle n'a, ce semble, qu'un moyen : relever l'ordre ancien, qui n'est qu'un désordre pire.

On suppose communément qu'elle fut impatiente de se saisir du pouvoir ; cela est vrai de tels de ses membres, faux et très faux du grand nombre. Le caractère de cette Assemblée prise en masse, son originalité, comme celle de l'époque, c'est une foi singulière à la puissance des idées. Elle croyait fermement que la vérité, une fois trouvée, formulée en lois, était invincible. Il ne fallait que deux mois (c'était le calcul d'hommes pourtant fort sérieux), dans deux mois la Constitution était faite ; elle allait, de sa vertu toute-puissante, contenir tout à la fois et le pouvoir et le peuple ; la Révolution alors était achevée, le monde allait refleurir.

En attendant, la situation était véritablement bizarre. Le pouvoir était ici brisé, là très fort, organisé sur tel point, là en dissolution complète, faible pour l'action générale et régulière, formidable encore pour la corruption, l'intrigue, la violence peut-être. Les comptes de ces dernières années, qui parurent plus tard, montrent assez quelles ressources avait la Cour, et comme elle les employait, comme elle travaillait la presse, les journaux, l'Assemblée même. L'émigration commençait, et avec elle l'appel à l'étranger, à l'ennemi, un système persévérant de trahison, de calomnie contre la France.

L'Assemblée se sentait assise sur un tonneau de poudre. Il lui fallut bien, pour le salut commun, descendre des hauteurs où elle faisait la loi et regarder de près ce qui se passait sur la terre. Grande chute ! Solon, Lycurgue, Moïse, ramenés aux soins misérables de la surveillance publique, forcés d'espionner les espions, de se faire lieutenants de police !

Le premier éveil fut donné par les lettres de Dorset au comte d'Artois, par ses explications plus alarmantes encore, par l'avis du complot de Brest, caché si longtemps par la Cour. Le 27 juillet, Duport proposa de créer un comité de recherches, composé de quatre personnes. Il dit ces paroles sinistres : « Dispensez-moi d'entrer dans aucune discussion. On trame des complots... Il ne doit pas être question de renvoi devant les tribunaux. Nous devons acquérir d'affreuses et indispensables connaissances. »

Le nombre quatre rappelait de trop près les trois inquisiteurs d'État. On le porta jusqu'à douze.

L'esprit de l'Assemblée, quelles que fussent ses nécessités, n'était nullement celui de police et d'inquisition. Une discussion très grave eut lieu pour savoir si l'on violerait le secret des lettres, si l'on ouvrirait cette correspondance suspecte, adressée à un prince qui, par sa fuite précipitée, se déclarait ennemi. Gouy d'Arcy et Robespierre voulaient qu'on ouvrît. L'Assemblée, sur l'avis de Chapelier, de Mirabeau et de Duport même, qui venait de demander une sorte d'inquisition d'Etat, l'Assemblée, magnanimement, déclara le secret des lettres inviolable, refusa de les ouvrir et les fit restituer.

Cette décision rendit courage aux partisans de la Cour. Ils firent trois choses hardies.

Sieyès était porté à la présidence. Ils lui opposèrent un homme fort estimé, fort agréable à l'Assemblée, l'éminent légiste de Rouen, Thouret. Son mérite à leurs yeux était d'avoir voté, le 17 juin, contre le titre d'*Assemblée nationale,* cette simple formule de Sieyès qui contenait la Révolution. Opposer ces deux hommes, disons mieux ces deux systèmes, dans la question de la présidence, c'était mettre la Révolution en cause, essayer de voir si l'on pourrait la faire reculer au 16 juin.

La seconde tentative était d'empêcher le jugement de Besenval. Ce général de la reine contre Paris avait été arrêté dans sa fuite. Le juger, le condamner, c'était condamner aussi les ordres d'après lesquels il avait agi. Necker, revenant, l'avait vu sur son passage, lui avait donné espoir. Il ne fut pas difficile d'obtenir de son bon cœur une démarche solennelle auprès de la Ville de Paris. Emporter l'amnistie générale, dans la joie de son retour, finir la Révolution, ramener la sérénité, apparaître, comme, après le déluge, l'arc-en-ciel dans les nuées, quoi de plus charmant pour la vanité de Necker ?

Il vint à l'Hôtel de Ville, obtint tout de ceux qui s'y trouvaient, électeurs, représentants des districts, simples citoyens, une foule mêlée, confuse et sans caractère légal. L'ivresse était au comble, dans la salle et sur la place. Il se montra à la fenêtre, sa femme à droite, sa fille à gauche, qui pleuraient et lui baisaient les mains... Sa fille, Mme de Staël, s'évanouit de bonheur.

Cela fait, rien n'était fait. Les districts de Paris réclamèrent avec raison ; cette clémence surprise à une assemblée émue, accordée au nom de Paris par une foule sans autorité, une question nationale tranchée par une seule ville, par quelques-uns de ses habitants... Et cela, au moment où l'Assemblée nationale créait un comité de recherches, préparait un tribunal... c'était étrange, audacieux. Malgré Lally et Mounier, qui défendaient l'amnistie, Mirabeau, Barnave et Robespierre obtinrent qu'il y aurait jugement. La Cour fut vaincue encore ; elle emportait toutefois une grande consolation, digne de sa sagesse ordinaire : elle avait compromis Necker, détruit la popularité du seul homme qui eût quelque chance de la sauver.

La Cour échoua de même dans l'affaire de la présidence. Thouret s'alarma de la fermentation du peuple, des menaces de Paris, et se désista.

Une troisième tentative du Parti royaliste, bien autrement grave, fut faite par Malouet ; ce fut l'une des épreuves les plus fortes, les plus dangereuses que la Révolution ait rencontrées dans sa périlleuse route, où chaque jour ses ennemis mettaient devant elle une pierre d'achoppement, lui creusaient un précipice.

On se rappelle ce jour où, les ordres n'étant pas encore réunis, le clergé vint hypocritement montrer au tiers le pain noir que mangeait le peuple, et l'engager, au nom de la charité, à laisser les vaines disputes pour s'occuper avec lui du bien des pauvres. C'est précisément ce que fit un homme (du reste honorable, mais aveugle partisan d'une royauté impossible) ; c'est ce que fit Malouet.

Il proposa d'organiser une vaste *taxe des pauvres,* des bureaux de secours et de travail, dont les premiers fonds seraient faits par les établissements de charité, le reste par un impôt sur tous, et par un emprunt.

Belle et honorable proposition, appuyée dans un tel moment par la nécessité urgente, mais qui donnait au Parti royaliste une redoutable initiative politique. Elle mettait entre les mains du roi un triple fonds, dont le dernier, l'emprunt, était illimité ; elle en faisait le chef des pauvres, peut-être le général des mendiants contre l'Assemblée... Elle le prenait détrôné, et elle le replaçait sur un trône, plus absolu, plus solide, le faisant roi de la famine, régnant par ce qu'il y a de plus supérieur, la nourriture et le pain... Que devenait la liberté ?

Pour que la chose effrayât moins, qu'elle parût toute petite, Malouet rabaissait le nombre des pauvres au chiffre de quatre cent mille, évidemment faux.

S'il ne réussissait pas, il n'en tirait pas moins un grand avantage, celui de donner à son parti, celui du roi, une belle couleur aux yeux du peuple, la gloire de la charité. La majorité, trop compromise en refusant, allait être obligée de suivre, d'obéir, de placer dans la main du roi cette grande machine populaire.

Malouet, en dernier lieu, proposait de consulter les chambres de commerce, les villes de manufactures, afin d'aider les ouvriers, « d'augmenter le travail et les salaires ».

Une sorte d'enchère, de concurrence allait s'établir entre les deux partis. Il s'agissait d'acquérir ou de ramener le peuple. A la proposition de donner aux indigents, une seule pouvait être opposée, celle qui autoriserait les travailleurs à *ne plus payer,* qui du moins permettrait aux travailleurs des campagnes de ne plus payer les droits les plus odieux, les droits féodaux.

Ces droits périclitaient fort. Pour mieux les détruire, pour anéantir les actes qui les consacraient, on brûlait les châteaux même. Les grands propriétaires qui siégeaient à l'Assemblée étaient pleins d'inquiétude. Une propriété si haïe, si dangereuse, qui compromettait tout le reste de leur fortune commençait à leur paraître un fardeau. Pour sauver ces droits, il fallait, ou en sacrifier une partie, ou les défendre à main armée, rallier ce qu'on avait d'amis, de clients, de domestiques, commencer une guerre terrible contre tout le peuple.

Sauf un petit nombre de vieillards qui avaient fait la guerre de Sept Ans, ou de jeunes gens qui avaient pris part à celle d'Amérique, nos nobles n'avaient fait d'autres campagnes que dans les garnisons. Ils étaient pourtant individuellement braves dans les querelles privées. La petite noblesse de Vendée et de Bretagne, jusque-là si inconnue, apparut tout à coup et se trouva héroïque. Beaucoup de nobles, d'émigrés, se signalèrent dans les grandes guerres de l'Empire. Peut-être, s'ils s'étaient entendus, serrés ensemble, auraient-ils quelque temps arrêté la Révolution. Elle les trouva dispersés, isolés, faibles de leur isolement. Une cause aussi de leur faiblesse, très honorable pour eux, c'est que beaucoup d'entre eux étaient de cœur contre eux-mêmes, contre la vieille tyrannie féodale, qu'ils en étaient à la fois les héritiers de la philosophie du temps, ils applaudissaient à cette merveilleuse résurrection du genre humain, et faisaient des vœux pour elle, dût-il en coûter leur ruine.

Le plus riche seigneur, après le roi, en propriétés féodales, était le duc d'Aiguillon. Il avait les droits régaliens dans deux provinces du Midi. Le tout d'origine odieuse, que son grand-oncle Richelieu s'était donné à lui-même. Son père, collègue de Terray, ministre de la banqueroute, avait été méprisé encore plus que détesté. Le jeune duc d'Aiguillon éprouvait d'autant plus le besoin de se rendre populaire ; il était, avec Duport, Chapelier, l'un des chefs du *club breton.* Il y fit la proposition généreuse et politique de faire la part au feu dans ce grand incendie, d'abattre une partie du bâtiment pour sauver le reste ; il voulait, non pas sacrifier les droits féodaux (beaucoup de nobles n'avaient nulle autre fortune), mais offrir au paysan *de s'en racheter à des conditions modérées.*

Le vicomte de Noailles n'était pas au club, mais il eut vent de la proposition, et il en déroba la glorieuse initiative. Cadet de famille, et ne possédant nuls droits féodaux, il fut encore plus généreux que le duc d'Aiguillon. Il proposa non seulement de permettre le rachat des droits, mais d'*abolir sans rachat* les corvées seigneuriales et autres servitudes personnelles.

Cela fut pris pour une attaque, pour une menace, rien de plus. Deux cents députés arrivèrent. On venait de lire un projet d'arrêté où l'Assemblée rappelait le devoir de respecter les propriétés, de payer les redevances, etc.

Le duc d'Aiguillon produisit un tout autre effet.

Il dit qu'en votant la veille des mesures de rigueur contre ceux qui attaquaient les châteaux, un scrupule lui était venu, qu'il s'était demandé à lui-même si ces hommes étaient bien coupables... Et il continua avec chaleur, avec violence, contre la tyrannie féodale, c'est-à-dire contre lui-même.

C'était le 4 août, à huit heures du soir, heure solennelle où la féodalité, au bout d'un règne de mille ans, abdique, abjure, se maudit.

La féodalité a parlé. Le peuple prend la parole. Un bas Breton, en costume de bas Breton, député inconnu, qui ne parla jamais ni avant, ni après, M. Le Guen de Kerengal, monte à la tribune et lit environ vingt lignes, accusatrices et menaçantes. Il reprochait à l'Assemblée, avec une force, une autorité singulière, de n'avoir pas prévenu l'incendie des châteaux, en brisant, dit-il, les armes cruelles qu'ils contiennent, ces actes iniques qui ravalent l'homme à la bête, qui attellent à la charrette l'homme et l'animal, qui outragent la pudeur... « Soyons justes ; qu'on nous les apporte, ces titres, monuments de la barbarie de nos pères.

» Qui de nous ne ferait un bûcher expiatoire de ces infâmes parchemins ?... Vous n'avez pas un moment à perdre ; un jour de délai occasionne de nouveaux embrasements ; la chute des empires est annoncée avec moins de fracas. Ne voulez-vous donner des lois qu'à la France dévastée ? »

L'impression fut profonde. Un autre Breton l'affaiblit en rappelant des droits bizarres, cruels, incroyables : le droit qu'aurait le seigneur d'éventrer deux de ses vassaux au retour de la chasse, et de mettre ses pieds dans leur corps sanglant !

Un gentilhomme de province, M. de Foucault, s'attaquant aux grands seigneurs, qui avaient ouvert cette discussion fâcheuse, demanda qu'avant tout les grands sacrifiassent les pensions et traitements, les dons monstrueux qu'ils tirent du roi, ruinant doublement le peuple, et par l'argent qu'ils extorquent, et par l'abandon où tombe la province, tous les riches suivant leur exemple, désertant leurs terres et s'attachant à la Cour.

MM. de Guiche et de Mortemart crurent l'attaque personnelle, et répondirent vivement que ceux que l'on désignait sacrifieraient tout.

L'enthousiasme gagna. M. de Beauharnais proposa que les peines fussent désormais les mêmes pour tous, nobles et roturiers, les emplois ouverts à tous. Quelqu'un demanda la justice gratuite ; un autre, l'abolition des justices seigneuriales, dont les agents inférieurs sont le fléau des campagnes.

M. de Custine dit que les conditions de rachat proposées par le duc d'Aiguillon étaient difficiles, qu'il fallait aplanir la chose, venir en aide au paysan.

M. de La Rochefoucauld, étendant la bienveillance de la France au genre humain, demanda des adoucissements pour l'esclavage des Noirs.

Jamais le caractère français n'éclata d'une manière plus touchante, dans sa sensibilité facile, sa vivacité, son entraînement généreux. Ces hommes qui mettaient tant de temps, tant de pesanteur à discuter la Déclaration des droits, à compter, peser les syllabes, dès qu'on fit appel à leur désintéressement, répondirent sans hésitation ; ils mirent l'argent sous les pieds, les droits honorifiques qu'ils aimaient plus que l'argent... Grand exemple que la noblesse expirante a légué à notre aristocratie bourgeoise !

Parmi l'enthousiasme et l'attendrissement, il y avait aussi une fière insouciance, la vivacité d'un noble joueur qui prend plaisir à jeter l'or. Tous ces sacrifices se faisaient par des riches et par des pauvres, avec une gaieté égale, avec malice parfois (comme la motion de Foucault), avec de vives saillies.

« Et moi donc, qu'offrirai-je ? disait le comte de Virieu... au moins le moineau de Catulle... » Il proposa la destruction des pigeons destructeurs, du colombier féodal.

Le jeune Montmorency demandait que tous ces vœux fussent sur-le-champ convertis en lois. Lepelletier de Saint-Fargeau désirait que le peuple jouît immédiatement de ces bienfaits. Lui-même, immensément riche, il voulait que les riches, les nobles, les exempts d'impôts se cotisassent à cet effet.

Le président Chapelier, pressé de faire voter l'Assemblée, observa malicieusement qu'aucun des MM. du clergé n'ayant pu encore se faire entendre, il se reprocherait de leur fermer la tribune.

L'évêque de Nancy exprima alors, au nom des seigneurs ecclésiastiques, le vœu que le prix du rachat des droits féodaux ne revînt pas au possesseur actuel, mais fît l'objet d'un placement utile au bénéfice même.

Ceci était d'économie et de bon ménage, plus que de générosité. L'évêque de Chartres, homme d'esprit, qui parla ensuite, trouva moyen d'être généreux aux dépens de la noblesse. Il sacrifiait les droits de chasse, très importants pour les nobles, minimes pour le clergé.

Les nobles ne reculèrent pas ; ils demandèrent à consommer cette renonciation. Elle coûtait à plusieurs. Le duc du Châtelet dit en souriant à ses voisins : « L'évêque nous ôte la chasse ; je vais lui ôter ses dîmes. » Et il proposa que les dîmes en nature fussent converties en redevances pécuniaires rachetables à volonté.

Le clergé laissa tomber cette dangereuse parole, et suivit sa tactique de mettre en avant la noblesse ; l'archevêque d'Aix parla fortement contre la féodalité, demandant que l'on défendît à l'avenir toute convention féodale.

« Je voudrais avoir une terre, disait l'évêque d'Uzès, il me serait doux de la mettre entre les mains des laboureurs. Mais nous ne sommes que dépositaires... »

Les évêques de Nîmes et de Montpellier ne donnèrent rien, mais demandèrent que les artisans et manœuvres fussent exempts d'impôts.

Les pauvres ecclésiastiques furent seuls généreux. Des curés déclarèrent que leur conscience ne leur permettait pas d'avoir plus d'un bénéfice. D'autres dirent : « Nous offrons notre casuel... » Duport objecta qu'alors il faudrait y suppléer. L'Assemblée fut émue, et refusa de prendre ce denier de la veuve.

L'attendrissement, l'exaltation étaient montés, de proche en proche, à un point extraordinaire. Ce n'était dans toute l'Assemblée qu'applaudissements, félicitations, expressions de bienveillance mutuelle. Les étrangers présents à la séance étaient muets d'étonnement ; pour la première fois, ils avaient vu la France, toute sa richesse de cœur... Ce que des siècles d'efforts n'avaient pas fait chez eux, elle venait de le faire en peu d'heures par le désintéressement et le sacrifice... L'argent, l'orgueil immolé, toutes les vieilles insolences héréditaires, l'antiquité, la tradition même... le monstrueux chêne féodal abattu d'un coup, l'arbre maudit, dont les branches couvraient la terre d'une ombre froide, tandis que ses racines infinies allaient dans les profondeurs chercher, sucer la vie, l'empêcher de monter à la lumière.

Tout semblait fini. Une scène non moins grande commençait.

Après les privilèges des classes, vinrent ceux des provinces.

Celles qu'on appelait Pays d'État, qui avaient des privilèges à elles, des avantages divers pour les libertés, pour l'impôt, rougirent de leur égoïsme, elles voulurent être France, quoi qu'il pût en coûter à leur intérêt personnel, à leurs vieux et chers souvenirs.

Le Dauphiné, dès 1788, l'avait offert magnanimement pour lui-même, conseillé aux autres provinces. Il renouvela cette offre. Les plus obstinés, les Bretons, quoique liés par leurs mandats, liés par les anciens traités de leur province avec la France, n'en manifestèrent pas moins le désir de se réunir. La Provence en dit autant, puis la Bourgogne et la Bresse, la Normandie, le Poitou, l'Auvergne, l'Artois. La Lorraine, en termes touchants, dit qu'elle ne regretterait pas la domination de ses souverains adorés qui furent les pères du peuple, si elle avait le bonheur de se réunir à ses frères, d'entrer avec eux tous ensemble dans cette maison maternelle de la France, dans cette immense et glorieuse famille !

Puis ce fut le tour des villes. Leurs députés vinrent en foule déposer leurs privilèges sur l'autel de la Patrie.

Les officiers de justice ne pouvaient percer la foule qui entourait la tribune, pour y apporter leur tribut. Un membre du Parlement de Paris se joignit à eux, renonçant à l'hérédité des offices, à la noblesse transmissible.

L'archevêque de Paris demanda qu'on se souvînt de Dieu dans ce grand jour, qu'on chantât un *Te Deum*.

« Et le roi, messieurs, dit Lally, le roi qui nous a convoqués après une si longue interruption de deux siècles, n'aura-t-il pas sa récompense ?... Proclamons-le le restaurateur de la liberté française ! »

La nuit était avancée, il était deux heures. Elle emportait, cette nuit, l'immense et pénible songe des mille ans du Moyen Age. L'aube qui commença bientôt était celle de la liberté.

Depuis cette merveilleuse nuit, plus de classes, des Français ; plus de provinces, une France.

Vive la France !

CHAPITRE V

Le clergé — La foi nouvelle

Discours prophétiques de Fauchet — Effort impuissant de conciliation — Ruine imminente de l'ancienne Église — L'Église avait délaissé le peuple — Buzot réclame pour la nation les biens du clergé, 6 août — Suppression de la dîme, 11 août — La liberté religieuse reconnue — Ligue du clergé, de la noblesse et de la Cour — Paris abandonné à lui-même — Nulle autorité publique ; peu de violences ; dons patriotiques — Dévouement et sacrifice (Août 1789.)

La résurrection du peuple qui brise enfin son tombeau, la féodalité elle-même écartant la pierre où elle le tint scellé, l'œuvre des temps en une nuit, voilà le premier miracle du nouvel Evangile, divin miracle, authentique !

Qu'elles vont bien ici les paroles que Fauchet prononça sur les ossements trouvés dans la Bastille : « La tyrannie les avait scellés aux murs de ces cachots qu'elle croyait éternellement impénétrables à la lumière. *Le jour de la révélation est arrivé !* Les os se sont levés à la voix de la liberté française ; ils déposent contre les siècles de l'oppression et de la mort, prophétisant la régénération de la nature humaine et de la vie des nations !... »

Belle parole, et d'un vrai prophète... Recueillons-la dans notre cœur, comme le trésor de l'espérance. Oui, ils ressusciteront !... La résurrection commencée sur les ruines de la Bastille, poursuivie la nuit du 4 août, manifestera au jour de la vie sociale ces foules qui languissent encore dans les ombres de la mort... L'aube vint en 89 ; puis, l'aurore commença, tout enveloppée d'orages ; puis, l'éclipse noire et profonde... Le soleil n'en luira pas moins : « *Solem quis dicere falsum audeat ?* »

Il était deux heures de nuit quand l'Assemblée finit son œuvre immense, et se sépara. Le matin (5 août), à Paris, Fauchet faisait en chaire l'oraison funèbre des citoyens tués devant la Bastille féodale, leur palme et le prix de leur sang.

Fauchet trouva là encore des paroles d'éternelle mémoire : « Qu'ils ont fait de mal au monde, les faux interprètes des divins oracles !... Ils ont consacré le despotisme, ils ont rendu Dieu complice des tyrans. Que dit l'Évangile : « *Il vous faudra paraître devant les rois ; ils vous commanderont l'injustice et vous leur résisterez jusqu'à la mort...* » Ils triomphent, les faux docteurs, parce qu'il est écrit : *Rendez à César ce qui est à César.* Mais ce qui n'est pas à César, faut-il le lui rendre ?... Or la liberté n'est pas à César ; elle est à la nature humaine. »

Ces paroles éloquentes l'étaient encore plus dans la bouche de celui qui, le 14 juillet, s'était montré deux fois héroïque de courage et d'humanité. Deux fois il avait essayé, au péril de sa vie, de sauver la vie des autres, d'arrêter le sang... Vrai chrétien et vrai citoyen, il eût voulu tout sauver, et les hommes et les doctrines. Son aveugle charité défendait ensemble des idées hostiles entre elles, des dogmes contradictoires. Il mariait d'un même amour les deux Evangiles, sans tenir compte des différences de principes, des oppositions. Rejeté, exclu par les prêtres, ce qui l'avait persécuté lui était devenu par cela même respectable et cher.

Qui ne s'est trompé comme lui ? Qui n'a caressé l'espoir de sauver le passé en avançant l'avenir ? Qui n'aurait voulu susciter l'esprit sans tuer la vieille forme, réveiller la flamme sans troubler la cendre morte ?... Vain effort ! nous avons beau retenir notre souffle. Elle est devenue légère, elle s'envole d'elle-même vers les quatre vents du monde.

Qui pouvait voir alors tout cela ? Fauchet s'y trompait, et bien d'autres. On faisait effort pour croire la lutte finie et la paix venue ; on admirait que la Révolution fût déjà dans l'Evangile. Tout ce qui entendit ces grandes paroles tressaillit jusqu'au fond du cœur. L'impression fut si forte, l'émotion si vive, qu'on couronna l'apôtre de la liberté d'une couronne civique. Le peuple et le peuple armé, les vainqueurs de la Bastille et la garde citoyenne, le tambour en tête, le reconduisirent à l'Hôtel de Ville ; un héraut portait la couronne devant lui.

Dernier triomphe du prêtre ? ou premier du citoyen ?... Ces deux caractères, ici confondus, pourront-ils se mêler ensemble ? La robe déchirée, glorifiée des balles de la Bastille, laisse voir ici le nouvel homme ; en vain voudrait-il lui-même l'étendre, cette robe, pour en couvrir le passé.

Une religion nous vient, deux s'en vont (qu'y faire ?) l'Église et la Royauté...

Féodalité, Royauté, Église, de ces trois branches du chêne antique, la première tombe au 4 août ; les deux autres branlent ; j'entends un grand vent dans les branches, elles luttent, elles tiennent fort, les feuilles jonchent la terre. Rien ne pourra résister. Périsse ce qui doit périr !...

Point de regrets, de vaines larmes. Ce qui croit mourir aujourd'hui, depuis combien de temps, bon Dieu ! il était mort, fini, stérile !

Ce qui témoigne en 89 contre l'Église d'une manière accablante, c'est l'état d'abandon complet où elle a laissé le peuple. Elle seule, depuis deux mille ans, a eu charge de l'instruire ; voilà comme elle l'a fait... Les pieuses fondations du Moyen Age, quel but avaient-elles ? quels devoirs imposaient-elles au clergé ? Le salut des âmes, leur amélioration religieuse, l'adoucissement des mœurs, l'humanisation du peuple... Il était votre disciple, abandonné à vous seuls ; maîtres, qu'avez-vous enseigné ?...

Depuis le XIIe siècle, vous continuez de lui parler une langue qui n'est plus la sienne, le culte a cessé d'être un enseignement pour lui. La prédication suppléait ; peu à peu, elle se tait, ou parle pour les seuls riches. Vous avez négligé les pauvres, dédaigné la tourbe grossière... Grossière ? elle l'est par vous. Par vous, deux peuples existent ; celui d'en haut, à l'excès civilisé, raffiné ; celui d'en bas, rude et sauvage, bien plus isolé de l'autre qu'il ne fut dans l'origine. C'était à vous de combler l'intervalle, d'élever toujours ceux d'en bas, de faire des deux peuples un peuple... Voici la crise arrivée, et je ne vois dans les classes dont vous vous faisiez les maîtres nulle culture acquise, nul adoucissement de mœurs ; ce qu'ils ont, ils l'ont d'eux-mêmes, de l'instinct de la nature, de la sève qu'elle mit en nous. Le bien est d'eux, et le mal, le désordre, à qui le rapporterai-je, sinon à ceux qui répondaient de leurs âmes, et les ont abandonnées ?

Que sont en 89 vos fameux monastères, vos écoles antiques ? Pleines d'oisiveté et de silence. L'herbe y pousse, et l'araignée file... Et vos chaires ? muettes. Et vos livres ? vides. Le XVIIIe siècle passe, un siècle d'attaques, où, de moment en moment, vos adversaires vous somment en vain de parler, d'agir, si vous êtes vivants encore...

Une seule chose vous défendrait, beaucoup d'entre vous la pensent, nul ne l'avouera. C'est que, depuis longtemps, la doctrine avait tari, que vous ne disiez plus rien au peuple, n'ayant rien à dire, que vous aviez vécu vos âges, un âge d'enseignement, un âge de polémique... que tout passe et se transforme ; les cieux mêmes passeront. Attachés pesamment aux formes, n'en pouvant séparer l'esprit, n'osant aider le phénix à mourir pour vivre encore, vous êtes restés muets, inactifs au sanctuaire, occupant la place du prêtre... Mais le prêtre n'était plus.

Sortez du temple. Vous y étiez pour le peuple, pour lui donner la lumière. Sortez, votre lampe est éteinte. Ceux qui bâtirent ces églises, et vous les prêtèrent, vous les redemandent. Qui furent-ils ? La France d'alors ; rendez-les à la France d'aujourd'hui.

Aujourd'hui (août 89), la France reprend la dîme, et demain (le 2 novembre), elle reprendra les biens. De quel droit ? Un grand juriste le dit : « Par droit de *déshérence.* » L'Eglise morte n'a pas d'héritier. A qui revient son patrimoine ? A son auteur, à la Patrie, d'où naîtra la nouvelle Eglise.

Le 6 août, pendant que l'Assemblée se traînait dans la discussion d'un emprunt proposé par Necker, et qui, de son aveu, ne suffisait pas pour deux mois, un homme monte à la tribune, un homme qui jusque-là parlait rarement ; cette fois, il dit un seul mot : « Les biens ecclésiastiques appartiennent à la nation. »

Grande rumeur... L'homme qui avait dit franchement le mot de la situation était Buzot, l'un des chefs de la future Gironde, jeune et austère figure, ardente et mélancolique, de celles qui portent écrite au front une courte destinée.

L'emprunt essayé, manqué, repris, fut voté enfin. Il était difficile de le faire voter, plus difficile de le faire remplir. A qui le public allait-il prêter ? à l'ancien régime ou à la Révolution ? On ne le savait pas encore. Une chose était plus sûre, et claire pour tous les esprits, l'inutilité du clergé, son indignité parfaite, l'incontestable droit qu'elle donnait à la nation sur les biens ecclésiastiques. On connaissait les mœurs des prélats, l'ignorance du clergé inférieur. Les curés avaient des vertus, quelques instincts de résistance, point de lumières ; partout où ils dominaient, ils étaient un obstacle à toute culture du peuple, ils le faisaient rétrograder. Pour ne citer qu'un exemple, le Poitou, civilisé au XVIe siècle, devint barbare sous leur influence ; ils nous préparaient la Vendée.

La noblesse le voyait, tout aussi bien que le peuple ; elle demande dans ses cahiers un emploi plus utile de tels et tels biens d'Eglise. Les rois le voyaient bien aussi ; plusieurs fois, ils avaient fait des réformes partielles, la réforme des Templiers, la réforme de Saint-Lazare, celle des Jésuites. Il y avait mieux à faire.

Ce fut un membre de la noblesse, le marquis de Lacoste, qui, le 8 août, prit l'initiative d'une proposition nette et formulée : 1° les biens ecclésiastiques appartiennent à la nation ; 2° la dîme est supprimée (nulle mention de rachat) ; 3° les titulaires sont pensionnés ; 4° les honoraires des évêques et curés seront fixés par les assemblées provinciales.

Un autre noble, Alexandre de Lameth, appuya la proposition par des réflexions étendues sur la matière et le droit des fondations, droit déjà si bien examiné par Turgot, dès 1750, dans l'*Encyclopédie.* La société, dit Lameth, peut toujours supprimer tout institut nuisible. Il concluait à donner les biens ecclésiastiques en gage aux créanciers de l'Etat.

Tout ceci attaqué par Grégoire, par Lanjuinais. Les jansénistes, persécutés par le clergé, ne l'en défendirent pas moins.

Chose remarquable, qui montre que le privilège tient fort, plus que la robe de Nessus, qu'on ne pouvait arracher qu'en arrachant la chair même ! Les plus grands esprits de l'Assemblée, Sieyès et Mirabeau, absents la nuit du 4 août, en déploraient les résultats. Sieyès était prêtre, et Mirabeau noble. Mirabeau eût voulu défendre la noblesse, le roi, faisant bon marché du clergé. Sieyès défendit le clergé sacrifié par la noblesse.

Il dit que la dîme était une vraie propriété. Et comment ? Comme ayant été d'abord un don volontaire, une donation valable. A quoi l'on pouvait répondre, aux termes du droit, qu'une donation est révocable *pour cause d'ingratitude,* pour l'oubli, la négligence du but que l'on eut en donnant ; ce but était la culture du peuple, depuis si longtemps délaissée par le clergé.

Sieyès faisait valoir adroitement qu'en tout cas, la dîme ne pouvait profiter aux possesseurs actuels, lesquels avaient acheté avec connaissance, prévision et déduction de la dîme. Ce serait, disait-il, leur faire un cadeau de soixante-dix millions de rente. La dîme en valait plus de cent trente. La donner aux propriétaires, c'était une mesure éminemment politique, engager pour toujours le plus ferme élément du peuple, le cultivateur, dans la cause de la Révolution.

Cet impôt lourd, odieux, variable, selon les pays, qui montait souvent jusqu'au tiers de la récolte ! qui mettait en guerre le prêtre et le laboureur, qui obligeait le premier, pour le temps de la moisson, à une inquisition misérable, n'en fut pas moins défendu par le clergé pendant trois jours entiers, avec une violence opiniâtre. « Eh quoi ! s'écriait un curé, quand vous nous avez invités à venir nous joindre à vous, *au nom du Dieu de la paix,* c'était pour nous égorger !... » La dîme était donc leur vie même, ce qu'ils avaient de plus cher... Au troisième jour, voyant tout le monde tourner contre eux, ils s'exécutèrent. Quinze ou vingt curés renoncèrent, se remettant à la générosité de la nation. Les grands prélats, l'archevêque de Paris, le cardinal de La Rochefoucauld, suivirent cet exemple, renoncèrent, au nom du clergé. La dîme fut abolie sans rachat *pour l'avenir,* pour le moment maintenue, jusqu'à ce qu'on eût pourvu à l'entretien des pasteurs (11 août).

La résistance du clergé ne pouvait être sérieuse. Il avait contre lui presque toute l'Assemblée. Mirabeau parla trois fois ; il fut, encore plus qu'à l'ordinaire, hardi, hautain, souvent ironique, sous formes respectueuses. Il savait bien l'assentiment qu'il devait trouver, et dans l'Assemblée et dans le public. Les grandes thèses du XVIIIe siècle furent reproduites en passant, comme choses consenties, d'avance admises, incontestables. Voltaire revint là, terrible, rapide et vainqueur. La liberté religieuse fut consacrée, dans la Déclaration des droits, et non pas la *tolérance,* mot ridicule, qui suppose un droit à la tyrannie. Celui de religion *dominante,* culte *dominant,* que demanda le clergé, fut traité comme il méritait. Le grand orateur, organe en ceci et du siècle et de la France, mit ce mot au ban de toute législation. « Si vous l'écrivez, dit-il, ayez donc aussi une philosophie *dominante,* des systèmes *dominants*... Rien ne doit dominer que le droit et la justice. »

Ceux qui connaissent par l'histoire, par l'étude du Moyen Age, la prodigieuse ténacité du clergé à défendre son moindre intérêt, peuvent, dès ce moment, juger des efforts qu'il va faire pour sauver ses biens, son bien le plus précieux, sa chère intolérance.

Une chose lui donnait cœur ; c'est que la noblesse de province, les parlementaires, tout l'ancien régime, étaient unis avec lui dans leur résistance commune aux résolutions du 4 août. Tel même qui, cette nuit, les proposa ou les appuya, commençait à se repentir.

Que de telles résolutions eussent été prises par leurs représentants, par des nobles, c'est ce que les privilégiés ne pouvaient comprendre. Ils en restaient stupéfaits, hors d'eux-mêmes... Les paysans, qui avaient commencé par la violence, continuaient maintenant par l'autorité de la loi. C'était la loi qui nivelait, qui jetait bas les barrières, brisait le poteau seigneurial, biffait l'écusson qui, par toute la France, ouvrait la chasse aux gens armés. Tous armés, tous chasseurs, tous nobles !... Et cette loi qui semblait anoblir le peuple, désanoblir la noblesse, des nobles l'avaient votée !

Si le privilège périssait, les privilégiés, nobles et prêtres, aimaient mieux périr ; ils s'étaient depuis longtemps identifiés, incorporés à l'inégalité, à l'intolérance. Plutôt mourir cent fois que de cesser d'être injustes !... Ils ne pouvaient rien accepter de la Révolution, ni son principe, écrit dans sa Déclaration des droits, ni l'application du principe dans sa grande charte sociale du 4 août. Quelque peu de volonté qu'eût le roi, ses scrupules religieux le mettaient de leur parti, et garantissaient son obstination. Il eût accepté peut-être la diminution du pouvoir royal ; mais la dîme, chose sainte, mais la juridiction du clergé, *son droit d'atteindre les délits secrets,* méconnue par l'Assemblée, la liberté des opinions religieuses proclamée, c'est ce que le prince timoré ne pouvait admettre.

On pouvait être sûr que, de lui-même, et sans avoir besoin d'impulsion extérieure, Louis XVI repousserait, du moins essaierait d'éluder la Déclaration des droits et les décrets du 4 août.

De là, jusqu'à le faire agir, combattre, il y avait loin encore. Il avait horreur du sang. On pouvait le placer dans telle circonstance qui lui imposât la guerre, mais l'obtenir directement, en tirer de lui la résolution, l'ordre, on ne pouvait y songer.

La reine n'avait point d'appui à attendre de son frère Joseph, trop occupé de sa Belgique. De l'Autriche, elle ne recevait que des conseils, ceux de l'ambassadeur, M. Mercy d'Argenteau. Les troupes n'étaient pas sûres. Ce qu'elle avait, c'était un très grand nombre d'officiers de marine et autres, des régiments suisses, allemands. Elle avait, pour principale force, un excellent noyau d'armée, vingt-cinq ou trente mille hommes, à Metz et autour, sous un officier dévoué, énergique, qui avait fait preuve d'une grande vigueur, M. de Bouillé. Il avait maintenu ces troupes dans une discipline sévère, dans l'éloignement et le mépris du bourgeois, de la canaille.

L'avis de la reine fut toujours de partir, de se jeter dans le camp de M. de Bouillé, de commencer la guerre civile.

N'y pouvant décider le roi, que restait-il ? sinon d'attendre, d'user Necker, de le compromettre, d'user Bailly, La Fayette, de laisser faire le désordre, l'anarchie, de voir si le peuple, qu'on supposait obéir à des impulsions étrangères, ne se lasserait pas de ses meneurs qui le laissaient mourir de faim. L'excès des misères devait le calmer, le mater, l'abattre. On s'attendait, d'un jour à l'autre, à le voir redemander l'ancien régime, le bon temps, prier le roi de reprendre l'autorité absolue.

« Vous aviez du pain, sous le roi ; maintenant que vous avez douze cents rois, allez leur en demander ! » Ce mot qu'on prête à un ministre d'alors, qu'il ait été dit ou non, était la pensée de la Cour.

Cette politique n'était que trop bien servie par le triste état de Paris. C'est un fait terrible et certain que, dans cette ville de huit cent mille âmes, il n'y eut aucune autorité publique, trois mois durant, de juillet en octobre.

Point de pouvoir municipal. Cette autorité primitive, élémentaire des sociétés, était comme dissoute. Les soixante districts discutaient et ne faisaient rien. Leurs représentants à l'Hôtel de Ville n'agissaient pas davantage. Seulement, ils entravaient le maire, empêchaient Bailly d'agir. Celui-ci, homme de cabinet, naguère astronome, académicien, nullement préparé à son nouveau rôle, restait toujours enfermé au bureau des subsistances, inquiet, ne sachant jamais s'il pourrait nourrir Paris.

Point de police. Elle était dans les mains impuissantes de Bailly. Le lieutenant de police avait donné sa démission, et n'était pas remplacé.

Point de justice. La vieille justice criminelle se trouva tout à coup si contraire aux idées, aux mœurs, elle parut si barbare, que M. de La Fayette en demanda la réforme immédiate. Les juges durent changer tout d'un coup leurs vieilles habitudes, apprendre des formes nouvelles, suivre une procédure plus humaine, mais aussi plus lente. Les prisons s'encombrèrent ; des foules s'y entassèrent ; ce qu'on avait désormais le plus à craindre, c'était d'y être oublié.

Plus d'autorités de corporations. Les doyens, syndics, etc., les règlements des métiers, furent paralysés, annulés par le seul effet du 4 août. Les métiers les plus jaloux, ceux dont l'accès jusque-là était difficile, les bouchers, dont les étaux étaient des sortes de fiefs, les imprimeurs, les perruquiers se multiplièrent. L'imprimerie, il est vrai, prenait un immense essor. Les perruquiers, au contraire, voyaient en même temps leur nombre augmenter, leurs pratiques disparaître. Tous les riches quittaient Paris. Un journal affirme qu'en trois mois soixante mille passeports furent signés à l'Hôtel de Ville.

De grands rassemblements avaient lieu au Louvre, aux Champs-Elysées ; les perruquiers, les cordonniers, les tailleurs. La garde nationale venait, les dissipait avec brutalité parfois, avec maladresse. Ils adressaient à la Ville des plaintes, des demandes impossibles : maintenir les anciens règlements, ou bien en faire de nouveaux, fixer le prix des journées, etc. Les domestiques, laissés sur le pavé par leurs maîtres qui partaient, voulaient qu'on renvoyât tous les Savoyards chez eux.

Ce qui étonnera toujours ceux qui connaissent l'histoire des autres révolutions, c'est que dans cette situation misérable et affamée de Paris, laissé sans autorité, il y ait eu au total très peu de violences graves. Un mot, une observation raisonnable, parfois une plaisanterie, suffisait pour les arrêter. Aux premiers jours seulement qui suivirent le 14 juillet, il y eut des voies de fait. Le peuple, plein de l'idée qu'il était trahi, cherchait l'ennemi à l'aveugle et faillit faire de cruelles méprises. Plusieurs fois M. de La Fayette intervint à point et fut écouté. Il sauva plusieurs personnes.

Quand je songe aux temps qui suivirent, à notre époque, si molle, si intéressée, je ne puis m'empêcher d'admirer que l'extrême misère ne brisa nullement ce peuple, ne lui arracha nul regret de son esclavage. Ils surent souffrir, ils surent jeûner. Les grandes choses qui s'étaient faites en si peu de temps, le serment du Jeu de Paume, la prise de la Bastille, la nuit du 4 août, avaient exalté les courages, mis en tous une idée nouvelle de la dignité humaine. Necker part le 11 juillet, il revient trois semaines après, et il ne reconnaît plus le peuple. Dussaulx, qui avait passé soixante ans sous l'ancien régime, ne sait plus où est la vieille France. Tout est changé, dit-il, la démarche, le costume, l'aspect des rues, les enseignes. Les couvents sont pleins de soldats ; les échoppes sont des corps de garde. Partout des jeunes gens qui s'exercent aux armes ; les enfants tâchent d'imiter, ils suivent, se mettent au pas. Des octogénaires montent la garde avec leurs arrière-petits-fils : « Qui l'aurait cru, me disent-ils, que nous aurions le bonheur de mourir libres. »

Chose peu remarquée : malgré telle et telle violence du peuple, sa sensibilité avait augmenté ; il ne voyait plus de sang-froid les supplices atroces qui, sous l'ancien régime, étaient un spectacle pour lui. A Versailles, un homme allait être roué comme parricide ; il avait levé le couteau sur une femme, et son père, se jetant entre eux, avait été tué du coup. Le peuple trouva le supplice plus barbare encore que l'acte, il empêcha l'exécution, et renversa l'échafaud.

Le cœur de l'homme s'était ouvert à la jeune chaleur de notre Révolution. Il battait plus vite, il était plus passionné qu'il ne fut jamais, plus violent, mais plus généreux. Chaque séance de l'Assemblée offrait l'intérêt touchant des dons patriotiques qu'on y apportait en foule. L'Assemblée nationale était obligée de se faire caissier, receveur ; c'est à elle qu'on venait pour tout, qu'on envoyait tout, les demandes, les dons, les plaintes. Son étroite enceinte était comme la maison de la France. Les pauvres surtout donnaient. C'était un jeune homme qui envoyait ses économies, six cents livres, péniblement amassées. C'étaient de pauvres femmes d'artistes qui apportaient ce qu'elles avaient, leurs bijoux, la parure qu'elles reçurent au mariage. Un laboureur venait déclarer qu'il donnait telle quantité de blé. Un écolier offrait telle collection que lui envoyaient ses parents, ses étrennes peut-être, sa petite récompense... Dons d'enfants, de femmes, générosité du pauvre, denier de la veuve, petites choses, et si grandes devant la Patrie ! devant Dieu !

L'Assemblée, parmi les ambitions, les dissidences, les misères morales qui la travaillaient, était émue, soulevée au-dessus d'elle-même par cette magnanimité du peuple. Lorsque M. Necker vint exposer la misère, le dénuement de la France, et solliciter, pour vivre au moins deux mois encore, un emprunt de trente millions, plusieurs députés demandèrent qu'il fût garanti par leurs propres biens, par ceux des membres de l'Assemblée. M. de Foucault, en vrai gentilhomme, fit la première proposition, il offrit d'y engager six cent mille livres qui faisaient toute sa fortune.

Un sacrifice plus grand encore qu'aucun sacrifice d'argent, c'est celui que tous, riches et pauvres, faisaient à la chose publique, celui de leur temps, de leur pensée constante, de toute leur activité. Les municipalités qui se formaient, les administrations départementales qui s'organisèrent bientôt, absorbaient le citoyen tout entier et sans réserve. Plusieurs faisaient porter leur lit dans les bureaux, et travaillaient nuit et jour. A la fatigue joignez le danger. Les masses souffrantes se défiaient toujours, elles accusaient, menaçaient. Les trahisons de l'ancienne administration rendaient la nouvelle suspecte. C'était au péril de leur vie que ces nouveaux magistrats travaillaient à sauver la France.

Et le pauvre ! le pauvre ! qui dira ses sacrifices ? La nuit, il montait la garde ; le matin, à quatre ou cinq heures, il se mettait à la queue à la porte du boulanger ; tard, bien tard, il avait le pain. La journée était entamée, l'atelier fermé... Et que dis-je, l'atelier ? Presque tous chômaient. Que dis-je, le boulanger ? Le pain manquait, plus souvent encore l'argent pour avoir le pain. Triste, à jeun, le malheureux errait, traînait sur les places, aimant mieux être dehors que d'entendre au logis des plaintes, les pleurs de ses enfants. Ainsi l'homme qui n'avait que son temps, ses bras pour vivre et nourrir sa famille, les consacrait de préférence à la grande affaire, le salut public. Il en oubliait le sien.

Noble et généreuse nation ! Pourquoi faut-il que nous connaissions trop mal cette époque héroïque ? Les choses terribles, violentes, poignantes qui suivirent ont fait oublier la multitude des dévouements qui marquèrent le début de la Révolution. Un phénomène plus grand que tout événement politique apparut alors au monde : la puissance de l'homme, par quoi l'homme est Dieu, la puissance du sacrifice, avait augmenté.

CHAPITRE VI

Le veto

Difficulté des subsistances — Combien la situation était pressante — Le roi peut-il tout arrêter ? Longue discussion du veto — Projets secrets de la Cour — Y aura-t-il une chambre, ou deux ? L'école anglaise — L'Assemblée avait besoin d'être dissoute et renouvelée — Elle était hétérogène, discordante, impuissante — Discorde intérieure de Mirabeau, son impuissance (Août-septembre 1789.)

La situation empirait. La France entre deux systèmes, l'ancien, le nouveau, s'agitait sans avancer. Et elle avait faim.

Paris, il faut le dire, vivait par hasard. Sa subsistance, toujours incertaine, dépendait de tel arrivage, d'un convoi de la Beauce ou d'un bateau de Corbeil. La Ville, avec d'immenses sacrifices, abaissait le prix du pain ; il en résultait que toute la banlieue, à dix lieues à la ronde, et plus, venait se fournir à Paris. C'était tout un vaste pays qu'il s'agissait de nourrir. Les boulangers trouvaient leur compte à vendre sous main au paysan, et ensuite, quand le Parisien trouvait leur boutique vide, ils se rejetaient sur l'imprévoyance de l'administration qui n'approvisionnait pas Paris. L'incertitude du lendemain, les vaines alarmes, augmentaient encore les difficultés ; chacun se faisait des réserves, on entassait, on cachait. L'administration aux abois envoyait de tous côtés, achetait de gré ou de force. Parfois, les farines en route étaient saisies, retenues au passage par les localités voisines qui avaient de pressants besoins. Paris et

Versailles partageaient ; mais Versailles gardait, disait-on, le plus beau, faisait un pain supérieur. Grand sujet de jalousie. Un jour où ceux de Versailles avaient eu l'imprudence de détourner chez eux un convoi destiné pour les Parisiens, Bailly, l'honnête et respectueux Bailly, écrivit à M. Necker que, si l'on ne restituait les farines, trente mille hommes iraient les chercher le lendemain. La peur le rendait hardi. Sa tête était en péril si les provisions manquaient. A minuit, souvent, il n'avait encore que la moitié des farines nécessaires pour le marché du matin.

L'approvisionnement de Paris était une sorte de guerre. On envoyait la garde nationale pour protéger tel arrivage, assurer tel ou tel achat ; on achetait à main armée. Gênés dans leur commerce, les fermiers ne voulaient pas battre, les meuniers ne voulaient pas moudre. Les spéculateurs étaient effrayés. Une brochure de Camille Desmoulins désigna, menaça les frères Leleu, qui avaient le monopole des moulins royaux de Corbeil. Un autre, qui passait pour agent principal d'une compagnie d'accapareurs, se tua, ou fut tué dans une forêt voisine de Paris. Sa mort entraîna sa banqueroute, immense, effroyable, de plus de cinquante millions. Il n'est pas invraisemblable que la Cour, qui avait de grandes sommes placées chez lui, les retira brusquement pour solder une foule d'officiers qu'elle appelait à Versailles, peut-être pour emporter à Metz ; elle ne pouvait sans argent commencer la guerre civile.

C'était déjà une guerre contre Paris, et la pire peut-être, que de le retenir dans une telle paix. Plus de travail, et la faim !

« Je voyais, dit Bailly, de bons marchands, des merciers, des orfèvres, qui sollicitaient pour être admis parmi les mendiants qu'on occupait à Montmartre à remuer de la terre. Qu'on juge de ce que je souffrais. » Il ne souffrait pas assez. On le voit, dans ses Mémoires mêmes, trop occupé de petites vanités, des questions de préséance, de savoir par quelle forme honorifique commencera le sermon de la bénédiction des drapeaux, etc.

Et l'Assemblée nationale ne souffrait pas assez non plus des souffrances du peuple. Autrement elle eût moins traîné dans l'éternel débat de sa scolastique politique. Elle eût compris qu'elle devait hâter le mouvement des réformes, écarter tous les obstacles, abréger ce mortel passage où la France restait entre l'ordre ancien et l'ordre nouveau. Tout le monde voyait la question, l'Assemblée ne la voyait pas. Avec des intentions généralement bonnes, et de grandes lumières, elle semblait peu sentir la situation. Retardée par les résistances royalistes, aristocratiques, qu'elle portait dans son sein, elle l'était encore par les habitudes de barreau ou d'académie que conservaient ses plus illustres membres, gens de lettres ou avocats.

Il fallait d'abord, à tout prix, sans parlage et sans retard, insister et obtenir la sanction des décrets du 4 août, enterrer le monde féodal ; il fallait de ces décrets généraux déduire des lois politiques, et les lois administratives qui détermineraient l'application des premières — c'est-à-dire organiser, armer la Révolution, lui donner la forme et la force, en faire un être vivant. Comme tel, elle devenait moins dangereuse qu'en la laissant flottante, débordée, vague et terrible, comme un élément, comme l'inondation, comme l'incendie.

Il fallait se hâter surtout. Ce fut pour Paris un coup de foudre quand on y sut que l'Assemblée s'occupait seulement de savoir si elle reconnaîtrait au roi le *droit absolu d'empêcher* (*veto* absolu), ou le *droit d'ajourner,* suspendre, deux ans, quatre ans, six ans... Quatre ans, six ans, bon Dieu ! pour des gens qui ne savaient pas s'ils vivraient le lendemain.

Loin d'avancer, l'Assemblée visiblement reculait. Elle fit deux choix rétrogrades et tristement significatifs. Elle nomma président l'évêque de Langres, La Luzerne, partisan du *veto*, puis Mounier, cette fois encore un partisan du *veto*.

On s'est moqué de la chaleur que le peuple mit dans cette question. Plusieurs, dit-on, croyaient que le *veto* était une personne, ou un impôt. Il n'y a de risible en ceci que les moqueurs. Oui, le *veto* valait un impôt s'il empêchait les réformes, la diminution de l'impôt. Oui, le *veto* était éminemment personnel ; un homme disait : *J'empêche ;* sans raison, tout était dit.

M. de Sèze crut plaider habilement pour cette cause, en disant qu'il s'agissait non d'une personne, mais d'*une volonté permanente,* plus fixe qu'aucune assemblée.

Permanente ? selon l'influence des courtisans, des confesseurs, des maîtresses, des passions, des intérêts. En la supposant permanente, cette volonté peut être très personnelle, très oppressive si, lorsque tout change autour d'elle, elle ne change ni ne s'améliore. Que sera-ce si une même politique, un même intérêt passe, avec le sang et la tradition, dans toute une dynastie ?

Les cahiers, écrits dans des circonstances tout autres, accordaient au roi la sanction et le refus de sanction. La France s'était fiée au pouvoir royal contre les privilégiés. Aujourd'hui que ce pouvoir était leur auxiliaire, fallait-il suivre les cahiers ?... Autant relever la Bastille.

L'ancre de salut qui restait aux privilégiés, c'était le *veto* royal. Ils serraient le roi, embrassaient le roi dans leur naufrage, voulant qu'il subît leur sort, qu'il fût sauvé, ou bien noyé avec eux.

L'Assemblée discuta la question comme s'il s'était agi d'un pur combat de systèmes. Paris y sentait moins une question qu'une crise, la grande crise et la cause totale de la Révolution, qu'il fallait sauver ou perdre : *Etre, ou n'être pas,* rien de moins.

Et Paris seul avait raison. Les révélations de l'histoire, les aveux du parti de la Cour, nous autorisent maintenant à le prononcer. Le 14 juillet n'avait rien changé ; le vrai ministre était Breteuil, le confident de la reine. Necker n'était là que pour la montre. La reine regardait toujours vers la fuite, vers la guerre civile ; son cœur était à Metz, au camp de Bouillé. L'épée de Bouillé, c'était le seul *veto* qui lui plût.

On eût pu croire que l'Assemblée ne s'était point aperçue qu'il y eût une révolution. La plupart des discours auraient servi aussi bien pour un autre siècle, un autre peuple. Un seul restera, celui de Sieyès, qui repoussa le *veto*. Il établit parfaitement que le vrai remède aux empiétements réciproques des pouvoirs n'était pas de constituer ainsi arbitre et juge le pouvoir exécutif, mais de faire appel au pouvoir constituant qui est dans le peuple. Une assemblée peut se tromper ; mais combien le dépositaire inamovible d'un pouvoir héréditaire n'a-t-il pas plus de chances de se tromper sans le savoir ou sciemment, de suivre un intérêt à part, de dynastie, de famille ?

Il définit le *veto* une simple lettre de cachet lancée par un individu contre la volonté générale.

Une chose de bon sens fut dite par un autre député, c'est que si l'Assemblée était divisée en deux chambres, chacune ayant un *veto*, on avait peu à craindre l'abus du pouvoir législatif ; par conséquent, il n'était pas nécessaire de lui opposer une nouvelle barrière en donnant le *veto* au roi.

Il y eut cinq cents voix pour une chambre unique ; la division en deux chambres ne put obtenir cent voix. La foule des nobles qui n'avait pas chance d'entrer dans la chambre haute se garda bien de créer pour les grands seigneurs une pairie à l'anglaise.

Les raisonnements des anglomanes, présentés alors avec talent par Lally, Mounier, etc., plus tard reproduits obstinément par Mme de Staël, Benjamin Constant et tant d'autres, avaient été d'avance mis en poudre par Sieyès dans un chapitre de son livre du *Tiers Etat*. Chose vraiment admirable ! Ce puissant logicien, par la force de son esprit, n'ayant point vu l'Angleterre, connaissant peu son histoire, avait obtenu déjà les résultats que nous donne l'étude minutieuse de son présent et de son passé ! Il avait vu parfaitement que cette fameuse balance des trois pouvoirs, qui, si elle était réelle, produirait l'immobilité, est une pure comédie, une mystification, au profit d'un des pouvoirs (aristocratique en Angleterre, monarchique en France). L'Angleterre a toujours été, est, sera une aristocratie. L'art de cette aristocratie, ce qui a perpétué son pouvoir, ce n'est pas de faire part au peuple, mais de trouver à son action un champ extérieur, de lui ouvrir un débouché ; c'est ainsi qu'elle a répandu l'Angleterre sur tout le globe. Pour le *veto*, l'avis de Necker qu'il adressa à l'Assemblée, celui auquel du reste elle s'arrêtait d'elle-même, fut d'accorder le *veto* au roi, le *veto suspensif*, le droit d'ajourner jusqu'à la seconde législature qui suivrait celle qui proposait la loi.

Cette assemblée était mûre pour la dissolution. Née avant la grande révolution qui venait de s'opérer, elle était profondément hétérogène, inorganique, comme le chaos de l'ancien régime d'où elle sortit. Malgré le nom d'Assemblée *nationale* dont la baptisa Sieyès, elle restait *féodale,* elle n'était autre chose que les anciens Etats généraux. Des siècles avaient passé sur elle, du 5 mai au 31 août. Élue dans la forme antique et selon le droit barbare, elle représentait deux ou trois cent mille nobles ou prêtres autant que la nation. En les réunissant à soi, le Tiers s'était affaibli et énervé. A chaque instant, sans même le bien sentir, il composait avec eux. Il ne prenait guère de mesures qui ne fussent des moyens termes, bâtards, impuissants, dangereux. Les privilégiés, qui travaillaient au-dehors avec la Cour pour défaire la Révolution, l'entravaient plus sûrement encore au sein de l'Assemblée même.

Cette Assemblée, toute pleine qu'elle était de talents, de lumières, n'en était pas moins monstrueuse, par l'incurable désaccord de ses éléments. Quelle fécondité, quelle génération peut-on espérer d'un monstre ?

Voilà ce que disait le bons sens, la froide raison. Les modérés, qui sembleraient devoir conserver une vue plus nette, moins trouble, ne virent rien ici. La passion vit mieux, chose étrange ; elle sentit que tout était danger, obstacle dans cette situation double, et elle s'efforça d'en sortir. Mais comme passion et violence, elle inspirait une défiance infinie, rencontrait des obstacles immenses ; elle redoublait de violence pour les surmonter, et ce redoublement créait de nouveaux obstacles.

Le monstre du temps, je veux dire la discorde des deux principes, leur impuissance à créer rien de vital, il faut, pour le bien sentir, le voir en un homme. L'unité de la personne, la haute unité de facultés qu'on appelle le génie ne servent de rien, si, dans cet homme et ce génie, les idées se battent entre elles, si les principes et les doctrines ont en lui leur guerre acharnée.

Je ne sache pas un spectacle plus triste pour la nature humaine que celui qu'offre ici Mirabeau. Il parle à Versailles pour le *veto* absolu, mais en termes si obscurs qu'on ne sait pas bien d'abord si c'est pour ou contre.

Le même jour, à Paris, ses amis soutiennent au Palais-Royal qu'il a combattu le *veto.* Il inspirait tant d'attachement personnel aux jeunes gens qui l'entouraient qu'ils n'hésitèrent pas à mentir hardiment pour le sauver. « Je l'aimais comme une maîtresse », dit Camille Desmoulins. On sait qu'un des secrétaires de Mirabeau voulut se tuer à sa mort.

Les menteurs, exagérant, comme il arrive, le mensonge pour mieux se faire croire, affirmèrent qu'à la sortie de l'Assemblée il avait été attendu, suivi, et blessé, qu'il avait reçu un coup d'épée...

Tout le Palais-Royal s'écrie qu'il faut voter une garde de deux cents hommes pour ce pauvre Mirabeau !

Dans cet étrange discours, il avait soutenu le vieux sophisme que la sanction royale était une garantie de la liberté, que le roi était une sorte de tribun du peuple, son représentant. Un représentant irrévocable, irresponsable, et qui ne rend jamais compte !

Il était sincèrement royaliste et, comme tel, ne se fit pas scrupule de recevoir plus tard une pension pour tenir table ouverte aux députés. Il se disait qu'après tout il ne défendait que sa propre conviction. Une chose, il faut l'avouer, le corrompait plus que l'argent, celle qu'on eût le moins devinée dans cet homme si fier d'attitude et de langage ; et quelle chose ? Il avait peur.

Peur de la Révolution qui montait, qui grandissait... Il voyait ce jeune géant qui le dominait, qui tout à l'heure l'emporterait, comme un autre homme... Et alors, il se rejetait vers ce qu'on appelait l'ordre ancien, vrai désordre et chaos... Dans cette lutte impossible, il fut sauvé par la mort.

CHAPITRE VII

La presse

Agitation de Paris pour la question du veto, 30 août — État de la presse — Multiplication des journaux — Tendances de la presse — Elle est encore royaliste — Loustalot, rédacteur des Révolutions de Paris *— Sa proposition, 31 août ; repoussée à l'Hôtel de Ville — Complot de la Cour, connu de La Fayette et de tout le monde — Opposition naissante de la garde nationale et du peuple — Conduite incertaine de l'Assemblée — Volney lui propose de se dissoudre, 18 septembre — Impuissance de Necker, de l'Assemblée, de la Cour, du duc d'Orléans — La presse même impuissante.*

Nous venons de voir deux choses : la situation était intolérable, l'Assemblée était incapable d'y porter remède.

Un mouvement populaire trancherait-il la difficulté ? Cela ne pouvait avoir lieu qu'autant qu'il serait vraiment le mouvement du peuple, spontané, vaste, unanime, comme fut le 14 juillet.

La fermentation était grande, l'agitation vive, mais partielle encore. Dès le premier jour que la question du *veto* fut posée (le dimanche 30 août), Paris tout entier prit l'alarme, le *veto* absolu apparut comme l'anéantissement de la souveraineté du peuple. Toutefois, le Palais-Royal seul se mit en avant. On y décida d'aller à Versailles, d'avertir l'Assemblée qu'on voyait dans son sein une ligue pour le *veto,* qu'on en connaissait les membres, que, s'ils n'y renonçaient, Paris allait se mettre en marche. Quelques centaines d'hommes partirent en effet à dix heures du soir ; à leur tête s'était mis un homme aveugle, violent, recommandable à la foule par sa force corporelle, sa voix de stentor, le marquis de Saint-Hururge. Emprisonné sous l'ancien régime à la requête de sa femme, jolie, galante, et qui avait du crédit, Saint-Hururge, on le comprend, était d'avance un ennemi furieux de l'ancien régime, un champion ardent de la Révolution. Aux Champs-Élysées, sa troupe, déjà fort diminuée, rencontra les gardes nationaux envoyés par La Fayette, qui lui barrèrent le passage.

Le Palais-Royal dépêcha, coup sur coup, trois ou quatre députations à la Ville pour obtenir de passer. On voulait faire l'émeute légalement, et du consentement de l'autorité. Il est superflu de dire que celle-ci ne consentit pas.

Cependant une autre tentative, tout autrement sérieuse, se faisait au Palais-Royal. Celle-ci, quel qu'en fût le succès, devait avoir du moins le résultat général de mettre la grande question du jour en discussion dans tout le peuple ; elle ne pouvait plus être dès lors brusquement décidée, enlevée par surprise à Versailles ; Paris regardait l'Assemblée, la veillait, et par la presse, et par son assemblée, à lui, la grande assemblée parisienne, une, quoique divisée en ses soixante districts.

L'auteur de la proposition était un jeune journaliste. Avant de la rapporter, nous devons donner une idée du mouvement qui se faisait dans la presse.

Ce réveil subit d'un peuple appelé tout à coup à prendre connaissance de ses droits, à décider de son sort, avait absorbé toute l'activité du temps dans le journalisme. Les esprits les plus spéculatifs avaient été entraînés sur le terrain de la pratique. Toute science, toute littérature fit halte ; la vie politique fut tout.

A chaque grand moment de 89, une éruption de journaux :

1. En mai et juin, à l'ouverture des États généraux, vous en voyez naître une foule. Mirabeau fait le *Courrier de Provence,* Gorsas le *Courrier de Versailles,* Brissot *Le Patriote français,* Barrère *Le Point du Jour,* etc.

2. La veille du 14 juillet, apparaît de tous les journaux le plus populaire : *Les Révolutions de Paris,* rédigées par Loustalot.

3. La veille des 5 et 6 octobre éclatent l'*Ami du Peuple* (Marat), les *Annales patriotiques* (Carra et Mercier). Bientôt après, le *Courrier du Brabant,* de Camille Desmoulins, le plus spirituel de tous, à coup sûr ; puis, l'un des plus violents, *L'Orateur du Peuple,* Frénon.

Le caractère général de ce grand mouvement, et qui le rend admirable, c'est que, malgré les nuances, il y a presque unanimité. Sauf un seul journal qui tranche, la presse offre l'image d'un vaste concile, où chacun parle à son tour, où tous sont préoccupés du but commun, évitant toute hostilité.

La presse, à ce premier âge, luttant contre le pouvoir central, a généralement la tendance de fortifier les pouvoirs locaux, d'exagérer les droits de la commune contre l'État. Si l'on pouvait déjà employer le langage du temps qui va venir, on dirait qu'à cette époque, tous semblent *fédéralistes.* Mirabeau l'est tout autant que Brissot ou La Fayette. Cela va jusqu'à admettre l'indépendance des provinces, si la liberté devient impossible pour la France entière. Mirabeau se résignerait à être comte de Provence ; il le dit en propres termes.

Avec tout cela, la presse qui lutte contre le roi est généralement royaliste. « Nous n'étions pas, alors, dit Camille Desmoulins, dix républicains en France. » Il ne faut pas se méprendre sur la portée réelle de tel ou tel mot hardi. En 88, le violent d'Épremesnil avait dit : « Il faut débourbonnailler la France. » Mais, c'était seulement pour faire roi le Parlement.

Mirabeau, qui devait épuiser toutes les contradictions, fit traduire, imprimer sous son nom, en 89, au moment même où il prenait la défense de la royauté, le violent petit livre de Milton contre les rois. Ses amis le supprimèrent.

Deux hommes prêchaient la République : l'un des plus féconds écrivains de l'époque, l'infatigable Brissot, et le brillant, l'éloquent, le hardi Camille. Son livre *La France libre* contient une petite histoire (violemment satirique) de la monarchie. Il y montre que ce principe d'ordre et de stabilité a été, en pratique, un perpétuel désordre. La royauté héréditaire, pour se racheter de tant d'inconvénients qui lui sont visiblement inhérents, a un mot qui répond à tout : la paix, le maintien de la paix ; ce qui n'empêche pas que par les minorités, les querelles de successions, elle n'ait tenu la France dans une guerre à peu près perpétuelle : guerres des Anglais, guerres d'Italie, guerres de la Succession d'Espagne, etc.

Robespierre a dit que la République s'était glissée, sans qu'on s'en doutât, entre les partis. Il est plus exact de dire que la royauté elle-même l'a introduite, y a poussé les esprits. Si les hommes renoncent à se gouverner eux-mêmes, c'est que la royauté se présente comme une simplification qui facilite, aplanit, dispense de vertu et d'effort. Mais quoi ! si elle est l'obstacle ?... On peut affirmer hardiment que la royauté enseigna la République, qu'elle y entraîna la France qui en était éloignée, s'en défiait ou n'y pensait pas. Pour revenir, le premier des journalistes de l'époque n'était ni Mirabeau, ni Camille Desmoulins, ni Brissot, ni Condorcet, ni Mercier, ni Carra, ni Gorsas, ni Marat, ni Barrère. Tous publiaient des journaux, et quelques-uns à grand nombre, Mirabeau tirait à dix mille son fameux *Courrier de Provence.*

Et *Les Révolutions de Paris* se sont (pour quelques numéros) tirées jusqu'à *deux cent mille.* C'est la plus grande publicité qu'on ait jamais obtenue.

Le rédacteur ne signait pas. L'imprimeur signait : Prud'homme. Ce nom est devenu l'un des plus connus du monde. Le rédacteur inconnu était Loustalot.

Loustalot, mort à vingt-neuf ans en 1790, était un sérieux jeune homme, honnête, laborieux. Médiocre écrivain, mais grave, d'une gravité passionnée, son originalité réelle, c'est de contraster avec la légèreté des journalistes du temps. On sent, dans sa violence même, un effort pour être juste. C'est lui que préféra le peuple.

Il n'en était pas indigne. Il donna, au début de la Révolution, plus d'une preuve de modération courageuse. Lorsque les gardes-françaises furent délivrés par le peuple, il dit qu'il n'y avait qu'une solution à l'affaire : que les prisonniers se remissent eux-mêmes en prison, et que les électeurs, l'Assemblée nationale, exigeassent la grâce du roi. Lorsqu'une méprise populaire mit en péril le bon Lasalle, le brave commandant de la Ville. Loustalot prit sa défense, le justifia, lui ramena les esprits. Dans l'affaire des domestiques qui voulaient qu'on chassât les Savoyards, il se montra ferme et sévère autant que judicieux.

Vrai journaliste, il était l'homme du jour, non celui du lendemain. Lorsque Camille Desmoulins publie son livre *La France libre,* où il supprime le roi, Loustalot, tout en le louant, lui trouve de l'exagération, l'appelle une tête exaltée.

Marat, peu connu alors, avait violemment attaqué Bailly dans *L'Ami du Peuple,* et comme fonctionnaire, et comme homme. Loustalot le défendit.

Il envisageait le journalisme comme une fonction publique, une sorte de magistrature. Nulle tendance aux abstractions. Il vit uniquement dans la foule, en sent les besoins, les souffrances ; il s'occupe avant tout des subsistances, de la grande question du moment, le pain. Il propose des machines pour moudre le blé plus vite. Il va voir les infortunés qu'on fait travailler à Montmartre. Ces malheureux, qui, à force de misère, n'ont presque plus figure humaine, cette déplorable armée de fantômes ou de squelettes qui font peur plus que pitié, Loustalot trouve un cœur pour eux, des paroles touchantes et d'une compassion douloureuse.

Paris ne pouvait rester ainsi. Il fallait relever la royauté absolue, ou fonder la liberté.

Le lundi matin, 31 août, Loustalot, trouvant les esprits plus calmes que le dimanche soir, harangua le Palais-Royal. Il dit que le remède n'était pas d'aller à Versailles, et fit une proposition moins violente, plus hardie. C'était d'aller à la Ville, d'obtenir la convocation des districts, et dans ces assemblées de poser ces questions : 1° Paris croit-il que le roi ait droit d'empêcher ? 2° Paris confirme-t-il, révoque-t-il ses députés ? 3° si l'on nomme des députés, auront-ils un mandat spécial pour refuser le *veto ?* 4° si l'on confirme les anciens, ne peut-on obtenir de l'Assemblée qu'elle ajourne la discussion ?

La mesure proposée, éminemment révolutionnaire, illégale (inconstitutionnelle, s'il y eût eu constitution), répondait cependant si profondément au besoin du moment qu'elle fut quelques jours après reproduite, pour sa partie principale, la dissolution de l'Assemblée, dans l'Assemblée elle-même, par un de ses membres les plus éminents.

Loustalot et la députation du Palais-Royal furent très mal reçus, leur proposition repoussée à l'Hôtel de Ville, et le lendemain accusée dans l'Assemblée. Une lettre de menaces qu'avait reçue le président, sous le nom de Saint-Hururge (qui pourtant la soutint fausse), acheva d'irriter les esprits. On fit arrêter Saint-Hururge, et la garde nationale profita d'un moment de tumulte pour fermer le Café de Foy. Les réunions du Palais-Royal furent défendues, dissipées par l'autorité municipale.

Ce qui est piquant, c'est que l'exécuteur de ces mesures, M. de La Fayette, à cette époque et toujours, était républicain de cœur. Toute sa vie il rêva la République, et servit la Royauté. Une royauté démocratique, ou démocratie royale, lui apparaissait comme une transition nécessaire. Pour en revenir, il ne lui fallut pas moins de deux expériences.

La Cour amusait Necker et l'Assemblée. Elle ne trompait pas La Fayette. Et pourtant il la servait, il lui contenait Paris. L'horreur des premières violences populaires, du sang versé, le faisait reculer devant l'idée d'un nouveau 14 juillet. Mais la guerre civile que la Cour préparait, eût-elle moins coûté de sang ? Grave et délicate question pour l'ami de l'humanité.

Il savait tout. Le 13 septembre, recevant chez lui à dîner le vieil amiral d'Estaing, commandant de la garde nationale à Versailles, il lui apprit les nouvelles de Versailles qu'il ignorait. Ce brave homme, qui se croyait bien avant dans la confidence du roi et de la reine, sut qu'on était revenu au fatal projet de mener le roi à Metz, c'est-à-dire de commencer la guerre civile, que Breteuil préparait tout de concert avec l'ambassadeur d'Autriche, qu'on rapprochait de Versailles les mousquetaires, les gendarmes, neuf mille de la Maison du roi, dont les deux tiers gentilshommes, qu'on s'emparerait de Montargis, où l'on serait joint par un homme d'exécution, le baron de Vioménil ; celui qui avait fait presque toutes les guerres du siècle, récemment celle d'Amérique, s'était jeté violemment dans la contre-révolution, peut-être par jalousie de La Fayette qui, dans la Révolution, semblait avoir le premier rôle. Dix-huit régiments, spécialement les carabiniers, n'avaient pas prêté serment. C'était assez pour fermer toutes les routes de Paris, couper ses convois, l'affamer. On ne manquait plus d'argent ; on en avait ramassé, retiré de tous côtés ; on croyait être sûr d'avoir quinze cent mille francs par mois. Le clergé suppléerait le reste ; un procureur de bénédictins répondait à lui seul de cent mille écus.

Le vieil amiral écrivit le lundi 14 à la reine : « J'ai toujours dormi la veille d'un combat naval, mais depuis la terrible révélation, je n'ai pu fermer l'œil... » En la recevant à la table de M. de la Fayette, il frémissait qu'un seul domestique ne l'entendît : « Je lui ai observé qu'un mot de sa bouche pouvait devenir un signal de mort. » A quoi La Fayette, avec son flegme américain, aurait répondu « qu'il y aurait avantage qu'*un seul* mourût pour le salut de tous ». La seule tête en péril eût été celle de la reine.

L'ambassadeur d'Espagne en dit autant à d'Estaing ; il savait tout d'un homme considérable à qui l'on avait proposé de signer une liste d'association que la Cour faisait circuler.

Ainsi, ce profond secret, ce mystère, courait les salons le 13, du 14 au 16 les rues. Le 16, les grenadiers des gardes-françaises, devenus garde nationale soldée, déclarèrent qu'ils voulaient aller à Versailles reprendre leur ancien service, garder le château, le roi. Le 22 le grand complot était imprimé dans *Les Révolutions de Paris.* Toute la France le lisait.

M. de La Fayette, qui se croyait *fort, trop fort,* ce sont ses propres termes, voulait d'une part contenir la Cour en lui faisant peur de Paris, et d'autre part, contenir Paris, en réprimer l'agitation par ses gardes nationales. Il usait, abusait de leur zèle, pour faire taire les colporteurs, imposer silence au Palais-Royal, empêcher les attroupements ; il faisait une petite guerre de police, de vexations, à une foule soulevée par les craintes qu'il avait lui-même ; il connaissait le complot, et il dissipait, arrêtait ceux qui parlaient. Il fit si bien qu'il créa la plus funeste opposition entre la garde nationale et le peuple. On commença à remarquer que les chefs, les officiers étaient des nobles, des riches, des gens considérables. Les gardes nationaux, en général, réduits en nombre, fiers de leur uniforme, de leurs armes nouvelles pour eux, apparurent au peuple comme une aristocratie. Bourgeois, marchands, ils souffraient beaucoup du trouble, ne recevaient rien de leurs bien ruraux, ne gagnaient rien ; ils étaient chaque jour appelés, fatigués et surmenés ; chaque jour, ils voulaient en finir, et ils témoignaient leur impatience par quelque acte qui mettait la foule contre eux. Une fois, ils tirèrent le sabre contre un rassemblement de perruquiers, et il y eut du sang de répandu. Une autre fois, ils arrêtèrent des gens qui se permettaient de plaisanter sur la garde nationale ; une fille dit qu'elle s'en moquait ; ils la prirent et la fouettèrent.

Le peuple s'irritait jusqu'à élever contre la garde nationale la plus étrange accusation, celle de favoriser la Cour, d'être du complot de Versailles.

La Fayette n'était pas double, mais sa position l'était. Il empêcha les grenadiers d'aller reprendre à Versailles la garde du roi, et il avertit le ministre Saint-Priest (17 septembre). Sa lettre fut mise à profit. On la montra à la Municipalité de Versailles, lui faisant jurer le secret, et l'on obtint qu'elle demanderait qu'on fît venir le régiment de Flandre. On sollicita la même démarche d'une partie de la garde nationale de Versailles ; la majorité refusa. Ce régiment fort suspect, parce que jusque-là il refusait de prêter le nouveau serment, arrive avec ses canons, ses caissons et ses bagages ; il entre à grand bruit dans Versailles. En même temps le château retenait les gardes du corps qui avaient fait leur service, afin d'avoir double nombre. Une foule d'officiers de tout grade arrivaient chaque jour en poste, comme faisait l'ancienne noblesse à la veille d'une bataille, craignant de manquer le jour.

Paris s'inquiète. Les gardes-françaises s'indignent ; on les avait tâtés, travaillés, sans autre résultat que de les mettre en défiance. Bailly ne peut se dispenser de parler à l'Hôtel de Ville. Une députation fut envoyée, le bon vieux Dussaulx en tête, pour porter au roi les alarmes de Paris.

La conduite de l'Assemblée, pendant ce temps, est étrange. Tantôt, elle semble dormir, et tantôt se réveiller en sursaut. Aujourd'hui elle est violente, demain modérée, timide.

Un matin, le 12 septembre, elle se souvient du 4 Août, de la grande révolution qu'elle a votée. Il y avait cinq semaines que les décrets étaient rendus, la France entière en parlait avec joie, l'appliquait, l'Assemblée n'en disait mot. Le 12, à l'occasion d'un projet d'arrêté où le comité de judicature demandait *qu'on rendît force aux lois, conformément à une décision du 4 août,* un député de Franche-Comté brise la glace et dit : « *On travaille pour empêcher la promulgation de ces décrets du 4 août ;* on prétend qu'ils ne paraîtront pas. Il est temps qu'on les voie munis du sceau royal... Le peuple attend... »

Ce mot fut pris vivement. L'Assemblée se réveilla. L'orateur des modérés, des royalistes constitutionnels, Malouet (chose surprenante), appuya la proposition, d'autres aussi ; malgré l'abbé Maury, on décida que les décrets du 4 août seraient présentés à la sanction du roi.

Ce mouvement subit, cette disposition agressive des modérés même, porte à croire que les membres les plus influents n'ignoraient pas ce que La Fayette, ce que l'ambassadeur d'Espagne et bien d'autres disaient dans Paris.

L'Assemblée parut le lendemain étonnée de sa vigueur. Plusieurs songèrent que la Cour ne laisserait jamais le roi sanctionner les décrets du 4 août, et prévirent que son refus provoquerait un mouvement terrible, un second accès de Révolution. Mirabeau, Chapelier et d'autres soutinrent que ces décrets n'étant pas proprement des lois, mais des principes de constitution, n'avaient pas besoin de la sanction royale, la promulgation suffisait. Avis hardi et timide : hardi, on se passait du roi ; timide, on le dispensait d'examiner, de sanctionner, de refuser, plus de refus, plus de collision. Les choses se seraient décidées par le fait, selon que chaque parti dominait dans telle ou telle province. Ici, on eût appliqué les décisions du 4 août, comme décrétées par l'Assemblée. Là, on les aurait éludées, comme non sanctionnées par le roi.

Le 15, on vota par acclamation l'inviolabilité royale, l'hérédité, comme pour rendre le roi favorable. On n'en reçut pas moins de lui une réponse équivoque, dilatoire, relativement au 4 août. Il ne sanctionnait rien, il dissertait, blâmait ceci, goûtait cela, n'admettait presque aucun article qu'avec modification. Le tout dans le style de Necker, empreint de sa gaucherie, de sa tergiversation, de ses moyens termes. La Cour, qui préparait tout autre chose, crut apparemment occuper le tapis par cette réponse sans réponse. L'Assemblée s'agita fort. Chapelier, Mirabeau, Robespierre, Pétion, d'autres ordinairement moins ardents, affirmèrent qu'en demandant la sanction pour ces articles constitutifs, l'Assemblée n'attendait qu'une promulgation pure et simple. Grands débats... Et de là une motion inattendue, mais fort sage de Volney : « Cette assemblée est trop divergente d'intérêts, de passions... Fixons les conditions nouvelles de l'élection, et retirons-nous. » Applaudissements, mais rien de plus. Mirabeau objecte que l'Assemblée a juré de ne point se séparer avant d'avoir fait la Constitution.

Le 21, le roi, pressé de promulger, sortit des ambages ; la Cour apparemment se croyait plus forte. Il répondit que la *promulgation* n'appartenait qu'à des lois *revêtues des formes qui en procurent l'exécution* (il voulait dire *sanctionnées*), qu'il allait ordonner la *publication,* qu'il ne doutait pas que les lois que décréterait l'Assemblée ne fussent telles qu'il pût leur accorder la *sanction.*

Le 24, Necker vint faire sa confession à l'Assemblée. Le premier emprunt, trente millions, n'en avait donné que *deux*. Le second, de quatre-vingts, n'en avait donné que *dix*. Le *général de la finance,* comme les amis de Necker l'appelaient dans leurs pamphlets, n'avait pu rien faire ; le crédit, qu'il croyait gouverner, ramener, n'en avait pas moins péri... Il venait en appeler au dévouement de la nation. Le seul remède était qu'elle s'exécutât elle-même, que chacun se taxât au quart de son revenu.

Necker avait fini son rôle. Après avoir essayé de tout moyen raisonnable, il s'en remettait à la fois au miracle, au vague espoir qu'un peuple incapable de payer moins allait pouvoir payer plus, qu'il se taxerait lui-même à l'impôt monstrueux du quart de son revenu. Le financier chimérique, pour dernier mot de son bilan, pour fond de la caisse, apportait une utopie que le bon abbé de Saint-Pierre n'eût pas proposée.

L'impuissant croit volontiers l'impossible ; hors d'état d'agir lui-même, il s'imagine que le hasard, l'imprévu, l'inconnu, agiront pour lui. L'Assemblée, non moins impuissante que le ministre, partagea sa crédulité. Un merveilleux discours de Mirabeau vainquit tous ses doutes, l'emporta hors d'elle-même. Il lui montra la banqueroute, la hideuse banqueroute, ouvrant son gouffre sous elle, prête à l'engloutir, et elle, et la France... Elle vota... Si la mesure eût été sérieuse, si l'argent était venu, l'effet eût été bizarre : Necker eût réussi à relever ceux qui devaient chasser Necker, l'Assemblée eût soldé la guerre pour dissoudre l'Assemblée.

L'impossible, le contradictoire, l'impasse en tous sens, c'est le fond de la situation, pour tout homme et pour tout parti. Disons tout d'un mot : *Nul ne peut.*

L'Assemblée ne peut. Discordante d'éléments et de principes, elle était de soi incapable ; mais elle le devient bien plus, en présence de l'émeute, au bruit tout nouveau de la presse qui couvre sa voix. Elle se serrerait volontiers contre le pouvoir royal qu'elle a démoli ; mais les ruines en sont hostiles, elles ne demandent qu'à écraser l'Assemblée. Ainsi Paris lui fait peur, et le château lui fait peur. Après le refus du roi, elle n'ose point s'indigner, de peur d'ajouter à l'indignation de Paris. Sauf la responsabilité des ministres qu'elle décrète, elle ne fait rien qui soit en rapport avec la situation ; la division départementale, le droit criminel s'agitent dans le désert ; la salle prend de l'écho ; à peine six cents membres viennent, et c'est pour donner la présidence à l'homme de la balance immobile, Mounier, celui qui exprime le mieux toutes les difficultés d'agir, et la paralysie commune.

La Cour peut-elle quelque chose ? Elle le croit en ce moment. Elle voit le clergé et la noblesse qui se rallient autour d'elle. Elle voit le duc d'Orléans peu soutenu dans l'Assemblée ; elle le voit, à Paris, dépensant beaucoup d'argent et gagnant peu de terrain ; sa popularité est primée par La Fayette.

Tous ignorent la situation, tous méconnaissent la force générale des choses, et rapportent les événements à telle ou telle personne, s'exagérant ridiculement la puissance individuelle. Selon ses haines ou ses amours, la passion croit des miracles, croit des monstres, croit des héros. La Cour accuse de tout Orléans ou La Fayette. La Fayette lui-même, ferme et froid de sa nature, devient imaginatif : *il n'est pas loin de croire aussi que tout le désordre est* l'œuvre du Palais-Royal. Un visionnaire s'élève dans la *presse,* Marat, crédule, aveugle, furieux, qui va promener l'accusation au hasard de ses rêves, désignant l'un aujourd'hui et demain l'autre à la mort ; il commence par affirmer que la famine est l'œuvre d'un homme, que Necker achète partout les blés pour que Paris n'en ait pas.

Marat commence toutefois, il agit peu encore ; il tranche avec toute la *presse*. La *presse* accuse, mais vaguement, elle se plaint, elle s'indigne, comme le peuple, sans trop savoir ce qu'il faut faire. Elle voit bien en général qu'il y « aura un second accès de révolution ». Mais comment ? dans quel but précis ? Elle ne saurait bien le dire. Pour l'indication des remèdes, la *presse,* ce jeune pouvoir, devenu si grand tout à coup devant l'impuissance des autres, la *presse* même est impuissante.

Elle fait peu dans les jours qui précèdent le 5 octobre, l'Assemblée fait peu, et l'Hôtel de Ville fait peu... Pourtant tout le monde sent bien qu'une grande chose va venir. Mirabeau, recevant un jour son libraire de Versailles, renvoie ses trois secrétaires, ferme la porte, et lui dit : « Mon cher Blaisot, vous verrez bientôt ici de grands malheurs, du sang... J'ai voulu, par amitié, vous prévenir. N'ayez pas peur au reste : il n'y a pas de danger pour les braves gens comme vous. »

CHAPITRE VIII

Le peuple va chercher le roi (5 octobre 1789)

Le peuple seul trouve un remède : il va chercher le roi — Position égoïste des rois à Versailles — Louis XVI ne pouvait agir en aucun sens — La reine sollicitée d'agir — Orgie des gardes du corps, 1er octobre — Insultes à la cocarde nationale — Irritation de Paris — Misère et souffrances des femmes — Leur compassion courageuse — Elles envahissent l'Hôtel de Ville, 5 octobre — Elles marchent sur Versailles — L'Assemblée en est avertie — Maillard et les femmes devant l'Assemblée — Robespierre appuie Maillard — Les femmes devant le roi — Indécision de la Cour.

Le 5 octobre, huit ou dix mille femmes allèrent à Versailles ; beaucoup de peuple suivit. La garde nationale força M. de La Fayette de l'y conduire le soir même. Le 6, ils ramenèrent le roi et l'obligèrent d'habiter Paris.

Ce grand mouvement est le plus général que présente la Révolution après le 14 juillet. Celui d'octobre fut, presque autant que l'autre, unanime, du moins en ce sens que ceux qui n'y prirent point part en désirèrent le succès et se réjouirent tous que le roi fût à Paris.

Il ne faut pas chercher ici l'action des partis. Ils agirent, mais firent très peu.

La cause réelle, certaine, pour les femmes, pour la foule la plus misérable, ne fut autre que la faim. Ayant démonté un cavalier, à Versailles, ils tuèrent, mangèrent le cheval à peu près cru.

Pour la majorité des hommes, peuple ou gardes nationaux, la cause du mouvement fut l'honneur, l'outrage fait par la Cour à la cocarde parisienne, adoptée de la France entière comme signe de la Révolution.

Les hommes auraient-ils cependant marché sur Versailles, si les femmes n'eussent précédé ? Cela est douteux. Personne avant elles n'eut l'idée d'aller chercher le roi. Le Palais-Royal, au 30 août, partit avec Saint-Hururge, mais c'était pour porter des plaintes, des menaces à l'Assemblée qui discutait le *veto*. Ici, le peuple seul a l'initiative ; seul, il s'en va prendre le roi, comme seul il a pris la Bastille.

Ce qu'il y a dans le peuple de plus peuple, je veux dire de plus instinctif, de plus inspiré, ce sont, à coup sûr, les femmes. Leur idée fut celle-ci : « Le pain manque, allons chercher le roi ; on aura soin, s'il est avec nous, que le pain ne manque plus. Allons chercher *le boulanger* !... »

Sens naïf, et sens profond !... Le roi doit vivre avec le peuple, voir ses souffrances, en souffrir, faire avec lui même ménage. Les cérémonies du mariage et celles du couronnement se rapportaient en plusieurs choses : le roi épousait le peuple. Si la royauté n'est pas tyrannie, il faut qu'il y ait mariage, qu'il y ait communauté, que les conjoints vivent, selon la basse mais forte parole du Moyen Age : « A un pain et à un pot. »

N'était-ce pas une chose étrange et dénaturée, propre à sécher le cœur des rois, que de les tenir dans cette solitude égoïste, avec un peuple artificiel de mendiants dorés pour leur faire oublier le peuple ? Comment s'étonner qu'ils lui soient devenus, ces rois, étrangers, durs et barbares ? Sans leur isolement de Versailles, comment auraient-ils atteint ce point d'insensibilité ? La vue seule en est immorale : un monde fait exprès pour un homme !... Là seulement, on pouvait oublier la condition humaine, signer, comme Louis XIV, l'expulsion d'un million d'hommes, ou, comme Louis XV, spéculer sur la farine.

L'unanimité de Paris avait renversé la Bastille. Pour conquérir le roi, l'Assemblée, il fallait qu'il se trouvât unanime encore. La garde nationale et le peuple commençaient à se diviser. Pour les rapprocher, les faire concourir au même but, il ne fallait pas moins qu'une provocation de la Cour. Nulle sagesse politique n'eût amené l'événement ; il fallait une sottise.

C'était là le vrai remède, le seul moyen de sortir de l'intolérable situation où l'on restait embourbé. Cette sottise, le parti de la reine l'eût faite depuis longtemps, s'il n'eût eu son grand obstacle, son embarras dans Louis XVI. Personne ne répugnait davantage à quitter ses habitudes. Lui ôter sa chasse, sa forge et le coucher de bonne heure, le désheurer pour les repas, pour la messe, le mettre à cheval, en campagne, en faire un leste partisan, comme nous voyons Charles Ier dans le tableau de Van Dyck, ce n'était pas chose aisée. Son bon sens lui disait aussi qu'il risquait fort à se déclarer contre l'Assemblée nationale.

D'autre part, ce même attachement à ses habitudes, à ses idées d'éducation, d'enfance, l'indisposait contre la Révolution plus encore que la diminution de l'autorité royale. Il ne cacha pas son mécontentement pour la démolition de la Bastille. L'uniforme de la garde nationale, porté par ses gens, ses valets devenus lieutenants, officiers, tel musicien de la chapelle chantant la messe en capitaine, tout cela lui blessait les yeux ; il fit défendre à ses serviteurs « de paraître en sa présence avec un costume aussi déplacé ».

Il était difficile de mouvoir le roi, ni dans un sens, ni dans l'autre. En toute délibération, il était fort incertain, mais dans ses vieilles habitudes, dans ses idées acquises, invinciblement obstiné. La reine même, qu'il aimait fort, n'y eût rien gagné par persuasion. La crainte avait encore moins d'action sur lui ; il se savait l'oint du Seigneur, inviolable et sacré ; que pouvait-il craindre ?

Cependant la reine était entourée d'un tourbillon de passions, d'intrigues, de zèle intéressé ; c'étaient des prélats, des seigneurs, toute cette aristocratie qui l'avait tant dénigrée, et maintenant se rapprochait d'elle, remplissait ses appartements, la conjurait à mains jointes de sauver la monarchie. Elle seule, à les entendre, elle en avait le génie et le courage ; fille de Marie-Thérèse, il était temps, elle devait se montrer... Deux sortes de gens encore, tout différents, donnaient courage à la reine : d'une part, de braves et dignes chevaliers de Saint-Louis, officiers ou gentilshommes de province, qui lui offraient leur épée ; d'autre part, des hommes à projet, des faiseurs, qui montraient des plans, se chargeaient d'exécuter, répondaient de tout... Versailles était comme assiégé de ces Figaros de la royauté.

Il fallait une sainte ligue, que tous les honnêtes gens se serrassent autour de la reine. Le roi sera emporté dans l'élan de leur amour, et ne résistera plus... Le parti révolutionnaire ne peut faire qu'une campagne ; vaincu une fois, il périt ; au contraire, l'autre parti, comprenant tous les grands propriétaires, peut suffire à plusieurs campagnes, nourrir la guerre longues années... Pour que le raisonnement fût bon, il fallait seulement supposer que l'unanimité du peuple n'ébranlerait pas le soldat, qu'il ne se souviendrait jamais qu'il était peuple lui-même.

L'esprit de jalousie qui s'élevait entre la garde nationale et le peuple enhardit sans doute la Cour, lui fit croire Paris impuissant ; elle risqua une manifestation prématurée qui devait la perdre. De nouveaux gardes du corps arrivaient, pour le service du trimestre ; ceux-ci, sans liaison avec Paris ou l'Assemblée, étrangers au nouvel esprit, bons royalistes de province, apportant tous les préjugés de la famille, les recommandations paternelles et maternelles de servir le roi, le roi seul. Tout ce corps des gardes, quoique quelques membres fussent amis de la liberté, n'avaient pas prêté serment, et portaient toujours la cocarde blanche. On essaya d'entraîner par eux les officiers du régiment de Flandre, ceux de quelques autres corps. Un grand repas fut donné pour les réunir, et l'on y admit quelques officiers choisis de la garde nationale de Versailles qu'on espérait s'attacher.

Il faut savoir que la ville de France qui haïssait le plus la Cour, c'était celle qui la voyait le mieux, Versailles. Tout ce qui n'était pas employé, ou serviteur du château, était révolutionnaire. La vue constante de ce faste, de ces équipages splendides, de ce monde hautain, méprisant, nourrissait les envies, les haines. Cette disposition des habitants leur avait fait nommer lieutenant-colonel de leur garde nationale un solide patriote, homme du reste haineux, violent, Lecointre, marchand de toiles. L'invitation faite à quelques-uns des officiers les flatta moins encore qu'elle ne mécontenta les autres.

Un repas de corps pouvait se faire dans l'Orangerie ou partout ailleurs : le roi, chose nouvelle, accorde sa magnifique salle de théâtre, où l'on n'avait pas donné de fête depuis la visite de l'empereur Joseph II. Les vins sont prodigués royalement. On porte la santé du roi, de la reine, du dauphin ; quelqu'un, timidement, bien bas, propose celle de la Nation, mais personne ne veut entendre. A l'entremets, on fait entrer les grenadiers de Flandre, les Suisses, d'autres soldats. Ils boivent, ils admirent, éblouis des fantastiques reflets de ce lieu singulier, unique, où les loges tapissées de glaces renvoient les lumières en tous sens.

Les portes s'ouvrent. C'est le roi et la reine... On a entraîné le roi, qui revenait de la chasse. La reine fait le tour des tables, belle et parée de son enfant qu'elle porte dans ses bras... Tous ces jeunes gens sont ravis, ils ne se connaissent plus...

La reine, il faut l'avouer, moins majestueuse à d'autres époques, n'avait jamais découragé les cœurs qui se donnaient à elle ; elle n'avait pas dédaigné de mettre dans sa coiffure une plume du casque de Lauzun...

C'était même une tradition que la déclaration hardie d'un simple garde du corps avait été recueillie sans colère, et que, sans autre punition qu'une ironie bienveillante, la reine avait obtenu de l'avancement pour lui.

Si belle et si malheureuse !... Comme elle sortait avec le roi, la musique joue l'air touchant : *O Richard, ô mon roi, l'univers t'abandonne !* A ce coup, les cœurs furent percés... Plusieurs arrachèrent leur cocarde et prirent celle de la reine, la noire cocarde autrichienne, se dévouant à son service. Tout au moins la cocarde tricolore fut retournée, et par l'envers, devint la cocarde blanche. La musique continuait, de plus en plus passionnée, ardente ; elle joue la *Marche des Uhlans,* sonne la charge... Tous se lèvent cherchant l'ennemi... Point d'ennemi ; au défaut ils escaladent les loges. Ils sortent, vont à la cour de marbre. Perseval, aide de camp de d'Estaing, donne l'assaut au grand balcon, s'empare des postes intérieurs, en criant : « Ils sont à nous. » Il se pare de la cocarde blanche. Un grenadier de Flandre monte aussi, et Perseval s'arrache, pour la lui donner, une décoration qu'il portait. Un dragon veut monter aussi, mais trop chancelant, trébuche, il veut se tuer de désespoir.

Un autre, pour compléter la scène, moitié ivre et moitié fou, va criant, se disant lui-même espion du duc d'Orléans, il se fait une petite blessure ; ses camarades, de dégoût, le tuèrent presque à coups de pieds.

L'ivresse de cette folle orgie sembla gagner toute la Cour. La reine, donnant des drapeaux aux gardes nationaux de Versailles, dit « qu'elle en restait enchantée ». Nouveau repas, le 3 octobre ; on hasarde davantage, les langues sont déliées, la contre-révolution s'affiche hardiment ; plusieurs gardes nationaux se retirent d'indignation... L'habit de garde national n'est plus reçu chez le roi. « Vous n'avez pas de cœur, dit un officier à un autre, de porter un tel habit. » Dans la grande galerie, dans les appartements, les dames ne laissent plus circuler la cocarde tricolore ; de leurs mouchoirs, de leurs rubans, elles font des cocardes blanches, les attachent elles-mêmes. Les demoiselles s'enhardissent à recevoir le serment de ces nouveaux chevaliers, et se laissent baiser la main : « Prenez-la, cette cocarde, gardez-la bien, c'est la bonne, elle seule sera triomphante. » Comment refuser de ces belles mains ce signe, ce souvenir ? Et pourtant, c'est la guerre civile, c'est la mort ; demain la Vendée... Cette blondine, presque enfant, auprès des tantes du roi, sera Mme de Lescure et de La Rochejaquelein.

Les braves gardes nationaux de Versailles avaient grand-peine à se défendre. Un de leurs capitaines avait été, bon gré mal gré, affublé par les dames d'une énorme cocarde blanche. Le colonel marchand de toiles, Lecointre, en fut indigné : « Ces cocardes changeront, dit-il fermement, et avant huit jours, ou tout est perdu. » Il avait raison ; qui pouvait méconnaître ici la toute-puissance du signe ? Les trois couleurs, c'était le 14 juillet et la victoire de Paris, c'était la Révolution même. Là-dessus, un chevalier de Saint-Louis court après Lecointre, il se déclare envers et contre tous le champion de la couleur blanche. Il le suit, l'attend, l'insulte... Ce passionné défenseur de l'ancien régime n'était pourtant pas un Montmorency, c'était simplement le gendre de la bouquetière de la reine.

Lecointre va droit à l'Assemblée, il invite le comité militaire à exiger le serment des gardes du corps. D'anciens gardes qui étaient là dirent qu'on ne l'obtiendrait jamais. Le comité ne fit rien, craignant de donner lieu à quelque collision, de faire couler le sang, et ce fut justement cette prudence qui le fit couler.

Paris ressentit vivement l'outrage fait à sa cocarde ; on disait qu'elle avait été ignominieusement déchirée, foulée aux pieds. Le jour même du second repas, le samedi 3 au soir, Danton tonna aux Cordeliers. Le dimanche, on fit partout main basse sur les cocardes noires ou blanches. Des rassemblements mêlés, peuple et bourgeois, habits et vestes, eurent lieu et dans les cafés, et aux portes des cafés, au Palais-Royal, au faubourg Saint-Antoine, au bout des ponts, sur les quais. Des bruits terribles circulèrent sur la guerre prochaine, sur la ligue de la reine et des princes avec les princes allemands, sur les uniformes étrangers, verts et rouges, que l'on voyait dans Paris, sur les farines de Corbeil qui ne venaient plus que de deux jours l'un, sur la disette qui ne pouvait qu'augmenter, sur l'approche d'un rude hiver... Il n'y a pas de temps à perdre, disait-on, si l'on veut prévenir la guerre et la faim, il faut amener le roi ici ; sinon, ils vont l'enlever.

Personne ne sentait tout cela plus vivement que les femmes. Les souffrances, devenues extrêmes, avaient cruellement atteint la famille et le foyer. Une dame donna l'alarme, le samedi 3 au soir ; voyant que son mari n'était pas assez écouté, elle courut au Café de Foy, y dénonça les cocardes antinationales, montra le danger public. Le lundi, aux Halles, une jeune fille prit un tambour, battit la générale, entraîna toutes les femmes du quartier.

Ces choses ne se voient qu'en France ; nos femmes font des braves et le sont. Le pays de Jeanne d'Arc et de Jeanne de Montfort, et de Jeanne Hachette, peut citer cent héroïnes. Il y en eut une à la Bastille, qui, plus tard, partit pour la guerre, fut capitaine d'artillerie ; son mari était soldat. Au 18 juillet, quand le roi vint à Paris, beaucoup de femmes étaient armées. Les femmes furent à l'avant-garde de notre Révolution. Il ne faut pas s'en étonner ; elles souffraient davantage.

Les grandes misères sont féroces, elles frappent plutôt les faibles ; elles maltraitent les enfants, les femmes bien plus que les hommes. Ceux-ci vont, viennent, cherchent hardiment, s'ingénient, finissent par trouver, au moins pour le jour. Les femmes, les pauvres femmes vivent, pour la plupart, renfermées, assises, elles filent, elles cousent ; elles ne sont guère en état, le jour où tout manque, de chercher leur vie. Chose douloureuse à penser, la femme, l'être relatif qui ne peut vivre qu'à deux, est plus souvent seule que l'homme. Lui, il trouve partout la société, se crée des rapports nouveaux. Elle, elle n'est rien sans la famille. Et la famille l'accable ; tout le poids porte sur elle. Elle reste au froid logis, démeublé et dénué, avec des enfants qui pleurent, ou malades, mourants, et qui ne pleurent plus... Une chose peu remarquée, la plus déchirante peut-être au cœur maternel, c'est que l'enfant est injuste. Habitué à trouver dans la mère une providence universelle qui suffit à tout, il s'en prend à elle, durement, cruellement, de tout ce qui manque, crie, s'emporte, ajoute à la douleur une douleur plus poignante.

Voilà la mère. Comptons aussi beaucoup de filles seules, tristes créatures sans famille, sans soutien, qui trop laides, ou vertueuses, n'ont ni ami, ni amant, ne connaissent aucune des joies de la vie. Que leur petit métier ne puisse plus les nourrir, elles ne savent point y suppléer, elles remontent au grenier, attendent ; parfois on les trouve mortes, la voisine s'en aperçoit par hasard.

Ces infortunées n'ont pas même assez d'énergie pour se plaindre, faire connaître leur situation, protester contre le sort. Celles qui agissent et remuent, aux temps des grandes détresses, ce sont les fortes, les moins épuisées par la misère, pauvres plutôt qu'indigentes. Le plus souvent, les intrépides qui se jettent alors en avant, sont des femmes d'un grand cœur, qui souffrent peu pour elles-mêmes, beaucoup pour les autres ; la pitié, inerte, passive chez les hommes, plus résignés aux maux d'autrui, est chez les femmes un sentiment très actif, très violent, qui devient parfois héroïque et les pousse impérieusement aux actes les plus hardis.

Il y avait, au 5 octobre, une foule de malheureuses créatures qui n'avaient pas mangé depuis trente heures. Ce spectacle douloureux brisait les cœurs, et personne n'y faisait rien ; chacun se renfermait en déplorant la dureté des temps. Le dimanche 4 au soir, une femme courageuse, qui ne pouvait voir cela plus longtemps, court du quartier Saint-Denis au Palais-Royal, elle se fait jour dans la foule bruyante qui pérorait, elle se fait écouter ; c'était une femme de trente-six ans, bien mise, honnête, mais forte et hardie. Elle veut qu'on aille à Versailles, elle marchera à la tête. On plaisante, elle applique un soufflet à l'un des plaisants. Le lendemain, elle partit des premières, le sabre à la main, prit un canon à la Ville, se mit à cheval dessus, et le mena à Versailles, la mèche allumée.

Parmi les métiers perdus qui semblaient périr avec l'ancien régime se trouvait celui de sculpteur en bois. On travaillait beaucoup en ce genre, et pour les églises, et pour les appartements. Beaucoup de femmes sculptaient. L'une d'elles, Madeleine Chabry, ne faisant plus rien, s'était établie bouquetière au quartier du Palais-Royal, sous le nom de Louison ; c'était une fille de dix-sept ans, jolie et spirituelle. On peut parier hardiment que ce ne fut pas la faim qui mena celle-ci à Versailles. Elle suivit l'entraînement général, son bon cœur et son courage. Les femmes la mirent à la tête, et la firent leur orateur.

Il y en avait bien d'autres que la faim ne menait point. Il y avait des marchandes, des portières, des filles publiques, compatissantes et charitables, comme elles le sont souvent. Il y avait un nombre considérable de femmes de la Halle ; celles-ci fort royalistes, mais elles désiraient d'autant plus avoir le roi à Paris. Elles avaient été le voir quelque temps avant cette époque, je ne sais à quelle occasion ; elles lui avaient parlé avec beaucoup de cœur, une familiarité qui fit rire, mais touchante, et qui révélait un sens parfait de la situation : « Pauvre homme ! disaient-elles en regardant le roi, cher homme ! bon papa ! » Et plus sérieusement à la reine : « Madame, madame, ouvrez vos entrailles !... ouvrons-nous ! Ne cachons rien, disons bien franchement ce que nous avons à dire. »

Ces femmes des marchés ne sont pas celles qui souffrent beaucoup de la misère ; leur commerce, portant sur les objets nécessaires à la vie, a moins de variations. Mais elles voient la misère mieux que personne, et la ressentent ; vivant toujours sur la place, elles n'échappent pas, comme nous, au spectacle des souffrances. Personne n'y compatit davantage, n'est meilleur pour les malheureux. Avec des formes grossières, des paroles rudes et violentes, elles ont souvent un cœur royal, infini de bonté. Nous avons vu nos Picardes, les femmes du marché d'Amiens, pauvres vendeuses de légumes, sauver le père de quatre enfants qu'on allait guillotiner ; c'était le moment du sacre de Charles X ; elles laissèrent leur commerce, leur famille, s'en allèrent à Reims, elles firent pleurer le roi, arrachèrent la grâce, et au retour, faisant entre elles une collecte abondante, elles renvoyèrent sauvés, comblés, le père, la femme et les enfants.

Le 5 octobre, à sept heures, elles entendirent battre la caisse, et elles ne résistèrent pas. Une petite fille avait pris un tambour au corps de garde, et battait la générale. C'était lundi ; les Halles furent désertées, toutes partirent : « Nous ramènerons, disent-elles, *le boulanger, la boulangère...* Et nous aurons l'agrément d'entendre *notre petite mère* Mirabeau. »

Les Halles marchent, et d'autre part, marchait le faubourg Saint-Antoine. Sur la route, les femmes entraînaient toutes celles qu'elles pouvaient rencontrer, menaçant celles qui ne viendraient pas de leur couper les cheveux. D'abord, elles vont à la Ville. On venait d'y amener un boulanger qui, sur un pain de deux livres, donnait sept onces de moins. La lanterne était descendue. Quoique l'homme fût coupable, de son propre aveu, la garde nationale le fit échapper. Elle présenta la baïonnette aux quatre ou cinq cents femmes déjà rassemblées. D'autre part, au fond de la place, se tenait la cavalerie de la garde nationale. Les femmes ne s'étonnèrent point. Elles chargèrent la cavalerie, l'infanterie à coups de pierres ; on ne put se décider à tirer sur elles ; elles forcèrent l'Hôtel de Ville, entrèrent dans tous les bureaux. Beaucoup étaient assez bien mises, elles avaient pris une robe blanche pour ce grand jour. Elles demandaient curieusement à quoi servait chaque salle, et priaient les représentants des districts de bien recevoir celles qu'elles avaient amenées de force, dont plusieurs étaient enceintes, et malades, peut-être de peur. D'autres femmes, affamées, sauvages, criaient : « *Du pain et des armes !* » Les hommes étaient des lâches, elles voulaient leur montrer ce que c'était que le courage... Tous les gens de l'Hôtel de Ville étaient bons à pendre, il fallait brûler leurs écritures, leurs paperasses... Et elles allaient le faire, brûler le bâtiment peut-être... Un homme les arrêta, un homme de taille très haute, en habit noir, d'une figure sérieuse et plus triste que l'habit. Elles voulaient le tuer d'abord, croyant qu'il était de la Ville, disant qu'il était un traître... Il répondit qu'il n'était pas traître, mais huissier de son métier, l'un des vainqueurs de la Bastille, c'était Stanislas Maillard.

Dès le matin, il avait utilement travaillé dans le faubourg Saint-Antoine. Les volontaires de la Bastille, sous le commandement d'Hullin, étaient sur la place en armes ; les ouvriers qui démolissaient la forteresse crurent qu'on les envoyait contre eux. Maillard s'interposa, prévint la collision. A la Ville, il fut assez heureux pour empêcher l'incendie. Les femmes promettaient même de ne point laisser entrer d'hommes ; elles avaient mis leurs sentinelles armées à la grande porte. A onze heures, les hommes attaquent la petite porte qui donnait sous l'arcade Saint-Jean. Armés de leviers, de marteaux, de haches, de piques, ils forcent la porte, forcent les magasins d'armes. Parmi eux, se trouvait un garde-française qui, le matin, avait voulu sonner le tocsin, qu'on avait pris sur le fait ; il avait, disait-il, échappé par miracle ; les modérés, aussi furieux que les autres, l'auraient pendu sans les femmes ; il montrait son cou sans cravate, d'où elles avaient ôté la corde... Par représailles, on prit un homme de la Ville pour le pendre ; c'était le brave abbé Lefebvre, le distributeur des poudres au 14 juillet ; des femmes, ou des hommes déguisés en femmes, le pendirent effectivement au petit clocher ; l'une ou l'un d'eux coupa la corde, il tomba, étourdi seulement, dans une salle, vingt-cinq pieds plus bas.

Ni Bailly ni La Fayette n'étaient arrivés. Maillard va trouver l'aide-major général, et lui dit qu'il n'y a qu'un moyen de finir tout, c'est que lui Maillard mène les femmes à Versailles. Ce voyage donnera le temps d'assembler des forces. Il descend, bat le tambour, se fait écouter. La figure froidement tragique du grand homme noir fit bon effet dans la Grève ; il parut homme prudent, propre à mener la chose à bien. Les femmes, qui déjà partaient avec les canons de la Ville, le proclament leur capitaine. Il se met en tête avec huit ou dix tambours ; sept ou huit mille femmes suivaient, quelques centaines d'hommes armés, et enfin, pour arrière-garde, une compagnie des volontaires de la Bastille.

Arrivés aux Tuileries, Maillard voulait suivre le quai, les femmes voulaient passer triomphalement sous l'horloge, par le Palais et le Jardin. Maillard, observateur des formes, leur dit de bien remarquer que c'était la Maison du roi, le Jardin du roi ; les traverser sans permission, c'était insulter le roi. Il s'approcha poliment du Suisse et lui dit que ces dames voulaient passer seulement, sans faire le moindre dégât. Le Suisse tira l'épée, courut sur Maillard, qui tira la sienne... Une portière heureusement frappe à propos d'un bâton, le Suisse tombe, un homme lui met la baïonnette à la poitrine. Maillard l'arrête, désarme froidement les deux hommes, emporte la baïonnette et les épées.

La matinée avançait, la faim augmentait. A Chaillot, à Auteuil, à Sèvres, il était bien difficile d'empêcher les pauvres affamés de voler des aliments. Maillard ne le souffrit pas. La troupe n'en pouvait plus à Sèvres ; il n'y avait rien, même à acheter ; toutes les portes étaient fermées, sauf une, celle d'un malade qui était resté ; Maillard se fit donner par lui, en payant, quelques brocs de vin. Puis il désigna sept hommes, et les chargea d'amener les boulangers de Sèvres, avec tout ce qu'ils auraient. Il y avait huit pains en tout, trente-deux livres pour huit mille personnes... On les partagea et l'on se traîna plus loin. La fatigue décida la plupart des femmes à jeter leurs armes. Maillard leur fit sentir d'ailleurs que, voulant faire visite au roi, à l'Assemblée, les toucher, les attendrir, il ne fallait pas arriver dans cet équipage guerrier. Les canons furent mis à la queue, et cachés en quelque sorte. Le sage huissier voulait un *amener sans scandale,* pour dire comme le Palais. A l'entrée de Versailles, pour bien constater l'intention pacifique, il donna le signal aux femmes de chanter l'air d'Henri IV.

Les gens de Versailles étaient ravis, criaient : « Vivent nos Parisiennes ! » Les spectateurs étrangers ne voyaient rien que d'innocent dans cette foule qui venait demander secours au roi. Un homme peu favorable à la Révolution, le Genevois Dumont, qui dînait au Palais des Petites-Écuries, et regardait par la fenêtre, dit lui-même : « Tout ce peuple ne demandait que du pain. »

L'Assemblée avait été, ce jour-là, fort orageuse. Le roi, ne voulant *sanctionner* ni la Déclaration des droits, ni les arrêtés du 4 août, répondait qu'on ne pouvait juger des lois constitutives que dans leur ensemble, qu'il y *accédait* néanmoins, en considération des circonstances alarmantes, et à la condition expresse que le pouvoir exécutif reprendrait toute sa force.

« Si vous acceptez la lettre du roi, dit Robespierre, il n'y a plus de Constitution, aucun droit d'en avoir une. » Duport, Grégoire, d'autres députés parlent dans le même sens. Pétion rappelle, accuse l'orgie des gardes du corps. Un député, qui lui-même avait servi parmi eux, demande, pour leur honneur, qu'on formule la dénonciation, et que les coupables soient poursuivis. « Je dénoncerai, dit

Mirabeau, et je signerai, si l'Assemblée déclare que la personne du roi est *la seule* inviolable. » C'était désigner la reine. L'Assemblée entière recula ; la motion fut retirée ; dans un pareil jour, elle eût provoqué un meurtre.

Mirabeau lui-même n'était pas sans inquiétude pour ses tergiversations, son discours pour le *veto*. Il s'approche du président, et lui dit à demi-voix : « Mounier, Paris marche sur nous... Croyez-moi, ne me croyez pas, quarante mille hommes marchent sur nous... Trouvez-vous mal, montez au château et donnez-leur cet avis, il n'y a pas une minute à perdre. » — Paris marche ? dit sèchement Mounier (il croyait Mirabeau un des auteurs du mouvement). Eh bien ! tant mieux, nous serons plus tôt en république. »

L'Assemblée décide qu'on enverra vers le roi, pour demander l'acceptation pure et simple de la Déclaration des droits. A trois heures, Target annonce qu'une foule se présente aux portes sur l'avenue de Paris.

Tout le monde savait l'événement. Le roi seul ne le savait pas. Il était parti le matin, comme à l'ordinaire, pour la chasse ; il courait les bois de Meudon. On le cherchait ; en attendant, on battait la générale ; les gardes du corps montaient à cheval, sur la place d'armes, et s'adossaient à la grille ; le régiment de Flandre, au-dessous, à leur droite, près de l'avenue de Sceaux, plus bas encore, les dragons ; derrière la grille, les Suisses. M. d'Estaing, au nom de la Municipalité de Versailles, ordonne aux troupes de s'opposer au désordre, de concert avec la garde nationale. La Municipalité avait poussé la précaution jusqu'à autoriser d'Estaing *à suivre le roi,* s'il s'éloignait, sous la condition singulière *de le ramener* à Versailles le plus tôt possible. D'Estaing s'en tint au dernier ordre, monta au château, laissa la garde nationale de Versailles s'arranger comme elle voudrait. Son second, M. de Gouvernet, laisse aussi son poste et va se placer parmi les gardes du corps, aimant mieux, dit-il, être avec des gens qui sachent se battre *et sabrer.* Lecointre, le lieutenant-colonel, resta seul pour commander.

Cependant Maillard arrivait à l'Assemblée nationale. Toutes les femmes voulaient entrer. Il eut la plus grande peine à leur persuader de ne faire entrer que quinze des leurs. Elles se placèrent à la barre, ayant à leur tête le garde-française dont on a parlé, une femme qui au bout d'une perche portait un tambour de basque, et au milieu le gigantesque huissier, en habit noir déchiré, l'épée à la main. Le soldat, avec pétulance, prit la parole, dit à l'Assemblée que le matin, personne ne trouvant de pain chez les boulangers, il avait voulu sonner le tocsin, qu'on avait failli le pendre, qu'il avait dû son salut aux dames qui l'accompagnaient. « Nous venons, dit-il, demander du pain, et la punition des gardes du corps qui ont insulté la cocarde... Nous sommes de bons patriotes ; nous avons sur notre route arraché les cocardes noires... Je vais avoir le plaisir d'en déchirer une sous les yeux de l'Assemblée. » A quoi l'autre ajouta gravement : «Il faudra bien que tout le monde prenne la cocarde patriotique. » Quelques murmures s'élevèrent.

« Et pourtant nous sommes tous frères ! » dit la sinistre figure.

Maillard faisait allusion à ce que la Municipalité de Paris avait déclaré la veille : « Que la cocarde tricolore ayant *été adoptée comme signe de fraternité,* elle était la seule que dût porter le citoyen. »

Les femmes, impatientes, criaient toutes ensemble : «Du pain! du pain!» Maillard commença alors à dire l'horrible situation de Paris, les convois interceptés par les autres villes, ou par les aristocrates. « Ils veulent, dit-il, nous faire mourir. Un meunier a reçu deux cents livres pour ne pas moudre, avec promesse d'en donner autant par semaine. » L'Assemblée : « Nommez ! nommez ! » C'était dans l'Assemblée même que Grégoire avait parlé de ce bruit qui courait ; Maillard l'avait appris en route.

« Nommez ! » Des femmes crièrent au hasard : « C'est l'archevêque de Paris. »

Dans un moment où la vie de beaucoup d'hommes ne tenait qu'à un cheveu, Robespierre prit une grave initiative. Seul, il appuya Maillard, dit que l'abbé Grégoire avait parlé du fait, et sans doute donnerait des renseignements.

D'autres membres de l'Assemblée essayèrent des caresses ou des menaces. Un député du clergé, abbé ou prélat, vint donner sa main à baiser à l'une des femmes. Elle se mit en colère et dit : « Je ne suis pas faite pour baiser la patte d'un chien. » Un autre, militaire, décoré de la Croix de Saint-Louis, entendant dire à Maillard que le grand obstacle à la Constitution était le clergé, s'emporta et lui dit qu'il devrait subir sur l'heure une punition exemplaire. Maillard, sans s'épouvanter, répondit qu'il n'inculpait aucun membre de l'Assemblée, que sans doute le clergé ne savait rien de tout cela, qu'il croyait rendre service en leur donnant cet avis. Pour la seconde fois, Robespierre soutint Maillard, calma les femmes. Celles du dehors s'impatientaient, craignaient pour leur orateur ; le bruit courait parmi elles qu'il avait péri. Il sortit et se montra un moment.

Maillard, reprenant alors, pria l'Assemblée d'inviter les gardes du corps à faire réparation pour l'injure faite à la cocarde. Des députés démentaient... Maillard insista en termes peu mesurés. Le président Mounier le rappela au respect de l'Assemblée, ajoutant maladroitement que ceux qui voulaient être citoyens pouvaient l'être de plein gré... C'était donner prise à Maillard ; il s'en saisit, répliqua : « Il n'est personne qui ne doive être fier de ce nom de citoyen. Et, s'il était dans cette auguste assemblée quelqu'un qui s'en fît déshonneur, il devait en être exclu. » L'Assemblée frémit, applaudit : « Oui, nous sommes tous citoyens. »

A l'instant on apportait une cocarde aux trois couleurs de la part des gardes du corps. Les femmes crièrent : « Vive le roi ! vivent MM. les gardes du corps ! » Maillard, qui se contentait plus difficilement, insista sur la nécessité de renvoyer le régiment de Flandre.

Mounier, espérant alors pouvoir les congédier, dit que l'Assemblée n'avait rien négligé pour les subsistances, le roi non plus, qu'on chercherait de nouveaux moyens, qu'ils pouvaient aller en paix.

Maillard ne bougeait, disant : « Non, cela ne suffit pas. »

Un député proposa alors d'aller représenter au roi la position malheureuse de Paris. L'Assemblée le décréta, et les femmes, se prenant vivement à cette espérance, sautaient au col des députés, embrassaient le président, quoi qu'il fît. « Mais où donc est Mirabeau ? disaient-elles encore, nous voudrions bien voir notre comte de Mirabeau ! »

Mounier, baisé, entouré, étouffé presque, se mit tristement en route avec la députation, et une foule de femmes qui s'obstinaient à le suivre. « Nous étions à pied, dans la boue, dit-il ; il pleuvait à verse. Nous traversions une foule mal vêtue, bruyante, bizarrement armée. Des gardes du corps faisaient des patrouilles, et passaient au grand galop. » Ces gardes, voyant Mounier et les députés, avec l'étrange cortège qu'on leur faisait par honneur, crurent apparemment voir là les chefs de l'insurrection, voulurent dissiper cette masse, et coururent tout au travers. Les inviolables échappèrent comme ils purent et se sauvèrent dans la boue.

Qu'on juge de la rage du peuple, qui se figurait qu'avec eux il était sûr d'être respecté !...

Deux femmes furent blessées, et même de coups de sabre, selon quelques témoins. Cependant le peuple ne fit rien encore. De trois à huit heures du soir, il fut patient, immobile, sauf des cris, des huées quand passait l'uniforme odieux des gardes du corps. Un enfant jeta des pierres.

On avait trouvé le roi ; il était revenu de Meudon, sans se presser.

Mounier, enfin reconnu, fut reçu avec douze femmes. Il parla au roi de la misère de Paris, aux ministres de la demande de l'Assemblée qui attendait l'acceptation pure et simple de la Déclaration des droits et autres articles constitutionnels. Le roi, cependant, écoutait les femmes avec bonté. La jeune Louison Chabry avait été chargée de porter la parole, mais, devant le roi, son émotion fut si forte qu'elle put à peine dire : « Du pain ! » Et elle tomba évanouie. Le roi, fort touché, la fit secourir, et lorsque au départ, elle voulut lui baiser la main, il l'embrassa comme un père.

Elle sortit royaliste, et criant : « Vive le roi ! » Celles qui attendaient sur la place, furieuses, se mirent à dire qu'on l'avait payée ; elle eut beau retourner ses poches, montrer qu'elle était sans argent ; les femmes lui passaient au col leurs jarretières pour l'étrangler. On l'en tira, non sans peine. Il fallut qu'elle remontât au château, qu'elle obtînt du roi un ordre écrit pour faire venir des blés, pour lever tout obstacle à l'approvisionnement de Paris.

Aux demandes du président, le roi avait dit tranquillement : « Revenez sur les neuf heures. » Mounier n'en était pas moins resté au château, à la porte du conseil, insistant pour une réponse, frappant d'heure en heure, jusqu'à dix heures du soir. Mais rien ne se décidait.

Le ministre de Paris, M. de Saint-Priest, avait appris la nouvelle fort tard (ce qui prouve combien le départ pour Versailles fut imprévu, spontané). Il proposa que la reine partît pour Rambouillet, que le roi restât, résistât, et au besoin combattît ; le seul départ de la reine eût tranquillisé le peuple et dispensé de combattre.

M. Necker voulait que le roi allât à Paris, qu'il se confiât au peuple, c'est-à-dire qu'il fût franc, sincère, acceptât la Révolution.

Louis XVI, sans rien résoudre, ajourna le conseil, afin de consulter la reine.

Elle voulait bien partir, mais avec lui, ne pas laisser à lui-même un homme si incertain ; le nom du roi était son arme pour commencer la guerre civile. Saint-Priest, vers sept heures, apprit que M. de La Fayette, entraîné par la garde nationale, marchait sur Versailles. « Il faut partir sur-le-champ, dit-il. Le roi, en tête des troupes, passera sans difficulté. » Mais il était impossible de le décider à rien. Il croyait (et bien à tort) que, lui parti, l'Assemblée ferait roi le duc d'Orléans. Il répugnait aussi à fuir, il se promenait à grands pas, répétant de temps en temps : « Un roi fugitif ! un roi fugitif ! » La reine, cependant, insistant sur le départ, l'ordre fut donné pour les voitures. Déjà il n'était plus temps.

CHAPITRE IX

Le peuple ramène le roi à Paris, (6 octobre 1789)

Suite du 5 octobre — Le premier sang versé — Les femmes gagnent le régiment de Flandre — Lutte des gardes du corps et des gardes nationaux de Versailles — Le roi ne peut plus partir — Effroi de la Cour — Les femmes passent la nuit dans la salle de l'Assemblée — La Fayette forcé de marcher sur Versailles — 6 octobre — Le château assailli — Danger de la reine — Les gardes du corps sauvés par les ex-gardes-françaises — Hésitation de l'Assemblée — Conduite du duc d'Orléans — Le roi mené à Paris.

Un milicien de Paris, qu'une troupe de femmes avait pris, malgré lui, pour chef, et qui, exalté par la route, s'était trouvé à Versailles plus ardent que tous les autres, se hasarda à passer derrière les gardes du corps ; là, voyant la grille fermée, il aboyait après le factionnaire placé au-dedans, et le menaçait de sa baïonnette. Un lieutenant des gardes et deux autres tirent le sabre, se mettent au galop, commencent à lui donner la chasse. L'homme fuit à toutes jambes, veut gagner une baraque, heurte un tonneau, tombe, toujours criant au secours. Le cavalier l'atteignait, quand les gardes nationaux de Versailles ne purent plus se contenir ; l'un d'eux, un marchand de vin, le couche en joue, le tire et l'arrête net ; il avait cassé le bras qui tenait le sabre levé.

D'Estaing, le commandant de cette garde nationale, était au château, croyant toujours qu'il partait avec le roi. Lecointre, lieutenant-colonel, restait sur la place, demandait des ordres à la Municipalité, qui n'en donnait pas. Il craignait avec raison que cette foule affamée ne se mît à courir la ville, ne se nourrît elle-même. Il alla les trouver, demanda ce qu'il fallait de vivres, sollicita la Municipalité, n'en tira qu'un peu de riz qui n'était rien pour tant de monde. Alors il fit chercher partout, et, par sa louable diligence, soulagea un peu le peuple.

En même temps, il s'adressait au régiment de Flandre, demandait aux officiers, aux soldats, s'ils tireraient. Ceux-ci étaient déjà pressés par une influence bien autrement puissante. Des femmes s'étaient jetées parmi eux, et les priaient de ne pas faire de mal au peuple. L'une d'elles apparut alors, que nous reverrons souvent, qui ne semble pas avoir marché dans la boue avec les autres, mais qui vint plus tard, sans doute, et tout d'abord, se jeta au travers des soldats. C'était la jolie Mlle Théroigne de Méricourt, une Liégeoise, vive et emportée, comme tant de femmes de Liège qui firent les révolutions du XVe siècle, et combattirent vaillamment contre

Charles le Téméraire. Piquante, originale, étrange, avec son chapeau d'amazone et sa redingote rouge, le sabre au côté, parlant à la fois, pêle-mêle, avec éloquence pourtant, le français et le liégeois... On riait, mais on cédait... Impétueuse, charmante, terrible, Théroigne ne sentait nul obstacle... Elle avait eu des amours, mais alors elle n'en avait qu'un, celui-ci violent, mortel, qui lui coûta plus que la vie : l'amour de la Révolution ; elle la suivait avec transport, ne manquait pas une séance de l'Assemblée, courait les clubs et les places, tenait un club chez elle, recevait force députés. Plus d'amant ; elle avait déclaré qu'elle n'en voulait pas d'autre que le grand métaphysicien, toujours ennemi des femmes, l'abstrait, le froid abbé Sieyès.

Théroigne, ayant envahi ce pauvre régiment de Flandre, lui tourna la tête, le gagna, le désarma, si bien qu'il donnait fraternellement ses cartouches aux gardes nationaux de Versailles.

D'Estaing fit dire alors à ceux-ci de se retirer. Quelques-uns partent ; d'autres répondent qu'ils ne s'en iront pas, que les gardes du corps ne soient partis les premiers. Ordre aux gardes de défiler. Il était huit heures, la soirée fort sombre. Le peuple suivait, pressait les gardes avec des huées. Ils avaient le sabre à la main, ils se font faire place. Ceux qui étaient à la queue, plus embarrassés que les autres, tirent des coups de pistolet ; trois gardes nationaux sont touchés, l'un à la joue, les deux autres reçoivent les balles dans leurs habits. Leurs camarades répondent, tirent aussi. Les gardes du corps ripostent de leurs mousquetons.

D'autres gardes nationaux entraient dans la Cour, entouraient d'Estaing, demandaient des munitions. Il fut lui-même étonné de leur élan, de l'audace qu'ils montraient tout seuls au milieu des troupes : « Vrais martyrs de l'enthousiasme », disait-il plus tard à la reine.

Un lieutenant de Versailles déclara au garde de l'artillerie que, s'il ne lui donnait de la poudre, il lui brûlerait la cervelle. Il en livra un tonneau qu'on défonça sur la place, et l'on chargea des canons qu'on braqua vis-à-vis la rampe, de manière à prendre en flanc les troupes qui couvraient encore le château, et les gardes du corps qui revenaient sur la place.

Les gens de Versailles avaient montré la même fermeté de l'autre côté du château. Cinq voitures se présentaient à la grille pour sortir ; c'était la reine, disait-on, qui partait pour Trianon. Le Suisse ouvre, la garde ferme. « Il y aurait danger pour Sa Majesté, dit le commandant, à s'éloigner du château. » Les voitures rentrèrent sous escorte. Il n'y avait plus de passage. Le roi était prisonnier.

Le même commandant sauva un garde du corps que la foule voulait mettre en pièces pour avoir tiré sur le peuple. Il fit si bien qu'on laissa l'homme ; on se contenta du cheval, qui fut dépecé ; on commençait à le rôtir sur la place d'armes ; mais la foule avait trop faim, il fut mangé presque cru.

La pluie tombait. La foule s'abritait où elle pouvait ; les uns enfoncèrent la grille des Grandes Écuries, où était le régiment de Flandre, et s'y mirent pêle-mêle avec les soldats. D'autres, environ quatre mille, étaient restés dans l'Assemblée. Les hommes étaient assez tranquilles, mais les femmes supportaient impatiemment cet état d'inaction ; elles parlaient, criaient, remuaient. Maillard seul pouvait les faire taire, et il n'en venait à bout qu'en haranguant l'Assemblée.

Ce qui n'aidait pas à calmer la foule, c'est que des gardes du corps vinrent trouver les dragons qui étaient aux portes de l'Assemblée, demander s'ils voudraient les aider à prendre les pièces qui menaçaient le château. On allait se jeter sur eux, les dragons les firent échapper.

A huit heures, autre tentative. On apporta une lettre du roi, où, sans parler de la Déclaration des droits, il promettait vaguement la libre circulation des grains. Il est probable qu'à ce moment l'idée de fuite dominait au château. Sans rien répondre à Mounier, qui restait toujours à la porte du conseil, on envoyait cette lettre pour occuper la foule qui attendait.

Une apparition singulière avait ajouté à l'effroi de la Cour. Un jeune homme du peuple entre, mal mis, tout défait... On s'étonne... C'était le jeune duc de Richelieu qui, sous cet habit, s'était mêlé à la foule, à ce nouveau flot de peuple qui était parti de Paris ; il les avait quittés à moitié chemin pour avertir la famille royale ; il avait entendu des propos horribles, des menaces atroces, à faire dresser les cheveux... En disant cela, il était si pâle que tout le monde pâlit...

Le cœur du roi commençait à faiblir ; il sentait la reine en péril. Quoiqu'il en coûtât à sa conscience de consacrer l'œuvre législative du philosophisme, il signa à dix heures du soir la Déclaration des droits.

Mounier put donc enfin partir. Il avait hâte de reprendre la présidence avant l'arrivée de cette grande armée de Paris, dont on ne savait pas les projets. Il rentre, mais plus d'Assemblée ; elle avait levé la séance ; la foule, de plus en plus bruyante, exigeante, avait demandé qu'on diminuât le prix du pain, celui de la viande. Mounier trouva à sa place, dans le siège du président, une grande femme de bonnes manières, qui tenait la sonnette, et descendit à regret. Il donna ordre qu'on tâchât de réunir les députés ; en attendant, il annonça au peuple que le roi venait d'accepter les articles constitutionnels. Les femmes, se serrant alors autour de lui, le priaient d'en donner copie ; d'autres disaient : « Mais, monsieur le président, cela sera-t-il bien avantageux ? cela fera-t-il avoir du pain aux pauvres gens de Paris ? »

D'autres : « Nous avons bien faim. Nous n'avons pas mangé aujourd'hui. » Mounier dit qu'on allât chercher du pain chez les boulangers. De tous les côtés, les vivres vinrent. Ils se mirent à manger avec grand bruit dans la salle.

Les femmes, tout en mangeant, causaient avec Mounier : « Mais, cher président, pourquoi donc avez-vous défendu ce vilain *veto ?...* Prenez bien garde à la lanterne ! » Mounier leur répondit avec fermeté qu'elles n'étaient pas en état de juger, qu'on les trompait, que, pour lui, il aimait mieux exposer sa vie que trahir sa conscience. Cette réponse leur plut fort ; dès lors, elles lui témoignèrent beaucoup de respect et d'amitié.

Mirabeau seul eût pu se faire entendre, couvrir le tumulte. Il ne s'en souciait pas. Certainement il était inquiet. Le soir, au dire de plusieurs témoins, il s'était promené parmi le peuple avec un grand sabre, disant à ceux qu'il rencontrait : « Mes enfants, nous sommes pour vous. » Puis il s'était allé coucher. Dumont le Genevois alla le chercher, le ramena à l'Assemblée. Dès qu'il arriva, il dit de sa voix tonnante : « Je voudrais bien savoir comment on se donne les airs de venir troubler nos séances... Monsieur le président, faites respecter l'Assemblée ! » Les femmes crièrent : « Bravo ! » Il y eut un peu de calme. Pour passer le temps, on reprit la discussion des lois criminelles.

J'étais dans une galerie (dit Dumont), où une poissarde agissait avec une autorité supérieure, et dirigeait une centaine de femmes, de jeunes filles surtout, qui, à son signal, criaient, se taisaient. Elle appelait familièrement les députés par leur nom, ou bien demandait : « Qui est-ce qui parle là-bas ? Faites taire ce bavard ! il ne s'agit pas de ça ! il s'agit d'avoir du pain !... Qu'on fasse plutôt parler notre petite mère Mirabeau !... » Et toutes les autres criaient : « Notre mère Mirabeau !... » Mais il ne voulait point parler.

M. de La Fayette, parti de Paris entre cinq et six heures, n'arriva qu'à minuit passé. Il faut que nous remontions plus haut, et que nous le suivions de midi jusqu'à minuit.

Vers onze heures, averti de l'invasion de l'Hôtel de Ville, il s'y rendit, trouva la foule écoulée, et se mit à dicter une dépêche pour le roi. La garde nationale, soldée et non soldée, remplissait la Grève ; de rang en rang, on disait qu'il fallait aller à Versailles. Beaucoup d'ex-gardes-françaises, particulièrement, regrettaient leur ancien privilège de garder le roi ; ils voulaient s'en ressaisir. Quelques-uns d'entre eux montent à la Ville, frappent au bureau où était La Fayette ; un jeune grenadier de la plus belle figure, et qui parlait à merveille, lui dit avec fermeté :

« Mon général, le peuple manque de pain, la misère est au comble ; le comité de subsistances ou vous trompe, ou est trompé. Cette position ne peut durer ; il n'y a qu'un moyen, allons à Versailles !... On dit que le roi est un imbécile, nous placerons la couronne sur la tête de son fils ; on nommera un conseil de régence et tout ira pour le mieux. »

M. de La Fayette était un homme très ferme et très obstiné. La foule le fut encore plus. Il croyait à son ascendant, avec raison ; il put voir toutefois qu'il se l'était exagéré. En vain, il harangua le peuple ; en vain, il resta plusieurs heures dans la Grève sur son cheval blanc, tantôt parlant, tantôt imposant silence du geste, ou bien, pour faire quelque chose, flattant de la main son cheval. La difficulté allait augmentant ; ce n'était plus seulement ses gardes nationaux qui le pressaient, c'étaient des bandes des faubourgs Saint-Antoine et Saint-Marceau ; ceux-là n'entendaient à rien. Ils parlaient au général par des signes éloquents, préparant pour lui la lanterne, le couchant en joue. Alors il descend de cheval, veut rentrer à l'Hôtel de Ville, mais ses grenadiers lui barrent le passage : « Morbleu ! général, vous resterez avec nous, vous ne nous abandonnerez pas. »

Par bonheur, une lettre descend de l'Hôtel de Ville ; on autorise le général à partir, « vu qu'il est impossible de s'y refuser. » — « Partons », dit-il à regret. — Il s'élève un cri de joie.

Des trente mille hommes de la garde nationale, quinze mille marchèrent. Ajoutez quelques milliers d'hommes du peuple. L'outrage à la cocarde nationale était pour l'expédition un noble motif. Tout le monde battait des mains sur le passage. — Une foule élégante, sur la terrasse de l'eau, regardait, applaudissait. A Passy, où le duc d'Orléans avait loué une maison, Mme de Genlis était à son poste, criant, agitant un mouchoir, n'oubliant rien pour être vue.

Le mauvais temps qu'il faisait ralentit beaucoup la marche. Beaucoup de gardes nationaux, ardents tout à l'heure, se refroidissaient. Ce n'était plus là le beau 14 juillet. Une froide pluie d'octobre tombait. Quelques-uns restaient en route ; les autres pestaient, et allaient. « Il est dur, disaient de riches marchands, pour des gens qui dans les beaux temps ne vont à leurs maisons de campagne que dans leurs voitures, de faire quatre lieues par la pluie... » D'autres disaient : « Nous ne pouvons faire une telle corvée en vain. » Et ils s'en prenaient à la reine ; ils faisaient des menaces folles pour paraître bien méchants.

Le château les attendait dans la plus grande anxiété. On pensait que La Fayette faisait semblant d'être forcé, mais qu'il profiterait de la circonstance. On voulut voir encore à onze heures si, la foule étant dispersée, les voitures passeraient par la grille du Dragon. La garde nationale de Versailles veillait et ferma le passage.

La reine, au reste, ne voulait point partir seule. Elle jugeait avec raison qu'il n'y avait nulle part de sûreté pour elle si elle se séparait du roi. Deux cents gentilshommes environ, dont plusieurs étaient députés, s'offrirent à elle, pour la défendre, et lui demandèrent un ordre pour prendre des chevaux à ses écuries. Elle les autorisa, pour le cas, disait-elle, où le roi serait en danger.

La Fayette, avant d'entrer dans Versailles, fit renouveler le serment de fidélité à la loi et au roi. Il l'avertit de son arrivée, et le roi lui répondit qu'il le verrait avec plaisir, qu'il venait d'accepter *sa* Déclaration des droits.

La Fayette entra seul au château, au grand étonnement des gardes, et de tout le monde. Dans l'Œil-de-Bœuf, un homme de cour dit follement : « Voilà Cromwell. » Et La Fayette, très bien : « Monsieur, Cromwell ne serait pas entré seul. »

« Il avait l'air très calme, dit Mme de Staël (qui y était); personne ne l'a jamais vu autrement; sa délicatesse souffrait de l'importance de son rôle. » Il fut d'autant plus respectueux qu'il semblait plus fort. La violence, au reste, qu'on lui avait faite à lui-même, le rendait plus royaliste qu'il ne l'avait jamais été.

Le roi donna à la garde nationale les postes extérieurs du château ; les gardes du corps conservèrent ceux du dedans. Le dehors même ne fut pas entièrement confié à La Fayette. Une de ses patrouilles voulant passer dans le parc, la grille lui fut refusée. Le parc était occupé par des gardes du corps et autres troupes ; jusqu'à deux heures du matin, elles attendaient le roi, au cas qu'il se décidât à la fuite. A deux heures seulement, tranquillisé par La Fayette, on leur fit dire qu'ils pouvaient s'en aller à Rambouillet.

A trois heures, l'Assemblée avait levé la séance. Le peuple s'était dispersé, couché, comme il avait pu, dans les églises et ailleurs. Maillard et beaucoup de femmes, entre autres Louison Chabry, étaient partis pour Paris, peu après l'arrivée de La Fayette, emportant les décrets sur les grains et la Déclaration des droits.

La Fayette eut beaucoup de peine à loger ses gardes nationaux ; mouillés, recrus, ils cherchaient à se sécher, à manger. Lui-même enfin, croyant tout tranquille, alla à l'hôtel de Noailles, dormit comme on dort après vingt heures d'efforts et d'agitations.

Beaucoup de gens ne dormaient pas. C'étaient surtout ceux qui, partis le soir de Paris, n'avaient pas eu la fatigue du jour précédent. La première expédition, où les femmes dominaient, très spontanée, très naïve, pour parler ainsi, déterminée par les besoins, n'avait pas coûté de sang, Maillard avait eu la gloire d'y conserver quelque ordre dans le désordre même. Le *crescendo* naturel qu'on observe toujours dans de telles agitations ne permettait guère de croire que la seconde expédition se passât ainsi. Il est vrai qu'elle s'était faite sous les yeux de la garde nationale et comme d'accord avec elle. Néanmoins, il y avait là des hommes décidés à agir sans elle; plusieurs étaient de furieux fanatiques qui auraient voulu tuer la reine; d'autres, qui se donnaient pour tels, et semblaient les plus violents, étaient tout simplement d'une classe toujours surabondante dans l'affaiblissement de la police, des voleurs. Ceux-ci calculaient la chance d'une invasion du château. Ils n'avaient pas trouvé à la Bastille grand-chose qui fût digne d'eux. Mais ce merveilleux palais de Versailles, où les richesses de la France s'entassaient depuis plus d'un siècle, quelle ravissante perspective il ouvrait pour le pillage !

A cinq heures du matin, avant jour, une grande foule rôdait déjà autour des grilles, armée de piques, de broches et de faux. Ils n'avaient pas de fusils. Voyant des gardes du corps en sentinelle aux grilles, ils forcèrent des gardes nationaux de tirer sur eux ; ceux-ci obéirent, ayant soin de tirer trop haut.

Dans cette foule qui errait, ou se tenait autour des feux qu'on avait faits sur la place, se trouvait un petit bossu, l'avocat Verrières, monté sur un grand cheval ; il passait pour très violent ; dès le soir on l'attendait, disant qu'on ne ferait rien sans lui. Lecointre était là aussi qui pérorait, allait, venait. Les gens de Versailles étaient peut-être plus animés que les Parisiens, enragés de longue date contre la Cour, contre les gardes du corps ; ils avaient perdu la veille l'occasion de tomber sur eux, ils la regrettaient, voulaient leur solder leur compte. Ils avaient parmi eux nombre de serruriers et forgerons (de la manufacture d'armes ?), gens rudes et qui frappent fort, qui, de plus, toujours altérés par le feu, boivent fort aussi.

Vers six heures, ces gens mêlés de Versailles et de Paris escaladent ou forcent les grilles, puis s'avancent dans les cours, avec crainte, hésitation. Le premier qui fut tué l'aurait été par une chute, à en croire les royalistes, en glissant dans la cour de marbre. Selon l'autre version, plus vraisemblable, il fut tué d'un coup de fusil, tiré par les gardes du corps.

Les uns se dirigeaient à gauche, vers l'appartement de la reine, les autres à droite, vers l'escalier de la chapelle, plus près de l'appartement du roi. A gauche, un Parisien qui courait des premiers, sans armes, rencontre un garde du corps, qui lui donne un coup de couteau ; on tue le garde du corps. A droite allait en avant un milicien de la garde de Versailles, un petit serrurier, les yeux enfoncés, fort peu de cheveux, les mains gercées par la forge. Cet homme et un autre, sans répondre au garde qui était descendu de quelques marches et lui parlait sur l'escalier, s'efforçaient de le tirer par son baudrier, pour le livrer à la foule qui venait derrière. Les gardes le ramenèrent à eux ; mais deux d'entre eux furent tués. Tous s'enfuient par la grande galerie, jusqu'à l'Œil-de-Bœuf, entre les appartements du roi et de la reine. D'autres gardes y étaient déjà.

La plus furieuse attaque avait été faite vers l'appartement de la reine. La sœur de sa femme de chambre, Mme Campan, ayant entrouvert la porte, y vit un garde couvert de sang qui arrêtait les furieux. Elle ferme au verrou cette porte et la suivante, passe un jupon à la reine, veut la mener chez le roi... Moment terrible... La porte est fermée de l'autre côté au verrou. On frappe à coups redoublés... Le roi n'était pas chez lui ; il avait pris un autre passage pour se rendre chez la reine... A ce moment, un coup de pistolet part très près, un coup de fusil. « Mes amis, mes chers amis, criait-elle, fondant en larmes, sauvez-moi et mes enfants. » On apportait le dauphin. La porte enfin s'est ouverte, elle se sauve chez le roi.

La foule frappait, frappait, pour entrer dans l'Œil-de-Bœuf. Les gardes s'y barricadaient ; ils avaient entassé des bancs, des tabourets, d'autres meubles ; le panneau d'en bas éclate... Ils n'attendent plus que la mort... Mais tout à coup le bruit cesse ; une voix douce et forte dit : « Ouvrez ! » Comme ils n'ouvraient pas, la même voix répéta : « Ouvrez donc, messieurs les gardes du corps, nous n'avons pas oublié que les vôtres nous sauvèrent à Fontenoy, nous autres, gardes-françaises. »

C'étaient eux, gardes-françaises et maintenant gardes nationaux, c'était le brave et généreux Hoche, alors simple sergent-major. C'était le peuple qui venait sauver la noblesse. Ils ouvrirent, se jetèrent dans les bras les uns des autres en pleurant.

A ce moment, le roi, croyant le passage forcé, et prenant les sauveurs pour les assassins, ouvrit lui-même sa porte, par un mouvement d'humanité courageuse, et dit à ceux qu'il trouva : « Ne faites pas de mal à mes gardes. »

Le danger était passé, la foule écoulée. Les voleurs seuls ne lâchaient pas prise. Tout entiers à leur affaire, ils pillaient et déménageaient. Les grenadiers jetèrent cette canaille à la porte.

Une scène d'horreur se passait dans la cour. Un homme à longue barbe travaillait avec une hache à couper la tête de deux cadavres, les gardes tués à l'escalier. Ce misérable, que quelques-uns prirent pour un fameux brigand du Midi, était tout simplement un modèle de l'Académie de peinture ; pour ce jour, il avait mis un costume pittoresque d'esclave antique, qui étonna tout le monde et ajouta à la peur.

La Fayette, trop tard éveillé, arrivait alors à cheval. Il voit un garde du corps qu'on avait pris, qu'on avait mené près du corps d'un de ceux que les gardes avaient tués, pour le tuer par représailles. « J'ai donné ma parole au roi de sauver les siens. Faites respecter ma parole. » Le garde fut sauvé. La Fayette ne l'était pas. Un furieux cria : « Tuez-le. » Il ordonna de l'arrêter, et la foule obéissante le traîna en effet vers le général, en lui frappant la tête contre le pavé.

Il entre. Mme Adélaïde, tante du roi, vient l'embrasser : « C'est vous qui nous avez sauvés. » Il court au cabinet du roi. Qui croirait que l'étiquette subsistât encore ? Un grand officier l'arrête un moment, et puis le laisse passer : « Monsieur, dit-il sérieusement, le roi vous accorde *les grandes entrées.* »

Le roi se montre au balcon. Un cri unanime s'élève : « Vive le roi ! vive le roi ! »

« Le roi à Paris ! » c'est le second cri. Tout le peuple le répète, toute l'armée fait écho.

La reine était debout, près de la fenêtre, sa fille contre elle ; devant elle, le dauphin. L'enfant, tout en jouant avec les cheveux de sa sœur, disait : « Maman, j'ai faim ! » Dure réaction de la nécessité !... La faim passe du peuple au roi !... O providence ! providence !... Grâce ! Celui-ci, c'est un enfant.

A ce moment, plusieurs criaient un cri formidable : « La reine ! » Le peuple voulait la voir au balcon. Elle hésite : « Quoi ! toute seule ? » — « Madame, ne craignez rien », dit M. de La Fayette. Elle y alla, mais non pas seule, tenant une sauvegarde admirable, d'une main sa fille et de l'autre main son fils. La cour de marbre était terrible, houleuse de vagues irritées ; les gardes nationaux, en haie tout autour, ne pouvaient répondre du centre ; il y avait là des hommes furieux, aveugles, et des armes à feu. La Fayette fut admirable, il risqua, pour cette femme tremblante, sa popularité, sa destinée, sa vie ; il parut avec elle sur le balcon, et lui baisa la main.

La foule sentit cela. L'attendrissement fut unanime. On vit la femme et la mère, rien de plus... « Ah ! qu'elle est belle !... Quoi ! c'est la reine ?... Comme elle caresse ses enfants ! » Grand peuple ! que Dieu te bénisse, pour ta clémence et ton oubli !

Le roi était tout tremblant quand la reine alla au balcon. La chose ayant réussi : « Mes gardes, dit-il à La Fayette, ne pourriez-vous pas faire quelque chose aussi pour eux ? » — « Donnez-m'en un. » La Fayette le mène sur le balcon, lui dit de prêter serment, de montrer à son chapeau la cocarde nationale. Le garde l'embrasse. On crie : « Vive les gardes du corps ! » Les grenadiers, pour plus de sûreté, prirent les bonnets des gardes, leur donnèrent les leurs ; mêlant ainsi les coiffures, on ne pouvait plus tirer sur les gardes sans risquer de tirer sur eux.

Le roi avait la plus vive répugnance à partir de Versailles. Quitter la résidence royale, c'était pour lui la même chose que quitter la royauté. Il avait, quelques jours auparavant, repoussé les prières de Malouet et autres députés, qui, pour s'éloigner de Paris, le priaient de transférer l'Assemblée à Compiègne. Et maintenant, il fallait laisser Versailles pour s'en aller à Paris, traverser cette foule terrible... Qu'arriverait-il à la reine. On n'osait presque y penser.

Le roi fit prier l'Assemblée de se réunir au château. Une fois là, l'Assemblée et le roi, se trouvant ensemble, avec l'appui de La Fayette, des députés, auraient supplié le roi de ne point aller à Paris. On eût présenté au peuple cette prière, comme le vœu de l'Assemblée. Tout le grand mouvement finissait ; la lassitude, l'ennui, la faim, peu à peu chassaient le peuple ; il s'écoulait de lui-même.

Il y eut dans l'Assemblée, qui commençait à se réunir, hésitation, fluctuation.

Personne n'avait de parti pris, d'idée arrêtée. Ce mouvement populaire avait pris tout le monde à l'improviste. Les esprits les plus pénétrants n'y avaient rien vu d'avance. Mirabeau n'avait rien prévu, ni Sieyès. Celui-ci dit avec chagrin, quand il eut la première nouvelle : « Je n'y comprends rien, cela marche en sens contraire. »

Je pense qu'il voulait dire : contraire à la Révolution. Sieyès, à cette époque, était encore révolutionnaire, et peut-être assez favorable à la branche d'Orléans.

Que le roi quittât Versailles, sa vieille cour, qu'il vécût à Paris, au milieu du peuple, c'était, sans aucun doute, une forte chance pour Louis XVI de redevenir populaire.

Si la reine (tuée, ou en fuite) ne l'eût pas suivi, les Parisiens se seraient très probablement repris d'amour pour le roi. Ils avaient eu de tout temps un faible pour ce gros homme qui n'était nullement méchant, et qui, dans son embonpoint, avait un air de bonhomie béate et paterne, tout à fait au gré de la foule. On a vu plus haut que les dames de la Halle l'appelaient un *bon papa ;* c'était toute la pensée du peuple.

Cette translation à Paris, qui effrayait tant le roi, effrayait en sens inverse ceux qui voulaient affermir, continuer la Révolution, encore plus ceux qui, pour des vues patriotiques ou personnelles, auraient voulu donner la lieutenance générale (ou mieux) au duc d'Orléans.

Ce qui pouvait arriver de pis à celui-ci, qu'on accusait follement de vouloir faire tuer la reine, c'était que la reine fût tuée, que le roi, seul, délivré de cette impopularité vivante, vînt s'établir à Paris, qu'il tombât entre les mains des La Fayette et des Bailly.

Le duc d'Orléans était parfaitement innocent du mouvement du 5 octobre. Il ne sut qu'y faire, ni comment en profiter. Le 5 et la nuit suivante, il s'agita, alla, revint. Les dépositions établissent qu'on le vit, entre Paris et Versailles, et qu'il ne fit rien nulle part. Le 6 au matin, entre huit et neuf, si près des assassinats, la cour du château étant souillée de sang, il vint se montrer au peuple, une cocarde énorme au chapeau, une badine à la main, dont il jouait en riant.

Pour revenir à l'Assemblée, il n'y eut pas quarante députés qui se rendissent au château. La plupart étaient déjà à la salle ordinaire, assez incertains. Le peuple qui comblait les tribunes fixa leur incertitude ; au premier mot qui fut dit d'aller siéger au château, il poussa des cris.

Mirabeau se leva alors, et, selon son habitude, de couvrir d'un langage fier son obéissance au peuple, dit « que la liberté de l'Assemblée serait compromise, si elle délibérait au palais des rois, qu'il n'était pas de sa dignité de quitter le lieu de ses séances, qu'une députation suffisait ».

Le jeune Barnave appuya. Le président Mounier contredit en vain.

Enfin, l'on apprend que le roi consent à partir pour Paris ; l'Assemblée, sur la proposition de Mirabeau, décide que, pour la session actuelle, elle est inséparable du roi.

Le jour s'avance, il n'est pas loin d'une heure... Il faut partir, quitter Versailles... Adieu, vieille Monarchie !

Cent députés entourent le roi, toute une armée, tout un peuple. Il s'éloigne du palais de Louis XIV pour n'y jamais revenir.

Toute cette foule s'ébranle, elle s'en va à Paris, devant le roi et derrière.

Hommes, femmes, vont, comme ils peuvent, à pied, à cheval, en fiacre, sur les charrettes qu'on trouve, sur les affûts des canons. On rencontra avec plaisir un grand convoi de farines, bonne chose pour la ville affamée.

Les femmes portaient aux piques de grosses miches de pain, d'autres des branches de peuplier, déjà jaunies par octobre. Elles étaient fort joyeuses, aimables à leur façon, sauf quelques quolibets à l'adresse de la reine. « Nous amenons, criaient-elles, le boulanger, la boulangère, le petit mitron. »

Toutes pensaient qu'on ne pouvait jamais mourir de faim, ayant le roi avec soi. Toutes étaient encore royalistes, en grande joie de mettre enfin *ce bon papa* en bonnes mains ; il n'avait pas beaucoup de tête, il avait manqué de parole ; c'était la faute de sa femme ; mais une fois à Paris, les bonnes femmes ne manqueraient pas qui le conseilleraient mieux.

Tout cela, gai, triste, violent, joyeux et sombre à la fois.

On espérait, mais le ciel n'était pas de la partie. Il avait plu. On marchait lentement, en pleine boue. De moment en moment, plusieurs, en réjouissance, ou pour décharger leurs armes, tiraient des coups de fusil.

La voiture royale, escortée, La Fayette à la portière, avançait comme un cercueil.

La reine était inquiète. Etait-il sûr qu'elle arrivât ? Elle demanda à La Fayette ce qu'il en pensait, et lui-même le demanda à Moreau de Saint-Méry qui, ayant présidé l'Hôtel de Ville aux fameux jours de la Bastille, connaissait bien le terrain. Il répondit ces mots significatifs : « Je doute que la reine arrive seule aux Tuileries ; mais, une fois à l'Hôtel de Ville, elle en reviendra. »

Voilà le roi à Paris, au seul lieu où il devait être, au cœur même de la France. Espérons qu'il en sera digne.

La révolution du 6 octobre, nécessaire, naturelle et légitime s'il en fut jamais, toute spontanée, imprévue, vraiment populaire, appartient surtout aux femmes, comme celle du 14 juillet aux hommes. Les hommes ont pris la Bastille, et les femmes ont pris le roi.

Le 1er octobre, tout fut gâté par les dames de Versailles.

Le 6, tout fut réparé par les femmes de Paris.

Livre III

6 octobre 1789-14 juillet 1790

CHAPITRE PREMIER

Accord pour relever le roi (octobre 89)
Élan de la fraternité (octobre-juillet)

Amour du peuple pour le roi — Générosité du peuple, sa tendance à l'union — Ses fédérations (d'octobre en juillet) — La Fayette et Mirabeau pour le roi, l'Assemblée pour le roi, octobre 89 — Le roi n'était pas captif en octobre.

Le matin du 7 octobre, de bonne heure, les Tuileries étaient pleines d'un peuple ému, affamé de voir son roi. Tout le jour, pendant qu'il recevait l'hommage des corps constitués, la foule l'observait du dehors, l'attendait et le cherchait. On le voyait, ou on croyait le voir de loin à travers les vitres ; celui qui avait le bonheur de l'apercevoir, le montrait à ses voisins : « Le voyez-vous, le voilà ! » Il fallut qu'il parût au balcon, et ce furent des applaudissements unanimes. Il fallut qu'il descendît au jardin, qu'il répondît de plus près à l'attendrissement du peuple.

Sa sœur, Mme Elisabeth, jeune et innocente personne, fut touchée, ouvrit ses fenêtres, et soupa devant la foule. Les femmes approchaient avec leurs enfants, la bénissant, lui disant qu'elle était belle.

On avait pu, dès la veille, le soir même du 6 octobre, se rassurer tout à fait sur ce peuple dont on avait eu tant peur. Lorsque le roi et la reine parurent à l'Hôtel de Ville entre les flambeaux, un tonnerre monta de la Grève, mais de cris de joie, d'amour, de reconnaissance pour le roi qui venait vivre au milieu d'eux... Ils pleuraient comme des enfants, se tendaient les mains, s'embrassaient les uns les autres.

« La Révolution est finie, disait-on, voilà le roi délivré de ce Versailles, de ses courtisans, de ses conseillers. » Et en effet, ce mauvais enchantement qui depuis plus d'un siècle tenait la royauté captive, loin des hommes, dans un monde de statues, d'automates plus artificiels encore, grâce à Dieu, il était rompu. Le roi était replacé dans la nature réelle, dans la vie et la vérité. Ramené de ce long exil, il revenait chez lui, rentrait à sa vraie place, se trouvait rétabli dans son élément de roi, et quel autre, sinon le peuple ? Où donc ailleurs un roi pourrait-il respirer et vivre ?

Vivez, sire, au milieu de nous, soyez libre pour la première fois. Vous ne l'avez été guère. Toujours vous avez agi, laissé agir, malgré vous. Chaque matin on vous a fait faire de quoi vous repentir le soir ; chaque jour, vous avez obéi. Sujet si longtemps du caprice, régnez enfin selon la loi ; c'est la royauté, c'est la liberté. Dieu ne règne pas autrement.

Telles étaient les pensées du peuple, généreuses et sympathiques, sans rancune, sans défiance. Mêlé pour la première fois aux seigneurs, aux belles dames, il était plein d'égards pour eux. Les gardes du corps eux-mêmes, il les voyait avec plaisir, qui se promenaient, bras dessus, bras dessous, avec leurs amis et sauveurs, les braves gardes-françaises. Il applaudissait les uns et les autres, pour rassurer, consoler ses ennemis de la veille.

Qu'on sache éternellement qu'à cette époque mal connue, défigurée par la haine, le cœur de la France fut plein de magnanimité, de clémence et de pardon. Dans les résistances même que provoque partout l'aristocratie, dans les actes énergiques où le peuple se déclare prêt à frapper, il menace et il pardonne. Metz dénonce son Parlement rebelle à l'Assemblée nationale, puis intercède pour lui. La Bretagne, dans la redoutable fédération qu'elle fit en plein hiver (janvier), se montre et forte et clémente. Cent cinquante mille hommes armés s'y engagèrent à résister aux ennemis de la loi, et le jeune chef qui, à la tête de leurs députés jurait, l'épée sur l'autel, ajouta à son serment : « S'ils deviennent de bons citoyens, nous leur pardonnerons. »

Ces grandes fédérations qui, pendant huit ou neuf mois, se font par toute la France, sont le trait distinctif, l'originalité de cette époque. Elles sont d'abord défensives, de protection mutuelle contre les ennemis inconnus, *les brigands,* contre l'aristocratie. Puis, ces frères, armés ensemble, veulent vivre ensemble aussi, ils s'inquiètent des besoins de leurs frères, ils s'engagent à assurer la circulation des grains, à faire passer la subsistance de provinces en provinces, de ceux qui ont peu à ceux qui n'ont pas. Enfin, la sécurité renaît, la nourriture est moins rare, les fédérations continuent, sans autre besoin que celui du cœur : « *Pour s'unir,* disent-ils, *et s'aimer les uns les autres.* »

Les villes et les villes se sont d'abord unies entre elles, pour se protéger elles-mêmes contre les nobles. Puis, les nobles étant attaqués par le paysan ou par des bandes errantes, les châteaux brûlés, les villes sortent en armes, vont protéger les châteaux, défendre les nobles, leurs ennemis. Ces nobles viennent en foule s'établir dans les villes, parmi ceux qui les ont sauvés, et prêter le serment civique (février-mars).

Les luttes des villes et des campagnes durent peu, heureusement. Le paysan de bonne heure ouvre l'oreille et les yeux ; il se confédère, à son tour, pour l'ordre et la Constitution. J'ai sous les yeux les procès-verbaux d'une foule de ces fédérations des campagnes, et j'y vois le sentiment de la patrie éclater sous forme naïve, autant et plus vivement peut-être encore que dans les villes.

Plus de barrière entre les hommes. Il semble que les murs des villes ont tombé. Souvent les grandes fédérations urbaines vont se tenir dans les campagnes. Souvent les paysans, en bandes réglées, le maire et le curé en tête, viennent fraterniser dans les villes.

Tous en ordre, tous armés. La garde nationale, à cette époque, il ne faut pas l'oublier, c'est généralement tout le monde.

Tout le monde se met en branle, tout part comme au temps des croisades... Où vont-ils ainsi par groupes, villes et villes, villages et villages, provinces et provinces ? Quelle est donc la Jérusalem qui attire ainsi tout un peuple, l'attire, non hors de lui-même, mais l'unit, le concentre en lui ?... C'est mieux que celle de Judée, c'est la Jérusalem des cœurs, la sainte unité fraternelle... la grande cité vivante, qui se bâtit d'hommes... En moins d'une année, elle est faite... Et depuis, c'est la patrie.

Voilà ma route en ce troisième livre ; tous les obstacles du monde, les cris, les actes violents, les aigres disputes me retarderont, mais ne me détourneront pas. Le 14 juillet m'a donné l'unanimité de Paris. Et l'autre 14 juillet va me donner tout à l'heure l'unanimité de la France.

Comment le vieil amour du peuple, le roi, fût-il resté seul hors de cet universel embrassement fraternel ? Il en fut le premier objet. On avait beau voir, près de lui, la reine toujours en larmes, triste et dure, ne nourrissant que rancune. On avait beau voir la pesante servitude où le tenaient ses scrupules de dévot, et la servitude aussi où sa nature matérielle le liait près de sa femme. On s'obstinait toujours à placer l'espoir en lui.

Chose ridicule à dire. La peur du 6 octobre avait fait une foule de royalistes. Ce réveil terrible, cette fantasmagorie nocturne, avait profondément troublé les imaginations ; on se serrait près du roi. L'Assemblée d'abord. Jamais elle ne fut si bien pour lui. Elle avait eu peur ; dix jours après, ce fut encore avec grande répugnance qu'elle vint siéger dans ce sombre Paris d'octobre, parmi cette mer de peuple. Cent cinquante députés aimèrent mieux prendre des passeports. Mounier, Lally se sauvèrent.

Les deux premiers hommes de France, le plus populaire, le plus éloquent, La Fayette et Mirabeau, revinrent royalistes à Paris.

M. de La Fayette avait été mortifié d'être mené à Versailles, tout en paraissant mener. Dans son triomphe involontaire, il était presque autant piqué que le roi. Il fit, en rentrant, deux choses. Il enhardit la Municipalité à faire poursuivre au Châtelet la feuille sanglante de Marat. Lui-même, il alla trouver le duc d'Orléans, l'intimida, lui parla haut et ferme, et chez lui, et devant le roi, lui faisant sentir qu'après le 6 octobre, sa présence à Paris inquiétait, donnait des prétextes, excluait la tranquillité. Il le poussa ainsi à Londres. Le duc voulant en revenir, La Fayette lui fit dire que, le lendemain de son retour, il se battrait avec lui.

Mirabeau, privé de son duc, et voyant décidément qu'il n'en tirerait jamais parti, se tourna bonnement avec l'aplomb de la force, et comme un homme nécessaire qu'on ne peut pas refuser, du côté de La Fayette (10-20 octobre) ; il lui proposait nettement de renverser Necker, et de gouverner à deux. C'était certainement la seule chance de salut qui restât au roi. Mais La Fayette n'aimait ni n'estimait Mirabeau. La Cour les détestait tous deux.

Un moment, un court moment, les deux forces qui restaient, la popularité, le génie, s'entendirent au profit de la royauté. Un événement fortuit qui se passa justement à la porte de l'Assemblée, deux ou trois jours après son arrivée à Paris, l'effraya, la poussa à désirer l'ordre à tout prix. Un malentendu cruel fit périr un boulanger (21 octobre). Le meurtrier fut sur-le-champ jugé, pendu. Ce fut pour la Municipalité l'occasion de demander une loi de sévérité et de force. L'Assemblée décréta la loi martiale, qui armait les municipalités du droit de requérir les troupes et la garde citoyenne, pour dissiper les rassemblements. En même temps, elle renvoyait les crimes de lèse-nation à un vieux tribunal royal, au Châtelet, petit tribunal pour une si grande mission. Buzot et Robespierre disaient qu'il fallait créer une haute cour nationale. Mirabeau se hasarda jusqu'à dire que toutes ces mesures étaient impuissantes, mais *qu'il fallait rendre force au pouvoir exécutif,* ne pas le laisser se prévaloir de sa propre annihilation.

Ceci le 21 octobre. Que de chemin depuis le 6 ! En quinze jours, le roi avait repris tant de terrain que l'audacieux orateur plaçait sans détour le salut de la France dans la force de la royauté.

M. de La Fayette écrivait en Dauphiné au fugitif Mounier qui lamentait la captivité du roi, et poussait à la guerre civile : que le roi n'était point captif, qu'il séjournerait habituellement dans la capitale, mais qu'il allait reprendre ses chasses. Ce n'était pas un mensonge. La Fayette priait effectivement le roi de sortir, de se montrer, de ne point autoriser par une réclusion volontaire le bruit de sa captivité.

Nul doute qu'à cette époque Louis XVI n'eût pu, avec facilité, se retirer soit à Rouen, comme le conseilla Mirabeau, soit à Metz, dans l'armée de Bouillé, ce que désirait la reine.

CHAPITRE II

Résistances — Le clergé (octobre-novembre 89)

Grandes misères — Nécessité de reprendre les biens du clergé — Il n'était pas propriétaire — Réclamations des victimes du clergé : serfs du Jura, religieux et religieuses, protestants, juifs, comédiens.

Le sombre hiver où nous entrons ne fut pas atrocement froid comme celui de 89, Dieu eut pitié de la France. Il n'y aurait eu nul moyen de résister et de vivre. La misère avait augmenté ; nulle industrie, nul travail. Les nobles, dès cette époque, émigrent, ou du moins quittent leurs châteaux, la campagne trop peu sûre, viennent s'établir dans les villes, s'y tiennent renfermés, serrés, dans l'attente des événements ; plusieurs se préparent à fuir, font leurs malles à petit bruit. S'ils agissent dans leurs domaines, c'est pour demander, non pour soulager ; ils ramassent à la hâte ce qu'on leur doit, l'arriéré des droits féodaux. Resserrement de l'argent, cessation du travail, entassement effroyable des mendiants dans les villes ; près de deux cent mille à Paris ! D'autres y viendraient, par millions, si l'on n'obligeait les municipalités de garder les leurs. Chacune, pendant tout l'hiver, s'épuise à nourrir ses pauvres, jusqu'à tarir toutes ressources ; les riches, ne recevant plus, descendent presque au niveau des pauvres. Tous se plaignent, tous implorent l'Assemblée nationale. Que les choses continuent, il ne s'agira pour elle de rien de moins que de nourrir tout le peuple.

Il ne faut pas que le peuple meure. Il a une ressource, après tout, un patrimoine en réserve, auquel il ne touche pas. C'est pour lui, pour le nourrir, que nos charitables aïeux s'épuisèrent en fondations pieuses, dotèrent du meilleur de leurs biens les dispensateurs de la charité, les ecclésiastiques. Ceux-ci ont si bien gardé, augmenté le bien des pauvres, qu'il a fini par comprendre le cinquième des terres du royaume, estimé quatre milliards.

Le peuple, ce pauvre si riche, vient aujourd'hui frapper à la porte de l'église, sa propre maison, demander part dans un bien qui lui appartient tout entier... *Panem ! propter Deum !...* Il serait dur de laisser ce propriétaire, ce fils de la maison, cet héritier légitime, mourir de faim sur le seuil.

Si vous êtes chrétiens, donnez ; les pauvres sont les membres du Christ. Si vous êtes citoyens, donnez ; le peuple, c'est la patrie vivante. Si vous êtes honnêtes gens, rendez. Car ce bien n'est qu'un dépôt.

Rendez... Et la nation va vous donner davantage. Il ne s'agit pas de vous jeter dans l'abîme, pour le combler. On ne vous demande pas que, nouveaux martyrs, vous vous immoliez pour le peuple. Il s'agit, tout au contraire, de venir à votre secours, et de vous sauver vous-mêmes.

Pour comprendre ceci, il faut savoir que le corps du clergé, monstrueux de richesse par rapport à la nation, était aussi un monstre, en soi, d'injustice, d'inégalité. Ce corps énorme à la tête, crevant de graisse et de sang, était, dans ses membres inférieurs, maigre, sec et famélique. Ici le prêtre avait un million de rentes, et là deux cents francs.

Dans le projet de l'Assemblée, qui ne parut qu'au printemps, tout cela était retourné. Les curés et vicaires de campagnes devaient recevoir de l'Etat environ soixante millions, les évêques trois seulement. De là la religion perdue, Jésus en colère, la Vierge pleurant dans les églises du Midi, de la Vendée, toute la fantasmagorie nécessaire pour pousser les paysans à la révolte, aux massacres.

L'Assemblée voulait encore donner trente-trois millions de pensions aux moines et religieuses, douze millions de pensions aux ecclésiastiques isolés, etc. Elle eût porté le traitement général du clergé à la somme énorme de *cent trente-trois millions* qui, par les extinctions, se fût réduite à la moitié ; c'était faire largement les choses. Le moindre curé devait avoir (sans compter les logements, presbytères, jardins) au moins douze cents livres par an. Pour dire vrai, tout le clergé (moins quelques centaines d'hommes) eût passé de la misère à l'aisance, en sorte que ce qu'on appela la spoliation du clergé en était l'enrichissement.

Les prélats firent une belle défense, héroïque. Il fallut s'y reprendre à trois fois, livrer trois batailles (octobre, décembre, avril), pour tirer d'eux ce qui n'était que justice et restitution. On put voir parfaitement où ces hommes de Dieu avaient leur vie et leur cœur : *la propriété !* Ils la défendirent, comme les premiers chrétiens avaient défendu la foi !

Les arguments leur manquaient, mais non pas la rhétorique. Tantôt, ils se répandaient en prophéties menaçantes : « Si vous touchez à une propriété sainte et sacrée entre toutes, toutes vont être en danger, le droit de propriété périt dans l'esprit du peuple... Le peuple va venir demain demander la loi agraire !... » Un autre disait avec douceur : « Quand on ruinerait le clergé, on n'y gagnerait pas grand-chose ; le clergé, hélas ! est si pauvre... endetté de plus ; ses biens, s'ils ne continuent d'être administrés par lui, ne paieront jamais ses dettes. »

La discussion avait été ouverte le 10 octobre. Talleyrand, l'évêque d'Autun, qui avait fait les affaires du clergé et maintenant voulait faire des affaires à ses dépens, cassa la glace le premier, se hasarda sur ce terrain glissant, d'un pied boiteux, évitant le fond même des questions, disant seulement « que le clergé n'était pas propriétaire comme les autres propriétaires ».

A quoi Mirabeau ajouta « que la propriété était à la nation ».

Les légistes de l'Assemblée prouvèrent surabondamment : 1° que le clergé n'était *pas propriétaire* (pouvant user, non abuser) ; 2° qu'il n'était *pas possesseur* (le droit ecclésiastique lui défendant de posséder) ; 3° qu'il n'était *pas même usufruitier,* mais dépositaire, administrateur tout au plus et dispensateur.

Ce qui produisit plus d'effet que la dispute de mots, c'est qu'au moment où l'on mit la cognée au pied de l'arbre, des témoins muets comparurent, qui, sans déposer contre lui, montrèrent tout ce qu'il avait couvert, cet arbre funeste, d'injustice, de barbarie, dans son ombre.

Le clergé avait encore des serfs au temps de la Révolution. Tout le XVIIIe siècle avait passé, tous les libérateurs, et Rousseau, et Voltaire, dont la dernière pensée fut l'affranchissement du Jura... Le prêtre avait encore des serfs !...

La féodalité avait rougi d'elle-même. Elle avait, à divers titres, abdiqué ces droits honteux. Elle en avait repoussé, non sans honneur, les derniers restes dans la grande nuit du 4 août... Le prêtre avait toujours des serfs.

Le 22 octobre, l'un d'eux, Jean Jacob, paysan mainmortable du Jura, vieillard vénérable, âgé de plus de cent vingt ans, fut amené par ses enfants et demanda la faveur de remercier l'Assemblée de ses décrets du 4 août. Grande fut l'émotion. L'Assemblée nationale se leva tout entière devant ce doyen du genre humain, le fit asseoir et couvrir... Noble respect de la vieillesse, et réparation aussi pour le pauvre serf, pour une si longue injure aux droits de l'humanité. Celui-ci avait été serf un demi-siècle sous Louis XIV, et quatre-vingts ans depuis... Il l'était encore ; les décrets du 4 août n'étaient qu'à l'état de déclaration générale ; rien d'exécuté. Le servage ne fut expressément aboli qu'en mars 90 ; le vieillard mourut en décembre ; ainsi, ce dernier des serfs ne vit pas la liberté.

Le même jour, 23 octobre, M. de Castellane, profitant de l'émotion de l'Assemblée, demanda qu'on visitât les trente-cinq prisons de Paris, celles de la France, qu'on ouvrît spécialement des prisons plus ignorées encore, plus profondes que les bastilles royales, les cachots ecclésiastiques. Il fallait bien, à la longue, qu'en ce jour de résurrection, le soleil perçât les mystères, que le bienfaisant rayon de la loi éclairât la première fois ces justices de ténèbres, ces basses-fosses, ces *in pace* où, souvent, dans leurs furieuses haines de cloîtres, dans leurs jalousies, leurs amours plus atroces que leurs haines, les moines enterraient leurs frères.

Hélas ! les couvents tout entiers, qu'était-ce que des *in pace,* où les familles rejetaient, oubliaient, tel de leur membre qui était venu de trop, et qu'on immolait aux autres ? Ceux-ci ne pouvaient pas, comme le serf du Jura, se traîner jusqu'aux pieds de l'Assemblée nationale, y demander la liberté, embrasser la tribune, au lieu d'autel... A grand-peine, de loin, et par lettre, pouvaient-ils, osaient-ils se plaindre. Une religieuse écrivit, le 28 octobre, timidement, dans des termes généraux, ne demandant rien pour elle, mais priant l'Assemblée de statuer sur les vœux ecclésiastiques. L'Assemblée n'osa encore prendre un parti ; elle se contenta de suspendre l'émission des vœux, de fermer ainsi l'entrée aux nouvelles victimes. Combien elle se serait hâtée d'ouvrir les portes aux tristes habitants des cloîtres, si elle eût su l'état d'ennui désespéré où ils étaient parvenus ! J'ai dit ailleurs comment toute culture, toute vie avait été peu à peu retirée aux pauvres religieuses, comment les défiances du clergé leur ôtaient tout aliment. Elles se mouraient, à la lettre, n'ayant rien de vital à respirer, la religion leur manquant, autant et plus que le monde... La mort, l'ennui, le vide, rien aujourd'hui, rien demain, rien le matin, rien le soir. Un confesseur parfois et quelque libertinage... Ou bien, elles se jetaient brusquement de l'autre côté, du cloître à Voltaire, à Rousseau, en pleine révolution. J'en ai vu de bien incrédules. Peu se faisaient une foi, mais celles-là l'avaient forte et la suivaient dans la flamme... Témoin, Mlle Corday, nourrie au cloître de Plutarque et d'*Emile,* sous les voûtes de Mathilde et de Guillaume le Conquérant.

Ce fut comme une revue de tous les infortunés ; tous les revenants du Moyen Age apparurent à leur tour, en face du clergé, l'universel oppresseur. Les juifs vinrent. Souffletés annuellement à Toulouse, ou pendus entre deux chiens, ils vinrent modestement demander s'ils étaient hommes. Ancêtres du christianisme, si durement traités par leur fils, ils l'étaient aussi en un sens de la Révolution française ; celle-ci, comme réaction du droit, devait s'incliner devant ce droit austère, où Moïse a pressenti le futur triomphe du Juste.

Autre victime des préjugés religieux, le pauvre peuple des comédiens eut aussi sa réclamation. Préjugés barbares ! Les deux premiers hommes de la France et de l'Angleterre, l'auteur d'*Othello,* l'auteur de *Tartuffe,* n'étaient-ce pas des comédiens ? Le grand homme qui parla pour eux à l'Assemblée nationale, Mirabeau, fut un comédien sublime. « L'action, l'action, l'action ! » c'est tout l'orateur, a dit Démosthène.

L'Assemblée ne décida rien pour les comédiens, rien pour les juifs. A l'occasion de ceux-ci, elle ouvrit aux *non-catholiques* l'accès des emplois civils. Elle rappela des pays étrangers nos frères infortunés, les protestants, chassés par les barbares directeurs de Louis XIV ; elle promit de leur rendre tout ce qu'on pourrait de leurs biens. Plusieurs revinrent au bout d'un siècle d'exil ; peu retrouvèrent leur fortune. Cette population innocente, injustement bannie, ne trouva point le milliard si légèrement accordé à la coupable émigration.

Ce qu'ils trouvèrent, ce fut l'égalité, la réhabilitation la plus honorable, la France rendue à la justice, la France ressuscitée, les leurs au premier rang de l'Assemblée, Rabaut, Barnave à la tribune. Trop juste réaction, ces deux protestants illustres étaient membres du comité ecclésiastique, et jugeaient leurs anciens juges, réglaient le sort de ceux qui bannirent, rouèrent ou brûlèrent leurs pères. Pour vengeance, ils proposèrent de voter cent trente-trois millions pour le clergé catholique.

Rabaut Saint-Etienne était, comme on sait, fils du vieux docteur, du persévérant apôtre, du glorieux martyr des Cévennes, qui, cinquante années durant, ne connut d'autre toit que la feuillée et le ciel, poursuivi comme un bandit, passant les hivers sur la neige à côté des loups, sans arme que sa plume, dont il écrivait ses sermons au milieu des bois. Son fils, après avoir travaillé bien des années à l'œuvre de la liberté religieuse, eut le bonheur de la voter. C'est lui aussi qui proposa et fit proclamer *l'unité,* l'*indivisibilité* de la France (9 août 1791)... Noble proposition, que tous sans doute auraient faite, mais qui devait sortir du cœur de nos protestants, si longtemps, si cruellement divorcés de la patrie. L'Assemblée porta Rabaut à la présidence, et il eut l'insigne joie d'écrire à son père octogénaire cette parole de réhabilitation solennelle, d'honneur pour les proscrits : « Le président de l'Assemblée nationale est à vos pieds. »

CHAPITRE III

Résistances — Clergé — Parlements
États provinciaux

Le clergé fait appel à la guerre civile, 14 octobre — Élan des villes de Bretagne — L'Assemblée réduit les électeurs primaires à quatre millions et demi — L'Assemblée annule le clergé, comme corps, et les parlements, 3 novembre — Résistance des tribunaux — Rôle funeste des Parlements dans les derniers temps — Ils n'admettaient plus que des nobles — Les Parlements de Rouen et de Metz résistent, novembre 89.

La discussion sur les biens ecclésiastiques commença le 8 octobre. Le 14, le clergé sonna le tocsin de la guerre civile.

Le 14, un évêque breton. Le 24, le clergé du diocèse de Toulouse. Tocsin de l'Ouest, tocsin du Midi.

Il ne faut pas oublier qu'en ce même mois d'octobre, les prélats, les riches abbés de Belgique, menacés aussi dans leurs biens, créaient une armée et nommaient un général. Le Brabant, la Flandre arboraient le drapeau à la croix rouge. Les capucins et autres moines entraînaient les paysans, les grisaient de sermons sauvages, de processions frénétiques, leur mettaient dans la main l'épée, le poignard contre l'empereur.

Nos paysans étaient moins prompts à se mettre en mouvement. Ils ont le jugement sain en général, et tout autrement net et sobre que les Belges. Le vieil esprit gaudisseur des fabliaux, de Rabelais, peu favorable au clergé, n'est jamais bien mort en France. « M. le curé et sa servante » sont un texte inépuisable pour les veillées de l'hiver. Le curé, au reste, était plus plaisanté que haï. Les évêques (tous nobles alors, Louis XVI n'en faisait pas d'autres) étaient, pour la plupart, bien plus scandaleux. Ils ne se contentaient pas de leurs comtesses de province, qui faisaient les honneurs du palais épiscopal ; ils couraient les aventures, les danseuses de Paris. Ces comtesses ou marquises, la plupart de pauvre noblesse, honoraient parfois leurs demi-mariages par un mérite réel ; telle gouvernait l'évêché, et mieux que n'eût fait l'évêque. L'une d'elles, non loin de Paris, fit dans son diocèse les élections de 89, et travailla vivement pour envoyer à l'Assemblée nationale deux excellents députés.

Un épiscopat si mondain, qui se souvenait tout à coup de la religion, dès qu'on touchait à ses biens, avait vraiment beaucoup à faire pour renouveler dans les campagnes le vieux fanatisme. En Bretagne même, où le paysan appartient toujours aux prêtres, ce fut une imprudence à l'évêque de Tréguier de lancer, le 14 octobre, le manifeste de la guerre civile ; il tira trop tôt, rata. Dans son manifeste incendiaire, il montrait le roi captif, la religion renversée, les prêtres n'allaient plus être que *les commis soldés des brigands* ; des brigands, c'est-à-dire de la nation, de l'Assemblée nationale.

Pour dire ces choses le 14, il fallait pouvoir le 15 commencer la guerre civile. En effet, quelques étourdis de jeune noblesse croyaient enlever le paysan. Mais le paysan breton, si ferme, une fois en route, et ne reculant jamais, est lent à se mettre en route ; il avait peine à comprendre que l'affaire des biens d'Eglise, toute grave qu'elle était sans doute, fût pourtant toute la religion. Pendant que le paysan songeait, ruminait la chose, les villes ne songèrent pas, elles agirent, et sans consulter personne, avec une vigueur terrible. Toutes les municipalités du diocèse de Tréguier fondirent dans Tréguier, procédèrent, sans perdre un jour, contre l'évêque et les nobles enrôleurs, les interrogèrent, écoutèrent des témoins contre eux. L'intimidation fut telle que le prélat et les autres nièrent tout, assurèrent n'avoir rien dit, rien fait, pour soulever les campagnes. Les municipalités envoyèrent tout le procès commencé à l'Assemblée nationale, au garde des sceaux ; mais, sans attendre le jugement, elles portèrent déjà une sentence provisoire : « Traître aux communes quiconque enrôlera pour les gentilshommes — et les gentilshommes eux-mêmes, *indignes de la sauvegarde de la nation,* s'ils tentaient de briguer un grade dans la garde nationale. »

Le mandement était du 14 ; et cette représaille violente eut lieu le 18 (au plus tard). Dans la semaine, l'épée est tirée. Brest ayant acheté des grains pour ses approvisionnements, on paya, on poussa les paysans pour arrêter à Lannion les voitures de grains et les envoyés de Brest ; ils furent en grand danger de mort, forcés de signer un désistement honteux. A l'instant, une armée sortit de Brest, et de toutes les villes à la fois. Celles qui étaient trop loin, comme Quimper, Lorient, Hennebon, offrirent de l'argent, des secours. Brest, Morlaix, Landerneau, plusieurs autres marchèrent tout entières ; sur la route, toutes les communes arrivaient en armes ; on était obligé d'en renvoyer. La merveille, c'est qu'il n'y eut nulle violence. Cet orage terrible, soulevé de toute la contrée, arriva sur la hauteur qui domine Lannion, et s'arrêta net. La force héroïque de la Bretagne ne fut jamais mieux marquée ; elle fut ferme contre elle-même. On se contenta de reprendre le blé acheté ; on ne fit rien aux coupables que de les livrer aux juges, c'est-à-dire à leurs amis.

Ce qui rendait à ce moment les privilégiés si faciles à vaincre, c'est qu'ils ne s'entendaient pas. Plusieurs faisaient tout d'abord appel à la force ; mais la plupart ne désespéraient pas de résister par la loi, par la vieille légalité, peut-être la nouvelle.

Les Parlements n'agissaient pas encore. Ils étaient en vacances. Ils comptaient agir, à la rentrée, en novembre.

La majorité des nobles, du haut clergé, n'agissaient pas encore. Ils avaient une espérance. Propriétaires de la plus grande partie des terres, dominant dans les campagnes, ils tenaient dans leur dépendance tout un monde de serviteurs, de clients à divers titres. Ces hommes des campagnes, appelés à voter par l'élection universelle de Necker, au printemps de 89, avaient généralement bien voté, parce que leurs patrons pour la plupart se faisaient une gloriole de pousser aux Etats généraux, qu'ils croyaient chose peu sérieuse.

Mais des siècles avaient passé en un an. Les mêmes patrons aujourd'hui, vers la fin de 89, allaient certainement faire des efforts désespérés pour faire voter les campagnes contre la Révolution, ils allaient mettre le fermier entre son patriotisme (bien jeune encore) et son pain ; ils allaient mener par bandes leurs laboureurs soumis, tremblants, jusqu'à l'urne électorale, les faire voter sous le bâton.

Les choses changeront tout à l'heure, quand le paysan pourra entrevoir l'acquisition des biens de l'Eglise et du domaine, quand l'Assemblée aura créé par ces ventes une masse de propriétaires et de libres électeurs.

Pour le moment, rien de tel. Les campagnes sont encore soumises au servage électoral. Le suffrage universel de Necker, si l'Assemblée l'eût adopté, donnait incontestablement la victoire à l'ancien régime.

L'Assemblée, le 22 octobre, décréta que nul ne serait électeur s'il ne payait en imposition directe, comme propriétaire ou locataire, la valeur de trois journées de travail (c'est-à-dire, au plus, trois francs).

Avec cette ligne, elle rafla des mains de l'aristocratie un million d'électeurs de campagne.

De cinq ou six millions d'électeurs qu'avait donnés le suffrage universel, il en resta *quatre millions quatre cent mille* (propriétaires ou locataires).

Les amis de l'idéal, Grégoire, Duport, Robespierre, objectèrent inutilement que les hommes étaient égaux, donc que tous devaient voter, aux termes du droit naturel. Deux jours avant, le royaliste Montlosier avait prouvé aussi que les hommes étaient égaux.

Dans la crise où l'on était, rien de plus vain, de plus funeste que cette thèse de droit naturel. Les utopistes, au nom de l'égalité, donnaient un million d'électeurs aux ennemis de l'égalité.

La gloire de cette mesure vraiment révolutionnaire revient à l'illustre légiste de Normandie, à Thouret, un Sieyès pratique, qui fit faire à l'Assemblée, ou du moins facilita les grandes choses qu'elle fit alors. Sans éclat, sans éloquence, il trancha de sa logique les nœuds où les plus forts, les Sieyès, les Mirabeau, semblaient s'embrouiller.

Lui seul finit la discussion des biens du clergé en la tirant des disputes inférieures, l'élevant hardiment dans la lumière du droit philosophique. Toute son argumentation, en octobre et en décembre, revient à ce mot profond : « Comment posséderiez-vous ? dit-il au corps du clergé, *vous n'existez pas.* »

Vous n'existez pas comme corps. Les corps moraux que crée l'État ne sont pas des corps au sens propre, ne sont pas des êtres vivants. Ils ont une existence morale, idéale, que leur prête la volonté de l'État, leur créateur. L'État les fit ; il les fait vivre. Utiles, il les a soutenus ; nuisibles, il leur retire sa volonté, qui fait toute leur vie et leur raison d'être.

A quoi Maury répondait : « Non, l'État ne nous créa point ; nous existons sans l'État. » Ce qui valait autant que dire : nous sommes un État dans l'État, un principe rival d'un principe, une lutte, une guerre organisée, la discorde permanente au nom de la charité et de l'union.

Le 3 novembre, l'Assemblée décréta que les biens du clergé *étaient à la disposition de la nation.* En décembre, elle décrétera, aux termes posés par Thouret, «que le clergé est déchu d'être un ordre, *qu'il n'existe point* (comme corps) ».

Le 3 novembre est un grand jour. Il brise les Parlements, et déjà les États provinciaux.

Le même jour, rapport de Thouret sur l'organisation départementale, sur la nécessité de diviser les provinces, de rompre ces fausses nationalités, malveillantes et résistantes, pour constituer dans l'esprit de l'unité une nation véritable.

Qui avait intérêt à maintenir ces vieilles divisions, toutes ces rivalités haineuses, à conserver des Gascons, des Provençaux, des Bretons, à empêcher les Français d'être une France ? Ceux qui régnaient dans les provinces, les Parlements, les États provinciaux, ces fausses images de la liberté qui pendant si longtemps en avaient donné une ombre, un leurre, l'avaient empêchée de naître.

Eh bien ! le 3 novembre, au moment où elle porte le premier coup aux États provinciaux, l'Assemblée met les Parlements en vacance indéfinie. Lameth fit la proposition. Thouret rédigea le décret. « Nous les avons enterrés vifs », disait en sortant Lameth.

Toute l'ancienne magistrature avait suffisamment prouvé ce que la Révolution avait à attendre d'elle. Les tribunaux de l'Alsace, du Beaujolais, de la Corse, les prévôts de Champagne, de Provence, prenaient sur eux de choisir entre les lois et les lois ; ils connaissaient parfaitement celles qui favorisaient le roi, ils ne connaissaient pas les autres. Le 27 octobre, les juges envoyés à Marseille par le Parlement d'Aix jugeaient dans les formes anciennes, avec les procédures secrètes, tout le vieil attirail barbare, sans tenir compte du décret contraire, sanctionné le 4 octobre. Le Parlement de Besançon refusait ouvertement d'enregistrer aucun décret de l'Assemblée.

Celle-ci n'avait qu'à dire un mot pour briser cette insolence. Le peuple frémissait autour de ces tribunaux rebelles. « Contre ces états et ces parlements, dit Robespierre, vous n'avez rien à faire ; les municipalités agiront assez. »

Le 5 novembre, l'Assemblée leva le bras pour frapper : « Les tribunaux qui n'enregistreront pas sous trois jours seront poursuivis comme prévaricateurs. »

Ces compagnies avaient eu, sous ce faible gouvernement qui tombait, une force considérable de résistance, et légale, et séditieuse. Le mélange bizarre d'attributions qu'elles réunissaient leur en donnait de grands moyens. Leur *juridiction* souveraine, absolue, héréditaire, et qui n'oubliait jamais, était redoutée de tous ; les ministres, les grands seigneurs, n'osaient jamais pousser à bout les juges qui, dans cinquante ans peut-être, s'en souviendraient dans un procès pour ruiner leurs familles. Leur *refus d'enregistrement,* qui leur donnait une sorte de *veto* contre le roi, avait au moins cet effet de donner le signal à la sédition, et, d'une manière indirecte, de la proclamer légale. Leurs usurpations *administratives,* la surveillance des subsistances, dans laquelle ils s'immisçaient, leur fournissaient mille occasions de faire planer sur le pouvoir une accusation terrible. Une partie de la *police* enfin était dans leurs mains, c'est-à-dire qu'ils étaient chargés de réprimer d'une part les troubles qu'ils excitaient de l'autre.

Cette puissance si dangereuse était-elle au moins dans des mains sûres et qui pussent rassurer ? Les parlementaires, au XVIIIe siècle, avaient été profondément corrompus par leurs rapports avec la noblesse. Ceux même d'entre eux qui, comme jansénistes, étaient hostiles à la Cour, dévots, austères et factieux, avec toute leur morgue sauvage, n'en étaient pas moins flattés de voir dans leur antichambre le duc ou le prince un tel. Les grands seigneurs, qui se moquaient d'eux, les caressaient, les flattaient, leur parlaient chapeau bas, pour gagner des procès injustes, spécialement pour pouvoir impunément usurper les biens des communes. Les bassesses auxquelles descendaient les gens de cour devant ces grandes perruques ne tiraient pas à conséquence. Eux-mêmes en riaient ; parfois ils daignaient épouser leurs filles, leurs fortunes, pour se refaire. Les jeunes parlementaires, trop flattés de cette camaraderie, de ces alliances avec des gens de haute volée, tâchaient de leur ressembler, d'être, à leur image, d'aimables mauvais sujets, et, comme les copistes maladroits, dépassaient leurs maîtres. Ils quittaient leurs robes rouges, descendaient des fleurs de lis pour courir les petites maisons, les petits soupers, pour jouer la comédie.

Voilà où tombe la justice !... triste histoire ! Au Moyen Age, elle est matérielle, dans la terre et dans la race, dans le fief et dans le sang. Le seigneur, ou bien celui qui succède à tous, le seigneur des seigneurs, le roi, dit : « La justice est à moi, je puis juger ou faire juger ; par qui ? n'importe, par mon lieutenant quelconque, mon domestique, mon intendant, mon portier... Viens, je suis content de toi, je te donne une justice. » Celui-ci en dit autant : « Je ne jugerai pas moi-même, je vendrai cette justice. » Arrive le fils d'un marchand, qui achète, pour revendre, la chose sainte entre toutes ; la justice passe de main en main, comme un effet de commerce, elle passe en héritage, en dot... Etrange apport d'une jeune épousée le droit de faire rompre et pendre !...

Hérédité, vénalité, privilège, exception, voilà les noms de la justice ! Et comment donc autrement s'appellerait l'injustice ?... Privilèges *de personnes*, jugées par qui elles veulent... — Et privilège *de temps* : Je te juge, à ma volonté, demain, dans dix ans, jamais... Et privilège *de lieu*. De cent cinquante lieues et plus, le Parlement vous attire ce pauvre diable qui plaide avec son seigneur ; qu'il se résigne, qu'il cède, je le lui conseille ; qu'il abandonne plutôt que de venir traîner, des années peut-être, à Paris, dans la boue et la misère, à solliciter un arrêt des bons amis du seigneur.

Les Parlements du dernier temps avaient, par des arrêtés non promulgués, mais avoués, exécutés fidèlement, pourvu à ne plus admettre dans leur sein que des nobles ou anoblis.

De là, un affaiblissement déplorable dans la capacité. L'étude du droit, abaissée dans les écoles, faible chez les avocats, fut nulle chez les magistrats, chez ceux qui appliquaient le droit pour la vie ou pour la mort. Les compagnies demandaient peu qu'on fît preuve de science, si l'on prouvait la noblesse.

De là encore une conduite de plus en plus double et louche. Ces nobles magistrats sans cesse avancent et reculent. Ils crient pour la liberté ; Turgot vient, ils le repoussent. Ils crient : « Les Etats généraux ! » Le jour où on les leur donne, ils proposent de les rendre nuls, en les calquant sur la forme des vieux Etats impuissants.

Ce jour-là, ils étaient morts.

Quand l'Assemblée décréta la vacance indéfinie, ils s'attendaient peu à ce coup. Ceux de Paris voulaient résister. Le garde des sceaux, archevêque de Bordeaux, les supplia de n'en rien faire. Novembre aurait renouvelé le grand mouvement d'octobre. Ils enregistrèrent et firent l'offre, un peu tardive, de juger gratuitement.

Ceux de Rouen enregistrèrent ; mais, secrètement, prudemment, ils écrivirent au roi qu'ils le faisaient provisoirement et par soumission pour lui. Ceux de Metz en dirent autant, publiquement, avec audace, toutes les chambres assemblées, motivant hardiment cet acte sur la *non-liberté* du roi. Ceux-ci pouvaient être braves sous le canon de Bouillé.

Grande peur du garde des sceaux, le timide évêque. Il montra au roi le péril ; l'Assemblée va riposter, s'irriter, lancer le peuple. Le moyen de sauver les Parlements, c'est que le roi se hâte de les condamner lui-même. Il sera en position meilleure pour intervenir et intercéder. Déjà, en effet, les villes de Rouen, de Metz, déféraient leur Parlement, demandaient leur punition. Ces corps orgueilleux se virent seuls, toute la population contre eux. Ils se rétractèrent. Metz, elle-même, pria pour les coupables. Et l'Assemblée pardonna (25 novembre 1789).

CHAPITRE IV

Résistances — Parlements — Mouvements des fédérations

Travaux de l'organisation judiciaire — Le Parlement de Bretagne à la barre, 8 janvier 1790 — Les Parlements de Bretagne et de Bordeaux condamnés, janvier, mars — Origine des fédérations : Anjou, Bretagne, Dauphiné, Franche-Comté, Rhône, Bourgogne, Languedoc, Provence, etc. — La guerre contre les châteaux réprimée ; les villes défendent les nobles, leurs ennemis, février 1790.

La résistance la plus obstinée fut celle du Parlement de Bretagne. Par trois fois il refusa l'enregistrement, et il se croyait en mesure de soutenir ce refus. D'une part, il avait la noblesse qui s'assemblait à Saint-Malo, les nombreux et très fidèles domestiques des nobles, les siens, sa clientèle dans les villes, ses amis dans les confréries, dans les corporations de métiers ; ajoutez la facilité de recruter dans cette foule d'ouvriers sans ouvrage, de gens qui vaguaient dans les rues, mourant de faim. Les villes les voyaient travailler, préparer la guerre civile. Environnées de campagnes hostiles ou douteuses, elles pouvaient être affamées. Elles tranchèrent le nœud qui tardait à se dénouer. Rennes et Nantes, Vannes et Saint-Malo, envoyèrent à l'Assemblée des accusations foudroyantes, déclarant qu'elles abjuraient tout rapport avec les traîtres. Sans rien attendre, la garde nationale de Rennes entra au château et s'assura des canons (18 décembre 1789).

L'Assemblée prit deux mesures. Elle manda le Parlement de Bretagne à comparaître devant elle. Elle accueillit la pétition de Rennes, qui sollicitait la création d'autres tribunaux. Elle commença son beau travail sur l'organisation d'une justice digne de ce nom, non payée, non achetée, ni héréditaire, sortie du peuple et pour le peuple. Le premier article d'une telle organisation était, bien entendu, la suppression des Parlements (22 décembre 1789).

Thouret, l'auteur du rapport, établit parfaitement cette vérité, trop oubliée depuis, qu'une révolution qui veut durer doit, avant tout, ôter à ses ennemis l'épée de justice.

Etrange contradiction, de dire au système qu'on renverse : « Ton principe m'est opposé, je l'efface des lois, du gouvernement ; mais, en toute affaire privée, tu l'appliqueras contre moi... » Comment méconnaître ainsi la toute-puissance, modeste, sourde, mais terrible, du pouvoir judiciaire, son invincible absorption ? Tout pouvoir a besoin de lui ; lui, il se passe des autres. Donnez-moi le pouvoir judiciaire, gardez vos lois, vos ordonnances, tout ce monde de papier ; je me charge de faire triompher le système le plus contraire à vos lois.

Il leur fallut bien venir, ces vieux tyrans parlementaires, aux pieds de la nation (8 janvier). S'ils n'étaient venus d'eux-mêmes, la Bretagne aurait plutôt levé une armée exprès pour les y traîner. Ils comparurent avec arrogance, un mépris mal déguisé pour cette assemblée d'avocats, n'en tenant guère plus de compte qu'aux jours où d'en haut ils écrasaient le barreau de pesantes mercuriales. Les rôles ici étaient changés. Au reste, qu'importaient les personnes ? C'était devant la raison qu'il fallait répondre, devant les principes, posés pour la première fois.

Leur superbe baissa tout à fait, ils furent comme cloués à terre, quand, de cette assemblée d'avocats, les mots suivants furent lancés : « On dit que la Bretagne n'est pas représentée, et, dans cette assemblée, elle a soixante-six représentants... Ce n'est pas dans de vieilles chartes, où la ruse combinée avec la force a trouvé moyen d'opprimer le peuple, qu'il faut chercher les droits de la nation ; c'est dans la Raison ; ses droits sont anciens comme le temps, sacrés comme la nature. »

Le président du Parlement de Bretagne n'avait pas défendu le Parlement qui était en cause. Il défendait la Bretagne, qui ne voulait pas être défendue, et n'en avait pas besoin. Il allégua les clauses du mariage d'Anne de Bretagne, mariage qui n'était qu'un divorce organisé, stipulé, entre la Bretagne et la France. Il plaidait pour ce divorce, comme un droit qui devait être éternel. Haineuse, insidieuse défense, adressée, non à l'Assemblée, mais à l'orgueil provincial, provocation retentissante à la guerre civile.

La Bretagne avait-elle à craindre de diminuer, en devenant France ; est-ce qu'une telle séparation pouvait durer à jamais ? ne fallait-il pas tôt ou tard qu'un mariage plus vrai se fît ? La Bretagne a gagné assez à participer à la gloire d'un tel empire. Et cet empire, certes, a gagné, nous en conviendrons toujours, à épouser la pauvre et glorieuse contrée, sa fiancée de granit, cette mère des grands cœurs et des grandes résistances.

Ainsi la défense des parlements, trop mauvaise, se retirait dans la défense des provinces, des États provinciaux. Mais ces États se trouvaient plus faibles encore, en un sens. Les parlements étaient des corps homogènes, organisés ; les États n'étaient autre chose que de monstrueuses et barbares constructions, hétérogènes et discordantes. Ce qu'on pouvait dire de meilleur en leur faveur, c'est que tels d'entre eux, ceux du Languedoc, par exemple, avaient sagement, prudemment administré l'injustice. D'autres, ceux du Dauphiné, sous l'habile direction de Mounier, avaient pris, la veille de la Révolution, une noble initiative.

Le même Mounier, fugitif, jeté dans la réaction, avait abusé de son influence sur le Dauphiné, pour faire indiquer une convocation prochaine des États, « où l'on examinerait si effectivement le roi était libre ». A Toulouse, une ou deux centaines de nobles et de parlementaires avaient simulé un essai de réunion d'États. Ceux de Cambrésis, imperceptible assemblée d'un pays imperceptible, qui s'intitulaient États, avaient réclamé le privilège de ne pas être France, et dit, comme ceux de Bretagne : « Nous sommes une nation. »

Ces fausses et infidèles représentations des provinces venaient audacieusement parler en leur nom. Et elles recevaient à l'instant de violents démentis. Les municipalités, ressuscitées, pleines de vigueur et d'énergie, venaient une à une, devant l'Assemblée nationale, dire à ces États, à ces Parlements : « Ne parlez pas au nom du peuple ; le peuple ne vous connaît pas ; vous ne représentez que vous-mêmes, la vénalité, l'hérédité, le privilège gothique. »

La Municipalité, corps réel, vivant (on le sent à la force de ses coups), dit à ces vieux corps artificiels, à ces vieilles ruines barbares, l'équivalent du mot déjà signifié au corps du clergé : « Vous n'existez pas ! »

Ils firent pitié à l'Assemblée. Tout ce qu'elle fit à ceux de Bretagne, ce fut de les déclarer inhabiles à faire ce qu'ils refusaient de faire, de leur interdire toute fonction publique, jusqu'à ce qu'ils eussent présenté requête pour obtenir de prêter serment (11 janvier).

Même indulgence, deux mois après, pour le Parlement de Bordeaux, qui, saisissant l'occasion des désordres du Midi, se hasarda jusqu'à faire une espèce de réquisitoire contre la Révolution, déclarant dans un acte public qu'elle n'avait fait que du mal, appelant insolemment l'Assemblée *les députés des bailliages*.

L'Assemblée eut peu à sévir. Le peuple y suffisait de reste. La Bretagne comprima le Parlement de Bretagne. Et celui de Bordeaux fut accusé devant l'Assemblée par la ville même de Bordeaux qui envoya tout exprès, pour soutenir l'accusation, le jeune et ardent Fonfrède (4 mars).

Ces résistances devenaient tout à fait insignifiantes au milieu de l'immense mouvement populaire qui se déclarait partout. Jamais, depuis les croisades, il n'y eut un tel ébranlement des masses, si général, si profond. Elan de fraternité en 90 ; tout à l'heure élan de la guerre.

Cet élan, d'où commence-t-il ? De partout. Nulle origine précise ne peut être assignée à ces grands faits spontanés.

Dans l'été de 1789, dans la terreur des *brigands,* les habitations dispersées, les hameaux même s'effraient de leur isolement : hameaux et hameaux s'unissent, villages et villages, la ville même avec la campagne. Confédération, mutuel secours, amitié fraternelle, fraternité, voilà l'idée, le titre de ces pactes. Peu, très peu, sont écrits encore.

L'idée de fraternité est d'abord assez restreinte. Elle n'implique que les voisins, et tout au plus la province. La grande fédération de Bretagne et Anjou a encore ce caractère provincial. Convoquée le 26 novembre, elle s'accomplit en janvier. Au point central de la presqu'île, loin des routes, dans la solitaire petite ville de Pontivy, se réunissent les représentants de cent cinquante mille gardes nationaux. Les cavaliers portaient seuls un uniforme commun, corsets rouges et revers noirs ; tous les autres, distingués par des revers roses, amarante, chamois, etc., rappelaient, dans l'union même, la diversité des villes qui les envoyaient. Dans leur pacte d'union, auquel ils invitent toutes les municipalités du royaume, ils insistent néanmoins pour former toujours une famille de Bretagne et Anjou, « quelle que soit la nouvelle division départementale, nécessaire à l'administration ». Ils établissent entre leurs villes un système de correspondance. Dans la désorganisation générale, dans l'incertitude où ils sont encore du succès de l'ordre nouveau, ils s'arrangent pour être du moins toujours organisés à part.

Dans les pays moins isolés, au croisement des grandes routes, sur les fleuves spécialement, le pacte fraternel prend un sens plus étendu. Les fleuves qui, sous l'ancien régime, par la multitude des péages, par les douanes intérieures, n'étaient guère que des limites, des obstacles, des entraves, deviennent, sous le régime de la liberté, les principales voies de circulation, ils mettent les hommes en rapport d'idées, de sentiments, autant que de commerce.

C'est près du Rhône, à deux lieues de Valence, au petit bourg d'Étoile, que, pour la première fois, *la province est abjurée* ; quatorze communes rurales du Dauphiné s'unissent entre elles, et se donnent à la grande unité française (29 novembre 1789). Belle réponse de ces paysans aux politiques, aux Mounier, qui faisaient appel à l'orgueil provincial, à l'esprit de division, qui essayaient d'armer le Dauphiné contre la France.

Cette fédération, renouvelée à Montélimar, n'est plus seulement dauphinoise, mais mêlée de plusieurs provinces des deux rives, Dauphiné et Vivarais, Provence et Languedoc. Cette fois donc, ce sont *des Français*. Grenoble y envoie d'elle-même, malgré sa municipalité, en dépit des politiques ; elle ne se soucie plus de son rôle de capitale, elle aime mieux être France. Tous ensemble ils répètent le serment sacré que les paysans ont fait déjà en novembre : « Plus de province ! la patrie !... » Et s'aider, se nourrir les uns les autres, se passer les blés de main en main par le Rhône (13 décembre).

Fleuve sacré, qui, traversant tant de peuples, de races, de langues, semble avoir hâte d'échanger les produits, les sentiments, les pensées ; il est, dans son cours varié, l'universel médiateur, le sociable Genius, la fraternité du Midi. C'est au point aimable et riant de son mariage avec la Saône que, sous Auguste, soixante nations des Gaules avaient dressé leur autel. Et c'est au point le plus austère, au passage sérieux, profond, que dominent les monts cuivrés de l'Ardèche, dans la romaine Valence, que se fit, le 31 janvier 1790, la première de nos grandes fédérations. Dix mille hommes étaient en armes, qui devaient en représenter plusieurs centaines de mille. Il y avait trente mille spectateurs. Entre cette immuable antiquité, ces monts immuables, devant ce fleuve grandiose, toujours divers, toujours le même, se fit le serment solennel. Les dix mille, un genou en terre, les trente mille à deux genoux, tous ensemble jurèrent la sainte unité de la France.

Tout était grand, le lieu, le moment ; et, chose rare, les paroles ne furent nullement au-dessous. La sagesse du Dauphiné, l'austérité du Vivarais, le tout animé d'un souffle de Languedoc et de Provence. A l'entrée d'une carrière de sacrifices qu'ils prévoyaient parfaitement, au moment de commencer l'œuvre grande et laborieuse, ces excellents citoyens se recommandaient les uns aux autres de fonder la liberté sur la seule base solide, « la vertu », sur ce qui rend les dévouements faciles, « la simplicité, la frugalité, la pureté du cœur ».

Je voudrais savoir aussi ce que disaient, presque en face, de l'autre côté du Rhône, à Voute, les cent mille paysans armés qui y firent l'union du Vivarais. C'était encore février, rude saison dans ces froides montagnes ; ni le temps, ni la misère, ni les routes effroyables n'empêchèrent ces pauvres gens d'arriver au rendez-vous. Torrents, verglas, précipices, fontes de neiges, rien ne put les arrêter ; une chaleur toute nouvelle était dans l'air ; une fermentation précoce se faisait sentir en eux ; citoyens pour la première fois, évoqués du fond de leurs glaces au nom inouï de la liberté, ils partirent, comme les rois mages et les bergers de Noël, voyant clair en pleine nuit, suivant sans pouvoir s'égarer, à travers les brumes d'hiver, une lueur de printemps et l'étoile de la France.

Dès longtemps les quatorze villes de Franche-Comté, inquiètes entre les châteaux et les pillards qui forcent et qui brûlent les châteaux, se sont unies à Besançon, se sont promis assistance.

Ainsi, par-dessus les désordres, les craintes, les périls, j'entends s'élever peu à peu, répété par ces chœurs imposants dont chacun est un grand peuple, le mot puissant, magnifique, doux à la fois et formidable, qui contiendra tout et calmera tout : la fraternité.

Et, à mesure que les associations se forment, elles s'associent entre elles, comme dans les grandes farandoles du Midi ; chaque bande de danseurs qui se forme donne la main à une autre et la même danse emporte des populations entières.

Ici éclate, par une double initiative, le grand cœur de la Bourgogne.

Dès le fond même de l'hiver, dans la rareté des subsistances, Dijon invite toutes les municipalités de Bourgogne à aller au secours de Lyon affamée.

Lyon a faim, et Dijon souffre... Ainsi ces mots de fraternité, de solidarité nationale, ne sont pas des mots, ce sont des sentiments sincères, des actes réels, efficaces.

La même ville de Dijon, liée aux confédérations de Dauphiné et de Vivarais (elles-mêmes en rapport avec celles de Provence et de Languedoc), Dijon invite la Bourgogne à donner la main aux villes de la Franche-Comté. Ainsi, l'immense farandole du sud-est, liant et formant toujours de nouveaux anneaux, avance jusqu'à Dijon, qui se rattache à Paris.

Tous sortant de l'égoïsme, tous voulant du bien à tous, tous voulant nourrir les autres, les subsistances commençant à circuler facilement, l'abondance se rétablit ; il semble que, par un miracle de la fraternité, une moisson nouvelle soit venue en plein hiver.

Nulle trace dans tout cela de l'esprit d'exclusion, d'isolement local, qu'on désigna plus tard sous le nom de fédéralisme. Ici, tout au contraire, c'est une conjuration pour l'unité de la France. Ces fédérations de provinces regardent toutes vers le centre, toutes invoquent l'Assemblée nationale, se rattachent à elle, se donnent à elle, c'est-à-dire à l'unité. Toutes remercient Paris de son appel fraternel. Telle ville lui demande secours. Telle veut être affiliée à sa garde nationale. Clermont lui avait proposé en novembre une association générale des municipalités. A cette époque, en effet, sous la menace des états, des parlements, du clergé, les campagnes étant douteuses, tout le salut de la France semblait placé dans une ligue étroite des villes. Grâce à Dieu, les grandes fédérations résolurent mieux la difficulté. Elles entraînèrent, avec les villes, un nombre immense des habitants des campagnes. On l'a vu pour le Dauphiné, le Vivarais, le Languedoc.

Dans le Bretagne, dans le Quercy, le Rouergue, le Limousin, le Périgord, les campagnes sont moins paisibles ; il y a en février des désordres, des violences. Les mendiants, nourris à grand-peine jusque-là par les municipalités, sortent peu à peu et courent le pays. Les paysans recommencent à forcer les châteaux, brûler les chartes féodales, exécuter par la force les déclarations du 4 août, les promesses de l'Assemblée. En attendant qu'elle y songe, la terreur est dans les campagnes. Les nobles délaissent leurs châteaux, viennent se cacher dans les villes, trouver sûreté parmi leurs ennemis. Et ces ennemis les défendent. Les gardes nationaux de la Bretagne, qui viennent de jurer leur ligue contre les nobles, vont défendre les manoirs où l'on conspirait contre eux. Ceux du Quercy, du Midi en général, furent également magnanimes.

Les pillards furent comprimés, les paysans contenus, peu à peu initiés, intéressés au but de la Révolution. A qui donc pouvait-elle profiter plus qu'à eux ? Elle avait affranchi des dîmes ceux d'entre eux qui possédaient. Elle allait, entre les autres, créer des propriétaires, et par centaines de mille. Elle allait leur donner l'épée, de serfs en un jour les faire nobles, les mener par toute la terre à la gloire, aux aventures, tirer d'eux des princes, des rois, et que dis-je ? bien plus, des héros.

CHAPITRE V

Résistances — La reine et l'Autriche (octobre-février)

Irritation de la reine, octobre — Complots de la Cour — Le roi prisonnier du peuple (novembre-décembre ?) — La reine se défie des princes — La reine peu liée avec le clergé — Elle avait toujours été gouvernée par l'Autriche — L'Autriche intéressée à ce que le roi n'agit point — Louis XVI et Léopold se déclarent amis des constitutions, février-mars — Procès de Besenval et de Favras — Mort de Favras, 18 février — Découragement des royalistes — Grandes fédérations du Nord.

Du spectacle sublime de la fraternité, je retombe, hélas ! sur la terre, dans les intrigues et les complots.

Personne n'appréciait l'immensité du mouvement ; personne ne mesurait ce flux rapide, invincible, qui monta d'octobre en juillet. Des populations, jusque-là étrangères entre elles, se liaient, se rapprochaient. Des villes éloignées, des provinces, naguère divisées encore par les vieilles rivalités, allaient en quelque sorte au-devant les unes des autres, se donnaient la main, et fraternisaient. Ce fait si nouveau, si frappant, était à peine remarqué des grands esprits de l'époque. S'il eût pu l'être de la reine, de la Cour, il aurait découragé les résistances inutiles. Qui donc, quand l'Océan monte, oserait marcher contre lui ?

La reine se trompa dès le point de départ, et elle resta trompée. Elle vit dans le 6 octobre une affaire arrangée par le duc d'Orléans, un tour que lui jouait l'ennemi. Elle céda ; mais, avant de partir, conjura le roi, au nom de son fils, de n'aller à Paris que pour attendre le moment où il pourrait s'éloigner.

Dès le premier jour, le maire de Paris le priant d'y fixer sa résidence, lui disant que le centre de l'Empire était la demeure naturelle des rois, n'avait tiré de lui que cette réponse : « Qu'il ferait volontiers de Paris sa résidence *la plus habituelle.* »

Le 9, proclamation du roi où il annonce que, s'il n'eût pas été à Paris, *il eût craint de causer un grand trouble* ; que, la Constitution faite, il réalisera son projet d'aller *visiter ses provinces* ; qu'il se livre à l'espoir de recevoir d'elles des marques d'affection, de les voir *encourager l'Assemblée nationale,* etc.

Cette lettre ambiguë, qui semblait provoquer des adresses royalistes, décida la commune de Paris à écrire aussi aux provinces ; elle voulait les rassurer, disait-elle, contre certaines insinuations, *jetant un voile sur le complot* qui avait failli renverser l'ordre nouveau ; elle *offrait une fraternité* sincère à toutes les communes du royaume.

La reine refusa de recevoir les vainqueurs de la Bastille qui venaient lui présenter leurs hommages. Elle reçut les dames de la Halle, mais à distance, et comme séparée, défendue, par les larges paniers des dames de la Cour qui se jetèrent au-devant. Elle éloignait d'elle ainsi une classe très royaliste ; plusieurs des dames de la Halle désavouaient le 6 octobre. Elles arrêtèrent elles-mêmes quelques femmes sans aveu, qui pénétraient dans les maisons pour extorquer de l'argent.

Ces maladresses de la reine n'étaient pas propres à augmenter la confiance. Comment eût-elle subsisté, au milieu des tentatives de la Cour, toujours avortées, découvertes ? D'octobre en mars, on découvrit à peu près un complot par mois. (Augeard, Favras, Maillebois, etc.)

Le 25 octobre, on arrête un sieur Augeard, garde des sceaux de la reine ; on trouve chez lui un plan pour mener le roi à Metz.

Le 21 novembre, dans l'Assemblée, le comité des recherches, provoqué par Malouet, le fait taire en lui disant qu'il existe un nouveau complot pour enlever le roi à Metz, et que Malouet lui-même le connaît parfaitement.

Le 25 décembre, on arrête le marquis de Favras, encore un enleveur du roi, qui recrutait dans Paris. Si l'on eût eu pour objet de troubler pour toujours l'imagination du peuple, de le rendre fol de défiance et de craintes, l'entourant ainsi de ténèbres, de complots, de pièges, il eût fallu faire exactement ce qu'on fit. Il eût fallu, par suite de conspirations maladroites, lui montrer à chaque instant le roi en fuite, le roi à la tête des armées, le roi revenant affamer Paris.

Sans doute, en supposant la liberté assise, les résistances moins fortes, il eût mieux valu leur ouvrir la porte toute grande, à ce roi, à cette reine, les mener à leur vraie place, à la frontière, en faire cadeau à l'Autriche.

Mais, dans l'état chancelant, incertain, où se trouvait la pauvre France, ayant pour chef une assemblée de métaphysiciens, et contre elle des hommes d'exécution et de main, comme était M. de Bouillé, comme nos officiers de marine, comme les gentilshommes bretons, il était bien difficile de lâcher le grand otage, le roi, de donner à toutes ces forces ce qui leur manquait, l'unité.

Donc, le peuple veillait nuit et jour, rôdait autour des Tuileries ; il ne se fiait à personne. Il allait voir tous les matins si le roi n'était pas parti. La garde nationale lui en répondait, et le commandant de la garde nationale. Mille bruits circulaient, reproduits par des journaux violents, furieux, qui, à tout hasard, dénonçaient quelque complot... Les gens modérés s'indignaient, niaient, ne voulaient pas croire... Le complot n'en était pas moins découvert le lendemain. Le résultat de tout ceci, c'est que le roi, qui n'était nullement prisonnier en octobre, l'était en novembre ou décembre.

La reine avait manqué un moment unique, admirable, irréparable, le moment où La Fayette et Mirabeau se trouvèrent d'accord pour elle (fin octobre).

Elle ne voulait pas être sauvée par la Révolution, par Mirabeau, par La Fayette ; courageuse et rancuneuse, véritable princesse de la maison de Lorraine, elle voulait vaincre et se venger. Elle risquait à la légère, se disant évidemment, comme disait dans une tempête Henriette d'Angleterre, qu'après tout les reines ne pouvaient pas se noyer.

Marie-Thérèse avait été bien près de périr, et elle n'avait pas péri. Ce souvenir héroïque de la mère influait beaucoup sur la fille — à tort — la mère avait pour elle le peuple, la fille l'avait contre elle.

M. de La Fayette, peu royaliste avant le 6 octobre, l'était sincèrement depuis. Il avait sauvé la reine, protégé le roi. On s'attache par de telles choses. Les efforts prodigieux qu'exigeait de lui le maintien de l'ordre lui faisaient vivement désirer que l'autorité reprît force. Il écrivit par deux fois à M. de Bouillé, le priant de s'unir à lui pour sauver la royauté. M. de Bouillé regrette amèrement, dans ses Mémoires, de ne point l'avoir écouté.

La Fayette avait fait une chose agréable à la reine, en chassant le duc d'Orléans. Il lui faisait une sorte de cour. Il est curieux de voir le général, l'homme occupé, suivre la reine aux églises, assister aux offices où elle faisait ses pâques.

Pour la reine, pour le roi, La Fayette surmonta la répugnance que lui inspirait Mirabeau.

Dès le 15 octobre, Mirabeau s'était offert, par une note, que son ami Lamarck, l'homme de la reine, ne montra pas même au roi. Le 20, nouvelle note de Mirabeau ; mais celle-ci, il l'envoya à La Fayette, qui s'aboucha avec l'orateur, le conduisit chez le ministre Montmorin.

Ce secours inespéré qui leur tombait du ciel fut tout à fait mal reçu. Mirabeau aurait voulu que le roi se contentât d'un million pour toute défense ; qu'il se retirât, non à Metz dans l'armée, mais à Rouen, et que de là il publiât des ordonnances plus populaires que les décrets de l'Assemblée. Ainsi point de guerre civile, le roi se faisant plus révolutionnaire que la Révolution même.

Etrange projet, qui prouve la confiance, la facile crédulité du génie !... Si la Cour l'eût accepté pour un jour, si elle eût consenti de feindre, c'eût été pour faire pendre le lendemain Mirabeau.

Dès novembre, il put bien voir ce qu'il avait à attendre de ceux qu'il voulait sauver. Il lui fallait le ministère, et garder en même temps sa position dominante dans l'Assemblée nationale. Pour cela, il avait besoin que la Cour lui ménageât l'appui, la connivence, le silence du moins, des députés royalistes. Loin de là, le garde des sceaux, averti, anima plusieurs députés, même de l'opposition, contre le projet. Au ministère, aux Jacobins (ce club était à peine ouvert), on travailla en même temps pour rendre Mirabeau impossible. Deux honnêtes gens, Montlosier du côté droit, Lanjuinais du côté gauche, parlèrent dans le même sens. Ils proposèrent et firent décréter « qu'aucun député en fonction, ni trois ans après, ne pût accepter de place ». Ainsi les royalistes réussirent à interdire le ministère au grand orateur, qui eût été le soutien de leur parti (7 novembre).

La reine, nous l'avons dit, ne voulait pas être sauvée par la Révolution, et elle ne voulait pas l'être non plus par l'émigration, par les princes. Elle avait trop bien connu le comte d'Artois pour ne pas savoir le peu que c'était. Elle se défiait avec raison de Monsieur, comme d'un caractère louche et faux.

Quelles étaient donc ses espérances ? ses vues ? ses secrets conseillers ?

Il ne faut pas compter Mme de Lamballe, jolie petite femme très nulle, amie tendre de la reine, mais sans idées, sans conversation, et qui ne méritait pas la responsabilité terrible que l'on fit peser sur elle. Elle semblait être un centre ; elle tenait avec grâce le véritable salon de Marie-Antoinette, au rez-de-chaussée du pavillon de Flore. Beaucoup de noblesse y venait, un monde indiscret, futile, compromettant, qui croyait, comme au temps de la Fronde, mener tout par des satires, des mots piquants, des chansons. On lisait là le très spirituel journal des *Actes des Apôtres* ; on y chanta telle romance sur la captivité du roi, qui fit pleurer tout le monde, les amis et les ennemis.

Les relations de Marie-Antoinette étaient toutes avec les nobles, peu avec les prêtres. Elle n'était pas bigote, pas plus que son frère Joseph II.

Les nobles n'étaient pas un parti : c'était une classe nombreuse, divisée et sans lien. Mais les prêtres étaient un parti, un corps très serré, et matériellement très puissant. La dissidence momentanée des curés et des prélats le faisait paraître faible. Mais la force de la hiérarchie, mais l'esprit de corps, mais le pape, la voix du Saint-Siège, allaient tout à l'heure refaire l'unité du clergé. Alors, par ses membres inférieurs, il allait puiser des forces inconnues dans la terre, et dans les hommes de la terre, les habitants des campagnes.

Il allait contre le peuple de la Révolution amener un peuple, la Vendée contre la France.

Marie-Antoinette ne vit rien de tout cela. Ces grandes forces morales étaient lettre close pour elle. Elle rêvait la victoire, la force matérielle, Bouillé et l'Autriche.

Lorsque au 10 août on trouva dans l'armoire de fer les papiers de Louis XVI, on lut avec étonnement que, dans les premières années de son mariage, il n'avait vu dans sa jeune femme qu'un pur agent de l'Autriche.

Marié malgré lui par M. de Choiseul dans cette maison deux fois ennemie, comme Lorraine et comme Autriche, obligé de recevoir le précepteur de la reine, l'abbé de Vermond, espion de Marie-Thérèse, il persévéra longtemps dans sa défiance, jusqu'à rester dix-neuf ans sans parler à ce Vermond.

On sait comment la pieuse impératrice avait distribué les rôles à sa nombreuse famille, employant surtout ses filles comme agents de sa politique. Par Caroline, elle gouvernait Naples. Par Marie-Antoinette, elle comptait gouverner la France. Celle-ci, avant tout Lorraine, Autrichienne, persécuta dix ans Louis XVI pour lui faire donner le ministère au Lorrain Choiseul, l'homme de l'impératrice. Elle réussit du moins à lui faire accepter Breteuil, qui, comme Choiseul, avait été d'abord ambassadeur à Vienne, et, comme lui, appartenait entièrement à cette cour. Ce fut encore la même influence (celle de Vermond sur la reine) qui, en dernier lieu, surmonta les scrupules de Louis XVI, et lui fit prendre un athée pour premier ministre, l'archevêque de Toulouse.

La mort de Marie-Thérèse, les paroles sévères de Joseph II sur Versailles et sur sa sœur, semblaient devoir rendre celle-ci moins favorable à l'Autriche. Ce fut alors cependant qu'elle décida le roi à donner les millions que Joseph II voulait extorquer des Hollandais.

En 1789, la reine avait trois confidents, trois conseillers, Vermond, toujours Autrichien, Breteuil, non moins Autrichien, enfin, l'ambassadeur d'Autriche, M. Mercy d'Argenteau. Derrière ce vieux Mercy, il faut voir celui qui le pousse, le vieux prince de Kaunitz, ministre septuagénaire de la Monarchie autrichienne ; ces deux fats ou ces deux vieilles, qui semblaient tout occupés de toilette et de bagatelles, menaient la reine de France.

Funeste direction, dangereuse alliance. L'Autriche était alors dans une situation si mauvaise que, loin de servir Marie-Antoinette, elle ne pouvait lui être qu'un obstacle pour agir, un guide pour agir mal, la pousser à toute démarche absurde que pourrait demander l'intérêt autrichien.

Cette catholique et dévote Autriche, s'étant faite à moitié philosophe sous Joseph II, avait trouvé moyen de n'avoir personne pour elle. Contre elle se tournait sa propre épée, la Hongrie. Les prêtres belges lui avaient enlevé les Pays-Bas, avec l'encouragement des trois puissances protestantes, Angleterre, Hollande et Prusse. Et pendant ce temps, que faisait l'Autriche ? Elle tournait le dos à l'Europe, se promenait dans les déserts des Turcs, usait ses meilleures armées au profit de la Russie.

L'empereur ne se portait pas mieux que l'Empire. Joseph II était poitrinaire. Il mourait désespéré. Il avait montré, dans l'affaire de Belgique, une variation déplorable, d'abord des menaces furieuses de tuer, brûler, des exécutions barbares qui firent l'horreur de l'Europe, puis (le 25 novembre), amnistie illimitée, dont personne ne voulut.

L'Autriche eût été perdue si la Révolution de Belgique eût trouvé appui dans la Révolution de France.

Ici, tout le monde pensait que les deux révolutions allaient agir d'ensemble et marcher du même pas. Le plus brillant de nos journalistes, Camille Desmoulins, avait, sans attendre, uni en espoir les deux sœurs, intitulant son journal : *Révolutions de France et de Brabant.*

La difficulté à cela, c'est que l'une était une révolution de prêtres, et l'autre de philosophes.

Les Belges, sachant cependant qu'ils ne pouvaient pas compter sur leurs protecteurs, les trois puissances protestantes, s'adressèrent à nous. L'homme du clergé des Pays-Bas, le grand agitateur de la tourbe catholique, Van der Noot, ne se fit pas scrupule d'écrire à l'Assemblée et au Roi. La lettre fut renvoyée (10 décembre). Louis XVI se montra un parfait beau-frère de l'empereur. L'Assemblée méprisa une révolution d'abbés. Les Tuileries, entièrement dominées par l'ambassadeur d'Autriche, parvinrent à endormir l'honnête M. de La Fayette, qui endormit l'Assemblée.

L'homme de la reine, Lamarck, partit en décembre pour offrir son épée aux Belges, ses compatriotes, contre l'Autrichien. Il avait cependant le consentement de la reine, et, par conséquent, celui de l'ambassadeur d'Auriche. On espérait que Lamarck, grand seigneur, aimable, ami de toute nouveauté, pourrait servir de médiateur, et peut-être faire accepter aux Belges, alors vainqueurs, un moyen terme qui apaisât tout, une Constitution bâtarde sous un prince autrichien. Avec ce mot de Constitution, on endort encore La Fayette.

Lamarck, très justement suspect au parti des prêtres belges et de l'aristocratie, réussit mieux auprès de ceux qu'on appelait *progressistes.* L'Autriche, pour diviser ses ennemis, se disait alors amie du progrès. L'avènement du philanthrope et réformateur Léopold aidait fort à ce mensonge (20 février).

Dans sa participation indirecte à tout cela, la reine se fit grand tort. Elle eût dû se lier de plus en plus au clergé. L'Autriche, en lutte avec le clergé, avait des intérêts absolument différents.

Elle espérait apparemment que, si l'empereur, s'arrangeant avec les Belges, se retrouvait enfin libre de ses mouvements, elle pourrait s'abriter sous la protection impériale, montrer à la Révolution une guerre prête à fondre sur la France, peut-être fortifier la petite armée de Bouillé de quelques corps autrichiens.

Mauvais calcul. Tout cela était trop long, et le temps marchait très vite. L'Autriche, fort égoïste, était un secours très lointain et très douteux.

Quoi qu'il en soit, les deux beaux-frères suivirent exactement la même conduite. Dans le même mois, Louis XVI et Léopold se déclarèrent l'un et l'autre amis de la liberté, défenseurs zélés des Constitutions, etc.

Même conduite dans deux situations parfaitement opposées. Léopold agissait très bien pour regagner la Belgique ; il divisait ses ennemis, fortifiait ses amis. Louis XVI, tout au contraire, loin de fortifier ses amis, les jetait par cette parade dans le plus profond découragement ; il paralysait le clergé, la noblesse, la contre-révolution.

Les modérés Necker, Malouet, croyaient que le roi, par une profession de foi constitutionnelle, presque révolutionnaire, pouvait se constituer le chef de la Révolution. C'est ainsi que les conseillers d'Henri III lui firent faire la fausse démarche de se dire chef de la Ligue. L'occasion semblait, il est vrai, favorable. Les désordres de janvier avaient alarmé vivement la propriété. Devant ce grand intérêt social, on supposait que tout intérêt politique allait pâlir. La désorganisation était effrayante ; le pouvoir n'avait garde d'y remédier ; ici, il était mort en réalité, et là, *il faisait le mort,* comme disait un des Lameth. Beaucoup avaient déjà assez de Révolution, et trop ; de découragement, ils auraient volontiers sacrifié les songes d'or qu'ils avaient faits à la paix, à l'unité.

Au même moment (du 1er au 4 février), deux événements de même sens :

D'abord, s'ouvre le club des *impartiaux* (Malouet, Virieu, etc.). Leur impartialité consistait, ils le disent dans leur déclaration, *à rendre force au roi* et *à conserver des terres à l'Église,* à subordonner l'aliénation des biens du clergé à la volonté des provinces.

Le 4 février, le roi se présente à l'improviste dans l'Assemblée, prononce un discours touchant, qui étonne et attendrit... Chose incroyable, merveilleuse ! le roi était secrètement épris de cette Constitution qui le dépouillait. Il loue, il admire spécialement la belle division des départements. Seulement, il conseille à l'Assemblée d'ajourner une partie des réformes. Il déplore les désordres, il défend, console le clergé et la noblesse ; mais enfin, il est, avant tout, dit-il, l'ami de la Constitution.

Il se présentait ainsi à l'Assemblée, embarrassée de rétablir l'ordre, et il semblait dire : « Vous ne savez que faire ? Eh bien ! rendez-moi le pouvoir... »

L'effet de la scène fut prodigieux. L'Assemblée perdit la tête. Barrère pleurait à chaudes larmes. Le roi sort, on court après lui, on se précipite. On va chez la reine. Elle reçoit la députation, avec le dauphin. Toujours altière et gracieuse : « Voici mon fils, dit-elle, je lui apprendrai à chérir la liberté ; j'espère qu'il en sera l'appui. »

Elle ne fut pas ce jour-là la fille de Marie-Thérèse, mais la sœur de Léopold. Peu après, son frère lançait le manifeste hypocrite où il se déclara ami de la liberté, de la Constitution des Belges, jusqu'à leur dire, lui, empereur, qu'après tout ils avaient eu droit de s'armer contre l'empereur.

Pour revenir, l'Assemblée délira complètement, ne sut plus ce qu'elle disait. Elle se lève tout entière, elle jure fidélité à la Constitution qui n'est pas encore. Les tribunes se joignent à ces transports, dans un inconcevable enthousiasme. Tout le monde se met à jurer, à l'Hôtel de Ville, à la Grève, dans les rues. On chante un *Te Deum*. On illumine le soir. Pourquoi ne pas se réjouir ? La Révolution est faite, bien faite pour cette fois.

Du 5 février au 15, ce fut une suite de fêtes, à Paris et dans les provinces. Partout, sur les places publiques, on se pressait pour prêter le serment. Les écoliers, les enfants y étaient conduits en bande. Tout était plein d'élan, de joie et d'enthousiasme.

Beaucoup d'amis de la liberté s'effrayaient de ce mouvement, croyant qu'il tournerait au profit du roi. Erreur. La Révolution était une chose si forte, dans un tel mouvement ascendant, que tout événement nouveau, pour ou contre, finissait toujours par la favoriser, la pousser plus vite encore. Dans cette affaire du serment, il arrivait ce qui arrive toujours pour toute passion violente. Chacun, en prononçant des mots, ne leur donnait nul autre sens que ce qu'il avait dans le cœur. Tel avait juré pour le roi qui n'avait rien entendu, sinon jurer pour la patrie.

On remarqua qu'au *Te Deum,* le roi n'était pas venu à Notre-Dame, qu'il n'avait pas, comme on l'espérait, juré sur l'autel. Il voulait bien mentir, mais non pas se parjurer.

Dès le 9 février, pendant que les fêtes duraient encore, Grégoire et Lanjuinais dirent que la cause des désordres était la non-exécution des décrets du 4 août ; donc, qu'il ne fallait pas faire halte, mais bien avancer.

Les tentatives des royalistes pour rendre la force et les armes au pouvoir royal ne furent pas heureuses. Maury essaya la ruse, disant qu'*au moins dans les campagnes* il fallait permettre à la force armée d'agir, sans autorisation des municipalités. Cazalès essaya l'audace, ouvrit l'avis étrange de donner au roi la dictature *pour trois mois*. Ruse grossière, Mirabeau, Buzot, d'autres encore, déclarèrent nettement qu'on ne pouvait se fier au pouvoir exécutif. L'Assemblée ne se fia qu'aux municipalités, leur donna tout pouvoir d'agir, et les rendit responsables des désordres qu'elles pourraient empêcher.

L'audace inouïe de la proposition de Cazalès ne s'explique que par sa date (20 février). Un sacrifice sanglant avait été fait le 18, qui paraissait répondre de la bonne foi de la Cour.

Elle avait alors deux affaires, deux procès sur les bras, celui de Besenval, celui de Favras.

Besenval, accusé pour le 14 juillet, n'avait fait après tout qu'exécuter les ordres de son chef le ministre, les ordres du roi. Pourtant si on l'innocentait, on paraissait condamner la prise de la Bastille et la Révolution même. Il était spécialement odieux comme étant l'homme de la reine, l'ex-confident des parties de Trianon, l'ancien ami de Choiseul, et, comme tel, appartenant à la cabale autrichienne.

Favras intéressait moins la Cour. C'était l'homme de Monsieur. Il s'était chargé, pour lui, d'enlever le roi. Monsieur, vraisemblablement, eût été lieutenant général, régent peut-être, si l'on eût interdit le roi, comme le proposaient quelques parlementaires et amis des princes ? M. de La Fayette dit dans ses mémoires que Favras devait commencer par tuer Bailly et La Fayette.

Favras ayant été arrêté dans la nuit du 25 décembre, Monsieur, très effrayé, fit la démarche singulière d'aller se justifier... où ? devant quel tribunal ? Devant la Ville de Paris. Les magistrats municipaux n'étaient nullement qualifiés pour recevoir un tel acte. Monsieur renia Favras, dit qu'il n'avait nulle connaissance de l'affaire, fit une parade hypocrite de sentiments révolutionnaires, d'amour pour la liberté.

Favras montra beaucoup de courage, et releva fort sa vie par sa mort. Il se défendit très bien, et pas plus qu'il ne fallait, ne compromettant personne. On lui fit comprendre qu'il lui fallait mourir discrètement, et il le fit. La longue et cruelle promenade à laquelle on le condamna, l'amende honorable à Notre-Dame, etc., n'ébranlèrent pas sa fermeté. A la Grève, il demanda à déposer encore, et ne fut pendu qu'aux flambeaux (18 février). C'était la première fois qu'on pendait un gentilhomme. Le peuple montrait une impatience furieuse, croyant toujours que la Cour trouverait moyen de le sauver. Ses papiers, recueillis par le lieutenant civil, furent (dit La Fayette) remis par la fille de ce magistrat à Monsieur, devenu roi, qui s'empressa de les brûler.

Le dimanche qui suivit l'exécution, la veuve et le fils de Favras vinrent en deuil assister au dîner public du roi et de la reine. Les royalistes croyaient qu'ils allaient combler, caresser la famille de la victime. La reine n'osa lever les yeux.

Ils virent alors l'impuissance où la Cour était réduite, combien peu d'appui pouvaient attendre ceux qui se dévoueraient pour elle.

Déjà, au 4 février, la visite du roi à l'Assemblée, sa profession de foi patriotique, les avait fort abattus. Le vicomte de Mirabeau sortit, et, dans son désespoir, brisa son épée... Que penser ? que croire en effet ? Les royalistes avaient le droit de croire le roi ou menteur ou transfuge, déserteur de son propre parti. Le roi n'était donc plus royaliste ? ou bien, il sacrifiait son clergé, sa fidèle noblesse, pour sauver un lambeau de royauté ?

M. de Bouillé, laissé sans instructions, dans l'ignorance absolue de ce qu'il avait à faire, tombe alors dans le plus profond découragement. Telle est aussi l'impression de beaucoup de gentilshommes, d'officiers de terre et de mer, qui partent de France. M. Bouillé lui-même demande la permission d'en faire autant, de servir à l'étranger. Le roi lui faire dire de rester, qu'il aura besoin de lui. On s'est trop hâté d'espérer ; la Révolution était finie le 14 juillet, finie le 6 octobre, elle l'était au 4 février : je crains maintenant qu'en mars elle ne le soit pas encore.

Qu'importe ! La liberté, adulte, robuste au berceau même, doit craindre peu les résistances. Elle vient, en un moment, de vaincre la plus redoutable, le désordre et l'anarchie. Ces pillages de campagnes, cette guerre contre les châteaux, qui gagnant de proche en proche, menaçait tout le pays d'un embrasement immense, tout cela a fini d'un coup. Le mouvement de janvier, février, est déjà apaisé en mars. Pendant que le roi se présentait comme l'unique garant de la paix publique, pendant que l'Assemblée cherchait et ne trouvait pas les moyens de la ramener, la France l'avait faite elle-même. L'élan de la fraternité avait devancé les lois ; le nœud qu'on ne dénouait pas avait été tranché par la magnanimité nationale. Les villes, armées tout entières, avaient marché à la défense des châteaux ; elles avaient protégé les nobles, leurs ennemis. Les grandes réunions continuent, et plus grandes chaque jour, si formidables que, sans agir, par leur seule apparition, elles doivent intimider les deux ennemis de la France, d'une part l'anarchie, le pillage, d'autre part la contre-révolution. Ce ne sont plus seulement les populations plus rares, plus dispersées du Midi qui s'assemblent ; ce sont les massives, les compactes légions des grandes provinces du Nord ; c'est la Champagne, cent mille hommes ; c'est la Lorraine, cent mille hommes ; les Vosges, l'Alsace, etc.

Mouvement plein de grandeur, désintéressé et sans jalousie. Tout se groupe, tout s'unit, tout gravite à l'unité. Paris appelle les provinces, veut s'unir toutes les communes. Et les provinces, d'elles-mêmes, sans la moindre pensée d'envie, veulent encore plus s'unir. La Bretagne, le 20 mars, demande que la France envoie un homme sur mille à Paris. Bordeaux a déjà demandé une fête civique pour le 14 juillet. Les deux propositions tout à l'heure n'en feront qu'une. La France appellera toute la France à cette grande fête, la première du nouveau culte.

CHAPITRE VI

La reine et l'Autriche — La reine et Mirabeau L'armée (mars-mai 90)

L'Autriche se rallie L'Europe — Elle conseille de gagner Mirabeau (mars) — Conduite équivoque de la Cour dans sa négociation avec Mirabeau — Mirabeau lui porte de nouveaux coups (avril) — Mirabeau peu influent dans les clubs — Mirabeau gagné (10 mai) — Mirabeau fait donner au roi l'initiative de la guerre (22 mai) — Entrevue de Mirabeau et de la reine (fin mai) — Le soldat fraternise avec le peuple — La Cour croit gagner le soldat — Misère de l'ancienne armée — Insolence des officiers — Ils essaient de mettre le soldat contre le peuple — Réhabilitation du soldat, du marin.

Le complot de Favras était celui de Monsieur ; le complot de Maillebois (qu'on découvre en mars) se rattache au comte d'Artois, à l'émigration. La Cour, sans les ignorer paraissait suivre plutôt le conseil que l'on trouva dans le mémoire d'Augeard, garde des sceaux de la reine : ruser, attendre, *simuler la confiance, laisser filer cinq ou six mois.*

Même mot d'ordre à Vienne, à Paris.

Léopold négociait. Il mettait les gouvernements soi-disant amis de la liberté, les faux révolutionnaires (j'entends l'Angleterre et la Prusse) à une sérieuse épreuve ; il les plaçait en face de la Révolution, et, peu à peu, ils laissaient tomber le masque. Léopold disait aux Anglais : « Vous plaît-il que je sois forcé de céder à la France une partie des Pays-Bas ? » Et l'Angleterre reculait ; elle sacrifiait, devant cette peur, l'espoir de s'emparer d'Ostende. Aux Prussiens, aux Allemands en général, il disait : « Pouvons-nous délaisser nos princes allemands possessionnés en Alsace, qui perdent leurs droits féodaux ? » La Prusse elle-même, le 16 février, avait déjà parlé pour eux, proclamé le droit de l'Empire de demander raison à la France.

L'Europe entière des deux partis, d'une part Autriche et Russie, d'autre part Angleterre et Prusse, gravitait peu à peu vers une même pensée, la haine de la Révolution. Seulement, il y avait cette différence que la libérale Angleterre, la philosophique Prusse, avaient besoin d'un peu de temps pour passer d'un pôle à l'autre, pour se décider à se démentir, s'abjurer, se renier, avouer ce qu'elles étaient, les ennemies de la liberté. Ce respectable combat de la honte et de la pudeur devait être ménagé par l'Autriche. Donc, à attendre, il y avait infiniment à gagner. Encore un moment, tout le monde des honnêtes gens allait se trouver d'accord. Seule alors, que ferait la France ?... De quel poids énorme allait peser contre elle tout à l'heure l'Autriche, assistée de l'Europe !

Rien n'empêchait, en attendant, de donner aux révolutionnaires de France et de Belgique de bonnes paroles, de les endormir, si l'on pouvait, de les diviser.

Dès que Léopold fut empereur (20 février), dès qu'il eut publié son étrange manifeste où il adopte les principes de la Révolution belge, avoue la légalité de l'insurrection contre l'empereur (2 mars), son ambassadeur, M. Mercy d'Argenteau, décida Marie-Antoinette à surmonter ses répugnances, à se rapprocher de Mirabeau.

Mais, quelle que fût la facilité du caractère de l'orateur, son éternel besoin d'argent, le rapprochement était difficile. On l'avait dédaigné, repoussé au moment où il pouvait être utile. Et on venait le chercher, lorsque tout était compromis, perdu peut-être.

En novembre, on s'était entendu avec les députés les plus révolutionnaires pour fermer à Mirabeau le ministère pour toujours. Maintenant on l'appelait.

On l'appelait à une entreprise impossible, après tant d'imprudences et trois complots avortés.

L'ambassadeur d'Autriche se chargea lui-même de faire revenir de Belgique l'homme qui pouvait le mieux servir d'intermédiaire, M. de Lamarck, ami personnel de Mirabeau, et personnellement aussi tout dévoué à la reine.

Il revint. Le 15 mars, il porta à Mirabeau les ouvertures de la Cour, le trouva très froid. Son bon sens lui faisait sentir que la Cour lui proposait seulement de se noyer avec elle.

Pressé par Lamarck, il dit qu'on ne pouvait relever le trône qu'en s'appuyant sur la liberté, que, si la Cour voulait autre chose, il la combattrait, loin de la servir. Quelle garantie pouvait le rassurer là-dessus ? Il venait lui-même de proclamer devant l'Assemblée combien peu il se fiait au pouvoir exécutif. Pour le rassurer, Louis XVI écrivit à Lamarck qu'il n'avait jamais désiré qu'un pouvoir limité par les lois.

Pendant cette négociation, la Cour en menait une autre avec La Fayette. Le roi lui promettait, par écrit, la confiance la plus entière. Le 14 avril, il lui demandait ses idées sur la prérogative royale. Et La Fayette avait la simplicité de les lui donner.

Sérieusement, que voulait la Cour ? Amuser, et rien de plus, endormir La Fayette, neutraliser Mirabeau, amortir son action, le tenir partagé entre des tendances diverses, peut-être aussi le compromettre, comme on avait compromis Necker. La Cour mit toujours sa profonde politique à perdre et ruiner ses sauveurs.

Exactement à la même époque, et de la même manière, le frère de la reine, Léopold, négociait avec les *progressistes* belges, les compromettait, puis, menacés par le peuple, dénoncés et poursuivis, les amenait à désirer l'invasion, le rétablissement de l'Autriche.

Comment croire que ces démarches du frère et de la sœur, précisément identiques, se soient accordées par hasard ?

Mirabeau devait bien y regarder à deux fois, avant de se fier à la Cour. C'était le moment où le roi, cédant aux exigences de l'Assemblée, lui livra le fameux *Livre rouge* (dont nous parlerons tout à l'heure) et l'honneur de tant de gens ; tous les pensionnaires secrets virent leurs noms chantés par les rues. Qui pouvait assurer Mirabeau que la Cour ne jugerait pas utile, dans quelque temps, de publier aussi son traité ?... La négociation n'était pas fort rassurante ; on avançait, on reculait ; on ne lui confiait rien du tout, et on lui demandait ses secrets, la pensée de son parti.

On ne jouait pas ainsi avec un tel homme. Il fallait l'avoir pour ami ou pour ennemi, le combattre à mort ou se jeter dans ses bras. Quelles que fussent, au fond, ses tendances royalistes, il était impossible d'aveugler entièrement un homme de tant d'esprit. Il allait, en attendant ; organe de la Révolution, il ne lui manquait jamais dans les moments décisifs ; on aurait pu le gagner, on ne pouvait l'amortir, l'énerver, le neutraliser. Quand la situation parlait, à l'instant le Mirabeau vicieux, corrompu, disparaissait, le Dieu entrait en lui, la patrie agissait par lui et lançait la foudre...

Dans un seul mois (avril) où la Cour traînait, marchandait, finassait, la foudre frappa deux fois.

La première (que nous remettons au chapitre suivant pour réunir toute l'affaire du clergé), c'est la fameuse apostrophe sur Charles IX et la Saint-Barthélemy, qui est dans toutes les mémoires : « Je vois d'ici la fenêtre, etc. » Jamais les prêtres n'avaient reçu sur la tête un coup si pesant ! (13 avril.)

La seconde affaire, non moins grave, fut la question de savoir si l'Assemblée se dissoudrait ; les pouvoirs de plusieurs députés étaient bornés à un an, et cette année finissait. Déjà, avant le 6 octobre, on avait proposé (et avec raison alors) de dissoudre l'Assemblée. La Cour attendait, épiait le moment de la dissolution, l'entracte, le moment toujours périlleux entre l'Assemblée qui n'est plus et celle qui n'est pas encore. Qui régnerait dans l'intervalle, sinon le roi, par ordonnances ? Le pouvoir une fois repris, l'épée une fois ressaisie, c'était à lui de la garder.

Maury, Cazalès, dans des discours pleins de force, mais irritants, provocants, demandèrent à l'Assemblée si ses pouvoirs étaient illimités, si elle se croyait une *Convention nationale ;* ils insistaient sur cette distinction de convention, d'assemblée, de législature. Ces arguties poussèrent Mirabeau dans une de ces magnifiques colères qui montaient jusqu'au sublime : « Vous demandez comment, de députés de bailliages, nous nous sommes faits Convention ? Je répondrai : Le jour où notre salle fermée, hérissée, souillée de baïonnettes, nous courûmes au premier lieu qui put nous réunir, et jurâmes de périr plutôt... Ce jour-là, si nous n'étions Convention, nous le sommes devenus... Qu'ils aillent chercher maintenant dans la vaine nomenclature des publicistes la définition de ces mots :

Convention nationale !... Messieurs, vous connaissez tous le trait de ce Romain qui, pour sauver sa patrie d'une grande conspiration, avait été contraint d'outrepasser les pouvoirs que lui conféraient les lois. Un tribun captieux exigea de lui le serment de les avoir respectées. Il croyait, par cet insidieux interrogat, placer le consul dans l'alternative d'un parjure ou d'un aveu embarrassant. Je jure, dit le grand homme, je jure que j'ai sauvé la République ! Messieurs... je jure que vous avez sauvé la chose publique ! »

A ce magnifique serment, l'Assemblée se lève tout entière et décrète : point d'élection que la Constitution ne soit achevée.

Les royalistes furent atterrés. Plusieurs, néanmoins, pensaient que l'espoir de leur parti, l'élection nouvelle, eût bien pu tourner contre eux, qu'elle eût amené peut-être une Assemblée plus hostile, plus violente. Dans l'immense fermentation du royaume, dans l'ébullition croissante, qui pouvait être sûr de bien voir ?... La simple organisation des municipalités remuait la France dans sa profondeur. Elles se formaient à peine, et déjà, à côté d'elles, s'organisaient des sociétés, des clubs pour les surveiller. Sociétés redoutables, mais utiles, éminemment utiles dans une telle crise ; organe, instrument nécessaire de la défiance publique, en présence de tant de complots.

Les clubs iront grandissant, il le faut, la situation le veut ainsi. Cette époque n'est pas encore celle de leur plus grande puissance. Pour la France, c'est l'époque des fédérations. Mais déjà les clubs règnent à Paris.

Paris semble veiller pour la France. Paris reste haletant, debout, tenant ses soixante districts assemblés en permanence, n'agissant pas, près d'agir. Il écoute, il s'inquiète ; vous diriez la sentinelle à deux pas de l'ennemi. Le cri : « Prenez garde à vous ! » s'entend à chaque heure. Deux voix le poussent sans cesse, du club des Cordeliers, du club des Jacobins. J'y pénètre au prochain livre, dans ces antres redoutables ; ici, je m'abstiens d'y entrer. Les Jacobins ne sont pas caractérisés encore, ils sont à leur premier âge, âge bâtard, constitutionnel, où règnent chez eux les Duport et les Lameth.

Le caractère principal de ces grands laboratoires d'agitation, de surveillance publique, de ces puissantes machines (je parle surtout des Jacobins), c'est que, comme en toutes machines, l'action collective y dominait de beaucoup l'action individuelle, que l'individu le plus fort, le plus héroïque, y perdait ses avantages. Dans les sociétés de ce genre, la médiocrité active monte à l'importance, le génie pèse très peu. Aussi Mirabeau n'allait jamais volontiers aux clubs, il n'appartenait exclusivement à aucun, y faisait de courtes visites, passait une heure aux Jacobins, une heure dans la même soirée au club de 89 qu'avaient au Palais-Royal Sieyès, Bailly, La Fayette, Chapelier et Talleyrand (13 mai).

Club élégant, magnifique, nul d'action. La vraie force était au vieux couvent enfumé des Jacobins. La domination d'intrigue, de parlage facile et vulgaire qu'y exerçait souverainement le triumvirat de Duport, Barnave et Lameth, ne contribua pas peu à rendre Mirabeau accessible aux suggestions de la Cour.

Homme de contradiction ! au fond qu'était-il ? Royaliste, noble quand même. Et quelle était son action ? Toute contraire ; à coups de foudre, il brisait la royauté.

S'il voulait enfin la défendre, il lui fallait se hâter. Elle enfonçait d'heure en heure. Elle avait perdu Paris ; il lui restait en province de grandes forces dispersées ; par quel art pouvait-on en faire un faisceau ? C'est à quoi Mirabeau rêvait. Il projetait d'organiser une vaste correspondance, sans doute à l'instar, à l'encontre de celle des Jacobins. Telle fut la base du traité de Mirabeau avec la Cour (10 mai). Il eût constitué chez lui une sorte de ministère de l'esprit public. Dans ce but, ou sous ce prétexte, il reçut de l'argent, un traitement fixe. Et comme il était dans ses habitudes de faire tout avec audace, le mal et le bien, il prit un train de maison, voiture, table ouverte et le petit hôtel de la Chaussée-d'Antin qui subsiste encore.

Tout cela n'était que trop clair, et il y parut bien mieux quand, du milieu du côté gauche, on le vit parler avec la droite pour la royauté, pour lui faire donner l'initiative de la paix ou de la guerre.

Le roi avait perdu l'Intérieur, puis la justice ; les juges, comme les magistrats municipaux, échappaient à son action. Si on lui ôtait la Guerre, y avait-il encore la royauté ? Voilà ce que dit Cazalès.

Barnave et le côté opposé trouvaient mille réponses, sans dire un mot de la meilleure. C'est que le roi était suspect, c'est que la Révolution ne s'était faite qu'en brisant l'épée dans la main du roi, c'est que, de tous les pouvoirs, celui qu'il était le plus dangereux de lui laisser dans les mains, c'était justement la Guerre.

L'occasion du débat était celle-ci. L'Angleterre avait été alarmée de voir la Belgique tendre la main à la France. Elle commençait à s'effrayer, tout comme l'empereur et la Prusse, d'une révolution vivace, contagieuse, qui gagnait et par son ardeur, et par un caractère de généralité (plus que nationale) *humaine,* très contraire au génie anglais. Un homme de talent, passionné et vénal, l'Irlandais Burke, élève des jésuites de Saint-Omer, lança aux Chambres une furieuse philippique contre la Révolution, laquelle lui fut payée comptant par son adversaire, M. Pitt. L'Angleterre n'attaqua pas la France, mais elle abandonna la Belgique à l'empereur, elle alla au bout du monde chercher querelle sur les mers à notre alliée, l'Espagne. Louis XVI fit savoir à l'Assemblée qu'il armait quatorze vaisseaux.

Là-dessus, une longue, immense discussion théorique sur la question générale : A qui appartient l'initiative de la guerre ? Peu ou rien sur la question particulière, qui pourtant dominait l'autre. Tout le monde semblait l'éviter, la fuir, avait peur de la voir.

Paris n'en avait pas peur, Paris l'envisageait en face. Tout le monde sentait, disait que, si le roi avait l'épée, la Révolution périssait. Il y avait cinquante mille hommes aux Tuileries, à la place Vendôme, dans la rue Saint-Honoré, attendant avec une inexprimable anxiété, recueillant avidement les billets qu'on leur jetait des fenêtres de l'Assemblée, pour leur faire suivre de moment en moment le progrès de la discussion. Tous étaient indignés, exaspérés contre Mirabeau. A l'entrée, à la sortie, l'un lui montrait une corde, et l'autre des pistolets.

Il fit preuve de sang-froid. Dans un moment même où Barnave occupait la tribune de ses longs discours, croyant avoir saisi le point où il le terrasserait, Mirabeau n'en écouta pas davantage, il alla se promener aux Tuileries au milieu de cette foule, fit sa cour à la jeune et ardente Mme de Staël, qui était là aussi à attendre avec le peuple.

Son courage n'en rendait pas sa cause meilleure. Il triomphait de dire sur la question théorique, sur l'association naturelle (dans ce grand acte de la guerre) entre la pensée et la force, entre l'Assemblée et le roi. Toute cette métaphysique ne pouvait masquer la situation.

Ses ennemis employèrent un moyen peu parlementaire qui touchait de près à l'assassinat, pouvait le faire mettre en pièces. Ils firent écrire, imprimer la nuit, répandre un libelle atroce. Le matin, allant à l'Assemblée, Mirabeau entendit crier partout : « La grande trahison découverte du comte de Mirabeau. » Le péril, comme il lui arrivait toujours, l'inspira admirablement, il écrasa ses ennemis : « Je savais bien qu'il n'y a pas loin du Capitole à la roche Tarpéienne », etc.

Il triompha sur la question personnelle. Sur l'affaire même en litige, il recula habilement ; à la première ouverture que lui donna la proposition d'une rédaction moins hardie, il fit sa retraite, céda sur la forme et gagna le fond. Il fut décidé que le roi avait le droit de faire les *préparatifs,* de *diriger* les forces comme il voulait, qu'il *proposait* la guerre à l'Assemblée, laquelle ne décidait rien qui ne fût *sanctionné* par le roi (22 mai).

En sortant, Barnave, Duport, Lameth, qui s'en allaient désespérés, furent applaudis, portés presque par le peuple, qui croyait avoir vaincu. Ils n'eurent pas le courage de lui dire la vérité. Dans la réalité, la Cour avait l'avantage.

Elle venait d'éprouver deux fois la force de Mirabeau, en avril contre elle, et pour elle en mai. En cette dernière occasion, il avait fait des efforts plus qu'humains, sacrifié sa popularité, hasardé sa vie. La reine lui accorda une entrevue, la seule, selon toute apparence, qu'il ait eue jamais.

Autre faiblesse en cet homme, qu'on ne peut dissimuler. Quelques marques de confiance, exagérées sans doute par le zèle de Lamarck qui voulait les rapprocher, montèrent l'imagination du grand orateur, crédule comme sont les artistes. Il attribua à la reine une supériorité de génie, de caractère, qu'elle ne montrait nullement. D'autre part, il crut aisément, dans sa force et son orgueil, que celui à qui nul homme ne résistait, entraînerait sans difficulté la volonté d'une femme. Il eût été le ministre d'une reine, plus volontiers que d'un roi, le ministre, ou bien l'amant ?

La reine était alors, avec le roi, à Saint-Cloud. Entourés par la garde nationale, généralement bienveillante, ils s'y trouvaient dans une demi-captivité assez libre, puisque tous les jours ils allaient se promener sans gardes, et souvent à quelques lieues. Il y avait cependant beaucoup de bonnes gens, de bons cœurs, qui ne pouvaient supporter l'idée d'un roi, d'une reine, prisonniers de leurs sujets. Un jour, dans l'après-midi, la reine entend un petit bruit dans la cour solitaire de Saint-Cloud, elle lève le rideau, et voit, sous son balcon, environ cinquante personnes, femmes de campagnes, prêtres, vieux chevaliers de Saint-Louis, qui pleuraient à demi-voix et retenaient leurs sanglots.

Mirabeau ne pouvait être à l'épreuve de pareilles impressions. Resté, malgré tous ses vices, l'homme d'ardente imagination, de passion orageuse, il trouvait quelque bonheur à se sentir l'appui, le défenseur, le libérateur peut-être d'une belle reine prisonnière. Le mystère de l'entrevue ajoutait à l'émotion. Il vint, non pas en voiture, mais à cheval pour ne pas attirer l'attention. Il fut reçu, non au château, mais dans un lieu très solitaire, au point le plus élevé du parc réservé, dans un kiosque qui couronne ce jardin d'Armide. C'était à la fin de mai.

Mirabeau était alors très visiblement atteint du mal qui le mit au tombeau ; je ne parle pas de ses excès, de ses prodigieuses fatigues. Non, Mirabeau ne mourut que de la haine du peuple. Adoré, puis conspué ! avoir eu son prodigieux triomphe de Provence, où il se sentit pressé sur le sein de la patrie... Puis, en mai 90, le peuple, dans les Tuileries, le demandant pour le pendre !... Lui-même, faisant face à l'orage, sans pouvoir être soutenu par une bonne conscience, mettant la main sur sa poitrine, et n'y sentant que l'argent reçu le matin de la Cour... Tout cela bouillonnait ensemble, colère, honte, vague espoir, mêlés dans cette âme trouble. Un teint obscur, gris, peu net, des yeux malades et rougis, un commencement de pesanteur et d'obésité malsaine, des joues affaissées, tel était sur son cheval, montant lentement l'avenue de Saint-Cloud, atteint, blessé, non brisé, le violent Mirabeau. Et la reine dans son pavillon, combien aussi elle est changée ! Les trente-cinq ans apparaissent, l'âge touchant que tant de fois s'est plu à peindre Van Dyck ; ajoutez des nuances délicates, légèrement violacées qui révèlent un mal profond... Malade, profondément malade ! et à ne guérir jamais... Malade de cœur et de corps... Elle lutte, on le voit bien. La tête haute, les yeux secs, mais qui ne témoignent que trop qu'elle pleure toutes les nuits. Sa dignité naturelle, celle du courage et du malheur qui sont une autre royauté, défendent toute défiance... Il a besoin de la croire, celui qui se dévoue pour elle.

Elle fut surprise de voir que cet homme haï, décrié, cet homme fatal par qui a parlé la Révolution, ce monstre enfin, était un homme... qu'il avait un charme particulier de délicatesse, qu'une telle énergie semble exclure. Selon toutes les apparences, l'entretien fut vague, nullement concluant. La reine avait sa pensée, qu'elle gardait, Mirabeau la sienne, qu'il ne cachait nullement, sauver à la fois le roi et la liberté... Quelle langue commune entre eux ?... Au moment de terminer, Mirabeau, s'adressant à la femme autant qu'à la reine, par une galanterie à la fois respectueuse et hardie : « Madame, lorsque votre auguste mère admettait un de ses sujets à l'honneur de sa présence, jamais elle ne le congédiait sans lui donner sa main à baiser. » La reine lui présenta la sienne. Mirabeau s'inclina, puis, relevant la tête, il dit avec un accent plein d'âme et de fierté : « Madame, la Monarchie est sauvée ! »

Au moment même où il venait, au prix de sa popularité, presque de sa vie, d'emporter ce dangereux décret qui, au fond, rendait au roi le droit de paix et de guerre, le roi faisait rechercher aux archives du Parlement les vieilles formes de protestation contre les états généraux, voulant en faire une secrète *contre tous les décrets de l'Assemblée* (23 mai).

Grâce à Dieu, le salut de la France ne dépendait pas de ce grand homme crédule et de cette cour trompeuse. Un décret rend l'épée au roi, mais cette épée est brisée.

Le soldat redevient peuple, se mêle au peuple, fraternise avec le peuple.

M. de Bouillé nous apprend dans ses Mémoires qu'il ne négligeait rien pour mettre en opposition le soldat et le peuple, pour inspirer au militaire la haine et le mépris du bourgeois.

Les officiers avaient saisi avidement une occasion de faire monter cette haine plus haut encore, jusqu'à l'Assemblée nationale, de la calomnier auprès du soldat. Un des plus fermes patriotes, Dubois de Crancé, avait exposé à l'Assemblée la triste composition de l'armée, recrutée en grande partie de mauvais sujets ; il tirait de là la nécessité d'une organisation nouvelle qui devait faire de l'armée ce qu'elle a été, la fleur de la France. Ce fut justement de ces paroles bienveillantes pour le militaire, de cette tentative pour réformer, réhabiliter l'armée, que l'on abusa. Les officiers allaient disant, répétant au soldat que l'Assemblée l'outrageait. La Cour en conçut de grandes espérances ; elle crut qu'elle allait ressaisir l'armée. Des bureaux du ministère, on écrivait au commandant de

Lille ces paroles significatives : « Tous les jours, nous prenons un peu de consistance. Qu'on veuille nous oublier, ne nous compter pour rien, et bientôt nous serons tout. » (8 décembre, 3 janvier.)

Vaine espérance ! pouvait-on croire que le soldat fermerait longtemps les yeux, qu'il verrait sans émotion cet enivrant spectacle de la fraternité de la France, qu'au moment où la patrie était retrouvée, seul, il s'obstinerait à rester hors de la patrie, que la caserne, le camp seraient comme une île, séparés du reste du monde ?

Il est alarmant, sans doute, de voir l'armée qui délibère, qui distingue, choisit dans l'obéissance. Ici, pourtant, comment pouvait-il en être autrement ? Si le soldat obéissait aveuglément à l'autorité, il désobéissait à l'autorité suprême d'où procèdent toutes les autres ; docile à ses officiers, il se trouvait infailliblement rebelle au chef de ses chefs, à la Loi. S'abstenir, ne pas agir, il ne le pouvait ; la contre-révolution ne l'entendait pas ainsi, elle lui commandait de tirer sur la Révolution, sur la France, sur le peuple, sur son père, son frère, qui lui tendaient les bras.

Les officiers lui apparurent ce qu'ils étaient, l'ennemi ; un peuple à part, qui était, et de plus en plus, d'autre race, d'autre nature. Comme les vieux pécheurs endurcis s'enfoncent dans leur péché en avançant vers la mort, l'ancien régime vers sa fin était plus dur et plus injuste. Les hauts grades ne se donnaient plus qu'aux jeunes gens de la Cour, aux petits protégés des dames ; le ministre Montbarrey a raconté lui-même la scène violente, indécente que la reine lui fit pour un jeune colonel. Les moindres grades, accessibles encore sous Louis XIV et sous Louis XV, ne furent donnés sous Louis XVI qu'à ceux qui pouvaient prouver quatre degrés de noblesse. Fabert, Catinat, Chevert, n'auraient pu arriver au grade de lieutenant.

J'ai dit le budget de la guerre (en 1784) : quarante-six millions pour l'officier, quarante-quatre pour le soldat. Pourquoi dire soldat ? mendiant serait le mot propre. La solde, relativement forte au XVIIe siècle, vient à rien sous Louis XV. Sous Louis XVI, il est vrai, une autre solde s'ajoute, payée en coups de bâton. C'était pour imiter la fameuse discipline de Prusse ; on crut que c'était là tout le secret des victoires du grand Frédéric : l'homme mené comme une machine, et châtié comme un enfant. Le pire des systèmes à coup sûr, unissant les maux opposés, système à la fois mécanique et non mécanique, d'une part fatalement dur, de l'autre violemment arbitraire.

Les officiers méprisaient souverainement le soldat, le bourgeois, toute espèce d'homme, et ne cachaient pas ce mépris. Pourquoi ? pour quel si haut mérite ? Un seul, ils tiraient bien l'épée. Le préjugé si respectable qui met la vie des braves à la discrétion des adroits, constituait à ceux-ci une sorte de tyrannie. Ils essayèrent à l'Assemblée même ce genre d'intimidation ; dans la Chambre de la noblesse, certains membres tirèrent l'épée pour empêcher les autres de s'unir au tiers état. La Bourdonnais, Noailles, Castries, Cazalès, provoquèrent Barnave et Lameth. Tels adressaient à Mirabeau de grossières injures, dans l'espoir de s'en défaire ; il fut immuable. Plût au ciel que le plus grand homme de mer de ce temps, Suffren, l'eût été aussi ! Selon une tradition qui n'est que trop vraisemblable, un jeune fat de grande naissance eut l'insolence coupable d'appeler en duel cet homme héroïque dont la vie sacrée n'appartenait qu'à la France ; lui, déjà sur l'âge, il eut la bonhomie de répondre et reçut un coup mortel. Le jeune homme était bien en cour, l'affaire fut étouffée. Qui fut ravi ? L'Angleterre ; pour un si beau coup d'épée, elle eût donné des millions.

Le peuple n'eut jamais l'esprit de comprendre ce point d'honneur. Les Belsunce, les Patrice, qui défiaient tout le monde, s'en trouvèrent très mal. L'épée de l'émigration cassa comme verre, sous le sabre de la République.

Si nos officiers de terre, qui n'avaient rien fait, étaient pourtant si insolents, qu'était-ce donc, grand Dieu ! des officiers de marine ! Depuis leurs derniers succès (qui pourtant ne furent le plus souvent que de brillants duels de vaisseau à vaisseau), ils ne se connaissaient plus ; leur orgueil était exalté jusqu'à la férocité. Un des leurs avait le malheur de déroger jusqu'à fréquenter un ancien camarade, devenu officier de terre ; ils le forcèrent à se battre avec lui, pour se laver de ce crime ; chose affreuse, il le tua !

Un officier de marine, Acton, était comme roi de Naples. Les Vaudreuil entouraient la reine et le comte d'Artois de leurs conseils violents. Des officiers de marine, les Bonchamps, les Marigny, aussitôt que la France eut toute l'Europe en face, lui plantèrent dans le dos le poignard de la Vendée.

Le premier coup à leur orgueil, ce fut Toulon qui le porta. Là commandait le très brave, très insolent, très dur Albert de Rioms, un de nos meilleurs capitaines. Il croyait mener les deux villes, et l'Arsenal, et Toulon, justement de même manière, comme une chiourme de forçats, à coups de cordes et de lianes, protégeant la cocarde noire, punissant la tricolore. Il se fiait à un pacte que ses officiers de marine avaient fait avec ceux de terre, contre les gardes nationaux. Quand ceux-ci vinrent réclamer, les magistrats en tête, il les reçut comme il eût fait des galériens de l'Arsenal. Alors un peuple furieux entoure l'hôtel du commandant. Alors il commande le feu, et pas un soldat ne tire. Alors, il lui faut prier les magistrats de la ville de lui accorder secours. Les gardes nationaux, qu'il avait insultés, eurent grand-peine à le défendre ; ils ne parvinrent à le sauver qu'en le mettant au cachot (novembre-décembre 89).

A Lille, on essaya de même de mettre aux prises les troupes et la garde nationale, même d'armer les régiments entre eux. Le commandant Livarot (on le voit par ses lettres inédites) les animait en leur parlant de la prétendue injure que Dubois de Crancé aurait faite à l'armée dans l'Assemblée nationale. L'Assemblée ne répondit qu'en améliorant le sort du soldat, lui témoignant du moins intérêt, comme on le pouvait alors, par l'augmentation de quelques deniers qu'on ajouta à la solde. Ce qui l'encouragea, bien plus, ce fut de voir qu'à Paris M. de La Fayette avait porté tous les sous-officiers aux grades supérieurs. L'infranchissable barrière était donc enfin rompue.

Pauvres soldats de l'ancien régime, qui si longtemps avaient souffert sans espoir, et en silence !... Sans être les prodigieux soldats de la République et de l'Empire, ils n'étaient pas indignes d'avoir aussi enfin leur jour. Tout ce que je lis d'eux, dans nos vieilles histoires, m'étonne comme patience, et me touche comme bonté. Je les vois, à La Rochelle, entrant dans la ville affamée, donner leur pain aux habitants. Leurs tyrans, leurs officiers, qui leur fermaient toute carrière, ne trouvaient en eux que docilité, respect, douceur et bienveillance. Dans je ne sais quelle affaire sous Louis XV, un officier de quatorze ans, à peine arrivé de Versailles, ne pouvait plus avancer : « Passe-le-moi, dit un grenadier gigantesque, je le mettrai sur mon dos ; s'il y a une balle à recevoir, je la sauverai à l'enfant. »

Il fallait bien qu'à la fin il y eût un jour pour la justice, l'égalité, la nature ; heureux ceux qui vécurent assez pour le voir !... Et ce fut pour tous un bonheur... Quelle joie pour la Bretagne de retrouver encore, à près de cent ans, dans son humble état de pilote, le pilote de Duguay-Trouin, celui dont la main ferme et froide menait le vainqueur sous le feu... Jean Robin, de l'île de Batz, fut reconnu aux élections, et d'un accord unanime placé près du président. On rougissait pour la France d'une si longue injustice ; on eût voulu, dans la personne de cet homme vénérable, honorer tant de générations héroïques indignement méconnues, rabaissées pendant leur vie par l'insolence de ceux qui profitèrent de leurs services, puis vouées, hélas ! à l'oubli.

CHAPITRE VII

Lutte religieuse — Pâques
La passion de Louis XVI

Légende du roi martyr — Scandale de l'ouverture des couvents — Le clergé exalte les masses ignorantes — L'agent du clergé veut s'entendre avec l'émigration — Le clergé et la noblesse en opposition — Manœuvres du clergé, à Pâques — L'Assemblée publie le Livre rouge, avril 90 — Elle hypothèque les assignats sur les biens du clergé — Le clergé somme l'Assemblée de déclarer la catholicisme religion nationale, 12 avril 1790.

Il était trop visible qu'on ne pouvait armer le soldat contre le peuple. Il fallait trouver un moyen d'armer le peuple contre lui-même, contre une révolution qui ne se faisait que pour lui.

A l'esprit de fédération, d'union, à la nouvelle foi révolutionnaire, on ne pouvait opposer que l'ancienne foi, si elle existait encore.

Au défaut du vieux fanatisme éteint, ou tout au moins profondément assoupi, le clergé avait une prise qui ne manque guère, la facile bonté du peuple, sa sensibilité aveugle, sa crédulité pour ceux qu'il aimait, son respect invétéré pour le prêtre et pour le roi... le roi, cette vieille religion, ce mystique personnage, mêlé des deux caractères du prêtre et du magistrat, avec un reflet de Dieu !

Toujours le peuple avait adressé là ses vœux, ses soupirs ; avec quel succès, quel triste retour, on le sait de reste. La royauté avait beau le fouler, l'écraser, comme une machine impitoyable ; il l'aimait comme une personne.

Rien ne fut plus facile aux prêtres que de montrer en Louis XVI un saint, un martyr. Cette figure béate et paterne, lourde (comme maison de Saxe et comme maison de Bourbon), était un saint de cathédrale, tout fait pour un portail d'église. L'air myope, l'indécision, l'insignifiance lui donnaient justement ce vague qui permet tout à la légende.

Texte admirable, pathétique, bien propre à troubler les cœurs. Il avait aimé le peuple, il voulait le bien du peuple, et il en était puni... Des ingrats, des forcenés avaient osé lever la main contre cet excellent père, contre l'oint de Dieu !... Le bon roi, la noble reine, la sainte Mme Elisabeth, le pauvre petit dauphin, captifs dans cet affreux Paris ! Que de larmes à ces récits, que de vœux au Ciel, de prières, de messes pour la délivrance ! Quel cœur de femme ne se brisait, lorsque, sortant de l'église, le prêtre tout bas lui disait : « Priez pour le pauvre roi ! » Priez aussi pour la France, voilà ce qu'il fallait dire encore, priez pour un pauvre peuple, trahi, livré à l'étranger.

L'autre texte, non moins puissant pour exciter la guerre civile, c'était l'ouverture des couvents, l'ordre d'inventorier les biens ecclésiastiques, la réduction des maisons religieuses. Cette réduction fut cependant faite avec de grands ménagements. On réserva dans chaque département une maison au moins de chaque ordre, où ceux qui voulaient rester pouvaient toujours se retirer. Qui voulait sortir sortait, et touchait une pension. Cela était modéré et nullement violent. Les municipalités, fort douces à cette époque, ne montraient que trop de facilité dans l'exécution. Elles connivaient souvent, inventoriaient à peine, souvent à moitié des objets, et à moitié des valeurs réelles. N'importe ! on ne négligeait rien pour leur rendre ce devoir difficile et dangereux. On avertissait à grand bruit du jour de l'inventaire, du jour maudit où des laïques franchiraient la clôture sacrée. Pour arriver seulement à la porte, les magistrats municipaux devaient d'abord, au péril de leur vie, traverser la foule ameutée, les cris des femmes, les menaces des robustes mendiants que nourrissaient les monastères. Les douces brebis du Seigneur opposaient aux hommes de la loi, forcés d'exécuter la loi, refus, délais, résistance, de quoi les faire mettre en pièces.

Tout cela fut travaillé avec beaucoup d'habileté, une adresse remarquable. S'il était possible d'en faire l'histoire détaillée et complète, on serait fort édifié sur un curieux sujet de haute philosophie : comment, dans une époque indifférente, incrédule, les politiques peuvent faire, refaire du fanatisme ? Beau chapitre à ajouter au livre indiqué par un penseur : *La Mécanique de l'Enthousiasme.*

Le clergé n'avait pas la foi, mais il trouvait pour instruments des personnes qui l'avaient encore, des âmes pieuses, convaincues, des visionnaires ardents, têtes poétiques et bizarres qui ne manquent jamais, spécialement en Bretagne. Une Mme de Pont-Levès, femme d'un officier de marine, publia la *Compassion de la Vierge pour la France,* petit livre brûlant, mystique, livre de femme pour les femmes, propre à les troubler et les rendre folles.

Le clergé avait encore une action bien facile sur ces pauvres populations sans connaissance de la langue française. Il leur laissait ignorer la suppression des dîmes et du casuel, passait sous silence l'abolition successive des impôts indirects, et les jetait dans le désespoir, en leur montrant tout le poids des taxes qui écrasait la terre, leur annonçant qu'on allait tout à l'heure prendre le tiers de leurs meubles et de leurs bestiaux.

Le Midi offrait d'autres éléments de trouble, non moins favorables, des hommes de passion sèche, actifs, ardents, politiques, esprits d'intrigue et de ruse, propres non seulement à soulever, mais à organiser, régler, diriger le soulèvement.

Le véritable secret de la résistance, la voie unique qui donnait des chances sérieuses à la contre-révolution, l'idée de la future Vendée, fut formulé d'abord à Nîmes : contre la Révolution, point de résultat possible sans la guerre religieuse. Autrement dit : contre la foi, nulle autre force que la foi.

Voie terrible, à faire reculer, quand on se souvient... quand on voit les ruines, les déserts qu'a faits le vieux fanatisme... Que serait-il arrivé si tout le Midi, tout l'Ouest, toute la France étaient devenus Vendée ?

Mais la contre-révolution n'avait pas une autre chance. Au génie de la fraternité, un seul pouvait être opposé, celui de la Saint-Barthélemy.

Telle fut à peu près la thèse que, dès janvier 90, soutint à Turin, devant le grand conseil de l'émigration, l'argent envoyé de Nîmes, homme du peuple, homme de peu, mais tête forte, intrépide, qui voyait parfaitement et posait la question.

Celui qui, par grâce spéciale, était admis à parler devant les princes et les seigneurs, Charles Froment, c'était son nom, fils d'un homme accusé de faux (puis lavé), n'était lui-même rien de plus qu'un petit receveur du clergé et son factotum. D'abord révolutionnaire, il avait senti qu'à Nîmes il y avait plus à faire de l'autre côté. Tout d'abord, il se trouva chef de la populace catholique, la lança aux protestants. Lui-même était beaucoup moins fanatique que factieux, un homme du temps des gibelins. Mais il voyait nettement que la vraie force était le peuple, l'appel à la foi du peuple.

Froment fut gracieusement reçu, écouté, peu compris. On lui donna quelque argent, et l'espoir que le commandant de Montpellier pourrait lui fournir des armes. Du reste, on sentit si peu combien il pouvait être utile, que, plus tard, ayant émigré, il n'obtint pas même des princes la permission de se joindre aux Espagnols et de les mettre en rapport avec son ancien parti.

« Ce qui a perdu Louis XVI, dit Froment dans ses brochures, c'est d'avoir eu des ministres philosophes. » Il pouvait étendre ceci bien plus loin, avec non moins de raison. Ce qui rendait la contre-révolution généralement impuissante, c'est qu'elle avait en elle, à des degrés différents, mais enfin qu'elle avait au cœur la philosophie du siècle, c'est-à-dire la Révolution même.

J'ai dit, dans mon Introduction (au premier volume), que tous alors, la reine même, le comte d'Artois, la noblesse, étaient, à des degrés différents, atteints de l'esprit nouveau.

La langue du vieux fanatisme était pour eux une langue morte. Le réveiller dans les masses, c'était une opération incompréhensible à de tels esprits. Le peuple soulevé, même pour eux, leur faisait peur. D'ailleurs, rendre force au clergé, c'était chose toute contraire aux idées de la noblesse ; elle avait toujours attendu, espéré la dépouille du clergé. Les cahiers de ces deux ordres étaient opposés, hostiles. La Révolution, qui devait les rapprocher, les avait brouillés encore. Les propriétaires nobles, dans certaines provinces, par exemple en Languedoc, gagnaient par la suppression des dîmes ecclésiastiques plus qu'ils ne perdaient en droits féodaux.

Dans la discussion des vœux monastiques (février), pas un noble n'aide le clergé. Lui seul défend la vieille tyrannie des vœux irrévocables. Les nobles votent avec leurs adversaires ordinaires pour l'abolition des vœux, l'ouverture des monastères, la liberté des moines et religieuses.

Le clergé prend sa revanche. Quand il s'agit d'abolir les droits féodaux, la noblesse crie à son tour à la violence, à l'atrocité, etc. Le clergé, du moins, la majorité du clergé, laisse crier la noblesse, vote contre elle, aide à sa ruine.

Les conseillers du comte d'Artois, M. de Calonne et autres, les conseillers autrichiens de la reine, très favorables à la spoliation du parti de la noblesse en général, très favorables à la spoliation du clergé, pourvu qu'elle se fît par eux. Plutôt que d'employer l'arme du vieux fanatisme, ils aimaient beaucoup mieux faire appel à l'étranger. Ils n'y avaient nulle répugnance. La reine, dans l'étranger, voyait son propre parent. La noblesse avait par toute l'Europe des relations de famille, de caste, de culture commune, qui la rendaient très philosophe à l'endroit des préjugés vulgaires de nationalité... Quel Français était plus français que le général de l'Autriche, le charmant prince de Ligne ?... La philosophie française ne régnait-elle pas à Berlin ? Quant à l'Angleterre, pour nos nobles les plus avancés, c'était justement l'idéal, la terre classique de la liberté. Il n'y avait pour eux que deux nations en Europe, celle des honnêtes gens et celle des malhonnêtes gens. Pourquoi n'aurait-on pas appelé les premiers en France, pour mettre à la raison les autres ?

Voilà donc trois contre-révolutions qui agissent sans pouvoir s'entendre.

1. La reine, l'ambassadeur d'Autriche, son principal conseiller, attendent que l'Autriche, libre de son affaire de Belgique, et se ralliant l'Europe, puisse menacer la France, la contraindre (au besoin) par corps.

2. L'émigration, le comte d'Artois, les brillants chevaliers de l'Œil-de-Bœuf, qui s'ennuient fort à Turin, qui ont hâte de retrouver leurs maîtresses et leurs actrices, voudraient que l'étranger agît tout d'abord, leur rouvrît la France, n'importe à quel prix ; en 1790, ils voudraient 1815.

3. Le clergé est encore moins disposé à attendre.

Exproprié par l'Assemblée, poussé peu à peu de chez lui et mis à la porte, il voudrait armer aujourd'hui sa nombreuse clientèle de paysans, de fermiers. Aujourd'hui, demain peut-être, tout s'attiédira. Que sera-ce, si le paysan s'avise d'acheter des biens ecclésiastiques ?... Alors, la Révolution aurait vaincu sans retour.

Nous l'avons vu en octobre faire feu avant l'ordre. Nouvelle explosion, et dans l'Assemblée même, en février.

C'était le moment où l'homme de Nîmes, revenu de Turin, courait à la campagne, organisait les sociétés catholiques, travaillait à fond le Midi.

Au milieu de la discussion sur l'inviolabilité des vœux, un membre de l'Assemblée invoqua les droits de la nature, repoussa comme un crime de l'ancienne barbarie cette surprise à la volonté de l'homme, qui, sur un mot échappé, peut-être arraché de sa bouche, le lie, l'enterre pour toujours... Là-dessus, des cris s'élèvent : « Blasphème ! blasphème ! il a blasphémé. » L'évêque de Nancy s'élance à la tribune : « Reconnaissez-vous que la religion catholique, apostolique et romaine est la religion nationale ?... » L'Assemblée sentit le coup, l'esquiva. On répondit qu'il s'agissait surtout de finances dans la suppression des couvents, qu'il n'était personne qui ne crût la religion catholique religion nationale, que, la sanctionner par un décret, ce serait la compromettre.

Ceci le 13 février. Le 18, on apporta un libellé, répandu en Normandie, où l'Assemblée était désignée à la haine du peuple, comme assassinant à la fois la religion et la royauté. Pâques approchait ; l'occasion fut saisie, on vendit, on distribua, autour des églises, un pamphlet terrible : *La Passion de Louis XVI.*

L'Assemblée, à cette légende, pouvait en opposer une autre, d'égal intérêt, c'est que Louis XVI, qui jurait, le 4 février, amour à la Constitution, avait près de son frère, au milieu des ennemis mortels de la Constitution, un agent en permanence ; que Turin, Trèves et Paris étaient comme une même cour, entretenue, payée par le roi.

A Trèves, existait, soldée, habillée par lui, sa maison militaire, sa grande et petite écurie, sous le prince de Lambesc. On payait Artois, Condé, Lambesc, tous les émigrés, et des pensions énormes. Et l'on ajournait indéfiniment des pensions alimentaires de veuves et autres malheureux, de deux, trois ou quatre cents livres.

Le roi payait les émigrés sans égard à un décret par lequel, depuis deux mois, l'Assemblée avait essayé de retenir cet argent qui passait à nos ennemis. Il avait justement oublié de sanctionner ce décret. L'irritation augmenta lorsque Camus, le sévère rapporteur du comité des finances, déclara ne point découvrir l'emploi d'une somme de soixante millions.

L'Assemblée ordonna que, pour tout décret présenté à la sanction, le garde des sceaux rendrait compte *dans la huitaine* de la sanction royale ou du refus de sanction.

Grands cris, grande lamentation sur cette exigence outrageuse à la volonté du roi... Camus répondit en faisant imprimer le trop célèbre *Livre rouge* (1er avril), que le roi avait confié, dans l'espoir qu'il resterait secret entre lui et le comité. Ce livre immonde, sale à chaque page des ordures de l'aristocratie, des faiblesses criminelles de la royauté, montra si l'on avait tort de fermer l'égout par où s'en allait la vie de la France... Beau livre, avec tout cela ! il enfonça la Révolution dans le cœur des hommes.

« Oh ! que nous avons eu raison ! » Ce fut le cri général, et qu'on était loin, dans les plus violentes accusations, d'entrevoir la réalité ! En même temps s'affermit la foi que ce monstrueux régime, contre la nature, contre Dieu, ne pouvait jamais revenir. La Révolution, quand elle vit, sans voile et sans masque, la face hideuse de son adversaire, s'affermit sur elle-même, se sentit vivre, et pour toujours... Oui, quels qu'aient été les obstacles, les haltes, les trahisons, elle vit et vivra !

Un signe de cette foi forte, c'est que dans la détresse universelle, parmi plus d'une émeute contre les impôts indirects, l'impôt direct fut régulièrement, religieusement payé.

On met en vente quatre cents millions de biens ecclésiastiques. Et la seule ville de Paris en achète pour deux cents millions. Toutes les municipalités suivent.

Cette marche était très bonne. Peu de gens auraient voulu exproprier eux-mêmes le clergé ; les municipalités seules pouvaient se charger de cette opération pénible. Elles devaient acheter, puis revendre. L'hésitation était grande, surtout chez le paysan ; voilà pourquoi les villes devaient lui donner l'exemple, acheter, revendre d'abord les maisons ecclésiastiques ; puis, viendrait la vente des terres.

Tous ces biens servaient d'hypothèque au papier-monnaie qui fut créé par l'Assemblée. A chaque papier un lot était assigné, affecté ; ces billets furent dits *assignats*. Chaque papier était du bien, de la terre mobilisée. Rien de commun avec les fameux billets de la Régence, fondés sur le Mississipi, sur des terres lointaines et possibles.

Ici l'on touchait le gage. A cette garantie, joignez celle des municipalités qui avaient acheté à l'Etat et qui revendaient. Divisés dans tant de mains, ces lots de papier, une fois lancés, circulant, allaient engager dans cette grande opération la nation tout entière. Tous auraient de cette monnaie, les ennemis comme les amis étaient également intéressés au salut de la Révolution.

Cependant, le souvenir de Law, les traditions de tant de familles ruinées par le Système n'étaient pas un léger obstacle. La France, moins que l'Angleterre, moins que la Hollande, était habituée à voir les valeurs circuler sous la forme de papier. Il fallait que tout un peuple s'élevât au-dessus de ses habitudes matérielles ; c'était un acte de spiritualisme, de foi révolutionnaire que demandait l'Assemblée.

Le clergé fut terrifié en voyant que sa dépouille serait ainsi aux mains de tous. Divisée en poudre impalpable, il n'y avait guère d'apparence qu'elle lui revînt jamais. Il s'efforça d'abord d'assimiler ces solides assignats dont chacun était de la terre, avec les chiffons du Mississipi : « J'avais cru, dit perfidement l'archevêque d'Aix, que vous aviez réellement renoncé à la banqueroute. »

La réponse était trop facile. Alors, ils se tournèrent ailleurs. « Tout cela est arrangé par les banquiers de Paris, les provinces n'en veulent pas. » Alors, on leur apporta les adresses des provinces, qui réclamaient la prompte création des assignats.

Ils avaient cru au moins gagner du temps, et, dans l'intervalle, rester en possession, attendre toujours, saisir quelque bonne circonstance. On leur ôta cet espoir : « Quelle confiance, dit Prieur, aurait-on dans l'hypothèque qui fonde les assignats, si les biens hypothéqués ne sont pas vraiment dans nos mains ? » Ceci aboutissait à dessaisir immédiatement le clergé, à le déloger, et mettre tout dans la main des municipalités, des districts. L'Assemblée avait beau leur offrir un monstrueux traitement d'une centaine de millions ; ils étaient inconsolables.

L'archevêque d'Aix, dans un discours pleureur, plein de lamentations enfantines, décousues, demanda si l'on aurait bien le cœur de ruiner les pauvres, en ôtant au clergé ce qui lui fut donné pour les pauvres. Il hasarda ce paradoxe que la banqueroute suivrait infailliblement l'opération destinée à prévenir la banqueroute. Il accusa l'Assemblée d'avoir mis la main sur le spirituel, en déclarant nuls les vœux, etc.

Enfin, il s'avança jusqu'à offrir, au nom du clergé, un emprunt de quatre cents millions, hypothéqués sur ses biens.

A quoi Thouret répondit avec son flegme normand : « On offre au nom d'un corps *qui n'existe plus...* » Et encore : « Quand la religion vous a envoyés dans le monde, vous a-t-elle dit : Allez, prospérez et acquérez ?... »

Il y avait dans l'Assemblée un bonhomme de chartreux, dom Gerle, d'excellent cœur, de courte vue, chaud patriote, mais non moins bon catholique. Il crut (ou, très probablement, il se laissa persuader par quelque renard du clergé) que ce qui tourmentait les prélats, c'était uniquement le péril spirituel, la crainte que le pouvoir civil ne touchât à l'encensoir. Rien de plus simple, dit-il ; pour répondre aux gens qui disent que l'Assemblée ne veut pas de religion, ou bien qu'elle veut admettre toutes les religions en France, il n'y a qu'à décréter : Que la religion catholique, apostolique et romaine, est et sera toujours la religion de la nation, et que son culte est le seul autorisé (12 avril 90). Charles de Lameth crut s'en tirer comme au 13 février, en disant que l'Assemblée, qui, dans ses décrets, suivait l'esprit de l'Evangile, n'avait nullement besoin de se justifier ainsi.

Mais la chose ne tomba pas. L'évêque de Clermont reprit avec amertume, affecta de s'étonner que, lorsqu'il s'agissait de rendre hommage à la religion, on délibérât, au lieu de répondre par une acclamation de cœur.

Tout le côté droit se lève et pousse une acclamation.

Le soir, ils se réunissent aux Capucins, et préparent, pour le cas où l'Assemblée ne déclarerait pas le catholicisme religion nationale, une protestation violente qu'on porterait solennellement au roi, et qu'on répandrait à grand nombre par toute la France, pour bien faire connaître au peuple que l'Assemblée nationale ne voulait nulle religion.

CHAPITRE VIII

Lutte religieuse
Succès de la contre-révolution (mai 90)

Suite — L'Assemblée élude la question — Le roi n'ose recevoir la protestation du clergé (avril) — Éruption religieuse du Midi (mai) — Le Midi toujours inflammable — Anciennes persécutions religieuses ; Avignon, Toulon — Le fanatisme attiédi, habilement ravivé — Les protestants toujours exclus des fonctions civiles et militaires — Unanimité des deux cultes en 89 — Le clergé ranime le fanatisme, organise la résistance à Nîmes (1790) — Il éveille les jalousies sociales — Terreur des protestants — Explosion de Toulouse, Nîmes (avril) — Connivence des municipalités — Massacre de Montauban (10 mai) — Triomphe de la contre-révolution dans le Midi.

La motion de cet homme simple avait étonnamment changé la situation. D'une époque de discussion, la Révolution parut tout à coup transportée dans un âge de terreur.

Deux terreurs en face. Le clergé avait un argument muet, sous-entendu, formidable ; il montrait à l'Assemblée une Méduse, la guerre civile, le soulèvement imminent de l'Ouest et du Midi, le renouvellement probable des vieilles guerres de religion. L'Assemblée avait en elle la force immense, inéluctable, d'une Révolution lancée, qui devait renverser tout, une Révolution qui, pour principal organe, avait l'émeute de Paris. Elle rugissait aux portes, se faisait souvent entendre plus haut que les députés.

Le beau rôle était au clergé, d'abord parce qu'il semblait être dans un danger personnel ; ce danger le relevait ; tel prélat, incrédule, licencieux, intrigant, se trouvait tout à coup, par la grâce de l'émeute, posé dans la gloire du martyre. Martyre impossible pourtant, avec les précautions infinies de M. de La Fayette, si fort alors, si populaire, à son apogée, vrai roi de Paris.

Le clergé avait encore pour lui l'avantage d'une position simple et l'extérieur de la foi. Interrogé jusqu'ici, mis sur la sellette par l'esprit du siècle, c'est lui maintenant qui interroge. Il demande fièrement : « Êtes-vous catholiques ? » L'Assemblée répond timidement, d'un ton suspect, équivoque, qu'elle ne peut pas répondre, qu'elle respecte trop la religion pour répondre, qu'en salariant un seul culte, elle prouve assez, etc.

Mirabeau dit hypocritement : « Faut-il décréter que le soleil luit ?... » Et un autre : « Je crois la religion catholique la seule véritable, je la respecte infiniment... Il est dit : « Les portes de l'enfer ne prévaudront pas contre elle. » Et nous croirions, par un misérable décret, confirmer une telle parole ? », etc.

D'esprémesnil arracha ce masque par un mot violent : « Oui, dit-il, quand les Juifs crucifièrent Jésus-Christ, ils disaient : Salut, roi des Juifs ! »

Personne ne répondit à cette terrible attaque. Mirabeau se tut, se ramassa sur lui-même, comme le lion qui médite un bond. Puis, saisissant l'occasion d'un député qui citait, en faveur de l'intolérance, je ne sais quel traité de Louis XIV : « Et comment toute intolérance n'eût-elle pas été consacrée sous un règne signalé par la révocation de l'Édit de Nantes ?... Si l'on en appelle à l'histoire, n'oubliez pas qu'on voit d'ici, qu'on voit de cette tribune la fenêtre d'où un roi, armé contre son peuple par d'exécrables factieux qui couvraient l'intérêt personnel de celui de la religion, tira l'arquebuse, et donna le signal de la Saint-Barthélemy ! »

Et il montrait la fenêtre du doigt, du regard. Elle était impossible à apercevoir de là ; lui, il la voyait en effet, et tout le monde la vit...

Le coup avait porté juste. Ce que l'orateur avait dit, révélait précisément ce que le clergé voulait faire. Son plan était de porter au roi une protestation violente qui eût armé les croyants, de mettre l'arquebuse aux mains du roi, pour tirer le premier coup.

Louis XVI n'était pas Charles IX. Très sincèrement convaincu du droit du clergé, il eût accepté le péril, pour ce qu'il croyait le salut de la religion. Mais trois choses l'arrêtaient : son indécision naturelle, la timidité de son ministère, plus que tout le reste enfin, ses craintes pour la vie de la reine, la terreur du 6 octobre, renouvelée chaque jour, cette foule émue, menaçante, qu'il avait sous sa fenêtre, ce flot d'hommes qui battait les murs. À toute résistance du roi, la reine semblait être en péril. Elle-même avait d'ailleurs d'autres vues, d'autres espérances, fort éloignées du clergé.

L'on répondit, au nom du roi, que, si la protestation était apportée aux Tuileries, elle ne serait point reçue.

On a vu combien le roi, en février, avait découragé Bouillé, les officiers, la noblesse. En avril, son refus de soutenir le clergé lui ôterait le courage, s'il pouvait jamais le perdre, lorsqu'il s'agit de ses biens. Maury dit avec fureur qu'on saurait en France dans quelles mains se trouvait la royauté.

Restait d'agir sans le roi. Agir avec la noblesse ? Et pourtant le clergé ne pouvait non plus compter beaucoup sur son secours. Elle avait encore tous les grades ; mais, n'étant pas sûre du soldat, elle craignait l'explosion, elle était moins impatiente, moins belliqueuse que les prêtres. L'agent du clergé à Nîmes, Froment, quoiqu'il eût obtenu un ordre du comte d'Artois, ne pouvait décider le commandant de la province à lui ouvrir l'arsenal. L'affaire pressait cependant. Les grandes fédérations du Rhône avaient enivré le pays. Celle d'Orange, en avril, mit le comble à l'enthousiasme. Avignon ne se souvint plus qu'elle appartenait au pape, elle envoya à Orange, avec toutes les villes françaises. Encore un moment, et elle échappait. Si Avignon, si Arles, si les capitales de l'aristocratie et du fanatisme, dont on menaçait toujours, devenaient elles-mêmes révolutionnaires, la contre-révolution, serrée d'ailleurs par Marseille et par Bordeaux, n'avait rien à espérer. L'explosion devait avoir lieu à ce moment, ou jamais.

On ne comprendrait rien aux éruptions de ces vieux volcans du Midi, si avant tout on n'en sondait le foyer toujours brûlant. Les flammes infernales des bûchers qui s'y rallumèrent tant de fois, ces flammes contagieuses de soufre, semblent avoir gagné le sol même, en sorte que des incendies inconnus y courent toujours sous la terre. C'est comme pour ces houillères qui brûlent dans l'Aveyron. Le feu n'est pas à la surface. Mais, dans ce gazon jauni, si vous enfoncez un bâton, il fume, il prend feu, il révèle l'enfer qui dort sous vos pieds.

Puissent s'amortir les haines !... Mais il faut que les souvenirs restent, que tant de malheurs, de souffrances, ne soient jamais perdus pour l'expérience des hommes. Il faut que la première, la plus sainte de nos libertés, la liberté religieuse, aille souvent se fortifier, se raviver par la vue des affreuses ruines qu'a laissées le fanatisme.

Les pierres parlent, au défaut des hommes. Deux monuments surtout méritent d'être l'objet d'un fréquent pèlerinage, tous deux opposés, tous deux instructifs, l'un infâme, l'autre sacré.

L'infâme, c'est le palais d'Avignon, la Babel des papes, la Sodome des légats, la Gomorrhe des cardinaux.

Palais monstre, qui couvre toute la croupe d'une montagne de ses tours obscènes, lieux de volupté, de torture, où les prêtres montrèrent aux rois qu'ils ne savaient rien, au prix d'eux, dans les arts honteux du plaisir. L'originalité de la construction, c'est que les lieux de torture n'étant pas bien éloignés des luxurieuses alcôves, des salles de bal et de festin, on aurait bien pu, parmi les chants des cours d'amour, entendre le râle, les cris, le bris sec des os qui craquaient... La prudence sacerdotale y avait pourvu par la savante disposition des voûtes, propres à absorber tous les bruits. La superbe salle pyramidale où le bûcher se dressait (figurez-vous l'intérieur d'un cône vide de soixante pieds) témoigne d'une effroyable entente de l'acoustique ; seulement de place en place, quelques traînées de suie grasse rappellent les chairs brûlées.

L'autre lieu, saint et sacré, c'est le bagne de Toulon, le calvaire de la liberté religieuse, le lieu où moururent lentement, sous le fouet et le bâton, les confesseurs de la foi, les héros de la charité.

Qu'on songe que plusieurs de ces martyrs, condamnés aux galères perpétuelles, n'étaient pas des protestants, mais des hommes accusés d'avoir fait évader des protestants !

On en vendait sous Louis XV. A un prix honnête (trois mille francs), on pouvait acheter un galérien. M. de Choiseul, pour faire sa cour à Voltaire, lui en donne un, en pur don.

Ce code effroyable que la Terreur copia, sans pouvoir jamais l'atteindre, arme les enfants contre les pères, leur donne d'avance leurs biens, en sorte que le fils est intéressé à tenir son père à Toulon.

Quoi de plus curieux que de voir l'Église, *la colombe gémissante,* gémir en 1682, lorsqu'on venait d'enlever les petits enfants aux mères hérétiques... Gémir pour les délivrer ?... Non, pour que le roi trouve des lois plus efficaces, plus dures... Et comment en trouver jamais de plus dures que celle-ci ?

A chaque assemblée du clergé, la colombe gémit toujours. Et sous Louis XVI encore, lorsqu'il se laisse arracher par l'esprit du temps cette belle charte d'affranchissement qui exclut toujours les protestants de toute fonction publique, le clergé adresse au roi de nouveaux gémissements, par un prêtre athée, Loménie.

J'entrai plein de tremblement et de respect dans ce saint bagne de Toulon. J'y cherchai la trace des martyrs de la religion, de ceux de l'humanité, tués là de mauvais traitements, pour avoir eu un cœur d'homme, pour avoir seuls entrepris de défendre l'innocence, de faire la tâche de Dieu !

Hélas ! il n'y a plus rien. Rien ne reste de ces galères, atroces et superbes, dorées et sanglantes, plus barbares que les barbaresques, que le nerf de bœuf arrosait de la rosée du sang des saints... Les registres même, où leurs noms étaient consignés, ont en grande partie disparu. Dans le peu qui reste, de sèches indications, l'entrée, la sortie ; et la sortie, le plus souvent, c'est la mort... La mort qui vient plus ou moins prompte, indiquant ainsi des degrés dans la résignation ou le désespoir... Une brièveté terrible ; deux lignes pour un saint, deux ou trois pour un martyr... On n'a pas noté les gémissements, les protestations, les appels au Ciel, les prières muettes, les psaumes, chantés tout bas entre les blasphèmes des voleurs et des assassins... Ah ! tout cela doit être ailleurs.

« Console-toi ! les pleurs des hommes sont gravés pour l'éternité dans la pierre et dans le marbre ! » a dit Christophe Colomb.

Dans la pierre ? Non, dans l'âme humaine. A mesure que j'ai étudié et su davantage, j'ai vu avec consolation qu'en vérité, ces martyres obscurs n'en ont pas moins porté leur fruit, fruit admirable : l'amélioration de ceux qui les virent ou les ouïrent, l'attendrissement des cœurs, l'adoucissement de l'âme humaine au XVIIIe siècle, l'horreur croissante pour le fanatisme et la persécution. Peu à peu, il n'y avait plus personne pour appliquer ces lois barbares. L'intendant Lenain (de Tillemont), neveu du janséniste illustre, obligé de condamner à mort l'un des derniers martyrs protestants, lui disait : « Hélas ! monsieur, ce sont les ordres du roi. » Il fondait en larmes ; le condamné le consola.

Le fanatisme se mourait de lui-même. Ce n'était pas sans peine, sans travail, que, par moments, les politiques en ravivaient l'étincelle. Quand le Parlement, accusé d'incrédulité, de jansénisme, d'antijésuitisme, saisit l'occasion de Calas, pour se réhabiliter, quand, d'accord avec le clergé, il remua au fond du peuple les vieilles fureurs, on les trouva tout endormies. On ne réussit qu'au moyen de confréries généralement composées des petites gens qui, comme marchands, ou d'autre sorte, étaient les clients du clergé. Pour brouiller l'esprit du peuple, l'ensorceler, l'effaroucher, *l'ensauvager,* on fit comme aux courses, où l'on met à la bête, sous la peau, un charbon ardent ; alors elle ne se connaît plus... Le charbon ici fut une comédie atroce, une affreuse exhibition. Les confrères blancs, dans leur sinistre costume (le capuce couvrant le visage, avec deux trous pour les yeux), firent une fête de mort au fils que Calas avait tué, disaient-ils, pour l'empêcher d'abjurer. Sur un catafalque énorme, parmi les cierges, on voyait un squelette remué par des ressorts, qui d'une main tenait la palme du martyre, de l'autre une plume pour signer l'abjuration de l'hérésie.

On sait que le sang de Calas retomba sur les fanatiques, on sait l'excommunication que lança aux meurtriers, aux faux juges et aux faux prêtres, le vieux pontife de Ferney. Ce jour-là, touchés de la foudre, ils commencèrent la descente où l'on ne s'arrête pas ; ils roulèrent la tête en bas, ils plongèrent, les réprouvés, au gouffre de la Révolution.

Et à la veille, à grand-peine, au bord même de l'abîme, la royauté qu'ils entraînaient s'avisa enfin d'être humaine. Un édit parut (1787) où l'on avouait que les protestants étaient des hommes ; on leur permettait de naître, de se marier, de mourir. Du reste, nullement citoyens, exclus des fonctions civiles, ne pouvant ni administrer, ni juger, ni enseigner ; admis, pour tout privilège, à payer l'impôt, à payer leur persécuteur, le clergé catholique, à entretenir de leur argent l'autel qui les maudissait.

Les protestants des montagnes cultivaient leur maigre pays. Les protestants des villes faisaient la seule chose qui leur fût permise, le commerce, et, à mesure qu'ils se rassuraient, un peu d'industrie. Tenus bas et durement, hors de tout emploi, de toute influence, exclus très spécialement depuis cent années de toute position militaire, ils n'avaient rien des hardis huguenots du XVIe siècle ; le protestantisme était retombé à son point de départ du Moyen Age, industriel, commercial. Si l'on excepte les Cévenols, incorporés à leurs rochers, les protestants en général possédaient très peu de terre ; leurs richesses, considérables déjà à cette époque, étaient des maisons, des usines, mais surtout, mais essentiellement, des richesses mobilières, celles qu'on peut toujours emporter.

Les protestants du Gard étaient, en 1789, un peu plus de cinquante mille mâles (comme en 1698, comme en 1840, le nombre a peu varié), très faibles par conséquent, isolés et sans rapport avec leurs frères d'autres provinces, perdus comme un point, un atome, dans un océan de catholiques, qui se comptaient par millions. A Nîmes, dans la seule ville où les protestants étaient ramassés en grand nombre, ils étaient six mille hommes, en face de vingt et un mille hommes de l'autre religion. Des six mille, trois ou quatre mille étaient des ouvriers de manufactures, race malsaine et chétive, misérable, sujette, comme l'ouvrier l'est partout, à des chômages fréquents.

Les catholiques ne chômaient pas, travaillant pour la plupart à la terre ; le climat fort doux permet ce travail en toutes saisons. Beaucoup avaient un peu de terre, et cultivaient en même temps pour le clergé, la noblesse, les gros bourgeois catholiques, qui avaient toute la banlieue.

Les protestants des villes, instruits, modérés, sérieux, clos dans la vie sédentaire, voués à leurs souvenirs, ayant dans chaque famille de quoi pleurer et peut-être craindre, étaient une population infiniment peu aventureuse, et très dure à l'espérance. Quand ils virent poindre ce beau jour de la liberté, à la veille de la Révolution, ils osèrent à peine espérer. Ils laissèrent les parlements, la noblesse s'avancer hardiment, parler en faveur des idées nouvelles ; généralement, ils se turent. Ils savaient parfaitement que, pour entraver la Révolution, il eût suffi qu'on les vît exprimer des vœux pour elle.

Elle éclate. Les catholiques, disons-le à leur honneur, la grande masse des catholiques, furent ravis de voir les protestants devenir enfin leurs égaux. L'unanimité fut touchante et l'une des plus dignes choses d'arrêter sur la terre le regard de Dieu. Dans bien des lieux, les catholiques allèrent au temple des protestants, s'unir à eux pour rendre grâce ensemble à la Providence. D'autre part, les protestants assistaient au *Te Deum* catholique. Par-dessus tous les autels, tous les temps, toutes les églises, une lueur s'était faite au ciel...

Le 14 juillet fut reçu du Midi, ainsi que toute la France, comme la délivrance de Dieu, comme la sortie d'Egypte ; le peuple avait franchi la mer, et, parvenu à l'autre bord, chantait le cantique. Ni protestants ni catholiques, nulle différence ; des Français. Il se trouva, sans qu'on le voulût, sans qu'on y songeât, que le comité permanent qui s'organisa dans les villes fut mixte, des deux religions, mixte également fut la milice nationale. Les officiers furent généralement catholiques, parce que les protestants, étrangers au service militaire, n'auraient guère pu commander. En récompense, ils formèrent presque toute la cavalerie ; beaucoup avaient des chevaux pour les besoins de leur commerce.

Deux mois, trois mois se passèrent. On s'avisa alors et à Nîmes, et à Montauban, de former de nouvelles compagnies exclusivement catholiques.

Cette belle unanimité avait disparu. Une question grave, profonde, celle des biens du clergé, avait changé tout.

Le clergé montra une force remarquable d'organisation, une vigueur intelligente à créer la guerre civile, dans une population qui n'en avait nulle envie.

Trois choses furent employées. Premièrement, les moines mendiants, capucins, dominicains, qui se firent distributeurs, propagateurs d'une prodigieuse multitude de brochures et de pamphlets. Deuxièmement, les cabarets, les petits revendeurs de vin, qui, dépendant du principal propriétaire de vignobles, le clergé, étaient, d'autre part, en rapport avec le petit peuple catholique, surtout avec les paysans électeurs de campagne. Ceux-ci venant à la ville, faisaient halte au cabaret. Ils y dépensaient (et ceci compte pour troisième article) vingt-quatre sols que le clergé leur donnait pour chaque jour qu'ils venaient aux élections.

L'agent des prêtres en tout ceci, Froment, était plus qu'un homme, c'était toute une légion ; il agissait en même temps par une multitude de bras, par son frère, Froment-*tapage,* par ses parents, par ses amis, etc. Il avait son bureau, sa caisse, sa librairie de pamphlets, son antre aux élections, tout contre l'église des dominicains, et sa maison communiquait avec une tour, qui dominait les remparts. Vraie position de guerre civile qui défiait la fusillade, ne craignait que le canon.

Avant d'en venir aux armes, Froment travailla la Révolution en dessous, par la Révolution même, par la garde nationale et par les élections. Des assemblées, tenues la nuit dans l'église des Pénitents-Blancs, préparèrent les élections municipales, de manière à exclure tous les protestants. Les droits énormes que l'Assemblée donne au pouvoir municipal, le droit de requérir les troupes, de proclamer la loi martiale, d'arborer le drapeau rouge, se trouvent placés ainsi, et à Nîmes et à Montauban, dans les mains des catholiques ; ce drapeau sera arboré pour eux, s'ils en ont besoin, et jamais contre eux.

La garde nationale était mixte. Elle s'était composée en juillet des plus ardents patriotes, qui se hâtèrent d'être inscrits, de ceux aussi qui, n'ayant guère qu'une fortune mobilière, craignaient le plus les pillages ; tels étaient les négociants, protestants pour la plupart. Quant aux riches catholiques, qui possédaient les terres, ils ne pouvaient perdre leurs terres, et se hâtèrent moins d'armer. Quand leurs châteaux furent attaqués, la garde nationale, mêlée de protestants, de catholiques, mit tous ses soins à les défendre ; celle de Montauban sauva un château du royaliste Cazalès.

Pour changer cette situation, il fallait éveiller l'envie, faire naître les rivalités. Elles venaient assez d'elles-mêmes et par la force des choses, à part toute différence d'opinion et de parti. Tout corps qui semblait d'élite, qu'il fût aristocrate, comme les volontaires de Lyon et de Lille, qu'il fût patriote, comme les dragons de Montauban et de Nîmes, était également détesté. On anima contre ces derniers les petites gens qui formaient la masse des compagnies catholiques, en répandant parmi eux que les autres les appelaient *cébets* ou mangeurs d'oignons. Accusation gratuite. Pourquoi les protestants auraient-ils insulté les pauvres ? Personne n'était plus pauvre à Nîmes que les ouvriers protestants. Et dans les Cévennes, leurs amis et défenseurs, les protestants de la montagne, qui souvent n'ont pas d'autre aliment que les châtaignes, menaient une vie plus dure, plus pauvre, plus abstinente que les mangeurs d'oignons de Nîmes, qui mangent du pain aussi et boivent souvent du vin.

Vers le 20 mars, on apprit que l'Assemblée, non contente d'ouvrir aux protestants l'accès aux fonctions publiques, avait élevé à la première de toutes, et plus haut alors que la royauté, élevé, dis-je, un protestant, Rabaut Saint-Étienne, à sa présidence. Rien n'était prêt encore, peu ou pas d'armes ; cependant, l'impression fut si forte que quatre protestants furent assassinés en expiation (fait contesté, mais certain).

Toulouse fit pénitence du sacrilège de l'Assemblée, amende honorable, neuvaines, pour détourner le courroux de Dieu. C'était l'époque d'une fête exécrable, la procession annuelle qu'on faisait en souvenir du massacre des Albigeois. Les confréries de toutes sortes se rendent en foule à chaque chapelle érigée sur la plaine du massacre. Les motions les plus furieuses sont faites dans les églises. Les machines sont montées partout. On tire des vieilles armoires les instruments de fanatisme qui jouèrent au temps des dragonnades ou de la Saint-Barthélemy, les vierges qui pleureront pour avoir des assassinats, les christs qui hocheront la tête, etc. Ajoutez-y quelques moyens de nouvelle fabrique ; par exemple, un dominicain qui s'en va par les rues de Nîmes dans son blanc habit de moine, mendiant son pain, pleurant sur les décrets de l'Assemblée ; à Toulouse, un buste du roi captif, du roi martyr, qui, posé près du prédicateur et voilé de noir, apparaîtra tout à coup au beau moment du sermon pour demander secours au bon peuple de Toulouse.

Tout cela était trop clair. Cela voulait dire : du sang. Les protestants le comprirent.

Isolés au milieu d'un grand peuple catholique, ils se voyaient un petit troupeau, marqué pour la boucherie. Les terribles souvenirs conservés dans chaque famille leur revenaient dans leurs nuits, les éveillaient en sursaut. Ces paniques étaient bizarres ; la peur des *brigands,* qui courait dans les campagnes, se mêlait souvent dans leurs imaginations avec celle des assassins catholiques ; étaient-ils en 1790 ou en 1572, ils n'auraient pas su le dire. A Saint-Jean-de-la-Gardonnenque, petite ville de marchands, des courriers entrent le matin, criant : « Garde à vous ! les voilà ! » Le tocsin sonne, on court aux armes, la femme se pend au mari pour l'empêcher de sortir, on ferme, on se met en défense, des pavés sur les fenêtres... Mais voilà que la ville est en effet envahie... par les amis, les protestants des campagnes, qui venaient à marches forcées. On distinguait parmi eux une belle fille entre ses deux frères, armée, portant le fusil. Ce fut l'héroïne du jour, on la couronna de lauriers ; tous ces marchands rassurés se cotisèrent entre eux pour leur aimable sauveur, et elle emporta sa dot aux montagnes dans son tablier.

Rien ne pouvait les rassurer qu'une association permanente entre les communes, une fédération armée. Ils la firent vers la fin de mars dans une prairie du Gard, une sorte d'île entre un canal et le fleuve, à l'abri de toute surprise. Des milliers d'hommes s'y rendirent, et, ce qui fut plus rassurant, c'est que les protestants virent grand nombre de catholiques mêlés à eux, sous le drapeau. Les paisibles ruines romaines qui dominent le paysage rappelaient des souvenirs meilleurs ; elles semblaient avoir survécu pour voir passer et mépriser ces misérables querelles, pour promettre un âge plus grand.

Les deux partis étaient en face, très près d'agir ; Nîmes, Toulouse, Montauban regardaient Paris, attendaient. Rapprochez les dates. Le 13 avril, à l'Assemblée, on tire d'elle l'étincelle pour allumer le Midi, son refus de déclarer le catholicisme religion dominante ; le 19, le clergé proteste. Dès le 18, Toulouse proteste à coups de fusil ; on y joue dans une église la scène du buste du roi ; les patriotes crient « vive le roi ! vive la loi ! » et des soldats tirent sur eux.

Le 20, à Nîmes, grande et solennelle *déclaration catholique,* signée de trois mille électeurs, fortifiée de l'adhésion de quinze cents *personnes distinguées,* déclaration envoyée à toutes les municipalités du royaume, suivie, copiée de Montauban, Albi, Alais, Uzès, etc. La pièce, délibérée aux Pénitents-Blancs, est écrite par les commis de Froment, et la foule va signer chez lui. Elle équivalait à un acte d'accusation de l'Assemblée nationale ; on lui signifiait qu'elle eût à rendre le pouvoir au roi, à donner à la religion catholique le monopole du culte.

On travaillait partout en même temps à la formation des nouvelles compagnies. La composition en était bizarre : des agents ecclésiastiques et des paysans, des marquis et des domestiques, des nobles et des crocheteurs. En attendant les fusils, ils avaient des fourches et des faux. On fabriquait secrètement une arme perfide et terrible. Des fourches dont le dos était une scie.

Les municipalités, créées par les catholiques, fermaient les yeux sur tout cela ; elles semblaient tout occupées de fortifier les forts, d'affaiblir encore les faibles. A Montauban, les protestants, six fois moins nombreux que leurs adversaires, voulaient accéder au pacte fédératif que venaient de faire les protestants de la campagne ; la Municipalité ne le permit pas. Ils essayèrent alors de désarmer la haine, en se retirant des fonctions publiques auxquelles on les avait portés, y faisant nommer des catholiques à leur place. Cela fut pris pour faiblesse. La croisade religieuse n'en fut pas moins prêchée dans les églises. Les vicaires généraux exaltèrent encore le peuple, en faisant faire, pour le salut de la religion en péril, des prières de Quarante-Heures.

La Municipalité de Montauban se démasqua à la fin par une chose qui ne pouvait manquer d'amener l'explosion. Pour exécuter le décret de l'Assemblée qui ordonnait de faire inventaire dans les communautés religieuses, elle prit juste le 10 mai, le jour des Rogations. C'est aussi dans une fête de printemps qu'on fit les Vêpres siciliennes. La saison ajoutait de même à l'exaltation. Cette fête des Rogations, c'est le moment où toute la population, répandue au-dehors, pleine des émotions passionnées du culte et de la saison, sent l'ivresse du printemps, si puissant dans le Midi. Parfois retardé par les grêles des Pyrénées, il n'éclate qu'avec plus de force. Tout sort à la fois, tout s'élance, l'homme de sa maison, l'herbe de la terre, toute créature bondit ; c'est comme un coup d'Etat de Dieu, une émeute de la nature.

Et les femmes qui vont traînant par les rues leurs cantiques pleureurs : *Te rogamus, audi nos...* on savait parfaitement qu'elles pousseraient leurs maris au combat, qu'elles les feraient tuer, s'il le fallait, plutôt que de laisser entrer les magistrats dans les couvents.

Ceux-ci se mettent en marche, et, comme ils devaient le prévoir, sont arrêtés par les masses impénétrables du peuple, par des femmes assises, couchées devant les portes sacrées. Il faudrait passer sur elles. Ils se retirent, et la foule devient agressive ; elle menace de brûler la maison du commandant militaire, catholique, mais patriote. Elle se porte à l'Hôtel de Ville pour en forcer l'arsenal. Si elle y parvenait, si, dans cet état de fureur, elle s'emparait des armes, le massacre des protestants, des patriotes en général, évidemment commençait.

La Municipalité pouvait requérir le régiment de Languedoc ; elle s'abstient. Les gardes nationaux viennent, d'eux-mêmes, occuper le corps de garde qui couvre l'Hôtel de Ville, et y sont bientôt assiégés. Loin de les secourir, c'est à la populace furieuse que l'on envoie du secours ; on la fait appuyer par les employés des gabelles. On tire contre les fenêtres cinq ou six cents coups de fusil. Les malheureux, criblés de balles, ayant déjà plusieurs morts, beaucoup de blessés, n'ayant point de munitions, demandent la vie, présentent un mouchoir blanc ; on n'en tire pas moins ; on démolit le mur qui, seul, les protège. Alors, la coupable Municipalité se décide, *in extremis,* à faire ce qu'elle devait, à requérir le régiment de Languedoc, qui, depuis longtemps, ne demandait qu'à marcher.

Une grande dame avait fait dire des messes pendant la tuerie. Ceux qui n'ont pas été tués peuvent donc enfin sortir. Mais la rage n'est pas épuisée. On leur arrache leurs habits, l'uniforme national, on leur arrache la cocarde, on la foule aux pieds. Nu-tête, en chemise, un cierge à la main, arrosant, tout le long de la rue, le pavé de sang, on les traîne à la cathédrale, on les agenouille aux degrés pour faire amende honorable... En avant marchait le maire, qui portait un drapeau blanc. La France, pour moins que cela, avait fait le 6 octobre. Elle avait, pour un moindre outrage à la cocarde tricolore, renversé une Monarchie.

On tremble pour Montauban quand on voit la sensibilité terrible qu'une telle chose allait exciter, la solidarité profonde qui, du Nord au Midi, liait dès lors tout le peuple. S'il n'y avait eu personne dans le Midi pour venger une telle chose, tout le Centre, tout le Nord, tout se serait mis en marche. L'outrage était senti au fond des moindres villages. J'ai sous les yeux les adresses menaçantes des populations de Marne et de Seine-et-Marne sur ces indignités du Midi.

Le Nord pouvait rester tranquille. Le Midi suffisait bien. Bordeaux, la première, s'élance. Toulouse, sur laquelle comptaient ceux de Montauban, Toulouse a tourné contre eux, elle demande à les châtier. Bordeaux avance, et, grossie au passage par toutes les communes, les renvoie, ne pouvant nourrir tous ces torrents de soldats. Les prisonniers de Montauban (c'est là toute la défense que rêvent les meurtriers) seront mis à l'avant-garde et recevront les premiers coups... L'avant-garde, il n'y en a plus ; le régiment de Languedoc fraternise avec Bordeaux.

On envoya de Paris un commissaire du roi, officier de La Fayette, homme doux, plus que modéré, qui se déclara plutôt contre son propre parti ; il renvoya les Bordelais, composa avec l'émeute. Nulle enquête sur le sang versé ; les morts restèrent là bien morts, les blessés gardèrent leurs blessures, les emprisonnés restèrent en prison ; le commissaire du roi n'avisa d'autre moyen de les en tirer que de se faire demander la chose par ceux mêmes qui les y avaient jetés.

Tout se passait de même à Nîmes. Les volontaires catholiques portaient hardiment la cocarde blanche, criaient : « A bas la nation ! » Les soldats et sous-officiers du régiment de Guyenne s'indignèrent, leur cherchèrent querelle. Un régiment, isolé dans une si grande masse de peuple, n'ayant pour lui que la population protestante, toute industrielle et peu belliqueuse, était fort aventuré. Notez qu'il avait contre lui ses propres officiers, qui se déclaraient amis de la cocarde blanche, contre lui la Municipalité qui refusa de proclamer la loi martiale. Il y eut beaucoup de blessés ; un grenadier fut tiré, tué par la mère même de Froment.

Les soldats furent consignés. Le meurtrier resta libre. La contre-révolution triompha à Nîmes comme à Montauban.

Dans cette dernière ville, les vainqueurs ne s'en tinrent pas là. Ils eurent l'audace d'aller faire une collecte dans les familles des victimes, et jusque dans les prisons où elles étaient encore... Horreur ! on ne voulait les laisser sortir qu'en payant leurs assassins !

CHAPITRE IX

Lutte religieuse — La contre-révolution écrasée dans le Midi (juin 90)

Indécision religieuse de la Révolution — Violence des évêques — La Révolution croit pouvoir se concilier avec le christianisme — Les derniers chrétiens — Ils poussent l'Assemblée à la réforme du clergé — Résistance du clergé, mai-juin 90 — Eruption de Nîmes (13 juin 1790) comprimée — La Révolution victorieuse à Nîmes, Avignon, et dans tout le Midi — Partout le soldat fraternise avec le peuple (avril-juin 1790).

Que faisait pendant ce temps à Paris l'Assemblée nationale ? Elle suivait le clergé à la procession de la Fête-Dieu.

Sa douceur plus que chrétienne, en tout cela, est un spectacle surprenant. Elle se contenta d'une démarche que les ministres exigèrent du roi. Il défendit la cocarde blanche, et condamna les signataires de la Déclaration de Nîmes. Ceux-ci en furent quittes pour substituer à leur cocarde la houppe rouge des anciens ligueurs. Ils protestèrent hardiment qu'ils persistaient pour le roi contre les ordres du roi.

Ceci était net, simple, vigoureux ; le parti du clergé savait très bien ce qu'il voulait. L'Assemblée ne le savait pas. Elle accomplissait alors une œuvre faible et fausse, ce qu'on appela la Constitution civile du clergé.

Rien ne fut plus funeste à la Révolution que de s'ignorer elle-même au point de vue religieux, de ne pas savoir qu'en elle elle portait une religion.

Elle ne se connaissait point, et pas davantage le christianisme ; elle ne savait pas bien si elle lui était conforme au contraire, si elle devait y revenir ou bien aller en avant.

Dans sa confiance facile, elle accueillit avec plaisir les sympathies que lui témoignait la masse du clergé inférieur. Elle se laissa dire, elle crut qu'elle allait réaliser les promesses de l'Evangile, qu'elle était appelée à réformer, renouveler le christianisme, et non à le remplacer. Elle le crut, marcha en ce sens ; au second pas, elle trouva les prêtres redevenus des prêtres, des ennemis de la Révolution ; l'Eglise lui apparut ce qu'elle était en effet, l'obstacle, le capital obstacle, bien plus que la royauté.

La Révolution avait fait deux choses pour le clergé, donné l'existence, l'aisance aux prêtres, la liberté aux religieux. Et c'est justement là ce qui permit à l'épiscopat de les tourner contre elle ; les évêques désignèrent tout prêtre ami de la Révolution à la haine, au mépris du peuple, comme gagné, acheté, corrompu par l'intérêt temporel.

Chose étrange, ce fut pour défendre leurs monstrueuses fortunes, leurs millions, leurs palais, leurs chevaux et leurs maîtresses, que les prélats imposèrent aux prêtres la loi du martyre. Tel qui voulait garder huit cent mille livres de rente fit honte au curé de campagne des douze cents francs de traitement qu'il acceptait de l'Assemblée.

Le clergé inférieur se trouva ainsi tout d'abord, et pour une question d'argent, mis en demeure de choisir. Les évêques ne lui donnèrent pas un moment pour réfléchir, lui déclarèrent que, s'il était pour la nation, il était contre l'Eglise — hors de l'unité catholique, hors de la communion des évêques et du Saint-Siège, membre pourri, rejeté, renégat et apostat.

Qu'allaient faire ces pauvres prêtres ? Sortir du système antique, où tant de siècles ils avaient vécu, devenir tout à coup rebelles à cette autorité imposante qu'ils avaient toujours respectée, quitter le monde connu, et pour passer dans quel monde ? dans quel système nouveau ?... Il faut une idée, une foi dans cette idée, pour laisser ainsi le rivage, s'embarquer dans l'avenir.

Un curé vraiment patriote, celui de Saint-Étienne-du-Mont, qui, le 14 juillet, marchait sous le drapeau du peuple à la tête de son district, fut accablé, effrayé de la cruelle alternative où le plaçaient les évêques. Il resta quarante jours, avec un cilice, à genoux devant l'autel.

Il eût pu y rester toujours, qu'il n'eût pas trouvé de réponse à l'insoluble question qui s'était posée.

Ce que la Révolution avait d'idées, elle le tenait du XVIIIe siècle, de Voltaire, de Rousseau. Personne, dans les vingt années qui s'écoulent entre la grande époque des deux maîtres et la Révolution, entre la pensée et l'action, personne, dis-je, n'a sérieusement continué leur œuvre.

Donc la Révolution trouve la pensée humaine où ils l'ont laissée : l'ardente humanité dans Voltaire, la fraternité dans Rousseau, deux bases, certes, religieuses, mais posées seulement, très peu formulées.

Le dernier testament du siècle est dans deux pages de Rousseau, d'une tendance fort diverse.

Dans l'une, au *Contrat social,* il établit et il prouve que le chrétien n'est pas, ne peut être citoyen.

Dans l'autre, qui est de l'*Emile,* il cède à son enthousiasme pour l'Evangile, pour Jésus jusqu'à dire : « Sa mort est un Dieu ! »

Cet élan de sentiment et de tendresse de cœur fut noté, consigné comme un aveu précieux, comme un démenti solennel que se donnait la philosophie du XVIIIe siècle. De là un malentendu immense, et qui dure encore.

On se remit à lire l'Évangile, et, dans ce livre de résignation, de soumission, d'obéissance aux puissances, on lut partout ce qu'on avait soi-même alors dans le cœur : la liberté, l'égalité. Elles y sont partout, en effet, seulement il faut s'entendre : l'égalité dans l'obéissance, comme les Romains l'avaient faite pour toutes les nations ; la liberté intérieure, inactive, toute renfermée dans l'âme, comme on pouvait la concevoir quand, toutes les résistances nationales ayant cessé, le monde sans espoir voyait s'affirmer l'Empire éternel.

Certes, s'il est une situation contraire à celle de 89, c'est celle-là. Rien n'était plus étrange que de chercher dans cette légende de résignation le code d'une époque où l'homme a réclamé son droit.

Le chrétien est cet homme résigné de l'ancien Empire, qui ne place aucun espoir dans son action personnelle, mais croit être sauvé uniquement, exclusivement par le Christ. Il y a très peu de chrétiens. Il y en avait trois ou quatre dans l'Assemblée constituante. Dès cette époque, le christianisme était mort comme système. Beaucoup s'y trompaient, entre autres tels amis de la liberté qui, touchés de l'Évangile, se croyaient pour cela chrétiens. Quant à la vie populaire, le christianisme n'en conservait que ce qu'il doit à sa partie antichrétienne, empruntée ou imitée du paganisme, je veux dire à l'idolâtrie de la Vierge, des saints, à la matérielle et sensuelle dévotion du Sacré-Cœur.

Le vrai principe chrétien (que l'homme n'est sauvé que par la grâce du Christ), condamné solennellement par le pape vers la fin de Louis XIV, depuis n'a fait que languir, ses défenseurs diminuant toujours de nombre, se cachant, se résignant, mourant sans bruit, sans révolte. Et c'est en cela que ce parti prouve, autant que par sa doctrine, qu'il est bien vraiment chrétien. Il se cache, je l'ai dit, quoiqu'il ait encore des hommes d'une vigueur singulière, qu'il gagnerait à montrer.

Moi, qui cherche ma foi ailleurs, et qui regarde au Levant, je n'ai pu voir cependant sans une émotion profonde ces hommes d'un autre âge qui s'éteignent en silence. Oubliés de tous, excepté de l'autorité pagano-chrétienne, qui exerce sur eux, à l'insu du monde, la plus lâche persécution, ils mourront dans le respect. J'ai eu lieu de les éprouver. Un jour que j'allais rencontrer dans mon enseignement leurs grands hommes de Port-Royal, j'exprimai l'intention de dire enfin ma pensée et de décharger mon cœur, de dire qu'alors et aujourd'hui, en ceux-ci comme en Port-Royal, c'était le paganisme qui persécutait le christianisme. Ils me prièrent de n'en rien faire (qu'ils me pardonnent ici de violer leur secret) : « Non, monsieur, il est des situations où il faut savoir mourir en silence. » Et, comme j'insistais avec sympathie, ils m'avouèrent naïvement que, selon leur opinion, ils n'avaient pas longtemps à souffrir, que le grand jour, le dernier jour qui jugera les hommes et les doctrines, ne pouvait tarder, le jour où le monde doit commencer de vivre, cesser de mourir... Celui qui, de leur part, me disait ces choses étranges, était un jeune homme austère, pâle, vieilli avant l'âge, qui ne voulut pas dire son nom et que je n'ai point revu. Cette apparition m'est restée comme un noble adieu du passé. Je crus entendre les derniers mots de *La Fiancée de Corinthe :* « Nous nous en irons dans la tombe rejoindre nos anciens dieux. »

Il y avait trois de ces hommes à la Constituante. Aucun n'avait de génie, aucun n'était orateur, et ils n'en exercèrent pas moins une grande influence, trop grande certainement. Héroïques, désintéressés, sincères, excellents citoyens, ils contribuèrent plus que personne à relancer la Révolution dans les vieilles voies impossibles ; autant qu'il était en eux, ils la firent réformatrice, l'empêchèrent d'être fondatrice, d'innover et de créer.

Que fallait-il faire en 90, en 1800 ? Il fallait au moins attendre, faire appel aux forces vives de l'esprit humain.

Ces forces sont éternelles, en elles est la source intarissable de la vie philosophique et religieuse. Point d'époque désespérée ; la pire des siècles modernes, celle de la guerre de Trente Ans, n'en a pas moins produit Descartes, le rénovateur de la pensée européenne. Il fallait appeler la vie, et non organiser la mort.

Les trois hommes qui poussèrent l'Assemblée à cette grande faute s'appelaient Camus, Grégoire et Lanjuinais. Trois hommes, trois têtes de fer. Ceux qui virent Camus mettant la main sur Dumouriez au milieu de son armée, ceux qui virent, le 31 mai, Lanjuinais précipité de la tribune, remontant, s'y accrochant entre les poignards et les pistolets, savent que peu d'hommes furent braves à côté de ces deux braves. Quant à l'évêque Grégoire, resté à la Convention pendant toute la Terreur, seul sur son banc, dans sa robe violette, personne n'osant s'asseoir près de lui, il a laissé la mémoire du plus ferme caractère qui peut-être ait paru jamais.

Ces hommes intrépides et purs n'en furent pas moins la tentation suprême de la Révolution. Ils la poussèrent à ce tort grave d'organiser l'Eglise chrétienne sans croire au christianisme.

Sous leur influence, sous celle des légistes qui les suivaient sans le bien voir, l'Assemblée, généralement incrédule et voltairienne, se figura qu'on pouvait toucher à la forme sans changer le fond. Elle donna ce spectacle étrange d'un Voltaire réformant l'Eglise, prétendant la ramener à la rigueur apostolique.

A part l'incurable défaut de cette origine suspecte, la réforme était raisonnable ; on pouvait l'appeler une charte de délivrance pour l'Eglise et le clergé.

L'Assemblée veut que désormais le clergé soit l'élu du peuple, *affranchi* du Concordat, du pacte honteux où deux larrons, le roi, le pape, s'étaient partagé l'Eglise, avaient tiré sa robe au sort ; *affranchi,* par l'élévation du traitement régulier, de l'odieuse nécessité d'exiger le casuel, la dîme, de rançonner le peuple ; *affranchi* des passe-droits, des petits abbés de cour qui, des boudoirs et des alcôves, sautaient à l'épiscopat ; *quitte* enfin de tous les mangeurs, des ventrus, des cages ridicules à empâter des chanoines. Une meilleure division des diocèses, désormais d'égale étendue ; quatre-vingt-trois évêchés, autant que de départements. Le revenu fixé à soixante-dix-sept millions, et le clergé mieux rétribué avec cette somme qu'avec ses trois cents millions d'autrefois qui lui profitaient si peu.

La discussion ne fut ni forte, ni profonde. Il n'y eut qu'un mot hardi, et il fut dit par le janséniste Camus, dont il dépassait certainement la pensée : « Nous sommes une Convention nationale ; *nous avons assurément le pouvoir de changer la religion ;* mais nous ne le ferons pas... » Puis s'effrayant de son audace, il ajouta bien vite : « Nous ne pourrions l'abandonner sans crime. » (1er juin) 1790.) Légistes et théologiens, ils n'invoquaient que les textes, les vieux livres ; à chaque citation contestée, ils allaient chercher leurs livres, ils s'inquiétaient de prouver, non que leur opinion était bonne, mais qu'elle était vieille. « Ainsi firent les premiers chrétiens. » Triste argument. Il était fort douteux qu'une chose propre au temps de Tibère le fût dix-huit cents ans après, à l'époque de Louis XVI.

Il fallait, sans tergiverser, examiner si le droit était en haut ou en bas, dans le roi, le pape, ou bien dans le peuple.

Que produirait l'élection du peuple, on ne le savait pas sans doute. Mais on savait parfaitement ce que c'était qu'un clergé de la façon du roi, du pape et des seigneurs. Quelle contenance auraient faite ces prélats qui criaient si haut, s'il leur eût fallu montrer de quelle huile et de quelle main ils avaient été sacrés ! Le plus sûr était pour eux de ne pas trop remuer cette question d'origine. Ils criaient de préférence sur la question la plus extérieure, la plus étrangère à l'ordre spirituel, la division des diocèses. On avait beau leur prouver que cette division, tout impériale dans son origine romaine et faite par le gouvernement, pouvait être modifiée par un autre gouvernement. Ils ne voulaient rien entendre, et s'aheurtaient là... Cette division était la chose sainte et sacro-sainte ; nul dogme de la foi chrétienne n'était plus avant dans leur cœur... Si l'on ne convoquait un concile ; si l'on n'en reférait au pape, tout était fini ; on allait être schismatique, et de schismatique hérétique, d'hérétique sacrilège, athée, etc.

Ces facéties sérieuses, qui à Paris faisaient hausser les épaules, n'en avaient pas moins l'effet voulu, dans l'Ouest et le Midi. On les répandait imprimées à nombres immenses, avec la fameuse protestation en faveur des biens du clergé, laquelle arriva en deux mois à la trentième édition. Répété le matin en chaire, le soir commenté au confessionnal, orné de gloses meurtrières, ce texte de haine et de discorde allait exaspérant les femmes, ravivant les fureurs religieuses, affilant les poignards, aiguisant les fourches et les faux.

Le 29, le 31 mai, l'archevêque d'Aix et l'évêque de Clermont (l'un des principaux meneurs et l'homme de confiance du roi) notifièrent à l'Assemblée l'ultimatum ecclésiastique : que nul changement ne pouvait se faire sans la convocation d'un concile. Dans *les premiers jours de juin,* le sang coule à Nîmes.

Froment avait armé ses compagnies les plus sûres, il avait même, à grands frais, habillé plusieurs de ses hommes aux couleurs du comte d'Artois. Voilà les premiers *verdets* du Midi. Appuyé d'un aide de camp du prince de Condé, soutenu de plusieurs officiers municipaux, il avait enfin tiré du commandant de la province la promesse d'ouvrir l'arsenal, de donner des fusils à toutes les compagnies catholiques. Dernier acte décisif que la Municipalité et le commandant ne pouvaient faire sans se déclarer franchement contre la Révolution.

« Attendons encore un moment, disait la Municipalité. Les élections du département commencent le 4, à Nîmes ; allons doucement jusqu'au vote, faisons-nous donner les places. »

« Agissons, disait Froment, les électeurs voteront mieux, au bruit des coups de fusil. » Les protestants s'organisent. Ils s'entendent fortement, de Nîmes à Paris, de Nîmes aux Cévennes.

Nîmes était-elle bien sûre pour le clergé, si l'on attendait ? La ville allait ressentir dans son industrie un bienfait immédiat de la Révolution, la suppression des droits sur le sel, le fer, les cuirs, les huiles, savons, etc. Et la campagne catholique, fort catholique avant la moisson, le serait-elle autant après, lorsque le clergé aurait exigé la dîme ?

Un procès était pendant contre les meurtriers de mai, contre le frère de Froment. Il avançait lentement, ce procès, mais il avançait.

Une dernière chose et décisive, qui força Froment d'agir, c'est que la révolution d'Avignon s'était accomplie le 11 et le 12, qu'elle allait démoraliser son parti, lui faire tomber les armes des mains. Avant que la nouvelle fût répandue, le 13, au soir, il attaqua, jour favorable, un dimanche, octave de la Fête-Dieu, une bonne partie du peuple ayant bu, étant montée.

Froment et les historiens de sa couleur, du parti battu, assurent cette chose incroyable : que les protestants commencèrent, qu'ils troublèrent eux-mêmes les élections où était tout leur espoir ; ils soutiennent que c'est le petit nombre qui entreprit d'égorger le grand (six mille hommes contre vingt et quelques mille, sans parler de la banlieue).

Et ce petit nombre était donc bien aguerri, bien terrible ? C'était une population éloignée depuis un siècle de toute habitude militaire ; des marchands qui craignaient excessivement le pillage ; des ouvriers chétifs, physiquement très inférieurs aux portefaix, vignerons et laboureurs que Froment avait armés. Les dragons de la garde nationale, protestants pour la plupart, marchands et fils de marchands, n'étaient pas gens pour tenir contre ces hommes forts et rudes, qui buvaient à volonté dans les cabarets le vin du clergé.

Partout où les protestants avaient la majorité, les deux cultes offrirent le spectacle de la fraternité la plus touchante. A Saint-Hippolyte, par exemple, le 5 juin, les protestants avaient voulu monter la garde avec les autres, pour la procession de la Fête-Dieu.

Le jour de l'explosion, à Nîmes, les patriotes, quinze cents du moins, et les plus actifs, étaient réunis au club, sans armes, et délibéraient ; les tribunes pleines de femmes. La panique y fut horrible aux premiers coups de fusil (13 juin 1790).

Huit jours avant, à l'ouverture des élections, on avait commencé d'insulter, d'effrayer les électeurs. Ils demandèrent un poste de dragons, des patrouilles pour dissiper la foule qui les menaçait. Mais cette foule menaça bien plus encore les patrouilles ; la complaisante Municipalité tint alors les dragons au poste. Le 13, au soir, les hommes à houppes rouges viennent dire aux dragons que, s'ils ne partent, ils sont morts. Ils restent et reçoivent des coups de fusil. Le régiment de Guyenne brûlait d'aller au secours ; les officiers ferment les portes, et le tiennent au quartier.

Devant cette lutte inégale, devant les élections si criminellement troublées, la Municipalité avait un devoir sacré, arborer le drapeau rouge, requérir les troupes... Plus de Municipalité. L'assemblée électorale du département, dans cette ville hospitalière, se trouve abandonnée des magistrats, au milieu des coups de fusil.

Parmi les *verdets* de Froment, se trouvaient les domestiques même de plusieurs des officiers municipaux, pêle-mêle avec ceux du clergé. La troupe, la garde nationale ne recevant nulle réquisition, Froment tenait seul le pavé ; ses gens égorgeaient à leur aise, ils commençaient à forcer les maisons des protestants. Pour peu qu'il gardât l'avantage, il lui fût venu de Sommières, qui n'est qu'à quatre lieues, un régiment de cavalerie, dont le colonel, très ardent, s'offrait, lui, ses hommes, sa bourse. La chose alors, prenant la figure d'une vraie révolution, le commandant de la province eût suivi enfin les ordres qu'il avait du comte d'Artois, il aurait marché sur Nîmes.

Chose tout à fait inattendue, ce fut Nîmes qui manqua. Des dix-huit compagnies catholiques formées par Froment, trois seulement le suivirent. Les quinze autres ne bougèrent. Grande leçon, qui fit voir au clergé combien il s'était trompé sur l'état réel des esprits. Au moment de verser le sang, les vieilles haines fanatiques, habilement ravivées de jalousie sociale, ne furent pas assez fortes encore.

Cette grande et puissante Nîmes, qu'on avait cru pouvoir soulever si légèrement, resta ferme, comme ses indestructibles monuments, ses nobles et éternelles Arènes.

Un nombre infiniment petit des deux partis combattit. Les *verdets* se montrèrent très braves, mais furieux, aveugles. Par deux fois on força les municipaux, enfin retrouvés, d'aller à eux avec le drapeau rouge ; deux fois ils enlevèrent tout, drapeau rouge et municipaux, à la barbe de leurs ennemis. Ils tiraient sur les magistrats, sur les électeurs, sur les commissaires du roi ; le lendemain, ils tirèrent sur le procureur du roi et le lieutenant-criminel, qui faisaient la levée des morts. Ces crimes capitaux, s'il en fut, réclamaient la plus prompte, la plus sévère répression. Eh bien ! la Municipalité ne réclama de la troupe qu'un service de patrouilles !

Si Froment eût eu plus de monde, il eût sans doute occupé le grand poste des Arènes, très défendable alors. Il y laissa quelques hommes, et quelques autres aussi au couvent des Capucins. Lui-même, il entra dans son fort, aux remparts, dans la tour du vieux château. Une fois dans cette tour, en sûreté, tirant à son aise, il écrivit à Sommières, à Montpellier, pour avoir secours. Il envoya dans les villages catholiques, y fit sonner le tocsin.

Les catholiques furent très lents, ou même restèrent chez eux. Les protestants furent très prompts. A la nouvelle du péril où se trouvaient les électeurs, ils marchèrent toute la nuit. Le matin, de quatre à six heures, une armée de Cévenols, sous la cocarde tricolore, était dans Nîmes, en bataille, criant : « Vive la nation ! »

Alors les électeurs agirent. Formant un comité militaire à l'aide d'un capitaine d'artillerie, ils allèrent à l'arsenal chercher des canons. On y entrait par la rue, ou par le quartier du régiment de Guyenne. Les officiers, dans leur malveillance, leur dirent : « Passez par la rue. » Ils y furent criblés de coups de fusils, rentrèrent, et les officiers, voyant leurs soldats indignés qui allaient tourner contre eux, livrèrent enfin les canons. La tour, battue en brèche, fut bien obligée de parler. Froment, audacieux jusqu'au bout, envoya une incroyable missive, où il offrait... « d'oublier »... Alors il n'y eut plus de grâce, le soldat ne voulut plus que la mort des assiégés. On tâchait de les sauver; mais ils se perdirent eux-mêmes : en parlementant, ils tiraient. Ils furent forcés, pris d'assaut, poursuivis et massacrés.

Deux jours, trois jours, on les chercha, ou du moins, sous ce prétexte, beaucoup de haines s'assouvirent. Le couvent des Capucins (la boutique des pamphlets, d'où on avait tiré d'ailleurs) fut forcé, et tout tué. Il en fut de même d'un cabaret célèbre, quartier général des *verdets ;* on trouva cachés dans ce bouge deux magistrats municipaux. Tout ce temps, les deux partis se fusillaient par les rues, ou des fenêtres. Les sauvages des Cévennes ne faisaient guère grâce ; il y eut trois cents morts en trois jours. Nulle église ne fut pillée, nulle femme insultée, ils étaient austères dans la fureur même. Ils n'auraient pas imaginé, comme les *verdets* de 1815, de fouetter des filles à mort d'un battoir fleurdelisé.

Cette cruelle affaire de Nîmes, perfidement arrangée par la contre-révolution, eut cela de curieux qu'elle écrasa ceux qui la firent. Le preneur fut pris au piège, le gibier chassa le chasseur.

Tout manqua à la fois au moment de l'exécution.

On comptait sur Montpellier. Le commandant n'ose venir. Ce qui vient, c'est la garde nationale, brave et patriote, le noyau futur de la légion de la victoire, la 32e demi-brigade.

On comptait sur Arles. En effet, Arles offre secours, mais c'est pour écraser le parti de la contre-révolution.

Le Pont-Saint-Esprit arrête les envoyés de Froment.

Allez maintenant, appelez les catholiques du Rhône. Tâchez d'embrouiller les choses, de faire croire qu'en tout ceci votre religion est en péril. Il s'agit de la patrie.

C'est tout le Rhône catholique qui se déclare contre vous, et bien plus révolutionnaire que ne furent les protestants. Votre sainte ville du Rhône, la petite Rome du pape, Avignon a éclaté.

Avignon ! comment la France avait-elle jamais pu ôter ce diamant de son diadème... O Vaucluse ! ô pur, éternel souvenir de Pétrarque, noble asile du grand Italien qui mourut d'amour pour la France, symbole adoré du mariage futur des deux contrées, comment donc étiez-vous tombé aux mains polluées du pape ?... Une femme, pour de l'argent, pour l'absolution d'un assassinat, vendit Avignon et Vaucluse (1348).

Avignon, sans prendre conseil, avait fait comme la France, une milice nationale, une municipalité. Le 10 juin, tout ce qu'il y avait de noblesse et d'amis du pape, maîtres de l'Hôtel de Ville, de quatre pièces de canon, crient : « Vive l'aristocratie ! » Trente personnes tuées ou blessées. Mais alors aussi, le peuple se met sérieusement au combat, en tue plusieurs, en prend vingt-deux. Toutes les communes françaises, Orange, Bagnols, Pont-Saint-Esprit, viennent secourir Avignon et sauver les prisonniers. Ils les tirent des mains des vainqueurs, se chargent de les garder.

Le 11 juin, on brise les armes de Rome. Et l'on met à la place les armes de France. Avignon vient à la barre de l'Assemblée nationale, et se donne à sa vraie patrie, disant cette grande parole, testament du génie romain : « Français, régnez sur l'univers. »

Entrons plus loin dans les causes. Complétons, expliquons mieux ce drame rapide.

Pour faire une guerre religieuse, il faut être religieux. Le clergé n'était pas assez croyant pour fanatiser le peuple.

Et il ne fut pas non plus très politique. Cette année même, 1790, lorsqu'il avait tant besoin du peuple, qu'il soldait ici et là, il lui demanda encore la dîme, abolie par l'Assemblée. Dans plusieurs lieux, des soulèvements eurent lieu contre lui, spécialement dans le Nord, pour cette malheureuse dîme, qu'il ne pouvait pas lâcher.

Ce clergé aristocratique, sans intelligence des forces morales, crut qu'un peu d'argent, de vin, la violence du climat, une étincelle suffisaient. Il aurait dû comprendre que, pour refaire du fanatisme, il fallait du temps, de la patience, de l'obscurité, un pays moins surveillé, loin des routes et des grandes villes. On pouvait, à la bonne heure, travailler lentement ainsi le Bocage vendéen ; mais agir en pleine lumière, au beau soleil du Midi, sous l'œil inquiet des protestants, dans le voisinage des grands centres, comme Bordeaux, Marseille, Montpellier, qui voyaient tout, qui pouvaient, à la moindre lueur, venir, marcher sur l'étincelle... C'était un essai d'enfant.

Froment fit ce qu'il pouvait. Il montra beaucoup d'audace, de décision, et il fut abandonné.

Il éclata au vrai moment, voyant que l'affaire d'Avignon allait gâter celle de Nîmes, ne comptant pas trop ses chances, mais tâchant de croire, en brave, que ces gens douteux, qui jusque-là n'osaient se déclarer pour lui, prendraient enfin leur parti quand ils le verraient engagé, qu'ils ne pourraient de sang-froid le voir écraser.

La Municipalité, autrement dit la bourgeoisie catholique, fut prudente ; elle n'osa requérir le commandant de la province.

La noblesse fut prudente. Le commandant, les officiers, en général, ne voulurent rien faire que sur bonne et légale réquisition de la Municipalité.

Ce n'était pas que les officiers manquassent de courage. Mais le soldat n'était pas sûr. Au premier ordre extra-légal, il pouvait répondre à coups de fusil. Pour le donner, ce premier ordre, pour faire cette dangereuse expérience, il fallait d'avance avoir sacrifié sa vie... Sacrifié à quelle idée, à quelle foi ?... La majorité de la noblesse, royaliste, aristocrate, n'en était pas moins philosophe et voltairienne, c'est-à-dire, par un côté, gagnée aux idées nouvelles.

La Révolution, de plus en plus harmonique et concordante, apparaît chaque jour davantage ce qu'elle est, une religion. Et la contre-révolution, dissidente, discordante, atteste en vain la vieille foi, elle n'est pas une religion.

Nul ensemble, nul principe fixe. Sa résistance est flottante, dans plusieurs sens à la fois. Elle va comme un homme ivre, à droite et à gauche. Le roi est pour le clergé, et il refuse d'appuyer la protestation du clergé. Le clergé solde, arme le peuple, et il lui demande la dîme. La noblesse, les officiers, attendent l'ordre de Turin, et en même temps celui des autorités révolutionnaires.

Une chose leur manque à tous pour rendre leur action simple et forte, la chose qui abonde dans l'autre parti : la foi !

L'autre parti, c'est la France ; elle a foi à la loi nouvelle, à l'autorité légitime, l'Assemblée, vraie voix de la nation.

De ce côté, tout est lumière. De l'autre, tout est équivoque, incertitude et ténèbres.

Comment hésiter ? tous ensemble, le soldat, le citoyen, se donnant la main, iront désormais d'un pas ferme, et sous le même drapeau. D'avril en juin, presque tous les régiments fraternisent avec le peuple. En Corse, à Caen, à Brest, à Montpellier, à Valence, comme à Montauban, comme à Nîmes, le soldat se déclare pour le peuple et pour la loi. Le peu d'officiers qui résiste est tué, et l'on trouve sur eux les preuves de leur intelligence avec l'émigration. On l'attend, celle-ci, de pied ferme. Les villes du Midi ne s'endorment pas : Briançon, Montpellier, Valence, enfin la grande Marseille, veulent se garder elles-mêmes ; elles s'emparent de leurs citadelles, les remplissent de leurs citozens. Viennent maintenant, s'ils veulent, l'émigré et l'étranger !

Une France ! une foi ! un serment !... Ici, point d'homme douteux. Si vous voulez rester flottant, quittez la terre de loyauté, passez le Rhin, passez les Alpes.

Le roi lui-même sent bien que sa meilleure épée, Bouillé, finirait par se trouver seul, s'il ne jurait comme les autres. L'ennemi des fédérations, qui se mettait entre l'armée et le peuple, est obligé de céder. Peuple, soldats, unis de cœur, tous assistent à ce grand spectacle ; l'inflexible va fléchir, le roi ordonne, il obéit ; il s'avance entre eux, triste et sombre, et sur son épée royaliste, jure fidélité à la Révolution.

CHAPITRE X

Du nouveau principe Organisation spontanée de la France (juillet 89-juillet 90)

La loi fut partout devancée par l'action spontanée — Obscurité et désordre de l'ancien régime — L'ordre nouveau se fait lui-même — Les nouveaux pouvoirs naissent du mouvement de la délivrance et de la défense — Associations intérieures, extérieures, qui préparent les municipalités, les départements — L'Assemblée crée treize cent mille magistrats départementaux, municipaux, judiciaires — Éducation du peuple par les fonctions publiques.

J'ai longuement raconté les résistances du vieux principe, parlements, noblesse, clergé. Et je vais en peu de mots inaugurer le nouveau principe, exposer brièvement le fait immense où ces résistances vinrent se perdre et s'annuler.

Ce fait admirablement simple dans une variété infinie, c'est *l'organisation spontanée de la France.*

Là est l'histoire, le réel, le positif, le durable. Et le reste est un néant.

Ce néant, il a fallu toutefois le raconter longuement. Le mal, justement parce qu'il n'est qu'une exception, une irrégularité, exige, pour être compris, un détail minutieux. Le bien, au contraire, le naturel, qui va coulant de lui-même, nous est presque connu d'avance par sa conformité aux lois de notre nature, par l'image éternelle du bien que nous portons en nous.

Les sources où nous puisons l'histoire en ont conservé précieusement le moins digne d'être conservé, l'élément négatif, accidentel, l'anecdote individuelle, telle ou telle petite intrigue, tel acte de violence.

Les grands faits nationaux, où la *France* a agi d'ensemble, se sont accomplis par des forces immenses, invincibles, et par cela même nullement violentes. Ils ont moins attiré les regards, passé presque inaperçus.

Tout ce qu'on donne sur ces faits généraux, ce sont les lois qui en dérivent, qui en sont les dernières formules. On ne tarit pas sur la discussion des lois, on répète religieusement le partage des Assemblées. Mais les grands mouvements sociaux qui les décidèrent, ces lois, qui en furent l'origine, la raison, la nécessité, à peine une ligne sèche les rappelle au souvenir.

C'est pourtant là le fait suprême, où se résout tout le reste, dans cette miraculeuse année qui va de juillet en juillet : la loi est partout devancée par l'élan spontané de la vie et de l'action, action qui, parmi tels désordres particuliers, contient pourtant l'ordre nouveau, et d'avance réalise la loi qu'on fera tout à l'heure. L'Assemblée croit mener, elle suit ; elle est le greffier de la France ; ce que la France fait, elle l'enregistre, plus ou moins exactement, elle le formule et l'écrit sous sa dictée.

Que les scribes viennent ici apprendre, qu'ils sortent un moment de leur antre le *Bulletin des Lois,* qu'ils écartent ces montagnes de papier timbré qui leur ont caché la nature. Si la France n'avait pu se sauver que par leur plume et leur papier, la France aurait péri cent fois.

Moment grave, d'intérêt infini, où la nature se retrouve à temps pour ne pas périr, où la vie, en présence du danger, suit l'instinct, son meilleur guide, et trouve en lui son salut.

Une société vieillie, dans cette crise de résurrection, nous fait assister à l'origine des choses. Les publicistes rêvaient le berceau des nations ; pourquoi rêver ? le voici.

Oui, c'est le berceau de la France que nous avons sous les yeux... Dieu te protège ! ô berceau ! qu'il te sauve et te soutienne sur ces grandes eaux sans rivage où je te vois avec tremblement flotter sur la mer de l'avenir !...

La France naît et se lève au canon de la Bastille. En un jour, sans préparatifs, sans s'être entendu d'avance, toute la France, villes et villages, s'organise en même temps.

En chaque lieu, c'est la même chose : on va à la maison commune, on prend les clés et le pouvoir, au nom de la nation. Les électeurs (en 89, tous ont été électeurs) forment des comités, comme celui de Paris, d'où sortiront tout à l'heure les municipalités régulières.

Les gouvernements de villes (comme celui de l'Etat), échevins, notables, etc., s'en vont la tête basse par la porte de derrière, laissant à la commune qu'ils administraient des dettes pour souvenir.

La Bastille financière que l'oligarchie des notables fermait si bien à tous les yeux, la caverne administrative apparaît au jour. Les informes instruments de ce régime équivoque, l'embrouillement des papiers, la savante obscurité des calculs, tout cela est traîné à la lumière.

Le premier cri de cette liberté (qu'ils appellent l'esprit de désordre), c'est au contraire : ordre et justice.

L'ordre, dans la pleine lumière. La France dit à Dieu comme Ajax : « Fais-moi plutôt périr à la clarté des cieux ! »

Ce qu'il y avait de plus tyrannique dans la vieille tyrannie, c'était son obscurité. Obscurité du roi au peuple, du corps de ville à la ville, obscurité non moins profonde du propriétaire au fermier... Que devait-on en conscience payer à l'Etat, à la commune, au seigneur ?... Nul ne pouvait le savoir. La plupart payaient ce qu'ils ne pouvaient même lire. L'ignorance profonde où le grand instituteur du peuple, le clergé, l'avait retenu, le livrait, aveugle et sans défense, à l'épouvantable vermine des griffonneurs de papier. Chaque année, ce papier timbré revenait plus noir encore, avec de lourdes surcharges, pour l'effroi du paysan. Ces surcharges mystérieuses, inconnues, qu'on lui lisait bien ou mal, il lui fallait les payer ; mais elles lui restaient sur le cœur, déposées l'une sur l'autre, comme un trésor de vengeances, d'indemnités exigibles. Plusieurs, en 89, disaient qu'en quarante années ils avaient payé, avec ces surcharges, bien plus que ne valaient les biens dont ils étaient propriétaires.

Nulle atteinte ne fut portée à la propriété dans nos campagnes qu'au nom de la propriété. Le paysan l'interprétait à sa manière ; mais jamais il n'éleva de doute sur l'idée même de ce droit. Le travailleur des campagnes sait ce que ç'est qu'acquérir ; l'acquisition, par le travail qu'il fait ou voit faire tous les jours, lui inspire le respect et comme la religion de la propriété.

C'est au nom de la propriété, longtemps violée et méconnue par les agents des seigneurs, que les paysans érigèrent ces Mais où ils suspendaient les insignes de la tyrannie féodale et fiscale, les girouettes des châteaux, les mesures de redevances injustement agrandies, les cribles qui triaient le grain tout au profit du seigneur, ne laissant que le rebut.

Les comités de juillet 89 (origine des municipalités de 90) furent, pour les villes surtout, l'insurrection de la *liberté* — et, pour les villages, celle de la propriété, je veux dire de la plus simple propriété, du *travail* de l'homme.

Les associations de villages furent des sociétés de garantie :

1° contre l'homme d'affaires ; 2° contre le brigand — deux mots souvent synonymes.

Conjuration contre les hommes d'argent, collecteurs, régisseurs, procureurs, huissiers, contre cet affreux grimoire qui, par une magie inconnue, avait desséché la terre, anéanti les bestiaux, maigri le paysan jusqu'à l'os, jusqu'au squelette.

Confédération aussi contre cette bande de pillards qui couraient la France, gens sans travail, affamés, mendiants devenus voleurs, qui la nuit coupaient les blés, même en vert, tuaient l'espérance. Si les villages n'avaient pris les armes, une famine terrible en fût résultée, une année comme fut l'an mille, et plusieurs du Moyen Age. Ces bandes mobiles, insaisissables, attendues partout, et que la terreur rendait comme présentes partout, glaçaient d'effroi nos populations moins militaires qu'aujourd'hui.

Tout village arma. Les villages se promirent protection mutuelle. Ils convenaient entre eux de se réunir en cas d'alarme en tel lieu, dont la position était centrale, ou qui dominait un passage de route ou de rivière important pour le pays.

Un seul fait éclaircira mieux. Il rappelle sous quelques rapports la panique de Saint-Jean-du-Gard, que j'ai racontée plus haut.

Un jour d'été, de grand matin, les habitants de Chavignon (Aisne) virent, non sans crainte, leurs rues toutes pleines de gens armés. Ils reconnurent qu'heureusement c'étaient leurs voisins et amis, les gardes nationales de toutes les communes voisines qui, sur une fausse alarme, avaient marché toute la nuit pour venir les défendre *des brigands*. On s'attendait à un combat, et ce ne fut qu'une fête. Tous les gens de Chavignon, ravis, sortirent des maisons se mêlèrent à leurs amis. Les femmes apportèrent, mirent en commun tout ce qu'on avait de vivres ; on ouvrit des pièces de vin. On déploya sur la place le drapeau de Chavignon, où l'on voyait du blé, des raisins, traversés d'une épée nue ; la devise résumait très complètement toute la pensée du moment : abondance et sécurité, liberté, fidélité et concorde. Le capitaine général des gardes nationales qui étaient venues fit un petit discours, fort touchant, sur l'empressement des communes à venir défendre leurs frères : « Au premier mot, nous avons laissé nos femmes et nos enfants en larmes ; nous avons laissé nos charrues, nos ustensiles, dans les champs... Nous sommes venus, sans prendre le temps de nous habiller tout à fait... »

Les gens de Chavignon, dans une adresse à l'Assemblée nationale, lui racontent tout, comme l'enfant à sa mère, et, pleins de reconnaissance, ils ajoutent ce mot du cœur : « Quels hommes, messieurs, quels hommes, depuis que vous leur avez donné une patrie ! »

Ces expéditions spontanées se faisaient ainsi, comme en famille, le curé marchant en tête. A celle de Chavignon, quatre des communes qui vinrent avaient leurs curés avec elles.

Dans certaines contrées, par exemple dans la Haute-Saône, les curés ne s'associèrent pas seulement à ces mouvements, ils s'en firent le centre, en furent les chefs, les meneurs. Dès le 27 septembre 1789, dans les environs de Luxeuil, les communes rurales se fédérèrent sous la direction du curé de Saint-Sauveur. Tous les maires jurèrent dans ses mains.

A Issy-l'Évêque (Haute-Saône), il y eut une chose plus étrange. Dans l'anéantissement de toute autorité publique, ne voyant plus de magistrat, un vaillant curé prit pour lui tous les pouvoirs ; il rendit des ordonnances, rejugea des procès jugés ; il fit venir les maires du voisinage, et promulgua devant eux les lois nouvelles qu'il donnait à la contrée ; puis, armé, l'épée à la main, il commençait à procéder au partage égal des terres. Il fallut arrêter son zèle, lui rappeler qu'il y avait encore une Assemblée nationale.

Ceci est rare et singulier. Le mouvement en général fut régulier, mieux ordonné qu'on ne l'eût attendu de telles circonstances. Sans loi, tout suivit une loi, la conservation, le salut.

Avant que les municipalités s'organisent, le village se gouverne, se garde, se défend, comme association armée d'habitants du même lieu.

Avant qu'il n'y ait des arrondissements, des départements créés par la loi, les besoins communs, spécialement celui d'assurer les routes, d'amener les subsistances, forment des associations entre villages et villages, villes et villes, de grandes confédérations de protection mutuelle.

On est tout près de bénir ces périls, quand on voit qu'ils forcent les hommes à sortir de l'isolement, les arrachent à leur égoïsme, les habituent à se sentir vivre dans les autres, qu'ils éveillent en ces âmes, engourdies d'un sommeil de plusieurs siècles, la première étincelle de fraternité.

La loi vient reconnaître, autoriser, couronner tout cela ; mais elle ne le produit point.

La création des municipalités, la concentration dans leurs mains de pouvoirs même non communaux (contributions, haute police, disposition de la force armée, etc.), cette concentration qu'on a reprochée à l'Assemblée n'était pas l'effet d'un système, c'était la simple reconnaissance d'un fait. Dans l'anéantissement de la plupart des pouvoirs, dans l'inaction volontaire (souvent perfide) de ceux qui restaient, l'instinct de la conservation avait fait ce qu'il fait toujours : les intéressés avaient pris eux-mêmes leurs affaires en main. Et qui n'est intéressé dans de telles crises ? Celui qui n'a point de propriété, *celui qui n'a rien,* comme on dit, a pourtant encore ce qui est bien plus cher qu'aucune propriété, une femme, des enfants à défendre.

La nouvelle loi municipale créa *douze cent mille* magistrats municipaux. L'organisation judiciaire créa *cent mille* juges (dont cinq mille juges de paix, quatre-vingt mille assesseurs des juges de paix). Tout cela pris dans les *quatre millions deux cent quatre-vingt-dix-huit mille* électeurs primaires (qui, comme propriétaires ou locataires, payaient la valeur de trois journées de travail, environ trois livres).

Le suffrage universel avait donné six millions de votes ; je m'expliquerai plus loin sur cette limitation du droit électoral, sur les principes divers qui dominèrent l'Assemblée.

Il me suffit ici de faire remarquer le prodigieux mouvement que dut faire en France, au printemps de 90, cette création d'un monde de juges et administrateurs, *treize cent mille* à la fois, tous sortis de l'élection !

On peut dire que, avant la conscription militaire, la France avait fait une conscription de magistrats.

La conscription de la paix, de l'ordre, de la fraternité. Ce qui domine ici, dans l'ordre judiciaire, c'est ce bel élément nouveau, inconnu à tous les siècles, les cinq mille arbitres ou juges de paix, leurs quatre-vingt mille assesseurs. Et, dans l'ordre municipal, c'est la dépendance où la force militaire se trouve à l'égard des magistrats du peuple.

Le pouvoir municipal hérita de toutes les ruines. Lui seul, entre l'ancien régime détruit, le nouveau sans action, lui seul fut debout. Le roi était désarmé, l'armée désorganisée, les états, les parlements démolis, le clergé démantelé, la noblesse rasée tout à l'heure. L'Assemblée elle-même, la grande puissance apparente, ordonnait plus qu'elle n'agissait ; c'était une tête sans bras. Elle eut quarante-quatre mille mains dans les municipalités. Elle se remit presque de tout aux douze cent mille magistrats municipaux.

Ce nombre immense était une grande difficulté d'action ; mais, comme éducation d'un peuple, comme initiation à la vie publique, c'était admirable. Renouvelée rapidement, la magistrature devait bientôt, dans beaucoup de localités, épuiser la classe où elle se recrutait (les quatres millions de propriétaires ou locataires à trois livres d'impôts). Il fallait, c'était une belle nécessité de cette grande initiation, il fallait créer une classe nouvelle de propriétaires. Les paysans du clergé, de l'aristocratie, exclus d'abord de l'élection comme clients de l'ancien régime, allaient maintenant, comme acquéreurs des biens mis en vente, se trouver propriétaires, électeurs, magistrats municipaux, assesseurs de juges de paix, etc., et, comme tels, devenir les plus solides appuis de la Révolution.

CHAPITRE XI

De la religion nouvelle — Fédérations (juillet 89-juillet 90)

La France de 89 a senti la liberté, celle de 90 sent l'unité de la patrie — Les fédérations ont aplani les obstacles — Les barrières artificielles tombent — Procès-verbaux des fédérations — Ils témoignent de l'amour de l'unité nouvelle, du sacrifice des provincialités, des vieilles habitudes — Fêtes des fédérations — Symboles vivants — Le vieillard, la fille, la femme, la mère — L'enfant sur l'autel de la patrie — Oubli des divisions de classes, de partis, de religions — L'homme retrouve la nature — L'homme embrasse de cœur la patrie, l'humanité — Additions et détails divers.

Rien de tout cela encore dans l'hiver de 89. Ni municipalités régulières, ni départements. Point de lois, point d'autorité, aucune force publique. Tout va se dissoudre, ce semble, c'est l'espoir de l'aristocratie... Ah ! vous vouliez être libres ; voyez maintenant, jouissez de l'ordre que vous avez fait... A cela, que répond la

France ? Dans un moment redoutable, elle est sa loi à elle-même ; elle franchit sans secours, dans sa forte volonté, le passage d'un monde à l'autre, elle passe, sans trébucher, le pont étroit de l'abîme, elle passe, sans y regarder, elle ne voit que le but. Elle s'avance avec courage dans ce ténébreux hiver, vers le printemps désiré qui promet la lumière nouvelle.

Quelle lumière ? Ce n'est plus, comme en 89, l'amour vague de la liberté. C'est un objet déterminé d'une forme fixe, arrêtée, qui mène toute la nation, qui transporte, enlève les cœurs ; à chaque pas que l'on fait, il apparaît plus ravissant, et la marche est plus rapide... Enfin, l'ombre disparaît, le brouillard s'enfuit, la France voit distinctement ce qu'elle aimait, poursuivait sans le bien saisir encore : l'unité de la patrie.

Tout ce qu'on avait cru pénible, difficile, insurmontable, devient possible et facile. On se demandait comment s'accomplirait le sacrifice de la patrie provinciale, du sol natal, des souvenirs, des préjugés envieillis... « Comment, se disait-on, le Languedoc consentira-t-il jamais à cesser d'être Languedoc, un empire intérieur, gouverné par ses propres lois ? comment la vieille Toulouse descendra-t-elle de son Capitole, de sa royauté du Midi ? et croyez-vous que la Bretagne mollisse jamais devant la France, qu'elle sorte de sa langue sauvage, de son dur génie ! Vous verrez mollir avant les récifs de Saint-Malo et les rochers de Penmarch. »

Eh bien ! la grande patrie leur apparaît sur l'autel, qui leur ouvre les bras et qui veut les embrasser... Tous s'y jettent, et tous s'oublient ; ils ne savent plus ce jour-là de quelle province ils étaient... Enfants isolés, perdus jusqu'ici, ils ont trouvé une mère ; ils sont bien plus qu'ils ne croyaient : ils avaient l'humilité de se croire bretons, provençaux... Non, enfants, sachez-le bien, vous étiez les fils de la France, c'est elle qui vous le dit, les fils de la grande mère, de celle qui doit, dans l'égalité, enfanter les nations.

Rien de plus beau à voir que ce peuple avançant vers la lumière, sans loi, mais se donnant la main. Il avance, il n'agit pas, il n'a pas besoin d'agir ; il avance, c'est assez : la simple vue de ce mouvement immense fait tout reculer devant lui ; tout obstacle fuit, disparaît, toute résistance s'efface. Qui songerait à tenir contre cette pacifique et formidable apparition d'un grand peuple armé ?

Les fédérations de novembre brisent les États provinciaux, celles de janvier finissent la lutte des parlements, celles de février compriment les désordres et les pillages ; en mars, avril, s'organisent les masses qui étouffent en mai et juin les premières étincelles d'une guerre de religion, mais encore voit les fédérations militaires, le soldat redevenant citoyen, l'épée de la contre-révolution, sa dernière arme, brisée... Que reste-t-il ? La fraternité a aplani tout obstacle, toutes les fédérations vont se confédérer entre elles, l'union tend à l'unité. Plus de fédérations, elles sont inutiles, il n'en faut plus qu'une : la France. Elle apparaît transfigurée dans la lumière de juillet.

Tout ceci, est-ce un miracle ?... Oui, le plus grand et le plus simple, c'est le retour à la nature. Le fond de la nature humaine, c'est la sociabilité. Il avait fallu tout un monde d'inventions contre nature pour empêcher les hommes de se rapprocher. Douanes intérieures, péages innombrables sur les routes et sur les fleuves, diversités infinies de lois et de règlements, de poids, mesures et monnaies, rivalités de villes, de pays, de corporations, soigneusement entretenues... Un matin, ces obstacles tombent, ces vieilles murailles s'abaissent... Les hommes se voient alors, se reconnaissent semblables, ils s'étonnent d'avoir pu s'ignorer si longtemps, ils ont regret aux haines insensées qui les isolèrent tant de siècles, ils les expient, s'avancent les uns au-devant des autres, ils ont hâte d'épancher leur cœur.

Voilà ce qui rendit si facile, si exécutable, une création qu'on croyait tout artificielle, celle des départements. Si elle eût été une pure conception géométrique, éclose du cerveau de Sieyès, elle n'eût eu ni la force ni la durée que nous voyons ; elle n'eût pas survécu à la ruine de tant d'autres institutions révolutionnaires. Elle fut généralement une création naturelle, un rétablissement légitime d'anciens rapports entre des lieux, des populations, que les institutions artificielles du despotisme, de la fiscalité, tenaient divisées. Les fleuves, par exemple, qui, sous l'ancien régime, n'étaient guère que des obstacles (vingt-huit péages sur la Loire ! pour ne donner qu'un exemple), les fleuves, dis-je, redevinrent ce que la nature veut qu'ils soient, le lien du genre humain. Ils formèrent, nommèrent la plupart des départements ; ceux-ci, Seine, Loire, Rhône, Gironde, Meuse, Charente, Allier, Gard, etc. furent comme des fédérations naturelles entre les deux rives des fleuves, que l'Etat reconnut, proclama et consacra.

La plupart des fédérations ont elles-mêmes conté leur histoire. Elles l'écrivaient à leur mère, l'Assemblée nationale, fidèlement, naïvement, dans une forme bien souvent grossière, enfantine ; elles disaient comme elles pouvaient ; qui savait écrire, écrivait. On ne trouvait pas toujours dans les campagnes de scribe habile qui fût digne de consigner ces choses à la mémoire. La bonne volonté suppléait... Vénérables monuments de la fraternité naissante, actes informes, mais spontanés, inspirés, de la France, vous resterez à jamais pour témoigner du cœur de nos pères, de leurs transports, quand pour la première fois ils virent la face trois fois aimée de la patrie.

J'ai retrouvé tout cela, entier, brûlant, comme d'hier, au bout de soixante années, quand j'ai récemment ouvert ces papiers, que peu de gens avaient lus. A la première ouverture, je fus saisi de respect ; je ressentis une chose singulière, unique, sur laquelle on ne peut pas se méprendre. Ces récits enthousiastes adressés à la patrie (que représentait l'Assemblée), ce sont des lettres d'amour.

Rien d'officiel ni de commandé. Visiblement, le cœur parle. Ce qu'on y peut trouver d'art, de rhétorique, de déclamation, c'est justement l'absence d'art, c'est l'embarras du jeune homme qui ne sait comment exprimer les sentiments les plus sincères, qui emploie les mots des romans, faute d'autres, pour dire un amour vrai. Mais de moment en moment, une parole arrachée du cœur proteste contre cette impuissance de langage, et fait mesurer la profondeur réelle du sentiment... Tout cela est verbeux ; eh ! dans ces moments, comment finit-on jamais ?... Comment se satisfaire soi-même ?... Le détail matériel les a fort préoccupés ; nulle écriture assez belle, nul papier assez magnifique, sans parler des somptueux petits rubans tricolores pour relier les cahiers... Quand je les aperçus d'abord, brillants et si peu fanés, je me rappelai ce que dit Rousseau du soin prodigieux qu'il mit à écrire, embellir, parer les manuscrits de sa Julie... Autres ne furent les pensées de nos pères, leurs soins, leurs inquiétudes, lorsque, des objets passagers, imparfaits, l'amour s'éleva en eux à cette beauté éternelle.

Ce qui me toucha, me pénétra d'attendrissement et d'admiration, c'est que dans une telle variété d'hommes, de caractères, de localités, avec tant d'éléments divers, qui la plupart étaient hier étrangers les uns aux autres, souvent même hostiles, il n'y a rien qui ne respire le pur amour de l'unité.

Où sont donc les vieilles différences de lieux et de races ? Ces oppositions géographiques, si fortes, si tranchées? Tout a disparu, la géographie est tuée. Plus de montagnes, plus de fleuves, plus d'obstacles entre les hommes... Les voix sont diverses encore, mais elles s'accordent si bien, qu'elles ont l'air de partir d'un même lieu, d'une même poitrine... Tout a gravité vers un point, et c'est ce point qui résonne, tout part à la fois du cœur de la France.

Voilà la force de l'amour. Pour atteindre à l'unité, rien n'a fait obstacle, nul sacrifice n'a coûté. D'un coup, sans s'en apercevoir même, ils ont oublié à la fois les choses pour lesquelles ils se seraient fait tuer la veille, le sol natal, la tradition locale, la légende... Le temps a péri, ces deux conditions matérielles auxquelles la vie est soumise... Etrange *vita nuova* qui commence pour la France, éminemment spirituelle, et qui fait de toute sa Révolution une sorte de rêve, tantôt ravissant et tantôt terrible... Elle a ignoré l'espace et le temps.

Et c'est pourtant l'antiquité, les habitudes, les vieilles choses connues, les signes usités, les symboles vénérés, c'est tout cela qui jusqu'à ce jour avait fait la vie...

Tout cela aujourd'hui ou pâlit, ou disparaît. Ce qui en reste, par exemple, les cérémonies du vieux culte, appelé pour consacrer ces fêtes nouvelles, on sent que c'est un accessoire. Il y a dans ces immenses réunions où le peuple de toute classe et de toute communion ne fait plus qu'un même cœur, une chose plus sacrée qu'un autel. Aucun culte spécial ne prête de sainteté à la chose sainte entre toutes : l'homme fraternisant devant Dieu.

Tous les vieux emblèmes pâlissent, et les nouveaux qu'on essaie ont peu de signification. Qu'on jure sur le vieil autel, devant le saint sacrement, qu'on jure devant la froide image de la Liberté abstraite, le vrai symbole se trouve ailleurs. C'est la beauté, la grandeur, le charme éternel de ces fêtes : le symbole y est vivant.

Ce symbole pour l'homme, c'est l'homme. Tout le monde de convention s'écroulant, un saint respect lui revient pour la vraie image de Dieu. Il ne se prend pas pour Dieu ; nul vain orgueil. Ce n'est point comme dominateur ou vainqueur, c'est dans des conditions tout autrement graves et touchantes que l'homme apparaît ici. Les nobles harmonies de la famille, de la nature, de la patrie, suffisent pour remplir ces fêtes d'un intérêt religieux, pathétique.

Le vieillard d'abord préside. Le vieillard, entouré d'enfants, a pour enfant tout le peuple. La musique l'amène et le reconduit. A la grande fédération de Rouen, où parurent les gardes nationales de soixante villes, on alla chercher jusqu'aux Andelys, pour présider l'assemblée, un vieux chevalier de Malte, âgé de quatre-vingt-cinq ans. A Saint-Andéol, l'honneur de prêter serment à la tête de tout le peuple fut déféré à deux vieillards de quatre-vingt-treize et quatre-vingt-quatorze ans. L'un, noble, colonel de la garde nationale, l'autre simple laboureur. Ils s'embrassèrent sur l'autel en remerciant le ciel d'avoir vécu jusque-là. Le peuple ému crut voir dans ces deux hommes vénérables l'éternelle réconciliation des partis. Ils se jetèrent tous dans les bras les uns des autres, se prirent par la main ; une farandole immense, embrassant tout le monde, sans exception, se déroula par la ville, dans les champs, vers les montagnes d'Ardèche et vers les prairies du Rhône ; le vin coulait dans les rues, les tables y étaient dressées, et les vivres en commun. Tout le peuple ensemble mangea le soir cette agape, en bénissant Dieu.

Partout, le vieillard à la tête du peuple, siégeant à la première place, planant sur la foule. Et autour de lui les filles, comme une couronne de fleurs. Dans toutes ces fêtes, l'aimable bataillon marche en robe blanche, ceinture *à la nation* (cela voulait dire tricolore). Ici l'une d'elles prononce quelques paroles nobles, charmantes, qui feront des héros demain. Ailleurs (dans la procession civique de Romans en Dauphiné), une belle fille marchait, tenant à la main une palme, et cette inscription : *Au meilleur citoyen !...* Beaucoup revinrent bien rêveurs.

Le Dauphiné, la sérieuse, la vaillante province, qui ouvrit la Révolution, fit des fédérations nombreuses, et de la province entière, et de villes, et de villages. Les communes rurales de la frontière, sous le vent de la Savoie, à deux pas des émigrés, labourant près de leurs fusils, n'en firent que plus belles fêtes. Bataillon d'enfants armés, bataillon de femmes armées, autre de filles armées. A Maubec, elles défilaient en bon ordre, le drapeau en tête, tenant, maniant l'épée nue, avec cette vivacité gracieuse qui n'est qu'aux femmes de France.

J'ai dit ailleurs l'héroïque initiative des femmes et filles d'Angers. Elles voulaient partir, suivre la jeune armée d'Anjou, de Bretagne, qui se dirigeait sur Rennes, prendre leur part de cette première croisade de la liberté, nourrir les combattants, soigner les blessés. Elles juraient de n'épouser jamais que de loyaux citoyens, de n'aimer que les vaillants, de n'associer leur vie qu'à ceux qui donnaient la leur à la France.

Elles inspiraient ainsi l'élan dès 88. Et maintenant, dans les fédérations de juin, de juillet 90, après tant d'obstacles écartés, dans ces fêtes de la victoire, nul n'était plus ému qu'elles. La famille, pendant l'hiver, dans l'abandon complet de toute protection publique, avait couru tant de dangers !... Elles embrassaient, dans ces grandes réunions si rassurantes, l'espoir du salut. Le pauvre cœur était cependant encore bien gros du passé... de l'avenir ?... mais elles ne voulaient d'avenir que le salut de la patrie ! Elles montraient, on le voit dans tous les témoignages écrits, plus d'élan, plus d'ardeur que les hommes même, plus d'impatience de prêter le serment civique.

On éloigne les femmes de la vie publique ; on oublie trop que vraiment elles y ont droit plus que personne. Elles y mettent un enjeu bien autre que nous ; l'homme n'y joue que sa vie, et la femme y met son enfant... Elle est bien plus intéressée à s'informer, à prévoir. Dans la vie solitaire et sédentaire que mènent la plupart des femmes, elles suivent de leurs rêveries inquiètes les crises de la patrie, les mouvements des armées... Vous croyez celle-ci au foyer ?... non, elle est en Algérie, elle participe aux privations, aux marches de nos jeunes soldats en Afrique ; elle souffre et combat avec eux.

Appelées ou non appelées, elles prirent la plus vive part aux fêtes de la Fédération. Dans je ne sais quel village, les hommes s'étaient réunis seuls dans un vaste bâtiment, pour faire ensemble une adresse à l'Assemblée nationale. Elles approchent, elles écoutent, elles entrent, les larmes aux yeux, elles veulent en être aussi. Alors, on leur relit l'adresse ; elles s'y joignent de tout leur cœur. Cette profonde union de la famille et de la patrie pénétra toutes les âmes d'un sentiment inconnu. La fête, toute fortuite, n'en fut que plus touchante... Elle fut courte, comme tous nos bonheurs, elle ne dura qu'un jour. Le récit finit par un mot naïf de mélancolie et de retour sur soi-même : « C'est ainsi que s'est écoulé le plus bel instant de notre vie. »

C'est qu'il faut travailler demain et se lever de bonne heure, c'est le temps de la moisson. Les fédérés d'Etoile, près de Valence, s'expriment à peu près en ces termes après avoir conté les feux de joie, les farandoles : « Nous qui, au 29 novembre 1789, donnâmes à la France l'exemple de la première fédération, nous n'avons pu donner à cette fête qu'un jour, et nous sommes retirés le soir pour nous reposer et reprendre nos travaux demain ; les travaux de la campagne pressent, nous le regrettons... » Bons laboureurs, ils écrivent tout cela à l'Assemblée nationale, convaincus qu'elle s'occupe d'eux, que, comme Dieu, elle voit et fait tout.

Ces procès-verbaux de communes rurales sont autant de fleurs sauvages qui semblent avoir poussé du sein des moissons.

On y respire les fortes et vivifiantes odeurs de la campagne, à ce beau moment de fécondité. On s'y promène parmi les blés mûrs.

Et c'était, en effet, en pleine campagne que tout cela se faisait. Nul temple n'aurait suffi. La population sortait tout entière, tous les hommes, toutes les femmes et tous les enfants ; on y traînait la chaise du vieillard, le berceau du nourrisson. Des villages, des villes entières, étaient laissés sous la garde de la foi publique. Quelques hommes en patrouille qui traversent un bourg déposent qu'ils n'y ont vu exactement que les chiens. Celui qui, le 14 juillet 1790 à midi, aurait, sans voir la campagne, parcouru ces villages déserts, les aurait pris pour autant d'Herculanum et de Pompéi.

Personne ne pouvait manquer à la fête ; personne n'était simple témoin ; tous étaient acteurs, depuis le centenaire jusqu'au nouveau-né. Et celui-ci plus qu'un autre.

On l'apportait, fleur vivante, parmi les fleurs de la moisson. Sa mère l'offrait, le déposait sur l'autel. Mais il n'avait pas seulement le rôle passif de l'offrande, il était actif aussi, il comptait comme personne, il faisait son serment civique par la bouche de sa mère, il réclamait sa dignité d'homme et de Français, il était mis déjà en possession de la patrie, il entrait dans l'espérance.

Oui, l'enfant, l'avenir, c'était le principal acteur. La commune elle-même, dans une fête du Dauphiné, est couronnée dans son principal magistrat par un jeune enfant. Une telle main porte bonheur. Ceux-ci, que je vois ici, sous l'œil attendri de leurs mères, déjà armés, pleins d'élan, donnez-leur deux ans seulement, qu'ils aient quinze ans, seize ans, ils partent : 92 a sonné ; ils suivent leurs aînés à Jemmapes... Leur main a porté bonheur ; ils ont rempli ce grand augure, ils ont couronné la France !... Aujourd'hui même, faible et pâle, elle siège sous cette couronne éternelle et impose aux nations.

Grande génération, heureuse, qui naquit dans une telle chose, dont le premier regard tomba sur cette vue sublime ! Enfants apportés, bénis à l'autel de la patrie, voués par leurs mères en pleurs, mais résignées, héroïques, donnés par elles à la France...

ah ! quand on naît ainsi, on ne peut plus jamais mourir... Vous reçûtes, ce jour-là, le breuvage d'immortalité. Ceux même d'entre vous que l'histoire n'a pas nommés, ils n'en remplissent pas moins le monde de leur vivant esprit sans nom, de la grande pensée commune portée par toute la terre.

Je ne crois pas qu'à aucune époque le cœur de l'homme ait été plus large, plus vaste, que les distinctions de classes, de fortunes et de partis aient été plus oubliées.

Dans les villages surtout, il n'y a plus ni riche, ni pauvre, ni noble, ni roturier ; les vivres sont en commun, les tables communes. Les divisions sociales, les discordes ont disparu. Les ennemis se réconcilient, les sectes opposées fraternisent, les croyants, les philosophes, les protestants, les catholiques.

A Saint-Jean-du-Gard, près d'Alais, le curé et le pasteur s'embrassèrent à l'autel. Les catholiques menèrent les protestants à l'église ; le pasteur siégea à la première place du chœur. Mêmes honneurs rendus par les protestants au curé, qui, placé chez eux au lieu le plus honorable, écoute le sermon du ministre. Les religions fraternisent au lieu même de leur combat, à la porte des Cévennes, sur les tombes des aïeux qui se tuèrent les uns les autres, sur les bûchers encore tièdes... Dieu, accusé si longtemps, fut enfin justifié... Les cœurs débordèrent ; la prose n'y suffit pas, une éruption poétique put soulager seule un sentiment si profond ; le curé fit, entonna un hymne à la Liberté ; le maire répondit par des stances ; sa femme, mère de famille respectable, au moment où elle mena ses enfants à l'autel, répandit aussi son cœur dans quelques vers pathétiques.

Les lieux ouverts, les campagnes, les vallées immenses où généralement se faisaient ces fêtes, semblaient ouvrir encore les cœurs. L'homme ne s'était pas seulement reconquis lui-même, il rentrait en possession de la nature. Plusieurs de ces récits témoignent des émotions que donnèrent à ces pauvres gens leur pays vu pour la première fois... Chose étrange ! ces fleuves, ces montagnes, ces paysages grandioses, qu'ils traversaient tous les jours, en ce jour ils les découvrirent ; ils ne les avaient vus jamais.

L'instinct de la nature, l'inspiration naïve du génie de la contrée, leur fit souvent choisir pour théâtre de ces fêtes les lieux mêmes qu'avaient préférés nos vieux Gaulois, les druides. Les îles, sacrées pour les aïeux, le redevinrent pour les fils. Dans le Gard, dans la Charente et ailleurs, l'autel fut dressé dans une île. Celle d'Angoulême reçut les représentants de soixante mille hommes, et il y en avait peut-être autant sur l'admirable amphithéâtre qui porte la ville, au-dessus du fleuve. Le soir, un banquet dans l'île, aux lumières, et tout un peuple pour convive, un peuple pour spectateur, du plus haut au plus bas du gigantesque colisée.

A Maubec (Isère), où se réunirent beaucoup de communes rurales, l'autel fut érigé au milieu d'un plateau immense, en face d'un ancien monastère ; lointain superbe, horizon infini, et le souvenir de Rousseau, qui y vécut quelque temps !... Dans un discours brûlant d'enthousiasme, un prêtre exalta le glorieux souvenir du philosophe qui, dans ce lieu même, rêvait, préparait le grand jour... Il finit par montrer le ciel, il attesta le soleil, qui perça la nue à l'instant, comme pour jouir, lui aussi, de cette vue touchante et sublime.

Nous, croyants de l'avenir, qui mettons la foi dans l'espoir et regardons vers l'aurore, nous que le passé défiguré, dépravé, chaque jour plus impossible, a bannis de tous les temples, nous qui, par son monopole, sommes privés de temple et d'autel, qui souvent nous attristons dans l'isolement de nos pensées, nous eûmes un temple, ce jour-là, comme on n'en avait eu jamais !...

Plus d'église artificielle, mais l'universelle église. Un seul dôme, des Vosges aux Cévennes, et des Pyrénées aux Alpes.

Plus de symbole convenu. Tout nature, tout esprit, tout vérité.

L'homme qui, dans nos vieilles églises, ne se voit point face à face, s'aperçut ainsi, se vit pour la première fois, recueillit dans les yeux de tout un peuple une étincelle de Dieu.

Il aperçut la nature, il la ressaisit, et il la retrouva sacrée, il y sentit Dieu encore.

Et ce peuple, et cette terre, il trouva son nom : Patrie.

Et la Patrie, tout aussi grande qu'elle soit, il élargit son cœur, jusqu'à l'embrasser. Il la vit des yeux de l'esprit, l'étreignit des vœux du désir.

Montagnes de la Patrie, qui bornez nos regards, et non nos pensées, soyez témoins que si nous n'atteignons pas de nos bras fraternels la grande famille de France, dans nos cœurs elle est contenue...

Fleuves sacrés, îles saintes où fut dressé notre autel, puissent vos eaux qui murmurent sous le courant de l'esprit aller dire à toutes les mers, à toutes les nations, qu'aujourd'hui, au solennel banquet de la liberté, nous n'aurions pas rompu le pain sans les avoir appelées, et qu'en ce jour de bonheur, l'humanité tout entière s'est trouvée présente dans l'âme et les vœux de la France !

CHAPITRE XII

De la religion nouvelle — Fédération générale (14 juillet 1790)

Étonnement, attendrissement de toutes les nations, au spectacle de la France — Grande fédération de Lyon (30 mai 1790) — La France demande une fédération générale (juin) — Le chant des fédérés — Paris leur prépare le Champ-de-Mars — L'Assemblée abolit la noblesse héréditaire (19 juin 1790) — Elle a déjà aboli le principe chrétien de l'hérédité du crime — Elle reçoit les Députés du genre humain — Fédération des rois contre celle des peuples — Fédération générale de la France à Paris (14 juillet 1790) — Élan de la France, à la fois pacifique et guerrier.

Cette foi, cette candeur, cet immense élan de concorde, au bout d'un siècle de disputes, ce fut pour toutes les nations l'objet d'un grand étonnement, un prodigieux rêve. Toutes restaient muettes, attendries.

Plusieurs de nos fédérations avaient imaginé un touchant symbole d'union, de célébrer des mariages à l'autel de la patrie. La Fédération elle-même, ce mariage de la France avec la France, semblait un symbole prophétique du futur mariage des peuples, de l'hymen général du monde.

Autre signe, et non moins profond, qui parut aussi dans ces fêtes. On mit parfois sur l'autel un petit enfant que tous adoptaient, qui, doté des dons, des vœux, des larmes de tous, devenait à tous le leur.

La France est l'enfant sur l'autel, et toute la terre alentour. Enfant commun des nations, en elle toutes se sentent unies, toutes s'associent de cœur à ses destinées futures, l'environnement d'inquiètes pensées, et de crainte et d'espérance... Il n'y en a pas une entre elles qui la voit sans pleurer.

Comme l'Italie pleurait ! et la Pologne ! et l'Irlande ! (Ah ! sœurs, rappelez-vous ce jour !) Toute nation opprimée, oubliant son esclavage au spectacle de cette jeune liberté, lui disait : « Je suis libre en toi ! »

L'Allemagne, devant ce miracle, fut profondément absorbée, entre le rêve et l'extase. Klopstock était en prières.

L'auteur de *Faust* ne pouvait plus soutenir le rôle de l'ironie sceptique, il se surprenait lui-même près de tomber dans la foi.

Au fond des mers du Nord, il y avait alors une bizarre et puissante créature, un homme ? non, un système, une scolastique vivante, hérissée, dure, un roc, un écueil taillé à pointes de diamants dans le granit de la Baltique. Toute religion, toute philosophie, avait touché là, s'était brisée là. Et lui, immuable. Nulle prise au monde extérieur. On l'appelait Emmanuel Kant ; lui, il s'appelait Critique. Soixante ans durant, cet être tout abstrait, sans rapport humain, sortait juste à la même heure, et sans parler à personne, accomplissait pendant un nombre donné de minutes précisément le même tour, comme on voit aux vieilles horloges des villes l'homme de fer sortir, battre l'heure, et puis rentrer. Chose étrange, les habitants de Kœnigsberg virent (ce fut pour eux un signe des plus grands événements) cette planète se déranger, quitter sa route séculaire... On le suivit, on le vit marcher vers l'ouest, vers la route par laquelle venait le courrier de France...

O humanité !... voir Kant s'émouvoir, s'inquiéter, s'en aller sur les routes, comme une femme, chercher les nouvelles, n'était-ce pas là un changement surprenant, prodigieux ?... Eh bien ! non, il n'y avait nul changement en cela. Ce grand esprit suivait sa voie. Ce qu'il avait jusque-là cherché en vain dans la science, *l'unité spirituelle,* il l'observait maintenant qui se faisait de soi-même par le cœur et par l'instinct.

Sans autre direction, le monde semblait se rapprocher de cette unité, son but véritable, auquel il aspire toujours... « Ah ! si j'étais un, dit le monde, si je pouvais enfin unir mes membres dispersés, rapprocher mes nations ! » — « Ah ! si j'étais un, dit l'homme, si je pouvais cesser d'être l'homme multiple que je suis, rallier mes puissances divisées, établir la concorde en moi ! » Ce vœu toujours impuissant, et du monde, et de l'âme humaine, un peuple en semblait donner la réalité dans cette heure rapide, jouer la comédie divine, d'union et de concorde, que nous n'avons jamais qu'en rêve.

Figurez-vous donc tous les peuples qui, de pensée, de cœur, de regard et d'attention, sont tous élancés vers la France. Et dans la France elle-même, voyez-vous toutes ces routes, noires d'hommes, de voyageurs en marche, qui des extrémités se dirigent vers le centre ?... L'union gravite à l'unité.

Nous avons vu les unions se former, les groupes se rallier entre eux, et, ralliés, chercher une centralisation commune ; chacune des petites Frances a tendu vers son Paris, l'a cherché d'abord près de soi. Une grande partie de la France crut un moment le trouver à Lyon (30 mai). Ce fut une prodigieuse réunion d'hommes, telle qu'il n'y fallait pas moins que les grandes plaines du Rhône. Tout l'Est, tout le Midi avaient envoyé ; les seuls députés des gardes nationales étaient cinquante mille hommes. Tels avaient fait cent lieues, deux cents lieues, pour y venir. Les députés de Sarrelouis donnaient la main à ceux de Marseille. Ceux de la Corse eurent beau se hâter ; ils ne purent arriver que le lendemain.

Mais ce n'était pas Lyon qui pouvait marier la France. Il fallait Paris.

Grand effroi des politiques, de l'un et l'autre parti.

Ces masses indisciplinées, les amener à Paris, au centre de l'agitation, n'est-ce pas risquer une épouvantable mêlée, le pillage, le massacre ?... Et le roi, que deviendra-t-il ?... Voilà ce que les royalistes se disaient avec terreur.

Le roi ! disaient les Jacobins, le roi va faire la conquête de tout ce peuple crédule qui nous viendra des provinces. Cette dangereuse réunion va amortir l'esprit public, endormir les défiances, réveiller les vieilles idolâtries... Elle va *royaliser* la France.

Mais, ni les uns, ni les autres, ne pouvaient rien à cela.

Il fallut que le maire, la Commune de Paris, poussés, forcés par l'exemple et les prières des autres villes, vinssent demander à l'Assemblée une fédération générale. Il fallut que l'Assemblée, bon gré mal gré, l'accordât. On fit ce qu'on put du moins pour réduire le nombre de ceux qui voulaient venir. La chose fut décidée fort tard, de sorte que ceux qui venaient à pied des extrémités du royaume n'avaient guère moyen d'arriver à temps. La dépense fut mise à la charge des localités, obstacle peut-être insurmontable pour les pays les plus pauvres.

Mais, dans un si grand mouvement, y avait-il des obstacles ? On se cotisa, comme on put ; comme on put, on habilla ceux qui faisaient le voyage ; plusieurs vinrent sans uniformes. L'hospitalité fut immense, admirable, sur toute la route : on arrêtait, on se disputait les pèlerins de la grande fête. On les forçait de faire halte, de loger, manger, tout au moins boire au passage. Point d'étranger, point d'inconnu, tous parents. Gardes nationaux, soldats, marins, tous allaient ensemble.

Ces bandes, qui traversaient les villages, offraient un touchant spectacle. C'étaient les plus anciens de l'armée, de la marine, qu'on appelait à Paris. Pauvres soldats tout courbés de la guerre de Sept Ans, sous-officiers en cheveux blancs, braves officiers de fortune, qui avaient percé le granit avec leur front, vieux pilotes usés à la mer, toutes ces ruines vivantes de l'ancien régime avaient voulu pourtant venir. C'était leur jour, c'était leur fête.

On vit au 14 juillet des marins de quatre-vingts ans qui marchèrent douze heures de suite ; ils avaient retrouvé leurs forces, ils se sentaient, au moment de la mort, participer à la jeunesse de la France, à l'éternité de la Patrie.

Et, en traversant par bandes les villages ou les villes, ils chantaient de toutes leurs forces, avec une gaieté héroïque, un chant que les habitants, sur leurs portes, répétaient. Ce chant, national entre tous, rimé pesamment, fortement, toujours sur les mêmes rimes (comme les Commandements de Dieu et de l'Eglise), marquait admirablement le pas du voyageur qui voit s'abréger le chemin, le progrès du travailleur qui voit la besogne avancer. Il a fidèlement suivi l'allure de la Révolution elle-même, pressant la mesure lorsque ce terrible voyageur se précipitait. Abrégé, concentré dans une ronde de fureur et de vertige, il devint le meurtrier *Ça ira !* de 93. Celui de 90 eut un autre caractère :

Le peuple en ce jour sans cesse répète :
Ah ! ça ira ! ça ira ! ça ira !
Suivant les maximes de l'Evangile
(Ah ! ça ira ! ça ira ! ça ira !)
Du législateur tout s'accomplira ;
Celui qui s'élève, on l'abaissera ;
Et qui s'abaisse, on l'élèvera, etc.

Pour le voyageur qui, des Pyrénées ou du fond de la Bretagne, venait lentement à Paris sous le soleil de juillet, ce chant fut un viatique, un soutien, comme les *proses* que chantaient les pèlerins qui bâtirent révolutionnairement au Moyen Age les cathédrales de Chartres et de Strasbourg. Le Parisien le chanta avec une mesure pressée, une vivacité violente, en préparant le champ de la fédération, en retournant le Champ-de-Mars. Parfaitement plan alors, on voulait lui donner la belle et grandiose forme que nous lui voyons. La ville de Paris y avait mis quelques milliers d'ouvriers fainéants, à qui un pareil travail aurait coûté des années. Cette mauvaise volonté fut comprise. Toute la population s'y mit. Ce fut un étonnant spectacle. De jour, de nuit, des hommes de toutes classes, de tout âge, jusqu'à des enfants, tous, citoyens, soldats, abbés, moines, acteurs, sœurs de Charité, belles dames, dames de la Halle, tous maniaient la pioche, roulaient la brouette ou menaient le tombereau. Des enfants allaient devant, portant des lumières ; des orchestres ambulants animaient les travailleurs ; eux-mêmes, en nivelant la terre, chantaient ce chant niveleur : « Ah ! ça ira ! ça ira ! ça ira ! Celui qui s'élève, on l'abaissera ! »

Le chant, l'œuvre et les ouvriers, c'est une seule et même chose, l'égalité en action. Les plus riches et les plus pauvres, tous unis dans le travail. Les pauvres pourtant, il faut le dire, donnaient davantage. C'était après leur journée, une lourde journée de juillet, que le porteur d'eau, le charpentier, le maçon du pont Louis-XVI, que l'on construisait alors, allaient piocher au Champ-de-Mars. A ce moment de la moisson, les laboureurs ne se dispensèrent point de venir. Ces hommes lassés, épuisés, venaient, pour délassement, travailler encore aux lumières.

Ce travail, véritablement immense, qui d'une plaine fit une vallée entre deux collines, fut accompli, qui le croirait ? en une semaine ! Commencé précisément au 7 juillet, il finit avant le 14.

La chose fut menée d'un grand cœur, comme une bataille sacrée. L'autorité espérait, par sa lenteur calculée, entraver, empêcher la fête de l'union ; elle devenait impossible. Mais la France voulut et cela fut fait.

Ils arrivaient, ces hôtes désirés, ils remplissaient déjà Paris. Les aubergistes et maîtres d'hôtels garnis réduisirent eux-mêmes et fixèrent le prix modique qu'ils recevraient de cette foule d'étrangers. On ne les laissa pas, pour la plupart, aller à l'auberge. Les Parisiens, logés, comme on sait, fort à l'étroit, se serrèrent, et trouvèrent le moyen de recevoir les fédérés.

Quand arrivèrent les Bretons, ces aînés de la liberté, les vainqueurs de la Bastille s'en allèrent à leur rencontre jusqu'à Versailles, jusqu'à Saint-Cyr. Après les félicitations et les embrassements, les deux corps réunis, mêlés, entrèrent ensemble à Paris.

Un sentiment inouï de paix, de concorde, avait pénétré les âmes. Qu'on en juge par un fait, selon moi, le plus fort de tous. Les journalistes firent trêve. Ces âpres jouteurs, ces gardiens inquiets de la liberté, dont la lutte habituelle aigrit tant les âmes, s'élevèrent au-dessus d'eux-mêmes ; l'émulation des âmes antiques, sans haine et sans jalousie, les ravit, les affranchit un moment du triste esprit des disputes. L'honnête, l'infatigable Loustalot des *Révolutions de Paris,* le brillant, l'ardent, le léger Camille, émirent tous deux en même temps une idée impraticable, mais touchante et sortie du cœur : *un pacte fédératif entre les écrivains ;* plus de concurrence, plus de jalousie, nulle émulation que celle du public.

L'Assemblée sembla elle-même gagnée par l'enthousiasme universel. Dans une chaude soirée de juin, elle retrouva un moment son inspiration de 89, son jeune élan du 4 août. Un député de la Franche-Comté dit qu'au moment où les fédérés arrivaient, on devait leur épargner l'humiliation de voir des provinces enchaînées aux pieds de Louis XIV, à la place des Victoires, qu'il fallait faire disparaître ces statues. Un député du Midi, profitant de l'émotion généreuse que cette proposition excitait dans l'Assemblée, demanda qu'on effaçât tous les titres fastueux qui blessaient l'égalité, les noms de comtes, de marquis, les armoiries, les livrées. La proposition, appuyée par Montmorency, par La Fayette, ne fut guère combattue que par Maury (fils, comme on sait, d'un cordonnier). L'Assemblée, séance tenante, abolit la noblesse héréditaire (19 juin 1790). La plupart de ceux qui avaient voté y eurent regret le lendemain. L'abandon des noms de terre, le retour aux noms de famille presque oubliés, désorientait tout le monde : La Fayette devenait tristement *M. Motier,* Mirabeau enrageait de n'être plus que *Riquetti.*

Ce changement n'était pas cependant un hasard, un caprice ; c'était l'application naturelle et nécessaire du principe même de la Révolution. Ce principe n'est que la Justice, qui veut que chacun réponde pour ses œuvres, en bien ou en mal. Ce que vos aïeux ont pu faire compte à vos aïeux, nullement à vous. A vous d'agir pour vous-même ! Dans ce système, nulle transmission du mérite antérieur, nulle noblesse. Mais aussi, nulle transmission des fautes antérieures. Dès le mois de février, la barbarie de nos lois condamnant à la potence deux jeunes gens pour de faux billets, l'Assemblée décida, à cette occasion, que les familles des condamnés ne seraient nullement entachées par leur supplice. Le public, touché de la jeunesse et du malheur de ceux-ci, consola leurs honnêtes parents par mille témoignages d'intérêt : plusieurs citoyens honorables demandèrent leur sœur en mariage.

Plus de transmission du mérite, abolition de la noblesse. *Plus de transmission du mal ;* l'échafaud ne flétrit plus la famille, ni les enfants du coupable.

Le principe juif et chrétien repose précisément sur l'idée contraire. Le péché y est transmissible. Le mérite aussi ; celui du Christ, celui des saints, profite même aux moins méritants des hommes.

Dans la même séance où l'Assemblée décréta l'abolition de la noblesse, elle avait reçu une députation étrange qui se disait celle des députés du genre humain. Un Allemand du Rhin, Anacharsis Clootz (caractère bizarre sur lequel nous reviendrons), présenta à la barre une vingtaine d'hommes de toute nation dans leurs costumes nationaux, Européens, Asiatiques. Il demanda en leur nom de pouvoir prendre part à la fédération du Champ-de-Mars, « au nom des peuples, c'est-à-dire des légitimes souverains, partout opprimés par les rois ».

Tels furent émus, d'autres riaient. Cependant, la députation avait un côté sérieux ; elle comprenait des hommes d'Avignon, de Liège, de Savoie, de Belgique, qui véritablement voulaient alors être Français. Elle comprenait des réfugiés d'Angleterre, de Prusse, de Hollande, d'Autriche, ennemis de leurs gouvernements qui, à ce moment même, conspiraient contre la France. Ces réfugiés semblaient un comité européen, tout formé contre l'Europe, un premier noyau des légions étrangères que Carnot conseilla plus tard.

En face de la fédération des peuples, il s'en faisait une des rois. Certes, la reine de France avait sujet d'avoir bon espoir, en voyant avec quelle facilité son frère Léopold avait rallié l'Europe à l'Autriche. La diplomatie allemande, si lente ordinairement, avait pris des ailes. Cela tenait à ce que les diplomates n'y étaient pour rien. L'affaire s'arrangeait personnellement par les rois, à l'insu des ambassadeurs, des ministres. Léopold s'était adressé tout droit au roi de Prusse, lui avait montré le danger commun, avait ouvert un congrès en Prusse même, à Reichenbach, de concert avec l'Angleterre et la Hollande.

Sombre horizon. La France entourée des vœux impuissants des peuples, et tout à l'heure assiégée des haines et des armées des rois.

La France peu sûre au-dedans. La Cour faisant tous les jours des conquêtes dans l'Assemblée, agissant non plus par la droite, mais par la gauche elle-même, par le club de 89, par Mirabeau, par Sieyès, par les corruptions diverses, par la trahison, la peur. Elle emporta ainsi d'emblée une liste civile de vingt-cinq millions, pour la reine un douaire de quatre. Elle obtint des mesures répressives contre la presse, et s'enhardit à faire poursuivre le 5 et le 6 octobre.

Voilà ce que les fédérés trouvèrent en arrivant à Paris. Leur enthousiasme idolâtrique pour l'Assemblée, pour le roi, eut peine à se soutenir. La plupart venaient pénétrés par un sentiment filial pour ce bon *roi citoyen,* mêlant dans leurs émotions le passé et l'avenir, la royauté et la liberté. Plusieurs, reçus en audience, tombaient à genoux, offraient leur épée, leur cœur... Le roi, timide de sa nature, de sa position double et fausse, trouvait peu à répondre à cet attendrissement juvénile, si chaleureux, si expansif. La reine bien moins encore ; à l'exception de *ses fidèles Lorrains,* sujets originaires de sa famille, elle fut généralement assez froide pour les fédérés.

Voilà enfin le 14 juillet, le beau jour tant désiré, pour lequel ces braves gens ont fait le pénible voyage. Tout est prêt. Pendant la nuit même, de crainte de manquer la fête, beaucoup, peuple ou garde nationale, ont bivouaqué au Champ-de-Mars. Le jour vient ; hélas ! il pleut ! Tout le jour, à chaque instant, de lourdes averses, des rafales d'eau et de vent. « Le ciel est aristocrate », disait-on, et l'on ne se plaçait pas moins. Une gaieté courageuse, obstinée, semblait vouloir, par mille plaisanteries folles, détourner le triste augure. Cent soixante mille personnes furent assises sur les tertres du Champ-de-Mars, cent cinquante mille étaient debout ; dans le champ même devaient manœuvrer environ cinquante mille hommes, dont quatorze mille gardes nationaux de province, ceux de Paris, les députés de l'armée, de la marine, etc. Les vastes amphithéâtres de Chaillot, de Passy, étaient chargés de spectateurs. Magnifique emplacement, immense, dominé lui-même par le cirque plus éloigné que forment Montmartre, Saint-Cloud, Meudon, Sèvres ; un tel lieu semblait attendre les États généraux du monde.

Avec tout cela, il pleut. Longue est l'attente. Les fédérés, les gardes nationaux parisiens, réunis depuis cinq heures le long des boulevards, sont trempés, mourants de faim, gais pourtant. On leur descend des pains avec une corde, des jambons et des bouteilles, des fenêtres de la rue Saint-Martin, de la rue Saint-Honoré.

Ils arrivent, passent la rivière sur un pont de bois construit devant Chaillot, entrent par un arc de triomphe.

Au milieu du Champ-de-Mars s'élevait l'autel de la patrie ; devant l'École militaire, les gradins où devaient s'asseoir, le roi, l'Assemblée.

Tout cela fut long encore. Les premiers qui arrivèrent, pour faire bon cœur contre la pluie et dépit au mauvais temps, se mirent bravement à danser. Leurs joyeuses farandoles, se déroulant en pleine boue, s'étendent, vont s'ajoutant sans cesse de nouveaux anneaux dont chacun est une province, un département ou plusieurs pays mêlés. La Bretagne danse avec la Bourgogne, la Flandre avec les Pyrénées... Nous les avons vus commencer, ces groupes, ces danses ondoyantes, dès l'hiver de 89. La farandole immense qui s'est formée peu à peu de la France tout entière, elle s'achève au Champ-de-Mars, elle expire... Voilà l'unité !

Adieu l'époque d'attente, d'aspiration, de désir, où tous rêvaient, cherchaient ce jour !... Le voici ! que désirons-nous ? pourquoi ces inquiétudes ? Hélas ! l'expérience du monde nous apprend cette chose triste, étrange à dire, et pourtant vraie, que l'union trop souvent diminue dans l'unité. La volonté de s'unir, c'était déjà l'unité des cœurs, la meilleure unité peut-être.

Mais silence ! le roi arrive, il est assis, et l'Assemblée, et la reine dans une tribune qui plane sur tout le reste.

La Fayette et son cheval blanc arrivent jusqu'au pied du trône ; le commandant met pied à terre et prend les ordres du roi. A l'autel, parmi deux cents prêtres portant ceintures tricolores, monte d'une allure équivoque, d'un pied boiteux, Talleyrand, évêque d'Autun : quel autre, mieux que lui, doit officier, dès qu'il s'agit de serment ?

Douze cents musiciens jouaient, à peine entendus ; mais un silence se fait : quarante pièces de canon font trembler la terre. A cet éclat de la foudre, tous se lèvent, tous portent la main vers le ciel... O roi ! ô peuple ! attendez... Le ciel écoute, le soleil tout exprès perce le nuage... Prenez garde à vos serments !

Ah ! de quel cœur il jure, ce peuple ! Ah ! comme il est crédule encore !... Pourquoi donc le roi ne lui donne-t-il pas ce bonheur de le voir jurer à l'autel ? Pourquoi jure-t-il à couvert, à l'ombre, à demi caché ? Sire, de grâce, levez haut la main, que tout le monde la voie !

Et vous, madame, ce peuple enfant, si confiant, si aveugle, qui tout à l'heure dansait avec tant d'insouciance, entre son triste passé et son formidable avenir, ne vous fait-il pas pitié ?... Pourquoi dans vos beaux yeux bleus cette douteuse lueur ? Un royaliste l'a saisie : « Voyez-vous la magicienne ? » disait le comte de Virieu... Vos yeux ont-ils donc vu d'ici votre envoyé qui maintenant reçoit à Nice et félicite l'organisateur des massacres du Midi ? ou bien, dans ces masses confuses, avez-vous cru voir de loin les armées de Léopold ?

Ecoutez !... Ceci, c'est la paix, mais une paix toute guerrière. Les trois millions d'hommes armés qui ont envoyé ceux-ci ont entre eux plus de soldats que tous les rois de l'Europe. Ils offrent la paix fraternelle, mais n'en sont pas moins prêts au combat. Déjà plusieurs départements, Seine, Charente, Gironde, bien d'autres, veulent donner, armer, défrayer chacun six mille hommes pour aller à la frontière. Tout à l'heure les Marseillais vont demander à partir, ils renouvellent le serment des Phocéens leurs ancêtres, jetant une pierre à la mer, et jurant, s'ils ne sont vainqueurs, de ne revenir qu'au jour où la pierre surnagera.

Livre IV

juillet 1790 — juillet 1791

CHAPITRE PREMIER

Pourquoi la religion nouvelle ne put se formuler Obstacles intérieurs

Accord des rois contre la Révolution, 27 juillet 1790 — Obstacles intérieurs — Divisions de la France — Nulle grande révolution n'avait cependant moins coûté — Fécondité religieuse du moment de 90— Forces inventives de la France — Sève généreuse qui était dans le peuple — Réaction d'égoïsme et de peur, d'irritation et de haine La Révolution, entravée, produit ses résultats politiques, mais ne peut encore atteindre les résultats religieux et sociaux qui l'auraient fondée solidement.

La nuit même de la fête, du 13 au 14 juillet, lorsque toute la population, dans l'abandon de l'enthousiasme et de la confiance, n'avait plus qu'une pensée, on profita de ce moment pour faire sortir de l'Abbaye l'homme du dernier complot, l'agent des émigrés, Bonne de Savardin, qui voulait les mettre dans Lyon, et dont on craignait les aveux.

En même temps, M. de Flachslanden, homme de confiance de la reine auprès du comte d'Artois, était envoyé par lui pour recevoir et complimenter, à Nice, Froment, échappé de Nîmes.

Le 27, l'Assemblée apprit que le roi accordait aux Autrichiens le passage sur terre de France, pour aller écraser la révolution de Belgique.

Le même jour, date mémorable, le 27 juillet 1790, l'Europe fit son premier accord contre la Révolution, contre celle de Brabant d'abord. Les préliminaires du traité furent signés à Reichenbach. L'Angleterre, la Prusse et la Hollande abandonnèrent à la vengeance de l'Autriche la Belgique qu'ils avaient soulevée, encouragée, qui n'espérait qu'en eux, qui s'obstina plus tard encore et jusqu'à sa dernière heure à attendre d'eux son salut.

Le même mois, M. Pitt, sûr du concert européen, ne fit pas difficulté de dire en plein Parlement qu'il approuvait mot pour mot la diatribe de Burke contre la Révolution, contre la France ; livre infâme, insensé de rage, plein de calomnies, de basses insultes, de bouffonneries injurieuses, où il compare les Français aux galériens rompant la chaîne, foule aux pieds la Déclaration des droits de l'homme, la déchire et crache dessus.

Dures, pénibles découvertes ! Ceux que nous croyons amis sont nos plus cruels ennemis !

Il est grand temps que nous sortions de nos illusions philanthropiques, de nos sympathies crédules. La Révolution ne peut, sous peine de périr, rester dans l'âge d'innocence.

La vérité, dure ou non, il faut la voir face à face. Il nous faut l'envisager d'un ferme regard, au-dehors et au-dedans. J'ai suivi la pauvre France, candide et crédule encore, dans l'entraînement trop facile de son cœur, dans ses aveuglements volontaires, involontaires. Je dois faire, comme elle fit, en présence de ces dangers imprévus, fouiller plus profondément la réalité, sonder à la fois le péril et les ressources de la résistance.

Le péril, il serait peu à craindre si la France n'était divisée. Il faut le dire, l'union fut sincère au sublime moment que j'ai eu le bonheur de peindre ; elle fut vraie, mais passagère ; mais bientôt la division et de classes et d'opinions avait reparu.

Le 18 juillet, déjà, quatre jours après la fête, si heureusement passée, lorsqu'on avait tant sujet de se confier au peuple, lorsqu'il eût fallu en maintenir, en fortifier l'union, en présence du danger, Chapelier (quel changement, pour le président du 4 août !) Chapelier propose d'exiger l'uniforme de la garde nationale, c'est-à-dire de la limiter à la classe riche ou aisée, c'est-à-dire de préparer le désarmement des pauvres !... La proposition, il faut le dire, à l'honneur de ce temps, fut mal vue et mal reçue des riches même (sauf la bourgeoisie de Paris et les gens de La Fayette). Barbaroux la blâma à Marseille. La riche Bordeaux la repoussa, et protesta que, pour se reconnaître, on pouvait se contenter d'un ruban.

Ces germes de division dans la garde nationale, les défiances qui s'élèvent contre les municipalités, doivent multiplier, fortifier les associations volontaires. La fédération n'a pas suffi, l'institution des nouveaux pouvoirs n'a pas suffi ; il faut une force extralégère. Contre la vaste conspiration qui se prépare, il faut une conspiration. Vienne celle des Jacobins, et qu'elle enveloppe la France.

Deux mille quatre cents sociétés dans autant de villes ou villages s'y rattachent en moins de deux ans. Grande et terrible machine qui donne à la Révolution une incalculable force, qui seule peut la sauver, dans la ruine des pouvoirs publics ; mais aussi, elle en modifie profondément le caractère, elle en change, en altère la primitive inspiration.

Cette inspiration fut toute de confiance et de bienveillance. Candeur et crédulité, c'est le caractère du premier âge révolutionnaire, qui a passé sans retour... Touchante histoire qu'on ne relira jamais sans larmes... Il s'y mêle un sourire amer : Quoi ! nous étions donc si jeunes, tellement faciles à tromper ! quoi ! dupes à ce point !... N'importe ! qu'on en rie, si l'on veut, nous ne nous repentirons jamais d'avoir été cette nation confiante et clémente.

J'ai lu bien des histoires de révolutions, et je puis affirmer ce qu'avouait un royaliste en 1791, c'est que *jamais grande révolution n'avait coûté moins de sang, moins de larmes.* Les désordres, inséparables d'un tel bouleversement, ont été grossis à plaisir, complaisamment exagérés, d'après les récits passionnés que nos ennemis recevaient, sollicitaient de tous ceux qui avaient souffert.

En réalité, une seule classe, le clergé, pouvait, avec quelque apparence, se dire spoliée. Et pourtant, il résultait de cette spoliation que la masse du clergé, affamée sous l'ancien régime au profit de quelques prélats, avait enfin de quoi vivre.

Les nobles avaient perdu leurs droits féodaux ; mais dans beaucoup de provinces, spécialement en Languedoc, ils gagnaient bien plus comme propriétaires à ne plus payer la dîme qu'ils ne perdaient comme seigneurs en droits féodaux.

Pour n'avoir plus les honneurs gothiques et ridicules des fiefs, devenus un non-sens, ils n'étaient pas descendus. Presque partout, avec une déférence aveugle, on leur avait donné les vrais honneurs du citoyen, dont la plupart n'étaient guère dignes, les premières places des municipalités, les grades de la garde nationale.

Confiance excessive, imprudente. Mais ce jeune monde, en présence des perspectives infinies que lui ouvrait l'avenir, marchandait peu avec le passé. Il lui demandait seulement de le laisser aller et vivre. La foi, l'espoir étaient immenses. Ces millions d'hommes, hier serfs, aujourd'hui hommes et citoyens, évoqués en un même jour, d'un coup, de la mort à la vie, nouveau-nés de la Révolution, arrivaient avec une plénitude inouïe de force, de bonne volonté, de confiance, croyant volontiers l'incroyable. Eux-mêmes, qu'étaient-ils ? Un miracle. Nés vers avril 89, hommes au 14 juillet, hommes armés surgis du sillon, tous, aujourd'hui ou demain, hommes publics, magistrats (treize cent mille magistrats !)... et tout à l'heure propriétaires, le paysan touchant presque son rêve, son paradis, la propriété !... La terre, triste et stérile hier, sous les vieilles mains des prêtres, passant aux mains chaudes et fortes de ce jeune laboureur... Espoir, amour, année bénie ! Au milieu des fédérations allait, se multipliant, la fédération naturelle, le mariage ; serment civique, serment d'hymen, se faisant ensemble à l'autel. Les mariages, chose inouïe, furent plus nombreux d'un cinquième en cette belle année d'espérance.

Ah ! ce grand mouvement des cœurs promettait encore autre chose, une bien autre fécondité. Fécond en hommes, fécond en lois, ce mariage moral des âmes et des volontés faisait attendre un dogme nouveau, une toute jeune et puissante idée, sociale et religieuse. Rien qu'à voir le champ de la Fédération, tout le monde aurait juré que, de ce moment sublime, de tant de vœux purs et sincères, de tant de larmes mêlées, à la chaleur concentrée de tant de flammes en une flamme, il allait surgir un Dieu.

Tous le voyaient, tous le sentaient. Les hommes les moins amis de la Révolution tressaillirent à ce moment, ils sentirent qu'une grande chose advenait. Nos sauvages paysans du Maine et des Marches de Bretagne, qu'un fanatisme perfide allait tourner contre nous, vinrent eux-mêmes alors, émus, attendris, s'unir à nos fédérations, et baiser l'autel du Dieu inconnu.

Rare moment où peut naître un monde, heure choisie, divine !... Et qui dira comment une autre peut revenir ? qui se chargera d'expliquer ce mystère profond qui fait naître un homme, un peuple, un Dieu nouveau ? La conception ! l'instant unique, rapide et terrible !... Si rapide, et si préparé ! Il y faut le concours de tant de forces diverses, qui, du fond des âges, de la variété infinie des existences, viennent ensemble, pour ce seul instant.

Un fait a été remarqué, c'est que la France, comme une femme qui se prépare à un grand enfantement, avait, outre la génération révolutionnaire, sacrifiée à l'action, une autre génération en réserve, plus féconde et plus inventive, celle des hommes qui eurent vingt ans, ou un peu plus, en 90. Il y avait eu là un flot incroyable de puissance et de génie, deux années (1768-1769) avaient produit tout à la fois Bonaparte, Hoche, Marceau et Joubert, Cuvier et Chateaubriand, les deux Fourier. Saint-Martin, Saint-Simon, de Maistre, Bonald et Mme de Staël naissent un peu avant, ainsi que Méhul, Lesueur et les Chénier. Un peu après, Geoffroy Saint-Hilaire, Bichat, Ampère, Sénancour. Quelle couronne pour la France de la Fédération que ces hommes de vingt ans, que personne ne connaît encore !... Qui ne serait terrifié en lui voyant briller au front ces diamants magiques qui étincellent dans l'ombre ?...

Nul doute que, dans cette foule immense, elle n'en ait eu bien d'autres que ceux-là. Eux seuls grandirent, vécurent. Mais la chaleur vitale du merveilleux orage n'avait pas fait seulement, croyez-le bien, éclore ces quelques hommes. Des millions en naquirent, pleins de flamme du ciel... Le dirai-je même ? La magnanimité, la bonté héroïque qui fut dans tout un peuple à ce moment sacré, faisait attendre, des génies qui en sortirent, une autre inspiration. Si vous mettez à part quelques-uns, peu nombreux, qui furent des héros de bonté, vous trouverez que les autres, hommes d'action, d'invention et de calcul, dominés par l'ascendant des sciences physiques et mécaniques, poussèrent violemment aux résultats; une force immense, mais trop souvent aride, fut concentrée dans leur tête puissante. Aucun d'eux n'eut ce flot du cœur, cette source d'eaux vives où s'abreuvent les nations.

Ah ! qu'il y avait bien plus dans le peuple de la Fédération qu'en Cuvier, Fourier, Bonaparte !

Il y avait en ce peuple l'âme immense de la Révolution, sous ses deux formes et ses deux âges.

Au premier âge, qui fut une réparation aux longues injures du genre humain, un élan de justice, la Révolution formula en lois la philosophie du XVIIIe siècle.

Au second âge, qui viendra tôt ou tard, elle sortira des formules, trouvera sa foi religieuse (où toute loi politique se fonde), et dans cette liberté divine que donne seule l'excellence du cœur, elle portera un fruit inconnu de bonté, de fraternité.

Voilà l'infini moral qui couvait dans ce peuple (et qu'est-ce auprès que tout génie mortel ?) quand, le 14 juillet, à midi, il leva la main.

Ce jour-là, tout était possible. Toute division avait cessé ; il n'y avait ni noblesse, ni bourgeoisie, ni peuple. L'avenir fut présent... C'est-à-dire, plus de temps... Un éclair de l'éternité.

Il ne tenait à rien, ce semble, que l'âge social et religieux de la Révolution, qui recule encore devant nous, ne se réalisât.

Si l'héroïque bonté de ce moment eût pu se soutenir, le genre humain gagnait un siècle ou davantage; il se trouvait avoir, d'un bond, franchi un monde de douleurs...

Un tel état dure-t-il? Etait-il bien possible que les barrières sociales, abaissées ce jour-là, fussent laissées à terre, que la confiance subsistât entre les hommes de classes, d'intérêts, d'opinions divers ?

Difficile à coup sûr, moins difficile pourtant qu'à nulle époque de l'histoire du monde.

Des instincts magnanimes avaient éclaté dans toutes les classes, qui simplifiaient tout. Des nœuds insolubles avant et après, se résolvaient alors d'eux-mêmes.

Telle défiance, raisonnable peut-être au début de la Révolution, l'était peu à tel moment. L'impossible d'octobre se trouvait possible en juillet. Par exemple, on avait pu craindre, en octobre 89, que la masse des électeurs de campagne ne servît l'aristocratie ; cette crainte ne pouvait subsister en juillet 90; presque partout le paysan suivait, autant que les populations urbaines, l'élan de la Révolution.

Le prolétariat des villes, qui fait l'énorme obstacle d'aujourd'hui, existait à peine alors, sauf à Paris et quelques grandes villes, où les affamés venaient se concentrer. Il ne faut placer en ce temps, ni voir trente ans avant leur naissance, les millions d'ouvriers nés depuis 1815.

Donc, en réalité, l'obstacle était minime entre la bourgeoisie et le peuple.

La première pouvait, devait sans crainte se jeter dans les bras de l'autre.

Cette bourgeoisie, imbue de Voltaire et de Rousseau, était plus amie de l'humanité, plus désintéressée et généreuse que celle qu'a faite l'industrialisme, mais elle était timide; les mœurs, les caractères, formés sous ce déplorable ancien régime, étaient nécessairement faibles. La bourgeoisie trembla devant la Révolution qu'elle avait faite, elle recula devant son œuvre. La peur l'égara, la perdit, bien plus encore que l'intérêt.

Il ne fallait pas sottement se laisser prendre au vertige des foules, ne pas s'effrayer, reculer devant cet océan qu'on avait soulevé. Il fallait s'y plonger. L'illusion d'effroi disparaissait alors. Un océan de loin, des lames dangereuses, une vague grondante ; de près, des hommes et des amis, des frères qui vous tendaient les bras.

On ne sait pas combien, à cette époque, subsistaient, dans le peuple, d'anciennes habitudes de déférence, de croyance, de confiance facile aux classes cultivées. Il voyait parmi elles, à ce premier moment, ses orateurs, ses avocats, tous les champions de sa cause. Il avançait vers elles, d'un grand cœur... Mais elles reculèrent.

Ne généralisons pas, toutefois, légèrement. Une partie infiniment nombreuse de la bourgeoisie, loin de reculer comme l'autre, loin d'opposer à la Révolution une malveillante inertie, s'y donna, s'y précipita d'un même mouvement que le peuple. Nos patriotiques assemblées de la Législative, de la Convention (Montagnards, Girondins, n'importe, sans distinction de parti) appartenaient *entièrement* à la classe bourgeoise.

Ajoutez-y encore les sociétés patriotiques dans leurs commencements, spécialement les Jacobins ; ceux de Paris, dont nous avons les listes, ne paraissent pas avoir admis un seul homme des classes illettrées avant 93.

Cette masse de bourgeoisie révolutionnaire, gens de lettres, journalistes, artistes, avocats, médecins, prêtres, etc., s'accrut immensément des bourgeois qui acquirent des biens nationaux.

Mais, quoiqu'une partie si considérable de la bourgeoisie entrât dans la Révolution, par dévouement ou par intérêt, la primitive inspiration révolutionnaire fut modifiée sensiblement en eux par les nécessités de la grande lutte qu'ils eurent à soutenir, par la furieuse âpreté du combat, par l'irritation des obstacles, l'ulcération des inimitiés.

En sorte que, pendant qu'une partie de la bourgeoisie fut corrompue par l'égoïsme et *la peur,* l'autre fut effarouchée par *la haine,* et comme dénaturée, transportée hors de tout sentiment humain. Le peuple, violent sans doute et furieux, mais n'étant point systématiquement haineux, sortit bien moins de la nature.

Deux faiblesses : *la haine et la peur.*

Il fallait (chose rare, difficile, impossible peut-être dans ces terribles circonstances), il fallait rester fort, afin de rester bon.

Tous avaient aimé certainement le 14 juillet. Il eût fallu aimer le lendemain.

Il eût fallu que la partie timide de la bourgeoisie se souvînt mieux de ses pensées humaines, de ses vœux philanthropiques ; qu'elle persistât au jour du péril ; qu'effrayée ou non, elle fît comme on fait en mer, qu'elle se remît à Dieu, qu'elle jurât de suivre la foi nouvelle en tous les genres de sacrifices qu'elle imposerait pour sauver le peuple.

Il eût fallu encore que la partie hardie, révolutionnaire de la bourgeoisie, au milieu du danger, en plein combat, gardât son cœur plus haut, qu'elle ne se laissât point ébranler, rabaisser de son sublime élan aux bas-fonds de la haine.

Ah ! qu'il est difficile, aux plus forts même qui combattent, de dominer leur combat d'un cœur ferme et serein, de combattre du bras, et de garder en eux l'héroïsme de la paix !

La Révolution fit beaucoup, mais si elle eût pu tenir, un moment du moins, à cette hauteur, que n'eût-elle pas fait !

D'abord, elle eût duré. Elle n'aurait pas eu la triste chute de 1800, où les âmes stérilisées, ou de peur ou de haine, devinrent pour longtemps infécondes.

Et puis, elle n'eût pas été écrite seulement, mais appliquée. Des abstractions politiques elle fût descendue aux réalités sociales.

Le sentiment de bonté courageuse, qui fut son point de départ et son premier élan, ne serait pas resté flottant à l'état de vague sentiment, de généralités. Il aurait été à la fois s'étendant et se précisant, voulant entrer partout, pénétrant les lois de détail, allant jusqu'aux mœurs même et jusqu'aux actions les plus libres, circulant dans les ramifications les plus lointaines de la vie.

Parti de la pensée et revenant à elle après avoir traversé la sphère de l'action, ce sentiment sympathique d'amour des hommes amenait de lui-même la rénovation religieuse.

Quand l'âme humaine suit ainsi sa nature, quand elle reste bienveillante, quand, absente de son égoïsme, elle va cherchant sérieusement le remède aux douleurs des hommes, alors, par-delà la loi et les mœurs, là où toute puissance finit, l'imagination et la sympathie ne finissent pas ; l'âme les suit et veut encore le bien, elle descend en elle, elle devient profonde...

Ceci est tout autre chose que la profondeur de l'esprit et l'invention scientifique. C'est une profondeur de tendresse et de volonté bien autrement féconde, qui donne un fruit vivant... Etrange incubation, d'autant plus divine qu'elle est plus naturelle ! D'une douce chaleur, sans effort et sans art, parfois du cœur des simples, éclôt le nouveau génie, la consolation nouvelle qu'attend le monde. Sous quelle forme ? Diverse selon les lieux, les temps : que cette âme tendre et puissante réside dans un individu, qu'elle s'étende dans un peuple, qu'elle soit un homme, une parole vivante, un livre, une parole écrite, il n'importe, elle est toujours Dieu.

CHAPITRE II

Obstacles extérieurs — Deux sortes d'hypocrisie : hypocrisie d'autorité, le prêtre

Le prêtre emploie contre la Révolution le confessionnal et la presse — Pamphlet des catholiques en 1790 - Stérilisés depuis plusieurs siècles, ils ne pouvaient étouffer la Révolution — Leur impuissance depuis 1800 — La Révolution doit rendre aux âmes l'aliment religieux.

J'ai dit l'obstacle intérieur, la peur, la haine ; mais l'obstacle extérieur précède, et peut-être, sans lui, l'autre n'existait point.

Non, l'obstacle intérieur ne fut ni le premier ni le principal. Il eût été impuissant, annulé et neutralisé dans l'immensité du mouvement héroïque qui amenait la vie nouvelle.

Une fatalité hostile exista au-dehors, qui arrêta l'enfantement de la France.

Qui accuser ? à qui renvoyer le crime de cet enfantement entravé ? Quels sont ceux qui, voyant la France en travail, ont trouvé les mauvaises paroles de l'avortement, ceux qui ont pu, les maudits, mettre la main sur elle, la contraindre à l'action, la forcer de prendre l'épée et de marcher au combat ?

Ah ! tout être n'est-il donc pas sacré dans ces moments ? Une femme, une société qui enfante, n'a-t-elle pas droit au respect, aux vœux du genre humain ?

Maudit qui, surprenant un Newton dans l'enfantement du génie, empêche une idée de naître ! Maudit qui, trouvant la femme au moment douloureux où la nature entière conjure avec elle, prie et pleure pour elle, empêche un homme de naître ! Maudit trois fois, mille fois, celui qui, voyant ce prodigieux spectacle d'un peuple à l'état héroïque, magnanime, désintéressé, essaie d'entraver, d'étouffer ce miracle, d'où naissait un monde !

Comment les nations vinrent-elles à s'accorder, à s'armer contre l'intérêt des nations ? Sombre et ténébreux mystère !

Déjà on avait vu un pareil miracle du diable dans nos guerres de Religion ; je parle de la grande œuvre jésuitique qui, en moins d'un demi-siècle, fit de la lumière une nuit, cette affreuse nuit de meurtres qu'on appelle la guerre de Trente Ans. Mais enfin, il y fallut un demi-siècle et l'éducation des Jésuites ; il fallut former, élever une génération exprès, dresser un monde nouveau à l'erreur et au mensonge. Ce ne furent point les mêmes hommes qui passèrent du blanc au noir, qui virent d'abord la lumière, puis jurèrent qu'elle était la nuit.

Ici le tour est plus fort. Il suffit de quelques années.

Ce succès rapide fut dû à deux choses :

1. Un emploi habile, immense de la grande machine moderne, la Presse, l'instrument de la liberté tourné contre la liberté. L'accélération terrible que cette machine prit au XVIIIe siècle, cette rapidité foudroyante, qui vous lance feuille sur feuille, sans laisser le temps de penser, d'examiner, de se reconnaître, elle fut au profit du mensonge.

2. Le mensonge fut bien mieux approprié aux imbécillités diverses, sortant de deux officines, préparé par deux ouvriers, par deux procédés différents : l'ancien, le nouveau, la fabrique catholique et despotique, la fabrique anglaise, soi-disant constitutionnelle.

C'est là ce qui différencie profondément le monde moderne et balance tous ses progrès. C'est d'avoir deux hypocrisies : le Moyen Age n'en eut qu'une, nous, nous en possédons deux : hypocrisie d'autorité, hypocrisie de liberté, d'un seul mot : *le prêtre, l'Anglais,* les deux formes de Tartufe.

Le prêtre agit principalement sur les femmes et le paysan, l'Anglais sur les classes bourgeoises.

Ici un mot du prêtre, pour expliquer seulement ce que nous avons dit ailleurs.

La vieille fabrique de mensonges recommence en 89 par tous les moyens à la fois. D'une part, comme autrefois, la diffusion secrète par le confessionnal, le mystère entre prêtre et femme, la publicité à voix basse, les demi-mots à l'oreille. D'autre part, une presse frénétique, qui peut risquer bien plus que l'autre, parce que, remettant ses feuilles en dessous à des mains sûres, aux simples et crédules personnes toutes persuadées d'avance, elle sait parfaitement qu'elle n'a nul contrôle à craindre. Ces brochures sont des poignards ; nous en avons entre les mains qui, pour la violence et l'odeur du sang, égalent ou passent Marat.

Quiconque veut voir jusqu'où peut aller la parole humaine dans l'audace du mensonge n'a qu'à lire le pamphlet que l'homme de Nîmes, Froment, lança de l'émigration, au mois d'août 90. Là se développe à son aise, en pleine sécurité, tout un long roman : comment la république calviniste, fondée au XVIe siècle, édifiée peu à peu, triomphe en 89 ; comment l'Assemblée nationale a donné commission aux protestants du Midi d'égorger tous les catholiques, pour diviser le royaume en républiques fédératives, etc.

Cette brochure atroce, répandue dans Paris, jetée la nuit sous les portes, semée aux cafés, aux églises, eut ici peu d'action. Elle en eut une, et grande, dans les campagnes. Mille autres la suivirent. Variées selon les tendances différentes du Midi ou de l'Ouest, colportées par de bons ecclésiastiques, de loyaux gentilshommes, des femmes tendres et dévotes, elles commencèrent le grand travail d'obscurcissement, d'erreur, de stupidité fanatique qui, suivi consciencieusement pendant deux années, nous a donné la Vendée, la guerre des Chouans ; de là, par contre, l'affreuse contraction de la France, qu'on appelle la *Terreur*.

Nos transfuges, d'autre part, allaient inspirer, dicter aux Anglais leurs arguments contre nous. C'est Calonne, c'est Necker, c'est Dumouriez, les gens à qui la France a confié ses affaires, qui usent de cette connaissance, qui écrivent contre la France des livres profondément anglais.

Ces trois n'ont pas cependant la grande responsabilité. Calonne était trop méprisé pour être cru, les deux autres trop haïs.

L'homme qui agit incontestablement avec plus d'efficacité contre la Révolution, qui nuisit le plus à la France, qui rassura le plus l'Angleterre sur la légitimité de sa haine, fut un Irlandais (d'origine), Lally-Tollendal.

C'est de lui qu'un autre Irlandais, Burke, reçut le texte tout fait, de lui qu'il partit, et portant la haine et l'insulte à la seconde puissance, donna le ton à l'Europe. Ces deux hommes parlèrent ; tout le reste répéta.

Qu'on ne dise pas que je leur donne une responsabilité exagérée, qu'avec leur brillante faconde sans idées, avec la légèreté de leur caractère, ils n'avaient pas en eux de quoi changer ainsi l'Europe. Je répondrai que de tels hommes n'en font que de meilleurs acteurs, parce qu'ils jouent au sérieux, parce que leur vide intérieur leur permet d'autant mieux d'adopter, de pousser vivement, comme leurs, toutes les idées des autres. Nous avons vu dernièrement un homme tout semblable, O'Connel, tout aussi bruyant, et tout aussi vide, prononcer au profit de l'Angleterre, au dommage de l'Irlande, le mot qui pouvait ôter à cette pauvre Irlande son futur salut peut-être, la sympathie de la France, réclamer pour les Irlandais, le carnage de Waterloo.

L'éloquent, le bon, le sensible, le pleureur Lally, qui n'écrivit qu'avec des larmes, et vécut le mouchoir à la main, était entré dans la vie d'une manière fort romanesque : il resta homme de roman.

C'était un fils de l'amour, que le malheureux général Lally faisait élever avec mystère sous le simple nom de Trophime. Il apprit dans un même jour le nom de son père, de sa mère, et que son père allait périr. Sa jeunesse, glorieusement consacrée à la réhabilitation d'un père, eut l'intérêt de tout le monde, la bénédiction de Voltaire mourant. Membre des États généraux, Lally contribua à rallier au tiers la minorité de la noblesse. Mais, dès lors, il l'avoue, ce grand mouvement de la Révolution lui inspirait une sorte de terreur et de vertige. Dès son premier pas, elle s'écartait singulièrement du double idéal qu'il s'était fait. Ce pauvre Lally, le plus inconséquent à coup sûr des hommes sensibles, rêvait à la fois deux choses fort dissemblables, la Constitution anglaise et le gouvernement paternel. Dans deux occasions très graves, il nuisit, voulant servir, à son roi qu'il adorait. J'ai parlé du 23 juillet, où son éloquence étourdie gâta une occasion fort précieuse pour le roi de se rallier le peuple. En novembre, autre occasion, et Lally la gâte encore ; Mirabeau voulait servir le roi, et tendait au ministère ; Lally, avec son tact habituel, prend ce moment pour lancer un livre contre Mirabeau.

Il s'était alors retiré à Lausanne. La terrible scène d'octobre avait trop profondément blessé sa faible et vive imagination. Mounier, menacé, et réellement en péril, quitta en même temps l'Assemblée.

Le départ de ces deux hommes nous fit un mal immense en Europe. Mounier y était considéré comme la raison, la Minerve de la Révolution. Il l'avait devancée en Dauphiné, et lui avait servi d'organe dans son acte le plus grave, le serment du Jeu de Paume. Et Lally, le bon, le sensible Lally, adopté de tous les cœurs, cher aux femmes, cher aux familles pour la défense d'un père, Lally, l'orateur à la fois royaliste et populaire, qui avait donné l'espoir d'achever la Révolution par le roi, le voilà qui dit au monde qu'elle est perdue sans retour, que la royauté est perdue et la liberté perdue... Le roi est captif de l'Assemblée, l'Assemblée du peuple. Il adopte, ce Français, le mot de l'ennemi de la France, le mot de Pitt : « Les Français auront seulement traversé la liberté. » Dérision sur la France ! L'Angleterre est désormais le seul idéal du monde. La balance des trois pouvoirs, voilà toute la politique. Lally proclame ce dogme, « avec Lycurgue et Blackstone ».

Fond ridicule, belle forme, éloquente, passionnée, langue excellente de la bonne tradition, abondance et plénitude, un flot du cœur... Et tout cela, pour accuser la patrie, la déshonorer, s'il pouvait, tuer sa mère... Oui, le même homme qui consacra une moitié de sa vie à réhabiliter son père, donne le reste à l'œuvre impie, parricide, de tuer sa mère, la France.

Le Mémoire adressé par Lally à ses commettants (janvier 90) offre le premier exemple de ces tableaux exagérés, que depuis l'étranger n'a cessé de faire, des violences de la Révolution. Les pages écrites là-dessus par Lally sont copiées pour les faits, pour les mots même, par tous les écrivains qui suivent. Les soi-disant constitutionnels commencent dès lors contre la France la plus injuste des enquêtes, allant de province en province demander aux seigneurs, aux prêtres : « Qu'avez-vous souffert ? » Puis, sans examen, sans contrôle, sans production de pièces, ni de témoins, ils écrivent, ils certifient. Le peuple, victime obligée et nécessaire, après avoir souffert des siècles, dans son jour de réaction, souffre encore. Ses prétendus amis enregistrent avidement tous ses méfaits, vrais ou faux ; ils reçoivent contre lui les témoins les plus suspects ; contre lui, ils croient tout.

Lally marche le premier, il est le maître du chœur ; par lui commence ce grand concert de pleureurs, qui pleurent tous contre la France... Pleureurs du roi, de la noblesse, qui gardez la pitié pour eux, qui n'accordez rien aux millions d'hommes qui souffrirent, périrent aussi, dites-nous donc quel rang, quel blason il faut avoir pour qu'on vous trouve sensibles... Nous avions cru, nous autres, que pour mériter les larmes des hommes, être homme, c'était assez.

Ainsi, l'on a mis en branle contre le seul peuple qui voulait le bonheur du genre humain ce grand mouvement de pitié. La pitié est devenue une machine de guerre, une machine meurtrière. Et le monde a été cruel, à mesure qu'il était sensible. Lally et les autres pleureurs ont fomenté contre nous la croisade des peuples et des rois ; elle a jeté la France, acculée entre tous, dans la nécessité homicide de la Terreur. Pitié exterminatrice ! elle a coûté la vie à des millions d'hommes. Cette cataracte de larmes qu'ils eurent dans les yeux a fait couler dans la guerre des torrents de sang.

Qu'on juge avec quelle délectation intérieure, quel sourire de complaisance, l'Angleterre apprit des Français, des meilleurs, des plus sensibles, *des vrais amis de la liberté,* que la France était un pays indigne de la liberté, un peuple étourdi, violent, qui, par faiblesse de tête, tournait aisément au crime. Enfants brutaux, malfaisants, qui gâtent et brisent ce qu'ils touchent... Ils briseraient le monde vraiment, si la sage Angleterre n'était là pour les châtier.

La partie n'était pas égale dans ce procès devant le monde, entre la Révolution et ses accusateurs anglo-français. Eux, ils montraient des désordres trop visibles. Et la Révolution montrait ce qu'on ne voyait pas encore, la persévérante trahison de ses ennemis, l'entente cordiale, intime, des Tuileries, de l'émigration, de l'étranger, l'accord des traîtres du dedans, du dehors. On niait, on jurait, on prenait le ciel à témoin. Soupçonner ainsi, calomnier, ah ! quelle injustice !... Ces innocents qui protestaient sont venus, en 1815, dire bien haut qu'ils étaient coupables, se vanter et tendre la main.

Oui, nous pouvons aujourd'hui, sur leur témoignage même, affirmer avec sûreté : les Necker, les Lally, furent des simples, des niais, quand ils garantirent ce que le temps a si violemment démenti... Des niais, mais dans cette niaiserie, il y avait corruption ; ces têtes faibles et vaniteuses avaient été tournées par leurs désappointements, corrompues par les caresses, les flatteries, la funeste amitié des ennemis de la France.

La France révolutionnaire, qu'on a crue si violente, fut patiente, en vérité. Partout dans Paris, rue Saint-Jacques, rue de la Harpe, on imprimait, on étalait les livres des traîtres, d'un Calonne, par exemple, admirablement exécutés aux frais de la Cour, le livre furieux, immonde de Burke, aussi violent que ceux de Marat, et si l'on songe aux résultats, bien autrement homicide !

Ce livre, si furieux que l'auteur oublie à chaque page ce qu'il vient de dire dans l'autre, s'enferrant lui-même à l'aveugle dans ses propres raisonnements, me rappelle à tout moment la fin de Mirabeau-Tonneau, qui mourut de sa violence, se jetant les yeux fermés sur l'épée d'un officier qu'il forçait de se mettre en garde.

L'excès de la fureur, qui souffre de n'en pouvoir dire assez, jette à chaque instant l'auteur dans ces basses bouffonneries qui avilissent le bouffon : « Nous n'avons pas été, nous autres Anglais, vidés, recousus, empaillés, comme les oiseaux d'un musée, de paille ou chiffons, de sales rognures de papier qu'ils appellent les Droits de l'Homme. » Et ailleurs : « L'Assemblée constituante se compose de procureurs de village. Ils ne pouvaient manquer de faire une constitution litigieuse, qui donne nombre de bons coups à faire... »

J'ai cherché, avec une simplicité dont j'ai honte maintenant, s'il y avait quelque doctrine. Rien qu'injure et contradiction. Il dit dans la même page : «Le gouvernement est une œuvre de sagesse *humaine.*» Et quelques lignes plus bas : «Il faut que l'homme soit borné par quelque chose *hors de l'homme.*» donc! un ange, un dieu, un pape? Revenez donc alors aux merveilleux gouvernements du Moyen Age, aux politiques de miracle.

Le plus amusant dans Burke, c'est son éloge des moines. Il ne tarit pas là-dessus. Elève de Saint-Omer, converti pour arriver, il semble se rappeler (un peu tard) ses bons maîtres les Jésuites. La protestante Angleterre a le cœur attendri pour eux, par sa haine contre nous. La Révolution a du bon, puisqu'elle rapproche et met d'accord de si anciens ennemis. M. Pitt irait à la messe. Tous ensemble, Anglais et moines, se mettent à l'unisson, dès qu'il s'agit de dire pour la France les vêpres sanglantes, et chantent au même lutrin.

Pitt avoua le livre de Burke. Il voulut créer une brèche éternelle entre les deux peuples, élargir, creuser le détroit.

La haine des Anglais pour la France avait été jusque-là un sentiment instinctif, capricieux, variable. Elle fut dès lors l'objet d'une culture systématique qui réussit à merveille. Elle grandit, elle fleurit.

Le fonds était bien préparé. Sismondi (nullement défavorable aux Anglais et qui s'est marié chez eux) fait cette remarque très juste sur leur histoire au XVIIIe siècle. Ils étaient d'autant plus belliqueux qu'ils ne faisaient jamais la guerre. Ils ne la faisaient du moins ni par eux-mêmes, ni chez eux. Ils se croyaient inattaquables ; de là, une sécurité d'égoïsme qui leur endurcissait le cœur, les rendait violents, insolents, irritables pour tout ce qui résistait. Le châtiment de cette disposition haineuse fut le progrès de la haine, la triste facilité avec laquelle ils se laissèrent mener par leurs grands, leurs riches, à toutes les folies que la haine inspire. Les bonnes qualités de ce peuple, laborieux, sérieux, concentré, tournèrent toutes au mal.

Une vertu inconnue au continent, et qui a, il faut le dire, servi souvent beaucoup leurs hommes, les Pitt, les Nelson et autres, la *doggedness,* ainsi tournée, fut une sorte de rage mue, cette fureur sans cause du bouledogue, qui mord sans savoir ce qu'il mord et qui ne lâche jamais.

Pour moi ce triste spectacle ne m'inspire pas haine pour haine. Non, plutôt pitié !... Peuple frère, peuple qui fut celui de Newton et de Shakespeare, qui n'aurait pitié de vous voir tomber à cette crédulité basse, à cette lâche déférence pour nos ennemis communs, les aristocrates, jusqu'à prendre au mot, recevoir avec respect, confiance, tout ce que le nobleman, le gentleman, le lord, vous a dit contre des gens dont la cause était la vôtre?... Votre misérable prévention pour ceux qui vous foulent aux pieds, elle nous fait bien du mal ; vous, elle vous a perdus.

Ah ! vous ne saurez jamais ce que fut pour vous le cœur de la France !... Lorsqu'en mai 90, un de nos députés, parlant de l'Angleterre, s'avisa de dire : « Notre rivale, notre ennemie », ce fut dans l'Assemblée un murmure universel. On faillit abandonner l'Espagne plutôt que de se montrer défiant pour nos amis les Anglais.

Tout cela en 90, pendant que le Ministère anglais et l'opposition réunis lançaient le livre de Burke.

L'effet de cette pauvre déclamation fut immense sur les Anglais. Les clubs qui s'étaient formés à Londres pour soutenir les principes de notre Révolution furent en grande partie dissous. Le libéral lord Stanhope effaça son nom de leurs livres (novembre 90). Des publications nombreuses, habilement dirigées, multipliées à l'infini, vendues à vil prix dans le peuple, le tournèrent si bien que, au 14 juillet 1791, une réunion d'Anglais célébrant à Birmingham l'anniversaire de la Bastille, la populace furieuse alla saccager, briser, brûler les meubles, la maison de Priestley, son laboratoire de chimie. Il quitta ce pays ingrat et passa en Amérique.

Voilà la fête qu'on faisait en Angleterre à l'ami de la France.

Et voici, la même année, celle qu'on faisait en France aux Anglais.

En décembre 91, nos Jacobins, présidés alors par les Girondins Insnard et Lasource, décidèrent que les trois drapeaux de la France, de l'Angleterre et des États-Unis seraient suspendus aux voûtes de leur salle, et les bustes de Price et de Sidney, placés à côtés de ceux de Jean-Jacques, Mirabeau, Mably et Franklin.

On donna la place d'honneur à un Anglais, député des clubs de Londres. Les félicitations les plus tendres lui furent adressées, parmi les vœux de paix éternelle. Mais l'union eût semblé imparfaite si nos mères, nos femmes, les médiatrices du cœur, ne fussent venues marier les nations, et leur mettre la main dans la main. Elles apportèrent un gage touchant, leur propre travail; elles avaient elles-mêmes et leurs filles tissé pour l'Anglais trois drapeaux, le bonnet de la liberté, la cocarde tricolore. Tout cela, mis ensemble dans une arche d'alliance, avec la Constitution, la nouvelle carte de France, des fruits de la terre de France, des épis de blé.

CHAPITRE III

Massacre de Nancy (31 août 1790)

Le Prêtre et l'Anglais ont été la tentation de la France — Entente des royalistes et des constitutionnels — Le roi de la bourgeoisie, M. de La Fayette, un Anglo-Américain — Agitation de l'armée — Irritation des officiers et des soldats — Persécutions du régiment vaudois de Châteauvieux — La Fayette, sûr de l'Assemblée et des Jacobins, s'entend avec Bouillé, l'autorise à frapper un coup — On provoque les soldats (26 août 1790) — Bouillé marche sur Nancy, refuse toute condition, et donne lieu au combat (31 août) — Massacre des Vaudois abandonnés — Le reste supplicié ou envoyé aux galères — Le roi et l'Assemblée remercient Bouillé — Loustalot en meurt (septembre).

L'obstacle général dans notre Révolution, comme dans toutes les autres, fut l'égoïsme et la peur. Mais l'obstacle spécial qui caractérise historiquement la nôtre, c'est la haine persévérante dont l'ont poursuivie par toute la terre le Prêtre et l'Anglais.

Haine funeste dans la guerre, plus fatale dans la paix, meurtrière dans l'amitié. Nous le sentons aujourd'hui.

Ils ont été pour nous, non la persécution seulement, mais, ce qui est plus destructif, la tentation.

A la foule simple et crédule, à la femme, au paysan, le prêtre a donné l'opinion du Moyen Age, plein de trouble et de mauvais songes. Le bourgeois a bu l'opium anglais, avec tous ses ingrédients d'égoïsme, bien-être, confort, liberté sans sacrifice ; une liberté qui résulterait d'un équilibre mécanique, sans que l'âme y fût pour rien, la monarchie sans vertu, comme l'explique Montesquieu ; *garantir* sans améliorer, *garantir* surtout l'égoïsme.

Voilà la tentation.

Quant à la persécution, c'est cette histoire tout entière qui doit la conter. Elle commence par une éruption de pamphlets, des deux côtés du détroit, par les faussetés imprimées. Elle continuera tout à l'heure par une émission, non moins effroyable, de faussetés d'un autre genre, fausses monnaies, faux assignats. Nul mystère. La grande manufacture est publique à Birmingham.

Cette nuée de mensonges, de calomnies, d'absurdes accusations, comme une armée d'insectes immondes que le vent pousse en été, eut ce résultat, d'abord d'attacher des millions de mouches piquantes aux flancs de la Révolution, pour la rendre furieuse et folle ; puis d'obscurcir la lumière, de cacher si bien le jour que plusieurs qu'on avait crus clairvoyants tâtonnaient en plein midi.

Les faibles, qui jusque-là allaient d'élan, de sentiment, sans principes, perdirent la voie et se mirent à demander : « Où sommes-nous ? où allons-nous ? » Le boutiquier commença à douter d'une révolution qui faisait émigrer les acheteurs. Le bourgeois routinier, casanier, forcé à toute minute de quitter la case, au roulement du tambour, était excédé, irrité, « voulait en finir ». Tout à fait semblable en cela à Louis XVI, il eût sacrifié un intérêt, un trône, s'il eût fallu, plutôt que ses habitudes.

Cet état d'irritation, ce besoin de repos, de paix à tout prix, mena très loin la bourgeoisie, et M. de La Fayette, le roi de la bourgeoisie, jusqu'à une méprise sanglante qui eut sur la suite des événements une influence incalculable.

On ne quitte pas aisément ses idées, ses préjugés, ses habitudes de caste. M. de La Fayette, soulevé quelque temps au-dessus de lui-même par le mouvement de la Révolution, redevenait peu à peu le marquis de La Fayette. Il voulait plaire à la reine, et la ramener ; il voulait complaire aussi, on ne peut guère en douter, à Mme de La Fayette, femme excellente, mais dévote, livrée comme telle aux idées rétrogrades, et qui fit toujours dire la messe dans sa chapelle par un prêtre non assermenté. A ces influences intimes de la famille, ajoutez sa parenté tout aristocratique, son cousin M. de Bouillé, ses amis, tous grands seigneurs, enfin, son état-major, mêlé de noblesse et d'aristocratie bourgeoise. Sous une apparence ferme et froide, il n'en était pas moins gagné, changé à la longue, par cet entourage contre-révolutionnaire. Une meilleure tête n'y eût pas tenu. La Fédération du Champ-de-Mars mit le comble à l'enivrement. Une foule de ces braves gens qui avaient tant entendu parler de La Fayette dans leurs provinces, et qui avaient enfin le bonheur de le voir, donnèrent le spectacle le plus ridicule ; ils l'adoraient à la lettre, lui baisaient les mains, les bottes.

Rien de plus sensible qu'un dieu, de plus irritable ; et la situation elle-même était éminemment irritante. Elle était pleine de contrastes, d'alternatives violentes. Le dieu était obligé, dans les hasards de l'émeute, de se faire commissaire de police, gendarme au besoin : une fois, il lui arriva, n'obtenant nulle obéissance, d'arrêter un homme de sa main et de le mener en prison.

La grande et souveraine autorité qui eût encouragé La Fayette et l'eût soutenu dans ces épreuves, était celle de Washington. Elle lui manqua entièrement. Washington était, comme on sait, le chef du parti qui voulait fortifier en Amérique l'unité du gouvernement. Le chef du parti contraire, Jefferson, avait fort encouragé l'élan de notre Révolution. Washington, malgré son extrême discrétion, ne cachait pas à La Fayette son désir qu'il pût enrayer. Les Américains, sauvés par la France, et craignant d'être menés par elle trop loin contre les Anglais, avaient trouvé prudent de concentrer leur reconnaissance sur des individus, La Fayette, Louis XVI. Peu comprirent notre situation, beaucoup furent du parti du roi contre la France. Une chose d'ailleurs les refroidit, à quoi nous n'avions point songé, mais qui blessait leur commerce, une décision de l'Assemblée sur les tabacs et les huiles.

Les Américains, si fermes contre l'Angleterre en toute affaire d'intérêts, sont faibles et partiaux pour elle dans les questions d'idées. La littérature anglaise est toujours leur littérature. La cruelle guerre de presse que nous faisaient les Anglais influa sur les Américains, et par eux sur La Fayette. Du moins ils ne le soutinrent pas dans ses primitives aspirations républicaines. Il ajourna ce haut idéal, et se rabattit, au moins provisoirement, aux idées anglaises, à un certain éclectisme bâtard anglo-américain. Lui-même, Américain d'idées, était Anglais de culture, un peu même de figure et d'aspect.

Pour ce provisoire anglais, pour ce système de royauté démocratique ou *démocratie royale,* qui, disait-il, n'était bon que pour une vingtaine d'années, il fit une chose décisive, qui parut arrêter la Révolution, et qui la précipita.

Reprenons les précédents.

Dès l'hiver de 90, l'armée fut travaillée de deux côtés à la fois, d'un côté par les sociétés patriotiques, de l'autre par la Cour, par les officiers qui essayèrent, comme on a vu, de persuader aux soldats qu'ils avaient été insultés dans l'Assemblée nationale.

En février, l'Assemblée augmenta la solde de quelques deniers. En mai, le soldat n'avait rien reçu encore de cette augmentation ; elle devint entièrement insignifiante, étant employée presque entièrement à une imperceptible augmentation des rations de pain.

Long retard et résultat nul. Les soldats se crurent volés. Dès longtemps, ils accusaient d'indélicatesse des officiers, qui ne rendaient aucun compte des caisses des régiments. Ce qui est sûr, c'est que les officiers étaient tout au moins des comptables très négligents, très distraits, ennemis des écritures, nullement calculateurs. Dans les dernières années surtout, dans la langueur universelle de la vieille administration, la comptabilité militaire semble n'avoir plus existé. Pour citer un régiment, M. du Châtelet, colonel du régiment du roi, étant à la fois comptable et inspecteur, ne comptait ni n'inspectait.

« Les soldats, dit M. de Bouillé, formèrent des comités, choisirent des députés, qui réclamèrent auprès de leurs supérieurs, d'abord avec assez de modération, des retenues qui avaient été faites... *Leurs réclamations étaient justes,* on y fit droit. » Il ajoute qu'alors, ils en firent d'injustes et d'*exorbitantes*. Qu'en sait-il ? avec une comptabilité tellement irrégulière, qui pouvait faire le calcul ?

Brest et Nancy furent le théâtre principal de cette étrange dispute, où l'officier, le noble, le gentilhomme, était accusé comme escroc.

Les officiers récriminèrent violemment, cruellement. Forts de leur position de chefs, et de leur supériorité dans l'escrime, ils n'épargnèrent aucune insolence au soldat, au bourgeois, ami du soldat. Ils ne se battaient pas contre le soldat, mais ils lui lançaient des maîtres d'armes, des spadassins payés, qui, sûrs de leurs coups, le mettaient en demeure ou de se livrer à une mort certaine, ou de reculer, de saigner du nez, de devenir ridicule. On en trouva un à Metz, qui, déguisé par les officiers, payé par eux à tant par tête, s'en allait le soir, tantôt en garde national, tantôt en bourgeois, insulter, blesser ou tuer. Et qui refusait de passer par cette épée infaillible était, le lendemain matin, proclamé, moqué au quartier, un sujet de passe-temps et de gorge chaude.

Les soldats finirent par saisir le drôle, le reconnaître, lui faire nommer les officiers qui lui prêtaient des habits. On ne lui fit pas de mal, on le chassa seulement avec un bonnet de papier, et son nom : Iscariote.

Les officiers découverts passèrent la frontière, et entrèrent, comme tant d'autres, dans les corps que l'Autriche dirigeait vers le Brabant.

Ainsi s'opérait la division naturelle : le soldat se rapprochait du peuple, l'officier de l'étranger.

Les fédérations furent une occasion nouvelle où la division éclata. Les officiers n'y parurent pas.

Ils se démasquèrent encore quand on exigea le serment. Imposé par l'Assemblée, retardé, prêté à contrecœur, par plusieurs avec une légèreté dérisoire, il ne fit qu'ajouter le mépris à la haine que le soldat avait pour ses chefs. Ils en restèrent avilis.

Voilà l'état de l'armée, sa guerre intérieure. Et la guerre extérieure est proche. La nouvelle éclate en juillet que le roi accorde passage aux Autrichiens qui vont étouffer la révolution des Pays-Bas. Le passage ? ou le séjour ?... qui sait s'ils ne resteront pas, si le beau-frère Léopold ne logera pas fraternellement à Mézières ou à Givet ?... La population des Ardennes, ne se fiant nullement à une armée si divisée, à Bouillé qui la commandait, voulut se défendre elle-même. Trente mille gardes nationaux s'ébranlèrent ; ils marchaient aux Autrichiens, lorsqu'on sut que l'Assemblée nationale avait refusé le passage.

Les officiers, au contraire, ne cachaient nullement devant les soldats la joie que leur inspirait l'armée étrangère. Quelqu'un demandant si réellement les Autrichiens arrivaient : « Oui, dit un officier, ils viennent, et c'est pour vous châtier. »

Cependant les duels continuaient, augmentaient et d'une manière effrayante. On les employait, comme à Lille, à l'épuration de l'armée. On profitait des disputes, des vaines rivalités qui s'élèvent entre les corps, souvent sans qu'on sache pourquoi. A Nancy, ils allaient se battre, quinze cents contre quinze cents ; un soldat se jeta entre eux, les força de s'expliquer, leur fit remettre l'épée au fourreau.

On donnait des congés en foule (à l'approche de l'ennemi !) ; beaucoup de soldats étaient renvoyés, et d'une manière infamante, avec des cartouches jaunes.

Les choses en étaient là, lorsque le régiment du roi, qui était à Nancy avec deux autres (Mestre-de-Camp et Châteauvieux, un régiment suisse), s'avisa de demander ses comptes aux officiers, et se fit payer par eux. Cela tenta Châteauvieux. Le 5 août, il envoya deux soldats au régiment du roi, pour demander des renseignements sur l'examen des comptes. Ces pauvres Suisses se croyaient Français, voulaient faire comme les Français ; on leur rappela cruellement qu'ils étaient Suisses. Leurs officiers, aux termes des capitulations, étaient leurs juges suprêmes, à la vie et à la mort. Officiers, juges, seigneurs et maîtres, les uns, patriciens des villes souveraines de Berne et Fribourg ; les autres, seigneurs féodaux de Vaud et autres pays sujets qui rendaient à leurs vassaux ce qu'ils recevaient en mépris de Berne. La démarche de leurs soldats leur parut trois fois coupable ; soldats, sujets et vassaux, ils ne pouvaient jamais être assez cruellement punis. Les deux envoyés furent en pleine parade fouettés honteusement, passés par les courroies. Les officiers français regardaient et admiraient ; ils complimentèrent les officiers suisses pour leur inhumanité.

Ils n'avaient pas calculé comment l'armée prendrait la chose. L'émotion fut violente. Les Français sentirent tous les coups qui frappaient les Suisses.

Ce régiment de Châteauvieux était et méritait d'être cher à l'armée, à la France. C'est lui qui, le 14 juillet 89, campé au Champ-de-Mars, lorsque les Parisiens allèrent prendre des armes aux Invalides, déclara que jamais il ne tirerait sur le peuple. Son refus, évidemment, paralysa Besenval, laissa Paris libre et maître de marcher sur la Bastille.

Il ne faut pas s'en étonner. Les Suisses de Châteauvieux n'étaient pas de la Suisse allemande, mais des hommes du pays de Vaud, des campagnes de Lausanne et de Genève. Quoi de plus Français au monde ?

Hommes de Vaud, hommes de Genève et de Savoie, nous vous avions donné Calvin, vous nous avez donné Rousseau. Que ceci soit entre nous un sceau d'alliance éternelle. Vous vous êtes déclarés nos frères au premier matin de notre premier jour, au moment vraiment redoutable où personne ne pouvait prévoir la victoire de la liberté.

Les Français allèrent prendre les deux Suisses battus le matin, les vêtirent de leurs habits, les coiffèrent de leurs bonnets, les promenèrent par la ville, et forcèrent les officiers suisses à leur compter à chacun cent louis d'indemnité.

La révolte ne fut d'abord qu'une explosion de bon cœur, d'équité, de patriotisme ; mais, le premier pas franchi, les officiers ayant été une fois menacés, contraints de payer, d'autres violences suivirent.

Les officiers, au lieu de laisser les caisses des régiments au quartier où elles devaient être d'après les règlements, les avaient placées chez le trésorier, et disaient outrageusement qu'ils les feraient garder par la maréchaussée, comme contre les voleurs. Les soldats, par représailles, dirent qu'ils craignaient que les officiers n'emportassent la caisse en passant à l'ennemi. Ils la remirent au quartier. Elle était à peu près vide. Nouveau sujet d'accusation. Les soldats se firent donner, à compte sur ce qu'on leur devait, des sommes avec lesquelles les Français régalèrent les Suisses, et les Suisses les Français, puis les pauvres de la ville.

Ces orgies militaires n'entraînèrent nul désordre grave, si nous en croyons le témoignage des gardes nationaux de Nancy à l'Assemblée. Cependant elles avaient quelque chose d'alarmant. La situation demandait évidemment un prompt remède.

Ni l'Assemblée ni La Fayette ne comprirent ce qu'il y avait à faire.

Ce qu'il eût fallu voir d'abord, c'est que les règles ordinaires n'étaient nullement applicables. L'armée n'était pas une armée. Il y avait là deux peuples en face, deux peuples ennemis, les nobles et les non-nobles. Ces derniers, les non-nobles, les soldats, avaient vaincu par la Révolution ; c'est pour eux qu'elle s'était faite. Croire que les vainqueurs continueraient d'obéir aux vaincus, qui les insultaient d'ailleurs, c'était une chose insensée. Beaucoup d'officiers avaient déjà passé à l'ennemi ; ceux qui restaient avaient différé, décliné le serment civique. Il était réellement douteux que l'armée pût obéir sans périls aux amis de l'ennemi.

Une seule chose était raisonnable, praticable, celle que conseillait Mirabeau : dissoudre l'armée, la recomposer. La guerre n'était pas assez imminente pour qu'on n'eût le temps de faire cette opération. L'obstacle, le grave obstacle, c'est que les puissants de l'époque. Mirabeau lui-même, La Fayette, les Lameth, tous ces révolutionnaires gentilshommes, n'auraient guère nommé officiers que des gentilshommes. Le préjugé, la tradition étaient trop forts en faveur de ceux-ci : on n'attribuait aucun esprit militaire aux classes inférieures ; on ne devinait nullement la foule de vrais nobles qui se trouvaient dans le peuple.

Ce fut La Fayette qui, par son ami, le député Emmery, poussa l'Assemblée aux mesures fausses et violentes qu'elle prit contre l'armée, se faisant partie, et non juge — partie, au profit de qui ? de la contre-Révolution.

Le 6 août, La Fayette fit proposer par Emmery, décréter par l'Assemblée, que, pour vérifier les comptes tenus par les officiers, le roi nommerait des inspecteurs *choisis parmi les officiers,* qu'on n'infligerait aux soldats de congés infamants qu'après un jugement selon les formes anciennes, c'est-à-dire *porté par les officiers.* Le soldat avait son recours au roi, c'est-à-dire au ministre (officier lui-même), ou bien à l'Assemblée nationale, qui apparemment allait quitter ses travaux immenses pour se faire juge des soldats.

Ce décret n'était qu'une arme qu'on se ménageait. On avait hâte de *frapper un coup.* Rendu le 6, il fut sanctionné le 7 par le roi. Le 8, M. de La Fayette écrivit à M. de Bouillé, qui devait *frapper le coup.* C'est le mot même dont il se sert, qu'il répète plusieurs fois.

M. de La Fayette n'était nullement sanguinaire. Ce n'est pas son caractère qu'on attaque ici, mais bien son intelligence.

Il s'imaginait que ce coup, violent, mais nécessaire, allait pour jamais rétablir l'ordre. L'ordre rétabli permettrait enfin de faire agir et fonctionner la belle machine constitutionnelle, la *démocratie royale*, qu'il regardait comme son œuvre, aimait et défendait avec l'amour-propre d'auteur.

Et ce premier acte, si utile au gouvernement constitutionnel, allait être accompli par l'ennemi de la Constitution, M. de Bouillé, qui avait différé tant qu'il avait pu de lui prêter serment, et qui lui gardait rancune — par un homme personnellement irrité contre les soldats qui, tout récemment, n'avaient tenu compte de ses ordres, et l'avaient forcé de payer une partie de ce qu'on leur devait. Etait-ce bien là l'homme calme, impartial, désintéressé, à qui l'on pouvait confier une mission de rigueur ? n'était-il pas à craindre qu'elle ne fût l'occasion d'une vengeance personnelle ?

M. de Bouillé dit lui-même qu'il avait un plan secret : laisser se désorganiser la plus grande partie de l'armée, tenir à part, et sous une main ferme, quelques corps, surtout étrangers. Il est clair qu'avec ces derniers on pourrait accabler les autres.

Pour employer un tel homme en toute sûreté, sans se compromettre, La Fayette s'adressa directement aux Jacobins. Il effraya leurs chefs du péril d'une vaste insurrection militaire. Chose curieuse ! les députés jacobins, dont les émissaires n'avaient pas peu contribué à soulever le soldat, n'en votèrent pas moins contre lui à l'Assemblée nationale. Tous les décrets répressifs furent votés *à l'unanimité.*

La Cour fut tellement enhardie qu'elle ne craignit pas de confier à Bouillé le commandement des troupes sur toute la frontière de l'Est, depuis la Suisse jusqu'à la Sambre. Ces troupes, il est vrai, n'étaient guère sûres. Il ne pouvait bien compter que sur vingt bataillons d'infanterie (allemands ou suisses) ; mais il avait beaucoup de cavalerie, vingt-sept escadrons de hussards allemands et trente-trois escadrons de cavalerie française. De plus, ordre à tous les corps administratifs de l'aider de toute façon, de l'appuyer, spécialement par la garde nationale. M. de La Fayette, pour mieux assurer la chose, écrivit *fraternellement* à ces gardes nationales, et leur envoya deux de ses aides de camp ; l'un se fit aide de camp de Bouillé ; l'autre travailla d'une part à endormir la garnison de Nancy, d'autre part à rassembler les gardes nationales qu'on voulait mener contre elle.

Bouillé, qui nous explique lui-même son plan de campagne, laisse entrevoir beaucoup de choses lorsqu'il avoue : « Qu'il voulait, par Montmédy, s'assurer une communication avec Luxembourg et l'étranger. »

Dans sa lettre du 8 août, La Fayette disait à Bouillé que, pour inspecteur des comptes, on enverrait à Nancy un officier, M. de Malseigne, qu'on faisait venir tout exprès de Besançon. C'était un choix fort menaçant. Malseigne passait pour être le « premier crâne de l'armée », un homme fort brave, de première force pour l'escrime, très fougueux, très provocant. Etrange vérificateur ! il y avait bien à croire qu'il solderait en coups d'épée. Notez qu'on l'envoyait seul, comme pour signifier un défi.

Cependant, les soldats avaient écrit à l'Assemblée nationale ; la lettre fut interceptée. Ils envoyèrent quelques-uns des leurs pour en porter une seconde, et La Fayette fit arrêter et la lettre et les porteurs, dès qu'ils arrivèrent à Paris.

Au contraire, on présenta à l'Assemblée, on lui lut l'accusation portée contre les soldats par la Municipalité de Nancy, toute dévouée aux officiers. Emmery soutint hardiment que l'affaire de Châteauvieux (du 5 et 6 août) avait eu lieu *après qu'on eut proclamé* le décret de l'Assemblée qu'elle avait rendu le 6. Cette affaire, exposée ainsi, sans faire mention de sa date, semblait une violation du décret, non violé, puisqu'il était inconnu à Nancy, et qu'il fut fait à Paris le même jour. De même, on présenta aussi comme violant le décret du 6 une insurrection des soldats de Metz qui avait eu lieu plusieurs jours avant le 6.

Au moyen de cette exposition artificieuse et mensongère, on tira de l'Assemblée un décret passionné, indigné, qui avait déjà le caractère d'une condamnation des soldats ; ils devaient, d'après ce décret, déclarer aux chefs leur erreur et leur repentir, même par écrit, s'ils l'exigeaient, c'est-à-dire remettre à leur adverse partie des preuves écrites contre eux. Décrété à l'unanimité. Nulle observation : « Tout presse, tout brûle, dit Emmery : il y a péril dans le plus léger retard. »

Le 26, Malseigne arrive à Nancy, armé du décret. L'ordre y était rétabli ; Malseigne trouble, irrite, embrouille. Au lieu de vérifier, il commence par injurier. Au lieu de s'établir pacifiquement à l'Hôtel de Ville, il s'en va au quartier des Suisses, et refuse de leur faire droit pour ce qu'ils réclamaient des chefs. « Jugez-nous », lui criaient-ils. Il veut sortir, on l'en empêche. Alors il recule trois pas, tire l'épée, blesse plusieurs hommes. L'épée casse ; il en saisit une autre, et sort, sans trop se presser, à travers cette foule furieuse, qui pourtant respecte ses jours.

On avait ce qu'on voulait, une belle provocation, tout ce qui pouvait paraître une violation, un mépris des décrets de l'Assemblée. Les Suisses étaient compromis de la manière la plus terrible. Bouillé, pour leur donner lieu d'aggraver leur faute, leur fit ordonner de sortir de Nancy ; sortir, c'était se livrer, non à Bouillé seulement, mais à leurs chefs, à leurs juges, ou plutôt à leurs bourreaux ; ils savaient parfaitement les supplices effroyables que leur gardaient les officiers ; ils ne sortirent point de la ville.

Bouillé n'avait plus qu'à agir. Il choisit, rassembla trois mille hommes d'infanterie, quatorze cents cavaliers, tous ou presque tous Allemands. Pour donner un air un peu plus national à cette armée d'étrangers, les aides de camp de La Fayette couraient la campagne et tâchaient d'entraîner les gardes nationaux. Ils en amenèrent sept cents, aristocrates ou fayettistes, qui suivirent Bouillé, et se montrèrent très violents, très furieux. Mais la masse des gardes nationaux, environ deux mille, ne se laissèrent pas tromper ; ils comprirent parfaitement que le côté de Bouillé ne pouvait pas être celui de la Révolution ; ils se jetèrent dans Nancy.

Les carabiniers de Lunéville, où s'était réfugié Malseigne, ne se soucièrent pas non plus de participer à l'exécution sanglante que l'on préparait. Eux-mêmes livrèrent Malseigne à leurs camarades ; ce foudre de guerre fit son entrée à Nancy en pantoufles, robe de chambre et bonnet de nuit.

Bouillé tint une conduite étrange. Il écrit à l'Assemblée qu'il la prie de lui envoyer deux députés, qui puissent l'aider à arranger les choses. Et, le même jour, sans attendre, il part pour les arranger lui-même à coups de canon.

Le 31 août, le jour même où le massacre se fit, on lisait à l'Assemblée cette lettre pacifique. Emmery et La Fayette essayaient de faire décréter « que l'Assemblée approuve ce que Bouillé fait et fera ».

Une députation de la garde nationale de Nancy se trouva là heureusement pour protester, et Barnave proposa, fit adopter une proclamation ferme et paternelle, où l'Assemblée promettait de juger impartialement... Juger ! c'était un peu tard ! L'une des parties n'était plus.

Bouillé, parti de Metz le 28, le 29 de Toul, était le 31 fort près de Nancy. Trois députations de la ville, à onze heures, à trois, à quatre, vinrent au-devant de lui, et lui demandèrent ses conditions. Les députés étaient des soldats et des gardes nationaux (Bouillé dit de la populace, parce qu'ils n'avaient pas d'uniformes) ; ils avaient mis à leur tête des municipaux, tout tremblants, qui, arrivés près de Bouillé, ne voulurent pas retourner, et restèrent avec lui, l'autorisant encore par leur présence, par la crainte qu'ils témoignaient de revenir à Nancy. Les conditions du général étaient de n'en faire aucune, d'exiger d'abord que les régiments sortissent, remissent leur otage Malseigne, et *livrassent* chacun quatre de leurs camarades ; cela était dur, déshonorant pour des Français, mais horrible pour les Suisses, qui savaient parfaitement qu'ils n'iraient jamais au jugement de l'Assemblée, qu'en vertu des capitulations, leurs chefs les réclameraient pour être pendus, roués vifs, ou mourir sous le bâton.

Les deux régiments français (du roi et Mestre-de-Camp) se soumirent, rendirent Malseigne, commencèrent à sortir de la ville. Resta le pauvre Châteauvieux, dans son petit nombre, deux bataillons seulement ; quelques-uns des nôtres pourtant rougirent de l'abandonner ; beaucoup de vaillants gardes nationaux de la banlieue de Nancy vinrent aussi, par un instinct généreux, se ranger auprès des Suisses, pour partager leur sort. Tous ensemble ils occupèrent la porte de Stainville, la seule qui fût fortifiée.

Si Bouillé eût voulu épargner le sang, il n'avait qu'une chose à faire : s'arrêter un peu à distance, attendre que les régiments français fussent sortis, puis faire entrer quelques troupes par les autres portes, et placer ainsi les Suisses entre deux feux ; il les aurait eus sans combat.

Mais alors, où était la gloire ? Où était *le coup imposant* que la Cour et La Fayette avaient attendu de Bouillé ?

Celui-ci raconte lui-même deux choses qui sont contre lui : d'abord, qu'il avança jusqu'à trente pas de la porte, c'est-à-dire qu'il mit en face, en contact, des ennemis, des rivaux, des Suisses et des Suisses, qui ne pouvaient manquer de s'injurier, se provoquer, se renvoyer le nom de traîtres. Deuxièmement, il quitta la tête de la colonne pour parler à des députés qu'il eût pu fort bien faire venir ; son absence eut l'effet naturel qu'on devait attendre : on s'injuria, on cria, enfin on tira.

Ceux de Nancy disent que tout commença par les hussards de Bouillé ; Bouillé accuse les soldats de Châteauvieux. On a peine à comprendre pourtant comment ceux-ci, en si grand danger, s'avisèrent de provoquer. Ils voulaient tirer le canon ; un jeune officier breton, Désilles, aussi hardi qu'obstiné, s'assoit sur la lumière même ; renversé de là, il embrasse le canon, grave incident qui permettait aux gens de Bouillé d'avancer ; on ne put l'arracher du canon qu'à grands coups de baïonnettes.

Bouillé accourt, se rend maître de la porte, lance ses hussards dans la ville, à travers une fusillade très nourrie qui partait de toutes les fenêtres. Ce n'était pas évidemment Châteauvieux seul qui tirait, ni seulement les gardes nationaux de la banlieue, mais la plus grande partie de la population pauvre s'était déclarée pour les Suisses. Cependant les officiers des deux régiments français suivirent l'exemple de Désilles, et avec plus de bonheur ; ils parvinrent à retenir les troupes dans les casernes. Dès lors Bouillé ne pouvait manquer de venir à bout de la ville.

Le soir, l'ordre était rétabli, les régiments français partis, les Suisses de Châteauvieux moitié tués, moitié prisonniers. Ceux qui ne se rendirent pas de suite furent trouvés les jours suivants, égorgés. Trois jours après, on en prit encore un, qu'on coupa en morceaux dans le marché ; dix mille témoins l'ont pu voir.

Après le massacre, la ville eut un spectacle plus affreux encore, un supplice immense. Les officiers suisses ne se contentèrent pas de décimer ce qui restait de leurs soldats, il y eût eu trop peu de victimes ; ils en firent pendre vingt et un. Cette atrocité dura tout un jour ; et, pour couronner la fête, le vingt-deuxième fut roué.

L'ignoble, l'infâme pour nous, c'est que ces Nérons, ayant condamné encore cinquante Suisses aux galères (probablement tout ce qui restait en vie), nous reçûmes ces galériens ; nous eûmes la noble mission de les mener et de les garder à Brest. Ces gens, qui n'avaient pas voulu tirer sur nous le 14 juillet, eurent pour récompense nationale de traîner le boulet en France.

Le même jour, 31 août, nous l'avons dit, l'Assemblée avait fait la promesse pacifique d'une justice impartiale. Antérieurement elle avait voté deux commissaires pacificateurs. Bouillé, qui les demandait, ne les avait pas attendus ; il avait vidé le procès par l'extermination de l'une des deux parties. L'Assemblée apparemment va désapprouver Bouillé !

Au contraire... L'Assemblée, sur la proposition de Mirabeau, remercie solennellement Bouillé, et approuve sa conduite ; on vote des récompenses aux gardes nationaux qui l'ont suivi, aux morts des honneurs funèbres dans le Champ-de-Mars, des pensions à leurs familles.

Louis XVI ne montra point, dans cette occasion, l'horreur du sang qui lui était ordinaire. Le vif désir qu'il avait de voir l'ordre rétabli fit qu'il eut, de *cette affligeante mais nécessaire affaire, une extrême satisfaction.* Il remercia Bouillé de sa bonne conduite, et l'engagea à continuer. « Cette lettre, dit Bouillé, peint la bonté, la sensibilité de son cœur. »

« Ah ! dit l'éloquent Loustalot, ce ne fut pas là le mot d'Auguste, quand, au récit du sang versé, il se battait la tête au mur, et disait : « Varus, rends-moi mes légions ! »

La douleur des patriotes fut grande pour cet événement. Loustalot n'y résista pas. Ce jeune homme, qui, sorti à peine du barreau de Bordeaux, était devenu en deux ans le premier des journalistes, le plus populaire à coup sûr (puisque ses *Révolutions de Paris* se tirèrent quelquefois à deux cent mille exemplaires), Loustalot prouva qu'il était le plus sincère aussi de tous, celui qui portait le plus vivement la liberté au cœur, vivait d'elle, mourait de sa mort. Ce coup lui parut ajourner pour longtemps, pour toujours, l'espérance de la patrie. Il écrivit sa dernière feuille, pleine d'éloquence et de douleur, une douleur mâle, sans larmes, mais d'autant plus âpre, de celles auxquelles on ne survit pas. Quelques jours après le massacre, il mourut, à l'âge de vingt-huit ans.

CHAPITRE IV

Les Jacobins

Danger de la France — L'affaire de Nancy rend la garde nationale suspecte — Nouveaux troubles du Midi — Fédération contre-révolutionnaire de Jalès — Le roi consulte le pape ; il proteste auprès du roi d'Espagne (6 octobre 1790) — Accord de l'Europe contre la Révolution. L'Europe tire une force morale de l'intérêt qu'inspire Louis XVI — Nécessité d'une grande association de surveillance — Origine des

Jacobins, 1789 — Exemple d'une fédération jacobine — Quelles classes recrutaient les Jacobins — Avaient-ils un credo précis ? — En quoi modifiaient-ils l'ancien esprit français ? — Ils formaient un corps de surveillants et accusateurs, une inquisition contre une inquisition — La société de Paris est d'abord une réunion de députés (octobre 1789) — Elle prépare les lois et organise une police révolutionnaire — La Révolution reprend l'offensive (septembre 1790) — Fuite de Necker — Terreur des nobles duellistes — Les Jacobins lui opposent la terreur du peuple — L'hôtel Castries saccagé (13 novembre 1790).

Le massacre de Nancy est une ère vraiment funeste, d'où l'on pourrait dater les premiers commencements des divisions sociales, qui, plus tard, développées avec l'industrialisme, sont devenues de nos jours l'embarras réel de la France, le secret de sa faiblesse, l'espoir de ses ennemis.

L'aristocratie européenne, son grand agent, l'Angleterre, doivent ici remercier leur bonne fortune. La Révolution aura comme un bras lié, un seul bras pour lutter contre elles.

Ce petit combat de Nancy eut les effets d'une grande victoire morale. Il rendit suspectes d'aristocratie les deux forces que venait de créer la Révolution, ses propres municipalités révolutionnaires, sa garde nationale.

On dit, on répéta, on crut, et plusieurs disent encore que la garde nationale avait combattu pour Bouillé. Et cependant, on a vu qu'avec les lettres de La Fayette, avec tous les efforts de ses aides de camp envoyés exprès de Paris, Bouillé ne put ramasser, sur une route assez longue, que sept cents gardes nationaux, des nobles très probablement, leurs fermiers, gardes-chasse, etc. Mais les vrais gardes nationaux, les paysans propriétaires de la banlieue de Nancy, fournissant à eux seuls deux mille hommes, prirent parti pour les soldats, et, malgré l'abandon des deux régiments français, tirèrent sur Bouillé.

Naguère, à la nouvelle que les Autrichiens avaient obtenu le passage, trente mille gardes nationaux s'étaient mis en mouvement.

Chose bizarre. Ce furent surtout les amis de la Révolution qui accréditèrent ce bruit, que la garde nationale avait pris parti pour Bouillé. Leur haine pour La Fayette, pour l'aristocratie bourgeoise qui tendait à se fortifier dans la garde nationale de Paris, leur fit écrire, imprimer, répandre ce que la contre-Révolution voulait faire croire à l'Europe.

La conclusion fut, pour l'Europe, qu'il fallait bien que cette Révolution française fût vraiment une chose exécrable pour que les deux forces qu'elle avait créées, les municipalités, la garde nationale, se tournassent déjà contre elle.

La Fayette armant Bouillé, l'autorité révolutionnaire ne pouvant rétablir l'ordre qu'avec l'épée de la contre-Révolution ! quoi de plus propre à persuader que celle-ci avait la vraie force, qu'elle était le vrai parti social ? Le roi, les prêtres, les nobles, se confirment dans la conviction qu'ils ont de la légitimité de leur cause. Ils s'entendent et se rapprochent ; divisés et impuissants dans la période précédente, ils vont se ralliant dans celle-ci, se fortifiant les uns par les autres.

Les compagnies qu'on croyait mortes relèvent bravement la tête. Le Parlement de Toulouse casse les procédures d'une municipalité contre ceux qui foulaient aux pieds la cocarde tricolore. La cour des Aides donne gain de cause à ceux qui refusaient des paiements en assignats. Les percepteurs n'en veulent point. Les fermiers généraux défendent à leurs gens de les recevoir. Repousser la monnaie de la Révolution, c'est un moyen très simple de la prendre par famine, de lui faire faire banqueroute et la vaincre sans combat.

Mais les fanatiques veulent le combat, tout cela est trop lent pour eux. Ceux de Montauban poursuivent à coups de pierres les patrouilles d'un régiment patriote. Dans l'un des meilleurs départements, celui de l'Ardèche, les agents de l'émigration, des Froment et des Antraigues, organisent un vaste et audacieux complot pour employer les forces de la garde nationale contre elle-même, pour tourner les fédérations à la ruine de l'esprit qui les dicta. On appelle à une fête fédérative, près du Château de Jalès, les gardes nationaux de l'Ardèche, de l'Hérault et de la Lozère, sous prétexte de renouveler le serment civique. Cela fait, la fête finie, le comité fédératif, les maires et les officiers de gardes nationales, les députés de l'armée montent au Château de Jalès, et là, arrêtent que le comité sera permanent, qu'il restera constitué en un corps autorisé, salarié, qu'il sera le point central des gardes nationales, qu'il connaîtra des pétitions de l'armée, qu'il fera rendre les armes aux catholiques de Nîmes, etc. Et tout ceci n'était pas une petite conspiration occulte d'aristocratie. Il y avait une base de fanatisme populaire. Des gardes nationales avaient au chapeau la croix des Confréries du Midi, des bataillons entiers portaient la croix pour bannière. Un certain abbé Labastide, général de ces croisés, ayant cinq gardes du corps pour aides de camp, caracolait sur un cheval blanc, appelant ces paysans à marcher sur Nîmes, à aller délivrer leurs frères captifs, martyrs pour la foi.

L'Assemblée nationale, avertie et alarmée, lança un décret pour dissoudre cette assemblée de Jalès, décret si peu efficace qu'elle durait encore au printemps.

L'idée qui se répandait, s'affermissait dans les esprits, qu'une grande partie de la garde nationale était favorable à la contre-Révolution, dut contribuer plus qu'aucune autre chose à faire sortir le roi de ses irrésolutions, et lui faire faire en octobre deux démarches décisives. Il se trouvait à cette époque irrévocablement fixé sur la question religieuse, celle qui lui tenait le plus au cœur. En juillet, il avait consulté l'évêque de Clermont pour savoir s'il pouvait, sans mettre son âme en péril, sanctionner la constitution du clergé. A la fin d'août, il avait adressé la même question au pape. Quoique le pape n'ait fait aucune réponse ostensible, craignant d'irriter l'Assemblée et de lui faire précipiter la réunion d'Avignon, on ne peut douter qu'il n'ait en septembre fait savoir au roi sa vive improbation des actes de l'Assemblée. Le 6 octobre, Louis XVI envoya au roi d'Espagne, son parent, sa protestation contre tout ce qu'il pourrait être contraint de sanctionner. Il adopta dès lors l'idée de fuite qu'il avait toujours repoussée, non pas d'une fuite pacifique à Rouen, qu'avait conseillée Mirabeau, mais d'une fuite belliqueuse dans l'Est, pour revenir à main armée. Ce projet, celui qu'avait toujours recommandé Breteuil, l'homme de l'Autriche, l'homme de Marie-Antoinette, fut reproduit en octobre par l'évêque de Pamiers, qui le fit agréer du roi, obtint plein pouvoir pour Breteuil de traiter avec les puissances étrangères, et fut renvoyé de Paris pour s'entendre avec Bouillé.

Ces négociations, commencées par l'évêque, furent continuées par M. de Fersen, un Suédois, très personnellement, très tendrement attaché à la reine depuis longues années, qui revint exprès de Suède, et lui fut très dévoué.

L'Espagne, l'empereur, la Suisse répondirent favorablement, promirent des secours.

L'Espagne et l'Angleterre, qui semblaient près de faire la guerre, traitèrent le 27 octobre. L'Autriche ne tarda pas à s'arranger avec les Turcs, la Russie avec la Suède. De sorte qu'en quelques mois l'Europe se trouva réunie d'un côté, et la Révolution était toute seule de l'autre.

Allons avec ordre et méthode. C'est assez de tuer une révolution par an. Celle de Brabant, cette année. Celle de France à l'année prochaine.

Beau spectacle ! L'Europe contre le Brabant, le monde uni, marchant en guerre, la terre tremblant sous les armées... et pour écraser une mouche. Et encore avec toutes ces forces, les braves employaient de surcroît les armes de la perfidie. Les Autrichiens, par Lamarck, ami, agent de la reine, avaient divisé les Belges, amusant leurs *progressistes,* leur donnant espoir de progrès, leur montrant un monde d'or dans le cœur du philanthrope et sensible Léopold. Le jour où Léopold fut sûr de l'Angleterre et de la Prusse, il se moqua d'eux.

Voilà ce qui serait arrivé chez nous aux Mirabeau, aux La Fayette, à ceux qui soutenaient le roi par intérêt, ou par un dévouement de bon cœur et de pitié. Chose grave, et qui faisait le danger le plus profond peut-être de la situation, c'est que la royauté, si cruellement oppressive en Europe, si brutalement tyrannique pour les faibles (naguère à Genève, en Hollande, maintenant à Bruxelles, à Liège), la royauté, dis-je, en même temps intéressait à Paris, elle tirait de Louis XVI et de sa famille une incalculable force de sympathie, de pitié. Ainsi elle allait de l'épée et du poignard, et c'est sur elle qu'on pleurait. La captivité du roi, objet de tous les entretiens chez toutes les nations du monde, y faisait ce qu'il y a de plus rare dans nos Temps modernes, de plus puissant, de plus terrible, une légende populaire ! une légende contre la France. Tout le monde parlait de Louis XVI, et personne ne parlait de la pauvre petite Liège barbarement étouffée par le beau-frère de Louis XVI. Liège, notre avant-garde du Nord, qui jadis pour nous sauver a péri deux ou trois fois, Liège, notre Pologne de Meuse... dédaigneusement écrasée entre ces colosses du Nord, sans que personne y regarde. Mais qu'est-ce donc que le cœur de l'homme, s'il faut qu'il y ait des caprices si injustes dans sa pitié ?...

De quelque côté que je regarde, je vois un immense, un redoutable filet, tendu de partout, du dehors et du dedans. Si la Révolution ne trouve une force énergiquement concentrée d'association, si elle ne se contracte pas dans un violent effort d'elle-même sur elle-même, je crois que nous périssons. Ce ne sont pas les innocentes fédérations, qui mêlaient indistinctement les amis et les ennemis dans l'aveugle élan d'une sensibilité fraternelle, ce ne sont pas elles, ne l'espérons pas, qui nous tireront d'ici.

Il faut des associations tout autrement fortes, il y faut les Jacobins.

Une organisation vaste et forte de surveillance inquiète sur l'autorité, sur ses agents, sur les prêtres et sur les nobles. Les Jacobins ne sont pas la Révolution, mais l'œil de la Révolution, l'œil pour surveiller, la voix pour accuser, le bras pour frapper.

Associations spontanées, naturelles, auxquelles on aurait tort de chercher une origine mystérieuse, ou bien des dogmes cachés. Elles sortirent de la situation même, du besoin le plus impérieux, celui du salut. Elles furent une publique et patente conjuration contre la conspiration, en partie visible, en partie cachée, de l'aristocratie.

Il serait fort injuste pour cette grande association d'en placer l'unique origine, d'en resserrer toute l'histoire dans la société de Paris. Celle-ci, mêlée, plus qu'aucune autre, d'éléments impurs, spécialement d'orléanisme, plus audacieuse aussi, peu scrupuleuse sur le choix des moyens, a souvent poussé ses sœurs, les sociétés de province, qui la suivaient docilement, dans des voies machiavéliques.

Le nom de *société mère*, que l'on emploie trop souvent, ferait croire que toutes les autres furent des colonies envoyées de la rue Saint-Honoré. La société centrale fut *mère* de ses sœurs, mais ce fut par adoption.

Celles-ci naissent d'elles-mêmes. Elles sont toutes ou presque toutes des clubs improvisés dans quelque danger public, quelque vive émotion. Des foules d'hommes alors se rassemblent. Quelques-uns persistent, et, même quand la crise est finie, continuent de se rassembler, de se communiquer leurs craintes, leurs défiances ; ils s'inquiètent, s'informent, écrivent aux villes voisines, à Paris. Ceux-ci, ce sont les Jacobins.

La situation, néanmoins, n'est pas toute dans la formation de ces sociétés. Leur origine tient aussi à une spécialité de caractère. Le Jacobin est une espèce originale et particulière. Beaucoup d'hommes sont nés Jacobins.

Dans l'entraînement général de la France, aux moments de sympathies faciles et crédules, où le peuple sans défiance se jeta dans les bras de ses ennemis, cette classe d'hommes, plus clairvoyante, ou moins sympathique, se tient ferme et défiante. On les voit dans les fédérations, paraître aux fêtes, se mêler à la foule, formant plutôt un corps à part, un bataillon de surveillance, qui, dans l'enthousiasme même, témoigne des périls de la situation.

Quelques-uns firent leur fédération à part, entre eux, à huis clos. Citons un exemple.

Je vois, dans un acte inédit de Rouen, que, le 14 juillet 1790, trois Amis de la Constitution (c'est le nom que prenaient alors les Jacobins) se réunissent chez une dame veuve, personne riche et considérable de la ville ; ils prêtent dans ses mains le serment civique. On croit voir Caton et Marcie dans Lucain : *Junguntur taciti contentique auspice Bruto...* Ils envoient fièrement l'acte de leur fédération à l'Assemblée nationale, qui recevait en même temps celui de la grande fédération de Rouen, où parurent les députés de soixante villes et d'un demi-million d'hommes.

Les trois Jacobins sont un prêtre, aumônier de la Conciergerie, et deux chirurgiens. L'un d'eux a amené son frère, imprimeur du roi à Rouen. Ajoutez deux enfants, neveu et nièce de la dame, et deux femmes, peut-être de sa clientèle ou de sa maison. Tous les huit jurent dans les mains de cette Cornélie, qui, seule ensuite, fait serment.

Petite société, mais complète, ce semble. La dame (veuve d'un négociant ou armateur) représente les grandes fortunes commerciales. L'imprimeur, c'est l'industrie. Les chirurgiens, ce sont les capacités, les talents, l'expérience. Le prêtre, c'est la Révolution même ; il ne sera pas longtemps prêtre : c'est lui qui écrit l'acte, le copie, le notifie à l'Assemblée nationale. Il est l'agent de l'affaire, comme la dame en est le centre. Par lui, cette société est complète, quoiqu'on n'y voie pas le personnage qui est la cheville ouvrière de toute société semblable, l'avocat, le procureur. Prêtre du Palais de Justice, de la Conciergerie, aumônier de prisonniers, confesseur de suppliciés, hier dépendant du Parlement, Jacobin aujourd'hui et se notifiant tel à l'Assemblée nationale, pour l'audace et l'activité, celui-ci vaut trois avocats.

Qu'une dame soit le centre de la petite société, il ne faut pas s'en étonner. Beaucoup de femmes entraient dans ces associations, des femmes fort sérieuses, avec toute la ferveur de leurs cœurs de femmes, une ardeur aveugle, confuse, d'affections et d'idées, l'esprit de prosélytisme, toutes les passions du Moyen Age au service de la foi nouvelle. Celle dont nous parlons ici avait été sérieusement éprouvée ; c'était une dame juive qui vit se convertir toute sa famille, et resta israélite ; ayant perdu son mari, puis son enfant (par un accident affreux), elle semblait, en place de tout, adopter la Révolution. Riche et seule, elle a dû être facilement conduite par ses amis, je le suppose, à donner des gages au nouveau système, à y embarquer sa fortune par l'acquisition des biens nationaux.

Pourquoi cette petite société fait-elle sa fédération à part ? C'est que Rouen en général lui semble trop aristocrate, c'est que la grande fédération des soixante villes qui s'y réunissent, avec ses chefs, MM. d'Estouteville, d'Herbouville, de Sévrac, etc., cette fédération, mêlée de noblesse, ne lui paraît pas assez pure ; c'est qu'enfin elle s'est faite le 6 juillet, et non le 14, au jour sacré de la prise de la Bastille. Donc, au 14, ceux-ci, fièrement isolés chez eux, loin des profanes et des tièdes, fêtent la sainte journée. Ils ne veulent pas se confondre ; sous des rapports divers, ils sont une élite, comme étaient la plupart de ces premiers Jacobins, une sorte d'aristocratie, ou d'argent, ou de talent, d'énergie, en concurrence naturelle avec l'aristocratie de naissance.

Peu de peuple, à cette époque, dans les sociétés jacobines, point de pauvres. Dans les villes cependant, où il y avait rivalité de deux clubs, où le club aristocratique (comme il arriva parfois) usurpait la titre d'Amis de la Constitution, l'autre club du même nom ne manquait pas, pour se fortifier, de se rendre plus facile sur les admissions, de recevoir parmi ses membres des petites gens, boutiquiers et petits industriels. A Lyon, et sans doute dans quelques villes manufacturières, les ouvriers assistèrent de bonne heure aux discussions des clubs.

Le vrai fonds des clubs jacobins, c'était, non pas les derniers, non pas les premiers, mais une classe distinguée, quoique secondaire, qui dès longtemps avait une guerre sourde contre ceux des premiers rangs ; l'avocat, par exemple, contre le magistrat qui l'écrasait de sa morgue, le procureur, le chirurgien, voulant s'élever au niveau de l'avocat, du médecin, le prêtre contre l'évêque. Le chirurgien, dans ce siècle, avait, à force de mérite, rompu la barrière, monté presque à l'égalité. Le Châtelet entretenait une guerre contre le Parlement ; il vainquit en 89, et fut un moment (qui l'eût cru ?) le grand tribunal national. Le célèbre fondateur des Jacobins de Paris, Adrien Duport, était un homme du Châtelet, qui monta au Parlement, mais qui, à la Révolution, reparut homme du Châtelet, brisa les parlementaires.

Tout cela ensemble faisait des Jacobins une classe d'hommes âpre, défiante, très ardente et très contenue, plus positive et plus habile qu'on ne l'aurait attendu de leurs théories peu précises.

Quoique les vieilles jalousies, les ambitions nouvelles aient été un puissant aiguillon pour eux, quoique les intrigues de divers partis aient exploité ces sociétés, leur caractère en général, très fortement exprimé dans l'exemple que nous avons cité, est originairement celui d'associations naturelles, spontanées, formées par une véritable religion patriotique, une dévotion austère à la liberté, une pureté civique, fort exigeante et tendant toujours à l'épuration.

Quel était le symbole de ces petites églises ? Cette fois ardente avait-elle un *credo* bien arrêté ? Non, très vague encore, alliant, sans s'en douter, des principes contradictoires. Tous, presque tous, royalistes à cette époque, et pourtant fort aigres pour le roi. Tous dominés par Rousseau, par le fameux principe de la philosophie du siècle : Revenez à la nature. Et néanmoins, avec cela, plusieurs se croyaient chrétiens, se rattachaient, au moins de nom, à la vieille croyance qui condamne la nature, qui la croit gâtée, déchue.

Cette contradiction même, cette ignorance, cette foi au principe nouveau peu approfondi encore, a quelque chose de respectable. C'est la foi au Dieu inconnu. Et cette foi en eux n'est pas moins active. Elle élève, fortifie les âmes. Comme leur maître Rousseau, ils élèvent leurs regards, dirigent leur émulation vers les nobles modèles antiques, vers les héros de Plutarque. S'ils n'entrent pas bien au fond du génie de l'Antiquité, ils en sentent du moins l'austérité morale, la force stoïque, y puisent l'inspiration des dévouements civils ; ils apprennent d'elle ce qu'elle a le mieux su, ce qu'eux-mêmes ils auront besoin, dans leurs périlleuses voies, de savoir, d'embrasser : la mort !

Chose grave à dire aussi : ils puisent là une profonde modification à l'esprit de l'ancienne France.

Cet esprit tenait à deux choses, presque impossibles à concilier avec la Révolution, avec la lutte violente qu'elle devait soutenir. D'une part, une certaine facilité de confiance et de croyance, une déférence trop grande pour les autres, une certaine fleur de politesse et de douceur — charmantes et fatales qualités qui, dans tant d'occasions, ont donné prise sur nous. L'autre caractère du vieil esprit français tenait à ce qu'on appelle l'honneur, à certaines délicatesses de procédés, à certains préjugés aussi, à la facilité, par exemple, avec laquelle on admettait qu'un homme, pour vous avoir insulté, eût droit de vous égorger, opinion qui, en théorie, part de l'estime du courage, et qui, en pratique, livre souvent les braves aux habiles.

Ces deux traits de l'ancienne France furent méprisés des Jacobins.

Adversaires des prêtres, obligés de lutter contre une vaste association dont la confession et la délation sont les premiers moyens, les Jacobins employèrent des moyens analogues, ils se déclarèrent hardiment amis de la délation ; ils la proclamèrent le premier des devoirs du citoyen. La surveillance mutuelle, la censure publique, même la délation cachée, voilà ce qu'ils enseignèrent, pratiquèrent, s'appuyant à ce sujet des plus illustres exemples de l'Antiquité. La cité antique, grecque et romaine, la petite cité monastique du Moyen Age, qu'on appelle couvent, abbaye, ont pour principe le devoir de perfectionner, épurer toujours, par la surveillance que tous les membres de l'association exercent les uns sur les autres. Et tel est aussi le principe que les Jacobins appliquent à la société tout entière.

Nés dans un grand danger national, au milieu d'une immense conspiration, que niaient les conspirateurs (dont ils se sont vantés depuis), les Jacobins formèrent, pour le salut de la France, une légion, un peuple d'accusateurs publics.

Mais, à la grande différence de l'inquisition du Moyen Age, qui, par le confessionnal et mille moyens différents, pénétrait jusqu'au fond des âmes, l'inquisition révolutionnaire n'avait à sa disposition que des moyens extérieurs, des indices souvent certains. De là une défiance excessive, maladive, un esprit d'autant plus soupçonneux qu'il avait moins de certitude d'atteindre le fond. Tout alarmait, tout inquiétait, tout paraissait *suspect*.

Craintes trop naturelles dans le péril où l'on voyait la France, la Révolution, la cause de la liberté et du genre humain ! Cette heureuse Révolution, attendue mille ans, arrivée enfin hier, et déjà près de périr ! Arrachée d'un coup tout à l'heure à ceux qui l'avaient embrassée, mise au fond de leur cœur, comme la meilleure part d'eux-mêmes. Ce n'était plus un bien extérieur qu'il s'agissait de leur ôter, mais leur vie... Nul n'eût survécu.

Pour faire justice aux Jacobins, il faut se replacer au moment, et dans la situation pour comprendre les nécessités où ils se trouvèrent.

Ils étaient en face d'une association immense, mi-partie d'idiots, et mi-partie de coquins, ce qu'on appelait, ce qu'on appelle le monde des *honnêtes* gens.

D'une part, deux délateurs : le roi, qui tout à l'heure dénonce son peuple à l'Europe, et le prêtre, qui dénonce le peuple aux simples, aux femmes, à la Vendée.

D'autre part, l'inepte alliance de La Fayette avec Bouillé, au profit de celui-ci, et qui (avec bonne intention) irait mettre la Révolution aux mains de ses ennemis.

Qui peut dire, dans le détail, ville par ville, dans les campagnes et les villages, ce que c'était que l'association du monde des *honnêtes* gens ?

Du monde prêtres, du monde femmes, du monde nobles et quasi nobles.

Les femmes ! quelle puissance ! Avec de tels auxiliaires, qu'est-il besoin de la presse ? Leur parole est un véhicule bien autrement efficace. Vraie force, d'autant plus forte qu'elle n'a rien de cassant, qu'elle cède, est élastique, fléchit pour se mieux relever. Dites-leur un mot à l'oreille, il court, il va, il agit, le jour, la nuit, le matin, au lit, au foyer, au marché, et le soir, dans la causerie, devant les portes, partout, sur l'homme, sur l'enfant, sur tous... Trois fois homme qui y résiste !

Voilà un obstacle réel, terrible pour la Révolution. Et qu'est-ce, au prix, que l'étranger, toutes les armées de l'Europe... ? Ayons pitié de nos pères.

Maintenant, qui voudrait entrer dans le détail irritant du monde noble et quasi noble ? De la pourriture antique des parlementaires, de leur ancienne police, l'obstacle le plus réel que La Fayette assure avoir trouvé dans Paris. De la clientèle basse, servile de marchands, petits rentiers, créanciers minimes, qui se rattachaient au clergé, aux nobles.

Et ces nobles se retrouvaient, par la grâce de La Fayette et des lois révolutionnaires, chefs, officiers de leurs clients dans la garde nationale.

Pour résister à tout cela, il fallait à la nouvelle association une organisation très forte. Elle se trouva dans la société de Paris. L'originalité primitive de celle-ci fut moins dans les théories que dans le génie pratique de ses fondateurs.

Le principal fut Duport, et il resta pendant longtemps la tête même des Jacobins. « Ce que Duport a pensé, dit-on, Barnave le dit, et Lameth le fait. » Mirabeau les appelait le *triumgueusat*. A la vigueur des coups qu'ils portèrent contre la royauté, on les crut républicains, on leur attribua un dessein profond, un projet bien arrêté de changer tout de fond en comble. Eux-mêmes, ils étaient flattés de cette mauvaise renommée. Ils ne la méritaient pas. Ils n'étaient qu'inconséquents. Il se trouva au jour critique qu'ils étaient partisans de la monarchie qu'ils avaient détruite.

Duport était pourtant un penseur, une tête forte, et plus complète que celle de ses collègues ; homme de spéculation, il avait en même temps beaucoup d'expérience révolutionnaire, avant la Révolution même. Rival de d'Esprémesnil au Parlement, il avait été l'un des principaux moteurs de la résistance contre Calonne et Brienne. Il devait connaître à fond l'action secrète de la police parlementaire, l'organisation des émeutes de la basoche et du peuple en faveur du Parlement.

Pendant les élections de 89, ils commença à réunir chez lui plusieurs hommes politiques (rue du Grand-Chantier, près du Temple). Mirabeau, Sieyès, y vinrent, et n'y voulurent pas retourner. « Politique de caverne ! » dit Sieyès. Le grand métaphysicien ne voulait agir que par les idées.

Duport, au secours des idées, voulait appeler l'intrigue souterraine, l'agitation populaire, l'émeute, s'il le fallait.

Nouvelle réunion à Versailles. Celle-ci, dont le fond était la députation de Bretagne, s'appela le Club breton. Là se préparaient, sous l'influence de Duport, Chapelier, etc., plusieurs des mesures hardies qui sauvèrent la Révolution naissante. La minorité de la noblesse, mi-partie de seigneurs philanthropes et de courtisans mécontents, se mêla à ce Club breton, et y importa un esprit fort divers, fort équivoque. Des courtisans révolutionnaires, les plus intrigants, les plus audacieux, étaient les frères Lameth, jeunes colonels, d'une famille très favorisée de la Cour, mais point satisfaite.

Nobles d'Artois, ils avaient été élus en Franche-Comté. Et ce fut un député de cette dernière province, très probablement leur homme, qui, en octobre 89, quand l'Assemblée fut à Paris, loua un local aux Jacobins pour réunir les députés. Les moines louèrent leur réfectoire pour deux cents francs, et pour deux cents francs le mobilier, tables, chaises. Plus tard, le local ne suffisant pas, le club se fit prêter la bibliothèque et enfin l'église. Les tombeaux des anciens moines, l'école ensevelie de Saint-Thomas, les confrères de Jacques Clément, se trouvèrent ainsi les muets témoins et les confidents des intrigues révolutionnaires.

Outre les membres du Club breton, beaucoup de députés qui n'étaient jamais venus à Paris, qui n'étaient pas fort rassurés après les scènes d'octobre, et se croyaient comme perdus dans cet océan de peuple, s'étaient logés sur Saint-Honoré, près les uns des autres, pour se retrouver au besoin. Ils étaient là à la porte de l'Assemblée, qui siégeait alors au Manège, à l'endroit où se croisent les rues de Rivoli et de Castiglione. Il leur était commode de se réunir presque en face, au couvent des Jacobins.

Il y eut cent députés le premier jour, puis deux cents, puis quatre cents. Ils prirent le titre d'Amis de la Constitution. Dans la réalité, ils la firent. Elle fut entièrement préparée par eux ; ces quatre cents, plus liés entre eux, plus disciplinés, plus exacts d'ailleurs que les autres députés, furent maîtres de l'Assemblée. Ils y apportèrent toutes faites et les lois, et les élections ; eux seuls nommaient les présidents, secrétaires, etc. Ils masquèrent quelque temps cette toute-puissance en prenant parfois le président dans d'autres rangs que les leurs.

L'hiver de 89, toute la France vint à Paris. Beaucoup d'hommes considérables voulaient entrer aux Jacobins. Ils admirent d'abord quelques écrivains distingués ; le premier fut Condorcet ; puis d'autres personnes connues, qui devaient être présentées, recommandées par six membres. On n'entrait qu'avec des cartes, qui étaient soigneusement examinées à la porte par deux membres qu'on y plaçait.

Le Club des Jacobins ne pouvait se borner longtemps à être une officine de lois, un laboratoire pour les préparer. Il devint de bonne heure un grand comité de police révolutionnaire.

La situation le voulait ainsi. Que servait de faire la Constitution, si la Cour, par un coup habile, renversait cet échafaudage péniblement élevé ? On a vu qu'au bruit du complot de Brest, qui, disait-on, allait être livré aux Anglais, Duport (le 27 juillet 1789) avait fait créer par l'Assemblée le Comité des recherches. Le comité n'avait point d'agents que ceux mêmes du gouvernement qu'il avait à surveiller. Ces agents qui lui manquaient, ils se trouvèrent aux Jacobins. La Fayette, qui apprit à ses dépens à connaître leur organisation, dit que le centre en était une réunion de dix hommes qu'eux-mêmes appelaient le *sabbat,* qui prenaient tous les jours l'ordre des Lameth ; chacun des dix le transmettait à dix autres de bataillons et sections différents, de sorte que toutes les sections recevaient en même temps la même dénonciation contre les autorités, la même proposition d'émeute, etc.

La Fayette avait pour lui le Comité des recherches de la ville, et beaucoup de gens dévoués dans la garde nationale. Ces deux polices se croisaient entre elles, et avec celle de la Cour. Celle des Jacobins, agissant dans le sens du mouvement populaire, du flot qui montait, trouvait autant de facilité que les autres rencontraient d'obstacles. Elle s'étendit partout, s'organisa dans chaque ville en face des municipalités, opposa à chaque corps civil et militaire une société de surveillance et de dénonciation.

Nous avons parlé du *Club* de 89, que La Fayette et Sieyès essayèrent d'abord d'opposer aux Jacobins. Ce club conciliateur, qui croyait marier la Monarchie et la Révolution, n'eût abouti, s'il eût réussi, qu'à détruire la Révolution. Aujourd'hui que tant de choses alors secrètes sont en pleine lumière, nous pouvons prononcer hardiment que, sans la plus forte, la plus énergique action, la Révolution périssait. Si elle ne redevenait agressive, elle était perdue. L'imprudente association de Bouillé et de La Fayette lui avait porté le coup le plus grave. C'est par les Jacobins qu'elle reprit l'offensive.

Le 2 septembre, on apprit à Paris la nouvelle de Nancy, et le même jour, peu d'heures après, quarante mille hommes remplissaient les Tuileries, assiégeaient l'Assemblée, criant : « Le renvoi des ministres ! La tête des ministres ! Les ministres à la lanterne ! »

L'effet de la nouvelle fut amorti, l'émotion dominée par l'émotion, la terreur par la terreur.

La rapidité singulière avec laquelle fut arrangée cette émeute prouve à la fois l'état inflammable où le peuple se trouvait et la vigoureuse organisation de la société jacobine, qui pouvait, au moment même où elle donnait le signal, réaliser l'action.

Et M. de La Fayette, avec ses trente et quelques mille hommes de garde nationale, avec sa police militaire et municipale, avec les ressources de l'Hôtel de Ville, avec celles de la Cour, un moment rapprochée de lui pour *frapper le coup* de Nancy, La Fayette, dis-je, avec tant de ressources diverses, ne pouvait rien à cela.

Le ministre contre lequel on lançait d'abord le peuple était celui qui dans ce moment agissait le moins, Necker, ministre des Finances. Tout ce qu'il faisait, c'était d'écrire. Il venait de faire paraître un mémoire contre les assignats. On envoya quelques bandes crier contre lui, menacer. La Fayette, qui frappait si fort à Nancy, n'osa frapper à Paris, et conseilla à Necker de se mettre en sûreté. Sur la proposition d'un député jacobin, l'Assemblée décréta qu'elle dirigerait elle-même le Trésor public. Grave décision, l'un des coups les plus violents qu'on pût porter à la royauté.

Voilà donc les deux partis, jacobin, constitutionnel, qui tous les deux emploient la force, la violence, la terreur. La Fayette frappe par Bouillé, les Jacobins par l'émeute. Terreur de Nancy, terreur de Paris.

A combien de siècles sommes-nous de la Fédération de juillet ?... Qui le croirait ? à deux mois. Cette belle lumière de paix, où donc est-elle déjà ? L'éclatant soleil de juillet s'enténèbre tout à coup. Nous entrons dans un temps sombre, de complots, de violences. Dès septembre, tout devient obscur. La presse ardente, inquiète, marche à tâtons, on le sent. Elle cligne, elle cherche, elle ne voit pas, elle devine. L'inquisition des Jacobins, qui commence, donne de faibles et fausses lueurs, qui tout à la fois éclairent, obscurcissent, comme ces lumières fumeuses dans la grande nef où ils s'assemblent, au couvent de la rue Saint-Honoré.

Une seule chose était claire, dans cette obscurité, c'était l'insolence des nobles.

Ils avaient pris partout l'attitude du défi, de la provocation. Partout, ils insultaient les patriotes, les gens les plus paisibles, la garde nationale. Parfois le peuple s'en mêlait et il en résultait des scènes très sanglantes.

Pour ne citer qu'un exemple, à Cahors, deux frères gentilshommes trouvèrent plaisant d'insulter un garde national qui avait chanté *Ça ira.* On voulut les arrêter ; ils blessèrent, tuèrent ce qui se présenta, puis se jetèrent dans leur maison, et de là, fortifiés, ayant plusieurs fusils chargés, tirèrent sur la foule et tuèrent un grand nombre d'hommes. On mit le feu à la maison pour terminer ce carnage.

Dans l'Assemblée même, au sanctuaire des lois, on n'entendait qu'insultes et défis des gentilshommes ; M. d'Ambly menaçait Mirabeau de la canne. Un autre alla jusqu'à dire : « Que ne tombons-nous sur ces gueux l'épée à la main ! »

Un quidam, envoyé par eux, suivit deux jours entiers Charles de Lameth pour le forcer de se battre. Lameth, très brave et très adroit, refusa obstinément de l'honorer d'un coup d'épée. Le troisième jour, comme rien ne pouvait lasser sa patience, tout le côté droit en masse l'accusa de lâcheté. Le jeune duc de Castries l'insulta ; ils sortirent ; Lameth fut blessé. De là, grande fureur du peuple. On répandit que l'épée de Castries était empoisonnée, que Lameth allait en mourir.

Les Jacobins crurent l'occasion bonne pour effrayer les duellistes. Leurs agents poussèrent la foule à l'hôtel Castries ; il n'y eut ni meurtre, ni vol, mais tous les meubles furent brisés, jetés dans la rue. Tout cela tranquillement, méthodiquement ; les briseurs mirent une sentinelle au portrait du roi, qui seul fut respecté.

La Fayette vint, regarda, ne put rien faire ; la plupart des gardes nationaux étaient indignés eux-mêmes de la blessure de Lameth, et trouvaient qu'après tout, les briseurs n'avaient pas tort.

Dès ce jour, cette terreur des duellistes, qui peu à peu rendait l'ascendant à la noblesse, fit place à une autre terreur, celle des vengeances du peuple. La supériorité individuelle que les nobles avaient par l'escrime disparut devant la foule. Ils avaient essayé de faire des questions d'honneur de toute question de parti. Ils abusaient de l'adresse. On leur opposa le nombre. Les révolutionnaires les plus braves, ceux qui l'ont prouvé depuis sur tous les champs de bataille, refusèrent de donner aux spadassins l'avantage facile des combats individuels.

CHAPITRE V

Lutte des principes dans l'Assemblée et aux Jacobins

Paris vers la fin de 1790 — Cercle social, « Bouche de Fer » — Le Club de 89 — Le Club des Jacobins — Robespierre aux Jacobins — Origine de Robespierre — Robespierre orphelin à dix ans ; boursier du clergé — Ses essais littéraires — Juge criminel à Arras ; sa démission — Il plaide contre l'évêque — Robespierre aux états généraux — Au 5 octobre, il appuie Maillard — Conspiration pour le rendre ridicule — Sa solitude et sa pauvreté — Il rompt avec les Lameth — Marche incertaine ou rétrograde de l'Assemblée — Conduite double des Lameth et des Jacobins d'alors

— Ils confient leur journal à un Orléaniste (novembre) — Probité de Robespierre — Sa politique — En 1790, il s'appuie sur les seules grandes associations qui existent alors en France : les Jacobins et les prêtres.

Vers la fin de 90, il y eut un moment de halte apparente, peu ou point de mouvement. Rien qu'un grand nombre de voitures qui encombraient les barrières, les routes couvertes d'émigrés. En revanche, beaucoup d'étrangers venaient voir le grand spectacle, observer Paris.

Halte inquiète, sans repos. On s'étonnait, on s'effrayait presque de n'avoir pas d'événements. L'ardent Camille se désole de n'avoir rien à conter : il se marie dans l'entracte et notifie cet événement au monde.

Point de mouvements, en pleine guerre (comme on se sentait déjà), cela n'était pas naturel. En réalité, il y avait deux événements immenses.

Premièrement, le roi dénonçait la France aux rois.

Deuxièmement, contre la conspiration ecclésiastique, aristocratique, s'organisait fortement la conjuration jacobine.

Le trait saillant de l'époque, c'est la multiplication des clubs, l'immense fermentation de Paris spécialement, telle qu'à tout coin de rue s'improvisent des assemblées. Le brillant et monotone Paris de la paix ne donne guère d'idée de celui d'alors. Replongeons-nous un moment dans ce Paris agité, bruyant, violent, sale et sombre, mais vivant, plein de passions débordantes.

Nous devons bien cet égard au premier théâtre de la Révolution, de faire la première visite au Palais-Royal. Je vous y mène tout droit ; j'écarte devant vous cette foule agitée, ces groupes bruyants, ces nuées de femmes vouées aux libertés de la nature. Je traverse les étroites Galeries de bois, encombrées, étouffées, et par ce passage obscur où nous descendons quinze marches, je vous mets au milieu du Cirque.

On prêche ! qui s'y serait attendu, dans ce lieu, dans cette réunion, si mondaine, mêlée de jolies femmes équivoques ?... Au premier coup d'œil, on dirait d'un sermon au milieu des filles... Mais, non, l'assemblée est plus grave, je reconnais nombre de gens de lettres, d'académiciens; au pied de la tribune, je vois M. de Condorcet.

L'orateur, est-ce bien un prêtre ? De robe, oui ; belle figure de quarante ans environ, parole ardente, sèche parfois et violente, nulle onction, l'air audacieux, un peu chimérique. Prédicateur, poète ou prophète, n'importe, c'est l'abbé Fauchet. Ce saint Paul parle entre deux Thécla, l'une qui ne le quitte point, qui, bon gré, mal gré, le suit au club, à l'autel, tant est grande sa ferveur ; l'autre dame, une Hollandaise, de bon cœur et de noble esprit, c'est Mme Palm Aelder, l'orateur des femmes, qui prêche leur émancipation.

Elles y travaillent activement. Mlle Kéralio publie un journal. Tout à l'heure, Mme Roland sera ministre et davantage.

Je m'étonne peu que ce prophète, si bien entouré de femmes, parle éloquemment de l'amour ; l'amour revient à chaque instant dans ses brûlantes paroles. Heureusement, je comprends, c'est l'amour du genre humain. Que veut-il ? il semble exposer quelque mystère inconnu qu'il confie à trois mille personnes. Il parle au nom de la Nature, et néanmoins se croit chrétien. Il marie bizarrement, sous forme franc-maçonnique, Bacon et Jésus. Tantôt en avant de la Révolution, tantôt rétrograde, un jour il prêche La Fayette, un autre jour il dépasse les démocrates, et fonde la société humaine sur le devoir de « *donner à chacun de ses membres la suffisante vie* ». Plusieurs, dans sa doctrine obscure, croient voir la loi agraire.

Son journal, celui du *Cercle social, pour la fédération des amis de la vérité,* s'appelle la *Bouche de Fer,* titre menaçant, effrayant. Cette bouche toujours ouverte (rue de l'Ancienne-Comédie et près du Café Procope) reçoit nuit et jour les renseignements anonymes, les accusations qu'on veut y jeter. Elles y entrent ; mais rassurez-vous, la plupart y restent. La *Bouche de Fer* ne mord pas.

Sortons. Dans la crise où nous sommes, il faut veiller, il faut pourvoir. Il y a ici trop de théories, trop de femmes et trop de rêves. L'air n'est pas sain ici pour nous. L'amour, la paix, choses excellentes, sans doute, mais quoi ? la guerre a commencé. Peut-on faire embrasser les hommes, les principes opposés, avant de les concilier ?... Au-dessus du Cirque, d'ailleurs, pour augmenter mes défiances, je vois planer le Club suspect de 89, dans ces brillants appartements qui resplendissent de lumières, au premier étage du Palais-Royal, le club de La Fayette, Bailly, Mirabeau, Sieyès, de ceux qui voudraient enrayer avant d'avoir des garanties. De moment en moment, ces idoles populaires paraissent sur le balcon, saluent royalement la foule. Le nerf de ce club opulent est un bon restaurateur.

J'aime mieux, à la jaune lueur des réverbères qui de loin en loin percent le brouillard de la rue Saint-Honoré, j'aime mieux suivre le flot noir de la foule qui va toute dans le même sens, jusqu'à cette petite porte du couvent des Jacobins. C'est là que, tous les matins, les ouvriers de l'émeute viennent prendre l'ordre des Lameth, ou recevoir de Laclos l'argent du duc d'Orléans. A cette heure, le club est ouvert. Entrons avec précaution, le lieu est mal éclairé... Grande réunion pourtant, vraiment sérieuse, imposante. Ici, de tous les points de la France, vient retentir l'opinion ; ici pleuvent des départements les nouvelles vraies ou fausses, les accusations justes ou non. D'ici partent les réponses. C'est ici le Grand Orient, le centre des sociétés, ici la grande franc-maçonnerie, non chez cet innocent Fauchet, qui n'en a que la vaine forme.

Oui, cette nef ténébreuse n'en est que plus solennelle. Regardez, si vous pouvez voir, ce grand nombre de députés ; ils ont été jusqu'à quatre cents ; aujourd'hui, ce que vous voyez, deux cents environ, toujours les principaux meneurs, Duport, Lameth, et cette présomptueuse figure, provocante et le nez au vent, le jeune et brillant avocat Barnave. Pour suppléer les députés absents, la société a admis près de mille membres, tous actifs, tous distingués.

Ici, nul homme du peuple. Les ouvriers viennent, mais à d'autres heures, dans une autre salle, au-dessous de celle-ci. On a fondé, pour leur instruction, une société fraternelle, où on leur explique la Constitution. Une société de femmes du peuple commence aussi à se réunir dans cette salle inférieure.

Les Jacobins sont une réunion distinguée, lettrée. La littérature française est ici en majorité. La Harpe, Chénier, Chamfort, Andrieux, Sedaine, tant d'autres ; et les artistes abondent, David, Vernet, Larive, et, la Révolution au théâtre, le jeune romain Talma. Aux portes, pour viser les cartes et reconnaître les membres, deux censeurs-portiers, Laïs le chanteur, et ce beau jeune homme, le digne élève de Mme de Genlis, le fils du duc d'Orléans.

L'homme noir qui est au bureau, qui sourit d'un air si sombre, c'est l'agent même du prince, le trop célèbre auteur des *Liaisons dangereuses*. Grand contraste ! A la tribune parle M. de Robespierre.

Un honnête homme celui-là, qui ne sort pas des principes. Homme de mœurs, homme de talent. Sa voix faible et un peu aigre, sa maigre et triste figure, son invariable habit olive (habit unique, sec et sévèrement brossé), tout cela témoigne assez que les principes n'enrichissent pas fort leur homme. Peu écouté à l'Assemblée nationale, il prime, primera toujours davantage aux Jacobins. Il est la société même, rien de plus et rien de moins. Il l'exprime parfaitement, marche d'un pas avec elle, sans la devancer jamais. Nous le suivrons de très près et très attentivement, marquant, datant chaque degré dans sa prudente carrière, notant aussi sur son pâle visage le profond travail qu'y fera la Révolution, les rides précoces des veilles, et les sillons de la pensée. Il faut le raconter, avant de le peindre. Produit tout artificiel de la fortune et du travail, il dut peu à la nature ; on ne le comprendrait pas, si l'on ne connaissait à fond les circonstances qui le firent, la grande volonté qui le fit.

Peu de créatures humaines naquirent plus malheureusement. D'abord, frappé coup sur coup dans sa famille et sa fortune ; puis, adopté, protégé par le haut clergé, un monde de grands seigneurs, hostile aux idées, antipathique à l'esprit du siècle que partageait le jeune homme. Il ne sortait ainsi d'un premier malheur que pour retomber dans un plus grand, la nécessité d'être ingrat.

Les Robespierre étaient de père en fils notaires à Carvin, près de Lille. L'acte le plus ancien que j'aie vu d'eux est de 1600. On les croit venus de l'Irlande. Leurs aïeux peut-être au XVIe siècle auront fait partie de ces nombreuses colonies irlandaises qui venaient peupler les monastères, les séminaires de la côte, et y recevaient des Jésuites une forte éducation d'ergoteurs et disputeurs. C'est là qu'ont été élevés, entre autres, Burke et O'Connell.

Au XVIIIe siècle, les Robespierre cherchèrent un plus grand théâtre. Une branche resta près de Carvin, mais l'autre s'établit à Arras, grand centre ecclésiastique, politique et juridique, ville d'états provinciaux, ville de tribunaux supérieurs, où affluaient les affaires et les procès. Nulle part la noblesse et l'Eglise ne pesaient plus lourdement. Il y avait spécialement deux princes ou deux rois d'Arras, l'évêque, et le puissant abbé de Saint-Wast, auquel appartenait environ le tiers de la ville. L'évêque avait conservé le droit seigneurial de nommer les juges au tribunal criminel. Aujourd'hui encore son palais immense met la moitié d'Arras dans l'ombre. Des rues à noms expressifs, qui rappellent une vie de chicane, circulent humides et tristes sous les murs de ce palais, rue du Conseil, rue des Rapporteurs, etc. C'est dans cette dernière, la plus sombre, la plus triste, dans une maison fort décente d'honorable bourgeoisie, que vivait, travaillait, écrivait nuit et jour un avocat au conseil d'Artois, laborieux et honnête, qui fut père de Robespierre en 1758.

Il n'était riche que d'estime et de bonheur domestique ; ayant eu le malheur de perdre sa femme, sa vie fut brisée. Il tomba dans une inconsolable tristesse, devint incapable d'affaires, cessa de plaider. On lui conseilla de voyager. Il partit, ne donna plus de nouvelles ; on a toujours ignoré ce qu'il était devenu.

Quatre enfants restaient abandonnés dans cette grande maison déserte. L'aîné, Maximilien, se trouva à dix ou onze ans, chef de famille, tuteur en quelque sorte de son frère et de ses deux sœurs. Son caractère changea tout à coup ; il devint ce qu'il est resté, étonnamment sérieux ; son visage pouvait sourire, une sorte de faux sourire en devint même plus tard l'expression habituelle, mais son cœur ne rit plus jamais. Si jeune, il se trouva tout d'abord un père, un maître, un directeur pour la petite famille qu'il raisonnait et prêchait.

Ce petit homme, si mûr, était le meilleur élève du Collège d'Arras. Pour un si excellent sujet, on obtint sans peine de l'abbé de Saint-Waast une des bourses dont il disposait au Collège Louis-le-Grand. Il arriva donc tout seul à Paris, séparé de ses frères et sœurs, sans autre recommandation qu'un chanoine de Notre-Dame, auquel il s'attacha beaucoup. Mais rien ne lui réussissait ; le chanoine mourut bientôt. Et il apprit en même temps qu'une de ses sœurs était morte, la plus jeune et la plus aimée.

Dans ces grands murs sombres de Louis-le-Grand, tout noirs de l'ombre des Jésuites, dans ces cours profondes où le soleil apparaît si rarement, l'orphelin se promenait seul, peu en rapport avec les heureux, avec la jeunesse bruyante. Les autres, qui avaient des parents, qui, aux congés, respiraient l'air de la famille et du monde, sentaient mois la rude atteinte de cette triste éducation, qui ôte à l'âme sa fleur, la brûle d'un hâle aride. Elle mordit profondément sur l'âme de Robespierre.

Orphelin, boursier sans protection, il lui fallait se protéger par son mérite, ses efforts, une conduite excellente. On exige d'un boursier bien plus que d'un autre. Il est tenu de réussir. Les bonnes places, les prix, qui sont la couronne des autres, sont comme un tribut du boursier, un paiement qu'il fait à ses protecteurs. Position humiliée, triste et dure, qui pourtant ne paraît pas avoir altéré beaucoup le caractère de Camille Desmoulins, autre boursier du clergé. Celui-ci était plus jeune; Danton à peu près de l'âge de Robespierre ; il suivait les mêmes classes.

Sept ans, huit ans passent ainsi. Puis, le droit, comme tout le monde, l'étude du procureur. Il y réussit fort peu ; quoique naturellement raisonneur et logicien, ami des abstractions, il ne pouvait se faire à la sophistique du barreau, aux subtilités de la chicane. Nourri de Rousseau, de Mably, des philosophes de l'époque, il ne descendait pas volontiers des généralités. Il lui fallut retourner à Arras, subir la vie de province. Lauréat de Louis-le-Grand, il fut bien reçu, eut quelque succès dans le monde, dans la littérature académique. L'Académie des *rosati,* qui pour prix de poésie donnait des roses, admit Robespierre. Il rimait, tout comme un autre. Il concourut pour l'éloge de Gresset, et eut l'accessit ; puis pour un sujet plus grave : la réversibilité du crime, la flétrissure des parents du criminel. Tout cela faiblement écrit, d'une sentimentalité pastorale. Le jeune auteur n'en avait fait qu'une plus tendre impression sur une demoiselle de lieu. La demoiselle avait juré de n'en épouser jamais d'autre. En revenant d'un voyage, il la trouva mariée.

Le clergé, naturellement fier d'un tel protégé, lui restait très favorable. Il avait obtenu de l'abbé de Saint-Waast qu'il donnerait à son jeune frère la bourse qu'il avait eue au Collège Louis-le-Grand. L'évêque le nomma membre du tribunal criminel Mais Robespierre ayant été obligé de condamner à mort un assassin, sa sœur assure qu'il en fut trop péniblement affecté ; il donna sa démission.

De toute façon, il fit sagement, la veille de la Révolution, de laisser cet odieux métier de juge de l'ancien régime, nommé par des prêtres. Il se fit avocat. Il valait mieux certainement mettre d'accord ses opinions et sa vie, vivre de peu ou de rien, attendre. Quoique fort malaisé, on dit qu'avec un louable scrupule, il ne plaidait pas toute cause, il choisissait. L'embarras fut grave pour lui lorsque des paysans vinrent le prier de plaider pour eux contre l'évêque d'Arras. Il examina leur droit, le trouva bon ; nul autre avocat probablement à cette époque n'eût osé le soutenir contre ce roi de la ville. Robespierre, qui croyait que l'avocat est un magistrat, mit les convenances, les sentiments, la reconnaissance sous les pieds de la justice, et sans hésitation plaida contre son protecteur.

Aucun pays plus que l'Artois n'était propre à former des amis ardents de la liberté, aucun ne souffrait davantage de la tyrannie cléricale et féodale. La terre était tout entière aux seigneurs, et aux seigneurs-prêtres. Cette dérision d'états que possédait la province semblait un outrage systématique à la justice, à la raison. Le Tiers n'y était représenté que par une vingtaine de maires, à la nomination des seigneurs. Ceux-ci, les Latour-Maubourg, les d'Estournel, les Lameth, etc., tenaient l'administration fixée dans leurs mains comme un bien héréditaire. Administration admirable et rare pour son progrès dans l'absurde. Un des Lameth en fait l'aveu. D'abord, tout possesseur de fief avait voix ; puis, ils exigèrent une terre à clocher et quatre degrés de noblesse ; puis il leur fallut sept degrés ; la veille de la Révolution, ils ne voulaient plus se contenter à moins de dix degrés de noblesse. Il ne faut pas s'étonner si cette province éminemment rétrograde envoya aux Etats généraux un rigide partisan des idées nouvelles, si cet homme, ignorant les courbes, ne connaissant que la droite, apporta dans la Révolution une sorte d'esprit géométrique, l'équerre, le compas, le niveau.

Parti d'Arras, il retrouva Arras sur les bancs de l'Assemblée, je veux dire la haine fidèle des prélats pour leur protégé, leur transfuge, le mépris des seigneurs d'Artois pour un avocat, élevé par charité, qui venait siéger près d'eux. Cette malveillance connue ne pouvait manquer d'ajouter à la timidité du débutant, qui était extrême. Il l'avoua à Etienne Dumont, quand il montait à la tribune, il tremblait comme la feuille. Il réussit cependant. Lorsqu'en mai 89, le clergé vint perfidement prier le Tiers d'avoir pitié du pauvre peuple et de commencer ses travaux, Robespierre répondit avec une aigre véhémence, et, se sentant soutenu par l'approbation de l'Assemblée, il suivit sa passion, et fut éloquent.

Absent la nuit du 4 août, et désolé d'avoir manqué une si belle occasion, il saisit avidement la périlleuse circonstance du 5 octobre. Quand Maillard, l'orateur des femmes, vint haranguer l'Assemblée, tous étant hostiles ou muets, Robespierre se leva et par deux fois appuya Maillard.

Grave initiative, qui décidait de son sort, désignant cet homme timide comme infiniment audacieux et dangereux, montrant à ses amis surtout qu'un tel homme ne se lierait pas, ne suivrait pas docilement la discipline du parti. Il fut, selon toute apparence, convenu alors entre les nobles jacobins, que cet ambitieux serait l'homme ridicule de l'Assemblée, celui qui amuse et doit amuser tout le monde, sans distinction de partis. Dans l'ennui des grandes assemblées, il y a toujours quelqu'un (souvent ce n'est pas le moins raisonnable) que l'on immole ainsi à l'amusement de tous. Ces moments de dérision sont ceux où l'on se rapproche, où les ennemis les plus implacables riant tous ensemble, la concorde revient un moment ; il n'y a plus qu'un ennemi.

Pour rendre un homme ridicule, il y a une chose facile, c'est que *ses amis* sourient quand il parle. Les hommes sont généralement si légers, si faciles à entraîner, si lâchement imitateurs, qu'un sourire du côté gauche, des Barnave ou des Lameth, amenait infailliblement le rire de toute l'Assemblée. Un seul homme semble n'avoir pris nulle part à ces indignités, l'homme vraiment fort, Mirabeau. Il répondit toujours sérieusement, avec égards, à ce faible adversaire, respectant en lui l'image du fanatisme, de la passion sincère, du travail persévérant. Il démêlait finement, mais avec l'indulgence et la bonté du génie, l'orgueil profond de Robespierre, la religion qu'il avait pour lui-même, pour sa personne et ses paroles. « Il ira loin, disait Mirabeau, car il croit tout ce qu'il dit. »

L'Assemblée, riche en orateurs, avait droit d'être difficile. Habituée à la figure léonine de Mirabeau, à la suffisance audacieuse de Barnave, au chaleureux Cazalès, au lutteur insolent Maury, elle trouvait pénible à voir l'indigente figure de Robespierre, sa roideur, sa timidité. Sa constante tension de muscles et de voix, l'effort monotone de son débit, son air un peu myope, donnaient une impression laborieuse, fatigante ; on s'en tirait en s'en moquant. Pour comble, on ne lui laissait pas la consolation de se voir au moins imprimé. Les journalistes, par négligence, ou peut-être sur la recommandation des *amis* de Robespierre, mutilaient cruellement ses discours les plus travaillés. Ils s'obstinaient à ne pas savoir son nom, l'appelant toujours : *Un membre*, ou M. N..., ou trois étoiles.

Persécuté ainsi, il n'en saisissait que plus avidement toute occasion d'élever la voix, et cette résolution invariable de parler toujours le rendait parfois vraiment ridicule. Par exemple, quand l'Américain Paul Jones vint féliciter l'Assemblée, le président ayant répondu, et tout le monde jugeant la réponse suffisante, Robespierre s'obstina à répondre aussi. Murmures, interruptions, rien n'y fit. A grand-peine, il dit quelques mots, insignifiants, inutiles, et encore, en faisant appel aux tribunes, réclamant la liberté d'opinion, criant qu'on étouffait sa voix. Maury fit rire tout le monde en demandant l'impression du discours de M. de Robespierre.

Pour oublier ces mortifications, prodigieusement sensibles à sa vanité, Robespierre n'avait nulle ressource, ni la famille, ni le monde. Il était seul, il était pauvre. Il rapportait ses déboires dans son désert du Marais, dans son triste appartement de la rue de

Saintonge. Froid logis, pauvre, démeublé. Il vivait petitement et fort serré de son salaire de député ; encore, en envoyait-il le quart à Arras pour sa sœur ; un autre quart passait à une maîtresse qui l'aimait fort, et qui ne lui servait guère ; il lui fermait souvent sa porte, et ne la traitait pas bien. Il était très frugal, dînait à trente sols, et encore il lui restait à peine de quoi se vêtir. L'Assemblée ayant ordonné le deuil pour la mort de Franklin, ce fut un grand embarras. Robespierre emprunta un habit de tricot noir à un homme beaucoup plus grand ; l'habit traînait de quatre pouces. *Nihil habet paupertas durius in se quam quod ridiculos homines facit.* (Juvénal.)

Il se plongea d'autant plus dans le travail. Mais il n'avait guère que les nuits, passant les journées entières, immuablement assidu aux Jacobins, à l'Assemblée ; salles malsaines, étouffées, qui donnèrent à Mirabeau de graves ophtalmies, des hémorragies à Robespierre. Si j'en crois aux différences qu'on trouve entre ses portraits, son tempérament dut subir alors une assez grande altération. Sa figure, jusque-là encore assez jeune et douce, semble avoir séché. Une concentration extrême, une sorte de contraction en devient le caractère. Et il n'avait en effet rien de ce qui détend l'esprit. Son unique plaisir était de limer, polir ses discours assez purs, mais parfaitement incolores ; il se défit par le travail de la facilité vulgaire, et parvint peu à peu à écrire difficilement.

Ce qui le servit le plus, ce fut de se mettre hors de son propre parti, de se faire seul, une bonne fois, de rompre avec les Lameth, de ne point traîner la chaîne de cette équivoque amitié. Un matin que Robespierre était allé à l'hôtel Lameth, ils ne purent, ou ne voulurent le recevoir ; il n'y revint plus.

Libre des hommes d'expédients, il se fit l'homme des principes.

Son rôle fut dès lors simple et fort. Il devint le grand obstacle de ceux qu'il avait quittés. Hommes d'affaires et de parti, à chaque transaction qu'ils essayaient entre les principes et les intérêts, entre le droit et les circonstances, ils rencontrèrent une borne que leur posait Robespierre, le droit abstrait, absolu. Contre leurs solutions bâtardes, anglo-françaises, soi-disant constitutionnelles, il présentait des théories, non spécialement françaises, mais générales, universelles, d'après le *Contrat social*, l'idéal législatif de Rousseau et de Mably.

Ils intriguaient, s'agitaient, et lui, immuable. Ils se mêlaient à tout, pratiquaient, négociaient, se compromettaient de toute manière ; lui, il professait seulement. Ils semblaient des procureurs, lui, un philosophe, un prêtre du droit. Il ne pouvait manquer de les user à la longue.

Témoin fidèle des principes, et toujours protestant pour eux, il s'expliqua rarement sur l'application, ne s'aventura guère sur le terrain scabreux des voies et moyens. Il dit *ce qu'on devait* faire, rarement, très rarement, *comment on pouvait* le faire. C'est là pourtant que le politique engage le plus sa responsabilité, là que les événements viennent souvent le démentir et le convaincre d'erreur.

La prise, au reste, était facile sur une telle Assemblée. Elle flottait, avançait, reculait, perdant à chaque instant de vue le principe de la Révolution, son principe à elle-même par lequel elle existait.

Ce principe, quel était-il ? Personne ne le formulait bien, mais chacun l'avait dans le cœur. C'était le droit, *non plus des choses* (des propriétés, des fiefs), *mais le droit des hommes,* le droit égal des âmes humaines, principe essentiellement spiritualiste, qu'on s'en aperçût ou non. Il fut suivi aux premières élections ; tous, propriétaires et non-propriétaires, y votèrent également. La Déclaration des droits reconnut l'égalité des hommes, et tout le monde comprit que cela impliquait le droit égal des citoyens.

En octobre 89, l'Assemblée ne reconnaît le droit électoral qu'à ceux qui paieront la valeur de trois journées de travail. De 6 millions qu'avait donnés le suffrage universel, les électeurs sont réduits à 4 298 000. L'Assemblée craignait alors deux choses opposées, la démagogie des villes et l'aristocratie des campagnes ; elle craignait de faire voter deux cent mille mendiants de Paris, sans parler des autres villes, et un million de paysans qui dépendaient des seigneurs.

Cela était spécieux en 89, beaucoup moins en 91. Les campagnes, qu'on croyait serviles, s'étaient montrées, au contraire, généralement révolutionnaires ; presque partout les paysans avaient embrassé les légitimes espérances du nouvel ordre de choses, ils s'étaient mariés en foule, indiquant assez par là qu'ils ne séparaient pas l'idée d'ordre et de paix de celle de la liberté.

La foi était immense dans ce peuple; il fallait avoir foi en lui. On ne sait pas assez tout ce qu'il fallut de fautes et d'infidélités pour lui ôter ce sentiment. Il croyait d'abord à tout, aux idées, aux hommes, s'efforçant toujours, par une faiblesse trop naturelle, d'incarner en eux les idées ; la Révolution aujourd'hui lui apparaissait dans Mirabeau, demain dans Bailly, La Fayette ; des figures, même ingrates et sèches, des Lameth et des Barnave, lui inspiraient confiance. Toujours trompé, il portait ailleurs ce besoin obstiné de croire.

Les cœurs s'étaient ainsi ouverts, et l'esprit avait grandi. Il n'y eut jamais de transformation plus rapide. Circé changeait les hommes en bêtes ; la Révolution avait fait précisément le contraire. Quelque peu préparés que fussent les hommes, le rapide instinct de la France avait suppléé. Une foule d'hommes ignorants comprenaient les affaires publiques.

Dire à ces masses ardentes, intelligentes, énergiques qui avaient voté en 89 qu'elles n'avaient plus ce droit, réserver le nom de citoyens *actifs* aux électeurs, faire descendre les non-électeurs au rang de citoyens *passifs*, de citoyens non-citoyens, cela apparaissait comme une sorte de contre-révolution. Plus étrange encore était-il de dire aux électeurs ainsi réduits : « Vous ne choisirez que des riches. » Ils ne pouvaient nommer députés que ceux qui paieraient au moins la valeur d'un marc d'argent (cinquante-quatre livres).

Les discussions qui plusieurs fois s'élevèrent à ce sujet donnèrent lieu aux constitutionnels et aux économistes d'étaler naïvement leurs doctrines matérialistes et grossières sur le droit de la propriété. Ces derniers allèrent jusqu'à soutenir que les propriétaires seuls étaient membres de la société, *qu'elle était à eux* !

La question de l'exercice des droits politiques, si grande en elle-même, l'était encore plus en ce que les un million trois cent mille juges, assesseurs de juges, administrateurs, créés par l'Assemblée, ne devaient être pris que dans les citoyens *actifs*. On alla plus loin encore, on essaya de restreindre à ceux-ci la garde nationale, de désarmer ce peuple victorieux qui venait de faire la Révolution.

Cette défiance à l'égard du peuple, ce matérialisme bourgeois, qui ne voit de garantie d'ordre que dans la propriété, gagna de plus en plus l'Assemblée constituante. Il augmenta à chaque émeute. Les Sieyès, les Thouret, les Chapelier, les Rabaut de Saint-Etienne allèrent reculant toujours, oubliant leurs précédents. Ce qui est plus étrange encore, c'est que ceux qui avaient le mot de l'émeute, et qui parfois la faisaient, Duport, Lameth et Barnave, n'étaient nullement rassurés, et votaient, comme députés, des lois pour désarmer ceux qu'ils avaient agités, comme Jacobins. La situation de ces trois hommes fut singulièrement double et bizarre dans l'année 90. Leur popularité avait été portée au comble par leur lutte contre Mirabeau dans la grande circonstance de droit de paix et de guerre. Cependant, leurs opinions différaient-elles profondément, essentiellement des siennes ? Qu'étaient-ils au fond ? royalistes.

Aussi le seul homme au monde que Mirabeau ait haï, du premier au dernier jour, fut celui où il croyait le mieux voir la duplicité du parti, Alexandre de Lameth.

Si Lameth, Duport et Barnave avaient l'air de faire un seul pas du côté de Mirabeau, ils faisaient place à Robespierre, qui grandissait aux Jacobins. Ils étaient fort embarrassés de leur position d'avant-garde, mais ne voulaient pas la céder. Ils louvoyèrent, hésitèrent, employèrent tout ce que l'intrigue et la ruse peuvent fournir d'expédients. Cependant, la marche des choses était si rapide que, si l'on voulait encore rendre force à la royauté, il fallait bien se hâter. Charles de Lameth était applaudi quand il reprochait au pouvoir exécutif « de faire le mort ». Le reproche était sincère ; les Lameth entrevoyaient que ce pouvoir, tant affaibli par eux, les emporterait avec lui, et désiraient réellement lui rendre son activité.

Il y parut dans l'affaire de Nancy. Ils votèrent, avec Mirabeau, pour Bouillé et La Fayette, contre les soldats, que la société jacobine dont ils étaient les meneurs n'avait pas peu contribué à exciter, soulever.

L'Assemblée, sous cette influence ouvertement ou timidement rétrograde, vota, le 6 septembre, que pendant deux ans il n'y aurait pas d'assemblées primaires, que les électeurs déjà nommés par les électeurs primaires exerceraient deux ans le pouvoir électoral.

Les Lameth n'en étaient pas à se repentir d'avoir (en haine de Mirabeau) voté le décret qui interdit le ministère aux députés. Ils ne doutaient pas que, dans les circonstances nouvelles, tout changement ne plaçât le pouvoir entre leurs mains ou celles de leurs amis. Aussi insistèrent-ils vivement pour faire prier le roi de renvoyer les ministres, et d'abord par l'émeute, ils vinrent à bout de chasser Necker. L'Assemblée, contre toute attente, refusa de demander le renvoi des autres. Camus, Chapelier, les Bretons, deux cents députés de la gauche votèrent pour la négative. Il y fallut employer un grand mouvement des sections de Paris, qui demandèrent, non plus le renvoi, mais le procès des ministres. Ce vœu fut présenté à l'Assemblée par l'organe de Danton ; la première apparition de cette tête de Méduse indiquait assez qu'on ne reculerait devant nul moyen de terreur.

La Cour qui, à cette époque, plaçait son espoir dans l'excès des maux, et tenait à constater, devant l'Europe, que la royauté n'était plus, aurait voulu que le roi priât l'Assemblée de chosir elle-même les ministres. Mirabeau eut vent de la chose et s'y opposa violemment, craignant sans doute que l'Assemblée ne choisît parmi ses meneurs ordinaires, qu'elle n'abrogeât en leur faveur le décret qui interdisait le ministère aux députés.

Le triumvirat vit dès lors qu'il n'amènerait jamais la Cour à lui remettre le pouvoir. Les Lameth, élevés à Versailles dans la faveur du roi, savaient que leur ingratitude les rendait l'objet d'une haine personnelle. Ils firent une démarche très grave qui, pour ce moment, indique leur éloignement de Louis XVI, leur rapprochement du parti d'Orléans.

Le 30 octobre, les évêques avaient publié leur *Exposition de Principes,* un manifeste de résistance, qui plaçait sous une sorte de Terreur ecclésiastique tout le clergé inférieur, ami de la Révolution. Le 31, par représailles, les Jacobins décidèrent qu'un journal serait créé pour publier par extraits la correspondance de la société avec celles des départements, publication formidable qui allait amener à la lumière une masse énorme d'accusations contre les prêtres et les nobles. Un tel journal, qui devait désigner tant d'hommes à la haine du peuple (qui sait ? peut-être à la mort), était, dans la réalité, une magistrature terrible ; l'homme qui devait choisir, extraire, dans ce pêle-mêle immense, les noms que l'on dévouait, allait être comme investi d'un étrange et nouveau pouvoir qu'on aurait pu appeler : dictature de délation.

Les hauts meneurs des Jacobins étaient encore, à cette époque, Duport, Barnave et Lameth. Quel fut le grave censeur, l'homme irréprochable et pur à qui ils firent confier ce pouvoir ?... Qui le croirait ? à l'auteur des *Liaisons dangereuses,* à l'agent connu du duc d'Orléans, à Choderlos de Laclos. C'est lui qui, dans l'ombre même du Palais-Royal, à la porte de son maître, cour des Fontaines, publiait chaque semaine le recueil d'accusations, sous le titre peu exact de *Journal des Amis de la Constitution ;* peu exact, car alors il ne donnait nullement les débats de la société de Paris, semblait en faire un mystère ; il publiait *seulement les lettres qu'elle recevait* des sociétés de province, lettres pleines d'accusations collectives et anonymes ; à quoi Laclos ajoutait quelque article, insignifiant d'abord, puis naïvement orléaniste, de sorte que, pendant sept mois (de novembre à juin), l'orléanisme courait la France sous le couvert respecté de la Société jacobine. Cette grande machine populaire, détournée de son usage, jouait au profit de la royauté possible.

Les meneurs des Jacobins n'auraient pas fait sans doute cette étrange transaction si les secours pécuniaires des Orléanistes ne leur eussent été indispensables dans les mouvements de Paris. La Cour, qui voyait tout trop tard, commença à regretter de n'avoir fait aucun pas vers ces hommes dangereux. Elle s'adressa d'abord à la vanité bien connue de Barnave (décembre 90), plus tard aux Lameth (avril 91). Elle demanda des conseils à Barnave. Elle en demandait à Mirabeau, à Bergasse, à tout le monde, et elle trompait tout le monde, n'écoutant, comme on verra, que Breteuil, le conseiller de la fuite, de la guerre civile et de la vengeance.

Le public n'était pas dans le secret de toutes ces vilaines intrigues. Mais d'instinct, il les sentait. De quelque côté qu'il se tournât, il ne voyait rien de sûr, nul homme qui donnât confiance. Des tribunes de l'Assemblée et de celle des Jacobins, il regardait, il cherchait une figure d'honnêteté et de probité. Dans celles mêmes de ses défenseurs, les unes ne disaient qu'intrigues, fatuité, insolence, les autres que corruption.

Une seule figure rassurait et disait : « Je suis honnête. » L'habit le disait aussi, le geste le disait aussi. Les discours n'étaient que morale, intérêt du peuple, les principes, toujours les principes. L'homme n'était pas amusant, la personne était sèche et triste, aucunement populaire, mais plutôt académique, en un sens même aristocratique, par la propreté extrême, le soin, la tenue. Nulle amitié, nulle familiarité ; même les anciens camarades du collège étaient tenus à distance.

Malgré toutes ces circonstances peu propres à populariser, le peuple a tellement faim et soif du droit que l'orateur des principes, l'homme du droit absolu, l'homme qui professait la vertu, et dont la figure sérieuse et triste en semblait l'image, devint le favori du peuple. Plus il était mal vu de l'Assemblée, plus il était goûté des tribunes. Il s'adressa de plus en plus à cette seconde assemblée, qui, d'en haut, planait sur les délibérations, se croyait en réalité supérieure, et comme Peuple, comme Souverain, réclamait le droit d'intervenir, et sifflait ses délégués.

A plus forte raison devait-il prendre ascendant aux Jacobins. D'abord, il y était merveilleusement assidu, laborieux, toujours sur la brèche, parlant sur tout et toujours. Auprès des assemblées comme auprès des femmes, l'assiduité sera toujours le premier mérite. Beaucoup se lassèrent, s'ennuyèrent, désertèrent le club. Robespierre ennuyait parfois, mais ne s'ennuyait jamais. Les anciens partirent, Robespierre resta ; d'autres vinrent en grand nombre, et ils trouvèrent Robespierre. Ceux-ci, non députés encore, ardents, impatients d'arriver aux affaires publiques, formaient déjà en quelque sorte l'Assemblée de l'avenir.

Robespierre n'avait point l'audace politique, le sentiment de la force qui fait qu'on prend autorité. Il n'avait pas davantage le haut essor spéculatif, il suivait de trop près ses maîtres, Rousseau et Mably. Il lui manquait enfin la connaissance variée des hommes et des choses, il connaissait peu l'histoire, peu le monde européen.

En revanche, il eut, entre tous, la volonté persévérante, un travail consciencieux, admirable, qui ne se démentit jamais.

De plus, au premier pas même, cet homme qu'on croyait tout principes, tout abstractions, eut une entente vraie de la situation. Il sut parfaitement (ce que ne surent ni Sieyès, ni Mirabeau) *où était la force,* où il fallait la chercher.

Les forts veulent la force, la créer d'eux-mêmes. Les politiques vont la chercher où elle est.

Il y avait deux forces en France, deux grandes associations, l'une éminemment révolutionnaire, *les Jacobins,* l'autre qui, profitant de la Révolution, semblait lui pouvoir être aisément conciliée ; je parle du *clergé inférieur*, une masse de quatre-vingt mille prêtres.

C'était l'opinion générale. On n'examinait pas si, moralement, en toute sincérité, l'idée même du Christianisme peut être accordée avec celle de la Révolution.

Robespierre, jugeant la chose en politique, ne chercha pas dans l'approfondissement du principe nouveau une forme d'association nouvelle. Il prit ce qui existait, et crut que celui qui aurait les Jacobins et les prêtres serait bien près d'avoir tout.

La manière très simple et très forte de rattacher le prêtre à la Révolution, c'était de le marier. Robespierre en fit la proposition le 30 mai 1790. Sa voix fut étouffée par deux fois. L'Assemblée entière parut unanime pour ne point entendre. La gauche, selon toute apparence, ne voulut pas laisser prendre à Robespierre cette grande initiative. Chose remarquable, et qu'on ne peut attribuer qu'à l'influence jalouse des hauts meneurs jacobins, les journaux furent d'accord pour ne point imprimer, comme l'Assemblée l'avait été pour n'écouter point.

Le retentissement n'en fut pas moins très grand dans le clergé. Des milliers de prêtres écrivirent à Robespierre leur vive reconnaissance. Il reçut en un mois pour mille francs de lettres, et des vers en toute langue, des poèmes entiers, de cinq cents, sept cents, quinze cents vers, en latin, en grec, en hébreu.

Robespierre continua de parler pour le clergé. Le 16 juin 1790, il demanda que l'Assemblée pourvût à la subsistance des ecclésiastiques de soixante-dix ans, qui n'avaient ni bénéfices, ni pensions. Le 16 septembre, il réclama pour certains ordres religieux, que l'Assemblée avait à tort comptés parmi les mendiants. Bien tard encore, le 19 mars 1791, en pleine guerre ecclésiastique, lorsque le clergé inférieur, entraîné par les évêques, laissait bien peu d'espoir qu'on pût le concilier à l'esprit de la Révolution, Robespierre réclama contre les mesures de sévérité qu'on voulait prendre ; il dit qu'il serait absurde de faire une loi spéciale *contre les discours factieux des prêtres,* qu'on ne pouvait sévir contre personne pour des discours.

Il s'avançait là beaucoup, donnait forte prise. Quelqu'un de la gauche lui lança ce trait : « *Passez du côté droit !* » Il sentit le coup, s'arrêta, réfléchit, devint prudent.

Il se serait compromis s'il eût continué aux prêtres ce patronage, dans l'état où les choses étaient venues. Ils durent savoir cependant, et bien se tenir pour dit, que, si la Révolution s'arrêtait jamais, ils trouveraient un protecteur dans ce politique.

Les Jacobins, par leur esprit de corps qui alla toujours croissant, par leur foi ardente et sèche, par leur âpre curiosité inquisitoriale, avaient quelque chose du prêtre.

Ils formèrent, en quelque sorte, un clergé révolutionnaire. Robespierre, peu à peu, est le chef de ce clergé.

Il montra, dans ce rôle, une remarquable prudence, prit peu d'initiative, exprima les Jacobins et fut leur organe, ne les devança jamais.

On le voit spécialement pour la question de la royauté. L'unanimité des Cahiers envoyés aux états généraux faisait croire aux Jacobins que la France était royaliste. Donc, Robespierre voulait un roi ; non pas un roi *représentant* du peuple, comme le voulait Mirabeau, mais *délégué du peuple et commis* par lui, par conséquent responsable.

Il admettait, comme presque tout le monde alors, cette vaine hypothèse d'un roi qu'on tiendrait à la chaîne, garrotté et muselé, qui ne mordrait pas, sans doute, mais qui, serré à ce point, serait inerte à coup sûr, inutile, plutôt nuisible.

Les Jacobins étaient alors, comme le croyait Barnave, et ils ont presque toujours été relativement, même dans le mouvement le plus violent de la Révolution, une société d'équilibre.

Robespierre disait en parlant du cordelier Desmoulins (et, à plus forte raison, des autres cordeliers, plus impétueux encore) : « Ils vont trop vite ; ils se casseront le col ; Paris n'a pas été fait en un jour ; il faut plus d'un jour pour le défaire. »

L'audace et la grande initiative fut aux Cordeliers.

CHAPITRE VI

Les Cordeliers

Histoire révolutionnaire du couvent des Cordeliers — Individualités énergiques du Club des Cordeliers — Leur foi au peuple — Leur impuissance d'organisation — Irritabilité de Marat — Les Cordeliers sont jeunes encore en 1790 — Ivresse de ce moment — Aspect intérieur du Club des Cordeliers — Camille Desmoulins contre Marat — Théroigne aux Cordeliers — Anacharsis Clootz — Double esprit des Cordeliers — L'un des portraits de Danton.

Presque en face de l'École de médecine, regardez au fond d'une cour, cette chapelle d'un style grave et fort. C'est l'antre sibyllin de la Révolution, le Club des Cordeliers. Là, elle eut son délire, son trépied, son oracle. Basse, et pourtant appuyée sur des contreforts massifs, une telle voûte doit être éternelle : elle a entendu sans s'écrouler la voix de Danton.

Aujourd'hui triste musée de chirurgie, parée de savantes horreurs, elle en cache d'autres plus choquantes. Sa partie postérieure recèle des salles obscures où, sur les marbres noirs, on dissèque les cadavres.

L'hospice voisin et la chapelle étaient originairement le réfectoire des Cordeliers et leur école fameuse, la capitale des Mystiques, où vint étudier leur rival même, le jacobin saint Thomas. Entre les deux s'élevait leur église, immense et sombre nef pleine de marbres funéraires. Tout cela est aujourd'hui détruit. L'église souterraine, qui s'étendait au-dessous, recela quelque temps l'imprimerie de Marat.

Bizarre fatalité des lieux ! cette enceinte appartenait à la Révolution depuis le XIIIe siècle, et toujours à son génie le plus excentrique. Cordeliers et Cordeliers, Mendiants et Sans-Culottes, il n'y a pas autant qu'on croirait de différence. La dispute religieuse et la dispute politique, l'école du Moyen Age et le club de 90 sont opposés par la forme beaucoup plus que par l'esprit.

Qui a bâti cette chapelle ? La Révolution elle-même, en l'an 1240. Elle porte ici le premier coup au monde féodal, qu'elle doit achever la nuit du 4 août.

Observez bien ces murs, qui semblent construits d'hier : n'ont-ils pas l'air d'être aussi fermes que la justice de Dieu ? Et c'est en effet un grand coup de justice révolutionnaire qui les a fondés. Ce grand justicier, saint Louis, donna le premier exemple de punir un crime sur un haut baron, le sire de Coucy. De l'amende qu'il en tira, le roi-moine (cordelier lui-même) bâtit l'école et l'église des Cordeliers.

Ecole révolutionnaire. C'est là que, vers 1300, retentit la dispute de l'*Evangile éternel*, et qu'on posa la question : Christ est-il passé ?

Ce lieu vraiment prédestiné vit, en 1357, quand le roi et la noblesse furent battus et prisonniers, la première Convention, qui sauva la France. Le Danton du XIVe siècle, Étienne Marcel, prévôt de Paris, y fit créer par les états une quasi-république, envoya de là dans les provinces les tout-puissants députés pour organiser la réquisition ; et l'audace croissant par l'audace, il arma le peuple d'un mot, d'un mémorable décret qui confiait au peuple même la garde de la paix publique : « Si les seigneurs se font la guerre, les bonnes gens leur courront sus. »

Etrange, prodigieux retard, qu'il ait fallu encore quatre siècles pour atteindre 89 !

La foi des anciens Cordeliers, éminemment révolutionnaire, fut l'inspiration, l'illumination des simples et des pauvres. Ils firent de la pauvreté la première vertu chrétienne ; ils en poussèrent l'ambition à un degré incroyable, jusqu'à se laisser brûler plutôt que de rien changer à leur robe de Mendiants. Véritables Sans-Culottes du Moyen Age pour la haine de la propriété, ils dépassèrent leurs successeurs du Club des Cordeliers et toute la Révolution, sans en excepter Babeuf.

Nos Cordeliers révolutionnaires ont, comme ceux du Moyen Age, une foi absolue dans l'instinct des simples ; seulement, au lieu d'illumination divine, ils l'appellent raison populaire.

Leur génie, tout à fait instinctif et spontané, tantôt inspiré, tantôt *possédé,* les sépare profondément de l'enthousiasme calculé, du sombre et froid fanatisme qui caractérise les Jacobins.

Les Cordeliers, à l'époque où nous sommes, étaient une société bien plus populaire. Chez eux n'existait pas la division des Jacobins entre l'Assemblée des hommes politiques et la société fraternelle où venaient les ouvriers. Nulle trace non plus aux Cordeliers du *Sabbat* ou comité-directeur. Nulle trace d'un journal commun au club (sauf un essai passager). On ne peut comparer, au reste, les deux sociétés. Les Cordeliers étaient un club de Paris. Les Jacobins, une immense association qui s'étendait sur la France. Mais Paris vibrait, remuait aux fureurs des Cordeliers. Paris une fois en branle, les révolutionnaires politiques étaient bien obligés de suivre.

L'individualité fut très forte aux Cordeliers. Leurs journalistes, Marat, Desmoulins, Fréron, Robert, Hébert, Fabre d'Eglantine, écrivent chacun pour lui. Danton, le tout-puissant parleur, ne voulut jamais écrire. En revanche, Marat, Desmoulins, qui bégayaient ou grasseyaient, ne faisaient guère qu'écrire, parlaient rarement.

Toutefois, avec ces différences, cet instinct d'individualité, il y avait, ce semble, entre eux un lien très fort, et comme un aimant commun. Les Cordeliers formaient une sorte de tribu ; tous demeuraient autour du club : Marat, même rue, presque en face, à la tourelle ou auprès ; Desmoulins et Fréron, ensemble, rue de l'Ancienne-Comédie ; Danton, passage du Commerce ; Clootz, rue Jacob ; Legendre, rue des Boucheries-Saint-Germain, etc.

L'honnête boucher Legendre, un des orateurs du club, est une des originalités de la Révolution. Illettré, ignorant, il n'en parlait pas moins bravement parmi les savants et les gens de lettres, sans regarder s'ils souriaient ; homme de cœur entre tous, malgré ses paroles furieuses, bon homme dans ses moments lucides. L'adieu déchirant qu'il prononça sur la tombe de Loustalot dépasse de bien loin tout ce que dirent les journalistes, sans en excepter Desmoulins.

Ce fut l'originalité des Cordeliers d'être, de rester toujours mêlés au peuple, de parler, les portes ouvertes, de communiquer sans cesse avec la foule. Tels d'entre eux qui avaient toujours vécu la vie recluse et sédentaire du savant, du littérateur, établirent leur cabinet dans la rue, travaillèrent en pleine foule, écrivirent sur une borne. Jetant les livres, ils ne lurent plus qu'au grand livre, qui, sous leurs yeux, chaque jour, s'écrivait en traits de feu.

Ils crurent au peuple, eurent foi à l'instinct du peuple. Ils mirent au service de cette foi, pour se la justifier à eux-mêmes, beaucoup d'esprit, beaucoup de cœur. Rien de plus touchant, par exemple, que de voir, aux carrefours de l'Odéon et de la Comédie-Française, ce charmant esprit, Desmoulins, se mêlant aux maçons, aux charpentiers qui philosophaient le soir, causer avec eux de théologie, justement comme eût fait Voltaire, et, ravi de leur esprit, s'écrier : « Ce sont des Athéniens ! »

Cette foi au peuple fit que les Cordeliers furent tout-puissants sur le peuple. Ils eurent les trois forces révolutionnaires, et comme les trois traits de la foudre : la parole vibrante et tonnante, la plume acérée, l'inextinguible fureur — Danton, Desmoulins, Marat.

Ils trouvèrent là une force, mais aussi une faiblesse, l'impossibilité d'organisation. Le peuple leur parut entier dans chaque homme. Ils placèrent le droit absolu du souverain dans une ville, une section, un simple club, un citoyen. Tout homme aurait été investi d'un *veto* contre la France. Pour mieux rendre le peuple libre, ils le soumettaient à l'individu.

Marat, tout furieux et aveugle qu'il était, semble avoir senti le danger de cet esprit anarchique. De bonne heure il proposait la dictature d'un tribun militaire, plus tard la création de trois inquisiteurs d'Etat. Il semblait envier l'organisation de la Société jacobine. En décembre 90, il proposait d'instituer, sans doute à l'instar de cette société, une confrérie de surveillants et délateurs, pour épier, dénoncer les agents du gouvernement. Cette idée n'eut pas de suite. Marat fut à lui seul son inquisition. De toute part, on lui envoyait des délations, des plaintes, justes ou non, fondées ou non. Il croyait tout, imprimait tout.

Fabre d'Eglantine a dit : « La sensibilité de Marat. » Et ce mot a étonné ceux qui confondent la sensibilité avec la bonté, ceux qui ignorent que la sensibilité exaltée peut devenir furieuse. Les femmes ont des moments de sensibilité cruelle. Marat, pour le tempérament, était femme et plus que femme, très nerveux et très sanguin. Son médecin, M. Bourdier, lisait son journal, et, quand il le voyait plus sanguinaire qu'à l'ordinaire, « et tourner au rouge », il allait saigner Marat.

Le passage violent, subit, de la vie d'étude au mouvement révolutionnaire, lui avait porté au cerveau et l'avait rendu comme ivre. Ses contrefacteurs, ses imitateurs qui prenaient son nom, son titre, en lui prêtant leurs opinions, ne contribuaient pas peu à augmenter sa fureur. Il ne s'en fiait à personne pour les poursuivre ; lui-même, il allait à la chasse de leurs colporteurs, les guettait aux coins des rues, parfois les prenait la nuit. La police, de son côté, cherchait Marat pour le prendre. Il fuyait où il pouvait. Dans sa vie pauvre, misérable, dans sa réclusion forcée, il devenait de plus en plus nerveux, irritable ; parmi des mouvements violents d'indignation, de compassion pour le peuple, il soulageait sa sensibilité furieuse par des accusations atroces, des vœux de massacres, des conseils d'assassinat. Ses défiances croissant toujours, le nombre des coupables, des victimes nécessaires augmentant dans son esprit, l'Ami du Peuple en serait venu à exterminer le peuple.

En présence de la nature et de la douleur, Marat devenait très faible ; il ne pouvait, dit-il, voir souffrir un insecte, mais seul, avec son écritoire, il eût anéanti le monde.

Quelques services qu'il ait rendus à la Révolution par sa vigilance inquiète, son langage meurtrier et la légèreté habituelle de ses accusations eurent une déplorable influence. Son désintéressement, son courage, donnèrent autorité à ses fureurs ; il fut un funeste précepteur du peuple, lui faussa le sens, le rendit souvent faible et furieux, à l'image de Marat.

Du reste, cette créature étrange, exceptionnelle, ne peut faire juger des Cordeliers en général. Aucun d'eux, pris à part, ne fait connaître les autres. Il faut les voir réunis à leurs séances du soir, fermentant, bouillonnant ensemble au fond de leur Etna. J'essaierai de vous y conduire. Allons, que votre cœur ne se trouble pas. Donnez-moi la main.

Je veux les prendre au jour même où éclate, triomphe, chez eux, leur génie d'audace et d'anarchie, le jour où, opposant leur *veto* aux lois de l'Assemblée nationale, ils ont déclaré que « sur leur territoire » la presse est et sera indéfiniment libre, et qu'ils défendront Marat.

Saisissons-les à cette heure. Le temps va vite, ils changeront. Ils ont encore quelque chose de leur nature primitive. Qu'un an passe seulement, nous ne les reconnaîtrons plus. Regardons-les aujourd'hui. Du reste, n'espérons pas fixer définitivement les images de ces ombres, elles passent, elles coulent ; nous aussi, qui suivons leur destinée, un torrent nous emporte, orageux, trouble, tout à l'heure chargé de boue et de sang.

Je veux les voir aujourd'hui. Ils sont jeunes encore en 1790, relativement, du moins, aux siècles qui vont s'entasser sur eux avant 94.

Oui, Marat même est jeune en ce moment. Avec ses quarante-cinq ans, sa longue et triste carrière, brûlé de travail, de passions, de veilles, il est jeune de vengeance et d'espoir.

Ce médecin sans malade prend la France pour malade, il la saignera. Ce physicien méconnu foudroiera ses ennemis. L'Ami du Peuple espère venger le peuple lui-même, tous deux maltraités, méprisés... Mais leur jour commence. Rien n'arrêtera Marat ; il fuira, se cachera, il portera de cave en cave sa plume et sa presse. Il ne verra plus le jour. Dans cette sombre existence, une femme s'obstine à le suivre, la femme de son imprimeur, qui a quitté son mari pour se faire la compagne de cet être hors la nature, hors la loi, hors le soleil. Sale, hideux, pauvre, elle le soigne ; elle préfère à tout d'être, au fond de la terre, la servante de Marat.

Généreux instinct des femmes ! C'est lui aussi qui, à ce moment, donne à Camille Desmoulins sa charmante et désirée Lucile. Il est pauvre, il est en péril, voilà pourquoi elle le veut. Les parents auraient vu volontiers leur fille prendre un nom moins compromis ; mais c'est justement le danger qui tentait Lucile. Elle lisait tous les matins ces feuilles ardentes, pleines de verve et de génie, ces feuilles satiriques, éloquentes, inspirées des hasards du jour, et pourtant marquées d'immortalité. La vie, la mort avec Camille, elle embrassa tout, elle arracha le consentement paternel, et elle-même, riant, pleurant, elle lui apprit son bonheur.

Bien d'autres firent comme Lucile. Plus l'avenir était incertain, plus l'on voyait l'horizon se charger d'orages, plus ceux qui s'aimaient avaient hâte de s'unir, d'associer leur sort, de courir les mêmes chances, de placer, jouer la vie sur une même carte, un même dé.

Moment ému, trouble, mêlé d'ivresse comme les veilles de bataille, d'un spectacle plein d'intérêt, amusant, terrible.

Tout le monde le sentait en Europe. Si beaucoup de Français partaient, beaucoup d'étrangers venaient ; ils s'associaient de cœur à toutes nos agitations, ils venaient épouser la France. Et dussent-ils y mourir, ils l'aimaient mieux que vivre ailleurs ; au moins, s'ils mouraient ici, ils étaient sûrs d'avoir vécu.

Ainsi le spirituel et cynique Allemand, Anacharsis Clootz, philosophe nomade (comme son homonyme le Scythe), qui mangeait ses cent cinquante mille livres de rente sur les grands chemins de l'Europe, s'arrêta, se fixa ici, ne put s'en détacher que par la mort. Ainsi l'Espagnol Gusman, grand d'Espagne, se fit sans-culotte, et, pour rester toujours plongé dans cette atmosphère d'émeute qui faisait sa jouissance, il s'établit dans un grenier, au fond du faubourg Saint-Antoine.

Mais à quoi donc m'arrêté-je ? Arrivons aux Cordeliers.

Quelle foule ! pourrons-nous entrer ? Citoyens, un peu de place ; camarades, vous voyez bien que j'amène un étranger... Le bruit est à rendre sourd ; en revanche on n'y voit guère ; ces fameuses petites lumières semblent là pour faire voir la nuit. Quel brouillard sur cette foule ! l'air est dense de voix et de cris...

Le premier coup d'œil est bizarre, inattendu. Rien de plus mêlé que cette foule, hommes bien mis, ouvriers, étudiants (parmi ces derniers, remarquez Chaumette), des prêtres même, des moines ; à cette époque, plusieurs des anciens Cordeliers viennent au lieu même de leur servitude, savourer la liberté. Les gens de lettres abondent. Voyez-vous l'auteur du *Philinte,* Fabre d'Eglantine ; cet autre, à tête noire, c'est le républicain Robert, journaliste qui vient d'épouser une journaliste, Mlle Kéralio. Cette figure si vulgaire, c'est le futur Père Duchesne. A côté, l'imprimeur patriote, Momoro, l'époux de la jolie femme qui deviendra un jour la Déesse de la Raison... Cette pauvre Raison, hélas ! périra avec Lucile... Ah ! s'ils avaient tous ici connaissance de leur sort !

Mais qu'est-ce qui préside là-bas ? Ma foi, l'épouvante elle-même... Terrible figure que ce Danton ! un cyclope ? un dieu d'en bas ?... Ce visage effroyablement brouillé de petite vérole, avec ses petits yeux obscurs, a l'air d'un ténébreux volcan... Non, ce n'est pas là un homme, c'est l'élément même du trouble ; l'ivresse et le vertige y planent, la fatalité... Sombre génie, tu me fais peur ! Dois-tu sauver, perdre la France ?

Voyez, il a tordu sa bouche ; toutes les vitres ont frémi.

« La parole est à Marat ! »

Quoi ! c'est là Marat ? cette chose jaune, verte d'habit, ces yeux gris-jaune, si saillants !... C'est au genre batracien qu'elle appartient à coup sûr, plutôt qu'à l'espèce humaine. De quel marais nous arrive cette choquante créature ?

Ses yeux pourtant sont plutôt doux. Leur brillant, leur transparence, l'étrange façon dont ils errent, regardant sans regarder, feraient croire qu'il y a là un visionnaire, à la fois charlatan et dupe, s'attribuant la seconde vue, un prophète de carrefour, vaniteux, surtout crédule, croyant tout, croyant surtout ses propres mensonges, toutes les fictions involontaires auxquelles le porte sans cesse l'esprit d'exagération. Ses habitudes d'empirique lui donnent ce tour d'esprit. Le *crescendo* sera terrible ; il faut qu'il trouve, ou qu'il invente, que de sa cave il puisse crier un miracle au moins par jour, qu'il mène ses abonnés tremblants de trahisons en trahisons, de découvertes en découvertes, d'épouvante en épouvante.

Il remercie l'Assemblée.

Puis sa figure s'illumine. Grande, terrible trahison ! nouveau complot découvert ?... Voyez, comme il est heureux de frémir et de faire frémir... Voyez comme la vaniteuse et crédule créature s'est transformée !... Sa peau jaune luit de sueur.

« La Fayette a fait fabriquer dans le faubourg Saint-Antoine quinze mille tabatières qui toutes portent son portrait... Il y a là quelque chose... Je prie les bons citoyens qui pourront s'en procurer de les briser. On trouvera, j'en suis sûr, le mot même du grand complot. »

Plusieurs rient. D'autres trouvent qu'il y a lieu de s'enquérir, que la chose en vaut la peine.

Marat, se rembrunissant : « J'avais dit, il y a trois mois, qu'il y avait six cents coupables, et que six cents bouts de corde en feraient l'affaire. Quelle erreur !... Nous ne nous en tirerons pas maintenant à moins de vingt mille. »

Violents applaudissements.

Marat commençait à être une idole pour le peuple, un fétiche. Dans la foule des délations, des prédictions sinistres dont il remplissait ses feuilles, plusieurs avaient rencontré juste, et lui donnaient le renom de voyant et de prophète. Déjà trois bataillons de la garde parisienne lui avaient arrangé un petit triomphe, qui n'aboutit pas, promenant dans les rues son buste couronné de lauriers. Son autorité n'était pas encore arrivée au degré terrible qu'elle atteignit en 93. Desmoulins, qui ne respectait pas plus les dieux que les rois, riait parfois du dieu Marat autant que du dieu La Fayette.

Sans égard à l'enthousiasme délirant de Legendre, qui, les yeux, l'oreille, la bouche démesurément ouverts, humait, admirait, croyait, sans remarquer sa fureur contre toute interruption, le hardi petit homme apostropha singulièrement le prophète : « Toujours tragique, ami Marat, hypertragique, tragicotatos ! Nous pourrions te reprocher, comme les Grecs à Eschyle, d'être un peu trop ambitieux de ce surnom... Mais non, tu as une excuse ; ta vie errante aux catacombes, comme celle des premiers chrétiens, allume ton imagination... Là, dis-nous bien sérieusement, ces dix-neuf mille quatre cents têtes que tu ajoutes par forme d'amplification aux six cents de l'autre jour, sont-elles vraiment indispensables ? N'en rabattras-tu pas d'une ?... Il ne faut pas faire avec plus ce qu'on peut faire avec moins. — J'aurais cru que trois ou quatre têtes à panache, roulant aux pieds de la Liberté, suffiraient au dénouement. »

Les Maratistes rugissaient. Mais un bruit se fait à la porte qui les empêche de répondre, un murmure flatteur, agréable... Une jeune dame entre et veut parler... Comment ! ce n'est pas moins que Mlle Théroigne, la belle amazone de Liège ! Voilà bien sa redingote de soie rouge, son grand sabre du 5 octobre. L'enthousiasme est au comble. « C'est la reine de Saba, s'écrie Desmoulins, qui vient visiter le Salomon des districts. »

Déjà elle a traversé toute l'Assemblée d'un pas léger de panthère, elle est montée à la tribune. Sa jolie tête inspirée, lançant des éclairs, apparaît entre les sombres figures apocalyptiques de Danton et de Marat.

« Si vous êtes vraiment des Salomons, dit Théroigne, eh bien ! vous le prouverez, vous bâtirez le Temple, le temple de la liberté, le palais de l'Assemblée nationale... Et vous le bâtirez sur la place où fut la Bastille.

« Comment ! tandis que le pouvoir exécutif habite le plus beau palais de l'univers, le pavillon de Flore et les colonnades du Louvre, le pouvoir législatif est encore campé sous les tentes, au Jeu de Paume, aux Menus, au Manège... comme la colombe de Noé, qui n'a point où poser le pied ?

« Cela ne peut rester ainsi. Il faut que les peuples, en regardant les édifices qu'habiteront les deux pouvoirs, apprennent, par la vue seule, où réside le vrai souverain. Qu'est-ce qu'un souverain sans palais, un dieu sans autel ? qui reconnaîtra son culte ?

« Bâtissons-le, cet autel. Et que tous y contribuent, que tous apportent leur or, leurs pierreries (moi, voici les miennes). Bâtissons le seul vrai temple. Nul autre n'est digne de Dieu que celui où fut prononcée la Déclaration des droits de l'homme. Paris, gardien de ce temple, sera moins une cité que la patrie commune à toutes, le rendez-vous des tribus, leur Jérusalem ! »

« La Jérusalem du monde ! » s'écrient des voix enthousiastes. Une véritable ivresse avait saisi toute la foule, un ravissement extatique. Si les anciens Cordeliers qui, sous les mêmes voûtes, avaient jadis donné carrière à leurs mystiques élans, étaient revenus ce soir, ils se seraient toujours crus chez eux, reconnus. Croyants et philosophes, disciples de Rousseau, de Diderot, d'Holbach, d'Helvétius, tous, malgré eux, prophétisaient.

L'Allemand Anacharsis Clootz était ou se croyait athée, comme tant d'autres, en haine des maux qu'ont fait les prêtres. (*Tantum religio potuit suadere malorum !*) Mais avec tout son cynisme et son ostentation de doute, l'homme du Rhin, le compatriote de Beethoven, vibrait puissamment à toutes les émotions de la religion nouvelle. Les plus sublimes paroles qu'inspira la grande Fédération sont une lettre de Clootz à Mme de Beauharnais. Nul aussi n'en trouva de plus étrangement belles sur l'unité future du monde. Son accent, sa lenteur allemande, la sérénité souriante, la béatitude d'un fol de génie, qui se moque un peu de lui-même, mêlait l'amusement à l'enthousiasme.

« Et pourquoi donc la nature aurait-elle placé Paris à distance égale du pôle et de l'équateur, sinon pour être le berceau, le chef-lieu de la confédération générale des hommes ? Ici s'assembleront les Etats généraux du monde... Cela n'est pas si loin qu'on croit, j'ose le prédire ; que la Tour de Londres s'écroule, comme celle de Paris, et c'en est fait des tyrans. L'oriflamme des Français ne peut flotter sur Londres et Paris sans faire bientôt le tour du globe... Alors, il n'y aura plus ni provinces, ni armées, ni vaincus, ni vainqueurs... On ira de Paris à Pékin, comme de Bordeaux à Strasbourg ; l'Océan, ponté de navires, unira ses rivages. L'Orient et l'Occident s'embrasseront au champ de la Fédération. Rome fut la métropole du monde par la guerre, Paris le sera par la paix... Oui, plus je réfléchis, plus je conçois la possibilité d'une nation unique, la facilité qu'aura l'assemblée universelle, séant à Paris, pour mener le char du genre humain... Émules de Vitruve, écoutez l'oracle de la raison : si le civisme échauffe votre génie, vous saurez bien nous faire un temple pour contenir tous les représentants du monde. Il n'en faut guère plus de dix mille.

« Les hommes seront ce qu'ils doivent être, quand chacun pourra dire : Le monde est ma patrie, le monde est à moi. Alors, plus d'émigrants. La nature est une, la société est une. Les forces divisées se heurtent ; il en est des nations comme des nuages qui s'entre-foudroient nécessairement.

« Tyrans, nos trônes vont s'écrouler sous vous. Exécutez-vous donc vous-mêmes. On vous fera grâce de la misère et de l'échafaud. Usurpateurs de la souveraineté, regardez-moi en face... Est-ce que vous ne voyez pas votre sentence écrite aux murs de l'Assemblée nationale ?... Allons, n'attendez pas la fusion des sceptres et des couronnes, venez au-devant d'une Révolution qui délivre les rois des embûches des rois, les peuples de la rivalité des peuples. »

« Vivat Anacharsis ! s'écria Desmoulins. Ouvrons avec lui les cataractes du ciel. Ce n'est rien que la raison ait noyé le despotisme en France ; il faut qu'elle inonde le globe, que tous les trônes des rois et des lamas, arrachés de leurs fondements nagent dans ce déluge... Quelle carrière, de Suède au Japon !... La Tour de Londres branle... Un innombrable Club des Jacobins d'Irlande a eu, pour première séance, une insurrection. Au train que prennent les choses, je ne placerais pas un shilling sur les biens du clergé anglican. Quant à Pitt, c'est un homme lanterné, à moins qu'il ne prévienne pas la démission de sa place, la démission de sa tête, que John Bull va lui demander... On commence à prendre les inquisiteurs sur le Mançanarèz ; la liberté souffle fort de la France au Midi ; c'est tout à l'heure qu'on pourra dire : il n'y a plus de Pyrénées.

« Clootz vient de me transporter par les cheveux, comme l'ange fit au prophète Habacuc, sur les hauteurs de la politique. Je recule la barrière de la Révolution jusqu'aux extrémités du monde... »

Telle est l'originalité des Cordeliers. Voltaire parmi les fanatiques ! Car c'est un vrai fils de Voltaire que cet amusant Desmoulins. On est tout surpris de le voir dans ce pandémonium. Bon sens, raison, vives saillies, dans cette bizarre assemblée où l'on dirait qu'ensemble siègent nos prophètes des Cévennes, les illuminés du Long Parlement, les quakers à tête brûlante... Les Cordeliers forment, à vrai dire, le lien des âges ; leur génie, à la Diderot, tout ensemble sceptique et croyant, rappelle en plein XVIIIe siècle quelque chose du vieux mysticisme, où parfois brillent par éclairs des lueurs de l'avenir.

L'avenir ! mais qu'il est trouble encore ! comme il m'apparaît sombre, mêlé, sublime et fangeux à la fois, dans la face de Danton !

J'ai sous les yeux un portrait de cette personnification terrible, trop cruellement fidèle de notre Révolution, un portrait qu'esquissa David, puis il le laissa, effrayé, découragé, se sentant peu capable encore de peindre un pareil objet. Un élève consciencieux reprit l'œuvre, et simplement, lentement, servilement même, il peignit chaque détail, cheveu par cheveu, poil à poil, creusant une à une les marques de la petite vérole, les crevasses, montagnes et vallées de ce visage bouleversé.

L'effet est le débrouillement pénible, laborieux, d'une création vaste, trouble, impure, violente, comme quand la nature tâtonnait encore, sans pouvoir se dire au juste si elle ferait des hommes ou des monstres ; moins parfaite, mais plus énergique, elle marquait d'une main terrible ses gigantesques essais.

Mais combien les plus discordantes créations de la nature sont pacifiées et d'accord, en comparaison des discordes morales que l'on entrevoit ici !... J'y entends un dialogue sourd, pressé, atroce, comme d'une lutte de soi contre soi, des mots entrecoupés, que sais-je ?

Ce qui épouvante le plus, c'est qu'il n'a pas d'yeux ; du moins on les voit à peine. Quoi ! ce terrible aveugle sera guide des nations ?... Obscurité, vertige, fatalité, ignorance absolue de l'avenir, voilà ce qu'on lit ici.

Et pourtant ce monstre est sublime. Cette face presque sans yeux semble un volcan sans cratère, volcan de fange ou de feu, qui, dans sa forge fermée, roule les combats de la nature. Quelle sera l'éruption ?

C'est alors qu'un ennemi, terrifié de ses paroles, rendant hommage, dans la mort, au génie qui l'a frappé, le peindra d'un mot éternel : le Pluton de l'éloquence.

Cette figure est un cauchemar qu'on ne peut plus soulever, un mauvais songe qui pèse, et l'on y revient toujours. On s'associe machinalement à cette lutte visible des principes opposés ; on participe à l'effort intérieur, qui n'est pas seulement la bataille des passions, mais la bataille des idées, l'impuissance de les accorder ou de tuer l'une par l'autre. C'est un Œdipe dévoué, qui, possédé de son énigme, porte en soi, pour en être dévoré, le terrible sphinx.

CHAPITRE VII

Impuissance de l'Assemblée – Refus du serment (novembre 1790-janvier 1791)

Apparition des Jacobins futurs — Les premiers Jacobins (Duport, Barnave, Lameth, etc.) voudraient enrayer — Esprit rétrograde de l'Assemblée — Mirabeau et les Lameth primés par Robespierre, aux Jacobins (21 novembre 1790) — Les Lameth se soutiennent par la guerre ecclésiastique — Les prêtres provoquent la persécution — On exige le serment des prêtres (27 novembre 1790) — Sanction forcée du roi (26 décembre 1790) — L'Assemblée ordonne en vain le serment immédiat (4 janvier 1791) — Refus du serment dans l'Assemblée même.

Alexandre de Lameth raconte qu'au mois de juin 1790 une société patriotique l'invita à un banquet avec son frère, Duport et Barnave. Ce banquet, de deux cents personnes, hommes et femmes, fut vraiment spartiate, et pour l'austérité patriotique et pour la frugalité. Les convives ayant pris place, le président se lève et prononce avec solennité le premier article de la Déclaration des droits : « Les hommes naissent et demeurent libres, etc. » L'Assemblée écouta dans un religieux silence, et le recueillement dura pendant tout le repas. Une Bastille en relief était sur la table ; au dessert, les vainqueurs de la Bastille, qui se trouvaient parmi les convives, tirent leurs sabres, et, sans mot dire, mettent la Bastille en pièces ; il en sort un enfant, avec le bonnet de la Liberté. Les dames placent des couronnes civiques sur la tête des députés patriotes, et le dîner finit comme il avait commencé : le président, pour oraison, prononce, dans la même gravité sombre, le second article de la Déclaration des droits : « Le but de toute association, etc. »

Le président était le mathématicien Romme, alors gouverneur des princes Strogonoff. Il avait senti la liberté, où on la sent bien, en Russie ; il avait bu en plein esclavage la coupe de la Révolution. Ivre et froid en même temps, ce géomètre allait appliquer inflexiblement le nouveau principe, et, par une large soustraction de chiffres humains, en dégager l'inconnue. Immuable calculateur au sommet de la Montagne, il n'en descendit qu'au 2 prairial, pour s'enfoncer son compas dans le cœur.

Les Lameth se virent avec frémissement dans un monde tout nouveau. Les nobles et élégants Jacobins de 89 aperçurent les vrais Jacobins.

Ils en conviennent eux-mêmes, « cet homme de pierre qui présidait, ces textes législatifs, récités pour oraisons, le recueillement, le silence de ces fanatiques, cela leur parut effrayant ». Ils commencèrent à sonder l'océan où ils entraient ; jusque-là, comme des enfants, ils jouaient à la surface... Que de générations révolutionnaires les séparaient de ceux-ci ! Ils les comprenaient à peine. Ils connaissaient parfaitement les agitateurs de place, les ouvriers de l'émeute, qu'ils employaient et lançaient. Ils connaissaient les journalistes violents, les bruyants aboyeurs de clubs, mais les bruyants n'étaient pas les plus formidables. Par-delà toutes ces colères, simulées ou vraies, il y avait quelque chose de froid et terrible, ce qu'ils venaient de toucher ; ils avaient rencontré l'acier de la Révolution. Ils eurent froid et reculèrent.

Ils voulaient du moins reculer, et ne savaient comment le faire. Ils semblaient à l'avant-garde, ils avaient l'air de mener, tout œil était fixé sur eux. La trinité jacobine, Duport, Barnave et Lameth, était saluée comme le pilote de la Révolution, pour la mener en avant. « Ceux-ci au moins sont fermes et francs, disait-on, ce ne sont pas des Mirabeau. » Desmoulins les exalte à côté de Robespierre ; Marat, le défiant Marat, n'a nul soupçon encore sur eux.

Ils devaient pourtant cette grande position à leur dextérité bien plus qu'à leur force. On ne pouvait manquer d'apercevoir leurs côtés faibles, leurs fluctuations, leur caractère équivoque.

On démêla d'abord le vide de Barnave, puis l'intrigue des Lameth. Duport fut connu le dernier.

Chose curieuse, le premier coup, un trait léger de ridicule, fut lancé d'une main nullement hostile, par cet étourdi Desmoulins, enfant terrible, qui disait toujours tout haut ce que bien d'autres pensaient, telles choses souvent qu'on était tacitement convenu de ne pas dire ; le matin, lisant son journal, ses amis y voyaient parfois des mots cruellement vrais. Ici, c'était à l'occasion de la motion pour le renvoi des ministres. Desmoulins se moque de l'Assemblée, « qui garde toujours la harangue de M. Barnave pour le bouquet, puis ferme la discussion... Cette fois pourtant, ce n'était pas le cas, comme on dit, de tirer l'échelle... » L'espiègle, dans le même article, dit un mot original et juste, qui frappe, non seulement Barnave, mais presque tous les parleurs, tous les écrivains du temps : « En général, les discours des patriotes ressemblaient trop aux cheveux de 89, *plats et sans poudre*. Où donc étais-tu, Mirabeau ?... » Puis, il demande pourquoi les Lameth ont crié « aux voix ! » quand Pétion et Rewbell voulaient parler, « quand l'hercule Mirabeau, avec sa massue, allait écraser les Pygmées », etc.

Un coup plus grave fut porté quelques jours après à Barnave, dont il ne s'est point relevé. Le journaliste Brissot, un doctrinaire républicain, dont je parlerai bientôt tout au long, lui lança, au sujet des hommes de couleur, dont Barnave annulait les droits, une longue et terrible lettre où il mit l'avocat à jour, suffisant, brillant et vide, plein de phrases et sans idées. Brissot, écrivain trop facile ordinairement, mais ici fort de raison, trace avec sévérité le portrait du vrai patriote, et ce portrait se trouve être l'envers de celui de Barnave. Le patriote n'est ni intrigant ni jaloux, il ne cherche point la popularité pour se faire craindre de la Cour et devenir nécessaire. Le patriote n'est point l'ennemi des idées, il ne fait point de tirades contre la philosophie. Les grands citoyens de l'Antiquité n'étaient-ils pas des philosophes stoïciens ? etc.

Mais ce qui compromit le plus le parti Barnave et Lameth, c'est qu'au moment où le duel de Lameth le rendait très populaire, ils n'hésitèrent pas à se déclarer sur la question dangereuse de la garde nationale. Jusque-là, dans les moments difficiles, ils se taisaient, votaient silencieusement avec leurs adversaires ; on avait pu le voir pour l'affaire de Nancy, où l'unanimité montre que les Lameth avaient voté comme les autres.

L'Assemblée, nous l'avons dit, avait peur du peuple ; elle l'avait poussé d'abord, et maintenant elle voulait le ramener en arrière. En mai, elle avait encouragé l'armement, décrétant que nul n'était citoyen *actif* s'il n'était garde national. En juillet, au moment où la Fédération montrait bien pourtant qu'on pouvait avoir confiance, on fit l'étrange motion d'exiger l'uniforme, ce qui était indirectement désarmer les pauvres. En novembre, une proposition plus directe fut faite par Rabaut Saint-Etienne, celle de restreindre les gardes nationaux aux seuls citoyens *actifs*. Ces derniers étaient fort nombreux, nous l'avons vu, quatre millions. Mais tel était l'étrange état de la France d'alors, la diversité des provinces, que dans plusieurs, dans l'Artois, par exemple, il n'y aurait presque pas de citoyens actifs, ni de gardes nationaux. C'est ce que faisait valoir Robespierre avec beaucoup de force, étendant, exagérant cette observation, très juste pour sa province : «Voulez-vous donc, disait-il, qu'un citoyen soit un être rare?...» Qu'on juge des applaudissements, du trépignement des tribunes !

Le soir du 21 novembre, Robespierre soutenait cette thèse aux Jacobins. Mirabeau était président. Dans la fluctuation continuelle où le public était pour lui, tel jour le portant au ciel, et l'autre voulant l'étrangler, il avait ambitionné cette présidence pour étayer sa popularité de celle des Jacobins. On compterait plutôt les vagues de la mer que les alternatives de Mirabeau ; c'était entre lui et le public un orageux amour, plein de querelles et de fureurs. Camille est admirable là-dessus, jamais froid ni indifférent ; aujourd'hui, il l'appelle maîtresse adorée, et demain fille publique.

Mirabeau avait baissé pour sa proposition de remercier Bouillé. Mais il avait remonté par un terrible discours contre ceux qui avaient osé se moquer des trois couleurs, un de ces discours éternellement mémorables, qui font que cet homme-là, fût-il plus criminel encore, ne pourra jamais, quoi qu'on fasse, être arraché de la France. Et puis, il avait baissé, en proposant d'ajourner la réunion d'Avignon, de ménager encore le pape. Mais il avait remonté par une simple apparition au théâtre, où pour la première fois on rejouait *Brutus ;* sa vue fit tout oublier, réveilla l'amour, l'enthousiasme, *veteris vestigia flammae ;* on ne regardait que lui, on lui adressait mille allusions ; ce fut un triomphe éclatant, mais le dernier.

Cela le 19 novembre. Le 21, présidant aux Jacobins, Mirabeau écoutait avec impatience le discours de Robespierre sur la garde nationale restreinte aux citoyens *actifs*. Il entreprit de lui ôter la parole, sous prétexte qu'il parlait contre les décrets rendus. Chose grave, périlleuse, devant une assemblée émue, toute favorable à

Robespierre... « Continuez, continuez », crie-t-on de toute la salle. Le tumulte est au comble ; impossible de rien entendre, ni président, ni sonnette. Mirabeau, au lieu de se couvrir, comme président, fit une chose très hardie, qui allait ou lui donner l'avantage, ou faire éclater sa défaite. Il monta sur le fauteuil et comme si le décret attaqué était en lui Mirabeau, comme s'il s'agissait de le défendre et le sauver, il crie : « A moi, mes collègues !... que tous mes confrères m'entourent ! » Cette périlleuse démonstration fit cruellement ressortir la solitude de Mirabeau. Trente députés vinrent à son appel et l'Assemblée tout entière resta avec Robespierre. Desmoulins, ancien camarade de collège de celui-ci, et qui ne perd nulle occasion d'exalter son caractère, dit à cette occasion : « Mirabeau ne savait donc pas que, si l'idôlatrie était permise chez un peuple libre, ce ne serait que pour la vertu. »

Grande révélation aussi du changement profond qu'avait déjà subi le Club des Jacobins. Fondé par les députés et pour eux, il n'en avait plus dans son sein qu'un petit nombre qui n'y pesaient guère. Des admissions faciles, d'hommes ardents, impatients,avaient renouvelé le club ; l'Assemblée y était, sans doute, mais la future Assemblée. Pour elle seule parlait Robespierre.

Charles de Lameth arrive, le bras en écharpe ; on fait volontiers silence. Tout le monde était convaincu qu'il était pour Robespierre, il parla pour Mirabeau ! Le vicomte de Noailles déclara que le comité avait entendu le décret autrement que Mirabeau et Lameth, dans le sens de Robespierre. Celui-ci reprit la parole, avec toute l'assemblée pour lui, le président réduit au silence... au silence, Mirabeau !

Voilà les Lameth bien malades ! Fondateurs des Jacobins, ils les voient échapper. Leur popularité datait surtout du jour où ils luttèrent contre Mirabeau sur le droit de paix et de guerre ; et les voilà compromis, associés à Mirabeau dans les défiances publiques. Ils vont enfoncer, se noyer, s'ils ne trouvent moyen de se séparer violemment de celui-ci, de le jeter à la mer, et si, d'autre part, leur guerre au clergé ne leur ramène l'opinion.

Il est bien juste de dire que les prêtres faisaient tout ce qu'il fallait pour mériter la persécution. Ils avaient eu l'adresse de faire reculer dans l'ombre la question des biens ecclésiastiques, de mettre en lumière, en saillie, la question du serment. Ce serment, qui ne touchait en rien la religion, ni le caractère sacerdotal, le peuple ne le connaissait pas, et il croyait volontiers que l'Assemblée imposait aux prêtres une sorte d'adjuration. Les évêques déclaraient qu'ils n'auraient aucune communication avec les ecclésiastiques qui prêteraient le serment. Les plus modérés disaient que le pape n'avait pas encore répondu, qu'ils voulaient attendre, c'est-à-dire que le jugement d'un souverain étranger déciderait s'ils pouvaient obéir à la patrie.

Le pape ne répondit pas. Pourquoi ? A cause des vacances. Les congrégations des cardinaux ne s'assemblaient pas, disait-on, à cette époque de l'année. En attendant, par les curés, par les prédicateurs de tout rang et de toute robe, on travaillait à troubler le peuple, à rendre le paysan furieux, à jeter les femmes dans le désespoir. Depuis Marseille jusqu'à la Flandre, un concert immense, admirable, contre l'Assemblée. Des pamphlets incendiaires sont colportés de village en village par les curés de la Provence. A Rouen, à Condé, on prêche contre les assignats, comme invention du diable. A Chartres, à Péronne, on défend en chaire de payer l'impôt; un curé bravement se propose pour aller, à la tête du peuple, massacrer les percepteurs. Le chapitre souverain de Saint-Waast dépêche des missionnaires pour prêcher à mort contre l'Assemblée. En Flandre, les curés établissent, d'une manière forte et solide, que les acquéreurs des biens nationaux sont infailliblement damnés, eux, leurs enfants et descendants : «Quand nous voudrions les absoudre, disaient ces furieux, est-ce que nous le pourrions?... Non, personne ne le pourrait, ni curés, ni évêques, ni cardinaux, ni le pape! Damnés, damnés à jamais!»

Une bonne partie de ces faits étaient mis au jour, répandus dans le public, par la correspondance des Jacobins et le journal de Laclos. Ils furent réunis et groupés dans un rapport que le Jacobin Voidel fit à l'Assemblée. Mirabeau appuya par un long et magnifique discours, où, sous des paroles violentes, il tendait aux voies de douceur, restreignant le serment aux prêtres qui confessaient; pour l'affaiblissement du clergé, il voulait qu'on se fiât au temps, aux extinctions, etc.

Mais l'Assemblée fut plus aigre. Elle voulait châtier. Elle exigea le serment, le serment immédiat.

Une chose étonne dans cette Assemblée, composée, pour la bonne part, d'avocats voltairiens, c'est sa croyance naïve à la sainteté, à l'efficacité de la parole humaine. Il fallait qu'il y eût encore, après toute la sophistique du XVIIIe siècle, un grand fonds de jeunesse et d'enfance dans le cœur des hommes.

Ils se figurent que, du moment où le prêtre aura juré, du jour où le roi aura sanctionné leurs décrets, tout est fini, tout est sauvé.

Et le roi, au contraire, honnête homme du vieux monde, s'en va mentant tout le jour. La parole qu'ils croient une difficulté si grande, un obstacle, une barrière, un lien pour l'homme, n'embarrasse en rien le roi. De crainte qu'on ne le croie assez, il passe toute mesure. Il parle et reparle sans cesse *de la confiance qu'il mérite.* Il s'exprime, dit-il *ouvertement, franchement,* il s'étonne qu'il s'élève des doutes sur *la droiture connue de son caractère...* (23, 26 décembre 1790.)

Les plus innocents de tous, les Jansénistes, ne s'arrêtent pas à cela ; ils veulent du réel, du solide, un serment — du vent, du bruit.

Donc, le 27 novembre, un décret terrible : « L'Assemblée veut, tout de bon, que les évêques, curés, vicaires, jurent la Constitution, *sous huitaine ;* sinon ils seront censés avoir renoncé à leur office. Le maire est tenu, huit jours après, de dénoncer le défaut de prestation de serment. Et ceux qui, le serment prêté, y manqueraient, seront cités au tribunal du district, et ceux qui, ayant refusé, s'immisceraient dans leurs anciennes fonctions, poursuivis comme perturbateurs. »

Décrété, non sanctionné !... Nouvel effroi des Jansénistes, qui se sont avancés si loin. Ils veulent un résultat. Le 23 décembre, Camus demande « que la force intervienne », la force sous forme de prière ; que l'Assemblée *prie* le roi de lui répondre d'une façon régulière sur le décret. La force ! c'est ce qu'attendait le roi. Il répond immédiatement qu'il a sanctionné le décret. Il peut dire ainsi à l'Europe qu'il est forcé et captif.

Il dit à M. de Fersen : « J'aimerais mieux être roi de Metz... Mais cela finira bientôt. »

Chose remarquable, ni Robespierre, ni Marat, ni Desmoulins, n'auraient exigé le serment. Marat si intolérant, Marat qui demande qu'on brise les presses de ses ennemis, veut qu'on ménage les prêtres ; c'est, dit-il, la seule occasion où il faut user de ménagements, il s'agit de la conscience. Desmoulins ne veut nulle autre rigueur que d'ôter l'argent de l'Etat à ceux qui ne jurent point obéissance à l'État. « S'ils se cramponnent dans leur chaire, ne nous exposons même pas à déchirer leur robe de lin, pour les en arracher... Cette sorte de démons, qu'on appelle pharisiens, calotins ou princes des prêtres, n'est chassée que par le jeûne : *Non ejicitur nisi per jejunium.* »

L'exigence dure et maladroite qu'on mit à demander le serment aux députés ecclésiastiques dans l'Assemblée même, fut une faute très grave du parti qui dominait. Elle donna aux réfractaires une magnifique occasion, éclatante, solennelle, de témoigner devant le peuple pour la foi qu'ils n'avaient point. L'archevêque de Narbonne disait plus tard, sous l'Empire : « Nous nous sommes conduits en vrais gentilshommes ; car on ne peut pas dire de la plupart d'entre nous que ce fût par religion. »

Il était facile à prévoir que ces prélats, mis en demeure de céder devant la foule, de démentir solennellement leur opinion officielle, répondraient en gentilshommes. Le plus faible, ainsi poussé, deviendrait un brave. Gentilshommes ou non, c'étaient enfin des Français. Les curés les plus révolutionnaires ne purent se décider à laisser leurs évêques au moment critique ; la contrainte les choqua, le danger les tenta, la beauté solennelle d'une telle scène gagna leur imagination, et ils refusèrent.

Dès la première séance, où l'on interpella le seul évêque de Clermont, on pouvait juger de l'effet. Grégoire et Mirabeau, le jour suivant (4 janvier), tâchèrent d'adoucir. Grégoire dit que l'Assemblée n'entendait nullement toucher au spirituel, qu'elle n'exigeait même pas l'assentiment intérieur, ne forçait pas la conscience. Mirabeau alla jusqu'à dire que l'Assemblée n'exigeait pas précisément le serment, mais seulement qu'elle déclarait le refus incompatible avec telles fonctions, qu'en refusant de jurer, on était démissionnaire. C'était ouvrir une porte. Barnave la ferma avec une aigre violence, croyant sans doute regagner beaucoup dans l'opinion; il demanda et obtint qu'on ordonnât de jurer sur l'heure.

Mesure imprudente qui devait avoir l'effet de décider le refus. Les refusants allaient avoir la gloire du désintéressement et aussi celle du courage ; car la foule assiégeait les portes, on entendait des menaces. Les deux partis s'accusent ici ; les uns disent que les Jacobins essayèrent d'enlever le serment par la terreur ; les autres, que les aristocrates apostèrent des aboyeurs pour constater la violence qu'on leur faisait, rendre odieux leurs ennemis, pouvoir dire, comme ils le firent en effet, « que l'Assemblée n'était pas libre ».

Le président fait commencer l'appel nominal : M. l'évêque d'Agen.

L'évêque. — Je demande la parole.

La gauche. — Point de parole ! prêtez-vous le serment, oui ou non ?

(Bruit au-dehors.) Un membre. — Que M. le maire aille donc faire cesser ce désordre !

M. l'évêque d'Agen. — Vous avez dit que les refusants seraient déchus de leurs offices. Je ne donne aucun regret à ma place ; j'en donnerais à la perte de votre estime. Je vous prie d'agréer le témoignage de la peine que je ressens de ne pouvoir prêter le serment.

(On continue l'appel.) M. le curé Fournès. — Je dirai avec la simplicité des premiers chrétiens... Je me fais gloire et honneur de suivre mon évêque, comme Laurent suivit son pasteur.

M. le curé Leclerc. — Je suis enfant de l'Eglise catholique...

L'appel nominal réussissant si mal, un membre fit observer qu'il n'avait pas été exigé par l'Assemblée, qu'il n'était pas sans péril, qu'on devait se contenter de demander *collectivement* le serment. La demande collective n'eut pas plus de succès. L'Assemblée n'en tira d'autre avantage que de rester un quart d'heure et plus, silencieuse, impuissante, et de donner à l'ennemi l'occasion de dire quelques nobles paroles qui ne pouvaient manquer, dans un pays comme la France, de faire bien des ennemis à la Révolution.

M. l'évêque de Poitiers. — J'ai soixante-dix ans, j'en ai passé trente-cinq dans l'épiscopat, où j'ai fait tout le bien que je pouvais faire. Accablé d'années et d'études, je ne veux pas déshonorer ma vieillesse ; je ne veux pas prêter un serment... (*Murmures.*) Je prendrai mon sort en esprit de pénitence.

Ce sort n'eut rien de funeste. Les évêques sortirent sans péril de l'Assemblée, y revinrent tant qu'ils voulurent. L'indignation de la foule n'entraîna aucun acte violent.

La séance du 4 janvier fut le triomphe des prêtres sur les avocats. Ceux-ci, dans leur maladresse, s'étaient comme affublés de la vieille robe du prêtre, de cette robe d'intolérance, fatale à qui la revêt. Les évêques gentilshommes trouvèrent dans la situation des paroles heureuses et dignes, qui pour leurs adversaires furent des coups d'épée. La plupart de ces prélats qui parlaient si bien n'étaient pourtant que des courtisans intrigants et mal famés ; dans notre sérieux monde moderne, qui demande au prêtre vertus et lumières, ils auraient été obligés tôt ou tard de se retirer de honte. Mais la profonde politique des Camus et des Barnave avait trouvé le vrai moyen pour leur ramener le peuple, pour en faire des héros chrétiens, les sacrer par le martyre.

CHAPITRE VIII

Le premier pas de la Terreur

Fureur, légèreté de Marat — Eut-il une théorie politique ou sociale ? — Est-il communiste ? — Ses journaux contiennent-ils des vues pratiques ? — Précédents de Marat — Naissance, éducation — Ses premiers ouvrages politiques, philosophiques — Marat chez le comte d'Artois — Sa Physique, ses attaques contre Newton et Franklin, etc. — Il commence L'Ami du Peuple *— Ses modèles — Sa vie cachée, laborieuse — Ses prédictions — Ses rancunes pour ses ennemis personnels — Son acharnement contre Lavoisier — Les tribunaux n'osent juger Marat (janvier 1791) Pourquoi toute la presse suivit Marat dans la violence.*

L'année 1791, si tristement ouverte par la scène du 4 janvier, offre tout d'abord l'aspect d'un revirement funeste, d'un violent démenti au principe de la Révolution : la liberté foulant aux pieds les droits de la liberté, l'appel à la force.

L'appel à la force brutale, d'où part-il ? chose surprenante, des hommes les plus cultivés. Ce sont des légistes, des médecins, des gens de lettres, des écrivains ; ce sont les hommes d'esprit, qui, poussant la foule aveugle, veulent décider les choses de l'esprit par l'action matérielle.

Marat était parvenu à organiser dans Paris une sorte de guerre entre les vainqueurs de la Bastille, Hullin et d'autres, qui s'étaient enrôlés dans la garde nationale soldée, étaient désignés par lui à la vengeance du peuple comme « mouchards de La Fayette ». Il ne se contentait pas de donner leurs noms, il y joignait leur adresse, la rue et le numéro, pour que, sans autre recherche, on allât les égorger. Ses feuilles étaient réellement des tables de proscription où il inscrivait à la légère, sans examen, sans contrôle, tous les noms qu'on lui dictait. Des noms chers à l'humanité, depuis le 14 juillet, celui du vaillant Élie, celui de M. de La Salle, oublié par l'ingratitude du nouveau gouvernement, n'en étaient pas moins inscrits par Marat pêle-mêle avec les autres. Il avoue lui-même que, dans sa précipitation, il a confondu La Salle avec l'horrible de Sade, l'infâme et sanguinaire auteur. Une autre fois, il inscrit parmi les modérés, les fayettistes, Maillard, l'homme du 5 octobre, le juge du 2 septembre.

Malgré toutes ces violences et ces légèretés criminelles, l'indignation visiblement sincère de Marat contre les abus m'intéressait à lui, je dois le dire. Ce grand nom d'Ami du Peuple commandait aussi à l'histoire un sérieux examen. J'ai donc religieusement instruit le procès de cet homme étrange, lisant, la plume à la main, ses journaux, ses pamphlets, tous ses ouvrages. Je savais, par beaucoup d'exemples, combien le sentiment du droit, l'indignation, la pitié pour l'opprimé, peuvent devenir des passions violentes, et parfois cruelles. Qui n'a vu cent fois les femmes, à la vue d'un enfant battu, d'un animal brutalement maltraité, s'emporter aux dernières fureurs? Marat n'a-t-il été furieux que par sensibilité, comme plusieurs semblent le croire? Telle est la première question.

S'il en est ainsi, il faut dire que la sensibilité a d'étranges et bizarres effets. Ce n'est pas seulement un jugement sévère, une punition exemplaire que Marat appelle sur ceux qu'il accuse ; la mort ne lui suffirait pas. Son imagination est avide de supplices ; il lui faudrait des bûchers, des incendies, des mutilations atroces : « Marquez-les d'un fer chaud, coupez-leur les pouces, fendez-leur la langue », etc.

Quel que soit l'objet de ces emportements, qu'on le suppose ou non coupable, ils n'avilissent pas moins celui qui s'y livre. Ce ne sont pas là les graves, les saintes colères d'un cœur vraiment atteint de l'amour de la justice. On croirait plutôt y voir le délire d'une femme hors d'elle-même, livrée aux fureurs hystériques, ou près de l'épilepsie.

Ce qui étonne encore plus, c'est que ces transports, qu'on voudrait expliquer par l'excès du fanatisme, ne procèdent d'aucune foi précise qu'on puisse caractériser. Tant d'indécision avec tant d'emportement, c'est un spectacle bizarre. Il court furieux... où court-il ? il ne saurait bien le dire.

Si nous devons chercher les principes de Marat, ce n'est point apparemment dans les ouvrages de sa jeunesse (j'en parlerai tout à l'heure), mais dans ceux qu'il écrivit en pleine maturité, en 89 et 90 ; au moment où la grandeur de la situation pouvait augmenter ses forces et l'élever au-dessus de lui-même. Sans parler de *L'Ami du Peuple,* commencé à cette époque, Marat publia, en 89. *La Constitution, ou projet de déclaration des droits, suivi d'un plan de constitution juste, sage et libre* — de plus, en 90, son *Plan de Législation criminelle,* dont il avait déjà donné un essai en 1780. Il offrit ce dernier ouvrage à l'Assemblée nationale.

Au point de vue politique, ces ouvrages, extrêmement faibles, n'ont rien qui les distingue d'une infinité de brochures qui parurent alors. Marat y est royaliste, et décide que, dans tout grand Etat, la forme du gouvernement *doit être monarchique ; c'est la seule qui convienne à la France (Constitution,* p. 17*). Le prince ne doit être recherché que dans ses ministres ; sa personne sera sacrée* (p. 43). En février 91, Marat est encore royaliste.

Au point de vue social, rien, absolument rien qu'on puisse dire propre à l'auteur. On lui sait gré toutefois de l'attention particulière qu'il donne au sort des femmes, de sa sollicitude pour réprimer le libertinage, etc. Cette partie de son *Plan de Législation criminelle* est excessivement développée. Il y a des observations, des vues utiles, qui font pardonner tels détails inconvenants et peu à leur place (par exemple la peinture du vieux libertin, etc., *Législation,* p. 101).

Les remèdes que l'auteur veut appliquer aux maux de la société sont peu sérieux, tels qu'on ne s'attendrait guère à les voir proposer par un homme de son âge et de son expérience, un médecin de quarante-cinq ans. Dans sa *Législation criminelle,* il demande des pénalités gothiques contre le sacrilège et le blasphème (amende honorable aux portes des églises, etc., p. 119-120), et, dans sa *Constitution,* il n'en parle pas moins légèrement du christianisme et des religions en général (p. 57).

Ces deux ouvrages n'auraient certainement attiré aucune attention si l'auteur ne partait d'une idée qui ne peut jamais manquer d'être bien reçue, qui devait l'être singulièrement alors dans les extrêmes misères d'une capitale surchargée de cent mille indigents : *La Faiblesse ou l'incertitude du droit de propriété, le droit du pauvre à partager,* etc.

Dans son projet de *Constitution* (p. 7), Marat dit en propres termes, en parlant des droits de l'homme : « Quand un homme manque de tout, il a le droit d'arracher à un autre le superflu dont il regorge ; que dis-je ? *il a le droit de lui arracher le nécessaire,* et, plutôt que de périr de faim, il a droit de l'égorger et de dévorer sa chair palpitante. » Il ajoute dans une note (p. 6) : « Quelque attentat que l'homme commette, quelque outrage qu'il fasse à ses semblables, il ne trouble pas plus l'ordre de la nature qu'un loup quand il égorge un mouton. » Dans son livre sur *L'Homme,* publié en 1775, il avait déjà dit : « La pitié est un sentiment factice, acquis dans la société... N'entretenez jamais l'homme d'idées de bonté, de douceur, de bienfaisance, et il méconnaîtra toute sa vie jusqu'au nom de pitié... » (T. I, p. 165.)

Voilà l'état de nature, selon Marat. Terrible état ! Le droit de prendre à son semblable, non seulement le superflu qu'il peut avoir, mais *son nécessaire,* mais sa chair, et de la manger !

On croirait, d'après ceci, que Marat est bien loin au-delà de Morelly, de Babeuf, etc., qu'il va fonder ou la communauté parfaite, ou l'égalité rigoureuse des propriétés. On se tromperait. Il dit (*Constitution,* p. 12) « qu'une telle égalité ne saurait exister dans la société, qu'elle n'est pas même dans la nature ». On doit désirer seulement d'en approcher, autant qu'on peut. Il avoue (*Législation criminelle,* p. 19) que le partage des terres, pour être juste, n'en est pas moins *impossible, impraticable.*

Marat relègue dans l'état de nature, antérieur à la sûreté, ce droit effrayant de prendre *même le nécessaire* du voisin. Dans l'état de société, reconnaît-il la propriété ? Oui, ce semble, généralement. Cependant, à la page 18 de sa *Législation criminelle,* il semble la limiter *au fruit* du travail, sans l'étendre jusqu'à la terre où ce fruit est né.

Au total, comme *socialiste,* si on veut lui donner ce nom, c'est un éclectique flottant, très peu conséquent. Il faudrait, pour l'apprécier, faire ce que nous ne pouvons ici, l'histoire de ce vieux paradoxe, dont Marat approcha toujours, sans y tomber tout à fait, de cette doctrine qu'un de nos contemporains a formulée en trois mots : « La propriété, c'est le vol. » Doctrine négative, qui est commune à plusieurs sectes, du reste fort opposées.

Rien de plus facile que de supposer une société juste, aimante, parfaite de cœur, pure encore et abstinente (condition essentielle), qui fonderait et maintiendrait une communauté absolue de biens. Celle des biens est fort aisée, quand on a celle des cœurs. Et qui donc n'est communiste dans l'amour, dans l'amitié ? On a vu une telle chose entre deux personnes au dernier siècle, entre Pechméja et Dubreuil, qui vécurent et moururent ensemble. Pechméja essaya, dans un poème en prose (le *Télèphe,* ouvrage malheureusement faible et de peu d'intérêt), de faire partager aux autres l'attendrissante douceur qu'il trouvait à n'avoir rien en propre que son ami.

Le *Télèphe* de Pechméja n'enseigna pas la communauté plus efficacement que n'avaient fait *La Basiliade* de Morelly et son *Code de la Nature.* Tous les poèmes et les systèmes qu'on peut faire sur cette doctrine supposent, comme point de départ, ce qui est la chose difficile entre toutes, ce qui serait le but suprême : l'union des volontés. Cette condition, si rare, qu'on trouve à peine en quelques âmes d'élite, un Montaigne, un La Boétie, dispenserait de tout le reste. Elle-même, elle est dispensable. Sans elle, la communauté serait une lutte permanente, ou si on l'imposait par la loi, par la Terreur (ce qui ne peut durer guère), elle paralyserait toute activité humaine.

Pour revenir à Marat, il ne paraît nulle part soupçonner l'étendue de ces questions. Il les pose en tête de ses livres, comme pour attirer la foule, battre la caisse, se faire écouter. Et puis, il ne résout rien. Tout ce qu'on voit, c'est qu'il veut une large charité sociale, surtout aux dépens des riches : chose raisonnable certainement, mais il faudrait mieux dire le mode d'exécution. Nul doute que ce ne soit une chose odieuse, impie, que de voir tel impôt peser sur le pauvre, épargner le riche ; l'impôt ne doit porter que sur nous, qui avons. Mais le politique ne doit pas, comme Marat, s'en tenir aux plaintes, aux cris, aux vœux ; il doit proposer des moyens. Ce n'est pas sortir des difficultés que de s'en remettre, comme tous les utopistes de ce genre, à l'excellence présumée des fonctionnaires de l'avenir, de dire, par exemple : « Qu'on en donne la direction à quelque *homme de bien,* et qu'un magistrat *intègre* en ait l'inspection. » (Marat, *Législation criminelle,* p. 26.)

Montre-t-il dans son journal, en présence des nécessités du temps, plus d'intelligence pratique ? Pas davantage. On n'y trouve que des choses très décousues et très vagues, rien de neuf comme expédient, rien qu'on puisse appeler théorie.

Au moment où la Municipalité entre en possession des couvents et autres édifices ecclésiastiques, il propose d'y établir des ateliers pour les pauvres, de mettre des ménages indigents dans les cellules, dans le lit des moines et religieuses (11, 14 juin 1790). Nulle conclusion générale relativement au travail dirigé par l'Etat.

Lorsque la loi des patentes, la misère de Paris, les demandes d'augmentations de salaires, attirent son attention, propose-t-il quelque remède nouveau ? Nul que de rétablir les apprentissages longs et rigoureux, d'exiger des preuves de capacité, *de mettre un prix honnête au travail des ouvriers, de donner aux ouvriers qui se conduiront bien pendant trois ans les moyens de s'établir ;* deux qui ne se marieront pas remboursement au bout de dix ans.

Quels fonds assez vastes pour doter des populations si nombreuses ? Marat ne s'explique point là-dessus ; seulement, dans une autre occasion, il conseille aux indigents de s'associer avec les soldats, *de se faire assigner de quoi vivre* sur les biens nationaux, *de se partager les terres et les richesses des scélérats* qui ont enfoui leur or pour les forcer par la faim à rentrer sous le jour, etc.

Je voulais avant tout examiner si Marat, en 90, lorsqu'il prend sur l'esprit du peuple une autorité si terrible, examiner, dis-je, s'il a posé une théorie générale, un principe qui fondât cette autorité. L'examen fait, je dois dire : non. Il n'existe nulle théorie de Marat.

Je puis maintenant, à mon aise, reprendre ses précédents, chercher si, dans les ouvrages de sa jeunesse, il aurait par hasard posé ce principe d'où peut-être il a cru n'avoir qu'à tirer les conséquences.

Marat ou Mara, Sarde d'origine, était des environs de Neuchâtel, comme Rousseau de Genève. Il avait dix ans, en 1754, au moment où son glorieux compatriote lança le *Discours sur l'Inégalité ;* vingt ans, lorsque Rousseau, ayant conquis la royauté de l'opinion, la persécution et l'exil, revint chercher un asile en Suisse et se réfugia dans la principauté de Neuchâtel. L'intérêt ardent dont il fut l'objet, les yeux du monde fixés sur lui, ce phénomène d'un homme de lettres faisant oublier tous les rois, sans excepter Voltaire, l'attendrissement des femmes éplorées pour lui (on pourrait dire amoureuses), tout cela saisit Marat. Il avait une mère très sensible, très ardente, il le conte ainsi lui-même, qui, solitaire au fond de ce village de Suisse, vertueuse et romanesque, tourna toute son ardeur à faire un grand homme, un Rousseau. Elle fut très bien secondée par son mari, digne ministre, savant et laborieux, qui de bonne heure entassa tout ce qu'il put de sa science dans la tête de l'enfant. Cette concentration d'efforts eut pour résultat naturel d'échauffer la jeune tête outre mesure. La maladie de Rousseau, l'orgueil, y devint vanité, mais exaltée en Marat à la dixième puissance. Il fut le singe de Rousseau.

Il faut l'entendre lui-même (dans *L'Ami du Peuple* de 93) : « A cinq ans, j'aurais voulu être maître d'école, à quinze professeur, auteur à dix-huit, génie créateur à vingt. » Plus loin, après avoir parlé de ses travaux dans les sciences de la nature (vingt volumes, dit-il, de découvertes physiques), il ajoute froidement : « Je crois avoir *épuisé toutes les combinaisons de l'esprit humain* sur la morale, la philosophie et la politique. »

Comme Rousseau, comme la plupart des gens de son pays, il partit de bonne heure pour chercher fortune, emportant, avec son magasin mal rangé de connaissances diverses, le talent plus profitable de tirer des simples quelques remèdes empiriques ; tous ces Suisses de montagne sont quelque peu botanistes, droguistes, etc. Marat se donne ordinairement le titre de docteur en médecine. Je n'ai pu vérifier s'il l'avait réellement.

Cette ressource incertaine ne fournissait pas tellement qu'à l'exemple de Rousseau, à l'exemple du héros de *La Nouvelle Héloïse,* il ne fût aussi parfois précepteur, maître de langues. Comme tel, ou comme médecin, il eut occasion de s'insinuer près des femmes ; il fut quelque temps le Saint-Preux d'une Julie qu'il avait guérie. Cette Julie, une marquise délaissée de son mari qui l'avait rendue malade, fut sensible au zèle du jeune médecin, plus qu'à sa figure. Marat était fort petit, il avait le visage large, osseux, le nez épaté. Avec cela, il est vrai, d'incontestables qualités, le désintéressement, la sobriété, un travail infatigable, beaucoup d'ardeur, beaucoup trop ; la vanité gâtait tout en lui.

La Suisse a toujours fourni l'Angleterre de maîtres de langues et de gouvernantes. En 1772, Marat enseignait le français à Edimbourg. Il avait alors vingt-huit ans, beaucoup acquis, lu, écrit, mais n'avait rien publié. Cette année même s'achevait la publication des *Lettres de Junius,* ces pamphlets si retentissants et pourtant si mystérieux, dont on n'a jamais su l'auteur, qui donnèrent un coup terrible au ministère de ce temps. Les élections nouvelles étaient imminentes, l'Angleterre dans la plus vive agitation. Marat, qui avait vu la terrible émeute pour Wilkes (il en parle vingt ans après), Marat, qui admirait, enviait sans doute le triomphe du pamphlétaire, devenu tout à coup shérif et lord-maire de Londres, fit en anglais un pamphlet, qu'il rendit (comme Junius) plus piquant par l'anonyme : *Les Chaînes de l'Esclavage,* 1774. Ce livre, souvent inspiré de Raynal, qui venait de paraître, est, comme le dit l'auteur, une improvisation rapide ; il est plein de faits, de recherches variées ; le plan n'en est pas mauvais ; malheureusement l'exécution est très faible, le style fade et déclamatoire. Peu de vues, peu de portée ; nul sentiment vrai de l'Angleterre ; il croit que tout le danger est du côté de la Couronne ; il ignore parfaitement qu'avant tout l'Angleterre est une aristocratie.

Il venait de paraître à Londres, en 1772, un livre français qui faisait du bruit, livre posthume d'Helvétius, une sorte de continuation de son livre *De l'Esprit ;* celui-ci avait pour titre : *L'Homme.* Marat ne perd point de temps. En 1773, il publie en anglais un volume en opposition, lequel, développé, délayé, jusqu'à former trois volumes, fut donné par lui, en 1775, sous le titre suivant : *De l'Homme, ou des principes et des lois de l'influence de l'âme sur le corps et du corps sur l'âme* (Amsterdam).

Le faible et flottant éclectisme que nous avons observé dans les livres politiques et les journaux de Marat paraît singulièrement dans cet ouvrage de physiologie et de psychologie. Il semble spiritualiste, puisqu'il déclare que l'âme et le corps sont deux substances distinctes, mais l'âme n'en tire guère avantage ; Marat la place entièrement dans la dépendance du corps, déclarant que ce que nous appellerions qualités morales, intellectuelles, courage, franchise, tendresse, sagesse, raison, imagination, sagacité, etc., *ne sont pas des qualités inhérentes* à l'esprit ou au cœur, mais des manières d'exister de l'âme *qui tiennent à l'état des organes corporels* (II, 337). Contrairement aux spiritualistes, il croit que l'âme occupe un lieu : il la loge dans les méninges. Il méprise profondément le chef du spiritualisme moderne, Descartes. En psychologie, il suit Locke, et le copie sans le citer (t. II et III, *passim*). En morale, il estime et loue La Rochefoucauld (*Disc. prélim.*, p. VII, XII). Il ne croit pas que la pitié, la justice, soient des sentiments naturels, mais acquis, factices (t. I, p. 165 et 224, note). Il assure que l'homme, dans l'état de nature, est nécessairement un être lâche. Il croit prouver « qu'il n'y a point d'âmes fortes, puisque tout homme est irrésistiblement soumis au sentiment, et l'esclave des passions » (II, 187).

Quant au lien des deux substances, il promet des expériences neuves et décisives. Il n'en donne aucune ; rien que l'hypothèse vulgaire d'un certain fluide nerveux. Il nous apprend seulement que ce fluide n'est pas entièrement gélatineux, et la preuve, c'est que les liqueurs spiritueuses qui renouvellent si puissamment le fluide nerveux ne contiennent pas de gélatine (I, 56).

Tout est de la même force. On y apprend que l'homme triste aime la tristesse, et autres choses aussi nouvelles. D'autre part, l'auteur assure qu'une blessure n'est pas une sensation ; que la réserve est la vertu des âmes unies à des organes tissus de fibres lâches ou compactes, etc. En général, il ne sort du banal que par l'absurde.

Si l'ouvrage méritait une critique, celle qu'on pourrait lui faire, c'est surtout son indécision. Marat n'y prend nullement l'attitude d'un courageux disciple de Rousseau contre les philosophes. Il hasarde quelques faibles attaques contre leur vieux chef Voltaire, le mettant dans une note parmi les auteurs qui font de l'homme une énigme : « Hume, *Voltaire,* Bossuet, Racine (!), Pascal. » A cette attaque, le malicieux vieillard répondit par un article spirituel, amusant, judicieux, où, sans s'expliquer sur le fond, il montre seulement l'auteur, comme il est, charlatan et ridicule ; telle est la mode, dit-il : « On voit partout Arlequin qui fait la cabriole pour égayer le parterre. » *(Mélanges littéraires,* t. XLVII, p. 234, in-8, 1784.)

Quoique Marat parle beaucoup du prodigieux succès de ses livres en Angleterre, des boîtes d'or qu'on lui envoyait, il revint très pauvre. Et c'est alors, dit-on, qu'il fut parfois réduit à vendre ses remèdes sur les places de Paris. Cependant son dernier livre pouvait le recommander ; un médecin quasi spiritualiste ne pouvait déplaire à la Cour : un livre de médecine galante (j'avais oublié tout à l'heure d'indiquer ce caractère du livre *De l'Homme*) pouvait réussir auprès des jeunes gens, à la cour du comte d'Artois. Il y a, en effet, souvent un ton galantin, des scènes équivoques ou sentimentales, aveux surpris, jouissances, etc., sans compter tels avis utiles sur l'effet de l'épuisement. Marat entra dans la maison du jeune prince, d'abord par l'humble emploi de médecin de ses écuries, puis avec le titre plus relevé de médecin de ses gardes du corps.

C'est un des côtés assez tristes de l'ancien régime, peu, bien peu des hommes de lettres, des savants, qui devinrent hommes politiques, avaient pu se passer de haute protection ; tous eurent besoin de patronage. Beaumarchais fut d'abord auprès de Mesdames, puis chez Duverney ; Mably chez le cardinal de Tencin ; Chamfort chez le prince de Condé ; Rulhière chez Monsieur ; Malouet chez Madame Adélaïde ; Laclos chez Mme de Genlis ; Brissot chez le duc d'Orléans, etc. ; Vergniaud fut élevé par la protection de Turgot et de Dupaty ; Robespierre par l'abbé de Saint-Waast, Desmoulins par le chapitre de Laon, etc. Marat ne recourut à la protection du comte d'Artois que tard, et contraint par la misère ; il fut dans sa maison douze ans.

Dans cette position nouvelle, il s'interdit toute publication politique ou philosophique, revint tout entier aux sciences. Son génie belliqueux, qui n'avait pas réussi contre Voltaire et les philosophes, s'en prit à Newton. Il ne tenta pas moins que de renverser ce dieu de l'autel, se précipita dans une foule d'expériences hâtées, passionnées, légères, croyant détruire l'*Optique* de Newton, qu'il ne comprenait même pas. Se fiant peu aux savants français, il invita Franklin à voir ses expériences. Franklin admira sa dextérité, mais ne jugea pas du fond même, et Marat, peu satisfait, se mit immédiatement à travailler contre Franklin. Il voulait ruiner sa théorie sur l'électricité ; et, pour s'appuyer d'un suffrage illustre, il avait invité Volta à venir juger lui-même. Il n'eut pas son approbation.

Le physicien Charles, célèbre par le perfectionnement de l'aérostat, a raconté souvent à un de nos amis, savant très illustre, qu'il surprit un jour Marat en flagrant délit de charlatanisme. Marat prétendait avoir trouvé de la résine qui conduisait parfaitement l'électricité. Charles tâta, et sentit une aiguille cachée dans la résine, qui faisait tout le mystère.

La Révolution trouva Marat dans la maison du comte d'Artois, au centre des abus, des prodigalités, au milieu d'une jeune noblesse insolente, c'est-à-dire au lieu où l'on pouvait le mieux connaître, haïr l'ancien régime. Il se trouva tout d'abord, et sans transition, lancé dans le mouvement. Il arrivait d'un voyage d'Angleterre quand eut lieu l'explosion du 14 juillet. Son imagination fut saisie de ce spectacle unique ; l'ivresse lui gagna le cerveau, et ne le quitta plus. Sa vanité aussi s'était trouvée flattée d'un hasard qui lui fit jouer un rôle dans la grande journée. Si l'on en croit une note qu'il envoya aux journalistes, trois mois après le 14 juillet, Marat, se trouvant, ce jour même, dans la foule qui couvrait le Pont-Neuf, un détachement de hussards aurait poussé jusque-là, et Marat, servant d'organe à la foule, lui eût commandé de poser les armes, ce qu'ils ne jugèrent pas à propos de faire. Marat ne s'en comparait pas moins modestement à Horatius Coclès, qui seul sur un pont arrête une armée.

Mécontent des journalistes, qui ne l'avaient pas loué dignement, Marat vendit (il l'assure) les draps de son lit pour commencer un journal. Il essaya de plusieurs titres, en trouva un excellent : *L'Ami du Peuple, ou le Publiciste parisien, journal politique et impartial.* Malgré ce style, parfois burlesque, comme on voit, toujours faible et déclamatoire, Marat réussit. Sa recette fut de partir, non du ton habituel des brochures et journaux français, mais des gazettes que nos libellistes réfugiés faisaient en Angleterre, en Hollande, du *Gazetier cuirassé* de Morande et autres publications effrénées. Marat, comme eux, donna toutes sortes de nouvelles, de scandales, de personnalités ; il s'abstint des théories abstraites, inintelligibles au peuple, que tous les autres journalistes avaient le tort de l'obliger à lire ; il parla peu de l'extérieur, peu des département, qui alors remplissaient entièrement le journal des Jacobins. Il s'en tint à Paris, au mouvement de Paris, aux personnes surtout, qu'il accusa, désigna avec la légèreté terrible des libellistes ses modèles ; grande différence toutefois, les scandales de Morande n'avaient de résultat que de rançonner les gens désignés, de valoir des écus à Morande ; ceux de Marat, plus désintéressés, risquaient d'envoyer les gens à la mort : tel, nommé par lui le matin, pouvait être assommé le soir.

On s'étonne que cette violence uniforme, la même, toujours la même, cette monotonie de fureur qui rend la lecture de Marat si fatigante, aient toujours eu action, n'aient point refroidi le public. Rien de nuancé, tout extrême, excessif, toujours les mêmes mots : *infâme, scélérat, infernal ;* toujours même refrain : *la mort.* Nul autre changement que le chiffre des têtes à abattre, six cents têtes, dix mille têtes, vingt mille têtes ; il va, s'il m'en souvient, jusqu'au chiffre, singulièrement précisé, de deux cent soixante-dix mille têtes.

Cette uniformité même, qui semblait devoir ennuyer et blaser, servit Marat. Il eut la force, l'effet d'une même cloche, d'une cloche de mort, qui sonnerait *toujours.* Chaque matin, avant le jour, les rues retentissaient du cri des colporteurs : Voilà *L'Ami du Peuple !* » Marat fournissait chaque nuit huit pages in-8 qu'on vendait le matin ; et à chaque instant il déborde, ce cadre ne lui suffit pas ; souvent, le soir, il ajoute huit pages ; seize en tout pour un numéro ; mais cela ne lui suffit pas encore, ce qu'il a commencé en gros caractères, souvent il l'achève en petits, pour concentrer plus de matière, plus d'injures, plus de fureur. Les autres journalistes produisent par intervalles, se relaient, se font aider, Marat jamais. *L'Ami du Peuple* est de la même main ; ce n'est pas simplement un journal, c'est un homme, une personne.

Comment suffisait-il à ce travail énorme ? Un mot explique tout. Il ne quittait pas sa table ; il allait très rarement à l'Assemblée, aux clubs. Sa vie était une, simple : écrire. Et puis ? écrire, écrire la nuit, le jour. La police aussi de bonne heure lui rendit le service de le forcer de vivre caché, enfermé, livré tout au travail ; elle doubla son activité. Elle intéressa vivement le peuple à son Ami, persécuté pour lui, fugitif, en péril ? En réalité, le péril était peu de chose. La vieille police de Lenoir et de Sartine n'était plus. La nouvelle, mal organisée, incertaine et timide, dans les mains de Bailly et de La Fayette, n'avait nulle action sérieuse. Sauf Favras et l'assassin du boulanger François, il n'y eut nulle punition grave en 90 ni en 91. La Fayette lui-même, loin de souhaiter la dictature, hâta auprès de l'Assemblée la mise en activité des procédures nouvelles, qui achevèrent d'annuler le pouvoir judiciaire. La garde nationale soldée, qui faisait sa vraie force, était composée en partie d'anciens gardes-françaises, vainqueurs de la Bastille, et qui jouaient à regret le rôle de soldats de police.

Marat vécut aisé, au jour le jour toutefois, au hasard d'une vie errante. Sa toilette bizarre exprimait son excentricité ; sale habituellement, il avait parfois des recherches subites, un luxe partiel et des velléités galantes : un gilet de satin blanc, par exemple, avec un collet gras et une chemise sale. Ce retour de fortune, qui souvent adoucit les hommes, ne fit rien sur lui. Sa vie malsaine, irritante, toute renfermée, conserva sa fureur entière. Il vit toujours le monde du jour étroit, oblique de sa cave, par un soupirail, livide et sombre, comme ces murs humides, comme sa face, à lui, qui semblait en prendre les teintes. Cette vie lui plaisait à la longue, il jouissait de l'effet fantastique et sinistre qu'elle donnait à son nom. Il se sentait régner du fond de cette nuit ; il jugeait de là, sans appel, le monde de la lumière, le royaume des vivants, sauvant l'un, damnant l'autre. Ses jugements s'étendaient jusqu'aux affaires privées. Celles des femmes semblent lui être spécialement recommandables. Il protège une religieuse fugitive. Il prend parti pour une dame en querelle avec son mari, et fait à ce mari d'effroyables menaces.

Une vie à part, exceptionnelle, qui ne permet pas à l'homme de contrôler ses jugements par ceux des autres hommes, rend aisément visionnaire. Marat n'était pas éloigné de se croire la seconde vue. Il prédit sans cesse, au hasard. En cela, il flatte singulièrement la disposition des esprits ; les misères extrêmes les rendaient crédules, impatients de l'avenir ; ils écoutaient avidement ce Mathieu de Laensberg. Chose curieuse, personne ne voit qu'il se trompe à chaque instant. Cela est frappant néanmoins pour les affaires extérieures : il ne soupçonne nullement le concert de l'Europe contre la France (voy. 28 août 1790, N° 204, et autres). Pour l'intérieur, voyant tout en noir, il risque peu de se tromper. On relève avec admiration tout ce qui s'accomplit des paroles du prophète. Les journalistes eux-mêmes, peu jaloux de celui qu'ils jugent un fou sans conséquence, ne craignent pas de relever, de s'extasier ; ils l'appellent *le divin* Marat. Dans la réalité, son excessive défiance lui tient lieu parfois de pénétration. Le jour, par exemple, où Louis XVI sanctionne le décret qui exige le serment des prêtres, Marat lui adresse des paroles pleines de force et de sens. Il rappelle son éducation, ses précédents de famille, et lui demande par quelle sublime vertu il a mérité que Dieu lui accordât ce miracle de s'affranchir du passé et de devenir sincère.

Ces éclairs de bon sens sont rares. Il a bien plus souvent, parmi ses cris de fureur des accès de charlatanisme, de vanteries délirantes, qu'un fou seul peut hasarder : « Si j'étais tribun du peuple, et soutenu par quelques milliers d'hommes déterminés, je réponds que, sous six semaines, *la Constitution serait parfaite,* que la machine politique marcherait au mieux, qu'aucun fripon public n'oserait la déranger, que la nation serait libre et heureuse ; qu'en moins d'une année elle serait florissante et redoutable et qu'elle le serait tant que je vivrais. » (26 juillet 1790, N° 173).

L'Académie des sciences, coupable d'avoir dédaigné ce qu'il nomme ses découvertes, est poursuivie, désignée dans sa feuille, et dans un pamphlet réimprimé exprès, comme aristocrate. Des hommes paisibles, comme Laplace et Lalande, un véritable patriote, d'un grand caractère, Monge, sont signalés à la haine. Il ne les accuse pas seulement d'incivisme, mas de vol. « L'argent donné à l'Académie pour faire des expériences, ils vont le manger, dit-il, à la Rapée ou chez les filles. »

L'objet principal de cette rage envieuse, c'est naturellement le premier du temps, celui qui venait d'opérer dans la science une révolution rivale de la révolution politique, celui devant qui s'inclinaient Laplace et Lagrange. Je parle de Lavoisier. On sait que Lagrange fut tellement frappé du grandiose aspect de ce monde chimique dont Lavoisier venait d'arracher le voile, que, dix ans durant, il en oublia les mathématiques, ne pouvant plus supporter la sécheresse du calcul abstrait, lorsque s'ouvrait devant lui le sein profond de la nature.

Ce grand révolutionnaire, Lavoisier, n'eût pu faire sa révolution s'il n'eût été riche. Et c'est pour cela qu'il avait voulu être fermier général. Loin de prendre dans ces fonctions l'esprit de fiscalité, il conseilla l'abaissement de plusieurs impôts, soutenant que le revenu croîtrait, loin de diminuer. Créé par Turgot directeur des poudres, il abolit l'usage vexatoire de fouiller les caves pour y prendre le salpêtre. Une chose fera juger son cœur. Au milieu de tant de travaux et de fonctions diverses, il trouvait le temps de se livrer à une longue, pénible, dégoûtante recherche, l'étude des gaz qui se dégagent des fosses d'aisance, sans autre espoir que de sauver la vie à quelques malheureux.

Voilà l'homme qu'attaqua Marat, celui qu'il appelle « un apprenti chimiste, à cent mille livres de rente ». Ses accusations persévérantes, réitérées sous plusieurs formes, préparent l'échafaud de Lavoisier. Celui-ci, qui sent si bien qu'ayant tant fait et tant à faire, sa vie est d'un prix inestimable pour le monde, ne songe nullement à fuir. Il ne devinera jamais la stupidité funeste qui peut voler une telle vie à la science, au genre humain.

Tout le chagrin de Marat, c'est qu'on ne suive pas encore la même méthode à l'égard de l'Assemblée nationale. Il assure, le 21 octobre 1790, que si, de temps à autre, on promenait quelques têtes autour de l'Assemblée, la Constitution eût été bientôt et faite, et *parfaite*. Mieux encore vaudrait, selon lui, si ces têtes étaient prises dans l'Assemblée même. Le 22 septembre, le 15 novembre, et dans d'autres occasions, il prie instamment le peuple d'*emplir ses poches de cailloux et de lapider,* dans la salle, les députés infidèles. Il insiste, le 24 novembre, pour que *ses chers camarades courent à l'Assemblée toutes les fois que Marat, leur incorruptible ami, leur en donnera le conseil.*

Au mois d'août 1790, lorsque Marat et Camille Desmoulins furent accusés par Malouet à l'Assemblée nationale, Camille, bientôt tiré d'affaire, alla trouver Marat et l'engagea à désavouer quelques paroles horriblement sanguinaires qui faisaient tort à la cause. Marat le lendemain conte tout dans son journal, en se moquant de Camille ; loin d'avouer que ces paroles excessives lui sont venues par l'entraînement, il déclare qu'elles lui semblent dictées par l'humanité ; c'est être humain que de verser un peu de sang pour éviter plus tard d'en répandre davantage, etc.

Il reproche la peur à Camille Desmoulins, qui pourtant avait montré beaucoup d'audace ; placé dans une tribune, écoutant son accusateur, à ces mots de Malouet : « Oserait-il démentir ? » il répondit tout haut : « Je l'ose. » La partie n'était pas égale entre lui, toujours au grand jour, et Marat toujours caché. Celui-ci ne se montrait que dans les rares occasions où, le ban et l'arrière-ban des fanatiques étant convoqué, il se sentait environné d'un impénétrable mur et plus sûr que dans sa cave. En janvier 91, Marat prêchait le massacre des gardes nationales soldées ; il recommandait aux femmes La Fayette lui-même : « Faites-en un Abailard. » Un fayettiste qui faisait le *Journal des Halles* osa l'appeler devant les tribunaux. Il sortit de ses ténèbres, vint au Palais, comparut. La chauve-souris effraya la lumière de son aspect. Il n'avait pas grand-chose à craindre. Une armée l'environnait. L'auditoire était rempli de ses frénétiques amis, toutes les avenues, tous les passages pleins et combles d'un peuple prodigieusement exalté. Pour que la justice eût son cours, il eût fallu une bataille rangée, et il y eût eu un massacre. L'autorité craignit de ne pouvoir même protéger la vie du plaignant ; on l'empêcha de se présenter. Marat, vainqueur sans combat, se trouva avoir démontré le néant des tribunaux, de la police, de la garde nationale, de Bailly et de La Fayette.

Dès ce jour, il eut, sans conteste, une royauté de délation.

Ses transports les plus frénétiques furent sacrés, son bavardage sanguinaire, mêlé trop souvent de rapports perfides, qu'il copiait sans jugement, fut pris comme oracle. Désormais il peut aller grand train dans l'absurde. Plus il est fou, plus il est cru. C'est le fou en titre du peuple ; la foule en rit, l'écoute et l'aime, et ne croit plus que son fou.

Il marche la tête en arrière, fier, heureux, souriant dans sa plus grande fureur. Ce qu'il a poursuivi en vain toute sa vie, il l'a maintenant ; tout le monde le regarde, parle de lui, a peur de lui. La réalité dépasse tout ce qu'il a pu, dans les rêves de la vanité la plus délirante, imaginer, souhaiter. Hier, un grand citoyen ; aujourd'hui, *voyant,* prophète ; pour peu qu'il devienne plus fou, ce voyant va passer Dieu.

Il va, et toutes les concurrences de la presse, se déchaînant sur sa trace, le suivent à l'aveugle dans les voies de la Terreur.

La presse comptait de bons esprits, hardis, mais élevés, humains, vraiment politiques. Pourquoi suivirent-ils Marat ?

Dans la situation infiniment critique où était la France, n'ayant ni la paix ni la guerre, ayant au cœur cette royauté ennemie, cette conspiration immense des prêtres et des nobles, la force publique se trouvant justement aux mains de ceux contre qui on devait la diriger, quelle force restait à la France ? Nulle autre, ce semble, au premier coup d'œil, que la Terreur populaire ? Mais cette Terreur avait un effroyable résultat : en paralysant la force ennemie, écartant l'obstacle actuel, momentané, elle allait créant toujours un obstacle qui devait croître et nécessiter l'emploi d'un nouveau degré de Terreur.

Il eût fallu un grand accord de toutes les énergies du temps, tel qu'on pouvait l'espérer difficilement d'une génération si mal préparée, pour organiser un pouvoir national vraiment actif, une justice redoutée, mais juste, pour être fort sans Terreur, pour prévenir par conséquent la réaction de la Pitié, qui a tué la Révolution.

Les hommes dominants de l'époque différaient, dans le principe, bien moins qu'on ne croit. Le progrès de la lutte élargit la brèche entre eux, augmenta l'opposition. Chacun d'eux, à l'origine, aurait eu peu à sacrifier de ses idées pour s'entendre avec les autres. Ce qu'ils avaient à sacrifier surtout, et ce qu'ils ne purent jamais, c'étaient les tristes passions que l'ancien régime avait enracinées en eux : dans les uns, l'amour du plaisir, de l'argent ; dans les autres, l'aigreur et la haine.

Le plus grand obstacle, nous le répétons, fut la passion, bien plus que l'opposition des idées.

Et ce qui manqua à ces hommes, du reste si éminents, ce fut le sacrifice, l'immolation de la passion. Le cœur, si j'osais le dire, quoique grand dans plusieurs d'entre eux, le cœur et l'amour du peuple ne furent pas assez grands encore.

Voilà ce qui, les tenant isolés, sans lien, faibles, les obligea, dans le péril, de chercher tous une force factice dans l'exagération, dans la violence ; voilà ce qui mit tous les orateurs du club, tous les rédacteurs de journaux à la suite de celui qui, plus égaré, pouvait être sanguinaire sans hésitation ni remords. Voilà ce qui attela toute la presse à la charrette de Marat.

Des causes personnelles, souvent bien petites, misérablement humaines, contribuaient à les faire tous violents. Ne rougissons pas d'en parler.

La profonde incertitude où se trouvait le génie le plus fort, le plus pénétrant peut-être de toute la Révolution (c'est de Danton que je parle), sa fluctuation entre les partis qui lui faisait, dit-on, recevoir de plusieurs côtés, comment pouvait-il la couvrir ? Sous des paroles violentes.

Son brillant ami, Camille Desmoulins, le plus grand écrivain du temps, plus pur d'argent, mais plus faible, est un artiste mobile. La concurrence de Marat, sa fixité dans la fureur, que personne ne peut égaler, jette par moments Camille dans des sorties violentes, une émulation de colère très contraire à sa nature.

Comment l'imprimeur Prudhomme, ayant perdu Loustalot, pourra-t-il soutenir *Les Révolutions de Paris ?* Il faut qu'il soit plus violent.

Comment *l'Orateur du Peuple,* Fréron, l'intime ami de Camille Desmoulins et de Lucile, qui loge dans la même maison, qui aime et envie Lucile, comment peut-il espérer de briller devant l'éloquent, l'amusant Camille ?... Par le talent ? Non, par l'audace, peut-être. Il sera plus violent.

Mais en voici un qui commence et qui va les passer tous. Un aboyeur des théâtres, Hébert, a l'heureuse idée de réunir dans un journal tout ce qu'il y a de bassesses, de mots ignobles, de jurons dans tous les autres journaux. La tâche est facile. On crie : « Grande colère du *Père Duchène !* — Il est b... en colère, ce matin, le *Père Duchène !* » Le secret de cette éloquence, c'est d'ajouter f... de trois en trois mots.

Pauvre Marat, que feras-tu ? ceci est une concurrence.

Vraiment, la fureur est fade ; elle n'est pas, comme celle d'Hébert, assaisonnée de bassesses : tu m'as l'air d'un aristocrate. Il faut t'essayer à jurer aussi (16 janvier 1791). Ce n'est pas sans des efforts inouïs, et toujours renouvelés, de rage et d'outrage, que tu peux tenir l'avant-garde.

C'est un caractère du temps qui mérite d'être observé que cet entraînement mutuel. En suivant attentivement les dates, on comprendra mieux ceci ; c'est le seul moyen de saisir le mouvement qui les précipite, comme s'il y avait un prix proposé pour la violence, de suivre cette course à mort de clubs à clubs, et de journaux à journaux. Là tout cri a son écho ; la fureur pousse la fureur. Tel article produit tel article, et toujours plus violent. Malheur à qui reste derrière !... Presque toujours Marat a l'avance sur les autres, quelquefois passe devant Fréron, son imitateur. Prudhomme, plus modéré, a pourtant des numéros furieux. Alors Marat court après. Ainsi, en décembre 90, quand Prudhomme a proposé d'organiser un bataillon de Scévolas contre les Tarquins, une troupe de tueurs de rois, Marat devient enragé, vomit mille choses sanguinaires.

Ce *crescendo* de violence n'est pas un phénomène particulier aux journaux ; ils ne font généralement qu'exprimer, reproduire la violence des clubs. Ce qui fut hurlé le soir s'imprime la nuit à la hâte, se vend le matin. Les journalistes royalistes versent de même au public les flots de fiel, d'outrage et d'ironie qu'ils ont puisé le soir dans les salons aristocratiques ; les réunions du pavillon de Flore, chez Mme de Lamballe, celles que tiennent chez eux les grands seigneurs près d'émigrer, fournissent des armes à la presse, tout aussi bien que les clubs.

L'émulation est terrible entre les deux presses. C'est un vertige de regarder ces millions de feuilles qui tourbillonnent dans les airs, se battent et se croisent. La presse révolutionnaire, toute furieuse d'elle-même, est encore aiguillonnée par la pénétrante ironie des feuilles et pamphlets royalistes. Ceux-ci pullulent à l'infini ; ils puisent à volonté dans les vingt-cinq millions annuels de la liste civile. Montmorin avoua à Alexandre de Lameth qu'il avait en peu de temps employé sept millions à acheter des Jacobins, à corrompre des écrivains, des orateurs. Ce que coûtaient les journaux royalistes, *L'Ami du Roi, Les Actes des Apôtres,* etc., personne ne peut le dire, pas plus qu'on ne saura jamais ce que le duc d'Orléans a pu dépenser en émeutes.

Lutte immonde, lutte sauvage, à coup de pierres, à coups d'écus. L'un assommé, l'autre avili. Le marché des âmes d'une part, et de l'autre la Terreur.

CHAPITRE IX

Premier pas de la Terreur Résistance de Mirabeau

Les Jacobins persécutent les autres clubs, détruisent le Club des amis de la Constitution monarchique (décembre 1790-mars 1791) — La majorité des Jacobins d'alors appartient aux partis Lameth et Orléans — Le duc d'Orléans nuit à son parti (janvier 1790) — Premières idées de république — Les Jacobins sont encore royalistes — Inquisition sans religion — Premiers effets de l'inquisition politique — Le départ de Mesdames soulève la question de la liberté d'émigration (février 1791) — Violence des Jacobins rétrogrades dans ce débat — La discussion troublée par le mouvement de Vincennes et des Tuileries (28 février 1791) — Mirabeau défend la liberté d'émigrer ; son danger ; il est attaqué aux Jacobins ; immolé par les Lameth (28 février 1791).

Pour comprendre comment le plus civilisé des peuples, le lendemain de la Fédération, lorsque les cœurs semblaient devoir être pleins d'émotions fraternelles, put entrer si brusquement dans les voies de la violence, il faudrait pouvoir sonder un océan inconnu, celui des souffrances du peuple.

Nous avons noté le dehors, les journaux, et, sous les journaux, les clubs. Mais sous cette surface sonore est le dessous, insondable, muet, l'infini de la souffrance. Souffrance croissante, aggravée moralement par l'amertume d'un si grand espoir trompé, aggravée matériellement par la disparition subite de toute ressource. Le premier résultat des violences fut de faire partir, outre les nobles, beaucoup de gens riches ou aisés, nullement ennemis de la Révolution, mais qui avaient peur. Ce qui restait n'osait ni bouger, ni entreprendre, ni vendre, ni acheter, ni fabriquer, ni dépenser. L'argent effrayé se tenait au fond des bourses ; toute spéculation, tout travail était arrêté.

Spectacle bizarre ! la Révolution allait ouvrir la carrière au paysan ; elle la fermait à l'ouvrier. Le premier dressait l'oreille aux décrets qui mettaient en vente les biens ecclésiastiques ; le second, muet et sombre, renvoyé des ateliers, se promenait les bras croisés, errait tout le jour, écoutait les conversations des groupes animés, remplissait les clubs, les tribunes, les abords de l'Assemblée. Toute émeute, payée ou non payée, trouvait dans la rue une armée d'ouvriers aigris de misère, de travailleurs excédés d'ennui et d'inaction, trop heureux, de manière ou d'autre, de travailler au moins un jour.

Dans une telle situation, la responsabilité de la grande société politique, de celle des Jacobins, était véritablement immense. Quel rôle devait-elle prendre ? Un seul ? rester forte contre sa passion même, éclairer l'opinion, éviter les brutalités terroristes qui allaient créer à la Révolution d'innombrables ennemis, mais en même temps veiller de si près les contre-révolutionnaires, qu'à la moindre occasion vraiment juste on pût les frapper.

Loin de là, elle les aida puissamment par sa maladresse. Elle les multiplia, les fortifia en les persécutant, et mettant l'intérêt de leur côté. Elle leur valut la propagande la plus énergique et la plus active. En les écrasant dans Paris, elle les étendit en France, en Europe ; elle en étouffa des centaines, elle en enfanta des millions.

Les Jacobins semblent se porter pour héritiers directs des prêtres. Ils en imitent l'irritante intolérance, par laquelle le clergé a suscité tant d'hérésies. Ils suivent hardiment le vieux dogme : « Hors de nous, point de salut. » Sauf les Cordeliers, qu'ils ménagent, dont ils parlent le moins qu'ils peuvent, ils persécutent les clubs, même révolutionnaires. Le *Cercle social,* par exemple, réunion franc-maçonnique, à qui l'on ne pouvait guère reprocher que des ridicules, club politiquement timide, mais socialement beaucoup plus avancé que les Jacobins, est durement attaqué par eux. L'orléaniste Laclos, qui, comme on a vu, publiait la correspondance des Jacobins, dénonça le *Cercle social,* et dans son journal, et au club. Le Jacobin Chabroud, qui, la veille même, avait été nommé président du Cercle, n'osa le défendre. Camille Desmoulins s'y hasarda, et fut arrêté aux premiers mots par l'improbation universelle des Jacobins. Il s'en dédommagea le lendemain, et écrivit son admirable numéro 54, immortel manifeste de la tolérance politique.

Une guerre plus violente encore fut celle que les Jacobins firent au *Club des Amis de la Constitution monarchique,* par lequel les constitutionnels essayaient de renouveler leur *Club des impartiaux.* Ces hommes, la plupart distingués (Clermont-Tonnerre,

Malouet, Fontanes, etc.), étaient, il est vrai, suspects, moins encore pour leurs doctrines que pour la dangereuse organisation de leur club. A la grande différence du Club de 89 (Mirabeau, Sieyès, La Fayette, etc.), peu nombreux, cherchant peu l'action, le *Club monarchique* admettait les ouvriers, distribuait les bons de pain ; ces bons n'étaient pas donnés aux mendiants, mais aux travailleurs ; on ne donnait pas le pain tout à fait gratuitement. C'était là une base très forte pour l'influence de ce club. Nul moyen d'y mettre obstacle. Les Monarchiens étaient en règle ; ils avaient demandé, obtenu de la Ville l'autorisation requise, qu'on ne pouvait leur refuser ; plusieurs décrets, l'un entre autres récent, du 30 novembre, sollicités par les Jacobins eux-mêmes, dans l'intérêt de leurs sociétés de province, reconnaissaient aux citoyens le droit de se réunir pour conférer des affaires publiques, bien plus, le droit des sociétés à s'affilier entre elles. Avec tout cela, les Jacobins n'hésitèrent pas à poursuivre les Monarchiens de rue en rue et de maison en maison, effrayant par des menaces les propriétaires des salles où ils s'assemblaient. La Municipalité eut la faiblesse d'accorder aux Jacobins un arrêté qui suspendit les séances des Monarchiens. Ceux-ci protestant contre cet acte éminemment illégal, on n'osa maintenir l'interdit. Alors les Jacobins eurent recours à un moyen plus indigne, une atroce calomnie. Il y avait eu récemment une collision sanglante entre les chasseurs soldés et les gens de la Villette qu'on accusait de contrebande ; on répandit dans Paris que les Monarchiens avaient payé ces soldats pour assassiner le peuple. Barnave leur lança de la tribune nationale un mot cruellement équivoque, « qu'ils distribuaient au peuple un pain *empoisonné* »

On ne leur permit pas de réclamer, de faire expliquer ce mot. Ils s'adressèrent aux tribunaux ; mais alors, armant contre eux des gens payés ou égarés, les Jacobins en finirent, à coups de pierres et de bâtons ; les blessés, loin d'être plaints, furent en grand péril ; on soutint effrontément, on répandit dans la foule qu'ils portaient des cocardes blanches.

Au milieu de cette lutte brutale, les Jacobins proclamèrent un principe qui, dès l'origine, avait été le leur, mais qu'ils n'avaient pas avoué. Ils jurent, le 24 janvier, « de défendre de leur fortune et de leur vie *quiconque dénoncerait* les conspirateurs ».

Tout ceci ferait supposer que la société avait dès lors ce fanatisme profond dont plus tard elle fit preuve. On le croirait, on se tromperait.

Beaucoup d'hommes ardents, et ceux-là devaient peu à peu se rattacher à Robespierre, y étaient entrés, il est vrai. Mais la masse appartenait à deux éléments tout autres :

1° Aux fondateurs primitifs, au parti Duport, Barnave et Lameth. Ils tâchaient de se soutenir, en présence des nouveaux venus, par une ostentation de violence et de fanatisme. Chose triste ! ils ne différaient guère des Monarchiens, qu'ils persécutaient, que par l'absence de franchise. Mais plus ils se sentaient près d'eux, plus ils déclamaient contre eux. Qu'on juge des extrémités où la fausse violence peut mener, par l'équivoque homicide du *pain empoisonné* qui échappa à Barnave ;

2° Un élément moins pur encore du Club des Jacobins étaient les Orléanistes. On a vu, par l'attaque de Laclos contre le *Cercle social,* l'indigne manège par lequel on cherchait la popularité dans des fureurs hypocrites. Les Orléanistes venaient de recevoir un coup très grave, dont ils avaient besoin de se relever. Et de qui ce coup partait-il ? qui le croirait ? Du duc d'Orléans. Lui-même détruisait son parti.

Remontons un peu plus haut. Le sujet est assez important pour mériter explication.

Les Orléanistes se croyaient très près de leur but. La plus grande partie des journalistes, gagnés ou non gagnés, travaillaient pour eux. Ils tenaient par Laclos le journal des Jacobins. Aux Cordeliers, Danton, Desmoulins leur étaient favorables. Marat même, presque toujours. Le chef de la maison d'Orléans, il est vrai, était indigne. Mais les enfants, mais les dames, Mme de Genlis, Mme de Montesson, étaient fréquemment mentionnées avec éloge. Le duc de Chartres plaisait, ralliait beaucoup d'esprits. Desmoulins assure que ce prince le traitait « comme un frère ».

Ce jeune homme avait été reçu membre des Jacobins, avec plus d'éclat, de cérémonie, que son âge ne l'eût fait attendre. Ce fut comme une petite fête. Le mot d'ordre fut donné pour faire valoir dans l'opinion les aimables qualités de l'élève de Mme de Genlis. Desmoulins mit en tête d'un de ses numéros une touchante gravure, représentant le jeune prince au lit des malades, à l'Hôtel-Dieu, et faisant une saignée.

Les Orléanistes marchaient bien, n'eût été le duc d'Orléans. On avait beau tâcher de le rendre ambitieux ; il était, avant tout, avare. Par là, il gâtait d'un côté ce qu'on faisait pour lui de l'autre. Le premier usage qu'il fit de sa popularité renaissante fut de tirer du Comité des finances une promesse de lui payer le capital d'une somme dont sa maison recevait la rente depuis le régent. Le régent, qu'on ne présente que comme un prodigue, méritait ce nom à coup sûr ; mais ce qui était moins connu, c'était son avidité. Ce prince voulant, sans bourse délier, faire prendre au duc de Modène sa fille (fort décriée), s'adresse au roi, à son pupille, et fait signer à ce petit garçon de onze ans, un enfant dépendant de lui, une dot de quatre millions aux dépens du Trésor royal.

Le Trésor était à sec ; dans la déplorable détresse d'une banqueroute de trois milliards et du système de Law, on ne peut que payer la rente. Voilà qu'au bout de soixante-dix ans, à une époque aussi misérable, dans la pénurie extrême de janvier 91, le duc d'Orléans vient réclamer le capital ; sans droit, de toute façon, car la dot n'avait été donnée à la fille qu'autant qu'elle renoncerait à tous ses droits en faveur de son frère aîné, des descendants de ce frère. Le duc d'Orléans était un de ces descendants, de ces représentants de l'aîné, à qui profitait la renonciation. Pouvait-il en même temps se faire le représentant de celle qui avait renoncé ?

Le rapporteur de l'affaire était un homme irréprochable, austère, dur, le Janséniste Camus. Chaque jour, il biffait, ajournait de malheureuses petites pensions de trois ou quatre cents livres ; quels moyens furent employés auprès de lui, pour le rendre doux et facile, de quelle pressante et puissante obsession fut-il l'objet ? On ne peut que le deviner. Lui aura-t-on fait croire que c'était le seul moyen naturel de rembourser au prince les sommes qu'il avait généreusement dépensées au service de la liberté ?... Quoi qu'il en soit, Camus propose de payer ! et de payer sur-le-champ, dans l'année, en quatre termes.

Il y eut heureusement une vive indignation dans la presse. Brissot, ancien employé de la maison d'Orléans, n'en sonna pas moins le tocsin. Desmoulins, tout *frère* et ami du prince qu'il se disait, burina cette affaire honteuse en deux ou trois phrases terribles, consentant, disait-il, qu'on récompensât le duc d'Orléans, « mais sans employer des voies basses pour détourner l'argent des citoyens et *saigner le trésor public dans les souterrains* d'un comité». Il désavoua la gravure flatteuse, et l'imputa à son éditeur.

Ce gros morceau échappa ainsi à la gloutonnerie des Orléanistes. Ce qui resta, ce fut une diminution considérable de leur crédit, leur homme enterré pour longtemps, un préjugé très grave créé contre la royauté, tant citoyenne fût-elle. Une foule de révolutionnaires royalistes, favorables à l'institution monarchique, et dominés par la routine anglaise d'appeler les branches cadettes, en furent déroyalisés.

Robespierre a eu tort de dire : « La République s'est glissée entre les partis sans qu'on sût comment. » On connaît très bien la porte par laquelle elle est entrée dans ce pays si monarchique, si obstinément amoureux des rois. L'histoire n'y avait rien fait ; en vain, Camille Desmoulins, dans son merveilleux pamphlet de juillet 89 (*La France libre),* avait prouvé de règne en règne que l'ancienne monarchie n'a presque jamais tenu ce que se promettait d'elle l'aveugle dévotion du peuple : il parlait inutilement. L'objection ne semblait pas toucher le nouvel idéal de royauté démocratique que beaucoup de gens se faisaient. Cet idéal fut tué par la royauté en herbe. Son candidat fit penser qu'avec lui le Trésor public serait une caisse sans fond. Le principal fondateur de la République fut le duc d'Orléans.

L'initiative républicaine, prise par Camille Desmoulins, fut reprise par un autre Cordelier, Robert. Il posa de nouveau l'idée qui seule pouvait donner une simplicité franche et forte à la Révolution, l'idée de la République. Il publia sa brochure : *Le Républicanisme adapté à la France.* Cette question fut peu à peu adoptée par Brissot, comme celle qui dominait la situation. Question de fond, non de forme, comme on le dit trop souvent encore. Nulle amélioration sociale n'était possible si la question politique n'était nettement posée. A tort, Robespierre et Marat, suivant en cela, il est vrai, l'idée du grand nombre, croyaient-ils pouvoir ajourner, subordonner cette question : elle ne pouvait être résolue en dernier lieu. Continuer le mouvement en traînant un tel bagage, une royauté captive, hostile, puissante encore pour le mal, faire marcher la Révolution en lui laissant au pied cette terrible épine, c'était la blesser à coup sûr, la fausser, l'estropier, probablement la tuer.

Le rédacteur orléaniste du journal des Jacobins, Laclos, ne manqua pas d'être l'avocat de la royauté. Le club même se déclara expressément pour l'institution monarchique. Le 25 janvier, un député d'une section prononçant aux Jacobins le mot de *républicains,* plusieurs crièrent : « Nous ne sommes pas des *républicains !* » L'Assemblée invita l'orateur à ne pas laisser subsister ce mot.

Des trois fractions des Jacobins qu'on peut désigner par trois noms, Lameth, Laclos, Robespierre, les deux premières étaient décidément royalistes, la troisième nullement contraire à l'idée de royauté.

Ainsi la guerre brutale des Jacobins contre les Monarchiens, ce mépris de l'ordre et des lois, cet avant-goût de Terreur qu'on n'aurait nullement excusé chez des fanatiques, tout cela était appliqué par des politiques, par les meneurs de la majorité jacobine, qui y cherchaient un remède à leur popularité décroissante. C'étaient au fond des royalistes qui maltraitaient des royalistes.

L'inquisition jacobine se trouvait en vérité dans des mains peu rassurantes : son journal de délations dans celles de l'orléaniste Laclos, et son comité d'intrigues et d'émeutes sous la trinité Lameth.

Une inquisition sans religion ! sans foi arrêtée ! une inquisition exercée par des hommes d'autant plus inquiets et âpres qu'ils sont plus suspects eux-mêmes !

Cette puissance, mal fondée, mal autorisée et mal exercée, n'en avait pas moins une action immense. Elle agissait au nom d'une société considérée comme le nerf du patriotisme même de la Révolution ; elle agissait de toutes les forces multiples des sociétés de provinces, dociles et ferventes, ignorant généralement le foyer d'intrigues d'où leur venait le mot d'ordre.

La Révolution hier était une religion ; elle devient une police.

Cette police, que va-t-elle être ? Changement inattendu ! Une machine à faire des aristocrates, à multiplier les amis de la contre-Révolution. Elle va donner à celle-ci les faibles, les neutres (un grand peuple !), les bonnes âmes ignorantes et compatissantes, etc.

Une foule d'hommes inoffensifs, qui, sans idées arrêtées, tenaient d'habitudes ou de position à l'ancien régime, se trouvèrent, par l'effet des délations jacobines, dans une situation impossible, voisine du désespoir. Qu'auraient-ils fait ? Renié l'opinion qu'on leur reprochait ? Mais personne ne les aurait crus ; ils n'en auraient eu que la honte. Rester était difficile, partir était difficile. Pour celui qui se trouvait lié de cette sorte d'excommunication politique, rester était un supplice ; le pauvre diable d'aristocrate (baptisé ainsi à tort ou à droit) marchait sous un regard terrible : la foule, les petits enfants suivaient l'ennemi du peuple. Il rentrait ; la maison était peu sûre, les domestiques ennemis. La peur le gagnait ; un matin il trouvait moyen de fuir. Cet homme, qui eût été neutre, faible, indifférent, si on l'eût laissé tranquille, était jeté dans la guerre, et s'il ne blessait de l'épée, il blessait de la langue, à coup sûr, de ses plaintes, de ses accusations, tout au moins du spectacle de sa misère, de la pitié qu'il inspirait.

La pitié, cet ennemi terrible, grandissait contre nous dans l'Europe, et la haine de la France et de la Révolution.

Haine au fond injuste. L'inquisition jacobine n'était nullement dans les mains du peuple. Ceux qui l'organisaient alors étaient les Jacobins bâtards issus de l'ancien régime, nobles ou bourgeois, politiques sans principes, d'un machiavélisme inconséquent, étourdi. Ils poussaient, exploitaient le peuple, chose peu difficile dans cet état d'irritabilité défiante et crédule à la fois, où mettent les grandes misères.

Cette situation éclata avec une extrême violence lorsque Mesdames, tantes du roi, voulurent émigrer (fin de février). La difficulté de suivre leur culte, de garder des prêtres de leur choix, l'épreuve imminente de Pâques troublaient ces femmes craintives. Le roi lui-même les engagea à partir pour Rome. Nulle loi n'y mettait obstacle. Le roi, premier magistrat, devait rester ou abdiquer ; mais ses tantes, à coup sûr, n'étaient tenues nullement. Il n'était pas bien à craindre que cette recrue de vieilles femmes fortifiât beaucoup les troupes des émigrés. Il eût été plus noble à elles, sans doute, de s'obstiner à partager le sort de leur neveu, les misères et les dangers de la France. Mais enfin, elles voulaient partir : il fallait les laisser aller, et elles, et tous ceux qui, préoccupés de dangers imaginaires ou réels, aimaient mieux leur sûreté et la vie que la patrie, ceux qui pouvaient abandonner la qualité de Français. Il fallait leur ouvrir les portes, et, si elles n'étaient assez larges, plutôt abattre les murailles.

Le peuple était très justement alarmé d'une fuite possible du roi, et mêlait ces deux questions absolument différentes.

Mirabeau eut connaissance du prochain départ de Mesdames, comprit le bruit, le danger qui allait en résulter. Il pria inutilement le roi de ne pas le permettre. Paris s'alarma, fit même prière au roi, à l'Assemblée nationale. Nouvelle alarme pour Monsieur, qui, disait-on, voulait partir, et qui donna parole de ne pas quitter son frère ; en quoi il s'engageait peu, se promettant en effet de partir avec Louis XVI.

Cette fermentation, loin d'arrêter Mesdames, hâte leur départ. L'explosion prédite ne manque pas d'avoir lieu. Marat, Desmoulins, toute la presse crie qu'elles emportent des millions, qu'elles enlèvent le dauphin, qu'elles partent devant le roi pour retenir les logis. Il n'était pas difficile de deviner qu'elles auraient à peine à passer. Arrêtées d'abord à Moret ; leur escorte force l'obstacle. Arrêtées à Arnay-le-Duc. Mais là, nul moyen de passer. Elles écrivent, et le roi écrit, pour que l'Assemblée les autorise à continuer leur route.

Cette affaire, grave en elle-même, l'a été bien autrement, en ce qu'elle fut un solennel champ de bataille. où se rencontrèrent et se combattirent deux principes et deux esprits ; l'un, le principe original et naturel qui avait fait la Révolution, la *justice,* l'*équitable humanité* — l'autre, le principe d'expédients, d'intérêt, qui s'appela le *salut public,* et qui a perdu la France.

Perdu en ce que, la jetant dans un *crescendo* de meurtres qu'on ne pouvait arrêter, elle rendit la France exécrable dans l'Europe, lui créa des haines immortelles.

Perdu en ce que, les âmes brisées, après la Terreur, de dégoût et de remords, se jetèrent à l'aveugle sous la tyrannie militaire.

Perdu en ce que cette tyrannie eut pour dernier résultat de mettre son ennemi à Paris et son chef à Sainte-Hélène.

Dix ans de salut public, par la main des républicains, quinze ans de salut public, par l'épée de l'empereur... Ouvrez le livre de la dette, vous payez encore aujourd'hui pour la rançon de la France. Le territoire fut racheté, les âmes ne l'ont pas été. Je les vois serves toujours, serves de cupidité et de basses passions, serves d'idées, ne gardant de cette histoire sanglante que l'adoration de la force et de la victoire — de la force qui fut faible, et de la victoire vaincue.

Ce qui n'a pas été vaincu, c'est le principe de la Révolution, de la justice désintéressée, l'équité *quand même.* C'est là qu'il faut revenir. Assez d'une expérience.

Les docteurs de l'*intérêt* public, du *salut* du peuple, auraient dû lui demander au moins s'il voulait être sauvé. L'individu, il est vrai, avant tout, veut vivre ; mais la masse est susceptible de sentiments bien plus hauts. Qu'auraient-ils dit, ces sauveurs, si le peuple eût répondu : « Je veux périr et rester juste. »

Et celui qui dit ce mot, c'est celui qui ne périt point.

Mirabeau fut ici l'organe même du peuple, la voix de la Révolution. C'est, parmi toutes ses fautes, un titre impérissable pour lui. Dans cette occasion, il défendit l'équité.

Robespierre s'abstint.

Ce furent les Jacobins bâtards, Barnave, Duport et Lameth, qui posèrent, contre la justice, le droit de l'*intérêt*, du *salut*, l'arme meurtrière, l'épée sans poignée, dont ils furent percés eux-mêmes.

Et pourquoi défendirent-ils ce droit de l'*intérêt* ? Quelque sincères qu'on les croie, il faut remarquer pourtant qu'ils y avaient intérêt. C'est le moment où les Lameth venaient de se découvrir encore par une faute très grave. Pendant que les deux aînés, Alexandre et Charles de Lameth, tenaient à Paris l'extrême point du côté gauche, l'avant-garde de l'avant-garde, leur frère Théodore, organisait, à Lons-le-Saulnier, une société rétrograde ; il lui avait fait accorder, par le crédit de ses frères, l'affiliation des Jacobins, et l'avait fait retirer à la primitive société de la même ville, énergiquement patriote. Celle-ci inséra dans le journal de Brissot une adresse foudroyante pour les Lameth (2 février). Brissot soutint cette adresse, et malgré tous les efforts des Lameth, les Jacobins détrompés ôtèrent l'affiliation à la société rétrograde, la rendirent à l'autre.

Coup terrible, qui pouvait être mortel à leur popularité ! et qui explique pourquoi ils se montrèrent violents, durs, pétulants, impatients dans la discussion relative au droit d'émigrer. Ils avaient besoin, devant les tribunes, de faire montre de zèle. Ils s'agitaient sur leurs bancs, criaient, trépignaient. Ils soutinrent avec Barnave que la Commune qui avait arrêté Mesdames n'était point coupable d'illégalité, *parce qu'elle avait cru agir pour l'intérêt public*. Mirabeau demandant quelle loi s'opposait au voyage, les Lameth ne répondant rien, un de leurs amis, plus franc, répondit : « Le salut du peuple ».

L'Assemblée permit néanmoins à Mesdames de continuer leur voyage. Elle chargea son comité de constitution de lui présenter le projet d'une loi sur l'émigration.

Ce projet, goûté de Merlin, le futur rédacteur de la *Loi des suspects,* était déjà, en effet, comme un premier article du code de la Terreur ; il était copié de l'autre Terreur, de la *Révocation de l'Edit de Nantes*. La législation barbare de Louis XIV, modèle de celle-ci, commence de même par frapper l'émigré de confiscation ; puis, de peine en peine, toujours plus dure et plus absurde, elle va jusqu'à prononcer les galères contre la pitié, l'humanité, contre l'homme charitable qui a sauvé le proscrit.

Donc, il s'agissait de savoir si l'on ferait le premier pas dans les voies de Louis XVI, dans les voies de la Terreur, si la France, libre d'hier, serait fermée comme un cachot. Une discussion qui intéressait à ce point la liberté demandait d'abord une chose : que l'Assemblée fût libre et calme. Cependant, dès le matin, tout annonçait une émeute. Deux sortes de personnes y travaillaient, les maratistes, les aristocrates. Marat, par sa feuille du jour, sommait le peuple de courir à l'Assemblée, de manifester hautement, violemment son opinion, *de chasser les députés infidèles.* D'autre part, les royalistes, travaillant habilement le faubourg Saint-Antoine (c'est à eux que La Fayette attribue ce mouvement), l'avaient poussé vers Vincennes, lui faisant croire que l'on y organisait une nouvelle Bastille. C'était un moyen infaillible de faire sortir de Paris La Fayette et la garde nationale. Beaucoup de gentilshommes, mandés des provinces depuis plusieurs jours, étaient entrés furtivement, un à un, dans les Tuileries, armés de poignards, d'épées et de pistolets ; selon toute vraisemblance, ils comptaient enlever le roi. La garde nationale, revenue de Vincennes, au soir, et de mauvaise humeur, les trouva aux Tuileries, les désarma, les maltraita.

Le matin, au milieu de ces mouvements dont on ne s'expliquait pas bien les auteurs, ni la portée, l'Assemblée délibérait. Elle entendait battre la générale partout dans Paris, le bruit plus ou moins éloigné des tambours dans la rue Saint-Honoré, le bruit du peuple des tribunes, entassé, étouffé, et se contenant à peine, celui plus redoutable encore de la foule grondante qui se pressait à la porte. Agitation, émotion, fièvre universelle, vaste et général murmure du dehors et du dedans.

Visiblement un grand duel allait avoir lieu entre deux partis, bien plus, entre deux systèmes, deux morales. Il était curieux de savoir qui voudrait se compromettre, descendre en champ clos.

Robespierre tout d'abord se retira sur les hauteurs, dit un mot, sans plus, parla pour ne pas parler. Le rapporteur Chapelier, ayant lui-même déclaré que son projet était inconstitutionnel, et demandé que l'Assemblée décidât préalablement si elle voulait une loi, Robespierre dit : « Je ne suis pas, pas plus que M. Chapelier, partisan de la loi sur les émigrations ; mais c'est par une discussion solennelle que vous devrez reconnaître l'impossibilité ou les dangers d'une telle loi. » Et puis, il resta témoin muet de cette discussion. Que Mirabeau s'y compromît, ou les ennemis de Mirabeau (Duport et Lameth), Robespierre devait toujours y trouver son avantage.

Amis, ennemis de Mirabeau, tous désiraient qu'il parlât, pour sa gloire ou pour sa perte. Dans six billets qu'il reçut, coup sur coup, en un moment, on le sommait de proclamer ses principes, et en même temps on lui montrait l'état violent de Paris. Il entendit parfaitement l'appel qu'on faisait à son courage, et, pour ne tenir personne en suspens, lut une page vigoureuse, que huit ans auparavant, il avait écrite au roi de Prusse sur la liberté d'émigrer. Et il demanda que l'Assemblée déclarât *ne vouloir entendre* le projet, qu'elle passât à l'ordre du jour.

Nulle réplique de Duport, nulle des Lameth, nulle de Barnave. Profond silence. Ils laissaient parler les gens en sous-ordre, Rewbell, Prieur et Muguet. Rewbell établit qu'en temps de guerre, émigrer, c'est déserter. Or, c'était là justement le nœud de la situation : était-on en temps de guerre ? On pouvait dire non, ou oui. Tant que l'état de guerre n'est pas déclaré, les lois de la paix subsistent, et la liberté pour tous d'entrer, de sortir.

On lut le projet de loi. Il confiait à trois personnes, que l'Assemblée nommerait, le droit dictatorial d'autoriser la sortie ou de la défendre, sous peine de confiscation, de dégradation du titre de citoyen. L'Assemblée presque entière se souleva à cette lecture, et repoussa l'odieuse inquisition d'Etat que le projet lui déférait. Mirabeau saisit ce moment et parla à peu près ainsi : « L'Assemblée d'Athènes ne voulut pas même entendre le projet dont Aristide avait dit : « Il est utile, mais injuste. » Vous, vous avez entendu. Mais le frémissement qui s'est élevé a montré que vous étiez aussi bons juges en moralité qu'Aristide. La barbarie du projet prouve qu'une loi sur l'émigration est impraticable. (*Murmures.*) Je demande qu'on m'entende. S'il est des circonstances où des mesures de police soient indispensables, même contre les lois reçues, c'est le délit de la nécessité ; mais il y a une différence immense entre une mesure de police et une loi... Je nie que le projet puisse être mis en délibération. Je déclare que je me croirai délié de tout serment de fidélité envers ceux qui auraient l'infamie de nommer une commission dictatoriale. *(Applaudissements.)* La popularité que j'ai ambitionnée, et dont j'ai eu l'honneur... *(murmures à l'extrême gauche)* dont j'ai eu l'honneur de jouir comme un autre, n'est pas un faible roseau ; c'est dans la terre que je veux enfoncer ses racines sur l'imperturbable base de la raison et de la liberté. *(Applaudissements.)* Si vous faites une loi contre les émigrants, je jure de n'y obéir jamais. »

Le projet du comité est rejeté à *l'unanimité*.

Et pourtant les Lameth avaient murmuré ; l'un d'eux avait demandé la parole, et il l'avait laissé prendre à un député de son parti, qui, dans une proposition fort obscure, demanda l'ajournement.

Mirabeau persista dans l'ordre du jour pur et simple, et voulut parler encore. Alors, un homme de la gauche : « Quelle est donc cette dictature de M. de Mirabeau ? » Celui-ci, qui sentit bien que cet appel à l'envie, à la passion ordinaire des assemblées, ne manquerait pas son but, s'élança à la tribune, et, quoique le président lui refusât la parole : « Je prie, dit-il, MM. les interrupteurs de se rappeler que j'ai toujours combattu le despotisme ; je le combattrai toujours. Il ne suffit pas de compliquer deux ou trois propositions... *(Murmures plusieurs fois répétés.)* Silence aux trente voix !... Si l'ajournement est adopté, il faut qu'il soit décrété *que d'ici là il n'y aura pas d'attroupements* ! »

Et il y avait attroupement ; on ne l'entendait que trop. Les trente, qui cependant avaient ce peuple pour eux, n'en furent pas moins atterrés, et ne sonnèrent mot. Mirabeau avait fait tomber d'aplomb sur leur tête la responsabilité, et ils ne répondaient pas. Le public, la foule inquiète qui remplissait les tribunes, attendait en vain. Jamais il n'y eut un coup plus fortement assené.

La séance finit à cinq heures et demie. Mirabeau alla chez sa sœur, son intime et chère confidente, et lui dit : « J'ai prononcé mon arrêt de mort. C'est fait de moi, ils me tueront. »

Sa sœur, sa famille, depuis longtemps en jugeait de même, elle croyait sa vie en danger. Quand il sortait le soir pour aller à la campagne, son neveu, armé, le suivait de loin, malgré lui. Plusieurs fois, on avait cru son café empoisonné. Une lettre qui subsiste prouve qu'on lui dénonça, d'une manière détaillée et précise, un complot d'assassinat.

Cette fois, il avait tellement humilié ses ennemis, les avait montrés si parfaitement indignes de ce grand rôle usurpé, qu'il devait s'attendre à tout ; non que Duport et les Lameth fussent gens à commander le crime, mais, dans ceux qui les entouraient, fanatiques ou intéressés, il y avait nombre d'hommes qui n'avaient nul besoin de commandement.

Aussi, quoique Mirabeau eût la fièvre, et, par-dessus, la fatigue de cette séance violente, il voulut, le soir même, l'affaire étant chaude encore, une heure après la séance, aller droit à ses ennemis, droit aux Jacobins, entrer dans cette foule hostile, en fendre les flots, et, parmi tant d'hommes furieux qui toucheraient sa poitrine, voir s'il en était quelqu'un qui, du poignard ou de la langue, osât l'attaquer.

Il était sept heures du soir, il entre... La salle était pleine. Les muets de l'Assemblée avaient recouvré la parole. Duport était à la tribune ; il parut déconcerté. Au lieu d'en venir au fait, il errait, s'embarrassait dans un interminable préambule, parlant toujours de La Fayette, et pensant à Mirabeau. Il hésitait pour plusieurs causes. Bien supérieur aux Lameth, il sentait probablement que, s'il portait à Mirabeau un irréparable coup, s'il parvenait à le mettre hors des Jacobins, il pourrait bien n'avoir fait que travailler pour Robespierre. Enfin, il franchit le pas ; n'ayant rien dit le matin, ne rien dire encore le soir, c'eût été tomber bien bas. « Les ennemis de la liberté, dit-il, ils ne sont pas loin de vous. » *(Tonnerre d'applaudissements.)* Tous regardent Mirabeau, plusieurs viennent insolemment lui applaudir à la face. Alors Duport retraça la séance du matin, non sans quelque ménagement, se déclarant l'admirateur de ce beau génie, mais soutenant que le peuple avait besoin avant tout d'une probité austère. Il reprocha à Mirabeau l'orgueil de *sa dictature.* Vers la fin, il parut s'attendrir encore, dans ce suprême combat, et dit ces paroles habiles, que tout le monde trouva touchantes : « Qu'il soit un bon citoyen, je cours l'embrasser ; et, s'il détourne le visage, je me féliciterai de m'en être fait un ennemi, pourvu qu'il soit ami de la chose publique. »

Ainsi, il laissait la porte ouverte au repentir de Mirabeau, faisait grâce à son vainqueur, lui offrait en quelque sorte l'absolution des Jacobins.

Mirabeau ne profita pas de cette générosité. A travers les applaudissements donnés à Duport, qui pour lui sont des anathèmes, il avance d'une démarche brusque, et dit : « Il y a deux sortes de dictatures, celle de l'intrigue et de l'audace, celle de la raison et du talent. Ceux qui n'ont pas établi ou gardé la première, et qui ne savent pas s'emparer de la seconde, à qui doivent-ils s'en prendre, sinon à eux-mêmes ? » Puis, leur demandant compte de leur silence du matin, il assura que sa conscience ne lui reprochait pas d'avoir soutenu une opinion qui, quatre heures durant, avait paru *celle de l'Assemblée nationale,* et que n'avait attaquée aucun des *chefs d'opinion.* Justification irritante ; le mot *chef* sonnait très mal à l'oreille des Jacobins. « Au reste, ajouta-t-il hardiment, mon sentiment sur l'émigration, c'est la pensée universelle des philosophes et des sages ; si l'on se trompait dans la compagnie de tant de grands hommes, il faudrait bien s'en consoler. » Les Jacobins, d'après cette insinuation, n'étaient donc pas des grands hommes ?

Les ménagements de Duport, la provocante apologie de Mirabeau, avaient fait souffrir cruellement Alexandre de Lameth. Il voyait bien d'ailleurs les Jacobins ulcérés, il sentait qu'il allait exprimer la haine de tous avec la sienne ; cela le mit hors de lui-même, lui fit perdre de vue toute politique. Il regarda l'Assemblée, et il ne vit plus deux hommes, en qui était tout pourtant. Il ne vit pas près de lui Mirabeau, dont les opinions monarchiques au fond différaient peu des siennes et qu'il eût dû ménager. Il ne vit pas dans l'Assemblée la face pâle de Robespierre, qui, muet, comme le matin, attendait paisiblement qu'on eût tué Mirabeau.

Lameth, s'adressant d'abord au fonds le plus riche de la nature humaine, l'orgueil et l'envie, répéta, envenima l'apostrophe impérieuse de Mirabeau : « Silence aux trente voix ! » Puis, s'adressant à l'esprit du corps, à la vanité spéciale des Jacobins : « Les amis du despotisme, dit-il, les amis du luxe et de l'argent, justement effrayés des progrès de cette société, illustre par toute la terre, ont juré sa perte. Or, voici le dernier complot auquel ils se sont arrêtés. Ils ont dit : « Il y a cent cinquante députés Jacobins incorruptibles ; eh bien ! nous saurons les perdre ; nous forgerons tant de libelles qu'on les croira des factieux. » Ah ! messieurs, si je n'avais connu ce complot, j'aurais parlé ce matin. Misérable situation des patriotes, forcés de se taire et de transiger ! Aux premiers mots que je disais, on a crié : « Factieux ! » puis, ils ont fait une émeute, puis dit au roi : « Eh bien ! sire, voilà des Jacobins défaits ! » Quel est maintenant le centre de vos ennemis ? Mirabeau, toujours Mirabeau. Voilà encore qu'il a rédigé la proclamation du département ; et c'est vous qu'il désigne comme factieux à exterminer. » Et, se tournant vers Mirabeau : « Quand vous avez ainsi désigné les factieux, je me suis bien donné de garde d'objecter un mot, je vous ai laissé parler, il importait de vous connaître. S'il est quelqu'un ici qui n'ait vu ce matin vos perfidies, qu'il me démente ! Une voix : « Non. » — « Et qui ose avoir dit non ? » La même voix : « Je voulais dire, monsieur de Lameth, que personne de l'Assemblée ne pourrait vous démentir. » Personne ne réclamant, Lameth tira parti habilement du mot de Mirabeau : *chefs d'opinion.* Il flatta tous les muets, et, poussant la chose avec le vrai génie de Tartuffe : « Distinction insolente ! c'est le malheur de la nation que tant de députés modestes ne soient pas *chefs d'opinion,* tant d'excellents citoyens !... *Le patriotisme est pour eux une religion dont il leur suffit que le Ciel voie la ferveur !* Ils n'en sont pas moins précieux à la patrie ; et plût à Dieu que vous l'eussiez aussi bien servie par vos discours qu'eux par leur silence. »

Parmi d'autres paroles, Lameth en dit une furieuse ; il est rare que l'on montre de tels abîmes de haine : « Je ne suis pas de ceux qui pensent que la bonne politique veut qu'on ménage M. de Mirabeau, *qu'on ne le désespère pas...* »

Mirabeau siégeait à côté, « et il lui tombait, dit Camille Desmoulins, de grosses gouttes du visage. Il était devant le calice, dans le Jardin des Olives ».

Noble et juste comparaison, sortie du cœur d'un ennemi, ennemi sans fiel, innocent, et qui, dans sa colère même, relève encore, malgré lui, celui qu'il a tant aimé.

Oui, Camille avait raison. Le grand orateur, qui, sur une question d'équité, de liberté, d'humanité, se voyait périr, n'était pas indigne, après tout, d'avoir aussi la sueur de sang, de boire le calice. Quoi qu'il ait fait, ce vicieux, ce coupable, cet infortuné grand homme, qu'il en soit purifié. D'avoir souffert pour la justice, pour le principe humain de notre Révolution, ce sera son expiation, son rachat devant l'avenir.

CHAPITRE X

Mort de Mirabeau (2 avril 1791)

Mirabeau tué par la médiocrité — Indécision du parti bâtard qu'il combat, ineptie du parti qu'il défend — Il se croit empoisonné, hâte sa mort (mars 1791) — Ses derniers moments, sa mort (2 avril) — Honneurs qu'on lui rend; ses funérailles (4 avril) — Jugements divers sur Mirabeau — Il n'a pas trahi la France; il y eut corruption, non trahison — Cinquante années d'expiation suffisent à la justice nationale.

Il est bien regrettable que nous n'ayons pas la réponse de Mirabeau. Elle dut être, si nous jugeons par les résultats, le triomphe de l'adresse et de l'éloquence. Nous en avons l'extrait, probablement défiguré. On y entrevoit néanmoins que cette réponse dut contenir, parmi cent choses flatteuses et insinuantes, des mots ironiques, par exemple celui-ci : « Et comment pourrait-on me prêter l'absurde dessein de présenter les Jacobins comme des factieux, lorsque chaque jour ils réfutent si bien cette calomnie par leurs réponses, par leurs séances publiques ? » Avec cela, le grand orateur se fit si habilement Jacobin, si sensible à leur opinion, qu'il lui suffit d'un moment pour tourner tous les esprits. Il avoua qu'il avait boudé les Jacobins, mais en leur rendant justice. Les applaudissements s'élevèrent. Enfin, lorsque, terminant, il dit : « Je resterai avec vous jusqu'à l'ostracisme », il avait reconquis les cœurs.

Il sortit et ne revint plus. Son génie était tout contraire à celui des Jacobins. Il ne subissait pas volontiers le joug de cet esprit moyen qui, n'ayant ni le besoin ni le talent qu'éprouve une élite ni l'entraînement du peuple, son instinct naïf et profond, exige qu'on soit moyen, juste à la même hauteur, pas plus haut et pas plus bas, et qui, tout défiant qu'il peut être, se laisse néanmoins gouverner par une tactique médiocre. La Révolution qui montait amenait à la puissance ces médiocrités actives.

La classe moyenne, bourgeoise, dont la partie la plus inquiète s'agitait aux Jacobins, avait son avènement. Classe vraiment moyenne en tout sens, moyenne de fortune, d'esprit, de talent. Le grand talent était rare, plus rare l'invention politique, la langue fort monotone, toujours calquée sur Rousseau. Grande, immense différence avec le XVIe siècle, où chacun a une langue forte, une langue sienne, qu'il fait lui-même, et dont les défauts énergiques intéressent, amusent toujours. Sauf quatre hommes de premier ordre, trois orateurs, un écrivain, tout le reste est secondaire. L'idole qui passait, La Fayette, et les idoles qui viennent, girondines et montagnardes, sont généralement médiocres. Mirabeau se voyait noyé, à la lettre, dans la médiocrité.

Le flot montait, la marée venait de la grande mer. Lui, robuste athlète, il était là sur le rivage, dans la ridicule attitude de combattre l'Océan ; le flot n'en montait pas moins ; hier l'eau jusqu'à la cheville, aujourd'hui jusqu'au genou, demain jusqu'à la ceinture... Et chaque vague de cet océan n'avait ni figure ni forme; chaque flot qu'il prenait, serrait de sa forte main, coulait, faible, fade, incolore.

Lutte ingrate, qui n'était nullement celle des principes opposés. Mirabeau pouvait à peine définir contre quoi il combattait. Ce n'était nullement le peuple, nullement le gouvernement populaire. Mirabeau eût gagné à la République ; il eût été incontestablement le premier citoyen. Il luttait contre un parti immense et très faible, mêlé d'apparences diverses, et qui lui-même ne voulait rien de plus qu'une apparence, un je-ne-sais-quoi, un introuvable milieu, ni monarchie, ni république, parti métis, à deux sexes, ou plutôt sans sexe, impuissant, mais, comme les eunuques, s'agitant en proportion de son impuissance.

Le ridicule choquant de la situation, c'est que c'était ce néant, qui, au nom d'un système encore introuvé, organisait la Terreur.

Le chagrin saisit Mirabeau, le dégoût. Il commençait à entrevoir qu'il était dupe de la Cour, joué par elle, mystifié. Il avait rêvé le rôle d'arbitre entre la Révolution et la Monarchie ; il croyait prendre ascendant sur la reine, comme homme, et homme d'Etat, la sauver. La reine, qui voulait moins être sauvée que vengée, ne goûtait aucune idée raisonnable. Le moyen qu'il proposait était celui qu'elle repoussait le plus : *Être modéré et juste, avoir toujours raison ;* travailler lentement, fortement l'opinion, surtout celle des départements, hâter la fin de l'Assemblée dont il n'y avait rien à attendre, en former une nouvelle, lui faire reviser la Constitution. (Voir ses *Mémoires,* t. VIII.)

Il voulait sauver deux choses; *la royauté et la liberté,* croyant la royauté elle-même une garantie de liberté. Dans cette double tentative, il trouvait un grand obstacle : l'incurable ineptie de la Cour qu'il défendait. Le côté droit, par exemple, ayant hasardé contre les couleurs nationales une sortie insolente, imprudente, au plus haut degré, Mirabeau y répondit par une foudroyante apostrophe, par les mots mêmes que la France eût dits, si elle eût parlé ; le soir, il vit arriver M. de Lamarck, éperdu, qui venait le gronder de la part de la reine, se plaindre de sa violence. Il tourna le dos, et répondit avec indignation et mépris. Dans son discours sur la régence, il demanda et fit décréter que les femmes en seraient exclues.

On ne voulait point s'aider sérieusement de lui, mais seulement le compromettre, le dépopulariser. On avait, en grande partie, obtenu ce dernier point. Des trois rôles qui peuvent tenter le génie, en révolution, Richelieu, Washington, Cromwell, nul ne lui était possible. Ce qui lui restait de mieux à faire, c'était de mourir à temps.

Aussi, comme s'il eût été impatient d'en finir, il augmenta encore, dans ce mois qui fut pour lui le dernier, la furieuse dépense de vie qui lui était ordinaire. Nous le retrouvons partout, il accepte au département, dans la garde nationale, de nouvelles fonctions. A peine il quitte la tribune, versant sur tous les sujets la lumière et le talent, descendant aux spécialités qu'on eût cru lui être le plus étrangères (je pense aux discours sur les mines).

Il allait, parlait, agissait, et pourtant se sentait mourir, il se croyait empoisonné. Loin de combattre sa langueur par une vie différente, il semblait plutôt se hâter à la rencontre de la mort. Vers le 15 mars, il passa une nuit à table avec des femmes, et son état s'aggrava. Il n'avait que deux goûts prononcés, les femmes et les fleurs : encore, il faut ici s'entendre ; jamais de filles publiques ; le plaisir, chez Mirabeau, ne fut jamais séparé de l'amour.

Le dimanche 27 mars, il se trouvait à la campagne, à sa petite maison d'Argenteuil, où il faisait beaucoup de bien. Il avait toujours été tendre aux misères des hommes et le devenait encore plus aux approches de la mort. Il fut saisi de coliques, comme il en avait eu déjà, mais accompagnées d'angoisses inexprimables, se voyant là mourir seul, sans médecin et sans secours. Les secours vinrent, mais rien n'y fit. En cinq jours, il fut emporté.

Cependant le lundi 28, la mort dans les dents et toute peinte sur son visage, il s'obstina à aller encore à l'Assemblée. L'affaire des mines s'y décidait, affaire fort importante pour son ami, M. de Lamarck, dont la fortune y était engagée. Mirabeau parla cinq fois, et tout mort qu'il était, il vainquit encore. En sortant, tout fut fini ; il s'était, dans ce dernier effort, achevé pour l'amitié.

Le mardi 29, le bruit se répandit que Mirabeau était malade. Vive impression dans Paris. Tous, ses adversaires même, surent alors combien ils l'aimaient. Camille Desmoulins, qui alors lui faisait si rude guerre, sent se réveiller son cœur. Les violents rédacteurs des *Révolutions de Paris* qui, à ce moment, proposent la suppression de la royauté, disent que le roi a envoyé pour s'informer de Mirabeau, et ajoutent : «Sachons gré à Louis XVI de n'y avoir pas été lui-même, c'eût été une diversion fâcheuse, on l'aurait idolâtré.»

Le mardi soir, la foule était déjà à la porte du malade. Le mercredi, les Jacobins lui envoyèrent une députation, et, à la tête, Barnave, dont il entendit avec plaisir un mot obligeant qui lui fut rapporté. Charles de Lameth avait refusé de se joindre à la députation.

Mirabeau craignait les obsessions des prêtres, et avait ordonné de dire au curé, s'il venait, qu'il avait vu ou devait voir son ami l'évêque d'Autun.

Personne ne fut plus grand et plus tendre, dans la mort. Il parlait de sa vie au passé, et *de lui qui avait été, et qui avait cessé d'être.* Il ne voulut de médecin que Cabanis, son ami, fut tout entier à l'amitié, à la pensée de la France. Ce qui, mourant, l'inquiétait le plus, c'était l'attitude douteuse, menaçante des Anglais, qui semblaient préparer la guerre. « Ce Pitt, disait-il, gouverne avec ce dont il menace, plutôt qu'avec ce qu'il fait. Je lui aurais donné du chagrin si j'avais vécu. »

On lui parla de l'empressement extraordinaire du peuple à demander de ses nouvelles, du respect religieux, du silence de la foule, qui craignait de le troubler. « Ah ! le peuple, dit-il, un peuple si bon est bien digne qu'on se dévoue pour lui, qu'on fasse tout pour fonder, affermir sa liberté. Il m'était glorieux de vivre pour lui, il m'est doux de sentir que je meurs au milieu du peuple. »

Il était plein de sombres pressentiments sur le destin de la France : «J'emporte avec moi, disait-il, le deuil de la Monarchie; ses débris vont être la proie des factieux. »

Un coup de canon s'étant fait entendre, il s'écria, comme en sursaut : « Sont-ce déjà les funérailles d'Achille ? »

« Le 2 avril au matin, il fit ouvrir ses fenêtres, et me dit d'une voix ferme (c'est Cabanis qui parle) : « Mon ami, je mourrai aujourd'hui. Quand on en est là, il ne reste plus qu'une chose à faire, c'est de se parfumer, de se couronner de fleurs, et de s'environner de musique, afin d'entrer agréablement dans ce sommeil dont on ne se réveille plus. » Il appela son valet de chambre : « Allons, qu'on se prépare à me raser, à faire ma toilette tout entière. » Il fit pousser son lit près d'une fenêtre ouverte pour contempler, sur les arbres de son petit jardin, les premiers indices de la feuillaison printanière. Le soleil brillait ; il dit : « Si ce n'est pas là Dieu, c'est du moins son cousin germain... » Bientôt après, il perdit la parole ; mais il répondait toujours par des signes aux marques d'amitié que nous lui donnions. Nos moindres soins le touchaient ; il y souriait. Quand nous penchions notre visage sur le sien, il faisait de son côté des efforts pour nous embrasser... »

Les souffrances étant excessives, comme il ne pouvait plus parler, il écrivit ce mot : «Dormir». Il désirait abréger cette lutte inutile, et demandait de l'opium. Il expira vers huit heures et demie. Il venait de se tourner, en levant les yeux au ciel. Le plâtre qui a saisi son visage ainsi fixé n'indique qu'un doux sourire, un sommeil plein de vie et d'aimables songes.

La douleur fut immense, universelle. Son secrétaire, qui l'adorait et qui plusieurs fois avait tiré l'épée pour lui, voulut se couper la gorge. Pendant la maladie, un jeune homme s'était présenté, demandant si l'on voulait essayer la transfusion du sang, offrant le sien pour rajeunir, raviver celui de Mirabeau. Le peuple fit fermer les spectacles, dispersa même par ses huées un bal qui semblait insulter à la douleur générale.

Cependant on ouvrait le corps. Des bruits sinistres avaient circulé. Un mot dit à la légère, qui eût confirmé l'idée d'empoisonnement, aurait pu coûter la vie à telle personne peut-être innocente. Le fils de Mirabeau assure que la plupart des médecins qui firent l'autopsie «trouvèrent des traces indubitables de poison», mais que, sagement, ils se turent.

Le 3 avril, le département de Paris se présenta à l'Assemblée nationale, demanda, obtint que l'église de Sainte-Geneviève fût consacrée à la sépulture des grands hommes, et que Mirabeau y fût placé le premier. Sur le fronton devaient être inscrits ces mots : « Aux grands hommes la patrie reconnaissante. » Descartes y était. Voltaire et Rousseau devaient y venir. «Beau décret ! dit Camille Desmoulins. Il y a mille sectes et mille églises entre les nations, et dans une même nation, le saint des saints pour l'un est l'abomination pour l'autre. Mais pour ce temple et ses reliques, il n'y aura pas de disputes. Cette basilique réunira tous les hommes à sa religion. »

Le 4 avril eut lieu la pompe funèbre la plus vaste, la plus populaire qu'il y ait eu au monde avant celle de Napoléon, au 15 décembre 1840. Le peuple seul fit la police et la fit admirablement. Nul accident dans cette foule de trois ou quatre cent mille hommes. Les rues, les boulevards, les fenêtres, les toits, les arbres étaient chargés de spectateurs.

En tête du cortège marchait La Fayette, puis, entouré royalement des douze huissiers à la chaîne, Tronchet, le président de l'Assemblée nationale, puis l'Assemblée tout entière, sans distinction de partis. L'intime ami de Mirabeau, Sieyès, qui détestait les Lameth et ne leur parlait jamais, eut pourtant l'idée noble et délicate de prendre le bras de Charles de Lameth, les couvrant ainsi de l'injuste soupçon qu'on faisait peser sur eux.

Immédiatement après l'Assemblée nationale, comme une seconde assemblée, avant toutes les autorités, marchait en masse serrée le club des Jacobins. Ils s'étaient signalés par le faste de la douleur, ordonnant un deuil de huit jours, et d'anniversaire en anniversaire, un deuil éternel.

Ce convoi immense ne put arriver qu'à huit heures à l'église Saint-Eustache. Cerutti prononça l'éloge. Vingt mille gardes nationaux déchargeant à la fois leurs armes, toutes les vitres se brisèrent ; on crut un moment que l'église s'écroulait sur le cercueil.

Alors, la pompe funéraire reprit son chemin, aux flambeaux. Pompe vraiment funèbre à cette heure. C'était la première fois qu'on entendait deux instruments tout-puissants, le trombone et le tam-tam. « Ces notes, violemment détachées, arrachaient les entrailles et brisaient le cœur. » On arriva bien tard, dans la nuit, à Sainte-Geneviève.

L'impression du jour avait été généralement calme et solennelle, pleine d'un sentiment d'immortalité. On eût dit que l'on transférait les cendres de Voltaire, d'un homme mort depuis longtemps, d'un de ces hommes qui ne meurent jamais. Mais, à mesure que le jour disparut et que le convoi s'enfonça dans l'ombre doublement obscure de la nuit et des rues profondes qu'éclairaient les lueurs des torches tremblantes, les imaginations aussi entrèrent malgré elles dans le ténébreux avenir, dans les pressentiments sinistres. La mort du seul qui fût grand mettait, dès ce jour, entre tous une formidable égalité. La Révolution allait dès lors rouler sur une pente rapide, elle allait par la voie sombre au triomphe ou au tombeau. Et dans cette voie devait à jamais lui manquer un homme, son glorieux compagnon de route, homme de grand cœur, après tout, sans fiel, sans haine, magnanime pour ses plus cruels ennemis. Il emportait avec lui quelque chose, qu'on ne savait pas bien encore ; on ne le sut que trop, plus tard : l'esprit de paix dans la guerre même, la bonté sous la violence, la douceur, l'humanité.

Ne laissons pas encore Mirabeau dormir dans la terre. Ce que nous venons de mettre à Sainte-Geneviève, c'est la moindre partie de lui. Restent son âme et sa mémoire, qui doivent compte à Dieu et au genre humain.

Un seul homme refusa d'assister au convoi, l'honnête et austère Pétion. Il assurait avoir lu un plan de conspiration de la main de Mirabeau.

Le grand écrivain du temps, âme naïve, jeune, ardente, qui en représente le mieux les passions, les fluctuations, je parle de Desmoulins, varie étonnamment en quelques jours dans son jugement sur Mirabeau, et finit par porter sur lui l'arrêt le plus accablant. Nul spectacle plus curieux que celui de ce violent nageur, battu, comme par la vague, de la haine à l'amitié, enfin échoué à la haine.

D'abord, dès qu'il le sait malade, il se trouble, et tout en l'attaquant encore, il laisse échapper son cœur, il rappelle les services immortels que Mirabeau rendit à la liberté : « Tous les patriotes disent, comme Darius dans Hérodote : « Histiée a soulevé l'Ionie contre moi, mais Histiée m'a sauvé quand il a rompu le pont de l'Ister. »

Et, quelques pages après :

« Mais... Mirabeau se meurt, Mirabeau est mort ! *De quelle immense proie la mort vient de se saisir !* J'éprouve encore en ce moment le même choc d'idées, de sentiments, qui me fit demeurer sans mouvements et sans voix, devant cette tête pleine de systèmes, quand j'obtins qu'on me levât le voile qui la couvrait, et que j'y cherchais encore son secret. C'était un sommeil, et ce qui me frappa au-delà de toute expression, telle on peint la sérénité du juste et du sage. Jamais je n'oublierai cette tête glacée, et *la situation déchirante* où sa vue me jeta... »

Huit jours après, tout est changé ! Desmoulins est un ennemi. La nécessité d'éloigner les affreux soupçons qui planaient sur les Lameth jette le mobile écrivain dans une violence terrible. L'amitié lui fait trahir l'amitié !... Sublime enfant ! mais sans mesure, toujours extrême en tout sens !

« Pour moi, lorsqu'on m'eut levé le drap mortuaire, à la vue d'un homme que j'avais idolâtré, j'avoue que je n'ai pas senti venir une larme, et que je l'ai regardé d'un œil aussi sec que Cicéron regardait le corps de César percé de vingt-trois coups. Je contemplais ce superbe magasin d'idées, démeublé par la mort ; je souffrais de ne pouvoir donner des larmes à un homme, et qui avait un si beau génie, et qui avait rendu de si éclatants services à sa patrie, et qui voulait que je fusse son ami. Je pensais à cette réponse de Mirabeau mourant à Socrate mourant, à sa réfutation du long entretien de Socrate sur l'immortalité, par ce seul mot : *dormir*. Je considérais son sommeil ; et ne pouvant m'ôter l'idée de ses grands projets contre l'affermissement de notre liberté, et jetant les yeux sur l'ensemble de ses deux dernières années, sur le passé et sur l'avenir ; à son dernier mot, à cette profession de matérialisme et d'athéisme, je répondais aussi par ce seul mot : *tu meurs.* »

Non, Mirabeau ne peut mourir. Il vivra avec Desmoulins. Celui qui appelait le peuple au 12 juillet 1789, celui qui, le 23 juin, dit la grande parole du peuple à la vieille monarchie, le premier orateur de la Révolution, et son premier écrivain, vivront toujours dans l'avenir, et rien ne les séparera.

Sacré par la Révolution, identifié avec elle, avec nous par conséquent, nous ne pouvons dégrader cet homme sans nous dégrader nous-mêmes, sans découronner la France.

Le temps qui révèle tout n'a d'ailleurs rien révélé qui motive réellement le reproche de trahison. Le tort réel de Mirabeau fut une erreur, une grave et funeste erreur, mais alors partagée de tous à des degrés différents.

Tous alors, les hommes de tous les partis, depuis Cazalès et Maury jusqu'à Robespierre, jusqu'à Marat, croyaient que la France était royaliste, tous voulaient un roi. Le nombre des républicains était vraiment imperceptible.

Mirabeau croyait qu'il faut un roi fort ou point de roi.

L'expérience a prouvé contre les essais intermédiaires, les constitutions bâtardes, qui, par les voies de mensonges, mènent aux tyrannies hypocrites.

Le moyen qu'il propose au roi pour se relever, c'est d'être plus révolutionnaire que l'Assemblée même.

Il n'y eut pas trahison, mais il y eut corruption.

Quel genre de corruption ? l'argent ? Mirabeau, il est vrai, reçut des sommes qui devaient couvrir la dépense de son immense correspondance avec les départements, une sorte de ministère qu'il organisait chez lui.

Il se dit ce mot subtil, cette excuse qui n'excuse pas : qu'on ne l'avait point acheté, *qu'il était payé, non vendu.*

Il eut une autre corruption. Ceux qui ont étudié cet homme la comprendront bien. La romanesque visite de Saint-Cloud, au mois de mai 90, le troubla du fol espoir d'être le premier ministre d'un roi ? Non, mais d'une reine, une sorte d'époux politique, comme avait été Mazarin. Cette folie resta d'autant mieux dans son esprit que cette unique et rapide apparition fut comme une sorte de songe qui ne revint plus, qu'il ne put comparer sérieusement avec la réalité. Il en garda l'illusion. Il la vit, comme il la voulait, une vraie fille de Marie-Thérèse, violente, mais magnanime, héroïque. Cette erreur fut d'ailleurs habilement cultivée, entretenue. Un homme lui fut attaché jour et nuit, M. de Lamarck, qui lui-même aimait beaucoup la reine, beaucoup Mirabeau, et qui, ne le quittant pas, fortifia toujours en lui ce rêve du génie de la reine... Si belle, si malheureuse, si courageuse ! Une seule chose lui manquait, la lumière, l'expérience, un conseil hardi et sage, une main d'homme où s'appuyer, la forte main de Mirabeau !... Telle fut la véritable corruption de celui-ci, une coupable illusion de cœur, pleine d'ambition, d'orgueil.

Maintenant, assemblons en jury les hommes irréprochables, ceux qui ont droit de juger, ceux qui se sentent purs eux-mêmes, *purs d'argent,* ce qui n'est pas rare, *purs de haine,* ce qui est rare. (Que de puritains qui préfèrent à l'argent la vengeance et le sang versé !...) Assemblés, interrogés, nous nous figurons qu'ils n'hésiteront pas à décider comme nous :

Y eut-il trahison ?... Non.

Y eut-il corruption ?... Oui.

Oui, l'accusé est coupable. Aussi, quelque douloureuse que la chose soit à dire, il a été justement expulsé du Panthéon.

La Constituante eut raison d'y mettre l'homme intrépide qui fut le premier organe, la voix même de la liberté.

La Convention eut raison de mettre hors du temple l'homme corrompu, ambitieux, faible de cœur, qui aurait préféré à la patrie une femme et sa propre grandeur.

Ce fut par un triste jour d'automne, dans cette tragique année de 1794, où la France avait presque achevé de s'exterminer elle-même, ce fut alors qu'ayant tué les vivants, elle se mit à tuer les morts, s'arracha du cœur son plus glorieux fils. Elle mit une joie sauvage dans cette suprême douleur. L'homme de la loi chargé de la hideuse exécution, dans un procès-verbal informe, ignorant, barbare, qui donne une idée étrange du temps, dit ces propres mots; j'en conserve l'orthographe: «Le cortège *de la fête* s'étant arrêté sur la place du Panthéon, un des citoyens huissier de la Convention s'est avancé vers la porte d'entrée dudit Panthéon, y a fait lecture du décres qui exclus d'y celuy, les restes d'Honoré Riqueti Mirabeau, qui aussitôt ont été portés dans un cercueil de bois hors de l'enceinte dudit temple, et nous ayant été remis, nous avons fait conduire et déposer ledit cercueil dans le lieu ordinaire des sépultures...» Ce lieu n'est autre que Clamart, cimetière des suppliciés, dans le faubourg de Saint-Marceau. Le corps y fut porté pendant la nuit, et inhumé, sans nul indice, vers le milieu de l'enceinte.

Il y est encore aujourd'hui, en 1847, selon toute apparence.

Voilà plus d'un demi-siècle que Mirabeau est là dans la terre des suppliciés.

Nous ne croyons pas à la légitimité des peines éternelles. C'est assez pour ce pauvre grand homme de cinquante ans d'expiation. La France, n'en doutons pas, dès qu'elle aura des jours meilleurs, ira le chercher dans la terre, elle le remettra où il doit rester, dans son Panthéon, l'orateur de la Révolution aux pieds des créateurs de la Révolution, Descartes, Rousseau, Voltaire. L'exclusion fut méritée, mais le retour est juste aussi.

Pourquoi lui envierions-nous cette sépulture matérielle, quand il en a une morale dans le souvenir reconnaissant, au cœur même de la France?

CHAPITRE XI

Intolérance des deux partis — Progrès de Robespierre

L'Assemblée, sur la proposition de Robespierre, décide que les députés ne seront ni ministres ni réélus, etc. (7 avril, 16 mai 1791) — Robespierre succède au crédit des Lameth près des Jacobins (avril) — Les Lameth conseillers de la Cour (avril) — Ils ne parlent ni contre la limitation de la garde nationale (28 avril), ni pour la défense des clubs (mai) — Lutte de Duport et de Robespierre (17 mai) — Tous deux parlent contre la peine de mort — La lutte religieuse éclate, aux approches de Pâques (17 avril 1791); le roi communie avec éclat — Le roi constate publiquement sa captivité (18 avril) —

Intolérance ecclésiastique, spécialement contre ceux qui sortent des couvents — Intolérance jacobine contre le culte des réfractaires (mai) — Lettre du pape brûlée (4 mai) — L'Assemblée accorde à Voltaire les honneurs du Panthéon (30 mai 1791).

Le 7 avril, cinq jours après la mort de Mirabeau, Robespierre proposa et fit décréter que nul membre de l'Assemblée *ne pourrait être porté au ministère* pendant les quatre années qui suivraient la session.

Aucun député important n'osa faire d'objection. Nulle réclamation des rédacteurs ordinaires de la Constitution (Thouret, Chapelier, etc.), nulle des agitateurs de la gauche (Duport, Lameth, Barnave, etc.) Ils se laissèrent enlever, sans mot dire, tout le fruit qu'ils pouvaient attendre de la mort de Mirabeau. L'entrée au pouvoir, qui semblait s'ouvrir, leur fut fermée pour toujours.

Cinq semaines après, le 16 mai, Robespierre proposa et fit décréter que les membres de l'Assemblée actuelle *ne pourraient être élus* à la première législature.

Par deux fois l'Assemblée constituante vota par acclamation contre elle-même.

Et deux fois sur la proposition du député le moins agréable à l'Assemblée, de celui dont elle avait invariablement repoussé les motions, les amendements.

Il y a là grand changement, qu'il faut tâcher d'expliquer.

Et d'abord, un signe bien surprenant que nous en trouvons, c'est, dès le lendemain de la mort de Mirabeau, le ton nouveau, audacieux, presque impérieux de Robespierre. Le 6 avril, il reprocha violemment au Comité de constitution la présentation *à l'improviste* du projet d'organisation ministérielle (présenté depuis deux mois). Il parla « de *l'effroi* que lui inspirait l'esprit qui présidait aux délibérations ». Il finit par cette parole dogmatique : « Voilà l'*instruction* essentielle que je présente à l'Assemblée. » Et l'Assemblée ne murmura point. Elle lui accorda, pour le fond de la loi, l'ajournement au lendemain ; et c'est le lendemain, 7 avril, qu'assuré probablement d'une forte majorité, il fit la proposition d'interdire le ministère aux députés pour quatre ans.

Robespierre n'était plus l'homme hésitant, timide. Il avait pris autorité. On le sentit au 16 mai, où il développa avec une gravité souvent éloquente cette thèse de morale politique, que le législateur doit se faire un devoir de rentrer dans la foule des citoyens et se dérober même à la reconnaissance. L'Assemblée, fatiguée de son Comité de constitution, d'un décimvirat qui parlait toujours et légiférait toujours, sut bon gré à Robespierre d'avoir le premier exprimé une pensée juste et vraie, qu'on peut résumer ainsi : « La Constitution n'est point sortie de la tête de tel ou tel orateur, *mais du sein même de l'opinion qui nous a précédés* et qui nous a soutenus. Après deux années de travaux au-dessus des forces humaines, il ne nous reste qu'à donner à nos successeurs l'exemple de l'indifférence pour notre immense pouvoir, pour tout autre intérêt que le bien public. Allons respirer dans nos départements l'air de l'égalité. »

Et il ajouta ce mot impérieux, impatient : « Il me semble que, pour l'honneur des principes de l'Assemblée, cette motion ne doit pas être décrétée avec trop de lenteur. » Loin d'être blessée de ce mot, l'Assemblée applaudit, ordonne l'impression, veut aller aux voix. Chapelier demande en vain la parole. La proposition est votée à la presque unanimité.

Le prôneur habituel et très zélé de Robespierre, Camille Desmoulins, dit avec raison qu'il regarde ce décret comme un coup de maître : « On pense bien qu'il ne l'a emporté ainsi de haute lutte que parce qu'il avait des intelligences dans l'amour-propre de la grande majorité, qui, ne pouvant être réélue, a saisi avidement cette occasion de niveler tous les honorables membres... Notre féal a calculé très bien », etc.

Ce qu'il avait calculé, et ce que Desmoulins ne peut dire, c'est que, pour les deux extrêmes, Jacobins, aristocrates, l'ennemi commun à détruire était la Constitution et les constitutionnels, pères et défenseurs naturels de cet enfant peu viable.

Mais Robespierre était un homme trop politique pour qu'on croie qu'il s'en rapportât à ce calcul de vraisemblance, à cette hypothèse fondée sur une connaissance générale de la nature humaine. Quand on le voit parler avec tant de force, d'autorité et de certitude, on ne peut douter qu'il ne fût très positivement instruit de l'appui que sa proposition trouverait auprès du côté droit. Les prêtres, pour qui récemment il s'était fort avancé, presque compromis (le 12 mars), pouvaient l'éclairer parfaitement sur la pensée de leur parti.

D'autre part, si la voix de Robespierre semble grossie tout à coup, c'est qu'elle n'est plus celle d'un homme ; un grand peuple parle en lui, celui des sociétés jacobines. La société de Paris, nous l'avons vu, fondée par des députés, et qui d'abord en compte quatre cents en octobre 89, en a au plus cent cinquante le 28 février 91, le jour où Mirabeau fut tué par les Lameth. Qui donc domine aux Jacobins ? Ceux qui ne sont pas députés, qui veulent l'être, ceux qui désirent que l'Assemblée constituante ne puisse être réélue. C'est la pensée des Jacobins que Robespierre a exprimée, leur désir, leur intérêt ; il est leur organe. Il parle pour eux, et devant eux, soutenu par eux, car ce sont eux que je vois là-haut remplir les tribunes. Cette assemblée *supérieure*, comme je l'ai nommée déjà, commence à peser lourdement d'en haut sur l'Assemblée constituante. Et ce n'est pas une des moindres raisons qui fait que celle-ci aspire au repos. De plus en plus, les tribunes interviennent, mêlent des paroles aux discours des orateurs, des applaudissements, des huées. Dans la question des colonies par exemple, un défenseur des colons fut sifflé outrageusement.

L'histoire intérieure de la société jacobine est infiniment difficile à pénétrer. Leur prétendu journal, rédigé par Laclos, loin d'en être la lumière, en est l'obscurcissement. Ce qui pourtant est très visible, c'est que des deux fractions primitives de la société, la fraction orléaniste baisse alors, discréditée par l'avidité de son chef dans l'affaire des quatre millions, par la polémique républicaine que Brissot et autres dirigent contre elle. L'autre fraction (Duport, Barnave et Lameth) semble aussi usée, énervée ; il semble qu'en blessant à mort Mirabeau, le soir du 28 février, elle ait laissé dans la plaie son dard et sa vie. En mars, agit-elle encore dans la violente émeute, où les Jacobins firent achever le Club des Monarchiens à coups de pierres et de bâtons, c'est ce qu'on ne peut bien savoir. Ce qu'on peut dire en général des triumvirs, c'est que leur mauvais renom d'intrigue et de violence, les bruits sinistres (quoique injustes) qui coururent sur eux à l'occasion de la mort de Mirabeau, auront conduit les Jacobins à suivre de préférence un homme net, pauvre, austère, de précédents inattaquables. La scène remarquable, observée de tous, à l'enterrement de Mirabeau (Lameth, au bras de Sieyès, couvert par lui contre les soupçons du peuple, un Jacobin protégé en quelque sorte devant le peuple par l'impopulaire abbé !), c'était de quoi faire réfléchir la société jacobine. Elle laissa les Lameth, se donna à Robespierre.

L'affaire des Jacobins de Lons-le-Saunier, décidée contre les Lameth par la société de Paris, vers la fin de mars, me paraît dater leur décès. On pourrait dire presque qu'ils meurent avec Mirabeau ; vainqueurs, vaincus, ils s'en vont à peu près en même temps.

Rien n'avait plus contribué à accélérer leur ruine que leur opinion illibérale sur les droits des hommes de couleur. Les Lameth avaient des habitations aux colonies, des esclaves. Barnave parla hardiment pour les planteurs. L'Assemblée, balancée entre la question trop évidente du droit et la crainte d'exciter un incendie général, rendit cet étrange décret : « Qu'elle ne délibérerait *jamais* sur l'état des personnes non nées de père et de mère libres, si elle n'en était requise par les colonies. » On était tout à fait sûr que cette réquisition ne viendrait *jamais* : c'était s'interdire de *jamais* délibérer sur l'esclavage des noirs. Les planteurs voulurent élever une statue à Barnave, comme s'il était mort déjà ; cela n'était que trop vrai.

Indépendamment de ces intérêts, une influence occulte contribuait, il faut le dire, à neutraliser les Lameth.

Peu après la mort de Mirabeau, lorsque beaucoup de gens les en accusaient, un matin, de très bonne heure, Alexandre de Lameth étant encore couché, un petit homme sans apparence veut lui parler, est admis. C'était M. de Montmorin, ministre des Affaires étrangères. Le ministre s'assoit près du lit, et fait sa confession. Il dit du mal de Mirabeau (sûr moyen de plaire à Lameth), se reproche la mauvaise voie où il est entré, les grandes sommes qu'il a dépensées pour pénétrer les secrets des Jacobins. « Tous les soirs, dit-il, j'avais les lettres qu'ils avaient reçues des provinces, et je les lisais au roi, qui souvent admirait la sagesse de vos réponses. » La conclusion de l'entretien que Lameth oublie de donner, mais qu'on sait parfaitement, c'est que Lameth succéda, sous un rapport, à Mirabeau, qu'il devint ce qu'était déjà Barnave depuis le mois de décembre, un des conseillers secrets de la Cour.

L'Assemblée, le 28 avril, franchit un pas redouté ; elle décida que les citoyens actifs pourraient seuls être gardes nationaux. Robespierre réclama. Duport et Barnave gardèrent le silence ; Charles de Lameth parla sur un accessoire.

La véritable pierre de touche, la mortelle épreuve, c'était la défense des clubs, attaqués solennellement devant l'Assemblée par le département de Paris, la défense des assemblées populaires en général, communes, sections, libres associations, leur droit de faire des pétitions collectives, des adresses, leur droit d'afficher, etc. Chapelier proposa une loi qui leur ôtait ce droit ; elle fut votée, en effet, non exécutée. Il déclarait que, sans cette loi, les clubs seraient des corporations, et de toutes les plus formidables. Robespierre et Pétion se portèrent défenseurs des clubs. Duport, Barnave et Lameth, les fondateurs des Jacobins et leurs meneurs si longtemps, n'allaient-ils pas parler aussi ? Tout le monde s'y attendait... Non, silence, profond silence. Visiblement ils abdiquaient.

Robespierre leur avait lancé un mot, qui, sans doute, contribua à leur ôter toute tentation de prendre la parole : « Je n'excite point la révolte... Si quelqu'un voulait m'accuser, je voudrais qu'il mît toutes ses actions en parallèle avec les miennes. » C'était porter le défi aux anciens perturbateurs de pouvoir parler de paix.

Dans la question de la rééligibilité (16 mai), Duport laissa voter l'Assemblée contre elle-même ; mais, le lendemain, lorsqu'on n'eut plus à s'occuper que de la rééligibilité des législatures suivantes, il sortit de son silence. Il semblait qu'il voulût épancher en une fois tout ce qu'il avait d'amertumes et de craintes de l'avenir. Ce discours, plein de choses élevées, fortes, prophétiques, a le tort le plus grave qu'un discours politique puisse avoir, il est triste et découragé. Duport y déclare que, encore un pas, et le gouvernement n'est plus ; ou, s'il renaît, ce sera pour se concentrer dans le pouvoir exécutif. Les hommes ne veulent plus obéir aux anciens despotes, mais veulent s'en faire de nouveaux, dont la puissance, plus populaire, sera mille fois plus dangereuse. La liberté sera placée dans l'individualité égoïste, l'égalité dans un nivellement progressif, jusqu'au partage des terres... Déjà, visiblement, on tend à changer la forme du gouvernement, sans prévoir qu'auparavant il faudra noyer dans le sang les derniers partisans du trône, etc. Puis, désignant spécialement Robespierre, il accuse le système adroit de certains hommes qui se contentent toujours de parler principes, hautes généralités, sans descendre aux voies et moyens, sans prendre aucune responsabilité, « car ce n'en est pas une de tenir sans interruption une chaire de droit naturel ».

Duport, dans sa longue plainte, partait d'une idée inexacte qu'il répéta par deux fois : « La Révolution est faite. » Ce seul mot détruisait tout. L'inquiétude universelle, le sentiment qu'on avait d'obstacles infinis à vaincre, l'insuffisance des réformes, tout cela mettait dans les esprits une réfutation muette, mais forte, d'une telle assertion. Robespierre n'eut garde de saisir la prise dangereuse que donnait son adversaire, il ne donna pas dans le piège, ne dit pas qu'il fallait continuer la Révolution. Il se tint à la question. Seulement, comme s'il eût voulu rendre une idylle pour une élégie, il revint à son premier discours, aux douces idées morales « *d'un repos commandé par la raison et par la nature,* d'une retraite nécessaire pour méditer sur les principes ». Il garantit « qu'il existait dans chaque contrée de l'empire *des pères de famille* qui viendraient faire volontiers le métier de législateurs, *pour assurer à leurs enfants* des mœurs, une patrie... Les intrigants s'éloigneraient ? Tant mieux, *la vertu modeste* recevrait alors le prix qu'ils lui auraient enlevé. »

Cette sentimentalité, traduite en langue politique, signifiait que Robespierre, ayant saisi le levier révolutionnaire, échappé aux mains de Duport (le levier des Jacobins), ne craignait pas de se fermer l'Assemblée *officielle,* au nom des principes, pour d'autant mieux tenir la seule Assemblée *active, efficace,* le grand club directeur. Il y avait à parier que la prochaine législature, n'ayant plus des Mirabeau, des Duport, des Cazalès, serait faible et pâle, et que la vie, la force, seraient toutes aux Jacobins. Cette douce retraite philosophique qu'il conseillait à ses adversaires, lui il savait où la prendre, au vrai centre du mouvement.

Duport honora sa chute par un discours admirable contre la peine de mort, où il atteignit le fond même du sujet, cette profonde objection : « Une société qui se fait légalement meurtrière, n'enseigne-t-elle pas le meurtre ? » Cet homme éminent, dont le nom reste attaché à l'établissement du jury en France et à toutes nos institutions judiciaires, eut, comme Mirabeau, le glorieux bonheur de finir sur une question d'humanité. Son discours, supérieur en tous sens au petit discours académique que Robespierre prononça aussi contre la peine de mort, n'eut pourtant aucun écho. Personne ne remarqua ces paroles, où l'on n'entrevoit que trop un sombre pressentiment : « Depuis qu'un changement continuel dans les hommes a rendu presque nécessaire un changement dans les choses, faisons au moins que les scènes révolutionnaires soient le moins tragiques... *Rendons l'homme respectable à l'homme !* »

Grave parole, qui malheureusement n'avait que trop d'à-propos. L'homme, la vie de l'homme, n'étaient déjà plus respectés. Le sang coulait. La guerre religieuse commençait à éclater.

Dès la fin de 90, la résistance obstinée du clergé à la vente des biens ecclésiastiques avait mis les municipalités dans l'embarras le plus cruel. Elles répugnaient à sévir contre les personnes, s'arrêtaient devant cette force d'inertie qui leur était opposée ; d'inertie plutôt apparente, car le clergé agissait très activement par le confessionnal et la presse, par la diffusion des libelles. Il répandait, spécialement en Bretagne, le livre atroce de Burke contre la Révolution.

Entre les municipalités timides, inactives, et le clergé insolemment rebelle, la nouvelle religion périssait, vaincue. Partout, les sociétés des Amis de la Constitution furent obligées de pousser les municipalités, d'accuser leur inaction, au besoin d'agir à leur place. La Révolution prenait ainsi un redoutable caractère ; elle tombait tout entière entre les mains patriotiques, mais intolérantes, violentes, des sociétés jacobines.

Il faut dire, comme César : *Hoc voluerunt.* Eux-mêmes, ils l'ont ainsi voulu. Les prêtres ont cherché la persécution, pour décider la guerre civile.

Le fatal décret du serment immédiat, la scène du 4 janvier, où les nouveaux Polyeuctes eurent à bon marché la gloire du martyre, donna partout au clergé une joie, une audace immense. Ils marchaient maintenant hauts et fiers, la Révolution allait tête basse.

L'un des premiers actes d'hostilité fut fait, comme il était juste, par un pontife édifiant, le cardinal de Rohan, le héros de l'affaire du Collier. Il rentra ainsi en grâce auprès des honnêtes gens. Retiré au-delà du Rhin, il anathématisa (en mars) son successeur, élu par le peuple de Strasbourg, et commença la guerre religieuse dans cette ville inflammable.

Une lettre de l'évêque d'Uzès qui chantait *Io ! triumphe !* pour le refus du serment, tomba dans Uzès comme une étincelle, la mit en feu. On sonna le tocsin, on se battit dans les rues.

En Bretagne, le clergé remua sans peine la sombre imagination des paysans. Dans un village, un curé leur dit la messe à trois heures, leur annonce qu'ils n'auront jamais plus de vêpres, qu'elles sont pour toujours abolies. Un autre choisit un dimanche, dit la messe de grand matin, encore en pleine nuit, prend le crucifix sur l'autel, le fait baiser aux paysans : « Allez, dit-il, vengez Dieu, allez tuer les impies. » Ces pauvres gens, égarés, marchent en armes sur Vannes ; il faut que la troupe, la garde nationale, leur ferment l'entrée de la ville, on ne peut les disperser qu'en tirant sur eux ; une douzaine restent sur la place.

Tout cela aux approches de Pâques. On attendait curieusement si le roi communierait avec les amis ou les ennemis de la Révolution. On pouvait déjà le prévoir, il avait éloigné le curé de la paroisse qui était assermenté ; les Tuileries étaient pleines de prêtres non conformistes. Ce fut entre leurs mains qu'il communia, le dimanche 17 avril, en présence de La Fayette, qui lui-même, au reste, donnait chez lui le même exemple, ayant dans sa chapelle un prêtre réfractaire pour dire la messe à Mme de La Fayette. La communion du roi avait cela de hardi qu'elle se faisait en grande pompe, qu'on obligeait la garde nationale d'y assister, de porter les armes au grand aumônier, etc. Un grenadier refusa positivement de rendre cet hommage à la contre-Révolution. Le district des Cordeliers l'en remercia le soir, et, par une affiche, « dénonça au peuple français le premier fonctionnaire public comme rebelle aux lois qu'il a jurées, autorisant la révolte ».

Cela n'était que trop exact. La Cour avait besoin d'un scandale, et désirait une émeute, pour constater devant l'Europe la non-liberté du roi. Cette émeute, projetée depuis longtemps (selon La Fayette), retardée, à ce qu'il semble, par la mort de Mirabeau, à qui l'on aurait donné un rôle dans la comédie, eut lieu aux jours solennels, aux jours les plus émus pour les cœurs religieux, à la seconde fête de Pâques, le lundi 18 avril 1791.

Tout le monde bien averti la veille, tous les journaux retentissent dès le matin du départ du roi, la foule obstruant déjà tous les abords du palais, vers onze heures, le roi, la reine, la famille, les évêques, les serviteurs remplissant plusieurs voitures bien chargées, se mettent en mouvement pour partir. On ne va, dit-on, qu'à Saint-Cloud ; mais la foule serre les voitures. On sonne le tocsin à Saint-Roch. La garde nationale rivalise avec le peuple pour empêcher tout passage. L'animosité était grande contre la reine, contre les évêques. « Sire, dit un grenadier au roi, nous vous aimons, mais *vous seul !* » La reine entendit des mots bien plus durs encore ; elle trépignait, pleurait.

La Fayette veut faire un passage, mais personne n'obéit. Il court à l'Hôtel de Ville, demande le drapeau rouge. Danton, qui était là, heureusement, lui fit refuser le drapeau, et peut-être empêcha un massacre ; La Fayette, ignorant alors que l'intention du départ fût simulée, eût agi selon toute la rigueur de la loi. Il avait laissé Danton à l'Hôtel de Ville, il le retrouva aux Tuileries, à la tête du bataillon des Cordeliers, qui vint, sans être commandé.

Au bout de deux heures, on rentra, ayant suffisamment constaté ce qu'on voulait.

La Fayette, indigné d'avoir été désobéi, donna sa démission. L'immense majorité de la garde nationale le supplia, l'apaisa ; la bourgeoisie ne se fiait qu'à lui pour le maintien de la paix publique.

Le roi, le mardi 19, fit une démarche étrange qui porta au comble la crainte où l'on était de son départ. Il vint à l'improviste dans l'Assemblée, déclara qu'il persistait dans l'intention d'aller à Saint-Cloud, de prouver qu'il était libre — ajoutant qu'il voulait maintenir la Constitution, « dont fait partie la constitution du clergé ». Etrange contradiction avec sa communion du dimanche précédent, avec l'appui qu'il donnait aux prêtres rebelles.

Il ne faut pas croire que ces prêtres, victimes résignées, patientes, se tinssent heureux d'être ignorés. Ils agissaient de la manière la plus provocante, se montrant partout, aboyant, menaçant, empêchant les mariages, troublant la tête des filles, leur faisant croire que si elles étaient mariées par les prêtres constitutionnels, elles ne seraient que concubines, et que leurs enfants resteraient des bâtards.

Les femmes étaient à la fois les victimes et les instruments de cette espèce de terreur qu'exerçaient les prêtres rebelles. Elles sont plus braves que les hommes, habituées qu'elles sont à être respectées, ménagées, et croyant au fond qu'elles ne risquent pas grand-chose. Aussi faisaient-elles audacieusement tout ce que n'osaient faire leurs prêtres. Elles allaient, venaient, portaient les nouvelles, parlaient haut et fort. Sans parler des victimes obligées de leur irritation (je parle des maris, persécutés dans leur intérieur, poussés à bout de refus, d'aigreurs, de reproches), elles étendaient leurs rigueurs à beaucoup de petites gens de leur clientèle ou de leur maison ; malheur aux marchands philosophes, aux fournisseurs patriotes ! Les femmes fuyaient leurs boutiques ; toutes les pratiques allaient aux boutiques bien-pensantes.

Les églises étaient désertes. Les couvents ouvraient leurs chapelles à la foule des contre-révolutionnaires, athées hier, dévots aujourd'hui. Chose plus grave, ces couvents maintenaient audacieusement leurs clôtures, tenaient leurs portes fermées sur les reclus ou recluses qui voulaient sortir, aux termes des décrets de l'Assemblée.

Une dame de Saint-Benoît, ayant insisté pour rentrer dans sa famille, fut en butte à mille outrages. On refusa de lui laisser emporter les petits objets sans valeur pour lesquels les religieuses ont souvent beaucoup d'attache. On la mit, comme nue, à la porte. Les parents étant venus réclamer, on leur jeta, sans ouvrir, quelques hardes par la fenêtre, comme si elles contenaient la peste ; on les accabla d'injures.

L'Assemblée nationale reçut une pétition de la mère d'une autre religieuse, que l'on retenait de force ; la supérieure et le directeur l'empêchaient de transmettre à la Municipalité la déclaration qu'elle faisait de quitter son ordre. Aux dames de Saint-Antoine, une jeune sœur converse ayant témoigné de la joie pour les décrets d'affranchissement, fut en butte aux outrages, aux sévices de l'abbesse, grande dame très fanatique, et des autres religieuses qui faisaient leur cour à l'abbesse. La sœur, ayant trouvé moyen d'avertir de ses souffrances et de son danger, sortit d'une manière étrange ; elle passa la tête au tour, et un homme charitable la tirant de là à grand-peine, parvint à faire passer le reste. Une famille la reçut dans le faubourg Saint-Antoine ; une souscription fut ouverte dans les journaux pour la pauvre fugitive.

On juge que de telles histoires n'étaient pas propres à calmer le peuple, déjà si cruellement irrité de ses misères. Il souffrait infiniment, ne savait à qui s'en prendre. Tout ce qu'il voyait, c'est que la Révolution ne pouvait ni avancer, ni reculer ; à chaque pas, il rencontrait une force immobile, la royauté, et derrière, une force active, l'intrigue ecclésiastique. Il ne faut pas s'étonner s'il frappa sur ces obstacles. Je ne crois pas que les Jacobins aient eu besoin de le pousser ; des trois fractions jacobines, deux (Lameth et Orléans) avaient alors moins d'influence ; quant à celle de Robespierre, elle était certainement violente et fanatique ; toutefois son chef, personnellement, n'était point homme d'émeute, moins encore contre les prêtres que contre tout autre ennemi.

Le mouvement fut spontané, sorti naturellement de l'irritation et de la misère. Des femmes se portèrent aux couvents, et fouettèrent des religieuses.

Mais ensuite, selon toute vraisemblance, on exploita le mouvement : on lui donna une grande scène, une occasion solennelle. C'était le plan de la Cour de compromettre, autant qu'il était possible, la Révolution devant la population catholique du royaume, devant l'Europe. Les non-conformistes louèrent de la Municipalité une église dans le lieu le plus passant de Paris, sur le quai des Théatins ; là, ils devaient faire leurs pâques. La foule s'y porta, comme on pouvait aisément le prévoir, attendit, fermenta dans cette attente, menaça ceux qui viendraient. Le défi anime et excite ; deux femmes se présentèrent, furent brutalement fouettées. On attacha deux balais sur la porte de l'Eglise. L'autorité les enleva, mais ne put disperser la foule. Sieyès réclama en vain dans l'Assemblée les droits de la liberté religieuse. Le peuple, tout entier au sentiment de ses misères, s'obstinait à n'y voir qu'une question politique ; le prêtre rebelle et ses fauteurs lui apparaissaient, non sans cause, comme soufflant ici l'étincelle qui devait allumer l'Ouest, le Midi, le monde peut-être.

Avignon et le Comtat offraient déjà une atroce miniature de nos guerres civiles imminentes. La première, fortifiée de tout ce qu'il y avait d'ardents révolutionnaires à Nîmes, Arles, Orange, guerroyait contre Carpentras, le siège de l'aristocratie. Guerre barbare des deux côtés, de vieilles rancunes envenimées, de fureurs nouvelles, moins une guerre qu'une scène horriblement variée d'embûches et d'assassinats. Les lenteurs de l'Assemblée nationale y étaient pour beaucoup, on devait l'en accuser, et la fatale proposition de Mirabeau d'ajourner la décision. Elle n'arriva que le 4 mai, et, encore, ne décida rien. L'Assemblée déclarait qu'Avignon ne faisait point partie intégrante de la France, sans toutefois que la France renonçât à ses droits. Ce qui revenait à dire : « L'Assemblée juge qu'Avignon n'appartient pas, sans nier qu'elle appartienne. »

Le même jour, 4 mai, se répand dans Paris un bref du pape, une sorte de déclaration de guerre contre la Révolution. Il s'y répand en injures contre la Constitution française, déclare nulles les élections de curés et évêques, leur défend d'administrer les sacrements. Une société patriotique, pour rendre insulte pour insulte, jugea le lendemain le pape au Palais-Royal, et brûla son mannequin. Aux termes du même jugement, le journal bien-aimé des prêtres, celui de l'abbé Royou, fut brûlé aussi, après avoir été préalablement mis dans le ruisseau.

Le pape a fait du chemin depuis le XIVe siècle. Au soufflet de Boniface VIII, le monde tressaillit d'horreur. La bulle, brûlée par Luther, l'agita profondément encore. Ici, le pape et Royou finissent paisiblement ensemble, sans que personne y prenne garde, exécutés au ruisseau de la rue Saint-Honoré.

Autant le pape recule, autant son adversaire avance. Cet adversaire immortel (qui n'est autre que la Raison), quelque déguisement qu'il prenne, jurisconsulte en 1300, théologien en 1500, philosophe au dernier siècle, il triomphe en 91.

La France, dès qu'elle peut parler, rend grâce à Voltaire. L'Assemblée nationale décrète au glorieux libérateur de la pensée religieuse les honneurs de la victoire. Elle est gagnée, il a vaincu ; qu'il triomphe maintenant, qu'il revienne dans son Paris, dans sa capitale, ce roi de l'esprit. L'exilé, le fugitif, qui n'eut point de lieu ici-bas, qui vécut entre trois royaumes, osant à peine poser l'aile, comme l'oiseau qui n'a pas de nid, qu'il vienne dormir en paix dans l'embrassement de la France.

Mort cruelle ! il n'avait revu Paris, cette foule idolâtre, ce peuple qui l'avait compris, que pour s'en arracher avec plus de déchirement ! Poursuivi sur son lit de mort, même après la mort, banni, enlevé la nuit par les siens, le 30 mai 1778, caché dans une tombe obscure, son retour est décrété le 30 mai 1791. Il reviendra, mais de jour, au grand soleil de la justice, porté triomphalement sur les épaules du peuple, au temple du Panthéon.

Pour comble, il verra la chute de ceux qui le proscrivirent. Voltaire vient ; prêtres et rois s'en vont. Son retour est décrété, par un remarquable à-propos, lorsque les prêtres, surmontant les indécisions de Louis XVI, ses scrupules, vont le pousser à Varennes, à la trahison, à la honte. Comment, pour ce grand spectacle, nous passerions-nous de Voltaire ? Il faut qu'il vienne voir à Paris la déroute de Tartuffe. Il est le héros de la fête. Au moment où le prêtre laisse sa trame ténébreuse éclater au jour, Voltaire ne peut manquer de sortir aussi du caveau. Averti par l'audacieuse révélation de Tartuffe, il se révèle en même temps, passe la tête hors du sépulcre, et dit à l'autre, avec ce rire formidable auquel croulent les temples et les trônes : « Nous sommes inséparables ; tu parais, je parais aussi. »

CHAPITRE XII

Précédents de la fuite du roi

Louis XV préoccupé du portrait de Charles Ier. Louis XVI de l'histoire de Charles Ier et de Jacques II — Louis XVI craint toutes les puissances, ne veut point quitter le royaume — L'Europe est ravie de voir la France divisée — La Russie et la Suède encouragent l'évasion — L'Autriche en donne le plan, octobre 90 — Le projet eut d'abord une apparence française, puis devint tout étranger — Le roi, étranger par sa mère ; indifférent, comme chrétien, à la nationalité — Le roi blessé dans ses nobles et ses prêtres, février-mai 91 — Duplicité du roi et de la reine ; ils trompent tout le monde — Toute la famille royale, spécialement la reine, contribue à la perte du roi — Préparatifs imprudents de la fuite du roi, mars-mai 91.

Je ne puis visiter le Musée du Louvre sans m'arrêter et rêver, souvent longtemps malgré moi, devant le *Charles Ier* de Van Dyck. Ce tableau contient à la fois l'histoire d'Angleterre et celle de France. Il a eu sur nos affaires une influence directe qu'ont rarement les œuvres d'art. Le grand peintre, à son insu, y mit le destin de deux monarchies.

L'histoire du tableau lui-même est curieuse. Il faut la prendre un peu haut, dire comment il vint en France.

Lorsque le ministère Aiguillon-Maupeou voulut décider Louis XV à briser le Parlement, il y avait une opération préalable à faire, rendre au vieux roi usé la faculté de vouloir, en refaire un homme. Pour cela, il fallait fermer le sérail où il s'éteignait, lui faire accepter une maîtresse, le réduire à une femme ; rien n'était plus difficile. Il fallait que cette maîtresse, fille folle, hardie, amusante, mît les autres à la porte ; qu'elle n'eût pas trop d'esprit, ne fît pas la Pompadour, mais qu'elle eût assez d'esprit pour répéter à toute heure une leçon bien apprise.

Mme du Barry, c'est son nom, joua son rôle à merveille. Cette singulière égérie lui soufflant la royauté la nuit et le jour, n'eût pas réussi pourtant avec un tel homme, si, à l'appui des paroles, elle n'eût appelé le secours des yeux, rendu sensible et visible la leçon qu'elle répétait. On acheta pour elle, en Angleterre, le tableau de Van Dyck, sous le prétexte étrange que, le page qu'on y voit s'appelant Barry, c'était pour elle un tableau de famille. Cette grande toile, digne de respect, et comme œuvre de génie, et comme monument des tragédies du destin, fut établie, chose indigne, au boudoir de cette fille, dut entendre ses éclats de rire, voir ses ébats effrontés. Elle prenait le roi par le cou, et, lui montrant Charles Ier : « Vois-tu, La France (c'est ainsi qu'elle appelait Louis XV ?), voilà un roi à qui on a coupé le cou, parce qu'il a été faible pour son Parlement. Va donc ménager le tien ! »

Dans ce petit appartement très bas (une suite de mansardes qu'on voit encore dans les combles de Versailles), le grand tableau, vu si près, de plain-pied, face à face, eût été d'un effet pénible pour un homme moins fini de cœur, et de sens moins amortis. Nul autre que Louis XV n'eût porté, sans en souffrir, ce triste et noble regard où se voit une révolution tout entière, cet œil, plein de fatalité, qui vous entre dans les yeux.

On se rappelle que le grand maître, par une sorte de divination, a d'avance peint Charles Ier comme aux derniers jours de sa fuite ; vous le voyez simple *cavalier*, en campagne contre les *têtes rondes.* Il semble que, de proche en proche, il est acculé à la mer. On la voit là solitaire, inhospitalière. Ce roi des mers, ce lord des îles, a la mer pour ennemie ; devant lui, l'Océan sauvage ; derrière, l'attend l'échafaud.

Ce tableau mélancolique, placé, sous Louis XVI, aux appartements du roi, dut le suivre à Paris avec le mobilier de Versailles. Nul autre ne pouvait faire plus d'impression sur lui ; il était fort préoccupé de l'histoire d'Angleterre, et très spécialement de celle de Charles Ier. Il lisait assidûment Hume, et autres historiens anglais, dans leur langue. Il en avait retenu ceci, que Charles Ier avait été mis à mort pour avoir fait la guerre à son peuple, et que Jacques II avait été déclaré déchu pour avoir délaissé son peuple. S'il y avait une idée arrêtée en lui, c'était de ne point s'attirer le sort ni de l'un ni de l'autre, de ne point tirer l'épée, de ne point quitter le sol de la France. Indécis dans ses paroles, lent à se résoudre, il était très obstiné dans les idées qu'il avait conçues une fois. Nulle influence, pas même celle de la reine, n'eût pu le tirer de là. Cette résolution de ne point agir, de ne point se compromettre, allait parfaitement, d'ailleurs, à son inertie naturelle. Il était fort indisposé contre les émigrés qui remuaient sur la frontière, criaient, menaçaient, faisaient blanc de leur épée, sans s'inquiéter s'ils aggravaient la position du roi, dont ils se disaient les amis. En décembre 90, leur conseil se tenant à Turin, le prince de Condé proposait d'entrer en France et de marcher sur Lyon, « quoi qu'il pût arriver au roi ».

Louis XVI avait, de plus, un autre scrupule pour faire la guerre. C'était la nécessité de s'aider de l'étranger. Il connaissait très bien l'état de l'Europe, les vues intéressées des puissances. Il voyait l'esprit intrigant, ambitieux de la Prusse, qui, se croyant jeune, forte, très militaire, poussait partout au trouble pour trouver quelque chose à prendre. Dès 1789, la Prusse était là, qui offrait à Louis XVI d'entrer avec cent mille hommes. D'autre part, le machiavélisme de l'Autriche ne lui était pas moins suspect ; il n'aimait pas ce Janus à deux faces : dévot, philosophe. C'était pour lui une tradition paternelle et maternelle ; sa mère était de la maison de Saxe ; son père, le dauphin, crut mourir empoisonné par Choiseul, ministre lorrain, créature de Lorraine-Autriche, élevé par Marie-Thérèse, et qui maria Louis XVI à une Autrichienne. Quoique tendrement attaché à la reine, il devenait fort défiant quand elle parlait de recourir à la protection de son frère Léopold.

La reine n'avait nulle autre chance. Elle craignait extrêmement les émigrés. Elle n'ignorait pas qu'ils agitaient la question de déposer Louis XVI, et de nommer un régent. Elle voyait près du comte d'Artois son plus cruel ennemi, M. de Calonne, qui, de sa main, avait annoté, corrigé le pamphlet de Mme de La Motte contre elle, dans la vilaine affaire du Collier. Elle avait à craindre plus de ce côté que de la Révolution. La Révolution n'en voulant qu'à la reine, ne lui eût pris que la tête ; mais Calonne eût pu faire faire le procès à la femme, à l'épouse, la déshonorer peut-être juridiquement, l'enfermer.

Elle se tint, sans variation, au plan des hommes de l'Autriche, Mercy et Breteuil. Elle amusa Mirabeau, puis Lameth, Barnave, pour gagner le temps. Il en fallait pour que l'Autriche sortît de ses embarras de Brabant, de Turquie et de Hongrie. Il en fallait pour que Louis XVI, travaillé habilement par le clergé, fît céder ses scrupules de roi aux scrupules de chrétien, de dévot. L'idée d'un devoir supérieur pouvait seule le faire manquer à ce qu'il croyait un devoir.

Le roi, s'il l'eût voulu, pouvait fort aisément partir seul, sans suite, à cheval. C'était l'avis de Clermont-Tonnerre. Ce n'était nullement celui de la reine. Elle ne craignait rien tant au monde que d'être un moment séparée du roi. Peut-être aurait-il cédé aux insinuations de ses frères contre elle. Elle profita de l'émotion qu'il eut au 6 octobre, lorsqu'il crut qu'elle avait été si près de périr ; pleurant, elle lui fit jurer qu'il ne partirait jamais seul, qu'ils ne s'en iraient qu'ensemble, échapperaient ou périraient ensemble. Elle ne voulait même pas qu'ils partissent, au même moment, par des routes différentes.

Louis XVI refusa, au printemps de 90, les offres qu'on fit de l'enlever. Il ne profita pas, pour fuir, du séjour à Saint-Cloud qu'il fit dans la même année ; il y avait toute facilité, allant tous les jours à cheval ou en voiture, et à plusieurs lieues. Il ne voulait laisser personne, ni la reine, ni le dauphin, ni Mme Elisabeth, ni Mesdames. La reine ne pouvait se décider non plus à laisser telle dame confidente, telle femme qui avait ses secrets. On ne voulait partir qu'en masse, en troupe, en corps d'armée.

Dans l'été de 90, l'affaire du serment des prêtres troublant fort la conscience du roi, on le poussa à la démarche d'écrire aux puissances et de protester. Le 6 octobre 1790, il envoya une première protestation à une cour parente, à son cousin, le roi d'Espagne, celui de tous les princes dont il se défiait le moins. Puis, il écrivit à l'empereur, à la Russie, à la Suède ; en dernier lieu, le 3 décembre, il s'adressa à la puissance qui lui était la plus suspecte, ayant voulu tout d'abord se mêler des affaires de France ; je parle de la Prusse. Il demandait à tous « un congrès européen, appuyé d'une force armée », sans expliquer s'il voulait que cette force fût active contre la Révolution (Hardenberg, I, 103).

Les rois n'avaient généralement point de hâte. Le Nord branlait. La Révolution de Pologne était imminente ; elle éclata au printemps (3 mai), et prépara un nouveau démembrement. Les autres Etats destinés à être absorbés tôt au tard, la Turquie, la Suède, étaient ajournés. Mais déjà Liège et le Brabant venaient d'être dévorés. Le tour de la France arrivait, dès qu'elle serait assez mûre. « Les rois, dit Camille Desmoulins, ayant goûté du sang des peuples, ne s'arrêteront pas aisément. On sait que les chevaux de Diomède, ayant une fois mangé de la chair humaine, ne voulurent plus rien autre chose. »

Seulement, il fallait que la France devînt mûre et tendre, avant d'y mettre la dent, qu'elle s'affaiblît, se mortifiât par la guerre civile. On l'y encourageait fort. La Grande Catherine écrivait à la reine, pour l'animer à la résistance, cette parole qui vise au sublime : « Les rois doivent suivre leur marche sans s'inquiéter des cris du peuple, comme la lune suit son cours sans être arrêtée par les aboiements des chiens. » Imitation burlesque de Lefranc de Pompignan, ici d'autant plus ridicule que, pour suivre la comparaison, la lune se trouvait très réellement arrêtée.

Pour la tirer de cette éclipse, l'excellente Catherine animait toute l'Europe, agissait énergiquement de la plume et de la langue. Si elle pouvait, en effet, par la délivrance du roi, déchaîner la guerre civile, puis mettre tous les rois aux prises sur le cadavre de la France, combien lui serait-il facile, assise dans son charnier du Nord, de boire le sang de la Pologne, d'en sucer les os ?...

Quand l'évasion fut tentée, ce fut le ministre de Russie qui se chargea de faire donner à la reine un passeport de dame russe.

Catherine n'envoyait nul secours ; mais elle trouvait très bon que Gustave III, le petit roi de Suède (qu'elle venait de battre, et maintenant son ami), roi d'esprit inquiet, romanesque, aventureux, cherchât son aventure à Aix, à la porte de la France. Là, sous prétexte des eaux, il devait attendre la belle reine fuyant avec son époux, offrir son invincible épée, et, sans intérêt, enseigner au bon Louis XVI comment on refait les trônes.

L'Autriche, en possession, depuis Choiseul, depuis le mariage de Louis XVI, de l'alliance française, avait un intérêt bien plus direct à l'évasion du roi. Seulement, pour que la jalouse Prusse et la jalouse Angleterre laissassent intervenir, il fallait non seulement que Louis XVI se remît positivement à l'Autriche, mais qu'un grand parti se déclarant pour lui, un puissant noyau royaliste se formant à l'Est, l'Autriche fût, comme malgré elle, obligée, sommée par la France. *La guerre civile commencée,* c'était la condition expresse que notre fidèle allié mettait à l'intervention.

Dès octobre 90, les conseillers de la reine, les deux hommes de l'Autriche, Mercy et Breteuil, insistèrent pour l'évasion.

Breteuil envoya de Suisse un évêque avec son plan, conforme à celui que Léopold envoya plus tard ; mais ni la reine ni l'évêque ne crurent prudent de parler au roi les premiers du plan autrichien. La reine le lui fit présenter par un homme à elle, intimement lié avec elle dans ses beaux jours, et resté très dévoué, un officier suédois, M. de Fersen. Pour ne point effrayer le roi, on lui parlait simplement de se réfugier auprès de M. de Bouillé, au sein des régiments fidèles qui venaient de montrer tant de vigueur à Nancy, dans la proximité de la frontière autrichienne, à portée des secours de son beau-frère Léopold. Le roi écouta, fut muet.

La reine survint alors, appuya, pressa, obtint à la longue (23 octobre 1790) un pouvoir général de traiter avec l'étranger, pouvoir donné par le roi à Breteuil, l'homme de la reine ; l'*étranger*, dès lors, ne devait plus être l'Europe, mais spécialement l'Autriche. M. de Bouillé, averti, conseillait au roi de se rendre de préférence à Besançon, à portée du secours des Suisses, assuré par les capitulations, et d'ailleurs moins compromettant que celui d'aucune puissance. Ce n'était pas là le compte des conseillers autrichiens. On insista pour Montmédy, à deux lieues des terres d'Autriche.

Pour s'entendre définitivement, M. de Bouillé envoya en décembre l'un de ses fils, Louis de Bouillé, qui, conduit par l'évêque, entremetteur primitif de cette affaire, alla de nuit s'aboucher avec Fersen dans une maison fort retirée du faubourg Saint-Honoré. Le jeune Bouillé était bien jeune, n'ayant que vingt et un ans ; Fersen était infiniment dévoué, mais distrait, oublieux, ce semble, on en jugera tout à l'heure. Ce furent pourtant ces deux personnes qui eurent en main et réglèrent le destin de la Monarchie.

M. de Bouillé, connaissant la Cour, et sachant qu'on pourrait fort bien le désavouer, si la chose tournait mal, avait exigé du roi qu'il écrivît une lettre détaillée pour l'autoriser, laquelle passerait sous les yeux de son fils, qui en tirerait copie. Chose grave, chose périlleuse. Le roi écrivait et signait un mot qui, deux ans après, devait le mener à la mort : « Il faut s'assurer, avant tout, des *secours* de l'étranger. »

En octobre, le roi, dans la première approbation qu'il donnait au projet, disait seulement qu'il comptait sur les *dispositions favorables* de l'empereur et de l'Espagne. En décembre, il veut leurs *secours.*

Le projet d'abord avait eu une apparence française. Le succès de M. de Bouillé à Nancy avait donné l'espoir qu'un grand parti, et dans l'armée et dans la garde nationale, se prononcerait pour le roi, que la France serait divisée : il suffisait alors à M. de Bouillé que l'Autrichien fît une démonstration *extérieure,* seulement pour donner prétexte de réunir des régiments à mesure; un fait se déclara qui changeait la face des choses, l'unanimité de la France.

L'affaire devint tout étrangère. M. de Bouillé avoue qu'il avait besoin de troupes allemandes *pour contenir* le peu qui lui restait de Français. *Il exigeait,* dit son fils, le secours des étrangers. A Paris, l'évasion fut tramée chez un Portugais, dirigée par un Suédois ; la voiture qui y servit fut cachée chez un Anglais.

Ainsi, dans ses moindres détails, comme dans ses circonstances les plus importantes, l'affaire apparaît, et fut une conspiration étrangère, l'étranger déjà au cœur du royaume, nous faisant la guerre par le roi. Et le roi même, la reine, qu'étaient-ils ? Etrangers tous deux par leurs mères ; lui, né Bourbon-*Saxon ;* elle, née Lorraine-*Autriche.*

Les souverains en général, en qui les peuples cherchent les gardiens de leur nationalité, se trouvent ainsi, par leurs parentés et mariages, moins nationaux qu'européens, ayant souvent à l'étranger leurs relations les plus chères, leurs amitiés, leurs amours. Il est peu de rois qui, en bataille contre un roi, ne se trouvent avoir en face un cousin, neveu, beau-frère, etc. Ces rapports qui, en justice, obligent les hommes à se récuser, ne sont-ils pas des causes de suspicion légitime dans cette suprême justice des nations qui se plaide en diplomatie, ou se tranche par l'épée ?

L'homme sous lequel la marine française s'était relevée contre l'Angleterre n'était certes pas un roi *étranger* de sentiment ; *il l'était de race.* L'Allemand était son parent, l'Espagnol était son parent. S'il avait quelque scrupule d'appeler l'Autriche, il le combattait par l'idée qu'il appelait en même temps le roi d'Espagne son cousin.

Il était encore *étranger,* par un sentiment extérieur (supérieur à ses yeux) à toute nationalité : *étranger de religion.* Pour le chrétien, la patrie est une chose secondaire. Sa vraie, sa grande patrie, est l'Eglise, dont tout royaume est province. Le roi *très-chrétien*, oint par les prêtres au sacre de Reims, lié par le serment du sacre, et n'en étant point délié, jugeait nul tout autre serment. Quoiqu'il connût très bien les prêtres et ne les eût pas toujours écoutés, ici il les consulta ; l'évêque de Clermont le confirma dans l'idée que l'atteinte aux biens ecclésiastiques était sacrilège (mars 90 ?), le pape dans l'horreur que lui inspirait la constitution civile du clergé (septembre 90). L'évêque de Pamiers lui apporta le plan d'évasion (octobre), et la nécessité où il fut de sanctionner le décret du serment des prêtres (26 décembre) leva en lui tous scrupules. Le chrétien tua le roi, le Français.

Sa faible et trouble conscience se repaissait de deux idées, celles dont nous avons parlé au commencement de ce chapitre : 1° il croyait ne pas imiter Jacques II, ne pas quitter le royaume ; 2° ne pas imiter Charles Ier, ne point faire la guerre à son peuple. — Ces deux points évités, ceux que l'histoire d'Angleterre lui avait mis dans l'esprit, il ne craignait rien au monde, se reposant tacitement sur la vieille superstition qui a enhardi les rois à tant de démarches coupables : « Que m'arriverait-il, après tout ? je suis l'oint de Dieu. »

Il écrivit dans la lettre qu'exigeait Bouillé que, à aucun prix, il ne voulait mettre le pied hors du royaume (pas même pour y rentrer à l'instant par une autre frontière), qu'il tenait absolument à n'en point sortir.

Les rois ont une religion spéciale ; ils sont dévots à la royauté. Leur personne est une hostie, leur palais est le saint des saints, leurs serviteurs et domestiques ont un caractère sacré et quasi sacerdotal. Louis XVI fut sensiblement blessé dans cette religion par la scène qui eut lieu aux Tuileries, le 28 février au soir. La Fayette, à la tête de la garde nationale, venait de comprimer l'émeute de Vincennes, et restait convaincu qu'elle était l'œuvre du château. Il revint aux Tuileries, et les trouve pleines de gentilshommes armés, qui sont là, sans pouvoir expliquer la cause de leur rassemblement. La garde nationale, émue encore et de très mauvaise humeur, ne montra pas pour ces nobles seigneurs les égards que les gens de leur sorte se croyaient en droit d'attendre. On leur ôta leurs épées, leurs pistolets, leurs poignards, on les baptisa d'un nom qui reviendra plus d'une fois dans la Révolution : *chevaliers du poignard;* désarmés, sortant un à un, parmi les huées, quelques-uns d'entre eux reçurent de la brutalité des bourgeois armés quelques corrections fraternelles.

Louis XVI, le cœur bien gros pour ce défaut de respect, fut infiniment plus sensible encore à l'expulsion des prêtres non assermentés qui, au printemps, durent quitter leurs églises. Il en reçut un grand nombre dans les maisons royales, dans les Tuileries. Il ne connaissait rien aux intrigues du clergé, ne voyait point en lui ce qu'il était, l'organisateur de la guerre civile ; il oubliait entièrement la question politique, réduisait tout à celle de la tolérance religieuse. Chose remarquable, des politiques même, des philosophes, nullement chrétiens, Sieyès, Raynal, en jugeaient ainsi ; leurs réclamations pour les prêtres durent confirmer Louis XVI dans son opposition au mouvement révolutionnaire. Lui qui avait accordé la tolérance aux protestants, comment n'en jouissait-il pas au sein de son propre palais ?... Il se crut libre de tout serment, dégagé de tout devoir. Contre la Révolution, il crut voir la raison et Dieu.

Qu'il le voulût ou non, d'ailleurs, la contre-Révolution n'allait-elle pas s'opérer ? Son frère, le comte d'Artois, était alors à Mantoue, auprès de l'empereur Léopold, avec les ambassadeurs d'Angleterre et de Prusse (mai 91). C'était, en réalité, un congrès où l'on traitait les affaires de France. Si le roi n'agissait pas, on allait agir sans lui. Il ne tenait pas grande place dans le plan du comte d'Artois ; ce plan belliqueux, arrangé par son factotum Calonne, supposait que cinq armées, de cinq nations différentes, entraient en France en même temps. Nul obstacle : le jeune prince, sans autre retard que les harangues obligées aux portes des villes, menait gaiement toute l'Europe souper à Paris. Il était, dans cette Iliade, l'Agamemnon, le roi des rois, il faisait grâce et justice, régnait... Et le roi ? Il n'en aurait que plus de temps pour la messe et pour la chasse. Et la reine ? Renvoyée en Autriche ou au couvent.

Léopold, à ce roman, répondait par un roman, que, au 1er juillet, sans faute, les armées seraient exactes au rendez-vous sur la frontière. Seulement, il témoignait répugnance pour les faire entrer en France. Quand même il eût eu réellement l'idée de faire quelque chose, sa sœur l'en aurait empêché ; elle lui écrivait, de Paris, de n'avoir pas la moindre confiance dans Calonne, et, en même temps, le roi et la reine faisaient dire au comte d'Artois qu'ils se fiaient à Calonne et l'autorisaient à traiter pour eux.

Toutes les démarches du roi et de la reine, à cette époque, sont doubles, contradictoires.

Ainsi, ils font faire à La Fayette (par le jeune Bouillé, son cousin) des offres illimitées, s'il veut aider au rétablissement du pouvoir royal (décembre ou janvier). Et, presque en même temps, ils assurent au comte d'Artois qu'ils connaissent La Fayette « pour un scélérat et un factieux fanatique en qui on ne peut avoir aucune confiance » (mars 91).

Ainsi, au moment même où le roi, par sa tentative de sortir des Tuileries (18 avril), vient de constater, devant l'Europe, sa non-liberté, il approuve une lettre que fort étourdiment ont rédigée les

Lameth, dans laquelle on lui fait dire qu'il est parfaitement libre (23 avril). Montmorin représenta en vain l'invraisemblance de la chose. Le roi insista. Le ministre dut communiquer à l'Assemblée cette pièce unique, où il notifiait aux cours étrangères les sentiments révolutionnaires de Louis XVI. Dans cette lettre ridicule, le roi, parlant de lui-même en style jacobin, disait qu'il n'était que le premier fonctionnaire public, qu'il était libre, et librement avait adopté la Constitution, *qu'elle faisait son bonheur,* etc. Ce langage tout nouveau, où chacun sentait le mensonge, cette voix fausse qui détonnait, firent au roi un tort incroyable, ce qu'on avait encore d'attachement pour lui ne résista pas au mépris qu'inspirait sa duplicité.

Tout le monde jugeait qu'en même temps il écrivait un démenti. Et cela était exact. Le roi trompait Montmorin, qui trompait Lameth (comme auparavant Mirabeau) ; il fit dire en Prusse, en Autriche, que toute démarche, toute parole en faveur de la Constitution devait être prise en sens opposé, et que *oui* voulait dire *non.*

Le roi avait reçu une éducation royale de M. de La Vauguyon, le chef du parti jésuite ; son honnêteté naturelle avait repris le dessus dans les circonstances ordinaires ; mais, dans cette crise où la religion et la royauté se trouvaient en jeu, le Jésuite reparut. Trop dévot pour avoir le moindre scrupule d'honneur chevaleresque, et croyant que celui qui trompe pour le bien ne peut trop tromper, il dépassait la mesure et ne trompait pas du tout.

L'Autriche ne semble pas avoir cru plus que la France à la bonne foi de Louis XVI. Et peut-être, en effet, restait-il assez bon Français pour vouloir tromper l'Autriche en profitant de ses secours. Il lui demandait seulement une dizaine de mille hommes, force insignifiante, et d'ailleurs fort balancée par une armée espagnole, par les vingt-cinq mille Suisses que les capitulations les obligeaient de fournir sur la réquisition du roi. Aussi, les Autrichiens ne se pressaient nullement ; ils attendaient, alléguaient les oppositions de la Prusse et de l'Angleterre ; il ne leur convenait point de venir ainsi gratis, et seulement pour la montre, comme figurants de comédie, pour enhardir, rallier les royalistes, pour créer au roi une force ; ils lui demandaient, au contraire, de prouver qu'il en avait une, *de commencer la guerre civile.* Pour les décider à prendre sur eux le poids d'une telle affaire, il fallait les intéresser ; si le roi eût offert l'Alsace, quelques places au moins, son beau-frère, le sensible Léopold, aurait, malgré ses embarras, agi plus efficacement.

Telle était la situation de ce triste Louis XVI, et ce qui fait qu'on en a pitié, quoiqu'il trompât tout le monde.

Il n'avait rien de sûr, ni au-dehors, ni au-dedans, ni dans sa famille même. Il ne trouva en elle qu'égoïsme. Loin qu'elle lui fût un soutien, elle contribua singulièrement à sa perte.

Ses tantes y contribuèrent, ayant hâte de partir avant lui, soulevant ainsi la terrible discussion du droit d'émigrer, diminuant d'autant pour le roi les chances de l'évasion.

Monsieur y contribua. Il donna lieu au roi de craindre qu'il ne partît seul, ce qui eût été pour Louis XVI un danger réel. Monsieur était fort suspect. Il avait essayé d'enlever le roi par Favras, sans avoir son consentement. Beaucoup parlaient de le faire régent, lieutenant général, roi provisoire, dans la captivité du roi.

Mais personne ne contribua plus directement que la reine à la perte de Louis XVI.

Craignant à l'excès la séparation, se tenant au roi, se serrant à lui, voulant partir ensemble et avec tous les siens, elle lui rendit la fuite presque impossible.

Une préoccupation excessive de la sûreté de la reine fit que M. de Mercy, ambassadeur d'Autriche, exigea, contre le bon sens, contre l'avis de M. de Bouillé, qu'une suite de détachements serait échelonnée sur la route qu'elle devait parcourir ; précaution très propre à inquiéter, avertir, ameuter les populations, très insuffisante pour contenir les masses d'un peuple armé, très inutile pour le roi, qui, personnellement, n'était point du tout haï. On a vu plus haut, naïvement exprimée par un journal, l'opinion réelle du peuple : « Que Louis XVI pleurait à chaudes larmes des sottises que lui faisait faire l'Autrichienne. » Même reconnu, il eût passé ; peu de gens auraient eu le cœur de mettre la main sur lui. Mais la vue seule de la reine réveillait toutes les craintes, faisait sentir, même aux royalistes, le danger de la laisser conduire ainsi le roi de France aux armées de l'étranger.

La reine influa encore d'une manière très funeste sur l'exécution du projet en choisissant pour agents, non les plus capables, mais les plus dévoués à sa personne, ou les clients de sa famille, son fidèle, M. de Fersen, son secrétaire Goguelat, qu'elle avait employé pour des missions fort secrètes près d'Esterházy et autres ; enfin, le jeune Choiseul, d'une famille chère à l'Autriche, jeune homme aimable, plein de cœur, d'une très grande fortune, qui se faisait une fête de recevoir la reine royalement dans sa Lorraine, plus propre à la bien recevoir qu'à la sauver ou la conduire. M. de Bouillé voulut évidemment plaire à la reine en confiant à ce jeune homme un des rôles les plus importants dans l'affaire de l'évasion.

Ce voyage de Varennes fut un miracle d'imprudence. Il suffit de bien poser ce que le bon sens voulait, puis de prendre le contraire ; en suivant cette méthode, si tous les Mémoires périssaient, on retrouverait l'histoire.

D'abord, deux ou trois mois d'avance, la reine, comme pour avertir du départ, fait commander un trousseau, pour elle, pour ses enfants. Puis, elle fait commander un magnifique nécessaire de voyage, semblable à celui qu'elle avait déjà, meuble compliqué qui contenait tout ce qu'on eût désiré pour un voyage autour du globe. Puis, au lieu de prendre une voiture ordinaire peu apparente, elle chargea Fersen de faire construire une vaste et capace berline, où l'on puisse, devant et derrière, ajuster, échafauder malles, vaches, boîtes, tout ce qui fait regarder une voiture sur une route. Ce n'est pas tout, la voiture sera suivie d'une autre où l'on emmènera les femmes. Devant, derrière, galoperont trois gardes du corps en courriers, vestes neuves d'un jaune éclatant, propres à attirer les yeux, à faire croire, tout au moins par la couleur, que ce sont des gens du prince de Condé, du général des émigrés !... Ces hommes apparemment sont des hommes bien préparés ; non, ils n'ont jamais fait la route. Ces gardes apparemment sont des hommes bien déterminés, armés jusqu'aux dents ; ils n'ont que de petits couteaux de chasse. Le roi les avait avertis qu'ils trouveraient des armes dans la voiture. Mais Fersen, l'homme de la reine, craignant sans doute pour elle les dangers d'une résistance armée, a justement oublié les armes.

Tout cela, c'est le ridicule de l'imprévoyance. Mais voici le triste, l'ignoble. Le roi se laisse habiller en valet ; il s'affuble d'un habit gris et d'une petite perruque. C'est le valet de chambre Durand. Ce détail humiliant est dans le naïf récit de Mme d'Angoulême ; on le trouve aussi constaté dans le passeport donné à la reine et à Mme de Tourzel, comme dame russe, baronne de Korff. Ainsi, chose inconvenante, qui elle seule révélait tout, cette dame est si intime avec son valet de chambre qu'elle le met dans sa voiture, en face d'elle, et genoux contre genoux.

Pitoyable métamorphose ! Que le voilà bien caché ! et qui le reconnaîtrait !... disons mieux, maintenant, qui voudra le reconnaître ? La France ? Non, à coup sûr. Si elle le voit ainsi, elle détournera les yeux.

« Vous mettrez, dit Louis XVI, dans la caisse de la voiture l'habit rouge brodé d'or que je portais à Cherbourg... » Ce qu'il cache ainsi dans les coffres aurait été sa défense. L'habit du jour où le roi de France apparut contre l'Angleterre, au milieu de sa marine, valait mieux pour le sacrer que la sainte ampoule de Reims. Qui eût osé l'arrêter, si, écartant ses vêtements, il eût montré cet habit ?... Il aurait dû le garder, ou plutôt garder le cœur français, comme il l'eut alors.

CHAPITRE XIII

Fuite du roi à Varennes (20-21 juin 1791)

Le roi, en partant, livrait ses amis à la mort — Confiance et crédulité de La Fayette et Bailly — Imprudences du départ, 20 juin 1791 — Le roi devait passer sur terre autrichienne — Danger de la France — Vengeances probables ; Théroigne déjà arrêtée — La France veille sur elle-même ; la route se surveille — Le roi poursuivi, 21 juin 1791 ; retardé à l'entrée de Varennes, arrêté — Les habitants des campagnes affluent à Varennes — Indignations du peuple — Décret de l'Assemblée, qui rappelle le roi à Paris.

Ce qui afflige encore, entre autres choses, dans ce voyage de Varennes, ce qui diminue l'idée qu'on voudrait se faire de la bonté de Louis XVI, c'est la facilité avec laquelle il sacrifiait, en partant, livrait à la mort des hommes qui lui étaient sincèrement attachés.

La Fayette se trouvait, par la force des circonstances, gardien involontaire du roi, responsable de sa personne devant la nation ; il avait montré de bien des manières, et parfois en compromettant la Révolution elle-même, qu'il désirait par-dessus toute chose le rétablissement de l'autorité royale, comme garantie d'ordre et de paix. Républicain d'idée, de théorie, il n'en avait pas moins sacrifié à la monarchie, sa grande passion, sa faiblesse, la popularité. Il y avait à parier qu'au premier éclat du départ du roi, La Fayette serait mis en pièces.

Et que deviendrait le ministre Montmorin, aimable et faible caractère, crédule aux paroles du roi, qui, le 1er juin, pour répondre aux journaux, écrivait à l'Assemblée qu'il attestait « sur sa responsabilité, *sur sa tête* et sur son honneur », que jamais le roi n'avait songé à quitter la France ?

Qu'allait surtout devenir l'infortuné Laporte, intendant de la maison du roi, et son ami personnel, à qui, sans le consulter, il laissait en partant la charge terrible d'apporter à l'Assemblée sa protestation ?... Le premier coup de la fureur publique devait tomber sur ce malheureux, messager involontaire d'une déclaration de guerre du roi à son peuple ; Laporte, infailliblement, dans cette guerre, tombait la première victime ; il en était le premier mort ; il pouvait commander sa bière et préparer son linceul.

La Fayette, averti de plusieurs côtés, voulut n'en croire que le roi même ; il l'alla trouver, lui demanda ce qui en était réellement. Louis XVI répondit si nettement, si simplement, avec une telle bonhomie, que La Fayette s'en alla complètement rassuré. Ce fut uniquement pour satisfaire l'inquiétude du public qu'il doubla les postes. Bailly poussa plus loin la chevalerie, et fort au-delà de ce que lui permettait le devoir ; averti positivement par une femme de la reine, qui voyait les préparatifs, il eut la coupable faiblesse de remettre à la reine cette dénonciation, que l'honneur du moins lui faisait un devoir de tenir secrète.

Le roi, la reine, avaient fait dire qu'ils assisteraient le dimanche suivant, le jour de la Fête-Dieu, à la procession paroissiale du clergé constitutionnel. Madame Élisabeth y témoignait de la répugnance. Le 19 (veille du départ), la reine, parlant à Montmorin, qui venait de voir la sœur du roi, disait au ministre : « Elle m'afflige ; j'ai fait tout au monde pour la décider ; il me semble qu'elle pourrait faire à son frère le sacrifice de son opinion. »

Le roi tarda jusqu'au 20 juin, pour attendre que la femme qui avait dénoncé sortît de service, et aussi pour toucher encore un trimestre de la liste civile ; il le dit ainsi lui-même. Enfin, c'était le 15 juin seulement que les Autrichiens devaient avoir occupé les passages à deux lieues de Montmédy. Les retards successifs qui avaient eu lieu, les mouvements de troupes commandées, décommandées, n'étaient pas sans inconvénient. Choiseul dit au roi, de la part de M. de Bouillé, que, s'il ne partait pas le 20, dans la nuit, lui Choiseul relèverait tous les postes échelonnés sur la route et passerait, avec Bouillé, sur terre autrichienne.

Le 20 juin, avant minuit, toute la famille royale, déguisée, sortie par une porte non gardée, était dans le Carrousel.

Un militaire fort résolu, désigné par M. de Bouillé, devait monter dans la voiture, répondre, s'il était besoin, et conduire toute l'affaire. Mais Mme de Tourzel, gouvernante des enfants de France, soutint le privilège de sa charge : en vertu du serment qu'elle avait prêté, elle avait le devoir, *le droit* de ne point quitter les enfants ; ce mot de serment fit une grande impression sur Louis XVI. Il était d'ailleurs inouï, dans les fastes de l'étiquette, que les enfants de France voyageassent sans gouvernante. Le militaire ne monta pas, et la gouvernante monta : au lieu d'un homme capable, on eut une femme inutile. L'expédition n'eut point de chef, personne pour la diriger ; elle alla, sans tête, au hasard.

Le romanesque de l'aventure, malgré toutes les craintes, amusa la reine. Elle s'arrêta longtemps à voir déguiser ses enfants ; elle fit l'incroyable imprudence de sortir, pour les voir partir, dans la place du Carrousel, extrêmement éclairée. Ils montèrent dans un fiacre, dont le cocher était Fersen ; pour mieux dépayser ceux qui pourraient suivre, il fit quelques tours dans les rues, revint, attendit encore une heure au Carrousel ; enfin arriva Madame Elisabeth, puis le roi, puis, plus tard, la reine, conduite par un garde du corps ; celui-ci, connaissant mal Paris, lui avait fait passer le pont, l'avait menée rue du Bac. Revenue dans le Carrousel, elle vit, avec haine, avec joie, passer La Fayette en voiture, qui revenait des Tuileries, ayant manqué le coucher du roi. On dit que, dans le bonheur enfantin d'avoir attrapé son geôlier, elle toucha la roue d'une badine qu'elle tenait à la main, comme les femmes en portaient alors. La chose est difficile à croire ; la voiture allait grand train, elle était entourée de plusieurs laquais à cheval, portant des flambeaux. Le garde du corps affirme, au contraire, que cette lumière lui fit peur, et qu'elle quitta son bras pour fuir d'un autre côté.

Le cocher Fersen, menant dans son fiacre un dépôt si précieux, et ne connaissant guère mieux son Paris que les gardes du corps, alla jusqu'au faubourg Saint-Honoré pour gagner la barrière Clichy, où la berline attendait chez un Anglais, M. de Crawford. De là, il gagna La Villette. Pour se débarrasser du fiacre où suivaient les gardes du corps, il le versa dans un fossé. De là, il mena à Bondy. Là, il fallait bien se séparer ; il baisa les mains au roi, à la reine, la quittant reconnaissante, pour ne jamais la revoir, au moment où il venait, pour cette religion de sa jeunesse, de risquer sa vie.

Une imprudence, parmi tant d'autres qui signalèrent ce voyage, avait été de faire partir les femmes de chambre très longtemps avant la famille royale, en sorte qu'elles arrivèrent six heures d'avance à Bondy. Le postillon qui les mena y était resté, de sorte qu'il vit avec ébahissement un homme habillé en cocher de fiacre, qui montait seul dans une belle voiture attelée de quatre chevaux.

Les voilà partis, bien tard, mais ils vont grand train ; un garde, à cheval à la portière, un autre assis sur le siège, un troisième, M. de Valori, courant en avant pour commander les chevaux, donnant magnifiquement un écu pour boire à chaque postillon, ce que donnait le roi seul. Un trait rompu arrêta quelques moments ; le roi aussi retarda un peu en voulant faire une montée à pied. Nulle difficulté du reste ; trente lieues et plus, où l'on n'avait placé aucun détachement de troupes, se trouvèrent ainsi parcourues. La reine, avant Châlons, disait à M. de Valori : « François, tout va bien, nous serions arrêtés déjà, si nous devions l'être. »

Tout va bien ?... pour la France ? ou bien pour l'Autriche ?... Car enfin, où va le roi ?

Il l'a dit hier soir à M. de Valori : « Demain, je vais coucher à l'abbaye d'Orval », hors de France, *sur terre autrichienne*.

M. de Bouillé dit le contraire ; mais lui-même, il montre aussi, il établit parfaitement que le roi, n'ayant plus aucune sécurité à attendre dans le royaume, avait dû changer d'avis, tomber enfin, malgré lui, dans le filet autrichien. Le peu de troupes que gardait Bouillé était si peu dans sa main, qu'ayant fait quelques lieues au-devant du roi, il crut devoir retourner pour être au milieu de ses soldats, les veiller, les maintenir.

Le projet, qui semblait français en octobre, et même encore en décembre, ne l'est plus en juin, lorsque M. de Bouillé a vu son commandement limité, ses régiments suisses éloignés, ses régiments français gagnés, lorsqu'il garde à peine quelque cavalerie allemande. Le roi le sait, et ne peut plus écouter ses répugnances pour passer sur terre d'Autriche.

Le plan primitif de Bouillé était plus dangereux peut-être encore. Si le roi sortait de France, il se dénationalisait lui-même, apparaissait Autrichien, il était jugé ; c'était un étranger ; la France, sans hésitation, lui faisait la guerre. Mais Bouillé voulait la faire de ce côté de la frontière, en France, et à peine en France, pas même dans une forteresse, dans un camp près Montmédy, un camp de cavalerie, mobile, allant ou venant ; là il était et en même temps n'était pas dans le royaume. La position militaire où on le plaçait, bonne contre les Autrichiens, « est meilleure encore, dit Bouillé, contre les Français ». Le roi, parmi ces cavaliers, derrière ces batteries volantes, adossé à l'ennemi, pouvant se retirer chez lui, ou lui ouvrir nos provinces, aurait parlé nettement ; il aurait dit par exemple : « Vous n'avez point une armée, vos officiers ont émigré, vos cadres sont désorganisés, vos magasins vides : j'ai laissé depuis vingt-cinq ans tomber en ruine vos fortifications sur toute la frontière autrichienne ; vous êtes ouverts et sans défense... Eh bien ! l'Autrichien arrive ; d'autre part, l'Espagnol, le Suisse ; vous voilà pris de trois côtés. Rendez-vous, restituez le pouvoir à votre maître. » Tel eût pu être le rôle du roi, devenu le noyau de la guerre civile, le portier de la guerre étrangère, pouvant à son aise ouvrir ou fermer. On eût peut-être jeté quelques mots de Constitution pour annuler la résistance, pour que la vieille Assemblée pût endormir le pays et le livrer décemment.

Liège et le Brabant disaient assez ce qu'on pouvait attendre de ces paroles de prince. L'évêque de Liège, rentré avec des mots paternels et des soldats autrichiens, avait fait durement appliquer aux patriotes les vieilles procédures barbares, la torture et la question. Notre émigration n'attendait pas le retour pour faire circuler en France des listes de proscription. La reine serait-elle clémente ? oublierait-elle aisément son humiliation d'octobre, quand elle parut au balcon, pleurant devant le peuple ? Il n'y avait pas d'apparence. La femme qu'on accusait le plus d'avoir mené les femmes à Versailles, Théroigne, ayant été à Liège, fut suivie depuis Paris, désignée, livrée à la police liégeoise, à la police autrichienne (mai 91) qui *comme régicide,* la mena au fond de l'Autriche, dans les prisons du frère de Marie-Antoinette. Sans nul doute, il y eût eu une cruelle réaction, dans le goût de 1816 ; à cette dernière époque, à l'époque des cours prévôtales, M. de Valori, ce garde du corps, ce courrier du roi dans le voyage de Varennes, fut prévôt du département du Doubs.

Dans l'après-midi, vers quatre ou cinq heures, dit Mme d'Angoulême (dans le simple et naïf récit qu'a donné Weber), « on passa la grande ville de Châlons-sur-Marne. Là, on fut reconnus tout à fait. Beaucoup de monde louait Dieu de voir le roi, et faisait des vœux pour sa fuite ».

Tout le monde ne louait pas Dieu. Il y avait une grande fermentation dans la campagne. Pour expliquer la présence des détachements sur la route, on avait eu l'idée malheureuse de dire qu'un trésor allait passer, qu'ils étaient là pour l'escorter. Dans un moment où l'on accusait la reine de faire passer de l'argent en Autriche, c'était irriter les esprits, tout au moins éveiller l'attention.

Choiseul occupait le premier poste, trois lieues plus loin que Châlons ; il avait quarante hussards, avec lesquels, dit Bouillé, il devait assurer le passage du roi, fermer après lui la route à tout voyageur. Si le roi était arrêté à Châlons, il devait l'en dégager par la force. Ceci ne se comprend guère ; ce n'est pas avec quarante cavaliers qu'on vient à bout d'une telle ville ; combien moins si toutes les campagnes d'alentour se mettaient de la partie !

En effet, le paysan s'ennuyait de voir ces hussards sur la route ; il venait en foule, et les regardait. On y venait de Châlons même ; on se moquait du trésor ; tout le monde comprenait très bien de quel trésor il s'agissait. Le tocsin commençait à sonner dans ces villages. La position de Choiseul n'était pas tenable. Il calcula, par le retard de quatre ou cinq heures, que la partie était manquée, que le roi n'avait pu partir ; fût-il parti, rester sur cette route, augmenter l'inquiétude de tout ce peuple assemblé, c'était empêcher le passage ; les hussards une fois éloignés, ces gens se dispersaient, le chemin devenait libre. Choiseul se décida à quitter le poste. Le secrétaire de la reine, Goguelat, officier d'état-major, qui était là avec lui, et qui avait été employé à préparer tout sur la route, avertit Choiseul d'éviter Sainte-Menehould, où il y avait de la fermentation. Ils prirent un guide et entreprirent de passer par les bois, s'engagèrent dans des routes affreuses, n'arrivèrent qu'au matin à Varennes. Choiseul eût dû faire suivre la grand-route par Goguelat ou quelque autre, afin que, si le roi passait, on le guidât, on avertît les autres détachements ; loin de là, il envoya un valet de chambre de la reine, serviteur dévoué, mais léger, de peu de tête (et qui, par l'émotion, n'avait plus même ce peu) ; il le dépêcha pour dire aux détachements, sur la route, qu'il n'y avait plus d'espoir, qu'il ne restait qu'à se rallier près de M. de Bouillé. Choiseul s'en allait tout droit hors de France, il partait pour Luxembourg.

Le roi arriva au moment où il venait de s'éloigner. Point de Choiseul, point de Goguelat, point de troupes. « Il vit un abîme ouvert. » Cependant, la route est tranquille ; on arrive à Sainte-Menehould ; dans son inquiétude, il regarde, met la tête à la portière. Le commandant du détachement, qui ne l'avait pas fait monter à cheval, veut s'excuser, vient le chapeau à la main ; chacun reconnaît le roi. La Municipalité, déjà assemblée, fait défendre aux dragons de monter à cheval. Leurs dispositions étaient trop incertaines pour qu'on essayât, malgré eux, de retenir la voiture ; mais un homme s'offre de la suivre, d'essayer de la faire arrêter plus loin ; la Municipalité l'autorise expressément. Cet homme partit, en effet, surveillé, suivi de près par un cavalier qui comprit son intention, qui l'eût tué peut-être ; il se jeta dans la traverse, s'enfonça dans les bois ; nul moyen de le poursuivre.

Il manqua cependant le roi à Clermont ; cette ville, non moins agitée que Sainte-Menehould, et neutralisant de même la troupe par ses menaces, laissa pourtant passer la voiture. Jamais Drouet ne l'eût atteinte, si, d'elle-même, elle ne se fût arrêtée une demi-heure au plus, à la porte de Varennes, ne trouvant point de relais.

Là se place une des fautes capitales de l'expédition. Goguelat, officier d'état-major, ingénieur et topographe, s'était chargé d'assurer, de vérifier tous les détails, de placer les relais aux points où il n'y avait pas de maison de poste ; c'était lui qui avait donné tout le plan au roi, qui lui avait fait, refait sa leçon. Louis XVI, qui avait une excellente mémoire, la répéta mot pour mot au courrier de Valori ; il lui dit qu'il trouverait des chevaux et un détachement *avant* la ville de Varennes. Or, Goguelat les mit *après,* et il oublia de prévenir le roi de ce changement au plan convenu.

Le courrier, M. de Valori, qui galopait en avant, aurait fini par trouver le relais, si, comme il était raisonnable, il eût pris une heure, au moins une demi-heure d'avance ; mais il aimait mieux profiter d'une si rare occasion ; il trottait à la portière, obtenait ainsi quelques mots des augustes voyageurs ; tard, bien tard, il mettait son cheval au galop, et avertissait le relais. Ce fut bien aux autres postes ; mais à Varennes, cela perdit tout.

Il passa une demi-heure à chercher dans les ténèbres, à frapper aux portes, faire lever les gens endormis. Le relais, pendant ce temps, était, de l'autre côté, tenu prêt par deux jeunes gens, l'un fils de M. de Bouillé ; ils avaient l'ordre de ne bouger, pour ne donner aucun éveil ; ils l'exécutèrent trop bien. L'un d'eux eût pu cependant, sans danger, aller voir à l'entrée de la ville si la voiture arrivait, la guider ; la présence d'un seul homme sur la route, quand même on eût pu la remarquer à cette heure, dans cette nuit noire, n'aurait eu rien certainement qui fît faire attention.

L'histoire de ce moment tragique où le roi fut arrêté est et sera toujours imparfaitement connue. Les principaux historiens du voyage de Varennes n'ont rien su que par ouï-dire. MM. de Bouillé père et fils n'étaient point là ; MM. de Choiseul et de Goguelat n'arrivèrent qu'une heure ou deux après le moment fatal, M. Deslons plus tard encore. Tout se réduirait à deux mots (un de Drouet, un de Mme d'Angoulême), si M. de Valori, le garde du corps qui allait en courrier, n'eût plus tard, sous la Restauration, recueilli ses souvenirs. Son récit, un peu confus, mais fort circonstancié, porte un caractère de naïveté passionnée qui éloigne toute idée de doute ; le temps, on le sent bien, n'a eu ici sur la mémoire aucune puissance d'oubli. Toute l'existence effacée du vieillard s'est concentrée dans ce fait terrible ; les périls, l'exil, tous les malheurs personnels ont glissé sur lui ; sa vie fut toute en cette heure, rien avant et rien après.

Quand on arriva à onze heures et demie du soir à la hauteur de Varennes, la fatigue l'avait emporté, tout dormait dans la voiture. Elle s'arrêta brusquement et tous s'éveillèrent. Le relais n'apparaissait pas ; point de nouvelles du courrier qui devait le commander.

Celui-ci (M. de Valori) le cherchait depuis longtemps ; il avait d'abord appelé, sondé le bois des deux côtés de la route, appelé encore en vain. Il ne lui restait alors qu'à entrer dans la ville, frapper aux portes, s'informer. N'apprenant rien, il revenait désolé vers la voiture ; mais cette voiture déjà et ceux qu'elle contenait avaient reçu un coup terrible, un mot, une sommation, qui les fit dresser en sursaut : « *Au nom de la Nation !...* »

Un homme à cheval accourt par-derrière au grand galop, s'arrête droit devant eux, et, dans les ténèbres, crie : « De par la Nation, arrête, postillon ! Tu mènes le roi »

Tout resta stupéfié. Les gardes du corps n'avaient ni armes à feu, ni l'idée de s'en servir. L'homme passa, poussa son cheval à la descente et dans la ville. Deux minutes après on commença à voir des hommes sortir avec des lumières, s'agiter et se parler, peu d'abord, puis davantage ; les allants et les venants augmentent, la petite ville s'éclaire... Tout cela en deux minutes... puis le tambour bat.

La reine, pour s'informer aussi, était entrée, conduite par l'un de ses gardes, chez un ancien serviteur de la maison de Condé, dont la maison se trouvait sur la pente qui mène à Varennes. On l'attend ; quand elle remonte, les gardes réunis contraignent par promesses et menaces les postillons, fort ébranlés, à traverser la ville, passer rapidement le pont qui la divise, la tour du pont, la porte basse et la voûte qui se trouvent sous la tour : nulle autre chance de salut. On venait d'apprendre que le commandant des hussards qui devait attendre à Varennes, sur la nouvelle de l'arrivée du roi, au bruit de tout ce mouvement, s'était sauvé au galop ; les hussards étaient dispersés, les uns couchés, les autres ivres. Ce commandant était un Allemand de dix-sept ou dix-huit ans ; il n'était prévenu de rien ; il apprit la chose tout à coup et perdit la tête.

Drouet et Guillaume, un camarade qui l'avait suivi, mirent singulièrement à profit ces quelques minutes. Jeter leurs chevaux dans une écurie qui se trouva ouverte, avertir l'aubergiste pour qu'il avertît les autres, courir au pont, le barrer avec une voiture de meubles et d'autres voitures, ce fut l'affaire d'un instant. De là, ils courent chez le maire, le commandant de la garde nationale ; ils n'ont rassemblé que huit hommes, n'importe, ils vont à la voiture ; elle n'était encore qu'au bas de la côte. Le commandant et le procureur de la commune demandent les passeports...

La reine. — Messieurs, nous sommes pressées... Mais enfin qui êtes-vous ?

Madame de Tourzel. — C'est la baronne de Korff.

Cependant le procureur de la commune entre, la lanterne à la main, à demi dans la voiture, et en tourne la lumière vers le visage du roi.

On donne alors le passeport. Deux gardes le portent à l'auberge. On le lit tout haut, devant les municipaux et tous ceux qui se trouvent là. « Le passeport est bon, disent-ils, *puisqu'il est signé du roi.* » — « Mais, dit Drouet, l'est-il de l'*Assemblée nationale* ? » — « Il était signé d'*un comité* de membres de l'Assemblée. » — « Mais l'est-il du *Président* ? » Ainsi, la question fondamentale du droit de la France, le nœud de la Constitution, fut examiné, tranché dans une auberge de Champagne, d'une manière décisive, sans appel et sans recours. Les autorités de Varennes, le procureur de la commune, un bon épicier, M. Sauce, hésitaient fort à prendre une si haute responsabilité.

Mais Drouet et d'autres insistent. Ils retournent à la voiture : « Mesdames, si vous êtes étrangères, comment avez-vous assez d'influence pour qu'à Sainte-Menehould on veuille vous faire escorter de cinquante dragons, d'autant encore à Clermont ? et pourquoi encore, à Varennes, un détachement de hussards est-il là à vous attendre ?... Veuillez descendre, et venir vous expliquer à la Municipalité. »

Les voyageurs ne bougeaient pas. Les municipaux n'annonçaient nulle envie de les forcer à descendre. Les bourgeois arrivaient lentement ; la plupart, au bruit des tambours, se renfonçaient dans leur lit. Il fallut leur parler plus haut. Drouet et les patriotes accoururent au clocher, et, de toutes leurs puissances, sonnèrent furieusement le tocsin. Toute la banlieue l'entendait... Est-ce le feu? est-ce l'ennemi? Les paysans courent, s'appellent, s'arment, prennent ce qu'ils ont, fusils, fourches, faux.

Le procureur de la commune, M. Sauce, l'épicier, se trouvait fort compromis, qu'il agît, qu'il n'agît point. Il avait une maîtresse femme, qui, dans ce moment critique, le dirigea probablement. Mener le roi à l'Hôtel de Ville, c'était porter atteinte au respect de la royauté ; le laisser dans sa voiture, c'était se perdre du côté des patriotes. Il prit le juste milieu, mena le roi dans sa boutique.

Il se présenta à la voiture, chapeau bas : « Le Conseil municipal délibère sur les moyens de permettre aux voyageurs de passer outre ; mais le bruit s'est ici répandu que c'est notre roi et sa famille que nous avons l'honneur de posséder dans nos murs... J'ai l'honneur de les supplier de me permettre de leur offrir ma maison, comme lieu de sûreté pour leurs personnes, en attendant le résultat de sa délibération. L'affluence du monde dans les rues s'augmente par celle des habitants des campagnes voisines, qu'attire notre tocsin : car, malgré nous, il sonne depuis un quart d'heure, et peut-être Votre Majesté se verrait-elle exposée à des avanies que nous ne pourrions prévenir et qui nous accableraient de chagrin. »

Il n'y avait pas à contredire ce que disait le bonhomme. Le tocsin ne s'entendait que trop. Nul secours.

Les gardes du corps avaient inutilement essayé de déménager les meubles et voitures qui encombraient le passage étroit du pont. Des menaces de mort s'entendaient près de la voiture ; plusieurs, armés de fusils, faisaient mine de la mettre en joue. On descendit, on entra dans la boutique de Sauce, les trois dames, les deux enfants, et Durand, le valet de chambre. On conteste à celui-ci sa qualité de valet. Il insiste, soutient son nom de Durand. Tout le monde secoua la tête : « Eh bien ! oui, je suis le roi ; voici la reine et mes enfants. Nous vous conjurons de nous traiter avec les égards que les Français ont toujours eus pour leurs rois. » Louis XVI n'était pas parleur, il n'en dit pas davantage. Malheureusement son habit, son triste déguisement, parlait peu pour lui. Ce laquais, en petite perruque, ne rappelait guère le roi. Le contraste terrible de ce rang, de cet habit, pouvait inspirer la pitié, plus que le respect. Plusieurs se mirent à pleurer.

Cependant le bruit du tocsin augmentait d'une manière extraordinaire. C'étaient les cloches des villages, qui, mises en branle par celles qui sonnaient de Varennes, sonnaient à leur tour le tocsin. Toute la campagne ténébreuse était en émoi ; du clocher, on aurait pu voir courir des petites lumières qui s'attiraient, se cherchaient ; une grande nuée d'orage se concentrait de toute part ; une nuée d'hommes armés, pleins d'agitation, de trouble.

« Quoi ! c'est le roi qui se sauve ! le roi passe à l'ennemi ! il trahit la nation !... » Ce mot, terrible de lui-même, sonne plus terrible encore à l'oreille des hommes de la frontière, qui ont l'ennemi si près, et toutes les calamités, les misères de l'invasion... Aussi, les premiers qui entrent à Varennes, et qui entendent ce mot, ne sont plus maîtres d'eux-mêmes.

Un père livrer ses enfants !... Nos paysans de France n'avaient guère encore d'autre notion politique que celle du gouvernement paternel ; c'était moins l'esprit révolutionnaire qui les rendait furieux que l'idée horrible, impie, des enfants livrés par un père, de la confiance trompée !

Ils entrent, ces hommes rudes, dans la boutique de Sauce : « Quoi ! c'est là le roi ! la reine !... Pas plus que cela !... » Il n'est pas d'imprécations qu'on ne leur jette à la face.

Cependant une députation arrive de la Commune, Sauce en tête, soumis et respecteux : « Puisqu'il n'est plus douteux pour les habitants de Varennes qu'ils ont réellement le bonheur de posséder leur roi, ils viennent prendre ses ordres. » — « Mes ordres, messieurs ? dit le roi. Faites que mes voitures soient attelées et que je puisse partir. »

MM. de Choiseul et Goguelat arrivèrent enfin avec leurs hussards ; puis, presque seul, M. de Damas, commandant du poste de Sainte-Menehould, que ses dragons avaient abandonné. Ce n'était pas sans peine que ces messieurs avaient pénétré dans la ville : on le leur défendait au nom de la Municipalité, on tira même sur eux. Ils parvinrent à la maison de Sauce. Ils montèrent, par un escalier tournant, au premier étage, et, dans une première chambre, trouvèrent force paysans, deux entre autres armés de fourches qui leur dirent : « On ne passe pas ! » Ils passèrent. Dans la seconde était la famille royale. Coup d'œil étrange ! le dauphin dormant sur un lit tout défait, les gardes du corps sur des chaises, ainsi que les femmes de chambres ; la gouvernante, Madame et Madame Elisabeth sur des bancs près de la fenêtre, le roi et la reine debout, ils causaient avec M. Sauce. Sur une table étaient des verres, du pain et du vin.

Le roi : — Eh bien ! messieurs, quand partons-nous ?

Goguelat : — Sire, quand il plaira à Votre Majesté.

Choiseul : — Donnez vos ordres, sire. J'ai ici quarante hussards ; mais il n'y a pas de temps à perdre : dans une heure ils seront gagnés.

Il disait vrai. Ces hussards étaient encore dans la première surprise où la grande nouvelle les avait jetés ; ils disaient entre eux en se regardant : « *Der Konig ! die Königin !* » (Le roi ! la reine !) Mais, tout Allemands qu'ils étaient, ils ne pouvaient pas ne pas voir l'unanimité des Français. Ils l'avaient bien éprouvée, même dans la route écartée qu'ils venaient de parcourir avec M. de Choiseul. Il avoue que, de village en village, le tocsin sonnait sur lui ; qu'il fut obligé plusieurs fois de se faire jour le sabre à la main ; que les paysans en vinrent jusqu'à lui enlever quatre hussards qui formaient son arrière-garde : il lui fallut faire une charge pour les dégager. Ces Allemands, qui se voyaient seuls au milieu d'un si grand peuple, qui se sentaient, après tout, payés, nourris par la France, ne pouvaient pas aisément se décider à sabrer des gens qui venaient amicalement leur donner des poignées de main et boire avec eux.

Dans ce moment critique, où chaque minute avait une importance infinie, avant que le roi eût pu répondre à Choiseul, entre à grand bruit la Municipalité, les officiers de la garde nationale. Plusieurs se jettent à genoux : « Au nom de Dieu, sire, ne nous abandonnez pas ; ne quittez pas le royaume. » Le roi tâcha de les calmer : « Ce n'est pas mon intention, messieurs ; je ne quitte point la France. Les outrages qu'on m'a faits me forçaient de quitter Paris. Je ne vais qu'à Montmédy ; je vous invite à m'y suivre... Faites seulement, je vous prie, que mes voitures soient attelées. »

Ils sortirent. C'était alors la dernière minute qui restait à Louis XVI. Choiseul, Goguelat, attendaient ses ordres. Il était deux heures du matin. Il y avait autour de la maison une foule confuse, mal armée, mal organisée ; la plupart sans armes à feu. Ceux même qui en avaient n'auraient pas tiré sur le roi (Drouet, peut-être, excepté), encore moins sur les enfants. La reine seule eût pu courir un danger réel. C'est à elle que Choiseul et Goguelat s'adressèrent. Ils lui demandèrent si elle voulait monter à cheval et partir avec le roi ; le roi tiendrait le dauphin. Le pont n'était pas praticable ; mais Goguelat connaissait les gués de la petite rivière : entourés de trente ou quarante hussards, ils étaient certains de passer. Une fois de l'autre côté, nul danger ; ceux de Varennes n'avaient pas de cavaliers pour les suivre.

Cette hasardeuse chevauchée avait pourtant, il faut le dire, de quoi effrayer une femme, même brave et résolue. La reine leur répondit : « Je ne veux rien prendre sur moi ; *c'est le roi qui s'est décidé à cette démarche,* c'est à lui d'ordonner ; mon devoir est de le suivre... Après tout, M. de Bouillé ne peut tarder d'arriver. » (Goguelat, 29.)

« En effet, reprit le roi, pouvez-vous bien me répondre que, dans cette bagarre, un coup de fusil ne tuera pas la reine, ou ma sœur ou mes enfants ?... Raisonnons froidement d'ailleurs. La Municipalité ne refuse pas de me laisser passer ; elle demande seulement que j'attende le point du jour. Le jeune Bouillé est parti, vers minuit, pour avertir son père à Stenay. Il y a huit lieues, c'est deux ou trois heures. M. de Bouillé ne peut pas manquer de nous arriver au matin; sans danger, sans violence, nous partirons en sûreté. »

Pendant ce temps, les hussards buvaient avec le peuple, buvaient « à la Nation ! ». Il était bientôt trois heures. Les municipaux reviennent encore, mais avec ces brèves paroles, d'une signification terrible : « Le peuple s'opposant absolument à ce que le roi se remette en route, on a résolu de dépêcher un courrier à l'Assemblée nationale, pour savoir ses intentions. »

M. de Goguelat était sorti pour juger la situation. Drouet s'avance vers lui, et lui dit : « Vous voulez enlever le roi, mais vous ne l'aurez que mort ! » La voiture était entourée d'un groupe de gens armés ; Goguelat approche, avec quelques hussards ; le major de la garde nationale, qui les commandait : « Si vous faites un pas, je vous tue. » Goguelat pousse son cheval sur lui, et reçoit deux coups de feu, deux blessures assez légères ; une des balles, s'étant aplatie sur la clavicule, lui fit lâcher les rênes, perdre l'équilibre, tomber de cheval. Il put se relever pourtant, mais les hussards furent dès lors du côté du peuple. On leur avait fait remarquer aux extrémités de la rue des petits canons qui les menaçaient ; ils se crurent entre deux feux ; ces canons, vieille ferraille, n'étaient point chargés, et ne pouvaient l'être.

Goguelat, blessé, sans se plaindre, rentre dans la chambre de la famille royale. Elle présentait un spectacle navrant, tout ensemble ignoble et tragique. L'effroi de cette situation désespérée avait brisé le roi, la reine, affaibli même visiblement leur esprit. Ils priaient l'épicier Sauce, sa femme, comme si ces pauvres gens avaient pu rien faire à la chose. La reine, assise sur un banc, entre deux caisses de chandelles, essayait de réveiller le bon cœur de l'épicière : «Madame, lui disait-elle, n'avez-vous donc pas des enfants, un mari, une famille ! » A quoi l'autre répondait simplement, sans longs discours : « Je voudrais vous ête utile. Mais, dame ! vous pensez au roi, moi je pense à M. Sauce. Chaque femme pour son mari... » La reine se détourna, furieuse, versant des larmes de rage, s'étonnant que cette femme, qui ne pouvait la sauver, refusât de se perdre avec elle, de lui sacrifier son mari et sa famille.

Le roi semblait hors de sens. L'officier qui commandait le premier poste après Varennes, M. Deslons, ayant obtenu de pénétrer jusqu'à lui, et lui disant que M. de Bouillé, averti, allait sans nul doute arriver à son secours, le roi parut ne pas l'entendre. Il répéta la même chose jusqu'à trois fois, et, voyant qu'elle n'arrivait pas jusqu'à son intelligence : « Je prie, dit-il, Votre Majesté, de me donner ses ordres pour M. de Bouillé. » — « Je n'ai plus d'ordre à donner, monsieur, dit-il ; je suis prisonnier. Dites-lui que je le prie de faire ce qu'il pourra pour moi. »

Beaucoup de gens, en effet, craignaient fort qu'il n'arrivât, voulaient éloigner le roi ; des cris s'élevaient : « A Paris ! » On l'engagea, pour calmer la foule, à se montrer à la fenêtre. Le jour, déjà venu, et clair, illuminait la triste scène. Le roi, en valet, au balcon, sans poudre, dans cette petite ignoble perruque défrisée, pâle et gras, grosses lèvres pâles, muet, l'œil terne, n'exprimant aucune idée... La surprise fut extrême pour ces milliers d'hommes qui se trouvaient là ; d'abord, un silence profond indiqua le combat de pensées et de sentiments qui se faisait dans les esprits. Puis la pitié déborda, les larmes, le vrai cœur de la France... et avec une telle force que, parmi ces hommes furieux, plusieurs crièrent : « Vive le roi ! »

La vieille grand-mère de Sauce, ayant obtenu d'entrer, eut le cœur navré et voyant les deux enfants qui dormaient ensemble, innocemment, sur le lit de la famille ; elle tomba à genoux, et, sanglotant, demanda la permission de leur baiser leurs mains ; elle les bénit, et se retira en pleurs.

Scène cruelle, en vérité, à crever les cœurs les plus durs, les plus ennemis. Oui, un Liégeois même eût pleuré. Liège, captive de

Léopold, barbarement traitée par les soldats autrichiens, eût pleuré sur Louis XVI.

Telle était la situation, étrange et bizarre : la Révolution, captive des rois en Europe, tient les rois captifs en France.

Que dis-je, situation étrange ? Non, la compensation est juste.

Faibles esprits que nous sommes ! ce qui surprenait le plus dans la scène de Varennes était le plus naturel ; ce qui semblait un changement, un reversement inouï, était un retour à la vérité.

Ce déguisement qui choquait rapprochait Louis XVI de la condition privée, pour laquelle il était fait. A consulter son aptitude, il était propre à devenir, non valet, sans doute (il était lettré, cultivé), mais serviteur d'une grande maison, précepteur ou intendant, dispensé, comme serviteur, de toute initiative ; il eût été un économe exact et intègre, un précepteur assez instruit, très moral, très consciencieux, toutefois dans la mesure où un dévot le peut être. L'habit de serviteur était son habit réel ; il avait été déguisé jusque-là sous les insignes menteurs de la royauté.

Mais pendant que nous songeons, le temps va ; déjà le soleil est bien haut à l'horizon. Dix mille hommes remplissent Varennes. La petite chambre où est la famille royale, quoique regardant le jardin, tremble à cette grande voix confuse qui s'élève de la rue. La porte s'ouvre. Un homme entre, un officier de la garde nationale de Paris, figure sombre, toute défaite, fatiguée, mais exaltée, cheveux sans frisure ni poudre, l'habit décolleté. Il ne dit que des mots entrecoupés : « Sire, dit-il, vous savez... tout Paris s'égorge... Nos femmes, nos enfants sont peut-être massacrés ; vous n'irez pas plus loin... sire... L'intérêt de l'Etat... Oui, sire, nos femmes, nos enfants !... » A ces mots, la reine lui prit la main avec un mouvement énergique, lui montrant M. le dauphin et Madame qui, épuisés de fatigue, étaient assoupis sur le lit de M. Sauce : « Ne suis-je pas mère aussi ? » lui dit-elle. « Enfin que voulez-vous ? » lui dit le roi. « Sire, un décret de l'Assemblée... » « Où est-il ? » « Mon camarade le tient. » La porte s'ouvrit, nous vîmes M. de Romeuf appuyé contre la fenêtre de la première chambre, dans le plus grand désordre, le visage couvert de larmes, et tenant un papier à la main ; il s'avança les yeux baissés. « Quoi ! Monsieur, c'est vous ! Ah ! je ne l'aurais jamais cru !... » lui dit la reine. Le roi lui arracha le décret avec force, le lut et dit : « Il n'y a plus de roi en France. » La reine le parcourt, le roi le reprend, le relit encore, et le pose sur le lit où étaient les enfants. La reine avec impétuosité le rejette du lit en disant : « Je ne veux pas qu'il souille mes enfants. » Il s'éleva alors un murmure général parmi les municipaux et les habitants présents, comme si l'on venait de profaner la chose la plus sainte. « Je me hâtai de ramasser le décret et le posai sur la table. » (Choiseul.)

Que faisait M. de Bouillé ? Comment n'arrivait-il pas ? Averti successivement par son fils, par le petit officier des hussards de

Varennes, puis par les messagers pressants de Deslons, de Choiseul, comment ne franchissait-il pas rapidement ce court espace de huit lieues ?

Comment ? il le dit lui-même, et prouve parfaitement qu'il ne pouvait rien. Il était si peu sûr de ce qu'il avait de troupes, il se voyait environné de tant de villes *mauvaises* (c'est lui-même qui parle ainsi), menacé de Verdun, de Metz, de Stenay, de tous côtés, qu'ayant été quelque peu au-devant du roi, il revint bien vite pour s'assurer du soldat, craignant de moment en moment d'être abandonné. Et il garda près de lui son officier le plus sûr, son fils aîné, Louis de Bouillé. Et à eux deux, ayant à enlever le *meilleur* régiment de l'armée, le seul à vrai dire qui restât, c'était *Royal-Allemand,* ils ne purent le faire armer qu'en deux ou trois heures de nuit, de cette nuit terrible dont chaque minute, peut-être, décidait d'un siècle. Ce régiment, chauffé à blanc de leurs paroles brûlantes, gorgé, payé à tant de louis par homme, franchit les huit lieues d'un galop rapide à travers un pays soulevé, seul dans cette campagne grouillante de gens armés, vraiment en terre ennemie, en grand doute de retour... Ils rencontrent un des leurs : « Eh bien ? » — « Le roi est parti de Varennes. » Bouillé enfonça son casque, jura, mit l'éperon sanglant dans les flancs de son cheval. En un moment, l'homme vit tout disparaître comme un ouragan...

Enfin, ils touchent à Varennes. Nul passage. Des barricades sur la route. Ils trouvent un gué, le passent. Au-delà c'est un canal. Ils cherchaient à le passer. De nouvelles informations les en dispensèrent. Ils avaient perdu tout espoir de jamais rejoindre le roi. Les Allemands commençaient à dire que leurs chevaux n'en pouvaient plus. La garnison de Verdun marchait en force sur eux.

Le jeune Louis de Bouillé, racontant cette heure dernière où son père volait, l'épée nue, à la poursuite du grand otage, dit avec un mouvement audacieux et juvénile : « Nous nous enfoncions avec cette petite troupe dans la France armée contre nous... »

Oui, c'était bien vraiment la France. Et ces Allemands qui couraient, et Bouillé qui les conduisait, et le roi qu'on emmenait, qu'était-ce donc !... C'était la révolte.

Livre V

juin - septembre 1791

CHAPITRE PREMIER

Impression de la fuite du roi (21-25 juin 1791)

État de la presse et des clubs — La Bouche-de-Fer *se déclare pour la République — Paris regrettait-il le roi ? — Impression des départements — Il n'était pas impossible d'établir la République — Surprise de La Fayette — Ordre d'arrêter ceux qui enlèvent le roi — Il n'y eut nul désordre à Paris — Protestation du roi — Robespierre, Brissot et les Roland, chez Pétion — Discours de Robespierre aux Jacobins — Discours de Danton contre La Fayette — L'Assemblée veut mettre le roi hors de cause — Elle lui donne une garde qui répond de sa personne.*

> *Si, parmi les* Français, *il se trouvait un traître*
> *Qui regrettât les rois et qui voulût un maître,*
> *Que le perfide meure au milieu des tourments.*
> *Que sa cendre coupable, abandonnée aux vents...* etc.

Ces vers du *Brutus* de Voltaire se lisaient, le 21 juin 1791, en tête d'une affiche des Cordeliers, signée de leur président, le boucher Legendre. Ils déclaraient qu'ils avaient tous juré de poignarder les tyrans qui oseraient attaquer le territoire, la liberté ou la Constitution.

Il semble, au reste, que les Cordeliers n'étaient pas bien d'accord sur les mesures à prendre dans cette crise. Le seul expédient que proposent dans leurs journaux Marat et Fréron, c'est précisément un tyran, un bon tyran, dictateur ou tribun militaire. « Il faut choisir, dit le premier, le citoyen qui a montré le plus de lumières, de zèle et de fidélité. » Cela était assez clair, pour quiconque connaissait l'homme ; Marat proposait Marat. Fréron n'ose indiquer personne ; seulement il trouve occasion de rappeler le nom de Danton, jusqu'ici fort secondaire, et veut qu'il soit maire de Paris.

Ni Pétion ni Robespierre, ni Danton, ni Brissot, ne se prononcèrent sur la forme de gouvernement. Au premier mot de république, les Jacobins s'indignèrent. Robespierre exprimait leur pensée, lorsque, le 13 juillet, il disait encore : « Je ne suis ni républicain ni monarchiste. »

Le seul journal qui se décida tout d'abord pour la République, avec netteté et courage, ce fut *La Bouche-de-Fer*. Des deux rédacteurs, Fauchet, récemment nommé évêque du Calvados, était dans son évêché. Ce fut l'autre, plus franc, plus hardi, le jeune Bonneville, qui prit cette grande initiative, dans les numéros du 21 et du 23 juin. Il y avait juste deux ans que le même Bonneville, le 6 juin 1789, dans l'assemblée des électeurs, avait le premier fait appel aux armes.

Bonneville, homme de grand cœur, franc-maçon mystique, trop souvent dans les nuages, prenait, dans les questions graves, dans les crises périlleuses, beaucoup de lucidité. Il soutenait contre Fauchet, son ami, que la Révolution ne pouvait prendre pour base religieuse un replâtrage philosophique du christianisme. Sur la question de la royauté, il vit aussi fort nettement que l'institution était finie, et il repoussa les formes bâtardes sous lesquelles les intrigants hypocrites essayaient de la ramener. « On a effacé du serment, dit-il, le mot infâme de roi... Plus de rois, plus de mangeurs d'hommes ! On changeait souvent le nom, jusqu'ici, et l'on gardait toujours la chose... Point de régent, point de dictateur, point de protecteur, point d'Orléans, point de La Fayette... Je n'aime point ce fils de Philippe d'Orléans, qui prend justement ce jour pour monter la garde aux Tuileries, ni son père, qu'on ne voit jamais à l'Assemblée, et qui vint se montrer hier sur la terrasse, à la porte des Feuillants... Est-ce qu'une nation a besoin d'être toujours en tutelle ?... Que nos départements se confédèrent et déclarent qu'ils ne veulent ni tyran, ni monarque, ni protecteur, ni régent, qui sont des ombres de roi, aussi funestes à la chose publique que l'ombre de cet arbre maudit, le Bohon Upas, dont l'ombre est mortelle. »

Et, dans un autre numéro : « Enfin, on a retrouvé les piques du 14 juillet ! On nous rend nos piques, frères et amis ! La première qu'on a vue à l'Hôtel de Ville a été saluée de mille applaudissements. Qu'est-ce que nous pourrions craindre ?... Avez-vous vu comme on est frère quand le tocsin sonne, quand on bat la générale, quand on est délivré des rois ?... Ah ! le malheur est que ces moments ne reviennent que rarement !... »

« Il ne suffit pas de dire *république* ; Venise aussi fut *république*. Il faut une communauté nationale, un gouvernement national... Assemblez le peuple à la face du soleil, proclamez que la loi doit seule être souveraine, jurez qu'elle régnera seule... Il n'y a pas un ami de la liberté sur la terre qui ne répète le serment. Sans parler d'avance d'aucune forme de gouvernement, celui que la nation la plus éclairée aura préféré sera le meilleur pour la Fête-Dieu. »

C'était le jour de cette fête que le républicain mystique écrivait ces paroles enthousiastes. Quelque jugement qu'on en porte, on est touché de cette foi jeune et vive dans l'infaillibilité de la raison commune.

Elle semblait être justifiée, cette foi, par l'attitude calme, forte, vraiment imposante, de la population de Paris. Elle se passait de roi à merveille. Le départ du roi avait révélé la vérité de la situation, à savoir que depuis longtemps, la royauté n'existait que comme obstacle. Elle n'agissait plus, elle ne pouvait rien, elle embarrassait seulement. Plusieurs avaient peur de tomber en république ; mais l'on y était.

Des groupes avaient menacé La Fayette, à la Grève, l'accusant de complicité. Il les calma d'un seul mot : « Nous sommes vingt-quatre millions d'hommes ; le roi coûtait vingt-quatre millions ; c'est juste vingt sols de rente que chacun gagne à son départ. »

Camille Desmoulins rapporte qu'une motion fut faite au Palais-Royal (et sans doute c'est lui qui la fit sur son théâtre ordinaire) : « Messieurs, il serait malheureux que cet homme perfide nous fût ramené ; qu'en ferions-nous ? Il viendrait, comme Thersite, nous verser ces larmes grasses dont parle Homère. Si on le ramène, je fais la motion qu'on l'expose trois jours à la risée publique, le mouchoir rouge sur la tête ; qu'on le conduise par étapes jusqu'aux frontières, et qu'arrivé là... », etc.

Cette folie était peut-être ce qu'il y avait de plus sage. Si Louis XVI était dangereux dans les armées étrangères, il l'était bien plus encore captif, accusé et jugé, devenant pour tous un objet d'intérêt et de pitié. La sagesse était ici dans les paroles de l'enfant ; je parle ainsi de Camille. Le plus grand péril pour la France était de le réhabiliter par l'excès de l'infortune, de rendre à celui qui lui-même s'ôtait la couronne le sacre de la persécution. On le trouvait avili, dégradé par son mensonge, il fallait le laisser tel. Plutôt que de le punir, on devait l'abandonner comme incapable et simple d'esprit ; c'est ce que dit Danton aux Jacobins : « Le déclarer imbécile au nom de l'humanité. »

Prudhomme *(Révolutions de Paris)* donne très bien l'attitude du peuple. « Tous les regards se portaient sur la salle de l'Assemblée. « Notre roi est là-dedans, disait-on ; Louis XVI peut aller où il voudra. » Si le président de l'Assemblée eût mis aux voix dans la Grève, aux Tuileries, au palais d'Orléans, le gouvernement républicain, la France ne serait plus une Monarchie. »

« Le nom de la république, écrit Mme Roland dans une lettre du 22 juin, l'indignation contre Louis XVI, la haine des rois, s'exhalent ici de partout. »

Des témoins aussi passionnés peuvent paraître suspects. Mais je trouve à peu près les mêmes choses dans la bouche d'un étranger, d'un froid observateur, peu favorable à la France, peu à la Révolution ; je parle du Genevois Dumont, pensionné de l'Angleterre : « Ce peuple sembla inspiré d'une sagesse supérieure. Voilà notre grand embarras parti, disait-il gaiement. » Et encore : « Si le roi nous a quittés, la nation reste ; il peut y avoir une nation sans roi, mais non un roi sans nation. »

Ce qui est fort significatif, c'est que trois maisons du chapitre de Notre-Dame, vendues le 21 juin, furent portées à un prix très élevé, et gagnèrent environ un tiers au-delà de l'estimation.

Voilà pour Paris. Quelle fut l'impression des départements ? On le verra tout à l'heure, quand nous raconterons le retour de Varennes. Il suffit de dire ici que, dans l'Est et le Nord, en se rapprochant des frontières, dans ces pays où Louis XVI eût amené l'ennemi, l'indignation fut généralement plus violente qu'à Paris même. La moisson était sur pied, et le paysan furieux du danger qu'elle avait couru. Dans le Midi, plusieurs villes, Bordeaux en tête, montrèrent un élan admirable. Quatre mille dames de Bordeaux, toutes mères, jurèrent de mourir avec leurs époux, pour la nation et la loi. La Gironde écrivit : « Nous sommes quatre-vingt mille, tous prêts à marcher. » Dans l'Ouest, les villes, peu assurées des campagnes, eurent de grandes alarmes. On supposa que le roi n'avait pas fait une telle démarche sans avoir laissé derrière lui des embûches inconnues. Dumouriez, qui alors commandait à Nantes, décrit l'émotion de cette ville à la grande nouvelle, qu'on reçut de nuit. Il y avait quatre à cinq mille personnes en chemise sur la place, qui avaient l'air consterné. « La nation n'en reste pas moins », dit-il, et il écrivit à la nation qu'il marchait à son secours. Les Nantais se rassurèrent si bien, que la nouvelle contraire, celle du retour de Louis XVI, produisit plutôt sur eux une sensation fâcheuse.

En rapprochant tous ces détails, nous n'hésitons pas à dire, contre l'opinion commune, que si, le 21 juin, l'Assemblée, saisissant le moment de l'indignation générale, eût proclamé la déchéance du roi, eût avoué et franchement nommé le gouvernement qui, de fait, existait déjà, le gouvernement républicain, Paris aurait applaudi ; et Paris eût été suivi sans difficulté de tout l'Est et tout le Nord, des villes du Midi, de l'Ouest, et là même obéi des campagnes. La résistance n'était pas prête encore ; il fallut un an ou deux, toutes les intrigues des prêtres, le long martyre de Louis XVI surtout, pour décider l'éruption de la Vendée.

Telle était l'opinion d'un homme passionné, il est vrai, mais doué de hautes lumières pour éclairer sa passion, d'un très ferme jugement et d'une grande liberté d'esprit. Condorcet disait que ce moment était précisément celui où la République était possible et pouvait se faire à meilleur marché : « Le roi, en ce moment-ci, ne tient plus à rien ; n'attendons pas qu'on lui ait rendu assez de puissance pour que sa chute exige un effort ; cet effort sera terrible si la République se fait par révolution, par soulèvement du peuple ; si elle se fait à présent avec une Assemblée toute-puissante, le passage ne sera pas difficile. » (Condorcet, dans Et. Dumont, p. 125.)

L'objection principale, celle qu'on faisait et qu'on fait toujours, c'était : « Il n'est pas encore temps, nous ne sommes pas mûrs encore, *nos mœurs ne sont pas républicaines...* » Vérité trop vraie ; il est clair qu'il doit toujours en être ainsi en sortant de la Monarchie. La Monarchie n'a garde de former à la République : ses lois, ses institutions n'ont pas apparemment le but de préparer beaucoup les mœurs au gouvernement contraire ; d'où il suit qu'il serait toujours trop tôt pour essayer la République ; on resterait embarrassé à jamais dans ce cercle vicieux : « La législation et l'éducation républicaines peuvent seules former les hommes à la République, mais la République elle-même est préalablement nécessaire pour vouloir et décréter ces lois et cette éducation. » Pour qu'un peuple sorte de ce cercle, il faut que, par un acte vigoureux de sa volonté, par une énergique transformation de sa moralité politique, il se fasse vraiment digne d'être enfin majeur, digne de sortir d'enfance, de prendre la robe virile, et que, pour ne pas retomber, pour rester à la hauteur de ce moment héroïque, il se donne les lois et l'éducation qui peuvent seules le perpétuer.

Autre objection : « En supposant que la République fût déjà possible, était-elle juste à cette époque ? N'eût-elle pas été imposée par une minorité à la majorité royaliste, imposée par force et contre le droit ? La nation était-elle généralement républicaine ? » Si l'on exige que la nation eût l'idée et la volonté nette et précise de la République, non, elle ne l'avait pas. L'idée, la volonté nationale, à ce moment, dans l'indignation qu'inspira la désertion du roi, fut, pour parler avec précision, *antiroyaliste ;* elle fut *républicaine,* en prenant la République comme simple négation de la Monarchie. La minorité éclairée, en profitant de ce moment, en fondant par les institutions une république positive, eût confirmé la masse dans la tendance antiroyaliste qui se déclarait alors ; elle n'eût point opprimé la masse, elle lui eût traduit sa propre pensée, formulé ses instincts obscurs, eût rendu fixe et permanent le sentiment si juste qu'elle avait à ce moment de la fin de la royauté.

Les politiques attendirent, hésitèrent, et le moment fut manqué. Un sentiment non moins naturel reprit force au retour du roi, la pitié pour son malheur. On ne pouvait le refaire comme roi ; on le restaura comme homme, dans l'intérêt et la sympathie, en le ramenant captif, humilié, infortuné. Tel fut l'entraînement des âmes généreuses et tendres ; elles ne virent plus, à travers les larmes, le roi double et faux, elles virent un homme résigné, et elles s'en firent un saint : la réalité s'obscurcit pour elles derrière la douloureuse légende qu'elles trouvaient dans leur cœur navré. Qui eut tort ? La France innocente, et non plus le roi coupable.

Oh ! qui eût suivi la courageuse inspiration qui dicta *la France libre* à Camille Desmoulins, en 1789, aurait sauvé la France !... Dans cet immortel petit livre, rayonnant de jeunesse et d'espoir, avec tout le soleil du 14 juillet, la prêtrise et la royauté ne sont plus traitées comme choses vivantes, mais pour ce qu'elles sont, deux néants, deux ombres (et qui s'amuserait alors à frapper dessus ?...), deux ombres qui vont se cacher, qui s'enfoncent au couchant. Et à l'horizon se lève la réalité de la République, en qui sont désormais la vie, la substance.

On avait le bonheur de voir le roi partir, mais ce n'était pas assez ; il fallait lui donner des chevaux, pour aller plus vite ; et lui donner encore, de peur qu'il ne revînt les chercher, tout ce qu'il avait de courtisans et de prêtres, leur ouvrir les portes bien grandes.

A sa place, allaient entrer dans Paris les vrais rois de la République, les rois de la pensée, ceux par qui la France avait conquis l'Europe ; je parle de Voltaire, de Rousseau. Voltaire, parti de son tombeau, était en marche vers Paris, où il entra en triomphe le 11 juillet. Que l'entrée eût été plus belle, si l'on n'eût eu la maladresse d'y ramener le fatal automate de l'ancien régime, le roi des prêtres et des dévots !

Il faut pourtant raconter par quelles pitoyables machines la vieille idole fut relevée de terre. Routine, habitude, faiblesse, facile entraînement de cœur ; par-dessus, l'intrigue, qui l'exploite et qui s'en moque, voilà le fond de l'histoire.

Les intrigants de nuances diverses qui travaillaient pour la Cour sous le masque constitutionnel se trouvaient désappointés ; elle les avait joués eux-mêmes. Il s'agissait maintenant pour eux de savoir avec quel parti de l'Assemblée le roi, devenu libre, voudrait bien négocier. Un de ces personnages équivoques, Dandré, député de Provence, sorte de Figaro politique, qui (selon Weber) recevait trois mille francs par mois pour jouer les deux partis, sut des premiers l'évasion et alla chez La Fayette. Il était près de sept heures, et l'on devait croire que les fugitifs avaient gagné beaucoup de terrain. La Fayette dormait du sommeil du juste, de ce profond sommeil historique qu'on lui a tant reproché pour le 6 octobre. « Bah ! dit-il, c'est impossible ! » En effet, il avait laissé son aide de camp, Gouvion, la veille, à minuit, dormant le dos appuyé à la porte de la reine.

La Fayette avait reçu beaucoup d'avertissements ; mais ce qui le rassurait, ainsi que Bailly, ainsi que Montmorin, et Brissac commandant du château et ami personnel du roi, c'était la confiance qu'ils avaient tous dans la sensibilité de Louis XVI. Ils juraient sur leur tête que le roi ne partirait pas, se figurant en effet qu'il ne voudrait pas les mettre en danger.

Les premières personnes que La Fayette, descendant précipitamment, trouve dans la rue, c'est Bailly et Beauharnais : celui-ci était président de l'Assemblée ; Bailly, le nez, le visage longs et jaunes, plus encore qu'à l'ordinaire. Personne ne devait en effet s'accuser plus que Bailly. Il avait livré à la reine ces dénonciations écrites dont on a parlé, de sorte que, sachant précisément les avis qu'on avait contre elle, elle chercha, et trouva une issue moins surveillée. Bailly, fils du garde des tableaux du roi, protégé par lui, héréditairement attaché à la maison royale, se montra meilleur domestique que magistrat et citoyen, se fiant de tout à la reine, croyant la lier d'honneur et de sensibilité, s'imaginant qu'elle hésiterait à perdre par sa fuite le faible et dévoué serviteur qui lui immolait son devoir.

Bailly pouvait se croire perdu si le roi n'était rejoint : « Quel malheur, dit-il, qu'à cette heure l'Assemblée ne soit pas réunie encore ! » Le président appuya. Tous deux montrèrent à La Fayette le roi ralliant les émigrés, amenant les Autrichiens, la guerre civile, la guerre étrangère : « Eh bien ! dit La Fayette, pensez-vous que le salut public exige le retour du roi ? » — « Oui. » — « J'en prends la responsabilité. » Il écrivit un billet portant « que les ennemis de la patrie *ayant enlevé le roi,* il était ordonné aux gardes nationaux de les arrêter ».

La Fayette n'eût guère pu refuser, sans confirmer l'opinion, générale au premier moment, qu'il était de connivence, qu'il avait favorisé l'évasion. Il crut, au reste, qu'à cette heure le roi ne pouvait être rejoint. Son aide de camp, Romeuf, qui sans doute avait sa pensée, partit, mais d'abord courut sur une route tout autre que celle du roi ; il fut rejoint, remis dans le chemin par l'autre envoyé, Baillon, qui le força d'accélérer sa route vers Varennes. Il n'avait nulle volonté d'arriver, et comptait bien courir en vain ; c'est ce qu'il dit lui-même à MM. de Choiseul et de Damas.

Le mot d'*enlèvement,* écrit d'abord dans cet ordre de La Fayette, fut avidement saisi par les Barnave et les Lameth, par les constitutionnels en général, pour innocenter le roi et sauver la royauté. Ils se précipitèrent, tête baissée, par cette porte qu'on leur ouvrait. Ce mot fut employé par Regnault de Saint-Jean-d'Angély, qui fit décréter par l'Assemblée qu'on poursuivait ceux qui *enlevaient* le roi. On adopta le mot, qui semblait tout un système, et l'on adopta l'auteur ; je parle de La Fayette. Il venait s'excuser à l'Assemblée ; Barnave et Lameth s'empressèrent d'aller au-devant et de le justifier ; bien plus, ils réclamèrent pour lui, accusé et suspect, la plus haute confiance, le firent charger d'exécuter les mesures qui seraient ordonnées. Ils s'emparèrent ainsi de lui, l'entraînèrent, le lièrent. Ce fut alors, comme toujours, l'invariable destinée de cet excellent républicain d'être mystifié par les royalistes.

Les constitutionnels, entrant dans ce travail impossible de refaire la royauté, allaient se trouver justement en contradiction avec eux-mêmes. Il n'y avait pas trois mois que, dans une discussion mémorable, soutenue par Thouret avec un caractère de force et de grandeur qui n'appartient qu'à la raison, l'Assemblée avait décidé que la royauté était une fonction publique, qu'elle avait des obligations, et qu'une sanction pénale devait consacrer ces obligations. Thouret, suivant inexorablement la droite ligne logique, en avait fini avec les rois dieux, *les rois messies,* comme il dit lui-même. La ténébreuse doctrine de l'incarnation royale, prolongée au-delà de toute probabilité, par-delà les temps barbares, en plein âge de lumière, avait péri ce jour-là (28 mars 1791).

L'Assemblée avait décrété : « Si le roi sort du royaume, il sera censé avoir abdiqué la royauté. » Elle voulait maintenant éluder son propre décret. Les meneurs, qui s'étaient récemment rapprochés de la Cour, ne pouvaient, quoique abandonnés par elle, se décider à changer leurs plans, à briser leurs espérances. Déjà consultés par la reine, et sans doute mortifiés de voir qu'elle s'était jouée d'eux, ils pensaient qu'après tout, s'ils ramenaient, sauvaient l'infidèle, elle serait trop heureuse de se mettre à discrétion, n'ayant plus nul autre espoir. D'autre part, les Thouret, les Chapelier, les pères de la Constitution, pleins d'inquiétudes paternelles et d'amour-propre d'auteur, craignaient tout mouvement violent qui aurait troublé la santé d'un enfant si délicat ; il leur fallait, à tout prix, le retour, le rétablissement du roi, pour soigner paisiblement, éduquer, mener à bien cette chère Constitution.

La bonne attitude du peuple facilitait singulièrement la tâche de l'Assemblée. On aurait pu s'attendre à de grands désordres. La reine avait déployé, pour tromper l'opinion, un luxe de duplicité qui devait ajouter beaucoup à l'irritation. Elle avait dit qu'elle voulait fournir de ses écuries les quatre chevaux blancs pour la pompe de Voltaire. Elle avait fait avertir qu'elle serait, avec le roi, à la procession de la Fête-Dieu. L'avant-veille, on avait fait voir dans Paris le dauphin allant à Saint-Cloud ; et la veille même, au soir, la reine, allant le promener au parc de Monceau, avait suivi les boulevards, gracieuse, parée de roses, le bel enfant sur ses genoux ; elle souriait à la foule, et jouissait en esprit de son départ tout préparé.

Le peuple, quelque irrité qu'il fût, se montra plus dédaigneux que violent. Tout le désordre se borna à casser les bustes du roi ; puis une promenade de curiosité inoffensive, que les femmes firent aux Tuileries, sans bruit ni dégât. Elles ôtèrent le portrait du roi de la place d'honneur, et le suspendirent à la porte. Elles visitèrent le cabinet du dauphin, et le respectèrent ; beaucoup moins celui de la reine : une femme y vendit des cerises. Elles regardèrent fort ses livres, supposant que c'étaient tous livres de libertinage. Une fille qu'on coiffait d'un bonnet de Marie-Antoinette le jeta bien loin, disant qu'il la salirait, qu'elle était honnête fille.

Cependant l'Assemblée mandait les ministres, s'emparait du sceau, changeait le serment, ordonnait la levée de trois cent mille gardes nationaux, payés quinze sols par jour. Ces mesures furent interrompues par la lecture d'une pièce étrange, qu'on apporta. C'était une protestation du roi, annulant tout ce qu'il avait fait et sanctionné depuis deux ans, dénonçant l'Assemblée, la nation. Il certifiait ainsi que, pendant tout ce temps, il avait été le plus faux des hommes ; moins encore pour avoir signé que pour avoir si souvent approuvé, loué de vive voix, souvent sans nécessité, ce qu'il désavouait aujourd'hui. Tout cela, dans une forme aussi triste que le fond, lourde, plate et sotte, mêlant aux choses les plus graves des choses ou basses ou futiles. Il s'appesantissait sur sa pauvreté (avec une liste civile de vingt-cinq millions), sur le séjour des Tuileries, « où, loin de trouver les commodités auxquelles il était accoutumé, il n'a pas même rencontré les agréments que se procurent les personnes aisées ». Pour comble, il parlait et reparlait de sa femme, avec la fâcherie d'un mari trompé, qui proteste qu'il est content, et n'en veut qu'aux mauvais plaisants. Ceci à l'adresse des émigrés et des princes, bien plus que de l'Assemblée. La reine, en partant, se faisait donner contre eux, contre les conseils dont ils allaient assiéger le roi, une sorte de certificat; son mari la proclamait une *épouse fidèle, qui venait de mettre le comble à sa bonne conduite.* Il se disait indigné de ce qu'en octobre on avait parlé *de la mettre au couvent,* etc. L'étrange pièce avait été, la veille, communiquée au capital ennemi de la reine, à Monsieur, pour qu'il corrigeât, approuvât, et se mît ainsi hors d'état de pouvoir attaquer plus tard.

Le ton général de cet acte était accusateur, menaçant pour l'Assemblée. Les royalistes ne cachaient pas leur joie. Un de leurs journaux, ce jour même du 21 juin, avait osé imprimer : « Tous ceux qui pourront être compris dans l'amnistie du prince de Condé pourront se faire enregistrer dans notre bureau d'ici au mois d'août. Nous aurons quinze cents registres, pour la commodité du public ; nous n'en excepterons que cent cinquante individus. »

Beaucoup de gens supposaient, d'après cet excès d'audace, qu'apparemment les royalistes avaient dans Paris, ou bien près, des forces considérables. Les imaginations voyageaient rapidement sur ce texte ; aucune n'allait plus vite, en telles occasions, que celle de Robespierre. La séance ayant été suspendue de trois heures et demie jusqu'à cinq, il passa ce temps chez Pétion, qui demeurait tout près, au faubourg Saint-Honoré, et là, déchargea son âme, exprima librement tout son rêve de terreur. L'Assemblée était complice de la Cour, complice de La Fayette ; ils allaient faire une Saint-Barthélemy des patriotes, des meilleurs citoyens, de ceux qu'on craignait le plus. Pour lui il sentait bien qu'il était perdu, qu'il ne vivrait pas vingt-quatre heures...

Le croyait-il ? Pas tout à fait. La chose était trop peu vraisemblable. Ce moment de la Révolution n'était nullement sanguinaire. La Fayette ne l'était pas, ni les hommes influents d'alors.

L'eussent-ils été, il était facile, dans l'état de désorganisation où était la police, de se cacher dans Paris. Robespierre avait peur sans doute, mais il exagérait sa peur. Pétion l'écoutait assez froidement. Les deux hommes différaient trop pour agir beaucoup l'un sur l'autre. Robespierre, nerveux, sec et pâle, et plus pâle encore ce jour-là. Pétion, grand, gros, rose et blond, flegmatique et apathique. Il interprétait les choses d'une façon toute contraire, selon son tempérament : « L'événement est plutôt heureux, disait-il ; maintenant on connaît le roi. » Le journaliste Brissot, qui était venu chercher des nouvelles, parla aussi dans ce sens : « Soyez sûr, dit-il avec un air imaginatif et crédule, que La Fayette aura favorisé l'évasion du roi pour donner la République. Je vais, outre *Le Patriote*, écrire dans un nouveau journal, *Le Républicain.* » Robespierre, se rongeant les ongles, demandait, en tâchant de rire : « Qu'est-ce que la République ? »

La République elle-même, en réponse à cette question, on eût pu le croire ainsi, entra dans la chambre. Je parle de Mme Roland, qui survint en ce moment avec son mari. Elle entra, jeune, vive et forte, illuminant la petite chambre de sérénité et d'espoir. Elle paraissait avoir trente ans et elle en avait trente-six. Sous ses beaux et abondants cheveux bruns, un teint virginal de fille, d'une transparence singulière, où courait, à la moindre émotion, un sang riche et pur. De beaux yeux parlants, le nez un peu gros du bout et peu distingué. La bouche assez grande, fraîche, jeune, aimable, sérieuse pourtant dans le sourire même, raisonneuse, éloquente, même avant d'avoir parlé.

Les Roland venaient du Pont-Neuf et purent dire à leurs amis l'affiche des Cordeliers. L'initiative hardie que ceux-ci prenaient rendit cœur à Robespierre. Les voyant planter si loin en avant le drapeau de la Révolution, il pensa que les Jacobins suivraient, dans la voie qui leur était propre, la défiance et l'accusation. Déjà, à l'Assemblée, dans la séance du matin, il avait jeté un mot dans ce sens.

Il ne dit rien du tout dans la séance du soir, attendit, et observa. Entre neuf et dix heures, il vit que Barnave et les Lameth, déjà sûrs de La Fayette, qu'ils avaient en quelque sorte surpris le matin, entraînaient de plus Sieyès et l'ancien Club de 89. Tous ensemble, une grande masse, deux cents députés environ, ils se mettaient en mouvement ; tous, en corps d'armée, ils allaient se rendre aux Jacobins, où depuis longtemps on ne les voyait plus guère ; ils allaient les étonner de cette image inattendue d'union et de concorde, et sans doute, d'un premier élan, enlever la société. Il n'y avait pas un moment à perdre, Robespierre court aux Jacobins.

Si son discours fut celui que lui prête son ami Camille, c'était une vaste dénonciation de tous et de toutes les choses assez adroitement tissue de faits, d'hypothèses ; il accusait non seulement le roi et le ministère, et Bailly, et La Fayette, non seulement les comités, mais l'Assemblée tout entière. Cette accusation, à ce point générale et indistincte, ce sombre poème, éclos d'une imagination effrayée, semblait bien difficile à accepter sans réserve. Robespierre entra alors dans un sujet tout personnel, son propre péril, fut ému et éloquent ; il s'attendrit sur lui-même ; l'émotion gagna l'auditoire. Alors, pour enfoncer le coup, il ajouta cette parole, « qu'au reste, il était prêt à tout ; que si, dans les commencements, n'ayant encore pour témoins que Dieu et sa conscience, il avait fait d'avance le sacrifice de sa vie, aujourd'hui qu'il avait sa récompense dans le cœur de ses concitoyens, la mort ne serait pour lui qu'un bienfait ».

A ce trait touchant, une voix s'élève, un jeune homme crie en sanglotant : « Nous mourrons tous avec toi !... » Cette sensibilité naïve eut plus d'effet que le discours ; ce fut une explosion de cris, de pleurs, de serments : les uns, debout, s'engagèrent à défendre Robespierre ; les autres tirèrent l'épée, se jetèrent à genoux, et jurèrent qu'ils soutiendraient la devise de la société : *Vivre libre ou mourir.* Mme Roland, qui était présente, dit que la scène fut vraiment surprenante et pathétique.

Le jeune homme était le camarade, l'ami d'enfance de Robespierre, Desmoulins, le mobile artiste, qui, deux heures auparavant, dans un moment de confiance, serrait la main de La Fayette.

Avec tout cela, on perdait de vue le point précis de la situation, et l'ennemi allait arriver. Le discours trop général de Robespierre, l'explosion de vague sensibilité qui avait suivi, n'avançaient pas assez les choses. Danton s'en aperçut à temps, il ramena à la question, il la limita ; il sentit que, pour agir, il ne fallait frapper qu'un coup, et frapper sur La Fayette.

Chose bizarre à dire, mais vraie, le danger était La Fayette. Il était dangereux, comme mannequin de dictature républicaine, propre à faire toujours avorter la République ; dangeureux, comme dupe, toujours prête, des royalistes, éternellement prédestinée à être trompée par eux ; dupe de sa générosité, il y avait à parier que le roi venant de le mettre en danger de mort, La Fayette serait royaliste. Le parti Lameth et Barnave, en attendant qu'il pût reprendre le roi, avait besoin d'un entre-roi, ferme contre l'émeute et faible contre la Cour. La Fayette était le seul dangereux, parce qu'il était le seul honnête, si visiblement honnête, qu'à ce moment même où tout semblait l'accuser, il était populaire encore.

Donc, Danton devait l'attaquer.

Il n'y avait qu'une difficulté, c'est que, de toute cette assemblée peut-être, Danton était le seul qui dût craindre de l'attaquer.

La Fayette connaissait Danton ; il savait que, trop docile aux exemples du maître, aux leçons de Mirabeau, il était en rapport avec la Cour. Il n'avait pas vendu sa parole, qui évidemment ne cessa jamais d'être libre ; mais ce qui est plus vraisemblable, c'est qu'il s'était engagé, comme *bravo* de l'émeute, pour une protection personnelle contre les tentatives d'assassinat, une protection analogue à celle des brigands d'Italie. Qu'avait-il reçu ? On l'ignore ; la seule chose qui semble établie (sur un témoignage croyable, quoique celui d'un ennemi), c'est qu'il venait de vendre sa charge d'avocat au Conseil, et qu'il avait reçu du ministère bien plus qu'elle ne valait. Ce secret était entre Danton, Montmorin et La Fayette ; celui-ci avait sur lui cette prise ; il pouvait l'arrêter court entre deux périodes, lui lancer ce trait mortel.

Ce danger n'arrêta pas Danton ; il vit du premier coup d'œil que La Fayette n'oserait ; que, ne pouvant blesser Danton sans blesser aussi le ministre Montmorin, il ne dirait rien du tout.

« Monsieur le président, crie-t-il, les traîtres vont arriver. Qu'on dresse deux échafauds ; je demande à monter sur l'un, s'ils n'ont mérité de monter sur l'autre ! »

Et à ce moment, ils entrent. La masse était imposante. En tête, Alexandre de Lameth donnant le bras à La Fayette, signe parlant de la réconciliation, toute la gauche de l'Assemblée marchant sous un même drapeau. Puis l'homme de 89, homme déjà antique, le père et le prophète, tout au moins le parrain de la Révolution, Sieyès, l'air abstrait, plein de pensées, et à côté, pour contraste, l'avocat des avocats, Barnave, le nez au vent. Puis les grands hommes d'affaires de l'Assemblée, ses rédacteurs habituels, ses organes presque officiels, Chapelier et autres, tout le comité de Constitution.

En face de ces grandes forces, Danton prit tout d'abord une surprenante offensive. Il accuse La Fayette d'avoir attenté à sa moralité politique, essayé de le corrompre ? non précisément, mais de l'amortir, d'attiédir son patriotisme, de le gagner aux deux chambres, « au système du prêtre Sieyès ». Puis, il lui demanda brusquement pourquoi, dans un même jour, ayant arrêté à Vincennes les hommes du faubourg Saint-Antoine, il avait relâché aux Tuileries les chevaliers du poignard ?... Pourquoi (cette accusation n'était pas la moins dangereuse) la nuit même de l'évasion du roi, on avait confié la garde des Tuileries à une compagnie soigneusement épurée par La Fayette ?

« Que venez-vous chercher ici ? pourquoi vous réfugier dans cette salle que vos journalistes appellent un antre d'assassins ?... Et quel moment prenez-vous pour vous réconcilier ? Celui où le peuple est en droit de vous demander votre vie. Etes-vous traître ? êtes-vous stupide ? Dans les deux cas, vous ne pouvez plus commander. Vous aviez répondu sur votre tête que le roi ne partirait pas ? venez-vous payer votre dette ?... »

Répondre, contester, récriminer, c'eût été chauffer l'incendie. Pour y jeter de l'eau froide, Lameth fit une pastorale sur les douceurs de l'union fraternelle. La Fayette développa, sans dire un mot de la question, son radotage habituel, « qu'il avait le premier dit : Une nation devient libre, dès lors qu'elle veut être libre, etc. » Sieyès, Barnave, reprirent la thèse de la concorde ; ils en firent une adresse que Barnave rédigea. Seulement, pour contenter la fraction avancée des Jacobins, on y mit ce mot, plus accusateur que celui d'*enlèvement :* « Le roi, *égaré,* s'est éloigné... » La société fut satisfaite, car, vers le minuit, les députés sortant, Lameth et La Fayette en tête, tous les Jacobins, tous les auditeurs et spectateurs, deux ou trois mille personnes peut-être, se mirent à leur faire cortège, et cela sans exception ; ceux qui tout à l'heure avaient juré de défendre Robespierre n'en suivirent pas moins La Fayette. Toute la rue Saint-Honoré se mit aux fenêtres, et vit avec grande joie passer aux lumières cette pompeuse comédie d'harmonie et de concorde.

Le fameux mot *enlèvement,* absent de l'adresse des Jacobins, reparaît le lendemain dans celle de l'Assemblée. Le roi avait beau dire dans la protestation qu'il fuyait, l'Assemblée, dans son adresse, lui soutenait qu'il avait été *enlevé.*

Elle prenait l'engagement de *venger* la loi (promesse légère, simple phrase éloignée de sa pensée). Elle s'excusait d'avoir parfois gouverné, administré : « C'est que le roi ni les ministres *n'avaient pas alors la confiance* de la nation. » Le roi l'avait-il regagnée, en allant chercher l'étranger ? La confiance, perdue à ce point, se recouvre-t-elle ?... Ainsi l'adresse flottait, elle disait trop ici, et là trop peu. Elle faisait déjà sentir ce que pouvait être le système faux et boiteux dans lequel on s'engageait, la transaction incertaine d'une Assemblée impopulaire et d'une royauté captive, méprisée, à jamais suspecte, lequel traité, déchiré un jour par la franchise du peuple, brisé d'un accès de colère, risquait de fonder l'anarchie.

Le 22, vers neuf heures du soir, un grand bruit se fait autour de l'Assemblée ; puis, une voix, un coup de tonnerre : « Il est arrêté ! » Peu s'en réjouirent. Tels qui applaudirent le plus, pour se conformer aux sentiments des tribunes, n'en sentaient pas moins les embarras immenses que cet événement préparait.

Le lendemain 23, l'inquiétude de l'Assemblée, le désir général parmi ses membres de sauver la royauté, se formula dans un décret voté sur la proposition de Thouret : « L'Assemblée déclare traîtres *ceux qui ont conseillé, aidé ou exécuté* l'enlèvement du roi, ordonne d'arrêter ceux qui porteraient atteinte au respect dû à la dignité royale. » La royauté, la personne royale, se trouvait être ainsi innocentée, garantie.

Robespierre dit que la seconde partie du décret était inutile, et la première incomplète ; qu'on n'y parlait *que des conseillers,* que le devoir des représentants les obligerait d'agiter *une question plus importante.* Un frémissement de l'Assemblée l'avertit qu'il en disait trop.

Un grand mouvement du peuple, décisif contre la royauté, était fort probable. Le 23 juin, de bonne heure, le faubourg Saint-Antoine s'agitait et s'ébranlait. Les constitutionnels trouvèrent moyen d'exploiter le mouvement au profit de la royauté. La Fayette, avec son état-major, prit la tête de l'immense colonne, qui le suivit docilement, de la Bastille à la place Vendôme, aux Feuillants, à l'Assemblée. La tête, comme nous l'avons vu parfois, dans nos dernières émeutes, dit précisément le contraire de ce que le corps pensait. Tous venaient *contre le roi,* et les chefs dirent à l'Assemblée que ce peuple venait jurer obéissance à la Constitution, ce qui au fond comprenait l'*obéissance au roi,* partie de la Constitution. Toute l'après-midi, toute la soirée, pendant plusieurs heures, cette grande foule armée défilait dans la salle, bienveillante généralement, mais d'une familiarité rude ; il y eut même des mots menaçants pour les mauvais députés.

Le 25, Thouret proposa, l'Assemblée vota « qu'à l'arrivée du roi, il lui serait donné une garde provisoire qui *veillât à sa sûreté,* et *répondît de sa personne...* Ceux qui ont accompagné le roi seront interrogés, le roi et la reine *entendus dans leurs déclarations...* Le ministre de la Justice continue d'opposer le sceau aux décrets, *sans qu'il soit besoin de la sanction royale* ».

Malouet : « Alors le gouvernement est changé ! le roi prisonnier !... » Rœderer, croyant adoucir : « Ceci n'attaque pas l'inviolabilité; il est seulement question de tenir le roi en *état d'arrestation* provisoire. » Thouret contre Rœderer : « Non, non, ce n'est pas cela. » Et Alexandre de Lameth : « *C'est pour la sûreté du roi,* autant que pour la sûreté nationale. »

Dandré, saisissant cette occasion d'engager et compromettre décidément l'Assemblée, se mit à parler pour elle, et fit, en son lieu, une haute profession de royalisme, déclarant que la Monarchie était la meilleure forme de gouvernement. Toute l'Assemblée applaudit, mais les tribunes se turent. Ce silence devint fort sombre, et gagna toute la salle, lorsque la députation de l'Hérault, lisant une adresse tout empreinte de la violence du Midi, prononça ces paroles : « Le monde attend un grand acte de justice. »

Presque immédiatement (il était environ sept heures et demie du soir), une grande agitation se manifeste ; le bruit se répand que le roi traverse les Tuileries... puis, que les trois courriers, qui sont sur la voiture du roi sont entre les mains du peuple, en danger de mort... Vingt membres vont au secours. Bientôt entrent dans la salle Barnave, Pétion et Latour-Maubourg, que l'Assemblée avait chargé de diriger et de protéger le retour du roi. Ils viennent lui rendre compte.

CHAPITRE II

Le roi et la reine ramenés de Varennes (22-25 juin 1791)

Unanimité de la population contre le roi — Châlons seul le reçoit bien, 22 juin — Les commissaires envoyés par l'Assemblée, 23 juin — La reine et Barnave — Halte de Dormans — La famille royale à Meaux, au palais de Bossuet, 24 juin — Pétion veut sauver les trois gardes du corps — Entrée dans Paris, 25 juin — Arrivée aux Tuileries — Sentiments divers du peuple.

Le roi et la reine avaient réussi à se persuader longtemps que la Révolution était toute concentrée dans l'agitation de Paris, qu'elle était une chose tout artificielle, une conspiration isolée des Orléanistes ou des Jacobins. Le voyage de Varennes put leur faire voir le contraire, et le retour encore plus.

En vain la reine essayait de s'abuser elle-même, de rejeter le mauvais succès de l'entreprise sur des causes inconnues. « Il a fallu, disait-elle, un concours extraordinaire de circonstances, un miracle. » Le vrai miracle fut l'unanimité de la nation. Unie dans un même élan de justice et d'indignation, la France sauva la France.

Rappelons les circonstances du voyage. Cette unanimité éclate partout. Partout la force militaire est neutralisée par le peuple. Près de Châlons déjà, Choiseul ne peut soutenir le regard de cette foule pénétrante qui le surveille et le devine ; malgré les bois, malgré la nuit, l'œil du peuple le suit, le voit ; partout, de village en village, il entend sonner le tocsin. L'officier de Sainte-Menehould, celui de Clermont, sont annulés, paralysés par cette inquiète surveillance. Celui de Varennes s'enfuit, et le jeune Bouillé, menacé, ne peut commander à cette place. Bouillé lui-même ne peut venir au-devant, n'étant sûr ni de ses troupes, ni des garnisons voisines, voyant la campagne en armes. Un fait plus grave encore peut-être, et que nous avions omis, c'est que partout, dans leurs logements, les soldats s'apercevaient que leurs hôtes, pendant leur sommeil, leur enlevaient les cartouches ; les soldats du roi dormaient, le peuple ne dormait pas.

Cette unanimité terrible parut bien plus au retour. De Varennes jusqu'à Paris, dans une route de cinquante lieues, route infiniment lente, qui dura quatre jours entiers, le roi, dans sa voiture, se vit constamment entouré d'une masse compacte de peuple ; la lourde berline nageait dans une épaisse mer d'hommes, et fendait à peine les flots. C'était comme une inondation de toutes les campagnes voisines qui, tour à tour, sur la route, lançaient des vagues vivantes à cette malheureuse voiture, vagues furieuses, aboyantes, qui semblaient près d'abîmer tout, et pourtant se brisaient là. Ces hommes s'armaient jusqu'aux dents de tout ce qu'ils avaient d'armes, arrivaient chargés de fusils, de sabres et de piques, de fourches et de faux : ils partaient de loin pour tuer ; de près, ils injuriaient, ils soulageaient leur colère, criaient aux lâches et aux traîtres, suivaient quelque temps, retournaient. D'autres venaient, et toujours d'autres, infatigablement, et ceux-ci non moins ardents, entiers de force et de fureur. Ils criaient, séchaient leurs gosiers, buvaient pour crier encore. Une âpre chaleur de juin exaltait les têtes, le soleil brûlait d'aplomb, poudroyait sur la blanche route, la soulevait en nuages, à travers des forêts de baïonnettes et d'épis.

Maigres épis, pauvre moisson de Champagne pouilleuse ; la vue même de cette moisson si péniblement amenée à bien ne contribuait pas peu à augmenter la fureur des paysans : c'était justement ce moment que le roi avait choisi pour aller chercher l'ennemi, amener sur nos champs les hussards et les pandours, la cavalerie voleuse, mangeuse, outrageuse, gâcher la vie de la France aux pieds des chevaux, assurer la famine pour l'année et l'année prochaine...

Ce fut là le vrai procès de Louis XVI, plus qu'au 21 janvier. Il entendit, quatre jours de suite, de la bouche de tout le peuple, son accusation, sa condamnation. Le sentiment filial de ce peuple, si cruellement trompé, s'était tourné en fureur, et la fureur, exhalée en cris, s'exprimait aussi en reproches d'une accablante vérité, en mots terribles qui tombaient sur la coupable voiture, comme d'impitoyables traits de la justice elle-même.

Près de Sainte-Menehould, les cris redoublèrent encore. Le roi et la reine, alarmés, déclarèrent qu'ils s'arrêteraient, qu'ils n'iraient pas plus loin. Un envoyé du Conseil municipal de Paris essayait de les rassurer. Ils lui firent promettre, jurer sur sa tête, qu'il ne leur arriverait rien à eux ni aux leurs, ni en route, ni à Paris, et que, pour plus de sûreté, il ne les quitterait pas.

Personne n'en pouvait répondre. La vie de la famille royale semblait tenir à un fil. Parmi tant d'hommes furieux (beaucoup, de plus, étaient ivres), il était fort à craindre que de rage aveugle ou d'ivresse, il ne partît au hasard des coups de fusil. Mais la rage se tournait surtout contre ceux qu'on supposait avoir emmené le roi. MM. de Choiseul et de Damas auraient péri certainement si l'aide de camp de La Fayette ne se fût fait arrêter avec eux. Les trois gardes du corps qui revenaient sur le siège de la voiture semblaient morts d'avance ; plusieurs fois les baïonnettes touchèrent leur poitrine ; personne pourtant ne tira sur eux. Il y avait même, au milieu des insultes, un reste d'égards pour le roi, de la pitié du moins pour son incapacité, pour sa faiblesse connue. Les enfants aussi, qu'on voyait à la portière, désarmaient la foule, étonnaient les plus furieux. Ils arrivaient, ce semble, tout prêts à frapper ;

mais ils n'avaient pas songé aux enfants. Le doux visage de Madame Elisabeth lui conservait, à vingt-cinq ans, un charme singulier d'enfance, une quiétude de sainte, étrange dans cette situation. Et la petite princesse, quoiqu'elle eût à quatorze ans quelque chose du port altier de sa mère, tenait d'elle aussi l'éblouissant éclat de la beauté rousse et blonde. Cette foule, c'étaient des hommes (il y avait peu de femmes) ; or il n'y avait pas d'homme, fût-il ivre, fût-il furieux, qui ne se sentît le cœur faible dès qu'il se trouvait en présence de la jeune fleur.

Les plus furieux, on peut le dire, furent ceux qui partaient du plus loin, ceux qui n'arrivèrent pas à temps, et ne virent point cette famille. Deux faits ici qui ne sont imprimés nulle part, et qui font connaître assez la violente émotion de la France dès qu'elle se sut trahie :

Clouet, des Ardennes, l'un des fondateurs de l'École polytechnique, âpre stoïcien, mais sauvage, et qui n'eut jamais d'autre amour que celui de la patrie, partit sur-le-champ de Mézières, avec son fusil ; il vint à marches forcées, à pied (il n'allait pas autrement) et fit soixante lieues en trois jours, dans l'espoir de tuer le roi. A Paris, il changea d'idée.

Un autre, jeune menuisier au fond de la Bourgogne (qui, plus tard, fixé à Paris, est devenu le père de deux savants distingués), quitta également son pays pour assister au jugement et à la punition du traître. Accueilli en route chez un maître menuisier, son hôte lui fit comprendre qu'il arriverait trop tard, qu'il ferait mieux de rester, de fraterniser avec lui, et, pour cimenter la fraternité, il lui fit épouser sa fille.

Un seul homme fut tué dans le retour de Varennes, un chevalier de Saint-Louis, qui, monté comme un saint Georges, vint hardiment caracoler à la portière, au milieu des gens à pied, et démentir par ses hommages la condamnation du roi par le peuple. Il fallut que l'aide de camp le priât de s'éloigner ; il était trop tard ; il essaya de se tirer de la foule, en ralentissant le pas ; puis, se voyant serré de près, il piqua des deux et se jeta dans les terres. On tira, il répondit ; quarante coups de fusil, tirés à la fois, l'abattirent ; il disparut un moment dans un groupe, où on lui coupa la tête. Cette tête sanglante fut inhumainement apportée jusqu'à la portière ; on obtint à grand-peine de ces sauvages qu'ils tinssent éloigné des yeux de la famille royale cet objet d'horreur.

A Châlons, la scène change. Cette vieille ville, sans commerce, était peuplée de gentilshommes, de rentiers, de bourgeois royalistes. Étrangers aux idées du temps, ignorants de la situation, ces hommes de l'ancien régime virent avec un attendrissement extraordinaire leur pauvre roi traîné ainsi ; les voilà tous qui demandent à *être présentés* ; les dames et demoiselles viennent offrir aux princesses des fleurs mouillées de leurs larmes. Un somptueux couvert est préparé ; la famille royale soupe en public, on circule autour des tables. Est-ce Châlons ou Versailles ? Le roi ne le sait plus bien. La garde nationale arrive : « Ne craignez rien, sire, nous vous défendrons. » Quelques-uns allaient jusqu'à dire qu'ils mèneraient le roi jusqu'à Montmédy.

Le roi soupe, couche, de bonne heure va à la messe. Mais déjà tout est changé. Les ouvriers de Reims sont arrivés, toute la Champagne arrive ; une armée avant le jour se trouve remplir Châlons : tout cela animé de la marche ; ils veulent voir sur-le-champ le roi, sur-le-champ partir. Paris ! Paris ! c'est le cri universel ; les croisées sont couchées en joue. Le roi paraît au balcon avec sa famille, digne et calme : « Puisqu'on m'y force, dit-il, je m'en vais partir. »

Entre Epernay et Dormans, trois envoyés de l'Assemblée arrêtent le cortège ; ils viennent assurer, diriger le retour du roi. Tous trois choisis dans la gauche. Le *Monarchien* Malouet eût été l'intermédiaire naturel, le négociateur avec un roi libre ; pour garder un roi prisonnier, la gauche avait envoyé trois hommes qui exprimaient ses trois nuances, Barnave, Latour-Maubourg et Pétion.

La reine les reçut fort mal ; outre leur mission, qui les rendait peu agréables, elle avait d'autres motifs, et très différents, de les voir de mauvais œil. Latour-Maubourg, homme de cour et jadis favorisé, néanmoins ami personnel du gardien du roi, représentant de La Fayette en cette circonstance, était spécialement haï ; il ne supporta pas l'œil de la reine, monta dans une autre voiture où étaient les femmes, laissa à ses collègues le triste et périlleux honneur de monter dans le carrosse du roi. Pétion naturellement était odieux ; on croyait voir en lui le Jacobin des Jacobins, la Révolution. Barnave, c'était bien pis ; en lui, l'on voyait l'odieuse trinité (Duport, Barnave et Lameth) d'intrigants, d'ingrats, de gens, en outre, envers qui l'on avait un tort récent, que l'on avait fait semblant de consulter et de croire, qu'on avait amusés, trompés ; et maintenant la fatalité voulait qu'on tombât dans leurs mains.

Pétion choqua d'abord infiniment, en déclarant que, représentant de l'Assemblée, il lui fallait siéger au fond. Cela obligea Madame Elisabeth de passer sur le devant de la voiture ; Barnave s'y assit près d'elle, en face de la reine.

Barnave, âgé de vingt-huit ans, avait la figure fort jeune, de beaux yeux bleus, la bouche grande, le nez retroussé, la voix aigre. Sa personne était élégante. Il avait l'air audacieux d'un avocat duelliste, tout prêt aux deux sortes d'escrime. Il semblait froid, sec et méchant, et ne l'était point au fond. Sa physionomie n'exprimait en réalité que sa vie de luttes, de dispute, l'irritation habituelle de la vanité.

Il annonça tout d'abord l'intention royaliste du parti qui l'envoyait. Quand il eut lu tout haut le décret de l'Assemblée, le roi dit

« qu'il n'avait jamais eu l'intention de sortir de France ». Alors Barnave, saisissant vivement cette parole : « Voilà, dit-il à Mathieu Dumas, lieutenant de La Fayette, voilà un mot qui sauvera le royaume. »

La reine remarquait cependant que le jeune député se retournait fréquemment pour voir les gardes du corps sur le siège de la voiture ; puis il reportait ses regards vers elle avec une expression dure, où l'on eût pu distinguer quelque chose d'équivoque et d'ironique. La reine était une femme, elle sentit sur-le-champ ce qu'aucun homme n'eût compris ; d'un coup d'œil hardi et fin, elle mesura d'abord l'immense parti qu'elle pouvait tirer de cette disposition, malveillante en apparence.

Elle comprit sans difficulté que Barnave croyait voir parmi les gardes du corps l'homme dévoué à qui la reine avait accordé la faveur de diriger l'enlèvement, la faveur de mourir pour elle, l'heureux comte de Fersen. Disons net : elle distingua que Barnave était jaloux.

Pour ne point trouver ceci absurde, il faut savoir que Barnave, dans sa vanité, voulait être absolument le successeur de Mirabeau ; il croyait à la tribune avoir sa succession, mais il la voulait complète : la reine en était, selon lui. La confiance de la reine lui semblait, dans cet héritage, le plus beau diamant du défunt. Il avait cru un moment atteindre cette haute fortune, lorsque la Cour fit semblant de demander les conseils des trois amis. Deux des trois, Lameth et Duport, étant notoirement désagréables, le confident nécessaire était Barnave ; du moins, il l'avait cru ainsi. Donc, il était singulièrement mortifié, comme homme politique et comme homme, de cet enlèvement de Varennes ; il lui semblait qu'on lui volât ce que, dans son excessive présomption, il croyait déjà à lui.

La reine était trop altière pour se dire nettement tout cela, comme je vous le dis ici ; mais elle n'en vit pas moins tout ce qu'il fallait en voir. Elle saisit, sans affectation, la première occasion naturelle pour nommer les trois gardes du corps. Barnave vit qu'il s'était trompé, que Fersen n'était pas là. Voilà un homme tout changé ; la tête baisse, le ton devient doux, respectueux : il se sent coupable, il n'est plus occupé que d'expier, à force d'égards, son impertinence. Cela semblait difficile, la reine ne daignant lui adresser la parole.

Barnave ne pouvait agir que fort indirectement. Placé en face de la reine, il était en face aussi de la très froide figure de son collègue Pétion, qui, à la vérité, connaissait trop peu le monde et les passions pour rien voir de tout ceci. Pétion, essentiellement lourd et gauche, avait adressé je ne sais quel mot peu convenable à Madame Elisabeth, qui, toute simple qu'elle paraissait, l'avait fort bien relevé. Puis, pour raccommoder la chose, il avait justement touché le point où la jeune princesse était le plus vulnérable, la foi, la religion, répétant contre le christianisme je ne sais quelle banalité philosophique. Emue, la pauvre princesse, contre son habitude, se mit à parler de suite, pour défendre son trésor ; elle devint presque éloquente.

Barnave écoutait, et ne disait mot. Le roi, avec sa bonhomie ordinaire, s'avisa, sans à-propos, de lui adresser la parole ; il lui parla de l'Assemblée, sujet agréable au jeune orateur ; c'était le replacer sur le champ de ses triomphes. La politique générale vint ensuite, et Barnave défendit ses opinions avec infiniment de ménagement et de respect.

Pétion faisait un contraste de familiarité cynique, qui profitait fort à Barnave. Le roi ayant eu occasion de dire qu'il n'avait agi que pour le bien, « puisque, après tout, la France ne pouvait être en république ». — « Pas encore, il est vrai, dit sèchement Pétion, les Français ne sont pas encore tout à fait assez mûrs... » Il se fit un grand silence.

Ce n'est pas tout. Le dauphin, qui allait et venait, s'était d'abord arrangé entre les jambes de Pétion. Celui-ci, paternellement, lui caressait ses boucles blondes, et parfois, si la discussion s'animait, les tirait un peu. La reine fut très blessée ; elle reprit vivement l'enfant, qui, suivant son instinct d'enfant, alla juste où il devait être le mieux reçu, sur les genoux de Barnave. Là, commodément assis, il épela à loisir les lettres que portait chaque bouton de l'habit du député, et réussit à lire la belle devise : « Vivre libre, ou mourir. »

Ce petit tableau d'intérieur, qui l'eût cru ? roulait, paisible, à travers une foule irritée, parmi les cris, les menaces. A force de les entendre, on ne les entendait plus. Le péril était le même, et l'on y songeait à peine. L'étourdissement était venu, et l'insensibilité au mouvant tableau du dehors, incessamment renouvelé. Chose étrange, et qui montre les ressources éternellement vitales de la nature, ce petit monde fragile de gens qui, ensemble, s'en allaient tous à la mort, s'arrangeait, chemin faisant, pour vivre encore dans la tempête.

Mais, tout à coup, voici un choc... Un flot nouveau de furieux veut tuer les gardes du corps, Barnave passa la tête à la portière, et les regarda ; ce fut comme si l'Assemblée nationale eût été là : ils reculèrent tous.

Un peu plus loin, autre incident, et plus grave, qui faillit être fatal. Un pauvre prêtre, le cœur navré du sort du roi, approche, les yeux pleins de larmes, et lève les mains au ciel... La foule furieuse le saisit, on l'entraîne, il va périr... Barnave se précipite, moitié corps, hors de la voiture : « Tigres, vous n'êtes donc pas Français !... La France, le peuple des braves, est-il celui des assassins ? » Le prêtre fut sauvé par ce mot. Mais Barnave serait tombé, si Madame Elisabeth, toute dominée qu'elle était toujours par l'étiquette et la réserve, n'eût tout oublié en ce moment, et ne l'eût tenu par la basque... La reine en fut toute surprise, autant qu'émue et reconnaissante pour le noble jeune homme. Dès lors, elle lui parla.

Le soir du troisième jour, la famille royale descend à Meaux, au palais épiscopal, palais de Bossuet. Digne maison d'abriter une telle infortune, digne par sa mélancolie. Ni Versailles ni Trianon ne sont aussi noblement tristes, ne rendent plus présente la grandeur des temps écoulés. Et, ce qui touche encore plus, c'est que la grandeur y est simple. Un large et sombre escalier de brique, escalier sans marches, dirigé en pente douce, conduit aux appartements. Le monotone jardin, que domine la tour de l'église, est borné par les vieux remparts de la ville, aujourd'hui tout enveloppés de lierre ; sur cette terrasse, une allée de houx mène au cabinet du grand homme, sinistre, funèbre allée, où l'on croirait volontiers qu'il put avoir les pressentiments de la fin de ce monde monarchique dont il était la grande voix.

Et c'est elle qui venait, cette Monarchie expirée, demander au toit de Bossuet l'abri d'une seule nuit.

La reine trouva ce lieu tellement selon son cœur, que, sans tenir compte de la situation, sans se soucier de savoir si elle vivrait le lendemain, elle prit le bras de Barnave et se fit montrer le palais. Il est tout plein de souvenirs ; plusieurs portraits sont précieux. Elle dut voir, dans la chambre même où le grand homme couchait, le portrait d'une princesse, l'image, si je ne me trompe, de celle qui, mourante, légua à Bossuet son anneau.

Barnave, dans ce lieu si grave, profitant de la situation, de l'émotion de la reine, lui donna, du fond du cœur, des conseils pour la sauver. Il lui fit toucher au doigt les fautes du parti royaliste : « Ah ! madame, comme votre cause a été mal défendue ! quelle ignorance de l'esprit du temps et du génie de la France !... Bien des fois, j'ai été au moment d'aller m'offrir, de me dévouer à vous .... » — « Mais enfin, monsieur, quels sont donc les moyens que vous auriez conseillés ? » — « Un seul, madame : vous faire aimer du peuple. » — « Hélas ! comment l'aurais-je acquis, cet amour ? tout travaillait à me l'ôter. » — « Eh ! madame, si, moi, inconnu, sorti de mon obscurité, j'ai obtenu la popularité, combien vous était-il aisé, si vous faisiez le moindre effort de la garder, de la reconquérir... » Le souper interrompit.

Après le souper, Piéton fit une chose très courageuse, très humaine, qui démentit singulièrement la froideur qu'il affectait ; il prit le roi à part, et lui offrit de faire évader les trois gardes du corps, en les déguisant en gardes nationaux. L'offre était aussi d'un bon citoyen, d'un excellent patriote ; c'était, certes, aimer le peuple que de lui épargner un crime, c'était sauver l'honneur de la France. La reine n'accepta pas cette offre, soit qu'elle ne voulût rien devoir à Pétion, soit qu'elle eût l'idée insensée (Valori n'hésite pas à le dire) que Pétion ne voulait les éloigner que pour les faire assassiner plus sûrement, loin de la présence du roi qui les protégeait !

Le lendemain, 25 juin, c'était le dernier jour, le jour terrible où il fallait affronter Paris. Barnave se plaça au fond, entre le roi et la reine, pour la rassurer sans doute, et aussi pour mieux justifier le péril ; si un furieux eût tiré, ç'aurait été là. Des précautions étaient prises, il est vrai, autant que la situation le permettait. Un militaire distingué, M. Mathieu Dumas, chargé par La Fayette de protéger le retour, avait entouré la voiture d'une forte troupe de grenadiers, dont les grands bonnets à poil couvraient presque les portières ; des grenadiers furent assis sur une sorte de siège intérieur établi sous le siège de la voiture où étaient les gardes du corps ; ils se chargèrent de les protéger, et y réussirent ; d'autres grenadiers, enfin, furent placés sur les chevaux.

La chaleur était excessive, la voiture se traînait dans un nuage de poussière ; on ne pouvait respirer ; il semblait que l'air manquât en approchant de Paris ; la reine plusieurs fois cria qu'elle étouffait. Le roi, au Bourget, demanda et but du vin pour se remettre le cœur. L'entrée était effrayante de cris et de hurlements ; la foule couvrait tout jusqu'aux toits. On jugea avec raison qu'il y aurait le plus grand danger à s'engager dans le faubourg et la rue Saint-Martin, célèbres depuis l'horrible histoire de Berthier. On tourna Paris par le dehors, on traversa les Champs-Elysées, la place Louis-XV, et l'on entra aux Tuileries par le pont tournant. Tout le monde avait le chapeau sur la tête ; pas un mot dans toute cette foule ; ce vaste silence, sur cette mer de peuple, était une chose terrible.

Le peuple de Paris, ingénieux dans sa vengeance, ne fit qu'une insulte au roi, un signe, un reproche muet. A la place Louis-XV, on avait bandé les yeux à la statue, pour que l'humiliant symbole représentât à Louis XVI l'aveuglement de la royauté.

La lourde berline allemande roulait lente et funèbre, les stores à demi baissés ; on croyait voir le convoi de la Monarchie. Quand les troupes et la garde nationale se rencontrèrent aux Tuileries, elles agitèrent les armes et fraternisèrent entre elles et avec le peuple. Union générale de la France et une seule famille exclue !

Seule allait la triste voiture, sous l'excommunication du silence. On aurait pu la croire vide, si un enfant n'eût été à la portière, demandant grâce au peuple pour ses parents infortunés.

On épargna à la famille royale l'horreur et le danger de traverser cette foule hostile dans la longueur des Tuileries.

On fit aller la voiture jusqu'aux marches de la large terrasse qui s'étend devant le palais. Là, il fallait bien descendre ; là, des hommes furieux, des tigres, attendaient, espéraient une proie ; ils supposaient que, le roi une fois descendu, les trois courriers seraient sans défense.

Le roi resta dans la voiture. On avertit l'Assemblée, qui envoya vingt députés ; mais ce secours eût été inutile si les gardes nationaux, se réunissant en cercle, n'eussent croisé les baïonnettes sur la tête des trois malheureux ; encore, par-dessus, reçurent-ils de légères blessures. Le roi alors et la reine descendirent. Deux députés qu'elle regardait comme ses ennemis personnels, Aiguillon et Noailles, étaient là pour la recevoir et veiller à sa sûreté ; ils lui offrirent la main, et, sans lui dire un mot, la menèrent rapidement au palais, parmi les malédictions. Elle se croyait perdue dans leurs mains, pensant qu'ils voulaient la livrer au peuple ou l'enfermer seule dans quelque prison.

Elle eut ensuite une autre angoisse ; elle ne vit plus son fils... Avait-il été étouffé ? ou voulait-on le séparer d'elle ?... Elle le retrouva enfin, heureusement ; on l'avait enlevé, porté dans les bras, jusqu'à son appartement.

Sauf ces groupes de furieux qui voulaient tuer les gardes du corps, l'impression générale de la foule, tout indignée qu'elle parût, était au fond très mêlée. Il était peu d'hommes qui, devant une telle chute, une telle humiliation, n'éprouvassent quelque émotion, malgré eux, ne se sentissent profondément avertis des terribles jeux du sort. Deux faits prouveront assez ce mélange si naturel de sentiments contraires. Un royaliste, un député, M. de Guilhermy, indigné de voir qu'on obligeait tout le monde de garder son chapeau sur la tête, au passage du roi, jeta le sien bien loin dans la foule, en criant : « Qu'on ose me le rapporter ! » On respecta ou son courage, ou sa fidélité ; personne ne murmura. Même scène aux portes du palais. Cinq ou six femmes de la reine voulaient entrer aux Tuileries pour la recevoir ; les sentinelles les arrêtaient, des poissardes les injuriaient, en criant : « Esclaves de l'Autrichienne ! » — « Ecoutez, dit l'une des femmes, sœur de Mme Campan, je suis attachée à la reine depuis l'âge de quinze ans ; elle m'a dotée et mariée ; je l'ai servie puissante et heureuse. Elle est infortunée en ce moment, dois-je l'abandonner !... » — « Elle a raison, s'écrièrent les poissardes, elle ne doit pas abandonner sa maîtresse ; faisons-les entrer. » Elles entourèrent la sentinelle, forcèrent le passage, et introduisirent les femmes.

Tel était le peuple, partagé entre deux sentiments contraires, l'humanité d'une part, de l'autre l'indignation, la défiance (trop fondée, on le verra tout à l'heure). La scène véritablement lugubre du retour du roi avait impressionné vivement les esprits. Le soir même, dans les familles, les femmes avaient le cœur bien gros, et beaucoup ne soupèrent pas. Le lendemain, on promena le dauphin sur la terrasse de l'eau ; un garde national le prenait dans ses bras pour qu'on le vît mieux du quai, et il envoyait, ce pauvre enfant, des baisers au peuple. Personne ne vit cela impunément, ni sans se troubler. La violence, vraie ou simulée, des journaux, ne suffisait pas à combattre la sensibilité publique.

Les Révolutions de Paris remarquaient en vain que ce monstre de roi avait si peu de cœur, était si peu sensible à sa situation, que, dès le lendemain de son retour, il s'était mis le soir, comme à l'ordinaire, à jouer avec son enfant. Beaucoup d'ardents patriotes s'indignaient contre eux-mêmes, en lisant, de se sentir des larmes dans les yeux.

CHAPITRE III

Indécision, variations des principaux acteurs politiques (juin 91)

Indécision générale — Fluctuation de la reine et des royalistes, des Jacobins, de Camille Desmoulins — Attitude expectante de Danton, de Robespierre, de Pétion, de Brissot — Influences diverses qui se disputent La Fayette — Discussion chez La Rochefoucauld — Opinion de Sieyès — Mme de La Fayette — Exaltation des dames royalistes.

Voilà le roi aux Tuileries. L'embarras commence. La plupart croyaient savoir ce qu'il y avait à faire. Et pas un ne le sait plus.

Il semble qu'avec des passions si violemment animées, chacun doit connaître son but, ce qu'il veut et où il tend. La fluctuation est extrême. La vivacité des paroles couvre une grande indécision d'esprit. De là des démarches flottantes, peu conséquentes. Il ne faut pas se hâter d'accuser les acteurs de duplicité, si leurs mouvements sont discordants, s'ils chancellent, penchent à droite, à gauche ; le vaisseau est en pleine mer, c'est le roulis de la tempête.

Cette fluctuation dans les actes et les paroles est si générale, que tout à l'heure celles même de la reine semblent un moment révolutionnaires. Dès qu'elle revoit Mme Campan aux Tuileries, elle lui parle avec chaleur, avec émotion, de Barnave ; elle le loue, le justifie devant sa femme de chambre ! Elle adopte, à l'étourdie, dans son épanchement indiscret, le principe de la Révolution : « Un sentiment d'orgueil, dit-elle, *que je ne saurais blâmer,* lui a fait applaudir à tout ce qui aplanissait la route des honneurs et de la gloire pour la classe dans laquelle il est né. Point de pardon pour les nobles, qui (après avoir obtenu toutes les faveurs, souvent au détriment des non-nobles du plus grand mérite) se sont jetés dans la Révolution... Mais si jamais la puissance nous revient, le pardon de Barnave est d'avance écrit dans nos cœurs. » L'ancien régime est bien malade, lorsque, la reine, suivant à l'aveugle une affection particulière, se fait, sans s'en apercevoir, l'apologiste de l'égalité.

La reine est-elle donc convertie ? Nullement. Elle suit la passion en ce moment, et dans un autre elle suit une passion contraire. Nous la voyons, en un mois, changer trois fois de pensées, selon la peur, le dépit, l'espoir. Dans le voyage, elle a peur, elle se serre contre Barnave, elle l'écoute, elle le croit. Aux Tuileries, elle est prisonnière, elle s'irrite, elle appelle l'étranger (7 juillet). Puis, vient une lueur d'espoir, elle se remet à Barnave, aux constitutionnels, prie Léopold de ne point agir (30 juillet). Nous reviendrons sur tout ceci.

Cette variation étrange n'est pas particulière à la reine. Je la retrouve, alors, dans tous les personnages historiques qu'il m'est donné d'observer. Pour en commencer légitimement l'histoire, il faudrait remonter au héros commun, au modèle de la plupart des meneurs révolutionnaires, à Mirabeau ; c'est le maître en variations. Toutes lui étaient naturelles, en lui tous les principes contraires s'étaient donné rendez-vous ; la nature avait fait un monstre sublime, immoral à regarder. Gentilhomme, aristocrate jusqu'au ridicule, M. le comte n'en avait pas moins par moments je ne sais quels réveils républicains des Riquetti de Marseille et de Florence. Sa furieuse histoire de la royauté, écrite au donjon, est déjà implicitement l'apologie de la République. Royaliste du moment qu'il a brisé la royauté, il fait des discours pour la reine, ce qui ne l'empêche pas de traduire, pour la Le Jay, sa maîtresse et son libraire, le livre de Milton, violemment républicain ; ses amis l'obligèrent de brûler l'édition. Faible pour ses amis, ses maîtresses et ses vices, faible encore par l'opinion qu'il avait des vices et de la faiblesse de la France, il regardait la République, non comme l'âge naturel de majorité où tout peuple adulte arrive, mais comme une crise extrême, une ressource désespérée : « S'ils ne sont pas raisonnables, dit-il, je les f... en république. »

On ferait un livre des variations de son disciple fidèle, du pauvre Camille. Nous le voyons, presque en même temps, pour et contre Mirabeau, pour et contre les Lameth ; naguère, à deux heures de distance, il serrait la main de La Fayette, et pleurait pour Robespierre. Ce n'était pas la hardiesse d'esprit ni l'initiative qui lui manquait. Il en prit une grande et belle en 89, celle de l'appel aux armes, celle de la République. Il trouvait du premier coup, l'admirable enfant, le mot même de la vérité. Puis le cœur venait, faible, mobile, les influences d'amis ; il s'en allait consulter ceux qu'il aimait ou admirait, et n'en rapportait que doute.

Il ne quitte son premier maître que pour en chercher un autre. Toujours il lui faut un oracle, quelqu'un qui lui parle d'en haut, qui prenne sur lui autorité. Ces oracles, cependant, ces grands tacticiens politiques, malgré leurs formes altières et tranchantes, ne le laissent pas moins suspendu entre le *oui* et le *non*. Ils consultent moins le droit, moins la situation générale que leur moment personnel, regardant s'il est bien temps d'avancer ou de reculer, attendant, louvoyant, épiant les courants de l'opinion, pour se faire porter par eux, en paraissant les conduire.

L'habileté que montrèrent Danton et Robespierre à parler toujours sans se déclarer pour ou contre la République est fort remarquable. La voix tonnante de l'un, le dogmatisme de l'autre, semblaient devoir les compromettre. Nullement. Tous deux regardent attentivement les Jacobins, n'avancent que pas à pas. Il fallait voir ce que ferait cette puissante société, attendre ce que penseraient les sociétés affiliées des provinces ; en se déclarant précipitamment, on pouvait se mettre en contradiction avec elles et se trouver seul.

Les adresses de ces sociétés devaient influer puissamment sur la société de Paris ; elles devaient fortifier ou l'une ou l'autre fraction de celle-ci, la royaliste constitutionnelle, composée surtout de députés de l'Assemblée actuelle, ou la fraction indépendante, composée, on pouvait le croire, des membres de la future Assemblée.

La première fraction régnait jusque-là. Le 22 juin, le cordelier Robert, racontant naïvement aux Jacobins « qu'il a porté une adresse pour la destruction de la Monarchie ! » Indignation, imprécations : « Nous sommes les Amis de la Constitution... C'est une scélératesse », etc.

Le 8 juillet, comme on verra, la société semble changée, la fraction indépendante a gagné l'avantage ; elle fait accueillir la proposition de destituer le roi. Qui a pu, en si peu de temps, faire ce changement singulier ? Les adresses surtout des sociétés de provinces, presque toutes contraires à la Monarchie.

Et que firent dans l'intervalle Danton, Robespierre ? Ils se ménagèrent. Le plus curieux, c'est Danton, parlant toujours haut et ferme, mais prudent dans l'audace même. Sa voix terrible faisait une étrange illusion, il semblait toujours affirmer. A peine hasarda-t-il un mot pour le cordelier Robert. Dans son avis sur le roi, il employait, pour le sauver, un moyen qui lui réussit plus tard pour sauver Garat et autres ; c'était de l'injurier, de le rabaisser, de le déclarer au-dessous de la justice : « Ce serait un spectacle horrible à présenter à l'univers, si, ayant la faculté de trouver un roi criminel ou imbécile, nous ne choisissions ce dernier parti. » Et il proposait, non pas un régent, mais *un conseil à l'interdiction*. Qui eût présidé ce conseil, sinon le duc d'Orléans ? Cet avis, ouvert à grand bruit, d'une voix foudroyante et terrible, n'en était pas moins admirable pour ménager tout ; il sauvait personnellement Louis XVI, réservait le dauphin, préparait le duc d'Orléans, ne décourageait nullement la République.

Robespierre ne se décida pas davantage. Tout en faisant entendre qu'il ne suffisait pas de poursuivre des complices, qu'il fallait trouver *un coupable*, autrement dit qu'il y avait lieu de faire le procès au roi, il ne s'expliquait nullement sur le gouvernement qu'il fallait constituer. Le mot vague de *république* n'avait rien qui l'attirât ; il craignait sans doute une république des comités de l'Assemblée, une présidence de La Fayette, etc. Aussi ne s'avançait-il pas ; une position toute négative était pour lui un lieu sûr, où il attendait. Le 13 juillet encore, lorsque beaucoup d'écrivains, de journalistes, s'étaient prononcés nettement, Robespierre disait aux Jacobins : « On m'a accusé d'être républicain, on m'a fait trop d'honneur, je ne le suis pas. Si l'on m'eût accusé d'être monarchiste, on m'eût déshonoré, je ne le suis pas non plus. » Puis, jouant sur le mot république (comme *chose publique*), il fait semblant de croire que république ne signifie aucune forme de gouvernement.

Pétion, très positivement républicain, et qui avait professé la République dans la voiture même de Louis XVI, croyait pourtant que le moment n'était pas venu de se prononcer. Un jour que plusieurs personnes étaient réunies chez lui pour savoir ce qu'on proposerait relativement au roi, Pétion, pour se dispenser de parler, jouait de son violon.

Brissot, qui était présent, se fâcha, lui fit honte de cette indifférence apparente. Mais lui-même, il ne s'avançait pas précipitamment. Le 23 juin, il se contente encore de copier, dans son *Patriote,* les articles des autres journaux ; il promet de donner son avis plus tard. Le 26 même, il se fâche, s'emporte contre Lameth, qui l'accuse de propager la République, d'avoir envoyé des courriers pour solliciter des adresses républicaines. Il agit déjà, sans doute, mais ne veut paraître agir. Le 27, son jeune ami, Girey-Dupré, livré entièrement à lui, mais plein d'audace et d'élan, demande expressément aux Jacobins : « Qu'on fasse le procès au roi. » Le 1er juillet seulement, Brissot demande dans son journal la destitution de Louis XVI.

Brissot attendait La Fayette, il le croyait républicain. Il avait reçu de lui la promesse d'aider pécuniairement et répandre son journal. Il excusait la réunion momentanée de La Fayette aux Lameth par le danger de la crise, la nécessité de concentrer toutes les forces au profit de l'ordre. Peut-être, en effet, La Fayette n'était-il pas encore irrévocablement décidé. Ce fut très probablement pour le fixer au royalisme, que son intime ami, le duc de La Rochefoucauld, convoqua une réunion de députés chez lui, et fit débattre la question de la République. Ce grand seigneur avait été, avant la Révolution, l'ami, le père des philosophes, le centre et l'appui de toutes les sociétés philanthropiques. Il avait poussé vivement aux idées de 89 ; en 91, il s'effrayait, il eût bien voulu reculer. Il fit discuter solennellement chez lui la thèse de la République devant ceux qui flottaient encore, voulant finir par un débat contradictoire le débat intérieur qui agitait leurs esprits. Le royaliste Dupont de Nemours se fit (comme on fait dans les controverses théologiques) l'*avocat du diable,* je veux dire de la République. Le *diable,* c'est ce qui lui arrive toujours en pareil cas, fut tué sans difficulté, et la République jugée impossible, la France déclarée royaliste.

La Rochefoucauld, dans cette discussion, assurait avoir une préférence naturelle pour la République ; c'était lui qui, le premier, avait autrefois fait traduire les constitutions des États-Unis. Mais enfin il était battu, la France était royaliste, elle l'avait dit elle-même dans les cahiers de 89. C'était aussi l'opinion de la grande autorité du temps, l'oracle de Sieyès, que l'on ne manquait pas de consulter dans toute occasion solennelle, et qui, dans celle-ci, dit et imprima que le gouvernement monarchique était celui qui laissait le plus de liberté à l'individu. La liberté de Sieyès, celle qu'il voulait pour lui, pour les autres, c'était cette liberté passive, inerte, égoïste, qui laisse l'homme à son épicurisme solitaire, la liberté de jouir seul, la liberté de ne rien faire, de rêver ou de dormir, comme un moine dans sa cellule, ou comme un chat sur un coussin. Pour cette liberté-là, il fallait une Monarchie. Force étrange de l'égoïsme ! Le mathématicien politique, qui ne parlait que de calculer toute l'action sociale, se remettait, faute de cœur, au gouvernement monarchique, c'est-à-dire au hasard de l'individualité et de la nature, que personne ne peut calculer. Cette Monarchie, il est vrai, était une certaine Monarchie, un mystère qu'on ne s'expliquait pas. Sieyès s'entendait tout seul ; son monarque était une espèce de dieu d'Epicure, qui n'avait nulle action, mais seulement un pouvoir d'élire. Dès cette époque, il avait en pensée le système singulier qu'il proposa à Bonaparte, et dont celui-ci se moqua.

La Fayette, outre Sieyès, outre La Rochefoucauld et tous les amis qu'il avait encore dans sa caste, La Fayette avait près de lui un autre avocat, bien puissant, de la royauté. Il s'agit de Mme de La Fayette, épouse accomplie, vertueuse, aimante, mais dangereuse à son mari par sa véhémence dans la dévotion et le royalisme. Née Noailles, elle ne partageait nullement l'élan révolutionnaire de quelques-uns de ses parents. Elle était étroitement unie aux dames de Noailles et d'Ayen, d'une piété ardente, comme il parut à leur mort, en 1794. Ces dames fréquentaient beaucoup le couvent des Miramiones, l'un des principaux foyers du fanatisme d'alors. Femmes aimables, passionnées, puissantes par leurs vertus, elles enveloppaient La Fayette, lui faisaient une sorte de douce guerre, qui n'en était que plus terrible. Mme de La Fayette, surtout, ne lui pardonnait pas de se constituer le geôlier du roi. Sa résignation pieuse ne put triompher de ce sentiment ; elle partit de Paris, en mai 91, brusquement, s'enfuit en Auvergne. Ce départ subit amusa les Parisiens ; on le rapprochait de celui de la duchesse d'Orléans, qui, justement, à la même époque, fuyait également son mari.

Une autre cause aussi l'éloignait sans doute. Elle devait être fatiguée de l'enthousiasme romanesque dont les dames obsédaient le héros des deux mondes. Beaucoup déclaraient nettement qu'elles en étaient amoureuses, qu'elles ne pouvaient vivre sans son portrait. C'était un Dieu, un sauveur. Et c'était à ce titre qu'elles le priaient et suppliaient de sauver la royauté. « Ah ! monsieur de La Fayette, sauvez-nous le pauvre roi. » Tout raisonnable, tout flegmatique, froidement Américain que parût le blond général, il était excessivement embarrassant et difficile, au plus sage même des hommes, de voir tant de belles dames pleurer en vain à ses genoux.

Les femmes, il faut le dire, se montraient dans tout ceci bien plus décidées que les hommes. Eux, ils flottaient dans les idées ; elles, elles suivaient le sentiment, et ne flottaient point. Pour elles, les partis, c'étaient des religions, où elles mettaient leur cœur. Les dames royalistes aimaient, avant Varennes ; après, elles adoraient ; cette grande faute et ce grand malheur n'étaient pour elles qu'une raison d'aimer davantage. La reine était devenue pour elles un objet d'idolâtrie. Elles pleuraient sous ses fenêtres ; elles auraient voulu être enfermées avec elle, comme Mme de Lamballe, à qui la reine au retour donna un anneau de ses cheveux, avec cette devise : *Blanchis par le malheur*. La pauvre petite femme, jadis mariée sans mariage, délaissée de son mari, plus tard délaissée de la reine pour la belle Polignac, restait liée à son danger, instrument docile des intrigues politiques, victime désignée de la haine populaire.

Mais le danger aussi était ce qui tentait les femmes. On en vit la preuve au premier jour que la reine put aller au théâtre, jour de lutte entre les loges royalistes et le parterre jacobin. La charmante Dugazon, dans cette arène des partis, humble servante du public et si exposée, osa pourtant profiter d'un mot de son rôle pour épancher son cœur ; elle s'avança sur la scène vers la loge royale, frémissante d'amour et d'audace, et lança ce mot qui bientôt pouvait lui coûter la vie : « Ah ! combien j'aime ma maîtresse ! »

CHAPITRE IV

La société en 1791 — Le salon de Condorcet

Deux religions se posent en face : l'idole et l'idée — Règne du sentiment des femmes — L'amour du réel et de l'idéal confondu — Tendances élevées des femmes — Elles se mêlent à la vie politique — Genlis, Staël, Kéralio, de Gouges, etc. — Le salon de Mme de Condorcet — Caractère de Condorcet ; noble influence de sa femme sur lui — Son républicanisme (juillet 91) — Sa situation double et contradictoire.

Presque en face des Tuileries, sur l'autre rive, en vue du pavillon de Flore et du salon royaliste de Mme de Lamballe, est le Palais de la Monnaie. Là fut un autre salon, celui de M. de Condorcet, qu'un contemporain appelle le foyer de la République.

Ce salon européen de l'illustre secrétaire de l'Académie des sciences, du dernier des philosophes, vit en effet se concentrer, de tous les points du monde, la pensée républicaine du temps. Elle y fermenta, y prit corps et figure, y trouva ses formules. Pour l'initiative et l'idée première, elle appartenait, nous l'avons vu, dès 89, à Camille Desmoulins. En juin 91, Bonneville et les Cordeliers ont poussé le premier cri. Tout à l'heure nous allons voir Mme Roland donner à l'idée républicaine la force morale de son âme stoïque, et son charme passionné.

Nous ne sommes pas de ceux qui s'exagèrent l'influence individuelle. Pour nous, le fond essentiel de l'histoire est dans la pensée populaire. La République, sans nul doute, flottait dans cette pensée. Presque tout le monde en France l'avait, à l'état négatif, sous cette forme : *Le roi est désormais impossible*. Beaucoup d'hommes l'avaient déjà sous la forme positive. *La France désormais doit se gouverner elle-même*. Néanmoins, pour que cette idée, générale encore, arrivât à sa formule spéciale et applicable, il fallait qu'elle fermentât dans un foyer circonscrit, qu'elle y prît chaleur et lumière que, du choc des discussions, partît l'étincelle.

Ici il faut que je m'arrête, et que j'envisage sérieusement la société du temps. Je laisserais cette histoire profondément obscure, si j'en donnais les actes extérieurs, sans en dévoiler les mobiles. A juger seulement ces actes, à voir l'indécision des meneurs politiques, telle qu'on l'a pu voir tout à l'heure, qui soupçonnerait un monde si ardent, si passionné ?

Qu'on me reproche, si l'on veut, ce qu'on appellera une digression, et ce qui est, en effet, le cœur du sujet, et le fond du fond. La première condition de l'histoire, c'est la vérité. Je ne sais trop d'ailleurs si la construction sévèrement géométrique où se plaisent nos modernes est toujours conciliable avec les profondes exigences de la nature vivante. Ils sont par lignes droites et par angles droits ; la nature procède par courbes, en toute chose organique. Je vois aussi que mes maîtres, les fils aînés de la nature, les grands historiens de l'Antiquité, au lieu de suivre servilement la droite voie géométrique du voyageur insouciant qui n'a pour but que d'arriver, au lieu de courir la surface aride, s'arrêtent par moments, au besoin même, se détournent, pour faire de puissantes et fécondes percées au fond de la terre.

Moi aussi, j'y pénétrerai, j'y chercherai les eaux vives qui remontant tout à l'heure, vont animer cette histoire.

Le caractère de 91, c'est que les partis y deviennent des religions. Deux religions se posent en face, l'idolâtrie dévote et royaliste, l'idéalité républicaine. Dans l'une, l'âme, irritée par le sentiment de la pitié même, rejetée violemment vers le passé qu'on lui dispute, s'acharne aux idoles de chair, aux dieux matériels qu'elle avait presque oubliés. Dans l'autre, l'âme se dresse et s'exalte au culte de l'idée pure ; plus d'idoles, nul autre objet de religion que l'idéal, la patrie, la liberté.

Les femmes, moins gâtées que nous par les habitudes sophistiques et scolastiques, marchent bien loin devant les hommes, dans ces deux religions. C'est une chose noble et touchante de voir parmi elles, non seulement les pures, les irréprochables, mais les moins dignes même, suivre un noble élan vers le beau désintéressé, prendre la patrie pour amie de cœur, pour amant le droit éternel.

Les mœurs changent-elles alors ? Non, mais l'amour a pris son vol vers les plus hautes pensées. La patrie, la liberté, le bonheur du genre humain ont envahi les cœurs des femmes. La vertu des temps romains, si elle n'est dans les mœurs, est dans l'imagination, dans l'âme, dans les nobles désirs. Elles regardent autour d'elles où sont les héros de Plutarque ; elles les veulent, elles les feront. Il ne suffit pas, pour leur plaire, de parler Rousseau et Mably. Vives et sincères, prenant les idées au sérieux, elles veulent que les paroles deviennent des actes. Toujours elles ont aimé la force. Elles comparent l'homme moderne à l'idéal de force antique qu'elles ont devant l'esprit. Rien peut-être n'a plus contribué que cette comparaison, cette exigence des femmes, à précipiter les hommes, à hâter le cours rapide de notre révolution.

Cette société était ardente ! Il nous semble, en y entrant, sentir une brûlante haleine.

Nous avons vu, de nos jours, des actes extraordinaires, d'admirables sacrifices, des foules d'hommes qui donnaient leurs vies ; et pourtant, toutes les fois que je me retire du présent, que je retourne au passé, à l'histoire de la Révolution, j'y trouve bien plus de chaleur ; la température est tout autre. Quoi ! le globe aurait-il donc refroidi depuis ce temps !

Des hommes de ce temps-là m'avaient dit la différence, et je n'avais pas compris. A la longue, à mesure que j'entrais dans le détail, n'étudiant pas seulement la mécanique législative, mais le mouvement des partis, non seulement les partis, mais les hommes, les personnes, les biographies individuelles, j'ai bien senti alors la parole des vieillards.

La différence des deux temps se résume d'un mot : *On aimait.* L'intérêt, l'ambition, les passions éternelles de l'homme étaient en jeu, comme aujourd'hui ; mais la part la plus forte encore était celle de l'amour. Prenez ce mot dans tous les sens, l'amour de l'idée, l'amour de la femme, l'amour de la patrie et du genre humain. Ils aimèrent et le beau qui passe, et le beau qui ne passe point : deux sentiments mêlés alors, comme l'or et le bronze, fondus dans l'airain de Corinthe.

Les femmes règnent, en 91, par le sentiment, par la passion, par la supériorité aussi, il faut le dire, de leur initiative. Jamais, ni avant ni après, elles n'eurent tant d'influence. Au XVIIIe siècle, sous les encyclopédistes, l'esprit a dominé dans la société ; plus tard, ce sera l'action, l'action meurtrière et terrible. En 91, le sentiment domine, et, par conséquent, la femme.

Le cœur de la France bat fort, à cette époque. L'émotion, depuis Rousseau, a été croissant. Sentimentale d'abord, rêveuse, époque d'attente inquiète, comme une heure avant l'orage, comme dans un jeune cœur l'amour vague, avant l'amant. Souffle immense, en 89, et tout cœur palpite... Puis 90, la Fédération, la fraternité, les larmes... En 91, la crise, le débat, la discussion passionnée. Mais, partout, les femmes, partout la passion individuelle dans la passion publique ; le drame privé, le drame social vont se mêlant, s'enchevêtrant ; les deux fils se tissent ensemble ; hélas ! bien souvent, tout à l'heure, ensemble ils seront tranchés !

Le commencement fut beau. Les femmes, on l'a trop oublié, entrèrent dans les pensées de la liberté, sous l'influence de l'*Émile,* c'est-à-dire par l'éducation, par les espérances, les vœux de la maternité, par toutes les questions que l'enfant soulève dès sa naissance en un cœur de femme, que dis-je, dans un cœur de fille, bien longtemps avant l'enfant : « Ah ! qu'il soit heureux cet enfant ! qu'il soit bon et grand ! qu'il soit libre !... Sainte liberté antique, qui fis les héros, mon fils vivra-t-il dans ton ombre ?... » Voilà les pensées des femmes, et voilà pourquoi dans ces places, dans ces jardins où l'enfant joue sous les yeux de sa mère ou de sa sœur, vous les voyez rêver et lire... Quel est ce livre que la jeune fille, à votre approche, a si vite caché dans son sein ? Quelque roman ? l'*Héloïse ?* Non, plutôt les *Vies* de Plutarque, ou le *Contrat social.*

Une légende anglaise circulait, qui avait donné à nos Françaises une grande émulation politique. Mrs. Macaulay, l'éminent historien des Stuarts, avait inspiré aux vieux ministre William tant d'admiration pour son génie et sa vertu, que, dans une église même, il avait consacré sa statue de marbre comme déesse de la Liberté.

Peu de femmes de lettres alors qui ne rêvent d'être la Macaulay de la France. La déesse inspiratrice se retrouve dans chaque salon. Elles dictent, corrigent, refont les discours qui, le lendemain, seront prononcés aux clubs, à l'Assemblée nationale. Elles les suivent, ces discours, vont les entendre aux tribunes ; elles siègent, juges passionnés, elles soutiennent de leur présence l'orateur faible ou timide. Qu'il se relève et regarde... N'est-ce pas là le fin sourire de Mme de Genlis, entre ses séduisantes filles, la princesse et Paméla ? Et cet œil noir, ardent de vie, n'est-ce pas Mme de Staël ? Comment faiblirait l'éloquence ?... Et le courage manquera-t-il, devant Mme Roland ?

Parmi les femmes de lettres, nulle peut-être ne s'avança d'une ardeur plus impatiente qu'une petite dame bretonne, vive, spirituelle, ambitieuse, Mlle Kéralio. Elle avait été longtemps retenue dans une vie de labeur. Formée par un père homme de lettres et professeur à l'Ecole militaire, elle avait beaucoup traduit, compilé, écrit même une grande histoire, celle de l'époque antérieure aux Stuarts de Mrs. Macaulay, l'histoire du règne d'Elisabeth. Elle épousa un patriote plus ardent que distingué, le cordelier Robert, et elle lui fit écrire, dès janvier 91, *Le Républicanisme adapté à la France*. Elle figurait en première ligne sur l'autel de la patrie, dans la terrible scène du Champ-de-Mars que nous devons raconter.

Une autre femme de lettres, la brillante improvisatrice, Olympe de Gouges, qui, comme Lope de Vega, dictait une tragédie par jour, sans savoir, dit-elle, ni lire ni écrire, se déclara républicaine, sous l'impression de Varennes et de la trahison du roi. Avant, elle était royaliste, et elle le redevint plus tard dans le péril de Louis XVI ; elle s'offrit à le défendre. Elle savait, en faisant cette offre, où cela devait la conduire. Elle-même avait dit cette belle parole, en réclamant les droits des femmes : « Elles ont bien le droit de monter à la tribune, puisqu'elles ont le droit de monter à l'échafaud. »

Cette ardente Languedocienne avait organisé plusieurs sociétés de femmes. Ces sociétés devenaient nombreuses. Au cercle social, vaste réunion mêlée de femmes et d'hommes, une Hollandaise distinguée, Mme Palm-Aelder, demanda solennellement pour son sexe l'égalité politique. Elle fut soutenue, appuyée dans cette thèse par l'homme certainement le plus grave de l'époque, qui lui-même plus que personne trouvait dans la femme les inspirations de la liberté. Parlons-en avec détail.

Le dernier des philosophes du grand XVIIIe siècle, celui qui survivait à tous pour voir leurs théories lancées dans le champ des réalités, était M. de Condorcet, secrétaire de l'Académie des sciences, le successeur de d'Alembert, le dernier correspondant de Voltaire, l'ami de Turgot. Son salon était le centre naturel de l'Europe pensante. Toute nation, comme toute science, avait là sa place. Tous les étrangers distingués, après avoir reçu les théories de la France, venaient là en chercher, en discuter l'application. C'étaient l'Américain Thomas Payne, l'Anglais Williams, l'Ecossais Mackintosh, le Genevois Dumont, l'Allemand Anacharsis Clootz ; ce dernier, nullement en rapport avec un tel salon, mais en 91 tous y venaient, tous y étaient confondus. Dans un coin immuablement était l'ami assidu, le médecin Cabanis, maladif et mélancolique, qui avait transporté à cette maison le tendre, le profond attachement qu'il avait eu pour Mirabeau.

Parmi ces illustres penseurs planait la noble et virginale figure de Mme de Condorcet, que Raphaël aurait prise pour type de la métaphysique. Elle était toute lumière ; tout semblait s'éclairer, s'épurer sous son regard. Elle avait été chanoinesse, et paraissait moins encore une dame qu'une noble demoiselle. Elle avait alors vingt-sept ans (vingt-deux de moins que son mari). Elle venait d'écrire ses *Lettres sur la Sympathie,* livre d'analyse fine et délicate, où, sous le voile d'une extrême réserve, on sent néanmoins souvent la mélancolie d'un jeune cœur auquel quelque chose a manqué. On a supposé vainement qu'elle eût ambitionné les honneurs, la faveur de la Cour, et que son dépit la jeta dans la Révolution. Rien de plus loin d'un tel caractère.

Ce qui est moins invraisemblable, c'est ce qu'on a dit aussi, qu'avant d'épouser Condorcet, elle lui aurait déclaré qu'elle n'avait point le cœur libre ; elle aimait et sans espoir. Le sage accueillit cet aveu avec une bonté paternelle ; il le respecta. Deux ans entiers, selon la même tradition, ils vécurent comme deux esprits. Ce ne fut qu'en 89, au beau moment de juillet, que Mme de Condorcet vit tout ce qu'il y avait de passion dans cet homme froid en apparence ; elle commença d'aimer le grand citoyen, l'âme tendre et profonde, qui couvait, comme son propre bonheur, l'espoir du bonheur de l'espèce humaine. Elle le trouva jeune, de l'éternelle jeunesse de cette grande idée, de ce beau désir.

L'unique enfant qu'ils aient eu naquit neuf mois après la prise de la Bastille, en avril 90.

Condorcet, alors âgé de quarante-neuf ans, se retrouvait jeune, en effet, de ces grands événements ; il commençait une vie nouvelle, la troisième. Il avait eu celle du mathématicien avec d'Alembert, la vie critique avec Voltaire. Et maintenant, il s'embarquait sur l'océan de la vie politique. Il avait rêvé le progrès ; aujourd'hui, il allait le faire, ou du moins s'y dévouer. Toute sa vie avait offert une remarquable alliance entre deux facultés rarement unies, la ferme raison et la foi infinie à l'avenir. Ferme contre Voltaire même, quand il le trouva injuste, ami des économistes, sans aveuglement pour eux, il se maintint de même indépendant à l'égard de la Gironde. On lit encore avec admiration son plaidoyer pour Paris contre le préjugé des provinces, qui fut celui des Girondins.

Ce grand esprit était toujours présent, éveillé, maître de lui-même. Sa porte était toujours ouverte, quelque travail abstrait qu'il fît. Dans un salon, dans une foule, il pensait toujours ; il n'avait nulle distraction. Il parlait peu, entendait tout, profitait de tout ; jamais il n'a rien oublié. Toute personne spéciale, qui l'interrogeait, le trouvait plus spécial encore dans la chose qui l'occupait. Les femmes étaient étonnées, effrayées de voir qu'il savait jusqu'à l'histoire de leurs modes, et très haut en remontant, et dans le plus grand détail. Il paraissait très froid, ne s'épanchait jamais. Ses amis ne savaient son amitié que par l'extrême ardeur qu'il mettait secrètement à leur rendre des services. « C'est un volcan sous la neige », disait d'Alembert. Jeune, dit-on, il avait aimé, et n'espérant rien, il fut un moment tout près du suicide. Agé alors et bien mûr, mais au fond non moins ardent, il avait pour sa Sophie un amour contenu, immense, de ces passions profondes d'autant plus qu'elles sont tardives, plus profondes que la vie même, et qu'on ne peut pas sonder.

Sophie en était très digne. Sans parler de l'admiration universelle des hommes du temps, je dirai un fait, mais grand, mais sacré. Quand l'infortuné Condorcet, traqué comme une bête fauve, enfermé dans un asile peu sûr, se dévorait lui-même le cœur des pensées du présent, écrivait son apologie, son testament politique, sa femme lui donna le sublime conseil de laisser là ces vaines luttes, de remettre avec confiance sa mémoire à la postérité et paisiblement d'écrire l'*Esquisse d'un Tableau des Progrès de l'Esprit humain.* Il l'écouta, il écrivit ce noble livre de science infinie, d'amour sans bornes pour les hommes, d'espoir exalté, se consolant de sa mort prochaine par le plus touchant des rêves : que, dans le progrès des sciences, on pourra supprimer la mort !

Noble époque ! et qu'elles furent dignes d'être aimées, ces femmes, dignes d'être confondues par l'homme avec l'idéal même, la patrie et la vertu !... Qui ne se rappelle encore ce déjeuner funèbre où, pour la dernière fois, les amis de Camille Desmoulins le prièrent d'arrêter son *Vieux Cordelier,* d'ajourner sa demande du *Comité de la clémence ?* Sa Lucile s'oubliant comme épouse et comme mère, lui jette les bras au col : « Laissez-le, dit-elle, laissez, qu'il suive sa destinée ! »

Ainsi, elles ont glorieusement consacré le mariage, et l'amour, soulevant le front fatigué de l'homme en présence de la mort, lui versant la vie encore, l'introduisant dans l'immortalité...

Elles aussi, elles y seront toujours. Toujours les hommes, qui viendront, regretteront de ne point les avoir vues, ces femmes héroïques et charmantes. Elles restent associées, en nous, aux plus nobles rêves du cœur, types et regret d'amour éternel !

Il y avait comme une ombre de cette tragique destinée dans les traits et l'expression de Condorcet. Avec une contenance timide (comme celle du savant toujours solitaire au milieu des hommes), il avait quelque chose de triste, de patient, de résigné.

Le haut du visage était beau. Les yeux, nobles et doux, pleins d'une idéalité sérieuse, semblaient regarder au fond de l'avenir. Et cependant son front, vaste à contenir toute science, semblait un magasin immense, un trésor complet du passé.

L'homme était, il faut le dire, plus vaste que fort. On le pressentait à sa bouche un peu molle et faible, un peu retombante. L'universalité, qui disperse l'esprit sur tout objet, est une cause d'énervation. Ajoutez qu'il avait passé sa vie dans le XVIIIe siècle, et qu'il en portait le poids. Il en avait traversé toutes les disputes, les grandeurs et les petitesses. Il en avait fatalement les contradictions. Neveu d'un évêque tout jésuite, élevé en partie par ses soins, il devait beaucoup aussi au patronage des La Rochefoucauld. Quoique pauvre, il était noble, titré, marquis de Condorcet. Naissance, position, relations, beaucoup de choses le rattachaient à l'ancien régime. Sa maison, son salon, sa femme présentaient le même contraste.

Mme de Condorcet, née Grouchy, d'abord chanoinesse, élève enthousiaste de Rousseau et de la Révolution, sortie de sa position demi-ecclésiastique pour présider un salon qui était le centre des libres penseurs, semblait une noble religieuse de la philosophie.

La crise de juin 91 devait décider Condorcet, elle l'appelait à se prononcer. Il lui fallait choisir entre ses relations, ses précédents d'une part, et de l'autre ses idées. Quant aux intérêts, ils étaient nuls avec un tel homme. Le seul peut-être auquel il eût été sensible, c'est que, la République abaissant toute grandeur de convention et rehaussant d'autant les supériorités naturelles, sa Sophie se fût trouvée reine.

M. de La Rochefoucauld, son intime ami, ne désespérait pas de neutraliser son républicanisme, comme celui de La Fayette. Il croyait avoir bon marché du savant modeste, de l'homme doux et timide, que sa famille, d'ailleurs, avait autrefois protégé. On allait jusqu'à affirmer, répandre dans le public, que Condorcet partageait les idées royalistes de Sieyès. On le compromettait ainsi, et en même temps on lui offrait comme tentation la perspective d'être nommé gouverneur du dauphin.

Ces bruits le décidèrent probablement à se déclarer plus tôt qu'il n'aurait fait peut-être. Le 1er juillet, il fit annoncer par *La Bouche-de-fer* qu'il parlerait au Centre social sur la République. Il attendit jusqu'au 12, et ne le fit qu'avec certaine réserve. Dans un discours ingénieux, il réfutait plusieurs des objections banales qu'on fait à la République, ajoutant toutefois ces paroles, qui étonnèrent fort : « Si pourtant le peuple se réserve d'appeler une Convention pour prononcer si l'on conserve le trône, si l'hérédité continue pour un petit nombre d'années entre deux Conventions, *la royauté, en ce cas, n'est pas essentiellement contraire aux droits des citoyens...* » Il faisait allusion au bruit qui courait, qu'on devait le nommer gouverneur du dauphin, et disait qu'en ce cas il lui apprendrait surtout à savoir se passer du trône.

Cette apparence d'indécision ne plut pas beaucoup aux républicains, et choqua les royalistes. Ceux-ci furent bien plus blessés encore quand on répandit dans Paris un pamphlet spirituel, moqueur, écrit d'une main si grave. Condorcet y fut probablement l'écho et le secrétaire de la jeune société qui fréquentait son salon.

Le pamphlet était une *Lettre d'un Jeune Mécanicien,* qui, pour une somme modique, s'engageait à faire un excellent roi constitutionnel. « Ce roi, disait-il, s'acquitterait à merveille des fonctions de la royauté, marcherait aux cérémonies, siégerait convenablement, irait à la messe, et même, au moyen de certain ressort, prendrait des mains du président de l'Assemblée la liste des ministres que désignerait la majorité... Mon roi ne serait pas dangereux pour la liberté ; et, cependant, en le réparant avec soin, il serait éternel, ce qui est encore plus beau que d'être héréditaire. On pourrait même le déclarer inviolable, sans injustice, et le dire infaillible, sans absurdité. »

Chose remarquable. Cet homme mûr et grave, qui s'embarquait par une plaisanterie sur l'océan de la Révolution, ne se dissimulait nullement les chances qu'il allait courir. Plein de foi dans l'avenir lointain de l'espèce humaine, il en avait moins pour le présent, ne se faisait nulle illusion sur la situation, en voyait très bien les dangers. Il les craignait, non pour lui-même (il donnait volontiers sa vie), mais pour cette femme adorée, pour ce jeune enfant, né à peine du moment sacré de juillet. Depuis plusieurs mois, il s'était secrètement informé du port par lequel il pourrait, au besoin, faire échapper sa famille, et il s'était arrêté à celui de Saint-Valéry.

CHAPITRE V

Madame Roland

Voyage des Roland à Paris — Mérite de Roland — Sa femme travaille pour lui — Beauté et vertu de Mme Roland — Son émotion au spectacle de la Fédération, en juillet 90 — Sa passion, sa sagesse, octobre 90 — Sa passion se transforme — Elle arrive à Paris, février 91 — Puissance de son impulsion — Elle trouve la plupart des meneurs politiques déjà fatigués — Sa fraîcheur d'esprit, sa force et sa foi, juin-juillet 91.

Pour vouloir la République, l'inspirer, la faire, ce n'était pas assez d'un noble cœur et d'un grand esprit. Il fallait encore une chose... Et quelle ? Être jeune, avoir cette jeunesse d'âme, cette chaleur de sang, cet aveuglement fécond, qui voit déjà dans le monde ce qui n'est encore qu'en l'âme, et qui, le voyant, le crée... Il fallait avoir la foi.

Il fallait une certaine harmonie, non seulement de volonté et d'idées, mais d'habitudes et de mœurs républicaines ; avoir en soi la république intérieure, la république morale, la seule qui légitime et fonde la république politique ; je veux dire posséder le gouvernement de soi-même, sa propre démocratie, trouver sa liberté dans l'obéissance au devoir... Et il fallait encore, chose qui semble contradictoire, qu'une telle âme, vertueuse et forte, eût un moment passionné qui la fît sortir d'elle-même, la lançât dans l'action.

Dans les mauvais jours d'affaissement, de fatigue, quand la foi révolutionnaire défaillait en eux, plusieurs des députés et journalistes principaux de l'époque allaient prendre force et courage dans une maison où ces choses ne manquaient jamais ; maison modeste, le petit hôtel Britannique de la rue Guénégaud, près le Pont-Neuf. Cette rue, assez sombre, qui mène à la rue Mazarine, plus sombre encore, n'a, comme on le sait, d'autre vue que les longues murailles de la Monnaie. Ils montaient au troisième étage, et là, invariablement, trouvaient deux personnes travaillant ensemble, M. et Mme Roland, venus récemment de Lyon. Le petit salon n'offrait qu'une table où les deux époux écrivaient ; la chambre à coucher, entrouverte, laissait voir deux lits. Roland avait près de soixante ans, elle trente-six, et paraissait beaucoup moins ; il semblait le père de sa femme. C'était un homme assez grand et maigre, l'air austère et passionné. Cet homme, qu'on a trop sacrifié à la gloire de sa femme, était un ardent citoyen qui avait la France dans le cœur, un de ces vieux Français de la race des Vauban et des Boisguilbert, qui, sous la royauté, n'en poursuivaient pas moins, dans les seules voies ouvertes alors, la sainte idée du bien public. Inspecteur des manufactures, il avait passé toute sa vie dans les travaux, les voyages, à rechercher les améliorations dont notre industrie était susceptible. Il avait publié plusieurs de ces voyages et divers traités ou mémoires, relatifs à certains métiers. Sa belle et courageuse femme, sans se rebuter de l'aridité des sujets, copiait, traduisait, compilait pour lui. *L'Art du Tourbier, L'Art du Fabricant de Laine rase et sèche,* le *Dictionnaire des Manufactures,* avaient occupé la belle main de Mme Roland, absorbé ses meilleures années, sans autre distraction que la naissance et l'allaitement du seul enfant qu'elle ait eu. Étroitement associée aux travaux, aux idées de son mari, elle avait pour lui une sorte de culte filial, jusqu'à lui préparer souvent ses aliments elle-même ; une préparation toute spéciale était nécessaire, l'estomac du vieillard était délicat, fatigué par le travail.

Roland rédigeait lui-même et n'employait nullement la plume de sa femme, à cette époque ; ce fut plus tard, devenu ministre, au milieu d'embarras, de soins infinis, qu'il y eut recours. Elle n'avait aucune impatience d'écrire, et si la Révolution ne fût venue la tirer de sa retraite, elle eût enterré ces dons inutiles, le talent, l'éloquence, aussi bien que la beauté.

Quand ces politiques venaient, Mme Roland ne se mêlait pas d'elle-même aux discussions, elle continuait son ouvrage ou écrivait des lettres ; mais si, comme il arrivait, on en appelait à elle, elle parlait alors avec une vivacité, une propriété d'expressions, une forme gracieuse et pénétrante, dont on était tout saisi. « L'amour-propre aurait bien voulu trouver de l'apprêt dans ce qu'elle disait ; mais il n'y avait pas moyen ; c'était tout simplement une nature trop parfaite. »

Au premier coup d'œil, on était tenté de croire qu'on voyait la Julie de Rousseau ; à tort, ce n'était ni la Julie, ni la Sophie, c'était Mme Roland, une fille de Rousseau, certainement, plus légitime encore, peut-être, que celles qui sortirent immédiatement de sa plume. Celle-ci n'était pas, comme les deux autres, une noble demoiselle. Manon Phlipon, c'était son nom de fille (j'en suis fâché pour ceux qui n'aiment pas les noms plébéiens), eut un graveur pour père, et elle gravait elle-même dans la maison paternelle. Elle procédait du peuple ; on le voyait aisément à un certain éclat de sang et de carnation qu'on a beaucoup moins dans les classes élevées ; elle avait la main belle, mais non pas petite, la bouche un peu grande, le menton assez retroussé, la taille élégante, d'une cambrure marquée fortement, une richesse de hanches et de sein que les dames ont rarement.

Elle différait encore en un point des héroïnes de Rousseau, c'est qu'elle n'eut pas leurs faiblesses. Mme Roland fut vertueuse, nullement amollie par l'inaction, la rêverie où languissent les femmes ; elle fut au plus haut degré laborieuse, active ; le travail fut pour elle le gardien de la vertu. Une idée sacrée, *le devoir,* plane sur cette belle vie, de la naissance à la mort ; elle se rend ce témoignage au dernier moment, à l'heure où on ne ment plus : « Personne, dit-elle, moins que moi n'a connu la volupté. » Et ailleurs : « J'ai commandé à mes sens. »

Pure dans la maison paternelle, au quai de l'Horloge, comme le bleu profond du ciel, qu'elle regardait, dit-elle, de là jusqu'aux Champs-Élysées ; pure à la table de son sérieux époux, travaillant infatigablement pour lui ; pure au berceau de son enfant, qu'elle s'obstine à allaiter, malgré de vives douleurs ; elle ne l'est pas moins dans les lettres qu'elle écrit à ses amis, aux jeunes hommes qui l'entouraient d'une amitié passionnée ; elle les calme et les console, les élève au-dessus de leur faiblesse. Ils lui restèrent fidèles jusqu'à la mort, comme à la vertu elle-même.

L'un d'eux, sans songer au péril, allait en pleine Terreur recevoir d'elle, à sa prison, les feuilles immortelles où elle a raconté sa vie. Proscrit lui-même et poursuivi, fuyant sur la neige, sans abri que l'arbre chargé de givre, il sauvait ces feuilles sacrées ; elles le sauvèrent peut-être, lui gardant sur la poitrine la chaleur et la force du grand cœur qui les écrivit.

Les hommes qui souffrent à voir une vertu trop parfaite ont cherché inquiètement s'ils ne trouveraient pas quelque faiblesse en la vie de cette femme ; et sans preuve, sans le moindre indice, ils ont imaginé qu'au fort du drame où elle devenait acteur, à son moment le plus viril, parmi les dangers, les horreurs (après septembre apparemment ? ou la veille du naufrage qui emporta la Gironde ?), Mme Roland avait le temps, le cœur d'écouter les galanteries et de faire l'amour... La seule chose qui les embarrasse, c'est de trouver le nom de l'amant favorisé.

Encore une fois, il n'y a nul fait qui motive ces suppositions. Mme Roland, tout l'annonce, fut toujours reine d'elle-même, maîtresse absolue de ses volontés, de ses actes. N'eut-elle aucune émotion, cette âme forte, mais passionnée ? N'eut-elle pas son orage ?... Cette question est tout autre, et, sans hésiter, je répondrai oui.

Qu'on me permette d'insister. Ce fait, peu remarqué encore, n'est point un détail indifférent, purement anecdotique de la vie privée. Il eut sur Mme Roland une grave influence en 91, et la puissante action qu'elle exerça à cette époque serait beaucoup moins explicable si l'on ne voyait à nu les causes particulières qui passionnaient alors cette âme, jusque-là calme et forte, mais d'une force tout assise en soi et sans action au-dehors.

Mme Roland menait sa vie obscure, laborieuse, en 89, au triste clos de la Platière, près de Villefranche, et non loin de Lyon. Elle entend, avec toute la France, le canon de la Bastille ; son sein s'émeut et se gonfle ; le prodigieux événement semble réaliser tous ses rêves, tout ce qu'elle a lu des Anciens, imaginé, espéré ; voilà qu'elle a une patrie. La Révolution s'épand sur la France ; Lyon s'éveille, et Villefranche, la campagne, tous les villages. La Fédération de 90 appelle à Lyon une moitié du royaume, toutes les députations de la garde nationale, de la Corse à la Lorraine. Dès le matin, Mme Roland était en extase sur l'admirable quai du Rhône, et s'enivrait de tout ce peuple, de cette fraternité nouvelle, de cette splendide aurore. Elle en écrivit le soir la relation pour son ami Champagneux, jeune homme de Lyon, qui, sans profit et par pur patriotisme, faisait un journal. Le numéro, non signé, fut vendu à soixante mille. Tous ces gardes nationaux, retournant chez eux, emportèrent, sans le savoir, l'âme de Mme Roland.

Elle aussi, elle retourna, elle revint pensive dans son désert au clos de la Platière, qui lui parut, plus qu'à l'ordinaire encore, stérile et aride. Peu propre alors aux travaux techniques dont l'occupait son mari, elle lisait le procès-verbal si intéressant des électeurs de 89, la révolution du 14 juillet, la prise de la Bastille. Le hasard voulut justement qu'un de ces électeurs, M. Bancal des Issarts, fût adressé aux Roland par leurs amis de Lyon, et passât quelques jours chez eux. M. Bancal, d'une famille de fabricants de Montpellier, mais transplantée à Clermont, y avait été notaire ; il venait de quitter cette position lucrative pour se livrer tout entier aux études de son choix, aux recherches politiques et philanthropiques, aux devoirs du citoyen. Il avait environ quarante ans, rien de brillant, mais beaucoup de douceur et de sensibilité, un cœur bon et charitable. Il avait eu une éducation fort religieuse, et, après avoir traversé une période philosophique et politique, la Convention, une longue captivité en Autriche, il est mort dans de grands sentiments de piété, dans la lecture de la Bible, qu'il s'essayait à lire en hébreu.

Il fut amené à la Platière par un jeune médecin, Lanthenas, ami des Roland, qui vivait beaucoup chez eux, y passant des semaines, des mois, travaillant avec eux, pour eux, faisant leurs commissions. La douceur de Lanthenas, la sensibilité de Bancal des Issarts, la bonté austère mais chaleureuse de Roland, leur amour commun du beau et du bon, leur attachement à cette femme parfaite qui leur en présentait l'image, cela formait tout naturellement un groupe, une harmonie complète. Ils se convinrent si bien qu'ils se demandèrent s'ils ne pourraient continuer de vivre ensemble. Auquel des trois vint cette idée, on ne le sait ; mais elle fut saisie par Roland avec vivacité, soutenue avec chaleur. Les Roland, en réunissant tout ce qu'ils avaient, pouvaient apporter à l'association soixante mille livres ; Lanthenas en avait vingt ou un peu plus, à quoi Bancal en aurait joint une centaine de mille. Cela faisait une somme assez ronde, qui leur permettait d'acheter des biens nationaux, alors à vil prix.

Rien de plus touchant, de plus digne, de plus honnête que les lettres où Roland parle de ce projet à Bancal. Cette noble confiance, cette foi à l'amitié, à la vertu, donne, et de Roland et d'eux tous, la plus haute idée : « Venez, mon ami, lui dit-il. Eh ! que tardez-vous ?... Vous avez vu notre manière franche et ronde ; ce n'est pas à mon âge qu'on change, quand on n'a jamais varié... Nous prêchons le patriotisme, nous élevons l'âme ; le docteur fait son métier ; ma femme est l'apothicaire des malades du canton. Vous et moi, nous ferons les affaires », etc.

La grande affaire de Roland, c'était de catéchiser les paysans de la contrée, de leur prêcher le nouvel Évangile. Marcheur admirable malgré son âge, parfois, le bâton à la main, il s'en allait jusqu'à Lyon avec son ami Lanthenas, jetant la bonne semence de la liberté sur tout le chemin. Le digne homme croyait trouver dans Bancal un auxiliaire utile, un nouveau missionnaire, dont la parole douce et onctueuse ferait des miracles. Habitué à voir l'assiduité désintéressée du jeune Lanthenas près de Mme Roland, il ne lui venait pas même à l'esprit que Bancal, plus âgé, plus sérieux, pût apporter dans sa maison autre chose que la paix. Sa femme, qu'il aimait pourtant si profondément, il avait un peu oublié qu'elle fût une femme, n'y voyant que l'immuable compagnon de ses travaux. Laborieuse, sobre, fraîche et pure, le teint transparent, l'œil ferme et limpide, Mme Roland était la plus rassurante image de la force et de la vertu. Sa grâce était bien d'une femme, mais son mâle esprit, son cœur stoïque était d'un homme. On dirait plutôt à regarder ses amis que, près d'elle, ce sont eux qui sont femmes ; Bancal, Lanthenas, Champagneux, ont tous des traits assez doux. Et le plus femme de tous par le cœur peut-être, le plus faible, c'est celui qu'on croit le plus ferme, c'est l'austère Roland, faible d'une profonde passion de vieillard, suspendu à la vie de l'autre ; il n'y paraîtra que trop à la mort.

La situation eût été, sinon périlleuse, du moins pleine de combats, d'orages. C'était Volmar appelant Saint-Preux auprès de Julie ; c'était la barque en péril aux rochers de la Meillerie. Il n'y eût pas eu naufrage, croyons-le, mais il valait mieux ne pas s'embarquer.

C'est ce que Mme Roland écrit à Bancal dans une lettre vertueuse, mais en même temps trop naïve et trop émue. Cette lettre, adorablement imprudente, est restée par cela même un monument inappréciable de la pureté de Mme Roland, de son inexpérience, de la virginité de cœur qu'elle conserva toujours... On ne peut lire qu'à genoux.

Rien ne m'a jamais plus surpris, touché... Quoi ! ce héros fut donc vraiment une femme ? Voilà donc un moment (l'unique) où ce grand courage a fléchi. La cuirasse du guerrier s'entrouvre, et c'est une femme qu'on voit, le sein blessé de Clorinde.

Bancal avait écrit aux Roland une lettre affectueuse, tendre, où il disait de cette union projetée : « Elle fera le charme de notre vie, et nous ne serons pas inutiles à nos semblables. » Roland, alors à

Lyon, envoya la lettre à sa femme. Elle était seule à la campagne ; l'été avait été très sec, la chaleur était forte, quoiqu'on fût déjà en octobre. Le tonnerre grondait, et pendant plusieurs jours il ne cessa point. Orage au ciel et sur la terre, orage de la passion, orage de la Révolution... De grands troubles, sans doute, allaient arriver, un flot inconnu d'événements qui devaient bientôt bouleverser les cœurs et les destinées ; dans ces grands moments d'attente, l'homme croit volontiers que c'est pour lui que Dieu tonne.

Mme Roland lut à peine, et elle fut inondée de larmes. Elle se mit à sa table sans savoir ce qu'elle écrivait ; elle écrivit son trouble même, ne cacha point qu'elle pleurait. C'était bien plus qu'un aveu tendre. Mais, en même temps, cette excellente et courageuse femme, brisant son espoir, se faisait l'effort d'écrire : « Non, je ne suis point assurée de votre bonheur, je ne me pardonnerais point de l'avoir troublé. Je crois vous voir l'attacher à des moyens que je crois faux, à une espérance que je dois interdire. » Tout le reste est un mélange bien touchant de vertu, de passion, d'inconséquence ; de temps à autre, un accent mélancolique, et je ne sais quelle sombre prévision du destin : « Quand est-ce que nous vous reverrons ?... Question que je me fais souvent et que je n'ose résoudre... Mais pourquoi chercher à pénétrer l'avenir que la nature a voulu nous cacher ? Laissons-le donc sous le voile imposant dont elle le couvre, puisqu'il ne nous est pas donné de le pénétrer ; nous n'avons sur lui qu'une sorte d'influence, elle est grande sans doute : c'est de préparer son bonheur par le sage emploi du présent... » Et, plus loin : « Il ne s'est point écoulé vingt-quatre heures dans la semaine que le tonnerre ne se soit fait entendre. Il vient encore de gronder. J'aime assez la teinte qu'il prête à nos campagnes, elle est auguste et sombre, mais elle serait terrible qu'elle ne m'inspirerait pas plus d'effroi... »

Bancal était sage et honnête. Bien triste, malgré l'hiver, il passa en Angleterre, et il y resta longtemps. Oserai-je le dire ? Plus longtemps peut-être que Mme Roland ne l'eût voulu elle-même. Telle est l'inconséquence du cœur, même le plus vertueux. Ses lettres, lues attentivement, offrent une fluctuation étrange : elle s'éloigne, elle se rapproche ; par moments, elle se défie d'elle-même, et par moments se rassure.

Qui dira qu'en février, partant pour Paris où les affaires de la ville de Lyon amenaient Roland, elle n'ait pas quelque joie secrète de se retrouver au grand centre où Bancal va nécessairement revenir ? Mais, c'est justement Paris qui bientôt donne à ses idées un tout autre cours. La passion se transforme, elle se tourne entièrement du côté des affaires publiques. Chose bien intéressante et touchante à observer. Après la grande émotion de la fédération lyonnaise, ce spectacle attendrissant de l'union de tout un peuple, elle s'était trouvée faible et tendre au sentiment individuel. Et maintenant ce sentiment, au spectacle de Paris, redevient tout général, civique et patriotique ; Mme Roland se retrouve elle-même, et n'aime plus que la France.

S'il s'agissait d'une autre femme, je dirais qu'elle fut sauvée d'elle-même par la Révolution, par la République, par le combat et la mort. Son austère union avec Roland fut confirmée par leur participation commune aux événements de l'époque. Ce mariage de travail devint un mariage de luttes communes, de sacrifices, d'efforts héroïques. Préservée ainsi, elle arriva, pure et victorieuse, à l'échafaud, à la gloire.

Elle vint à Paris en février 91, à la veille du moment si grave où devait s'agiter la question de la République ; elle y apportait deux forces, la vertu à la fois et la passion. Réservée jusque-là dans son désert pour les grands événements, elle arrivait avec une jeunesse d'esprit, une fraîcheur d'idées, de sentiments, d'impressions à rajeunir les politiques les plus fatigués. Eux, ils étaient déjà las ; elle, elle naissait de ce jour.

Autre force mystérieuse. Cette personne très pure, admirablement gardée par le sort, arrivait pourtant le jour où la femme est bien redoutable, le jour où le devoir ne suffira plus, le jour où le cœur, longtemps contenu, s'épandra. Elle arrivait invincible, avec une force d'impulsion inconnue. Nul scrupule ne la retardait ; le bonheur voulait que, le sentiment personnel s'étant vaincu ou éludé, l'âme se tournait tout entière vers un noble but, grand, vertueux, glorieux, et, n'y sentant que l'honneur, se lançait à pleines voiles sur ce nouvel océan de la Révolution et de la patrie.

Voilà pourquoi, en ce moment, elle était irrésistible. Tel fut à peu près Rousseau, lorsque, après sa passion malheureuse pour Mme d'Houdetot, retombé sur lui-même et rentré en lui, il y retrouva un foyer immense, cette inextinguible flamme où s'embrasa tout le siècle ; le nôtre, à cent ans de distance, en sent encore la chaleur.

Rien de plus sévère que le premier coup d'œil de Mme Roland sur Paris. L'Assemblée lui fait horreur, ses amis lui font pitié. Assise dans les tribunes de l'Assemblée ou des Jacobins, elle perce d'un œil pénétrant tous les caractères ; elle voit à nu les faussetés, les lâchetés, les bassesses, la comédie des constitutionnels, les tergiversations, l'indécision des amis de la liberté. Elle ne ménage nullement ni Brissot, qu'elle aime, mais qu'elle trouve timide et léger, ni Condorcet, qu'elle croit double, ni Fauchet, dans lequel « elle voit bien qu'il y a un prêtre ». A peine fait-elle grâce à Pétion et Robespierre ; encore on voit bien que leurs lenteurs, leurs ménagements, vont peu à son impatience. Jeune, ardente, forte, sévère, elle leur demande compte à tous, ne veut pas entendre parler de délais, d'obstacles ; elle les somme d'être hommes et d'agir.

Au triste spectacle de la liberté entrevue, espérée, déjà perdue, selon elle, elle voudrait retourner à Lyon, « elle verse des larmes de sang... Il nous fraudra, dit-elle (le 5 mai), une nouvelle insurrection, ou nous sommes perdus pour le bonheur et la liberté ; mais je doute qu'il y ait àssez de vigueur dans le peuple... La guerre civile même, tout horrible qu'elle soit, avancerait la régénération de notre caractère et de nos mœurs... — Il faut être prêt à tout, même à mourir sans regret. »

La génération dont Mme Roland désespère si aisément avait des dons admirables, la foi au progrès, le désir sincère du bonheur des hommes, l'amour ardent du bien public ; elle a étonné le monde par la grandeur des sacrifices.

Cependant, il faut le dire, à cette époque où la situation ne commandait pas encore avec une force impérieuse, ces caractères, formés sous l'ancien régime, ne s'annonçaient pas sous un aspect mâle et sévère.

Le courage d'esprit manquait.

L'initiative du génie ne fut alors chez personne ; je n'excepte pas Mirabeau, malgré son gigantesque talent.

Les hommes d'alors, il faut le dire aussi, avaient déjà immensément écrit, parlé, combattu. Que de travaux, de discussions, d'événements entassés ! Que de réformes rapides ! Quel renouvellement du monde ! La vie des hommes importants de l'Assemblée, de la presse, avait été si laborieuse qu'elle nous semble un problème ; deux séances de l'Assemblée, sans repos que les séances des Jacobins et autres clubs, jusqu'à onze heures ou minuit ; puis les discours à préparer pour le lendemain, les articles, les affaires et les intrigues, les séances des comités, les conciliabules politiques... L'élan immense du premier moment, l'espoir infini, les avaient d'abord mis à même de supporter tout cela. Mais enfin l'effort durait, le travail sans fin ni bornes ; ils étaient un peu retombés. Cette génération n'était plus entière d'esprit ni de force ; quelque sincères que fussent ses convictions, elle n'avait pas la jeunesse, la fraîcheur d'esprit, le premier élan de la foi.

Le 22 juin, au milieu de l'hésitation universelle des politiques, Mme Roland n'hésita point. Elle écrivit, et fit écrire en province, pour qu'à l'encontre de la faible et pâle adresse, les assemblées primaires demandassent une convocation générale : « Pour délibérer par *oui* et par *non* s'il convient de conserver au gouvernement la forme monarchique. » Elle prouve très bien, le 24, « que toute régence est impossible, qu'il faut suspendre Louis XVI », etc.

Tous ou presque tous reculaient, hésitaient, flottaient encore. Ils balançaient les considérations d'intérêts, d'opportunité, s'attendaient les uns les autres, se comptaient. « Nous n'étions pas douze républicains en 89 », dit Camille Desmoulins. Ils avaient bien multiplié en 91, grâce au voyage de Varennes, et le nombre était immense des républicains qui l'étaient sans le savoir ; il fallait le leur apprendre à eux-mêmes. Ceux-là seuls calculaient bien l'affaire qui ne voulaient pas calculer. En tête de cette avant-garde marchait Mme Roland ; elle jetait le glaive d'or dans la balance indécise, son courage et l'idée du droit.

CHAPITRE VI

Le roi interrogé — Premiers actes républicains (26 juin-14 juillet 1791)

Le roi et la reine entendus en leurs déclarations, 26-27 juin — Défi de Bouillé, 29 juin — Affiche républicaine de Payne et autres amis de Condorcet, 1er juillet — Tentatives des Orléanistes — Mesures prises par l'Assemblée — Les Jacobins — Pétion contre le roi, 8 juillet ; Brissot contre le roi, 13 juillet — Les comités de l'Assemblée pour le roi, 13 juillet — Mouvements des Cordeliers et sociétés fraternelles — Ruses des meneurs de l'Assemblée, 14 juillet — Agitation croissante pendant la semaine, du 10 au 17 — Triomphe de Voltaire, fêtes, etc.

Nous connaissons maintenant les acteurs, les influences privées et publiques ; reprenons le cours des faits.

Il n'est pas difficile de suivre dans ces jours d'orage les mouvements de l'opinion, les pulsations plus ou moins vives de l'esprit public, les battements de cœur de la France.

Au premier moment, 21 juin, on s'indigne, mais on respire. « Voilà le grand embarras parti ! »

Au second, le 25 au soir, il revient captif, humilié, tombé du trône à l'état de sujet du dernier sujet. Grand silence, de colère et de reproche, silence aussi de la pitié, qui prend les cœurs à leur insu.

Mais, contre la pitié même, au troisième moment, réagit la défiance et la colère, quand les renards de l'Assemblée entreprennent d'escamoter et le crime et le coupable (en sorte qu'il ne resterait qu'un roi, tout blanc d'innocence), quand ils entreprennent d'effacer l'histoire, de biffer Varennes, de faire, par une chicane impuissante, ce miracle impossible à Dieu, que ce qui est fait n'ait pas été fait.

Examinons-les à l'œuvre.

Le 26, les comités de constitution et de législation criminelle proposent, par l'organe de Duport, «que ceux qui accompagnaient le roi soient *interrogés* par les juges naturels, mais que le roi et la reine soient *entendus en leurs déclarations* par trois commissaires de l'Assemblée nationale ».

Quelqu'un demandant que cette *instruction* fût renvoyée à la cour suprême d'Orléans, Duport répondit que ce n'était qu'une *information* première.

« Si c'est une information, répondirent Robespierre, Bouchotte et Buzot, vous ne pouvez la scinder, elle est une, et ne peut se faire par des autorités diverses. Le roi n'est qu'un citoyen, un fonctionnaire, comptable à ce titre, soumis à la loi. »

A quoi Duport, reculant dans le vague des vieilles fictions, dit que le roi n'était pas un citoyen, *mais un pouvoir de l'État.* Puis, maladroitement : « Ce n'est pas ici une procédure qui se fasse directement contre le roi, il est de notre prudence de ne pas pénétrer dans l'avenir... Il ne s'agit pas encore ici d'une action criminelle, mais d'une action politique de l'Assemblée contre le roi... »

Malouet éclatait d'indignation et gâtait encore plus les choses. Les légistes et gens d'affaires vinrent au secours, et, laissant là le système de Duport, trop difficile à défendre, ils sautèrent d'un pied sur l'autre. Chabroud, Dandré, dirent qu'il n'y avait rien de judiciaire, ni plainte, ni procédure ; qu'il s'agissait simplement de « prendre des *renseignements* ».

Sur ce terrain nouveau, Barrère vint finement mettre une pierre pour les faire heurter : « Qu'il y ait ou qu'il n'y ait plainte, qu'importe ? C'est un enlèvement ; les juges ordinaires peuvent entendre la personne *victime de l'enlèvement.* »

Mais Tronchet vint par-dessus, et, de son autorité supérieure et respectée, ferma la discussion sur le mot *renseignements.* L'Assemblée décrète, et nomme commissaires : Tronchet d'abord, à une majorité énorme, pour avoir coupé le fil ; puis, Dandré, qui l'a dévidé ; Duport enfin, quoiqu'il ait montré moins de finesse et de ruse.

Les trois, vers sept heures du soir, allèrent jouer chez le roi la comédie d'écouter, de recueillir gravement de sa bouche la déclaration qu'ils avaient, sans doute avec Barnave et Lameth, minutée et calculée. Très habile et très bien faite, elle avait un défaut grave : c'était d'être en contradiction trop évidente avec la protestation que le roi avait laissée en partant. Le soin de sa sûreté, le désir de mettre à l'abri sa famille avaient décidé son départ ; il partait pour revenir ; il n'avait nulle intelligence avec les puissances étrangères, nulle avec les émigrés. S'il avait été près de la frontière, c'était afin d'être plus à portée de s'opposer aux invasions qu'aurait pu faire l'étranger. Son voyage l'avait singulièrement instruit, éclairé ; il voyait bien que l'opinion générale était pour la Constitution, et revenait converti...

Ce qui faisait peu d'honneur à l'adresse des rédacteurs, ce qui passait toute mesure, c'était de faire dire au roi « que, voyant bien qu'on le croyait captif, et que cette opinion pouvait amener des troubles, il avait imaginé ce voyage comme un excellent moyen de détromper le public, de prouver sa liberté ».

Cela semblait dérisoire et fut très mal pris. Ce qui ne le fut pas moins, c'est que la reine, au lieu de répondre, fit dire aux commissaires de l'Assemblée nationale « qu'elle était au bain », et qu'ils devaient repasser. Ainsi, elle se donnait une nuit de plus pour arranger sa déclaration. Arrivée depuis vingt-quatre heures, elle prenait, pour se mettre au bain, le moment où la nation, en ses délégués, venait attendre à sa porte ; elle lui faisait faire antichambre, constatant ainsi ce que le roi avait dit lui-même : « Qu'il devait bien être entendu qu'il ne s'agissait pas d'interrogatoire. » C'était une libre conversation, une audience que la reine daignait accorder. « Le roi désirant partir, rien ne m'aurait empêchée de le suivre. Et ce qui m'y décidait, c'était l'assurance positive qu'il ne voulait point quitter le royaume. » Les trois s'inclinèrent profondément, et s'en allèrent satisfaits.

Le public ne le fut pas. Il se sentit mortifié qu'on pût le croire dupe d'une comédie si grossière. Les royalistes ne furent pas moins irrités que les autres de voir le roi et la reine dans les mains des constitutionnels. Tout en se lamentant sur la captivité du roi, sur la désobéissance universelle, ils agirent eux-mêmes comme si le roi n'eût point existé, sans s'informer de son avis, sans son autorisation. Les têtes chaudes du parti, d'Eprémesnil, un fol, Montlosier, jeune, ardent, aveugle dans sa loyauté, rédigèrent une violente protestation contre la suspension du roi, une déclaration qu'ils ne prenaient plus part aux actes de l'Assemblée. Elle fut signée de deux cent quatre-vingt-dix députés. Malouet s'opposa en vain à cet acte insensé qui annulait les royalistes dans l'Assemblée nationale, au moment où cette Assemblée travaillait à relever le roi. La passion, l'étourderie y eurent part, sans doute, mais vraisemblablement aussi la rage jalouse de voir le roi se conduire par les avis de ceux qui avaient jusque-là combattu les royalistes.

Les royalistes allaient, tête baissée, dans l'abîme, emportant le roi avec eux. Bouillé, par chevalerie, par dévouement, lui donne encore un coup terrible. Dans une lettre, prodigieusement insolente et ridicule, il déclare à l'Assemblée « que, si l'on touche au roi, à un cheveu de sa tête, lui, Bouillé, il amènera toutes les armées étrangères ; qu'il ne restera pas pierre sur pierre dans Paris. *(Rire inextinguible.)* Bouillé seul est responsable ; le roi n'a rien fait que vouloir suspendre la juste vengeance des rois, se porter médiateur entre eux et son peuple. Alors eût été rétabli le règne de la raison *à la lueur du flambeau de la liberté...* » Il finissait cette lettre folle en disant aux députés « que leur châtiment servirait d'exemple, que d'abord il avait eu pitié d'eux, mais... », etc.

Cette lettre était inappréciable pour les partisans de la République. Une insulte solennelle à la nation, le gant jeté à la France par les royalistes, c'est ce qu'ils pouvaient désirer. Sans perdre temps, le lendemain matin, 1er juillet, une affiche hardie, simple et forte, fut placardée à la porte même de l'Assemblée ; cette affiche annonçait la publication du journal *Le Républicain*, qu'une société de républicains allait publier. Cette pièce, courte, mais complète, disait toute la situation ; la voici, réduite à deux lignes : « Nous venons d'éprouver que l'absence d'un roi nous vaut mieux que sa présence. Il a déserté, abdiqué. La nation ne rendra jamais sa confiance au parjure, au fuyard. Sa fuite est-elle son fait ou celui d'autrui, qu'importe ? fourbe ou idiot, il est toujours indigne. Nous sommes libres de lui, et il l'est de nous ; c'est un simple individu, M. Louis de Bourbon. Pour sa sûreté, elle est certaine, la France ne se déshonorera pas. La royauté est finie. Qu'est-ce qu'un office abandonné au hasard de la naissance, qui peut être rempli par un idiot ? N'est-ce pas un rien, un néant ? »

Cette pièce sortait du cercle de Condorcet, aussi bien que le pamphlet du *Jeune Mécanicien* qui parut presque en même temps. L'un et l'autre exprimaient la pensée commune de cette société de théoriciens hardis. Condorcet, toutefois, n'avait tenu la plume que pour le pamphlet, moins compromettant ; mais l'affiche fut rédigée, en anglais d'abord, par un étranger, Thomas Payne, qui avait moins à craindre la responsabilité d'un acte si grave. Elle fut traduite par les soins d'un de nos jeunes officiers qui avait fait la guerre d'Amérique, qui afficha hardiment aux portes de l'Assemblée, et signa *Du Châtelet*.

Payne avait en ce moment, à Paris, deux choses qui souvent vont ici d'ensemble, l'autorité et la vogue. Il trônait dans les salons. Les hommes les plus éminents, les plus jolies femmes lui faisaient la cour, recueillaient ses paroles, s'efforçaient de les comprendre. C'était un homme de cinquante à soixante ans ; il avait fait tous les métiers, fabricant, maître d'école, douanier, matelot, journaliste. Il n'avait pas moins de trois patries, l'Angleterre, l'Amérique et la France ; il n'en eut qu'une, à vrai dire, le droit, la justice. Invariable citoyen du droit, dès qu'il sentait l'injustice d'un côté de l'Océan, il passait de l'autre. La France gardera la mémoire de ce fils d'adoption. Il avait écrit pour l'Amérique son livre du *Sens commun*, le bréviaire des républicains ; et pour la France, il écrivit *Les Droits de l'Homme*, pour venger notre pays du livre de Burke. Brûlé à Londres en effigie, il fut nommé citoyen français par la Convention, il en devint membre. Payne semblait dur et fanatique. Ce fut un grand étonnement, au 21 janvier, quand il fit déclarer à la Convention qu'il ne pouvait voter la mort. La sienne faillit en suivre. Jeté en prison, et pensant qu'il n'avait pas de temps à perdre, il se mit à écrire : *L'Age de Raison,* un livre pour

Dieu contre toutes les religions. Sauvé au 9-Thermidor, il resta encore en France, mais il ne put endurer la France de Bonaparte, et s'en alla mourir en Amérique.

Revenons à son affiche. Malouet, arrivant le matin, la voit, la lit, est hors de lui-même. Il entre effaré, demande qu'on arrête les auteurs. « Avant tout, lisons l'affiche », dit froidement Pétion. Chabroud et Chapelier, craignant l'effet, et surtout que la lecture ne fût applaudie des tribunes, réclamèrent pour la liberté de la presse, et dirent qu'on devait mépriser l'œuvre d'un insensé, et qu'il fallait passer à l'ordre du jour.

L'Assemblée passe, en effet, comme indifférente, et reprend tranquillement les travaux du Code pénal. Mais elle se tient pour avertie.

Le parti d'Orléans aussi comprit mieux, après la terrible affiche, qu'en présence du parti républicain, naissant, mais déjà si hardi, il fallait, si l'on pouvait, enlever la régence ; que, plus tard, elle serait de moins en moins acceptée. Le difficile était de lancer la chose ; on jette d'abord un petit mot dans un journal secondaire. Là-dessus, étonnement, bien joué, du prince ; il écrit magnanimement, refuse ce que personne ne lui offre. Et cependant, il se fait recevoir membre des Jacobins, se met en vue, et se pose. L'un d'eux, faisant feu avant l'ordre, demande si naturellement le prince ne doit pas *présider* le Conseil de régence. Le 1er juillet, Laclos va plus loin, il veut un *régent,* il établit la déchéance. Le 3, Réal prouve que le duc est légalement *gardien* du dauphin. Le 4, Laclos voudrait qu'on réimprimât, qu'on distribuât le décret sur la régence. La masse des Jacobins, non orléaniste, écarte la proposition. Il ne se décourage pas ; dans son journal, il prouve, longuement et lourdement, qu'il faut créer un pouvoir nouveau, un protecteur ? non, le mot a été gâté par Cromwell, mais bien un *modérateur*.

Une grande polémique s'engage à ce sujet dans la presse, deux duels philosophiques, sur la thèse de la royauté, entre Laclos et Brissot, entre Sieyès et Thomas Payne. Celui-ci défie Sieyès, à toutes les armes possibles, lui donnant tout avantage, ne demandant que cinquante pages, et lui permettant un volume, se faisant fort d'établir que la Monarchie n'est rien « qu'une absence de système ». Sieyès déclina le combat, avec un mépris peu caché. Il croyait n'en avoir pas besoin.

L'Assemblée nationale voyait venir la lutte et s'y préparait. Déterminée à relever la royauté, elle prend trois sortes de mesures.

Elle affecte d'abord une attitude révolutionnaire ; elle fait des règlements pour favoriser la division et subdivision des biens nationaux. Elle menace les émigrés ; s'ils ne rentrent dans un mois, malheur à eux !... Seulement, la pénalité est minime et ridicule ; leurs biens sont imposés au triple.

L'Assemblée est prise aussi d'un accès inattendu de bonne volonté pour le pauvre ; elle fait des petits assignats « pour faciliter le paiement des ouvriers ». Elle vote plusieurs millions pour les hôpitaux ; elle fait venir la Municipalité de Paris, lui ordonne de distribuer des secours, de commencer des travaux, d'aider les ouvriers étrangers à sortir de la ville.

En même temps, au pas de course, on lit, on vote des lois de police, qui, sous ce simple titre : « Police municipale », tranchent les plus grandes questions ; un article, par exemple, défend aux clubs de s'assembler, à moins d'avertir d'avance du jour de réunion. Les habitants de chaque maison sont tenus de donner leur nom, âge, profession, etc. Des pénalités graves sont prononcées contre les voies de fait, les simples paroles ; la calomnie peut être punie de deux années de prison.

Tout cela se votait fort vite, à peu près sans discussion. Les séances publiques, si longues jadis, étaient devenues très courtes ; vers trois ou quatre heures, tout était fini ; et encore, pour remplir ces courtes séances, on suppléait par des affaires étrangères à la grande question, guerre, administration, finances. Les tribunes, ardentes, inquiètes, remplies d'une foule avide, ne voyaient, n'apprenaient rien ; la foule retournait affamée. Tout le fort de la besogne politique se brassait souterrainement dans les comités. Barnave avoue dans ses Mémoires qu'il y vivait entièrement. Les comités de législation, de constitution, des recherches, de diplomatie, etc., allaient dans un même sens ; ils constituaient la véritable Assemblée. Là s'élaboraient les éléments de la grande et terrible discussion de l'inviolabilité royale, qu'on ne pouvait cependant étrangler à huis clos, qu'il fallait bien tout à l'heure soutenir en pleine lumière ; aussi la préparait-on avec d'autant plus de soin, on arrêtait d'avance les points convenus, on distribuait les rôles.

Ce qui faisait tort à ce bel accord, c'est que Pétion était membre du Comité de législation. Il porta, le 8, aux Jacobins, cette question délicate et sacro-sainte, la mania familièrement, avec une simplicité rude, distinguant l'inviolabilité politique dont le roi jouit dans les actes dont les ministres répondent, et l'inviolabilité que l'on voudrait étendre à ses actes personnels. Quant aux dangers de destituer le roi, et d'avoir les rois à combattre : « S'ils en ont envie, dit-il, ils y seront bien mieux disposés si le roi est rétabli, s'ils voient replacer dans la main de leur ami les forces de la France qui les auraient combattus. »

Certes, cela était clair. Cette franchise rendit force à la minorité des Jacobins qui était contre le roi. La presse fut enhardie. Brissot, jusque-là très prudent, et dont les lenteurs suspectes étaient déjà accusées de Camille Desmoulins, de Mme Roland, de bien d'autres, Brissot éclata, brûla ses vaisseaux, vint aux Jacobins, traita la même question, mais dans une étendue, une lumière, un éclat extraordinaires ; il enleva un moment cette société, généralement contraire à son opinion, et qui, de plus, l'aimait peu lui-même.

Il déclara d'abord qu'il se tenait dans le cercle tracé par Pétion, qu'il examinerait seulement : *Si le roi devait, pouvait être jugé,* ajournant la question de savoir, en cas de destitution, quel gouvernement suppléerait.

S'accommodant habilement aux scrupules des Jacobins, au nom même de leur société (Amis de la Constitution) : « Nous sommes tous d'accord, dit Brissot ; nous voulons la Constitution. Le mot vague de *républicains* ne fait rien ici. Ceux qui sont contraires à ce mot, que craignent-ils ? L'anarchie : ceux qu'on appelle républicains ne la redoutent pas moins ; les uns et les autres craignent et la turbulence des démocraties de l'Antiquité, et la division de la France en républiques fédérées ; ils veulent également l'unité de la patrie. »

Après ces paroles rassurantes, et sans s'expliquer autrement sur le sens du mot *république,* il arrive à la question : « Le roi doit-il être jugé ? » Son argumentation, identique à celle de Pétion, à celle des orateurs qui parlèrent plus tard, Robespierre, Grégoire et autres, serait forte, s'ils déclaraient franchement qu'ils rejettent la royauté comme une institution barbare, une absurde religion ; elle est faible, parce qu'ils hésitent, reculent, ne vont point jusqu'au bout de leur principe, n'osent donner la conclusion qui est au fond de leur parole.

Dans la seconde partie, qui lui est propre, celle où il examine ce que pourrait faire l'Europe si le roi était jugé, Brissot est tout autrement fort. Là, il nage en pleine révolution, avec une liberté, une aisance vraiment remarquables ; il fait preuve de connaissances infiniment étendues ; il est plein de faits, de choses ; et tout cela emporté dans un tourbillon rapide qui ressemble à l'éloquence. Il frappe, en passant, des portraits vifs et satiriques, des puissances de l'Europe, des rois et des peuples, les montre tous faibles, un seul excepté : la France. La France n'a rien à craindre, et c'est aux autres à trembler. Ah ! si les rois de l'Europe entendent bien leurs intérêts, qu'ils se gardent de nous attaquer ; qu'ils s'éloignent plutôt, qu'ils s'isolent... qu'ils tâchent, en allégeant le joug, de faire oublier à leurs peuples la Constitution française et de détourner leurs regards du spectacle de la liberté !

Un souffle passa sur l'assemblée, le souffle ardent de la Gironde, ressenti pour la première fois. « Ce ne furent pas des applaudissements, dit Mme Roland, qui était présente, ce furent des cris, des transports. Trois fois, l'assemblée entraînée s'est levée tout entière, les bras étendus, les chapeaux en l'air, dans un enthousiasme inexprimable. Périsse à jamais quiconque a ressenti ou partagé ces grands mouvements, et qui pourrait encore reprendre des fers ! »

Quelque légitime que pût être cet enthousiasme, le brillant discours de Brissot, comme celui de Pétion, comme tous ceux qu'on fit en ce sens, péchait en un point. Il supposait qu'on pouvait isoler deux questions inséparables, celle du procès du roi, et celle du gouvernement qui pouvait le remplacer. Brissot affectait de croire ce qu'il était impossible qu'il crût en effet, à savoir, qu'on pouvait frapper le roi sans frapper la royauté ; que cette institution, jugée elle-même implicitement dans le jugement de l'homme, scrutée, mise à jour dans ses défauts intrinsèques, survivrait à cette épreuve. Il y avait là un défaut de franchise et d'audace, un reste d'hésitation qu'on retrouve dans les discours des principaux meneurs de l'opinion, dans celui que Condorcet fit au Cercle social, dans celui que Robespierre fit aux Jacobins.

Le 13 enfin, l'Assemblée aborde la formidable question ; les tribunes soigneusement garnies de gens sûrs, entrés d'avance avec des billets spéciaux, les avenues pleines de royalistes inquiets, de gentilshommes que la foule appelait les *chevaliers du poignard.* Sur la proposition d'un membre, on ferma les Tuileries.

Le rapport solennel qui allait décider de la Monarchie, rapport fait au nom de cinq comités, fut présenté par M. Muguet, député inconnu, de la bande des Lameth. Rien d'habile ni de politique, une plaidoirie d'avocat, qui ne connaît rien hors des textes : 1° la fuite du roi n'est pas un cas prévu dans la Constitution ; il n'y a rien d'écrit là-dessus ; 2° mais son inviolabilité est écrite, elle est dans la Constitution. Et alors, ayant trouvé moyen de lâcher le grand coupable, le rapport se dédommage en tombant sur les petits, sur les serviteurs qui ont obéi. Il faut un coupable principal, ce sera Bouillé ; les autres seront les complices, Fersen, Mme de Tourzel, les courriers, les domestiques. Robespierre demanda en vain qu'on distribuât ce rapport, et qu'on ajournât la discussion. On refusa sèchement. Toute l'Assemblée était visiblement d'accord pour avancer, abréger ; les pieds lui brûlaient ; elle avait hâte de voter, et de voter pour le roi.

Le soir, aux Jacobins, Robespierre, avec une notable prudence, établit qu'on aurait tort de l'accuser de républicanisme ; « que *république* et *monarchie,* au jugement de bien des gens, étaient des mots vides de sens... Qu'il n'était ni républicain ni monarchiste... On peut être libre avec un monarque comme avec un sénat », etc.

Les Cordeliers Danton, Legendre, venus ce soir aux Jacobins, ne restèrent pas dans ce vague ; ils touchèrent la question même. Danton demanda comment l'Assemblée pouvait prendre sur elle de prononcer, lorsque peut-être son jugement serait réformé par celui de la nation. Legendre fut violent contre le roi, ne ménagea rien ; il menaça les comités : « S'ils voyaient la masse, dit-il, les comités reviendraient à la raison ; ils conviendraient que, si je parle, *c'est pour leur salut.* »

Voilà le premier mot de Terreur dans les Jacobins. Des constitutionnels sortent indignés. A leur place, entrent des députations populaires, la Société *fraternelle des halles,* la Société *des deux sexes* qui siégeait sous la salle des Jacobins ; elles apportent des adresses. Un jeune chirurgien, fort connu, aboyeur et charlatan, lit à la tribune une lettre qu'il vient d'écrire au Palais-Royal pour trois cents personnes. Un évêque député, électrisé par le jeune homme, jure à la tribune de combattre aussi l'avis des comités. L'évêque et le chirurgien se jettent dans les bras l'un de l'autre...

Cependant, le même soir, à l'autre bout de Paris, au fond du Marais, aux Minimes, une société fraternelle d'hommes et femmes, succursale des Cordeliers, rédigeait une autre adresse, audacieuse, menaçante pour l'Assemblée, adresse visiblement calquée sur l'opinion de Danton. Elle était signée : *le Peuple.* Celui qui tenait la plume, Tallien, un tout jeune clerc, était un homme à Danton et sa mauvaise doublure. La parole furieuse de Tallien, sa fausse énergie, plaisait fort aux hommes, et les femmes croyaient volontiers un orateur de vingt ans.

Le 14, à l'Assemblée, les discours remarquables furent ceux de Duport et de Robespierre. Duport, écouté même des tribunes, dans un silence sombre ; Robespierre fut ingénieux et neuf, sur un sujet traité de tant de manières. Il dit, avec une aigre douceur, qu'il apportait les paroles de l'humanité, qu'il y aurait une lâche et cruelle injustice à ne frapper que les faibles, qu'il se ferait plutôt l'avocat de Bouillé et de Fersen. Tout cela à l'adresse des tribunes et du dehors.

L'Assemblée endurait toute parole en ce sens, plus qu'elle ne l'écoutait. Les constitutionnels, qui la sentaient tout entière d'intelligence avec eux, attendaient l'occasion de la compromettre par quelque mesure qui d'avance engageât son jugement. Prieur, de la Marne, ayant cru les embarrasser en leur demandant ce qu'ils feraient, si, l'Assemblée mettant le roi hors de cause, on venait demander qu'il fût rétabli dans tout son pouvoir... Desmeunier saisit effrontément cette prise, pour engager l'Assemblée, au profit du roi. Il fit du royalisme habile en langage jacobin, parla contre l'inviolabilité absolue du roi, dit « que certes le corps constituant avait eu bien le droit de suspendre le pouvoir royal, et que la suspension ne serait pas levée *jusqu'à ce que la Constitution fût terminée.* — Dandré, un autre tartuffe, abonda en ce sens, fut dur pour la royauté, dur en paroles, pour mieux faire avaler la chose au public désorienté. — Alors, Desmeunier reprenant avec naturel : « Puisqu'on me demande *(personne n'avait demandé)* de rédiger mon explication en projet de décret, voici un projet : 1° la suspension durera *jusqu'à ce que* le roi accepte la Constitution ; 2° s'il n'acceptait, l'Assemblée le déclarerait déchu. »

Mais Grégoire dit brutalement : « Soyez tranquilles, il acceptera, jurera tant que vous voudrez. » Et Robespierre : « Un tel décret déciderait d'avance qu'il ne sera pas jugé... » Les compères, surpris trop visiblement en flagrant délit, n'osèrent insister pour l'instant. L'Assemblée ne vota pas.

En revanche elle refusait d'entendre la pétition signée : *le Peuple.* Barnave insista bravement pour qu'elle fût lue le lendemain, ajoutant ces paroles menaçantes qui disaient assez qu'on était en force : « Ne nous laissons pas influencer par une opinion factice... *La loi n'a qu'à placer son signal,* on verra s'y rallier les bons citoyens. » Ce mot, pris alors au sens général, fut mieux entendu, lorsqu'au dimanche suivant l'autorité, pour signal, déploya le drapeau rouge.

L'agitation de Paris allait augmentant. Le hasard avait voulu que, du dimanche au dimanche, du 10 au 17, la population, pour des causes diverses, fût tenue toujours sur pied, toujours en émoi. Ceux qui ont l'expérience de cette ville savent bien qu'en pareil cas l'agitation prolongée va croissant, et qu'infailliblement elle tend à l'explosion. Le dimanche 10, la foule alla au-devant du convoi triomphal de Voltaire ; mais le mauvais temps l'empêcha de traverser Paris ; il s'arrêta à la barrière de Charenton. La fête n'eut lieu que le lundi, avec un concours incroyable de peuple. Au quai Voltaire, devant l'hôtel où mourut le grand homme, on fit halte ; on chanta des chœurs à sa gloire ; la famille des Calas, sa fille adoptive, Mme de Villette, vinrent, les yeux mouillés de larmes, couronner le cercueil. Beaucoup, dans cette foule émue, reportaient les yeux en face, sur les Tuileries, sur le pavillon de Flore, morne, fermé et muet, hostile à la fête, et confondaient dans leur haine le fanatisme et la royauté. Et ce n'était pas sans cause. On apprenait, par un rapport lu à l'Assemblée, que les prêtres, dans plusieurs provinces, rassemblaient le peuple le soir, lui faisaient chanter le *Miserere* pour le roi, poussaient à la guerre civile.

Voltaire monte à son panthéon. Mais le lendemain 13, autre fête, la Révolution même jouée à Notre-Dame dans un drame sacré, *La prise de la Bastille,* à grands chœurs, à grand orchestre. Le 14, sans respirer, le fameux anniversaire appelle la foule à la Bastille, d'où partent les corps constitués, pour aller, par les boulevards, au Champ-de-Mars ; l'évêque de Paris y dit la messe sur l'autel de la patrie. Le temps était magnifique, la foule remplissait les rues, Paris était illuminé le soir et les têtes de plus en plus agitées.

CHAPITRE VII

L'Assemblée innocente le roi (15-16 juillet 1791)

Les constitutionnels obligés de garder, d'avilir le roi qu'ils veulent relever — Leur double peur, Marat, etc. — La République moins difficile encore que la restauration de la royauté — La royauté défendue à l'Assemblée par Salles et Barnave, 15 juillet 1791 — L'Assemblée détourne du roi les poursuites ; elle poursuit Bouillé, etc. — Protestation au Champ-de-Mars — Manœuvre orléaniste, aux Jacobins, pour faire demander la déchéance — Les Jacobins constitutionnels se retirent aux Feuillants, et préparent la répression, 16 juillet 1791 — L'Assemblée réprimande la Municipalité, trop modérée — Petite terreur constitutionnelle — La pétition du Champ-de-Mars devient toute républicaine — L'Assemblée s'engage pour le roi.

Les constitutionnels ont déployé en quinze jours beaucoup d'adresse et de ruse pour sauver la royauté ; ils vont y mettre de plus une déplorable vigueur. Et avec cela ils sont dupes. Les républicains ont marché plus droit ; ils ont montré, dans leur ignorance, une sorte de seconde vue ; ils eussent été aux Tuileries, dans le cabinet de la reine, qu'ils n'eussent point agi autrement.

Le 7 juillet, la reine a laissé le roi donner des pouvoirs écrits à Monsieur. Déjà Fersen avait été le joindre, et les lui avait transmis verbalement.

La reine haïssait Monsieur, l'homme qui avait le plus travaillé, le mieux réussi à la perdre de réputation ; et pourtant elle fait ici cet effort de lui faire donner les pouvoirs du roi. Qui donc a cette puissance de lui faire dominer sa haine ? Une haine plus grande encore et le désir de se venger.

A-t-elle trompé Barnave, quand elle semblait, à Meaux, l'écouter docilement ? Non, elle était, je crois, sincère ; elle lui reviendra tout à l'heure ; ce qui n'empêche nullement que, dans l'intervalle, elle ne regarde ailleurs, vers l'émigration et vers l'étranger.

Elle souffrait infiniment de la surveillance vexatoire dont elle était alors l'objet. Les gardes nationaux qui avaient vu, le 21 juin, l'effrayante responsabilité qu'on prenait devant le peuple en se chargeant de garder la famille royale, fuyaient d'abord les Tuileries et refusaient absolument d'y reprendre ce dangereux poste ; ils n'y avaient consenti qu'en obtenant la consigne de *garder à vue, de nuit et de jour.* De là une foule de scènes risibles, si elles n'eussent été cruelles. Leur inquiétude était la reine surtout ; ils avaient de ses ruses une idée terrible, ils n'étaient pas éloignés de croire que la fée (elle l'avait dit en riant avant Varennes) pourrait bien partir en ballon. Se souvenant que Gouvion, la nuit du 21 juin, gardait fort inutilement la porte de la chambre à coucher, ils exigèrent que cette porte fût toujours ouverte, de manière à voir la reine à sa toilette et dans son lit. Il n'était pas jusqu'à sa garde-robe, où les soldats-citoyens ne prétendissent la conduire, la baïonnette au bout du fusil ; on leur fit honte. La reine imagina de faire coucher devant son lit une de ses femmes, dont les rideaux la garantissent. Une nuit, elle voit le garde national de service tourner cette barrière et venir à elle ; il n'était nullement hostile, au contraire, c'était un bon homme qui aimait la royauté, voulait la sauver, et croyait devoir profiter de la circonstance pour donner à la reine de sages avis ; il s'assit, sans autre façon, près de son lit, pour prêcher plus à son aise.

Le roi s'avisa un jour de fermer la porte de la chambre à coucher de la reine. L'officier de garde l'ouvrit, lui dit que telle était sa consigne, que Sa Majesté prenait en la fermant une peine inutile, car il l'ouvrirait toujours.

La situation était vraiment cruelle et baroque. Ceux qui donnaient cette consigne humiliante, La Fayette et les constitutionnels, qui avilissaient le roi à ce point (que dis-je, le roi ? l'époux), n'en voulaient pas moins qu'il fût roi, et travaillaient vigoureusement à cela, et se tenaient prêts à tirer l'épée, au besoin, pour le maintien de cette royauté, qu'ils rendaient de plus en plus ridicule et impossible.

Ils croyaient que la France n'avait de salut que dans cette fiction royale, dans cette ombre, ce néant, ce vide. Ils partaient de l'idée très fausse que la royauté était effectivement revenue de Varennes ; mais elle y était restée ; ce qui en était revenu, c'était moins encore que la négation de la royauté, c'en était la parodie, la dérision barbare, la farce, qui était un supplice.

Que voulaient ces étonnants restaurateurs de la royauté ? Deux choses contradictoires : qu'elle fût à la fois faible et forte, qu'elle fût et qu'elle ne fût pas. Ils sentaient bien que, captive, liée, garrottée ainsi, elle devait être dans un état permanent de conspiration ; donc, il fallait d'autant plus serrer le lien. Mais, d'autre part, une autre peur les pressait de lâcher, d'armer cette royauté captive. Des voix souterraines grondaient qui leur dérangeaient l'esprit. Le fantôme de l'anarchie leur apparaissait dans leurs rêves ; et ils faisaient ce qu'il fallait pour lui donner corps. La voix caverneuse de Marat leur semblait celle du peuple, et c'étaient eux justement qui le popularisaient.

A cette époque, Marat extravague. N'ayant rien compris à la situation, saisi nulle initiative, il prend sa revanche par la folie atroce de ses imaginations. Tout ce qu'il avait trouvé d'expédients à proposer, le 21 juin, c'était un tyran et un massacre, l'égorgement général de l'Assemblée et des autorités. Puis viennent d'aimables variantes dans les numéros suivants : couper les mains, couper les pouces, tenir trois jours sur le pal, enterrer vivants, etc.

Les constitutionnels reculaient de hideur (pour parler comme Froissart) devant cette bête sauvage ; mais en reculant, ils l'autorisaient. Il était trop facile à Marat, à Fréron, le faux Marat, de prédire les pas rétrogrades que faisaient les royalistes bâtards dans leur retraite inconséquente. Alors, on criait : « Miracle ! Marat l'avait dit ! vrai prophète ! » Ainsi, le fou furieux semblait être le seul sage.

L'Américain Morris prétend qu'à ce moment toute chose était impossible, et la royauté, et la régence, et la république. Non, tout était difficile. La France avait été dans un moment au moins aussi difficile ; dans l'hiver de 89 et 90 ; elle fut alors sans lois, ni anciennes ni nouvelles ; elle vécut de son instinct. Il pouvait la sauver encore. Le roi, ses frères, et d'Orléans, se trouvant également perdus dans l'opinion, la régence n'étant possible que par un conseil de députés, un comité républicain, mieux valait une forme plus franche, point de régence et la république. Difficulté pour difficulté, la préférence devait être pour le gouvernement qui, après tout, est le seul qui soit naturel, le *gouvernement de soi par soi-même,* celui auquel l'homme arrive dès qu'il échappe à la fatalité, atteint sa libre nature. On sentira de plus en plus, à mesure qu'on avancera dans la longue vie du monde, dans l'expérience politique qui commence à peine, que la Monarchie n'a été qu'un gouvernement d'exception, un *provisoire de salut public,* approprié aux peuples enfants.

La presse violente d'une part, les Marat et les Fréron, l'Assemblée de l'autre, les constitutionnels, parlaient également au nom du *salut public,* de l'intérêt public. Tous, partis d'une même philosophie qui fonde la morale sur l'*intérêt,* y appuyaient leur politique. C'est le *droit* qu'il eût fallu prendre pour point de départ ; lui seul aurait mis de la netteté dans cette situation obscure. Le salut public fut invoqué, et le sang coula ; il fut invoqué pour la royauté qui ne pouvait ni sauver les autres ni se sauver elle-même. Les moins sanguinaires, chose bizarre, furent justement ceux qui versèrent le sang les premiers, et qui, par cette première effusion, fournirent le prétexte et l'excuse au déluge de sang qui suivit.

Le 15, jour décisif, La Fayette crut prudent de mettre environ cinq mille hommes aux abords de l'Assemblée. Pour mieux contenir la foule, il avait eu soin de mêler à la garde nationale des piques du faubourg Saint-Antoine. L'Assemblée, bien décidée à en finir ce jour-là au meilleur marché possible, eut soin d'abord de perdre une bonne partie de la séance à écouter un rapport sur les affaires militaires des départements. Elle prêta une attention médiocre aux bavardages du vieux Goupil contre Brissot et Condorcet, aux discours qui suivirent de Grégoire et de Buzot. Celui du dernier, fort court, n'en était pas moins remarquable ; il donnait précisément des raisons qui, en 93, l'empêchèrent de juger le roi à mort : « Il s'agit d'un crime contre la nation, l'Assemblée c'est la nation ; elle serait juge et partie : donc, elle ne peut juger, etc. »

La séance était arrangée d'avance pour deux discours. Les rôles avaient été partagés entre Salles et Barnave : l'un, homme de cœur et chaleureux, devait défendre Louis XVI, l'homme, l'humanité ; l'autre, le froid et noble parleur, Barnave, devait prendre la question au point de vue législatif et politique.

Salles, avec une insinuation douce et hardie, ne craignit pas de s'adresser aux secrets sentiments de l'Assemblée. Le roi a protesté, il est vrai, il a dit que la Constitution « était inexécutable ». Mais nous l'avons souvent dit nous-mêmes, elle est difficile à exécuter, au moins dans les commencements. L'Assemblée a pu contribuer à l'erreur du roi ; elle a été obligée, pour le bien de la chose, de sortir souvent de son rôle d'Assemblée, de juger, de gouverner, etc. Ainsi, l'avocat était si sûr d'être écouté favorablement, qu'il cherchait une excuse au coupable dans les fautes mêmes du juge, dans les reproches que l'Assemblée se faisait secrètement, dans le peu de foi qu'elle avait maintenant, blasée et finie, à son œuvre, à ses propres actes.

Barnave s'éleva très haut. Sa froideur ordinaire, froideur feinte, ce jour-là, et qui n'était que dans la forme, fit valoir encore le fond, intimement passionné, qui perçait partout, comme en Asie ces terres sèches et froides qui, par places, n'en sont pas moins crevées de sources de feu. On sentait bien qu'il jouait tout, que c'était un moment suprême, et pour lui, et pour l'Assemblée. Il la mettait en demeure *de choisir entre la Monarchie et le gouvernement fédératif* (il affectait de ne comprendre nulle république que fédérative pour un grand Etat). La Monarchie était seule possible, disait-il, il faut bien subir l'inviolabilité qui en est la base. « Mais si le roi fait des fautes ?... Le danger pour la liberté serait qu'il n'en fît aucune. Si vous suivez aujourd'hui le ressentiment personnel en violant la Constitution, prenez bien garde un jour de suivre l'enthousiasme, craignez qu'un jour la même mobilité du peuple, l'enthousiasme d'un grand homme, la reconnaissance des grandes actions (car la nation française sait bien mieux aimer que haïr), ne renversent en un moment votre absurde République... Croyez-vous qu'un conseil exécutif, faible par essence, résistât longtemps aux grands généraux ? etc.

« Voilà pour la Constitution. Parlons dans la Révolution : après l'anéantissement de la royauté, savez-vous ce qui suivra ? *L'attentat à la propriété...* Vous ne l'ignorez pas, la nuit du 4 août a donné plus de bras à la Révolution que tous les décrets constitutionnels. Pour ceux qui voudraient aller plus loin, quelle nuit du 4 août reste-il à faire ?... »

Ces deux discours, habiles, hardis, auraient entraîné l'Assemblée, si elle en eût eu besoin. Mais elle était toute fixée d'avance sur ce qu'elle voulait. La Fayette demanda la clôture. L'Assemblée, d'après Salles et Barnave, d'après l'avis des comités, adopta : 1° une mesure préventive : si un roi rétracte son serment, s'il attaque ou ne défend point son peuple, il abdique, devient simple citoyen et accusable *pour les délits postérieurs à son abdication ;* 2° une mesure répressive : la poursuite contre Bouillé, comme *coupable principal,* contre les serviteurs, officiers, courriers, etc., complices de l'enlèvement.

Pour voter paisiblement, l'Assemblée s'était entourée de troupes, les Tuileries étaient fermées, la police partout sur pied, l'autorité municipale toute prête, à la place Vendôme, pour faire les sommations. Tout indiquait qu'on voulait emporter l'affaire ce jour-là, et qu'au besoin l'on ne craindrait pas de livrer bataille. Les meneurs connus se le tinrent pour dit, et ne parurent pas. La foule ne s'en porta pas moins au Champ-de-Mars pour y dresser une dernière protestation ; l'un des commissaires rédacteurs était un certain Virchaux, de Neuchâtel. On a vu, par l'affaire de Château-vieux, que les hommes de la Suisse française, esclaves des Allemands, étaient souvent à l'avant-garde de notre Révolution ; ils y mettaient tout l'espoir de leur propre délivrance ; la Société helvétique des Suisses établis à Paris prenait une part active aux grands mouvements populaires.

Il était facile d'écrire, difficile de faire pénétrer la pétition dans l'Assemblée. La foule trouve Bailly à la place Vendôme. Le bonhomme, en grand costume, ceint de l'écharpe tricolore, était là comme un général au milieu des masses armées. C'était par lui que l'Assemblée, fort résolue dans ce jour, et présidée alors par un jeune colonel, Charles de Lameth, remuait la force militaire. Le savant, l'académicien, l'homme éminemment pacifique, se voyait si tard dans la vie, poussé à être le héros involontaire de cette triste guerre entre citoyens qui menaçait d'éclater. Confiant, infiniment sensible à la popularité, faible du souvenir de 89 et voulant toujours être aimé, il n'était propre en aucun sens à devenir le chef de la résistance. On parlemente avec lui, on lui dit qu'on veut seulement parler à Pétion et Robespierre. Il résiste un peu, mollit, permet enfin le passage pour six hommes seulement. Les deux députés avertis viennent au passage des Feuillants ; mais, disent-ils, il est trop tard, le vote est porté.

La foule irritée reflue de l'Assemblée par tout Paris, ferme les théâtres, en signe de deuil. L'Opéra seul résista, et joua sous la protection des baïonnettes. A un autre théâtre, ce fut le commissaire de police qui lui-même pria de fermer, craignant une collision. L'autorité était flottante, peu d'accord avec elle-même. La Fayette aurait agi, mais il ne pouvait le faire sans autorisation du pouvoir municipal, et Bailly ne voulait rien prendre sous sa responsabilité. On avait arrêté Virchaux, l'un des meneurs du Champ-de-Mars, à l'entrée de l'Assemblée ; il se réclama de Bailly qui avait permis le passage, et qui le fit relâcher ; il fut arrêté de nouveau dans la nuit.

Une porte restait ouverte aux républicains et orléanistes. L'Assemblée n'avait rien statué *sur Louis XVI;* elle avait voté des mesures préventives contre une désertion possible *du roi.* La question personnelle restait tout entière. C'est ce qui fut, le soir, établi aux Jacobins par Laclos, Robespierre et autres. L'homme du duc d'Orléans, Laclos, qui présidait ce jour-là, demanda qu'on fît à Paris, et par toute la France, une pétition pour la déchéance. « Il y aura, dit-il, j'en réponds, dix millions de signatures ; nous ferons signer les enfants même, les femmes... » Il savait bien qu'en général les femmes voulaient un roi, et qu'elles ne signeraient contre Louis XVI qu'au profit d'un nouveau roi.

Danton appuya, Robespierre aussi, mais sans faire signer les femmes. De plus, à cette grande pétition de tout le peuple, il préférait une adresse exclusivement jacobine, envoyée aux sociétés affiliées... Cependant un grand bruit se fait, un grand flot de foule envahit la salle. Mme Roland, qui vit la scène d'une tribune, dit que c'étaient les aboyeurs ordinaires du Palais-Royal avec une bande de filles, probablement une machine montée par les orléanistes pour mieux appuyer Laclos. Cette foule se mit, sans façon, dans les rangs des Jacobins, pour délibérer avec eux. Laclos monte à la tribune : « Vous le voyez, dit-il, c'est le peuple, voilà le peuple ; la pétition est nécessaire. » On arrêta que le lendemain, à onze heures, les Jacobins réunis entendraient lecture de la pétition, qu'elle serait portée au Champ-de-Mars, là, signée de tous, puis envoyée aux sociétés affiliées, qui signeraient à leur tour.

Il est minuit, on s'écoule dans la rue Saint-Honoré. Il ne reste que les commissaires chargés de la rédaction : Danton, Laclos et Brissot. Encore, Danton ne reste guère; restent face à face Laclos et Brissot, c'est-à-dire l'orléanisme et la république. Laclos, ayant, dit-il, mal à la tête, laisse la plume à Brissot, qui la prend sans hésiter.

Dans cette pièce, vive et forte, l'habile rédacteur met en saillie les deux points de la situation : 1° le timide silence de l'Assemblée, qui n'a osé statuer sur l'individu royal ; 2° son abdication de fait (l'Assemblée en a jugé ainsi, puisqu'elle l'a suspendu et arrêté) ; enfin la nécessité *de pourvoir au remplacement...* Arrivé là, Laclos, sortant de son demi-sommeil, arrête un moment la plume rapide : « La Société des Amis de la Constitution signera-t-elle, si l'on ajoute un petit mot qui ne gâte rien à la chose : remplacement *par tous les moyens constitutionnels ?* » Ces moyens, qu'était-ce, sinon la régence, le dauphin sous un régent ? Les frères du roi étant hors de France, le régent constitutionnel était le duc d'Orléans.

Ainsi Laclos trouvait moyen d'introduire implicitement son maître dans la pétition.

Soit légèreté, soit faiblesse, Brissot écrivit ce que Laclos demandait. Peut-être le hardi rédacteur n'était pourtant pas fâché d'atténuer sa responsabilité par ce mot *constitutionnels,* qui rendait la chose légale et éloignait les poursuites.

Traversons maintenant la rue Saint-Honoré, et voyons comment, presque en face, les meneurs de l'Assemblée, les royalistes constitutionnels, réunis aux Feuillants dans les locaux des comités, voyons comme ils emploient leur nuit.

Ils arrêtent deux résolutions :

L'une, celle que Duport, les Lameth, avaient dès longtemps en pensée, de ne plus traverser la rue pour aller aux Jacobins, de rester aux Feuillants même, à l'ombre de l'Assemblée, de former, avec la masse des députés dont ils disposent, un nouveau club des Amis de la Constitution, club d'élite où l'on entrera par billets, où l'on ne recevra que les électeurs. Qui restera aux Jacobins ? Cinq ou six députés peut-être, la tourbe des nouveaux membres, des intrus, une bande d'aboyeurs, au niveau de ceux qui ont envahi la salle hier soir.

Et l'autre résolution, c'est de tirer de leur torpeur les pouvoirs publics, de mettre le maire de Paris en demeure de montrer s'il est avec l'Assemblée ou avec la populace, de l'admonester vertement pour son hésitation, sa mollesse de la veille, de mander aussi les ministres, les accusateurs publics, de les rendre responsables. L'Assemblée avait déjà La Fayette, l'épée immobile, au fourreau ; par ce reproche et cet appel aux magistrats, au pouvoir municipal, elle allait tirer l'épée...

L'Assemblée était bien vieille pour montrer cette verdeur ; vieille d'années, d'événements, finie dans l'opinion. Composée bizarrement au caprice des institutions gothiques, issue en bonne partie de ce Moyen Age qu'elle avait détruit, elle portait en elle une contradiction intrinsèque qui faisait toujours douter de la légalité de ses actes. Adversaire du privilège, elle n'en était pas moins, pour la moitié de ses membres, la fille du privilège. Trois cents de ces privilégiés qui avaient protesté pour le roi, en même temps que Bouillé, ils siégeaient encore. Une assemblée formée ainsi, et qui comptait dans son sein ces amis de l'ennemi, était-elle bien cette haute et pure image de la loi, devant laquelle, sous peine de mort, le peuple dût s'incliner ?

Il y avait audace, imprudence, mépris de l'opinion, à pousser ainsi des paroles aux actes. Des passions très violentes étaient au fond de tout ceci : l'ulcération des vanités pour Duport, Lameth, pour les constitutionnels ; pour Barnave et autres que la reine flattait de l'espoir de sa confiance, une ambition romanesque, quelques idées de jeunesse, que le plus froid, à vingt-huit ans, n'étouffe jamais. Ces hommes, si différents par les formes de ceux de la Convention, se payaient de la même idée, qui tue les scrupules : « La nécessité, l'Etat, le salut public. » Et cette autre idée, d'orgueil : « Le droit est en nous. »

Au matin (le 16 juillet), Pétion et autres se rendant aux Jacobins pour lire la pétition, trouvent la salle à peu près vide ; personne, à peine cinq ou six députés ; tous sont restés aux Feuillants. Pétion y court, et « fait l'impossible », il le dit ainsi lui-même, pour les ramener ; il s'humilie même : « Quand la société aurait eu quelque tort, serait-ce le moment de la quitter ? » Mais on ne daigne l'ouïr. Il voit, non sans inquiétude, qu'une adresse est préparée pour annoncer par toute la France aux sociétés affiliées que les Amis de la Constitution siègent maintenant aux Feuillants.

Pour terroriser Paris, il fallait d'abord que l'Assemblée fît peur à la Municipalité. Des mots durs pouvaient seuls la réveiller de sa langueur de la veille. Dandré l'accusa aigrement d'avoir vu les lois violées, et de l'avoir souffert. Il demanda et obtint qu'on mandât à la barre la Municipalité, et les ministres, et les six accusateurs publics, qu'on les rendît responsables. Quelques membres, suivant la passion qui les entraînait, allaient détourner la colère de l'Assemblée contre Prieur ou Robespierre. Dandré, avec fermeté et présence d'esprit, ne leur permit pas d'user leur ardeur dans ces accusations individuelles. Il les ramena aux mesures générales, et les fit voter. Le président (c'était Charles de Lameth) adressa des paroles impérieuses et sévères à Bailly, aux municipaux. Le soir, même admonestation aux ministres, aux accusateurs publics. On recommanda spécialement de surveiller, au besoin d'arrêter les étrangers.

Cependant, des scènes violentes avaient lieu dans Paris. Au Pont-Neuf, des hommes ou gardes soldés, rencontrant Fréron, faillirent l'assommer. Il en fut de même d'un personnage équivoque, un Anglais, maître d'italien, nommé Rotondo, meneur bien connu des émeutes, que l'on retrouvait partout. Il fut terrassé, battu, et, par-dessus, arrêté.

Cette petite terreur se marqua dans l'Assemblée par un accident comique. Un député, Vadier (depuis trop connu), très âcre et très violent, avait fait, le 13, un discours contre l'inviolabilité royale. Le 16, il en fit un autre, pour déclarer qu'il détestait le système républicain. Il fut la risée de tous les partis.

On prit ce moment pour lire à l'Assemblée la pétition de je ne sais quelle ville de province, qui attribuait les troubles aux excitations de Robespierre, et n'était pas loin de demander son accusation.

Que faisait-on au Champ-de-Mars ?

La pétition rédigée par Brissot et Laclos, lue aux Jacobins dans le désert, après qu'on eut attendu en vain si la société serait plus nombreuse, fut portée finalement à l'autel de la patrie. On avait placé à l'autel un tableau du triomphe de Voltaire, et sur le tableau l'affiche des Cordeliers, le fameux serment de Brutus. Les Cordeliers eux-mêmes arrivent, émus et ardents. Puis, un groupe peu nombreux, les envoyés des Jacobins ; ils lurent leur pétition, avec la phrase orléaniste de Laclos : Remplacement *par les moyens constitutionnels.* La phrase passait d'abord. Bonneville, de *La Bouche-de-Fer,* arrêta la chose, et les Cordeliers aussi : « On trompe le peuple, dit Bonneville, avec ce mot *constitutionnels* ; voilà une autre royauté, vous ne faites autre chose que remplacer un par un » — « Prenez garde, disaient les Jacobins, le temps n'est pas mûr pour la République. » Ils eurent beau dire. On mit la chose aux voix, et le mot *constitutionnels* fut effacé. On ajouta qu'on ne reconnaîtrait plus « *ni Louis XVI ni aucun autre roi* ». Il fut entendu que le lendemain, dimanche, la pétition ainsi amendée serait signée par le peuple à l'autel.

Quelques-uns, pensant bien que cette déclaration de guerre à la royauté ne passerait pas sans orage, avisèrent qu'il fallait s'assurer, à l'Hôtel de Ville, d'une autorisation pour la réunion du lendemain. Plusieurs, en effet, partirent, Bonneville en était, et (sur la route, ce semble) ils prirent avec eux Camille Desmoulins. Ils ne trouvèrent à la Ville que le premier syndic, qui n'osa pas refuser, donna de bonnes paroles, nul écrit ; ils se tinrent satisfaits, et se crurent autorisés.

La journée n'était pas finie. L'Assemblée tenait encore ; elle fut sans doute avertie, et de l'autorisation demandée à l'Hôtel de Ville, et de la pétition « *pour ne reconnaître Louis XVI ni aucun roi* ». Le lendemain, c'était dimanche. Tout Paris, toute la banlieue, émus depuis l'autre dimanche par tant d'événements coup sur coup, allaient se rendre au Champ-de-Mars. Le peuple souverain allait se lever, comme disaient les journaux, apparaître dans sa force et sa majesté ; s'il signait, ce n'était plus une pétition, c'était un ordre qu'il donnait à ses mandataires. L'Assemblée aurait beau objecter que le peuple souverain de Paris n'était pourtant pas, après tout, le souverain de la France ; elle n'en serait pas moins emportée dans l'irrésistible flot.

Elle était à temps pour arrêter tout, il était neuf heures du soir ; elle pouvait écarter la distinction dans laquelle les Amis de la Constitution s'étaient retranchés : *L'Assemblée n'a pas parlé expressément de Louis XVI.* Desmeunier reproduit sa proposition du 14, qui, sous une forme rigoureuse, dure au roi, le garantissait, en réalité, lui assurait l'avenir, le recouvrement de l'autorité royale. Il proposa, on vota « que la suspension du pouvoir exécutif durerait *jusqu'à ce que* l'acte constitutionnel fût présenté au roi et accepté par lui ».

Ainsi, plus d'ambiguïté. La question est préjugée en faveur de Louis XVI ; ce n'est pas un roi possible, c'est bien de lui, c'est du roi qu'il s'agit. Ce décret ferme le cercle de la loi, ne laisse aucune échappatoire. Tout ce qui sortira de ce cercle peut être légalement frappé.

Reste à régler l'exécution. A neuf heures et demie du soir, le maire et le Conseil municipal décident, à l'Hôtel de Ville, que le lendemain dimanche, 17 juillet, à huit heures très précises, le décret de l'Assemblée, imprimé et affiché, sera, de plus, à tous les carrefours, proclamé à son de trompe par les notables, les huissiers de la ville, dûment escortés de troupes. Nul avertissement plus significatif et plus solennel. L'autorité parle au peuple de sa voix la plus distincte. Malheur à ceux qui s'obstineraient à fermer l'oreille !

CHAPITRE VIII

Massacre du Champ-de-Mars (17 juillet 1791)

Les royalistes avaient besoin d'une émeute — Fatale espièglerie au Champ-de-Mars — Assassinat au Gros-Caillou : — Trois partis au Champ-de-Mars — Pétition républicaine qui accuse l'Assemblée — Le Drapeau rouge est arboré — Aspect pacifique du Champ-de-Mars — La garde soldée et les royalistes tirent sur le peuple — La garde nationale sauve les fuyards.

Tous les décrets de l'Assemblée n'auraient pas suffi à relever la royauté de terre ; il fallait un coup de vigueur, qui lui rendît force en la faisant croire forte encore. Cela ne pouvait se faire sans une émeute, sans la victoire sur l'émeute. Les royalistes aux Tuileries, Les constitutionnels à l'Assemblée, la désiraient certainement.

L'émeute n'avait qu'à paraître, elle était vaincue. Outre la garde nationale, corps imposant de soixante mille hommes, organisé, habillé, La Fayette avait une arme infaillible, ce qu'on appelait la troupe du centre, garde nationale soldée de plus de neuf mille hommes, la plupart anciens gardes-françaises, dont plusieurs sont devenus les officiers, les généraux de la République et de l'Empire.

Mais justement parce que l'émeute voyait en face des forces si redoutables, il y avait à parier qu'il n'y aurait pas d'émeute. Les dogues baissaient la tête. Le fameux brasseur Santerre, qui, par sa voix, sa taille, sa corpulence, avait si grande influence dans le faubourg Saint-Antoine, accepta aux Jacobins l'humble commission d'aller retirer la pétition du Champ-de-Mars. Les grands meneurs cordeliers se montrèrent plus prudents encore. Ils sentirent la portée du dernier décret, virent parfaitement que le royalisme avait besoin d'une émeute ; les coups donnés à Fréron, à Rotondo, indiquaient assez qu'on serait peu scrupuleux sur les moyens de la provoquer. Ils disparurent. On le leur a reproché. Je crois cependant que leur présence eût été plutôt un prétexte de dispute et de combat ; on n'eût pas manqué de dire qu'ils avaient animé le peuple, et tout l'odieux de l'affaire, qui tomba sur les constitutionnels, eût été pour leur parti. Danton en jugea ainsi. Dès le samedi soir, il s'éclipsa de Paris, fila au bois de Vincennes, à Fontenay, où son beau-père, le limonadier, avait une petite maison. Le vaillant boucher Legendre, qui n'avait à la bouche que combat, sang et ruine, enleva lui-même Desmoulins et Fréron, qui perdaient le temps à rédiger une pétition nouvelle, les emmena à la campagne, où ils passèrent au frais cette chaude journée et dînèrent avec Danton.

Les royalistes étaient rieurs ; au milieu de tous ces grands et tragiques événements, ils se croyaient toujours au temps de la Fronde, chansonnaient leurs ennemis. Jusqu'à la fin de l'Assemblée constituante, leur verve fut intarissable. Chaque jour, enfermés chez les restaurateurs des Tuileries, du Palais-Royal, ils écrivaient, parmi les bouteilles, leurs fameux *Actes des Apôtres*. L'affaire de Varennes, qui, parmi ses côtés tristes, en avait de fort ridicules, n'était pas propre à mettre les rieurs de leur côté. Ils furent trop heureux de l'éclipse des fameux meneurs populaires. La nuit même, on fit à Fontenay, à la grille de Danton, une sorte de charivari, accompagné de cris, de défis et de menaces.

Une plaisanterie fatale, et dont l'issue fut terrible, fut tentée au Champ-de-Mars. Quelque triste et honteux que soit le détail, il est trop essentiel à la peinture des mœurs de l'époque, pour que l'histoire puisse s'en taire. La gravité n'est pas son premier devoir ; c'est d'abord la vérité.

L'émigration, la ruine de beaucoup qui n'émigraient pas avaient mis sur le pavé une masse de valetaille, des gens attachés aux nobles, aux riches, à différents titres, agents de mode, de luxe, d'amusement, de libertinage. La première corporation, en ce genre, celle des perruquiers, était comme anéantie. Elle avait fleuri plus d'un siècle, par la bizarrerie des modes. Mais le terrible mot de l'époque, « Revenez à la nature », avait tué ces artistes, coiffeurs et coiffeuses ; tout allait vers une simplicité effrayante. Le perruquier perdait à la fois son existence et son importance. Je dis importance, il en avait réellement beaucoup sous l'ancien régime. Le précieux privilège des plus longues audiences, l'avantage de tenir une demi-heure, une heure, sous le fer, les belles dames de la Cour, de jaser, de dire tout ce qu'il voulait, c'était le droit du perruquier. Valet de chambre ou perruquier maître, il était admis le matin au plus intime intérieur, et témoin de bien des choses, confident sans qu'on songeât à se confier à lui. Le perruquier était comme un animal domestique, un meuble de dames ; il participait fort de la frivolité des femmes auxquelles il appartenait. Ce fut au sieur Léonard, bien dévoué, mais de peu de tête, que la reine confia ses diamants, et le soin d'aider Choiseul dans la fuite de Varennes ; et tout alla de travers. Il est inutile de dire que de telles gens regrettaient amèrement l'ancien régime. Les plus furieux royalistes n'étaient peut-être ni les nobles, ni les prêtres, mais les perruquiers.

Agents, messagers de plaisirs, ils étaient aussi généralement libertins pour leur propre compte. L'un d'eux, le samedi soir, la veille du 17 juillet, eut une idée qui ne pouvait guère tomber que dans la tête d'un libertin désœuvré ; ce fut d'aller s'établir sous les planches de l'autel de la patrie, et de regarder sous les jupes des femmes. On ne portait plus de paniers alors, mais des jupes fort bouffantes par-derrière. Les altières républicaines, tribuns en bonnet, orateurs des clubs, les romaines, les dames de lettres, allaient monter là fièrement. Le perruquier trouvait bouffon de voir (ou d'imaginer), puis d'en faire des gorges chaudes. Fausse ou vraie, la chose, sans nul doute, eût été vivement saisie dans les salons royalistes ; le ton y était très libre, celui même des plus grandes dames. On voit avec étonnement, dans les Mémoires de Lauzun, ce qu'on osait dire en présence de la reine. Les lectrices de *Faublas,* et d'autres livres bien pires, auraient sans nul doute reçu avidement ces descriptions effrontées.

Le perruquier, comme celui du *Lutrin,* pour s'enfermer dans ces ténèbres, voulut avoir un camarade, et choisit un brave, un vieux soldat invalide, non moins royaliste, non moins libertin. Ils prennent des vivres, un baril d'eau, vont la nuit au Champ-de-Mars, lèvent une planche et descendent, la remettent adroitement. Puis, au moyen d'une vrille, ils se mettent à percer des trous. Les nuits sont courtes en juillet, il faisait bien clair et ils travaillaient encore. L'attente du grand jour éveillait beaucoup de gens, la misère aussi, l'espoir de vendre quelque chose à la foule ; une marchande de gâteaux ou de limonade, prenant le devant sur les autres, rôdait déjà, en attendant, sur l'autel de la patrie. Elle sent la vrille sous le pied, elle a peur, elle s'écrie. Il y avait là un apprenti, qui était venu studieusement copier les inscriptions patriotiques. Il court appeler la garde du Gros-Caillou, qui ne veut bouger ; il va, tout courant, à l'Hôtel de Ville, ramène des hommes, des outils, on ouvre les planches, ont trouve les deux coupables, bien penauds, et qui font semblant de dormir. Leur affaire était mauvaise ; on ne plaisantait pas alors, sur l'autel de la patrie ; un officier périt à Brest pour le crime de s'en être moqué. Ici, circonstance aggravante, ils avouent leur vilaine envie. La population du Gros-Caillou est toute de blanchisseuses, une rude population de femmes, armées de battoirs, qui ont eu parfois dans la Révolution leurs jours d'émeutes et de révoltes. Ces dames reçurent fort mal l'aveu d'un outrage aux femmes. D'autre part, parmi la foule, d'autres bruits couraient ; ils avaient, disait-on, reçu, pour tenter un coup, promesse de rentes viagères ; le baril d'eau, en passant de bouche en bouche, devint un baril de poudre ; puis la conséquence : « Ils voulaient faire sauter le peuple... » La garde ne peut plus les défendre, on les arrache, on les égorge ; puis pour terrifier les aristocrates, on coupe les deux têtes, on les porte dans Paris. A huit heures et demie ou neuf heures, elles étaient au Palais-Royal.

Précisément, à cette heure, les officiers municipaux et notables, avec huissiers et trompettes, proclamaient aux carrefours les décisions de l'Assemblée, le discours sévère du président et les mesures répressives.

Voilà donc, dès le matin, les deux choses en face, qui devaient servir également la cause des royalistes ; la menace, le crime à punir ; le glaive levé déjà, et l'occasion de frapper.

L'Assemblée se réunissait ; la nouvelle tombe comme la foudre, arrangée, défigurée, comme on la voulait.

Un député effaré : « Deux bons citoyens ont péri... Ils recommandaient au peuple le respect des lois. On les a pendus. » (Mouvement d'horreur.)

Regnault de Saint-Jean-d'Angély : « Je demande la loi martiale... Il faut que l'Assemblée déclare ceux qui, *par écrits* individuels ou *collectifs,* porteraient le peuple à résister, criminels de lèse-nation. » Ainsi, le but était atteint, la pétition et l'assassinat étaient confondus ensemble, et tout rassemblement menacé comme réunion d'assassins.

Puis, l'Assemblée, avec une liberté d'esprit étrange dans la situation, s'occupa de tout autre chose. Tout le jour elle reste là, faisant semblant d'écouter des rapports sur les finances, la marine, les troubles suscités par les prêtres, etc. Cependant, elle agissait ; son président, Charles de Lameth, avec la violence impatiente de son caractère, envoyait, au nom de l'Assemblée, des messages à l'Hôtel de Ville, et stimulait la lenteur de la Municipalité. Celle-ci, chargée d'exécuter, était moins impatiente ; elle prétendit ne savoir qu'à onze heures le meurtre commis entre sept et huit. Les troupes envoyées par elle arrivèrent vers midi au Gros-Caillou, et prirent un des meurtriers ; il échappa, mais fut repris le lendemain avec un de ses complices.

L'Assemblée, avant midi, avait lancé son décret. Le mot *écrits collectifs* menaçait précisément la pétition des Jacobins. Robespierre sortit pour aller les avertir du péril, et leur faire retirer la pétition du Champ-de-Mars. Leur salle était déserte ; à peine une trentaine de membres. Ces trente dépêchèrent Santerre et quelques autres.

Il n'y avait pas encore beaucoup de monde au Champ-de-Mars ; à l'autel, pas plus de deux cents personnes (Mme Roland, qui y était, le témoigne). Sur les glacis, vers le Gros-Caillou, des groupes épars, des hommes isolés, qui allaient et venaient. Ce petit nombre, perdu dans l'immensité du Champ-de-Mars, n'avait nul accord. Dès cette heure, s'y manifestaient trois opinions différentes. Les uns, c'étaient les Jacobins, disaient que l'Assemblée ayant décidé pour le roi, il fallait bien changer la pétition ; que la société allait en faire une. Les autres, membres des Cordeliers, meneurs secondaires, ravis d'agir dans l'absence de leurs chefs, insistaient pour rédiger sur la place même une pétition menaçante ; ceux-ci étaient des gens de lettres, ou lettrés de divers étages, Robert et sa femme d'abord, un typographe, Brune (depuis général), un écrivain public, Hébert, Chaumette, élève en médecine, journaliste, etc.

Il y avait encore quelques autres Cordeliers, mais hommes de main, et qui ne s'amusaient pas à écrire ; ils restaient sur les glacis, avec la populace du Gros-Caillou, irritée de ce que la justice se mêlait de réformer la justice sommaire qu'elle avait faite le matin des deux hommes pris sous l'autel. Cette irritation aboutirait-elle à une grande explosion populaire ? Il n'y avait nulle apparence. Mais ces furieux Cordeliers le croyaient ainsi. Parmi eux, il y avait des hommes néfastes, qu'on ne voit qu'en de tels jours. Verrières y était, selon toute apparence ; Fournier y fut certainement. Le premier, figure fantastique, l'affreux bossu du 6 octobre. Le 16 juillet au soir, ce nain sanguinaire monté sur un grand cheval, avec de grands gestes effrayants, avait cavalcadé dans Paris, véritable apparition de l'Apocalypse. L'autre n'avait ni mots ni gestes, il ne savait que frapper ; c'était un homme déterminé, d'une âme violente, atroce, l'Auvergnat Fournier, dit l'Américain. Piqueur de nègres à Saint-Domingue, puis négociant, ruiné, aigri par un injuste procès, il avait fatigué en vain de ses pétitions l'Assemblée des notables et l'Assemblée constituante : celle-ci, menée par des planteurs, tels que les Lameth, par Barnave, ami des planteurs, avait définitivement repoussé la dernière pétition de Fournier, un mois à peine avant juillet. Dès lors on vit cet homme partout où l'on pouvait tuer ; il se mêla aux plus terribles tragédies des rues, sans ambition, sans haine personnelle, mais par haine de l'espèce humaine, et comme amateur du sang. Après la Révolution, il retourna à Saint-Domingue ; il continua de tuer, mais des Anglais de préférence, et brilla comme corsaire.

Les premières troupes entraient à peine au Champ-de-Mars, vers midi, conduites par un aide de camp de La Fayette. Des glacis part un coup de feu. L'aide de camp est blessé. La Fayette, peu après, traverse le Gros-Caillou, avec la masse des troupes et du canon ; les furieux des glacis, la populace du quartier, étaient en train de faire une barricade ; ils renversaient des charrettes ; l'un d'eux, garde national (on croit que c'était Fournier), tira à bout portant sur La Fayette, à travers la barricade ; le fusil rata. L'homme fut pris à l'instant même ; La Fayette, par une générosité peu raisonnée, le fit relâcher. Il continua, jusqu'à l'autel, où il trouva les orateurs et rédacteurs, peu nombreux, paisibles, qui lui jurèrent qu'il s'agissait uniquement d'une pétition ; la pétition signée, ils allaient retourner chez eux.

L'Assemblée sut à l'instant même qu'on avait tiré sur La Fayette. Le président, en toute hâte, écrit à l'Hôtel de Ville. L'on envoie au Champ-de-Mars deux municipaux pour sommer l'attroupement. A leur grande surprise, ils ne trouvent que des gens tranquilles. On leur lit la pétition à eux-mêmes, ils ne la désapprouvent pas. Elle était toutefois fort vive, elle faisait ressortir l'audace de l'Assemblée qui avait préjugé la question en faveur du roi, sans attendre le vœu de la France ; elle accusait de plus une bien grave illégalité, soutenant que les deux ou trois cents députés royalistes, qui avaient fait la protestation et ne voulaient plus voter, n'en étaient pas moins, cette fois, venus voter avec les autres.

Cette fameuse pétition (que j'ai sous les yeux) me paraît, au caractère, avoir été écrite par Robert, dont le nom se trouve au bas, avec ceux de Peyre, Vachart (ou Virchaux ?) et Dumont. Elle est toute vive, toute chaude, visiblement improvisée au Champ-de-Mars. Je la croirais volontiers dictée par Mme Robert (Mlle Kéralio), qui passa tout le jour sur l'autel avec son mari, avec une passion persévérante, à signer et faire signer. Le discours est coupé, coupé, comme d'une personne haletante. Plusieurs négligences heureuses, de petits élans dardés (comme la colère d'une femme, ou celle du colibri) me sembleraient volontiers trahir la main féminine.

Suivent des milliers de signatures, remplissant plusieurs feuilles, ou petits cahiers, que l'on a cousus ensemble. Nul ordre. Visiblement, chacun a signé, à mesure qu'il arrivait, presque tous à l'encre, plusieurs au crayon. Beaucoup de noms sont connus, spécialement ceux de la section du Théâtre-Français (Odéon), qui étaient là en grand nombre : *Sergent* (le graveur ?) ; *Rousseau* (le premier chanteur de l'Opéra ?) ; *Momoro, premier imprimeur pour la liberté, et électeur pour la seconde législature ; Chaumette, étudiant en médecine, rue Mazarine, N° 9 : Fabre* (d'Églantine?) ; *Isambert,* etc. D'autres qui ne sont point du même quartier ; mais membres des Cordeliers : *Hébert, écrivain, rue de Mirabeau ; Hanriot, Maillard.* Ajoutez quelques Jacobins, comme *Andrieux, Cochon, Duquesnoy, Tascherau, David.* Enfin des noms de toute sorte : *Girey-Dupré* (le lieutenant de Brissot), *Isabey père, Isabey fils, Lagarde, Moreau, Renouard,* etc.

En tête de la feuille 35, je lis cette note touchante : « *La poignarderez-vous* (la liberté ? ou la patrie ?) *dans son berceau, après l'avoir enfantée ?* »

Beaucoup ajoutent à leur nom : *garde national,* ou *soldat citoyen pour la patrie.* Beaucoup ne savent signer et mettent une croix. Il y a nombre de signatures de femmes et de filles. Sans doute, ce jour de dimanche, elles étaient au bras de leurs pères, de leurs frères ou de leurs maris. Croyantes d'une foi docile, elles ont voulu témoigner avec eux, communier avec eux, dans ce grand acte dont plusieurs d'entre elles ne comprenaient pas toute la portée. N'importe, elles restaient courageuses et fidèles, et plus d'une bientôt a témoigné de son sang.

Le nombre des signatures dut être véritablement immense. Les feuilles qui subsistent en contiennent plusieurs milliers. Mais il est visible que beaucoup ont été perdues. La dernière est cotée 50. Ce prodigieux empressement du peuple à signer un acte si hostile au roi, si sévère pour l'Assemblée, dut effrayer celle-ci. On lui porta, sans nul doute, une des copies qui circulaient, et elle vit, avec terreur, cette assemblée souveraine, jusqu'ici juge et arbitre entre le roi et le peuple, qu'elle passait au rang d'accusée. Elue depuis si longtemps, sous l'empire d'une situation si différente, ayant dans tous les sens passé ses pouvoirs, elle se sentait très faible. Elle avait toujours dans son sein trois cents ennemis de la Constitution, qui, tout en protestant qu'ils n'agissaient plus, reparaissaient par moments, se mêlaient aux délibérations, les troublaient, votaient peut-être aux jours où ils pouvaient nuire, cela seul suffisait pour entacher d'illégalité tous ses actes. Elle qui se croyait la loi et tirait le glaive au nom de la loi, elle se voyait surprise, si l'accusation était vraie, en flagrant délit de crime contre la loi. Il fallait dès lors, à tout prix, dissoudre le rassemblement, déchirer la pétition.

Telle fut certainement la pensée, je ne dis pas de l'Assemblée entière, qui se laissait conduire, mais la pensée des meneurs. Ils prétendirent avoir avis que la foule du Champ-de-Mars voulait marcher sur l'Assemblée, chose inexacte certainement, et positivement démentie par tout ce que les témoins oculaires, vivants encore, racontent de l'attitude du peuple. Qu'il y ait eu, dans le nombre, un Fournier ou quelque autre fou pour proposer l'expédition, cela n'est pas impossible ; mais, ni lui, ni autre, n'avait la moindre action sur la foule. Elle était devenue immense, mêlée de mille éléments divers, d'autant moins facile à entraîner, d'autant moins offensive. Les villages de la banlieue, ne sachant rien des derniers événements, s'étaient mis en marche, spécialement la banlieue de l'ouest, Vaugirard, Issy, Sèvres, Saint-Cloud, Boulogne, etc. Ils venaient comme à une fête ; mais une fois au Champ-de-

Mars, ils n'avaient aucune idée d'aller au-delà ; ils cherchaient plutôt, dans ce jour d'extrême chaleur, un peu d'ombre pour se reposer sous les arbres qui sont autour, ou bien au centre, sous la large pyramide de l'autel de la patrie.

Cependant un dernier, un foudroyant message de l'Assemblée arrive, vers quatre heures, à l'Hôtel de Ville ; et en même temps, un bruit venu de la même source se répand à la Grève, dans tout ce qu'il y avait là de garde soldée : « Une troupe de cinquante mille brigands se sont postés au Champ-de-Mars ; ils vont marcher sur l'Assemblée. »

Ceci était tout contraire au rapport de La Fayette, contraire au rapport des deux municipaux revenus plus tard encore à l'Hôtel de Ville, et qui même avaient ramené une députation de ces paisibles brigands, pour obtenir l'élargissement de deux ou trois personnes arrêtées. Le maire, la Municipalité, le département, flottent entre ces impressions contraires ; ils voudraient trouver moyen d'ajourner encore. Cependant, l'Assemblée commande ; Bailly ne peut qu'obéir. Les gens du département, La Rochefoucauld, Talleyrand, Beaumetz, Pastoret, tremblent d'avoir tant attendu, ils blâment les lenteurs de la Municipalité : « Nous voilà, disent-ils, compromis à l'égard de l'Assemblée. »

Cependant, la troupe soldée, les Hullin et autres, frémissait dans la Grève. Ces gardes-françaises, dont beaucoup étaient des vainqueurs de la Bastille, étaient furieux dès longtemps, exaspérés contre les journaux, les agitateurs démocrates, qui les appelaient mouchards de La Fayette. Ils attendaient impatiemment le jour de laver cela dans le sang. Ce fut chez eux un cri de joie, quand ils virent aux fenêtres de l'Hôtel de Ville, qu'ils ne quittaient pas des yeux, arborer le drapeau rouge.

Le pauvre Bailly, fort pâle, descend à la Grève. L'astronome infortuné, après une vie tout entière passée dans le cabinet, se voit, par la nécessité, poussé à mener cette bande furieuse, à verser le sang. Image de la fatalité, on voyait pourtant qu'il ne craignait rien ; il avait, de longue date, sacrifié sa vie. Au jour même, au jour triomphant du 23 juillet 1789, où il se laissa nommer maire, où Hullin lui donna le bras pour aller à Notre-Dame, Bailly, entouré de soldats, s'était dit : « N'ai-je pas l'air d'un prisonnier qu'on mène à la mort ? » Il avait bien l'air d'y aller le 17 juillet 1791. Il portait sur le visage le mot que lui lance un journal du temps : « Ce jour vous versera un poison lent jusqu'au dernier de vos jours. »

Depuis une heure environ, la générale était battue dans Paris, à l'étonnement de tout le monde ; les gardes nationaux arrivaient de toutes parts. Ils s'acheminaient en longues colonnes, les uns par les Champs-Elysées les autres par les Invalides ou bien par le Gros-Caillou. Un moment avant d'arriver, on leur faisait charger les armes ; car, disait-on, les brigands étaient maîtres du Champ-de-Mars ; ils s'y étaient retranchés.

Je copierai textuellement la narration inédite d'un témoin très digne, très croyable. Il était garde national dans le bataillon des Minimes, qui, avec ceux des Quinze-Vingts, de Popincourt et de Saint-Paul, s'alignèrent parallèlement à l'École militaire :

« L'aspect que présentait alors cette place immense nous frappa d'étonnement. Nous nous attendions à la voir occupée par une populace en furie ; nous n'y trouvâmes que la population pacifique des promeneurs du dimanche, rassemblée par groupes, en familles, et composée en grande majorité de femmes et d'enfants, au milieu desquels circulaient des marchands de coco, de pain d'épice et de gâteaux de Nanterre, qui avaient alors la vogue de la nouveauté. Il n'y avait dans cette foule personne qui fût armé, excepté quelques gardes nationaux parés de leur uniforme et de leur sabre ; mais la plupart accompagnaient leurs femmes et n'avaient rien de menaçant ni de suspect. La sécurité était si grande que plusieurs de nos compagnies mirent leurs fusils en faisceaux, et que, poussés par la curiosité, quelques-uns d'entre nous allèrent jusqu'au milieu du Champ-de-Mars. Interrogés à leur retour, ils dirent qu'il n'y avait rien de nouveau, sinon qu'on signait une pétition sur les marches de l'autel de la Patrie.

« Cet autel était une immense construction, haute de cent pieds ; elle s'appuyait sur quatre massifs qui occupaient les angles de son vaste quadrilatère et qui supportaient des trépieds de grandeur colossale. Ces massifs étaient liés entre eux par des escaliers dont la largeur était telle qu'un bataillon entier pouvait monter de front chacun d'eux. De la plate-forme sur laquelle ils conduisaient, s'élevait pyramidalement, par une multitude de degrés, un terre-plein que couronnait l'autel de la Patrie, ombragé d'un palmier.

« Les marches pratiquées sur les quatre faces, depuis la base jusqu'au sommet, avaient offert des sièges à la foule fatiguée par une longue promenade et par la chaleur du soleil de juillet. Aussi, quand nous arrivâmes, ce grand monument ressemblait-il à une montagne animée, formée d'êtres humains superposés. Nul de nous ne prévoyait que cet édifice élevé pour une fête allait être changé en un échafaud sanglant.

« La population, qui remplissait le Champ-de-Mars, ne s'était nullement inquiétée de l'arrivée de nos bataillons ; mais elle sembla s'émouvoir, quand le bruit des tambours annonça que d'autres forces militaires survenaient encore, qu'elles allaient entrer dans l'enceinte par la grille du Gros-Caillou, ouverte en face de l'autel. Cependant la foule curieuse et confiante se précipita à leur rencontre ; mais elle fut repoussée par les colonnes d'infanterie, qui, obstruant les issues, s'avancèrent et se déployèrent rapidement, et surtout par la cavalerie qui, en courant occuper les ailes, éleva un nuage de poussière, dont toute cette scène tumultueuse fut enveloppée. »

La scène était inexplicable, vue de l'Ecole militaire. On peut dire même que peu de gens, dans le Champ-de-Mars, pouvaient bien s'en rendre compte. Il fallait, pour comprendre, dominer l'ensemble. C'est ce que firent plusieurs royalistes, apparemment bien avertis. L'Autrichien Weber, frère de lait de la reine, prit poste au coin du pont même. L'Américain Morris, familier intime des Tuileries, monta sur les hauteurs de Chaillot. Et c'est de là aussi que nous allons observer la scène ; la vue plonge admirablement, rien ne nous échappera ; le Champ-de-Mars est sous nos pieds.

Au fond même du tableau, devant l'Ecole militaire, ce rideau de troupes, c'est la garde nationale du faubourg Saint-Antoine et du Marais. Nul doute que La Fayette se fie peu à ces gens-là. Il leur a adjoint un bataillon de garde soldée pour les surveiller.

Cette garde soldée est sa force. Vous la voyez presque entière, qui entre, bruyante et formidable, par le Gros-Caillou, au milieu du Champ-de-Mars, près du centre, près de l'autel, près du peuple... Gare au peuple !

Et avec la garde soldée entrent encore par le milieu nombre de gardes nationaux, les uns ardents fayettistes (indignés qu'on ait tiré sur leur dieu), les autres furieux royalistes, qui viennent tout doucement verser le sang républicain sous le drapeau de La Fayette. Ce sont les officiers surtout de la garde nationale qui ont entendu l'appel ; plus d'officiers que de soldats ; tous ces officiers sont nobles, presque tous chevaliers de Saint-Louis. Un journal assure qu'à cette époque ces chevaliers sont douze mille à Paris. Ces militaires se faisaient nommer sans difficulté officiers de la garde nationale ; citons entre autres un Vendéen, ex-gouverneur de M. de Lescure ; Henri de La Rochejaquelein le fut bientôt de même dans la garde constitutionnelle du roi.

Les royalistes ardents, les plus impatients de frapper, ne savaient trop s'ils devaient suivre La Fayette, la garde soldée, ou bien se mettre dans le troisième corps, sous le drapeau rouge. Ce drapeau arrivait par le pont de bois (où est le pont d'Iéna), avec le maire de Paris. Il amenait une réserve de garde nationale, à laquelle s'étaient mêlés quelques dragons (arme connue pour son royalisme), et une bande assez ridicule de perruquiers, qui, outre l'épée qu'ils avaient droit de porter, étaient armés jusqu'aux dents. Ils venaient apparemment venger le perruquier pendu le matin par les gens du Gros-Caillou.

Le drapeau rouge, fort petit, invisible dans le Champ-de-Mars, entre donc avec le maire du côté du pont. A sa gauche, sur les glacis, se tenaient une masse de polissons du quartier, des vauriens de toute sorte, et, sans nul doute aussi, le groupe de Fournier l'Américain. Le maire se mettant en devoir de faire sa sommation, une grêle de pierres s'élève, puis un coup de feu, qui va, derrière Bailly, blesser un dragon. La garde nationale répondit, mais tira en l'air ou à poudre. Il n'y eut sur les glacis ni mort ni blessé.

La grande masse de peuple qui était assise au centre, sur les marches de l'autel de la patrie, vit-elle la scène de si loin ? Très confusément sans doute elle entendit les coups de feu, et jugea avec raison qu'on tirait à poudre. Elle crut qu'on viendrait aussi lui faire des sommations. Beaucoup d'ailleurs hésitaient à quitter l'autel, voyant de tous côtés des troupes, à l'Ecole militaire, au Gros-Caillou et vers Chaillot. La plaine, envahie rapidement par la cavalerie, tourbillonnait de groupes innombrables qui cherchaient en vain une issue vers Paris. L'autel, après tout, semblait être encore le lieu le plus sûr, surtout pour ceux qui étaient retardés par des femmes ou des enfants ; ils croyaient y trouver un asile inviolable. De quelque point de vue qu'on l'envisageât, en effet, de l'ancienne religion ou de la nouvelle, cet autel était sacré. Il n'y avait pas trois jours que le clergé de Paris était venu y dire la messe, et la liberté elle-même n'y avait-elle pas officié, au jour de la Fédération ?

La masse des troupes soldées, entrées par le centre, l'artillerie, la cavalerie, s'alignant dans le Champ-de-Mars du côté du Gros-Caillou, se trouvaient avoir à dos les glacis où refluaient la canaille, les enfants, les furieux, qui déjà avaient tiré sur Bailly du côté de la rivière, et que la décharge à poudre avait dispersés. Moins effrayés qu'enhardis, pouvant toujours au besoin, si l'on tirait, s'effacer derrière les glacis, ils vociféraient et jetaient des pierres « aux mouchards de La Fayette ». Les meneurs comptaient que ceux-ci, piqués des mouches, harcelés, finiraient par perdre la tête, et feraient quelque grand malheur, que le peuple alors rentrerait furieux dans Paris, qu'un soulèvement général s'ensuivrait peut-être, comme en juillet 89.

Le maire et le commandant, deux hommes nullement sanguinaires, n'avaient donné certainement qu'un ordre général d'employer la force en cas de résistance. Ils comptaient, sur le champ de bataille, donner des ordres spéciaux, un signal exprès, dire où et comment la force devait être employée.

Quelle influence meurtrière poussa la troupe du centre à frapper sans rien attendre ? Je ne crois pas que les provocations parties des glacis suffisent à expliquer la chose. J'y verrais bien plutôt l'action, l'instigation directe de ceux qui avaient intérêt à détruire la pétition, avec les pétitionnaires. Je parle des royalistes. On a vu que les plus violents d'entre eux, nobles ou clients des nobles, perruquiers, dragons, etc., s'étaient réunis ou à la troupe du centre, ou à celle de Bailly. Ces derniers, selon toute apparence, voyant que les gardes nationaux de Bailly ne tiraient qu'en l'air, coururent se joindre à la troupe du centre, lui dirent qu'on avait tiré sur le maire, que les sommations étaient impossibles. Les chefs auront pris cet avis pour un ordre du maire lui-même, et suivi leurs furieux guides qui montraient, marquaient le but, l'autel et la pétition.

Si la garde soldée n'eût été ainsi habilement dirigée par ceux qui avaient un but politique, elle eût, on peut l'affirmer, tiré de préférence sur ceux qui lui jetaient des pierres, frappé sur les agresseurs. Tout au contraire, elle laissa les groupes hostiles qui la provoquaient, et tira sur la masse inoffensive de l'autel de la Patrie. La cavalerie prit le galop, et s'en alla, folle et furieuse, contre cette montagne vivante, toute d'hommes, de femmes et d'enfants, qui répondit à la décharge par un effroyable cri...

Chose étrange et pourtant certaine, l'artillerie, restée à sa place, voulant faire aussi quelque chose, allait tirer à mitraille, à travers la plaine, dans un nuage de poussière, parmi la foule qui fuyait, et sur ses propres cavaliers. Il fallut, pour arrêter ces idiots, que La Fayette poussât son cheval à la gueule des canons qui allaient tirer.

Voyons quelle fut l'impression de cette scène affreuse sur la garde nationale, spécialement du côté de l'Ecole militaire : « Nous ne vîmes ni officiers municipaux ni drapeau rouge, et nous n'avions pas la moindre idée qu'il fût possible de proclamer la loi martiale contre cette multitude inoffensive et désarmée, lorsque des clameurs se firent entendre et furent suivies aussitôt d'un grand feu prolongé. Des cris perçants, que ne purent étouffer ces détonations, nous apprirent que nous assistions non pas à une bataille, mais à un massacre. Au moment où la fumée commença à se dissiper, nous découvrîmes avec horreur que les marches de l'autel de la Patrie et tout son pourtour étaient jonchés de morts et de blessés. Des groupes d'hommes, de femmes, d'enfants, échappant à ce carnage, s'élancèrent vers nous, poursuivis par des cavaliers qui les chargeaient le sabre à la main. Nous ouvrîmes nos rangs pour protéger leur fuite ; et leurs ennemis acharnés furent forcés de s'arrêter devant nos baïonnettes, et de reculer devant nos menaces et nos malédictions. Un aide de camp qui vint nous apporter l'ordre de marcher en avant pour balayer la place et opérer une jonction avec les autres troupes fut accueilli avec les mêmes vociférations ; et l'énergie de ces rudes manifestations ne laissa pas douter que cette journée, déjà si sanglante, ne pût le devenir encore plus.

» Sans attendre que ces dispositions éclatassent davantage, le commandant forma son bataillon en colonne, fit sortir des éclaireurs pour en couvrir les flancs. Les autres bataillons imitèrent ce mouvement, et tous ensemble, par une résolution spontanée, nous sortîmes du Champ-de-Mars, en manifestant notre indignation et notre douleur. »

CHAPITRE IX

Les Jacobins abattus, relevés (juillet 91)

Qui fut coupable du massacre ? — Impression de l'événement aux Tuileries — Terreur des Jacobins, 17 juillet — Mme Roland offre asile à Robespierre — Hésitation et fausses mesures des constitutionnels — Démarche humiliante des Jacobins, 18 juillet — Ils restent maîtres du local et de la correspondance — Les Feuillants s'annulent eux-mêmes, 17-23 juillet — Réorganisation des Jacobins, sous l'influence de Robespierre — Adresses menaçantes des villes à l'Assemblée, fin juillet. Elle renonce à saisir le gouvernement par ses commissaires, envoyés dans les provinces, 30 juillet.

Bailly, qui, parti du pont, avait à traverser la moitié du Champ-de-Mars, n'arriva au milieu, devant la garde soldée, qu'après l'affreuse exécution, et dit « qu'il était vivement affecté de voir que des imprudents avaient fait feu ». Un journal, qui, du reste, lui est très hostile, témoigne de cette parole.

Dans le procès-verbal, fait le soir à la Municipalité, la chose est présentée de même, comme une imprudence, un désordre advenu malgré les autorités et sans leur signal.

Douze morts furent portés à l'hôpital du Gros-Caillou, et l'on prétend qu'on en jeta la nuit beaucoup dans la Seine. Les journaux vont jusqu'à dire, avec une évidente exagération, qu'on en jeta quinze cents.

Les douze, dont nous avons les noms, signalements et costumes, sont tous gens obscurs, de pauvres gens de la classe ouvrière : un jeune garçon que son père reconnut le lendemain, une femme du peuple, de cinquante à soixante ans, pauvrement vêtue, lente et lourde, qui ne put pas se sauver, etc.

Quelle fut la part de chacun dans ce malheur et ce crime ? Ni Bailly ni La Fayette n'ordonna le feu. On abusa visiblement de l'ordre général, donné en partant, de dissiper l'attroupement par la force, s'il y avait résistance. Cet ordre supposait de plus un signal qu'on n'attendit pas.

Qui précipita le feu ? qui poussa la garde soldée ? qui la détourna des glacis d'où volaient les pierres, pour la faire tirer sur l'autel inoffensif, sur la pétition *antiroyaliste ?* Le bon sens suffit pour répondre ; ceux qui y avaient intérêt, c'est-à-dire les *royalistes,* les nobles ou clients des nobles, qui se trouvaient là comme officiers de la garde nationale, ou comme volontaires amateurs, dans cette chasse aux républicains, un chevalier de Malte, par exemple, qui s'en vante dans les journaux quelques jours après.

Des trois corps qui entrèrent dans le Champ-de-Mars, un seul tira, celui du centre, formé presque en totalité par la garde soldée.

Du côté de la rivière, la garde nationale, conduite par Bailly, tira en l'air ou à poudre, quoiqu'on ait tiré sur elle à balle et blessé un homme.

Du côté de l'Ecole militaire, la garde nationale, loin de tirer, recueillit, protégea ceux qui fuyaient.

Ce dernier corps, nous l'avons dit, était celui du Marais et du faubourg Saint-Antoine. En sortant du Champ-de-Mars, il rencontra d'autres corps de la garde nationale, qui, par d'unanimes acclamations, le remercièrent et le bénirent pour son humanité.

Le deuil, on peut le dire, fut général pour ce triste événement. Les uns y déploraient le sang versé, les autres, le coup, mortel, peut-être, qu'avait reçu la liberté. Un garde national, du bataillon de Saint-Nicolas (M. Provant), se brûla la cervelle, laissant ces mots sur la table : « J'ai juré de mourir libre, la liberté est perdue, je meurs. »

Un bataillon seulement de la garde soldée n'avait pas tiré ; c'était celui qui, se trouvant près de l'Ecole militaire, était tenu en respect par une masse infiniment plus nombreuse de gardes nationaux. La presse révolutionnaire profita de cette circonstance pour féliciter la garde soldée, lui faire croire à son innocence, la retenir dans le bon parti. En réalité, c'était elle, qui, seule, ou presque seule, avait exécuté le massacre. Ce ménagement politique, pour un corps qu'on redoutait, eut pour effet de rejeter tout l'odieux de l'affaire sur la garde nationale, qui pourtant, du côté du pont, avait ménagé le peuple, et, du côté de l'Ecole, l'avait couvert et sauvé.

Si l'on eût osé faire une enquête sérieuse sur l'événement, je crois qu'on eût trouvé les gardes soldés pour exécuteurs, et les royalistes pour instigateurs. On s'en garda bien. Pourquoi ? Parce qu'à ce moment même les constitutionnels, alliés des royalistes pour relever la royauté, auraient voulu plutôt ensevelir au fond de la terre un acte si malencontreux, si funeste à leurs desseins.

Des deux côtés, véritablement, on dirait qu'il y eut une entente coupable pour obscurcir et embrouiller. L'examen, la comparaison la plus sérieuse des actes et des témoignages, le contrôle des uns par les autres, ont pu seuls cribler les faits, écarter les mensonges hardis de tel ou tel contemporain et nous amener aux résultats plus vraisemblables, j'ose dire à peu près certains, que nous venons d'indiquer.

Voyons quel fut dans Paris l'effet de l'événement.

La terrible fusillade, trop bien entendue, avait serré tous les cœurs. Tous, de quelque parti qu'ils fussent, eurent un pressentiment funèbre, une sorte de frissonnement, comme si, du ciel déchiré, une lueur des futures guerres sociales leur eût apparu.

Mais nulle part l'effet de terreur ne fut plus grand qu'en deux endroits, aux Tuileries, aux Jacobins. Aux premiers coups, la reine reçut le contrecoup au cœur ; elle sentit que ses imprudents amis venaient d'ouvrir un gouffre sanglant qui ne se refermerait plus.

Et les Jacobins comprirent que c'était sur eux, délaissés, réduits à un si petit nombre, que leurs rivaux, les Feuillants, allaient faire porter la responsabilité de tout ce qui avait pu provoquer la terrible exécution.

Ils envoyèrent à l'instant aux informations. Leurs envoyés, aux Champs-Elysées, rencontrèrent une femme éplorée, puis une foule confuse du peuple qui fuyait à toutes jambes. On leur dit qu'il y avait bien des morts, qu'on avait tiré avant la troisième sommation, etc. Sans perdre de temps, la Société, pour désarmer l'autorité, déclara qu'elle désavouait « les imprimés *faux ou falsifiés* qu'on lui avait attribués, qu'elle jurait de nouveau fidélité à la Constitution, soumission aux décrets de l'Assemblée ».

Cependant, on entendait un grand bruit dans la rue Saint-Honoré ; c'étaient les gardes soldés qui revenaient, fort échauffés, du Champ-de-Mars, et qui, passant devant les Jacobins, criaient qu'on leur donnât l'ordre d'abattre la salle à coups de canon. Au-dedans, l'alerte est vive. « La salle est investie ! » crie-t-on. Grand trouble, grande confusion, peur extrême et ridicule. Un des membres perdit la tête, au point de sauter, pour se sauver, dans la tribune des femmes. Mme Roland y était, qui lui en fit honte, et l'obligea d'en sortir, comme il y était venu. Cependant des soldats étaient mis aux portes ; on fermait les grilles, pour empêcher d'entrer ceux qui se présenteraient : on laissait sortir les autres. Mme Roland sortit des dernières.

La rue était pleine de foule ; plusieurs riaient, huaient les sortants ; quelques autres applaudissaient. Robespierre fut reconnu, applaudi de certains groupes, honneur bien compromettant dans un pareil jour.

Il descendait la rue pour gagner le faubourg Saint-Honoré et sans doute se réfugier chez Pétion qui y demeurait, lorsque, en face de l'Assomption, quelques personnes crièrent de nouveau : « Vive Robespierre ! » On assure même qu'un homme se serait avisé de dire : « S'il faut un roi, pourquoi pas lui ?... » Il était sage évidemment de ne pas aller plus loin. Par bonheur, un menuisier, nommé Duplay, qui demeurait en face et se tenait sur sa porte, vint à lui, le saisit vivement par la main, et, avec une rude bonhomie, le poussa dans sa maison. Le maître de la maison était Mme Duplay, femme très vive, énergique, qui le reçut, le caressa, l'enveloppa, comme un fils ou comme un frère, comme le meilleur des patriotes, un martyr de la liberté. L'homme, la femme, la famille, l'entourent, le voilà prisonnier ; on ferme la porte. Il ne s'en ira pas chez lui à cette heure, dans un jour pareil, au fond du Marais, dans ce quartier si désert, perdu, dangereux ; il serait assassiné. Il faut qu'il soupe, qu'il couche ; son lit est tout préparé. Le mari le veut, la femme l'ordonne, les demoiselles Duplay, sans rien dire, priaient aussi de leurs beaux yeux. Robespierre, malgré sa réserve naturelle, vit bien qu'il fallait accepter. Le lendemain il voulut partir, mais son impérieuse hôtesse ne le permit pas. Il finit par demeurer dans cette famille, élut domicile chez le menuisier, sentant que sa popularité ne pouvait qu'y gagner beaucoup. Fortuit ou non, l'événement eut sur la destinée du plus calculé des hommes une notable influence.

Pendant qu'il soupait paisiblement chez Duplay, Mme Roland le cherchait chez lui. On répandait le bruit qu'il allait être arrêté. Par un noble mouvement, elle partit le soir avec son mari, alla chez Robespierre au fond du Marais, pour lui offrir un asile. Déjà elle avait reçu Robert et sa femme, plus directement compromis. Quoiqu'il fût près de minuit, avant de rentrer chez eux, rue Guénégaud, les Roland allèrent chez Buzot, qui demeurait assez près, quai des Théatins (quai Voltaire) ; ils le conjurèrent d'aller aux Feuillants, d'y défendre Robespierre, avant qu'on y dressât son acte d'accusation qu'eût sans doute voté l'Assemblée. L'ardent intérêt de Mme Roland put donner un peu de jalousie à Buzot, l'un de ses plus passionnés admirateurs ; cependant sa générosité naturelle ne lui permit pas d'hésiter : « Je le défendrai à l'Assemblée, dit-il ; quant aux Feuillants, Grégoire y est, et il parlera pour lui. » Il ne cacha pas l'opinion peu favorable qu'il avait de Robespierre, dit qu'il le trouvait au fond ambitieux, égoïste : « Il songe trop à lui-même pour aimer la liberté. »

On se trompait en réalité sur l'audace des vainqueurs. On leur attribuait une préméditation, un plan, un calcul qui leur étaient étrangers. Cette nuit même, ils étaient aux Feuillants, et dans les bureaux de l'Assemblée, consternés du pas sanglant qu'ils venaient de faire au profit des royalistes. Un pas de plus, ils se trouvaient, eux, les constitutionnels, avoir brisé la Constitution, la Révolution, eux-mêmes. Ce pas, Dandré, ingénument, simplement, leur conseillait de le faire ; c'était de fermer les clubs. L'avis un moment prévalut. On cloua la porte des Cordeliers ; on garda celle des Jacobins. Mais Duport, mais La Fayette, réclamèrent au nom des principes. Duport, qui primitivement avait fondé les Jacobins, qui croyait les avoir transférés aux Feuillants, et qui comptait toujours, par cette puissante machine, ramener l'opinion, déclarait ne vouloir nulle force que celle de la raison et de la parole.

Le sang versé embarrassait. Pour atténuer l'effet, on supposa une romanesque conspiration, sans la moindre vraisemblance, qu'auraient formée des étrangers, Rotondo, le maître de langues, un banquier juif, Éphraïm, l'innocent orateur du Cercle social,

Mme Palm Aelder, et quelques autres encore. Le peuple était impeccable ; le bon, l'honnête, le digne peuple de Paris ne pouvait être accusé ; des étrangers seuls avaient pu, etc.

Visiblement, on craignait de rencontrer juste. On aimait mieux frapper à côté.

Le lendemain, lundi 18, l'Assemblée fort peu nombreuse (en tout 253 membres) écouta le rapport du maire de Paris. Ce rapport était un extrait de celui qui avait été fait le soir à l'Hôtel de Ville, extrait peu fidèle. Il est probable que les royalistes avaient bien travaillé le bonhomme dans la nuit, l'avaient encouragé à se compromettre, décidé à prendre une part de la responsabilité qui, véritablement, ne devait pas porter sur lui. Ici, l'affaire n'est plus *un désordre,* comme dans le rapport primitif ; c'est une juste répression. Le nouveau rapport s'attache à faire croire que le massacre a été provoqué, et pour cela il rapproche deux choses fort éloignées et parfaitement distinctes, l'assassinat du matin et le massacre du soir ; le premier, commis à sept heures par la populace du Gros-Caillou ; le second, exécuté douze heures après sur des gens qui, la plupart, ne savaient pas même ce qui s'était fait le matin.

Mais dans cette séance même, où le président, Charles de Lameth, félicite Bailly, sans regret sur le sang versé, où Barnave, se battant les flancs, donne le coup de trompette pour célébrer la victoire ; à ce moment de triomphe, les vainqueurs voudraient avancer ; d'eux-mêmes, ils ont peur, ils reculent. Au premier mot pour profiter de l'avantage, ils trahissent leur hésitation. Regnault de Saint-Jean-d'Angély voulait que l'Assemblée votât trois ans de fers pour quiconque aurait provoqué au meurtre, la prison et des poursuites contre ceux qui, par des écrits ou autrement, auraient provoqué la désobéissance aux lois. Pétion montra que dès lors c'en était fait de la liberté de la presse. Alors Regnault s'effaça, amoindrit sa proposition, il demanda, l'Assemblée vota l'addition d'un mot au mot provoqué: « *Formellement provoqué* ». Ce simple mot ajouté donnait les moyens d'éluder la loi, et la rendait impuissante.

Si l'Assemblée voulait obtenir un résultat sérieux, il fallait que le Comité des recherches fût autorisé par elle, et poussât lui-même l'enquête. Il s'abstint, fit renvoyer la chose aux tribunaux, qui agirent peu, tard et mal. Premièrement, ils se gardèrent bien de sonder la part que les agents royalistes devaient avoir à l'affaire ; seulement, ils décrétèrent deux journalistes, Suleau et Royou, l'ami du roi, frappant ainsi les écrivains, les parleurs, non les acteurs. Et quant aux républicains que les juges ne ménageaient pas, ils procédèrent cependant contre eux avec lenteur et gaucherie. Ils attendirent au 20 juillet pour faire chercher Fréron, au 4 août pour saisir l'imprimerie de Marat, au 9 pour donner ordre d'arrêter Danton, Legendre, Santerre, Brune et Momoro.

Les Jacobins, qui n'avaient nullement prévu l'hésitation de leurs ennemis, se croyaient perdus, le 18 juillet. Ils firent une démarche étrange qui eût pu les perdre en effet dans l'opinion ; ils se mirent, pour ainsi dire, à plat ventre, rampèrent devant l'Assemblée. Robespierre rédigea pour eux une adresse, étonnante d'humilité, qu'ils adoptèrent, envoyèrent. Cette Assemblée nationale, que lui-même, le 21 juin, il avait proclamée un repaire de traîtres, il la loue de ses *généreux efforts, de sa sagesse, de sa fermeté, de sa vigilance, de sa justice impartiale et incorruptible.* Il lui rappelle sa Déclaration des droits, *sa gloire et le souvenir des grandes actions qui ont signalé sa carrière :* « Vous la finirez comme vous l'avez commencée, et vous rentrerez dans le sein de vos concitoyens, dignes de vous-mêmes. Pour nous, nous terminerons cette adresse par une profession de foi, dont la vérité nous donne le droit de compter sur votre estime, *sur votre confiance,* sur votre appui : *Respect pour l'Assemblée,* fidélité à la Constitution », etc.

Les Jacobins signèrent, envoyèrent à l'Assemblée cette triste palinodie ; mais ils se gardèrent bien de l'insérer au journal de leurs débats. Ce fut Brissot qui, le 24, leur joua le mauvais tour de la publier. Était-ce indiscrétion ? ou bien croyait-il avilir le rédacteur, Robespierre, avec lequel, dès cette époque, il sympathisait très peu ?

L'humilité sauva les Jacobins, l'orgueil perdit les Feuillants. En réalité, ces derniers étaient très forts. Ils avaient emmené de l'ancien club à peu près tous les députés, non pas seulement les modérés, les constitutionnels, mais de très fervents Jacobins, comme Merlin de Douai, Dubois-Crancé, etc. Intimement unis à l'Assemblée nationale, établis dans ses bureaux même, ils participaient à sa majesté. Les Feuillants qu'ils occupaient (rue Saint-Honoré, en face de la place Vendôme) étaient un local immense et magnifique, splendide fondation d'Henri III, successivement agrandie par ses successeurs. Le couvent formait un carré énorme, qui communiquait par un couloir avec le Manège, et de là avec les Tuileries, la terrasse des Feuillants.

Et pourtant c'était une faute d'avoir quitté l'ancien local. Celui-ci avait ce qui achalande les vieilles boutiques renommées : il était sombre, laid, mesquin, Sans ostentation, sans emphase, il ne montrait rien qu'une porte basse et un passage assez sale, sur la rue Saint-Honoré. La maison était une réforme des Jacobins ; le couvent était triste et pauvre. La bibliothèque, où d'abord s'était tenu le club avant de passer dans l'église, n'avait guère d'autre ornement qu'un curieux petit tableau qui rendait sensible aux yeux le secret mystère de l'association janséniste, le mécanisme ingénieux dont elle s'était servie pour faire circuler, malgré la police, les *Nouvelles ecclésiastiques,* sans jamais être surprise. L'église n'avait aucun monument important, sauf le tombeau de Campanella, une sorte de Robespierre moine, un Babeuf ecclésiastique, qui était venu s'y réfugier au XVIIe siècle.

On disait que le cardinal de Richelieu, quand il se sentait mollir et risquait d'être homme, venait là et reprenait, près du Calabrais farouche, quelque chose du bronze italien.

Les modernes Jacobins qui s'assemblaient dans cette église, et n'y étaient que locataires, avaient laissé ces vieux tombeaux. Ils étaient là pêle-mêle avec les morts. D'autres morts, les derniers moines du couvent, assistaient au club (en 89 et 90), comme les derniers Cordeliers au club qui se tenait chez eux. Tout cela composait un ensemble bizarre qui avait pour toujours saisi les têtes, rempli les souvenirs, les imaginations : le puissant *genius loci,* transformé par la Révolution, vivait là, on le sentait. *Quis Deus ? incertum est ; habitat Deus.* Les Jacobins disaient aux voyageurs, aux provinciaux, avec le ton mystérieux d'une dévotion bizarre : « C'est la Société mère ! » Là s'étaient tenus, en effet, les premiers *sabbats* (mot propre à l'argot jacobin) d'où sortirent les premières émeutes. Là, dans son mémorable duel avec Duport et Lameth, Mirabeau vint tonner, mourir. Et pendant que la chapelle roulait ces grandes voix dans ses voûtes, un autre bruit, strident, barbare, venait s'y mêler parfois, qui partait d'en bas, de l'église inférieure, où des sociétés ouvrières, des clubs de femmes du peuple, se débattaient violemment.

Ce n'était pas là un local vulgaire qu'on pût impunément quitter. Ce qui prouve que les Feuillants n'étaient point des politiques, c'est qu'ils ne l'aient point senti. Ils pouvaient tout, le 17, ils étaient l'Assemblée elle-même. Ils auraient dû à tout prix ou détruire, ou occuper le lieu, et cela, le soir, sans autre délai, profiter de la terreur de leurs ennemis.

Ils s'en avisèrent au matin. Feydel, successeur de Laclos dans la rédaction du journal, vint avec lui réclamer le local et la correspondance. Ils alléguaient que les Feuillants, spécialement Duport et Lameth, étaient les fondateurs du club, que tout le comité de correspondance (du moins vingt-cinq membres sur trente) avait passé de leur côté. Ils étaient venus de bonne heure, espérant probablement enlever la chose dans la solitude et le découragement des Jacobins, avant l'arrivée de Pétion et Grégoire, croyant peut-être aussi que Robespierre, menacé, n'oserait venir. Les Jacobins déclarèrent vouloir les attendre. Ils arrivent. Pétion, qui venait de tâter l'Assemblée nationale, qui avait obtenu qu'elle énervât sa loi répressive, c'est-à-dire qu'elle reculât au jour même de la victoire, Pétion n'hésita pas à répondre pour les députés jacobins qu'ils étaient, autant que les autres, fondateurs du club, qu'ils garderaient la correspondance et resteraient là ; qu'au reste, il allait faire, auprès des Feuillants, une démarche de conciliation. Il y alla, en effet, et reçut cette fière réponse « qu'ils ne recevraient de Jacobins que ceux qui se conformeraient à leurs nouveaux règlements ».

Les Feuillants se montraient bien plus orgueilleux qu'habiles. Leur premier acte, l'adresse du 17 aux sociétés affiliées, avait été en tout sens impolitique et malencontreuse ; adresse *mal datée,* du jour du massacre ; *mal signée,* du nom de Salles qui avait défendu le roi ; *mal envoyée,* sous le couvert du ministre, et suspecte par cela seul ; enfin, pour que rien n'y manquât, *mal approuvée*, si l'on peut dire ; elle le fut immédiatement de Châlons-sur-Marne, la ville royaliste qui avait si bien reçu le roi au retour.

Dans cette adresse, les Feuillants donnaient pour principal motif de la séparation qu'ils voulaient se borner *à préparer* les travaux de l'Assemblée, ne rien faire que discuter, *sans rien arrêter par les suffrages ;* en un mot, parler sans conclure, sans résoudre, sans agir, laisser agir l'Assemblée seule. Ils étaient bien sûrs de déplaire. Le temps avait soif d'agir ; il s'élançait vers l'avenir. Et l'on proposait de s'en tenir à une Assemblée *in extremis* qui déjà était le passé !

Le 23, les Feuillants se portèrent à eux-mêmes le coup fatal, ils se marquèrent du signe de mort, celui de l'inégalité, se posant comme une assemblée distinguée, privilégiée, où l'on n'entrait point, si l'on n'était *citoyen actif* (électeur des électeurs). Beaucoup d'entre eux s'opposèrent à cette déclaration, et, n'étant point écoutés, ils n'attendirent plus dès lors qu'une occasion pour retourner aux Jacobins.

Ceux-ci relevaient la tête. Leur attitude changea le 24. Les Feuillants apportant leur réponse aux Jacobins : « Ne lisons point, dit Robespierre, avant d'avoir déclaré, que la véritable société des Amis de la Constitution est celle qui siège ici. » Précaution d'autant plus sage que la réponse des Feuillants se trouva n'être rien autre chose qu'une nouvelle invitation de se soumettre au règlement aristocratique qu'ils venaient de se donner.

Loin de là, les Jacobins entreprirent d'épurer leur société, et de rejeter aux Feuillants les timides et les incertains qui allaient, venaient d'une société à l'autre. La voix honnête et respectée de Pétion proposa l'épuration. Un comité primitif de douze membres (dont six députés) devait former le noyau de la société, composé de soixante membres, lesquels soixante épureraient, élimineraient, présenteraient les candidats purs et dignes. Cette combinaison, en réalité, remettait aux deux membres importants et influents, Pétion et Robespierre, le pouvoir quasi dictatorial de refaire les Jacobins. Je dis deux, à tort : Pétion insouciant, indolent de sa nature, était infiniment peu propre à ce travail d'inquisition sur les personnes, à l'examen minutieux des biographies, des précédents, des tendances, des intérêts de chacun. Le seul Robespierre était apte à cela, et avec lui peut-être un autre membre de ce comité épurateur, Royer, évêque de l'Ain. On peut dire, sans se tromper de beaucoup, que Robespierre reconstitua l'instrument terrible de la société jacobine dont il allait se servir.

Des sociétés de province, quatre seulement s'étaient expressément séparées des Jacobins ; encore une se rétracta. Dès le 22 juillet, Meaux, Versailles, Amiens, déclarèrent ne vouloir correspondre qu'avec eux. Onze autres villes les imitèrent avant le 31 juillet, Marseille dès le 27, avec la plus vive énergie. Dans la même séance, les Cordeliers vinrent protester de leur attachement aux Jacobins, ainsi que les sociétés fraternelles.

Les Constitutionnels, naguère vainqueurs, en étaient à se défendre. Plusieurs adresses audacieuses, lancées des provinces, leur reprochaient amèrement de tolérer dans l'Assemblée nationale les trois cents royalistes qui avaient protesté. Coup sur coup, Montauban, Issoire, Riom, Clermont vinrent leur lancer cette pierre.

L'adresse de Clermont fut apportée et probablement rédigée par l'ami de Mme Roland, M. Bancal des Issarts, envoyé tout exprès par sa ville. Elle fut écrite le 19 juillet, évidemment au moment où l'on apprit la décision du 16 qui engageait l'Assemblée en faveur du roi. Nul doute qu'une lettre ardente de Mme Roland à Bancal n'eût contribué aussi à exalter celui-ci au-delà de son caractère ordinaire. C'est la lettre où elle lui racontait le prodigieux succès obtenu par Brissot aux Jacobins. Cette lettre, émue et fiévreuse, se terminait par trois lignes d'un pressentiment mélancolique : « Je finirai de vivre quand il plaira à la nature ; mon dernier souffle sera encore le souffle de l'espérance pour les générations qui vont nous succéder. »

Elle se sentait devenir malade, et, en effet, elle tomba. L'excès de la fatigue, la continuité des émotions, l'affreux coup du 17 surtout, la firent succomber ; elle désespéra un moment de la liberté. Elle écrivait, le 20, à Bancal que tout était fini, que les Jacobins ne pourraient jamais se soutenir, qu'il était inutile qu'il vînt à Paris, etc. Mais la puissante impulsion qu'elle avait donnée ne s'arrêtait pas ainsi. Au même moment, Bancal allait partir, il tenait la violente adresse des Jacobins de Clermont, qui semble précisément écrite de la main et de la plume de Mme Roland. Il crut ses premiers conseils, ne tint compte des seconds, vola à Paris, se présenta lui-même aux portes de l'Assemblée, le brûlant papier à la main.

Cette adresse, grave dans sa violence, magistrale, tombant d'en haut, du peuple souverain sur ses délégués, les tançait d'avoir deux fois trompé l'espoir de la nation en ajournant la convocation des assemblées électorales ; trois fois même, ayant promis que la Constitution serait finie le 14, et ne tenant point parole. Elle annonçait à l'Assemblée que, si, dans la quinzaine, son décret pour suspendre les élections n'était pas révoqué, *on y aviserait sans elle.*

Bancal ne put passer les portes ; on ne l'admit point à la barre. Son compatriote Biauzat, député d'Auvergne, censura l'adresse avec violence et mépris, cherchant à salir le caractère même de celui qui l'apportait. Il obtint qu'elle serait renvoyée au Comité des recherches, qui ferait enquête, et poursuites, s'il y avait lieu. Loin de s'effrayer, Bancal adressa, le lendemain, à l'Assemblée une apologie très ferme, et osa lui demander une réparation publique. Le soir, aux Jacobins, il offrit mille exemplaires de la pétition de Clermont, cinq cents pour eux, cinq cents pour être envoyés aux sociétés affiliées. Les Jacobins n'acceptèrent pas ces derniers cinq cents, craignant sans doute, par ce pas hardi, de s'aliéner la masse des Feuillants qui songeaient à leur revenir.

Ceux-ci en effet se brisaient en deux moitiés, tout à l'heure. Il était impossible que les Feuillants comme Merlin ou Dubois-Crancé marchassent avec des Feuillants tels que Barnave et les Lameth. Nous ignorons malheureusement leurs débats intérieurs ; mais ils ne se révèlent que trop à l'Assemblée nationale. Le 30, sur la plus grave des questions, ils faiblissent, ils s'éparpillent, la majorité leur échappe, le pouvoir aussi pour toujours ; car c'était la question même du pouvoir qui s'agitait. L'Assemblée, après Varennes, avait envoyé quelques commissaires dans les départements frontières, pour les surveiller et les raffermir. Le bon effet de cette mesure faisait qu'on songeait à l'entendre. C'est-à-dire que l'Assemblée, qui jusque-là parlait, ordonnait de loin, voulait cette fois agir de près, se transporter, en la personne de ses membres les plus énergiques, sur tous les points du territoire, se montrer partout, et dans cette ubiquité, saisir, serrer d'une main forte la France, avant qu'elle échappât. La vieille Constituante, quasi expirée, rêvait de faire ce que fit à grand-peine la jeune Convention dans l'accroissement prodigieux de force que lui donnaient encore le péril et la fureur.

Tard, bien tard, cette puissance essentiellement législative, cette grande fabrique de lois se mettait à gouverner, à voyager, à agir. Elle était un peu cassée pour gouverner à cheval. Buzot demanda qu'on cessât d'envoyer des commissaires, la présence de tous les députés étant nécessaire, disait-il, au moment de la révision. Dandré, organe en ceci des défiances de la Cour pour les Constitutionnels, au grand étonnement de tous, appuya Buzot. La Cour donna ainsi la main aux républicains pour briser son dernier espoir, annuler l'action de l'Assemblée. Celle-ci, lassée d'elle-même, vota sans difficulté comme on voulait qu'elle votât ; elle renonça au mouvement, se rassit pour une heure encore, impatiente qu'elle était de jeter un dernier regard sur son œuvre, la Constitution, et de n'être plus.

CHAPITRE X

La révision — Alliance manquée entre la gauche et la droite (août 91)

Barnave et les Constitutionnels voudraient regagner la droite (fin juillet) — Ils s'accordent avec Malouet — Ils négocient avec Léopold — La reine écrit à Léopold pour l'empêcher d'agir, 30 juillet — La droite rompt l'entente de Malouet avec Barnave et Chapelier, 4 août — La révision, timidement royaliste, 5-30 août — La Constitution de 91, ni bourgeoise, ni populaire — Prodigieuse multiplication des sociétés jacobines — Solennel outrage de Robespierre aux Constitutionnels, leur humiliation, 1er septembre.

Le constitutionnel Barnave, le royaliste Malouet, divisés sur beaucoup de choses, avaient un lien commun dans leur opinion sur les colonies : tous deux étaient favorables aux planteurs. Un jour que Barnave avait vivement défendu Malouet dans ce comité, il laissa partir tous les autres, retint Malouet seul à seul, et lui fit sa confession : « J'ai dû souvent vous paraître bien jeune, lui dit-il ; mais, soyez-en sûr, en peu de mois j'ai beaucoup vieilli... » Puis, après un court silence, dans lequel il semblait rêver : « Est-ce que vous ne voyez pas que, nous tous, députés de la gauche, sauf peut-être une douzaine d'ambitieux ou de fanatiques, nous désirons finir la Révolution ?... Nous sentons bien que nous n'y parviendrons qu'en donnant une forte base à l'autorité royale... Ah ! si le côté droit, au lieu d'irriter toujours la gauche en repoussant tout ce qu'elle propose, secondait la révision !... »

Cette ouverture signifiait que les Constitutionnels, voyant se briser dans leurs mains la machine des Feuillants, voyant la fraction patriote du nouveau club déjà tournée vers la porte pour retourner aux Jacobins, se jetaient eux-mêmes à droite, s'adressaient aux royalistes.

Et quand je dis les Constitutionnels, je parle surtout de Barnave. Lui seul semblait conserver la vie, l'entrain et l'espoir. Rien ne peut exprimer la lassitude des autres, leur ennui, leur dégoût, leur découragement. Ils attendaient impatiemment l'heure bénie qui allait les rendre au repos. Cette Assemblée, en deux ans et demi, avait vécu plusieurs siècles ; elle était, si j'ose dire, rassasiée d'elle-même, elle aspirait passionnément à sa fin. Lorsque Dandré lui proposa les nouvelles élections qui allaient la délivrer, elle se leva tout entière, et salua l'espoir de son anéantissement d'applaudissements frénétiques.

Une lettre confidentielle d'un homme sûr, très instruit de la situation, lettre de M. de Gouvernet à M. de Bouillé, nous révèle cette circonstance romanesque que n'eût point devinée l'histoire : c'est que la vie de l'Assemblée, l'espoir de la Monarchie, le désir de la sauver, s'étaient alors réfugiés, au milieu de l'abattement général, dans une tête de vingt-huit ans, celle de Barnave. La ligue, si peu homogène, qui avait rallié les quatre cinquièmes du côté gauche, marié deux ennemis, La Fayette et Lameth, détruit presque les Jacobins, « c'était le plan de Barnave ». Et comment se jeta-t-il dans cette entreprise ? La même lettre dit expressément que ce fut le retour de Varennes, la reconnaissance qu'on lui témoigna, « qui changèrent son cœur ».

Grand changement, en vérité. Barnave ne semblait nullement un homme à se laisser mener par le cœur et l'imagination. Sa suffisance habituelle, sa parole noble, sèche et froide, n'étaient point du tout d'un rêveur. Il ne se piquait aucunement de thèses sentimentales, et donnait plutôt au sens opposé (par exemple dans l'affaire des noirs). On ne trouve jamais, je crois, dans les discours de Barnave, le mot qui revient si souvent dans tous ceux des hommes de l'époque, depuis Louis XVI jusqu'à Robespierre : « Ma sensibilité, mon cœur. »

On n'en est que plus étonné de le voir, en 91, si tard dans la Révolution, suivre (dirai-je avec espoir ? ou une ardeur désespérée ?) le leurre qui avait pu tromper Mirabeau au début, et quand la situation était tout entière. Le plan de Barnave n'était nul autre que celui de Mirabeau : « Arrêter la Révolution, sauver la royauté, gouverner avec la reine. »

Barnave avait quitté la reine à la porte des Tuileries, le 25 juillet au soir, et il ne la revit qu'après le 13 septembre, lorsque le roi eut accepté la Constitution. Il en était resté aux entretiens de Meaux, il voyait la reine confiante et docile, ne voulant être sauvée que par la Constitution, par l'Assemblée, et Barnave. Bien des choses s'étaient passées depuis ce temps, et dans l'Europe, et dans l'âme de la reine, que le jeune orateur ignorait parfaitement.

Il ne savait pas qu'elle avait agi dans un sens contraire.

Fersen, nous l'avons dit, droit en arrivant de Paris, avait remis à Monsieur le pouvoir verbal du roi, pouvoir qui lui fut envoyé écrit, authentique, le 7 juillet.

Sans même attendre ceci, le 6, l'empereur Léopold, frère de Marie-Antoinette, avait écrit, fait circuler une note à toutes les puissances pour menacer la France et délivrer Louis XVI.

La Prusse, poussée par les princes, était bien autrement animée que Léopold. La Russie et la Suède montraient encore plus d'indignation, d'impatience que la Prusse.

Le 25 juillet eurent lieu des conférences entre la Prusse et l'Autriche, et là Léopold, contrairement à ce que faisait entendre sa note du 6 juillet, montra des vues pacifiques. Il avait sur les bras sa guerre, avec la Turquie, qu'il ne finit qu'au mois d'août. Il avait, à sa porte, la nouvelle révolution de Pologne, l'attente d'une grande guerre du Nord, la probabilité d'une invasion russe en Pologne, peut-être la nécessité de s'enrichir encore par un troisième partage que la Russie imposerait. Celle-ci était alors acharnée sur une autre proie, la Turquie. Les conférences de la Prusse et de l'Autriche avaient pour but principal de bien faire entendre à la Russie que, tant qu'elle n'aurait pas lâché les Turcs, les puissances allemandes resteraient immobiles sous les armes à la regarder, et ne s'en iraient pas courir les aventures à la croisade de France.

Donc, pour le moment, Léopold ne pouvait être que pacifique à notre égard. Malgré la Russie, la Suède et la Prusse, qui auraient voulu l'embarrasser dans les affaires d'Occident, il ne bougeait point. Ses généraux, fort instruits, lui disaient d'ailleurs que ce n'était point une petite affaire de s'engager dans un tel royaume, dans ces masses profondes d'une population innombrable, exaltée par le fanatisme de la liberté. A quoi Léopold ajoutait un sentiment personnel : il craignait pour la vie du roi et de la reine ; à la première nouvelle de l'invasion autrichienne, sa sœur risquait de périr.

Sauver la reine était l'idée qu'on devait naturellement supposer à son frère Léopold. Et c'était bien aussi l'idée de Barnave, celle des Constitutionnels, de sauver la reine et la royauté. Sans avoir encore négocié avec l'empereur, ils se sentaient réunis avec lui dans cet intérêt commun. Ils ne désespéraient pas, malgré l'attitude menaçante de la Diète germanique qui ordonnait l'armement, d'éviter la guerre européenne ; heureuse ou non, la guerre eût été leur ruine, le triomphe de leurs ennemis.

Pour traiter avec l'empereur, il fallait avant tout être maître ici, écraser la puissance des clubs, ou bien se l'approprier et s'en rendre maître. Les Constitutionnels avaient préféré le second moyen, ils avaient cru le trouver dans la création des Feuillants. Mais voilà que les Feuillants leur manquaient, leur échappaient. Perdant cette force qui leur était propre, il leur restait de demander la force à leurs ennemis, à ceux qu'ils avaient persécutés et détruits, je veux dire aux royalistes. Ceux-ci voudraient-ils pardonner ? Auraient-ils bien l'intelligence de saisir cette dernière planche jetée sur l'abîme où les Constitutionnels voulaient les sauver avec eux ? Cela était fort douteux. Il était bien plus probable qu'obstinés dans leurs rancunes, et désirant moins encore être sauvés que vengés, ils rejetteraient du pied cette planche de sauvetage, et que tous, constitutionnels et royalistes, s'en iraient ensemble au gouffre profond.

Tel était le moment de crise où Barnave, où le parti constitutionnel, triomphant en apparence depuis l'affaire du Champ-de-Mars, s'adressa à l'homme qu'il avait toujours repoussé, raillé, à l'homme invariablement hué de la gauche et des tribunes, au royaliste Malouet. C'était le fort qui semblait demander la force au faible, le vainqueur agonisant qui tendait la main au vaincu et criait merci.

Malouet ne ferma nullement l'oreille aux propositions de Barnave. Mais Chapelier qui survint, mais Duport que Malouet alla voir ensuite, firent de graves difficultés. La lettre citée plus haut affirme pourtant que la partie fut liée entre Chapelier et Malouet pour jouer d'accord la comédie de la révision. Malouet devait attaquer la Constitution, en démontrer les vices : « Et vous, disait-il, vous me répondrez, vous m'accablerez de votre indignation ; vous défendrez les petites choses ; quant aux grandes, qui touchent vraiment l'intérêt monarchique, vous direz que vous n'aviez pas besoin des observations de M. Malouet, que vous entendiez bien en proposer la réforme. Et vous la proposerez. »

Comment pouvaient-ils supposer que cette étrange parade tromperait les yeux du public ? Ils comptaient apparemment sur l'indifférence, l'insouciance, l'abattement général. Il y avait en effet de grands signes de lassitude. L'Assemblée nationale elle-même semblait s'abandonner; elle ne comptait habituellement pas plus de cent cinquante membres présents ; au jour le plus critique, au lendemain du 17 juillet, elle ne vit siéger dans son sein que deux cent cinquante-trois députés. Les autres étaient ou déjà partis, ou bien toujours enfermés au fond des bureaux. Plusieurs, on l'assurait, abattus, corrompus par le découragement même, passaient les nuits et les jours dans les maisons de filles et de jeu ; l'évêque d'Autun, Chapelier, d'autres encore, étaient, à tort ou à droit, accusés d'y avoir élu domicile.

Laclos, Prudhomme, assurent, dans leurs journaux de juillet, que les sections, les assemblées primaires, étaient devenues désertes. Beaucoup d'hommes, évidemment, étaient déjà las de la vie publique. En récompense, il faut ajouter que ceux qui persévéraient devenaient plus violents. Si les assemblées légales étaient peu fréquentées, c'est que la vie et l'ardeur se concentraient tout entières dans les sociétés jacobines.

Pour revenir, Barnave, heureux d'avoir ménagé cette entente entre les principaux acteurs de la révision, ne désespérait plus de rendre force à la royauté. Les constitutionnels, dociles à son impulsion, chargèrent M. de Noailles, notre ambassadeur à Vienne, d'en avertir Léopold ; et, pour mieux le persuader, ils obtinrent de la reine même qu'elle écrirait à son frère, le prierait de ne point agir.

Etrange contradiction ! Pendant que Monsieur, armé des pouvoirs que la cour des Tuileries lui avait envoyés le 7 juillet, pressait la Prusse d'armer, de se mettre en mouvement, la reine écrivait, le 30, à l'Autriche, de ne point armer, de ne point bouger, de se confier, comme elle, au zèle que les constitutionnels de France montraient alors pour la restauration de la royauté.

La lettre, longue, insinuante, habile, fort éloignée de ce que ferait attendre le caractère ordinairement impétueux de la reine, est très bien calculée pour lui sauver le reproche de versatilité qu'on eût pu faire à ces deux actes du 7 et du 30. Cette pièce si politique a été, sinon dictée, au moins préparée, minutée pour le fond par les habiles, Barnave et les amis de Barnave. Et pourtant, dans la confiance toute nouvelle que la reine leur témoigne, elle se réserve encore contre eux la possibilité de dire plus tard qu'elle n'a pas été libre ; elle met en tête de sa lettre ce petit mot qui, au besoin, annulerait tout le reste : « *On désire que je vous écrive,* et l'on se charge de vous faire parvenir ma lettre, car *pour moi je n'ai aucun moyen de vous donner des nouvelles* de ma santé. »

Le parti royaliste, ni en France, ni hors de France, ne marchait avec le roi. Ce moment où le roi et la reine se confiaient à l'Assemblée était précisément celui où les émigrés agissaient le plus vivement pour armer l'étranger, où les prêtres non émigrés commençaient à travailler le peuple avec une entente habile, sur un plan systématique qui semblait devoir organiser sur la France une Vendée universelle. En juillet, on apprit que les Deux-Sèvres, que l'Alsace, que Châlons-sur-Marne allaient prendre feu. En août, le Pas-de-Calais, le Nord et le Calvados annonçaient la guerre civile. Cette dernière nouvelle tomba justement dans l'Assemblée le 4 août, la veille de la révision, au milieu de l'arrangement à peine conclu entre Chapelier et Malouet.

Un député proposa, pour le Nord, que les prêtres qui refusaient le serment d'obéissance à la loi fussent éloignés du département. A ce mot, tout le côté droit se lève. M. de Foucault crie joyeusement : «Pillage ! incendie ! guerre civile !» Tous sortent, l'abbé Maury faisant à l'Assemblée une révérence profonde, comme pour la remercier de donner pour l'appel aux armes une si belle occasion.

Barnave et Chapelier essayèrent sur-le-champ de marcher sur l'étincelle, ils se déclarèrent contre la mesure de rigueur qu'on voulait appliquer aux prêtres, la firent rejeter. Le côté droit rentra aux séances suivantes ; on avait lieu de le croire apaisé. Mais, le 8 août, au jour même où s'ouvraient les débats de la révision, d'Eprémesnil, au nom de ses collègues, déclara qu'ils persistaient dans toutes leurs protestations. Chacun d'eux se leva et dit fermement : « Je le déclare. »

Ainsi fut brisé le pacte plus politique qu'honorable que Barnave avait espéré de faire conclure tacitement entre la droite et les constitutionnels. Malouet, comme il était convenu, entama la critique de la Constitution avec beaucoup de finesse et de force. Mais Chapelier l'interrompit. Délié du traité secret par la nouvelle protestation du côté droit, il soutint que Malouet devait parler, non sur le fond, mais seulement sur l'ordre établi entre les divers titres de la Constitution.

L'arrangement, la fusion nécessaire pour faire un corps de tant de lois éparses, avaient embarrassé longtemps les comités de Constitution et de révision. Ce fut, dit-on, un ami de La Fayette, Ramond, depuis membre de la Législative, qui leur proposa l'ordre auquel ils finirent par s'arrêter, ordre savant, habile, trop habile, qui, sous prétexte de fondre, absorbait, faisait disparaître beaucoup d'articles que l'Assemblée avait votés. De là, une vive aigreur entre les constitutionnels eux-mêmes. L'Assemblée plus d'une fois vota contre ses comités. Un député ayant dénoncé « les omissions graves que les vrais amis de la liberté croyaient apercevoir », un orage s'éleva, et Barnave s'exaspéra au point d'offrir sa démission.

La révision devint un spectacle pitoyable. Cette noble Assemblée qui, malgré toutes ses fautes, n'en reste pas moins si grande dans l'histoire, offrit cet enseignement à l'humanité que vivre audelà de sa vie, c'est une chance terrible de honte, d'inconséquence, de démenti à soi-même.

Surprise en flagrant délit d'aristocratie et de royalisme, tantôt par omission, et tantôt par commission, elle constata tristement son envie timide de rétrograder, et le manque de courage qui l'empêchait d'aller en arrière tout aussi bien qu'en avant. L'audace qui parut par moments dans quelques discours de Barnave n'eut pas un heureux succès. Robespierre envisageant le roi comme simple *fonctionnaire,* et lui refusant le titre de *représentant* de la nation, Barnave soutint que le fonctionnaire ne pouvait qu'*agir* pour la nation, mais que le représentant de plus pouvait *vouloir* pour elle. De là, il déduisait l'inviolabilité du représentant royal. Cette distinction, trop claire, eut précisément le tort de mettre la question à nu, compromit la royauté, rendit les esprits irréconciliables avec un pouvoir *qui voulait à la place de la nation.*

La volonté royale, à vrai dire, était bien impuissante dans la Constitution de 91. Elle n'avait guère d'action que négative ; elle ne pouvait que pour empêcher. Le *veto suspensif* dont elle armait le roi pouvait suspendre trois ans l'exécution des décrets ; puissance irritante, provocante, qui devait infailliblement amener des explosions. A cela près, la royauté restait une majestueuse inutilité, un de ces meubles antiques, magnifiques et surannés, que l'on garde dans une maison moderne, par je ne sais quel souvenir, mais qui gênent, occupent une vaste place inutile, et que l'on se décidera un matin à loger au garde-meuble.

L'Assemblée avait ôté l'action au roi, et ne l'avait pas donnée au peuple. Le principe du mouvement manquait partout dans cette vaste machine ; l'agitation était partout, nulle part l'action.

La Constitution était-elle essentiellement bourgeoise, comme on l'a tant répété ? On ne peut le dire. La condition d'élection à laquelle on s'arrêta, deux cent cinquante francs de revenu, était tout à fait illusoire, si l'on voulait fonder un gouvernement bourgeois. Le républicain Buzot s'en moqua lui-même, et dit : « A votre point de vue, ce n'est pas deux cent cinquante francs de revenu que vous deviez exiger, mais deux cent cinquante francs de contribution. » C'eût été alors, en effet, une vraie base bourgeoise, analogue aux lois électorales qui ont régné de 1815 à 1848.

Les *électeurs* à deux cent cinquante francs de revenu, avec l'adoucissement qu'on donna encore à la loi en faveur des fermiers, étaient dans un nombre immense. Les *citoyens actifs* (électeurs des électeurs, payant trois journées de travail) étaient entre trois et quatre millions.

Les seuls citoyens actifs étaient *gardes nationaux,* encore une distinction irritante, de plus, à peu près inutile ; la différence était légère entre celui qui payait trois jours de travail et celui qui ne payait rien ; le premier donnait-il beaucoup plus de garanties que l'autre ? qui pouvait le décider ?

Visiblement, l'Assemblée, pendant la révision, se survivait à elle-même, chaque jour moindre de nombre, plus petite d'aspect et de dignité. Elle tarissait misérablement. Ses penseurs illustres se taisaient ou parlaient peu. Généralement, ils laissaient l'initiative à un homme de troisième ordre, homme d'affaires et d'expédients, politique industrieux, Dandré, dont tout l'art était d'employer les formes jacobines à servir la royauté. Pour mieux désorienter le public, il attaquait volontiers les royalistes, jusqu'à appuyer un jour la proposition de déclarer déchus les trois cents qui protestaient. Sa figure triviale, son costume soigneusement négligé, aidaient à l'illusion. Cependant un je ne sais quoi d'un Frontin de comédie qu'il portait sur son visage (c'est à son ami Dumont que nous devons ce portrait) révélait l'habile acteur. Parfois, il lui échappait des paroles inconséquentes ; accusé de tel libelle, il avouait que du moins il aurait voulu le faire. Parfois, il outrait son rôle ; pendant la révision, en septembre, il s'associa à une maison de commerce, croyant se rendre populaire, et s'intitula : Dandré, épicier. Cela ne plut à personne, on y vit avec raison une imitation maladroite du moyen que Mirabeau aurait employé en 88 (selon une tradition fausse, mais généralement répandue), ouvrant boutique à Marseille, et mettant dessus : Mirabeau, teinturier.

Ces parades misérables qui ne trompaient point le public, cet abandon que l'Assemblée faisait d'elle-même à tel intrigant royaliste, rejetait toute la France du côté des Jacobins. Au commencement de septembre, le secrétaire des Feuillants, Antoine, demande à rentrer ; à la fin du mois, leur président Bouche ; une foule d'autres les imitent. Le duc de Chartres y vient chercher une double couronne civique, pour deux hommes, à qui, dit-on, il a sauvé la vie. La société de Paris redevient plus nombreuse que jamais. Mais ce qui est véritablement surprenant, effrayant, c'est l'accroissement subit des sociétés de provinces, leur immense multiplication. En juillet, il y avait *quatre cents* sociétés, en septembre, dit-on, il y en eut *mille !* Des anciennes, trois cents correspondaient également avec les Jacobins et les Feuillants, cent avec les seuls Jacobins. Et les *six cents* nouvelles, à qui demandent-elles l'affiliation ? *Aux Jacobins* seuls. Ceux-ci sont évidemment vainqueurs, maîtres de la situation, de l'avenir.

Cet immense mouvement de la France, qui semble se précipiter dans une association, ressort à la société mère des Jacobins de Paris. Mais cette société, renouvelée, sous quelle influence a-t-elle été récemment recomposée ? Nous l'avons vu, sous celle de Robespierre. C'est une société tout autre, plus ardente, plus jeune, où les hommes considérables, les penseurs, les raisonneurs sont moins nombreux à coup sûr. En récompense, les hommes de passion, de sensibilité, les artistes, les journalistes, la plupart de second ordre, y dominent maintenant. Cette société, tête ardente de l'immense société jacobine répandue sur la France, ira de plus en plus pensant, raisonnant par un seul homme ; j'aperçois au sommet de ce prodigieux édifice de mille associations la tête pâle de Robespierre.

Il a maintenant élu domicile à la porte de l'Assemblée, et il semble en faire le siège. Si vous ne le trouvez pas aux Jacobins, il est à coup sûr en face de l'Assomption, chez Duplay, le menuisier. Voyez-vous cette porte basse, cette cour humide et sombre, où l'on rabote et l'on scie ; au-dessus, au premier étage, dans une chambre mansardée, Mme Duplay possède le meilleur des patriotes... Ah ! quel est le bon citoyen qui, passant devant cette porte ne sentira mouiller ses yeux !... Les bonnes femmes l'attendent dans la rue ; elles sont trop heureuses de le voir un moment « ce pauvre cher Robespierre », quand il sort propre et décent, dans son neuf habit rayé. Ses lunettes témoignent qu'avant l'âge il a déjà usé ses yeux pour le service du peuple... Que ne peut-on baiser les basques de son habit ! On le suit du moins... Il marche, sans reconnaître personne, sec de pureté civique et de droit comme la vertu.

Que nous voilà déjà loin du 18 juillet, de cette adresse rampante par laquelle Robespierre a sauvé les Jacobins ! Nous avons atteint le 1er septembre. La révision est terminée. Il s'agit de savoir si la Constitution sera présentée à l'acceptation du roi, comment on constatera qu'à ce moment le roi est libre. L'Assemblée lui permettra-t-elle de modifier, d'accepter sous condition ? Robespierre apporte un discours bien calculé pour foudroyer l'Assemblée dans son parti dominant, pour l'outrager et l'écraser dans l'homme le plus éminent du parti, Adrien Duport. Cet outrage solennel est une chose politique, pour constater la défaite ; un parti vaincu n'est jamais vaincu, aux yeux de la plupart des hommes, que quand il peut être impunément outragé, quand il tombe dans le mépris.

« On doit être content sans doute, dit Robespierre, de tous les changements essentiels qu'on a obtenus de nous. Si on peut encore attaquer, modifier une Constitution arrêtée deux fois, que nous reste-t-il à faire que de reprendre ou nos fers ou nos armes ?... » Applaudissement violent des tribunes. La gauche s'agite et murmure. « Monsieur le président, continue Robespierre, je vous prie de dire à M. Duport de ne pas m'insulter... » Il se trouvait justement que Duport n'avait rien dit, ses voisins en témoignèrent. Probablement, Robespierre avait d'avance arrêté de le nommer, afin de faire tomber sur ce nom tout le poids de la diatribe qu'il balançait alors à la tribune, comme la pierre d'une fronde, au moment de la lancer.

« Je ne présume pas, dit-il, qu'il existe dans cette Assemblée un homme *assez lâche* pour transiger avec la Cour sur un article de notre Constitution... » Et il regardait Duport ; les royalistes le regardent aussi, heureux et ravis. Quarante ans encore après, Montlosier tressaille de joie, en contant cette fête d'opprobre dont jouit le côté droit, dans l'avilissement de Duport.

Il reprit : « Assez *perfide* pour faire proposer par la Cour des changements nouveaux que la pudeur ne lui permettrait pas de proposer lui-même. » Toute la salle, toutes les tribunes, portèrent d'un regard sur Duport ce mot de *perfide,* et tous applaudirent.

« Assez *ennemi de la patrie* pour décréditer la Constitution, parce qu'elle bornerait sa cupidité. » Nouveaux applaudissements.

« Assez *impudent* pour avouer qu'il n'a cherché dans la Révolution qu'un moyen de s'agrandir. » La droite riait aux larmes.

« Non, dit-il, je ne le crois pas. Je ne veux regarder tel écrit, tel discours qui présenterait ce sens, que comme l'explosion passagère du dépit, déjà expié par le repentir... » Et alors élevant la voix : « Je demande que chacun de nous jure que jamais il ne composera, sur aucun article, avec le pouvoir exécutif, sous peine d'être déclaré traître à la patrie. »

Duport, Barnave et Lameth restèrent cloués à leur banc sous cette parole de plomb. Elle tombait, assenée d'une lourdeur extraordinaire, avec la clameur d'en haut, les cris des tribunes, avec les dérisions infernales des royalistes, comme la joie des damnés, se disant les uns aux autres : « Mort à nous ! mais mort à vous !... » Et le plus tragique encore, c'était l'assentiment tacite de presque toute l'Assemblée, qui, par une malveillance naturelle à qui va périr, s'amusait à voir ses chefs périr d'abord, étouffer, sans pouvoir jeter un cri.

C'est ainsi qu'eux-mêmes, six mois auparavant, ils avaient tué Mirabeau. Aujourd'hui, c'était leur tour.

Mirabeau n'eut pas cette fin désespérée et muette. Ceux-ci, il faut le dire, expiraient sous une bien autre pression. Ils auraient trouvé une voix, ces vaincus, si Robespierre seul, si l'Assemblée seule, avec les tribunes, eût pesé sur eux... En réalité, ce qui les écrasait, leur ôtait la voix et l'haleine, la respiration, la vie, c'était une puissance extérieure qu'on ne voyait pas, puissance énorme, inéluctable ; c'était ce *boa constrictor,* ce prodigieux serpent des mille sociétés jacobines, qui d'un bout de la France à l'autre, roulant ses anneaux, venait les serrer ensemble sur l'Assemblée défaillante, et sur ce banc même, à cette place, tordait et retordait son nœud. Ils n'avaient garde de bouger ; à cette pression extérieure s'ajoutait ce qui ôte les forces dernières, le vertige, la fascination. Leur ennemi avait beau jeu pour examiner froidement où et comment il lui convenait de leur enfoncer le poignard.

En Duport périrent les constitutionnels ; en ceux-ci périt l'Assemblée. Ce discours et ce silence d'étouffement, d'asphyxie, semblent appartenir déjà à l'histoire de la Terreur.

CHAPITRE XI

Prêtres et Jacobins — Vente des biens nationaux (septembre 1791)

Caractère général de l'Assemblée constituante — Des services qu'elle a rendus au genre humain — Déclaration de Pilnitz (27 août), qui tue les constitutionnels — Le roi accepte la constitution (13 septembre) — Entrevues de la reine et de Barnave — La force principale du royalisme était dans l'action du clergé sur le peuple — Douceur de l'Assemblée à l'égard des prêtres qui refusent le serment — Intrigues et menées violentes des prêtres réfractaires — La mécanique du fanatisme — Sacrements furtifs, enterrements nocturnes — Il n'eût pas été impossible d'ouvrir les yeux aux paysans — L'Assemblée eût dû préparer les esprits à recevoir et comprendre la loi — L'intérêt se mêlait au fanatisme — L'intérêt dut aussi soutenir la foi révolutionnaire — Premier essor de la vente des biens communaux — Huit cent millions en cinq mois (avril-août 91) — Foi des acquéreurs dans les destinées de la Révolution — Ils fortifient les sociétés jacobines — Le paysan sous-acquéreur devient la plus ferme base de la Révolution — C'est l'ancien mouvement de la France, longtemps interrompu, qui recommença — Note sur les écrivains qui essaient d'obscurcir ceci — Solidité de la France des campagnes — Fin de l'Assemblée constituante (30 septembre 1791) ; son impuissance.

Les fautes de l'Assemblée constituante, les voies sinueuses et coupables où s'engageaient ses meneurs, sa punition enfin et son triste abaissement, ne doivent point nous faire oublier, à nous, postérité qui jouissons de ses bienfaits, tout ce que cette grande Assemblée a rendu de services au genre humain.

Quel livre il faudrait pour expliquer, apprécier ce corps immense des trois mille lois qu'elle a laissées !... Peut-être essaierons-nous d'en saisir l'esprit, quand nous pourrons les mettre en regard des lois analogues ou contraires de nos autres assemblées. Notons seulement, quant aux lois de la Constituante, que celles même qui sont abolies n'en restent pas moins instructives et fécondes. Cette grande Assemblée semble parler encore à toute la terre. Les solutions générales et philosophiques qu'elle donna à tant de questions sont toujours étudiées avec fruit, consultées avec respect de tous les peuples. Elle n'est pas restée le législateur du monde, elle en est toujours le docteur, elle lui conserve, noblement formulés, les vœux du siècle philosophe, son amour du genre humain.

Dans cette histoire trop rapide, je n'ai pu, sous ce rapport, rendre à l'Assemblée constituante ce qui lui est dû. J'ai été involontairement injuste envers elle, parlant des intrigues, et non des travaux, nommant toujours les chefs de partis, les meneurs, fort attaquables, et ne disant rien de cette foule d'hommes éclairés, modestes, impartiaux, qui remplissaient les comités, ou dans l'Assemblée votaient avec intelligence et patriotisme, et tant de fois fixaient la majorité du côté de la raison. Une masse flottante d'environ trois ou quatre cents députés, dont presque aucun n'a parlé, dont aucun ne marque comme opinion tranchée, a fait peut-être la force réelle de la Constituante, appuyant toujours les solutions élevées, nobles, clémentes, qui font rayonner dans les lois le doux génie de l'humanité.

Si l'Assemblée constituante était l'unique auteur des lois qu'elle a rédigées (malgré leurs défauts, leurs lacunes), ce ne serait pas une couronne que le genre humain lui devrait, mais un autel.

Ses lois, il faut le dire, ne sont pas à elle seule. En réalité, elle a eu moins d'initiative qu'il ne semble. Organe d'une révolution ajournée très longtemps, elle trouva les réformes mûres, les voies aplanies. Un monde d'équité, qui brûlait d'éclore, lui fut remis dans les mains par le grand XVIIIe siècle ; restait de lui donner forme. La mission de l'Assemblée était de traduire en lois, en formules impératives, tout ce que la philosophie venait d'écrire sous forme de raisonnement. Et celle-ci, la philosophie, sous quelle dictée avait-elle écrit elle-même ? Sous celle de la nature, sous celle du cœur de l'homme, étouffé depuis mille ans. En sorte que l'Assemblée constituante eut ce bonheur, cet honneur insigne, de faire que la voix de l'humanité fût enfin écrite, et devînt la loi du monde.

Elle ne fut pas indigne de ce rôle. Elle écrivit la sagesse de son époque, parfois elle la dépassa. Les légistes illustres qui rédigeaient pour elle furent, dans leur force logique, conduits à étendre par une déduction légitime la pensée philosophique du XVIIIe siècle ; ils ne furent pas seulement ses secrétaires et ses scribes, mais ses continuateurs. Oui, quand le genre humain dressera à ce siècle unique le monument qu'il lui doit, quand au sommet de la pyramide siégeront ensemble Voltaire et Rousseau, Montesquieu, Diderot, Buffon, sur la pente et jusqu'au bas siégeront aussi les grands esprits de la Constituante, et à côté d'eux les grandes forces de la Convention. Législateurs, organisateurs, administrateurs, ils ont, malgré toutes leurs fautes, laissé d'immortels exemples. Vienne ici la terre entière, qu'elle admire et qu'elle tremble, qu'elle s'instruise par leurs erreurs, par leur gloire et par leurs vertus.

Mais l'heure sonne, il faut qu'elle périsse, cette grande Constituante. Elle ne peut plus rien pour la France, rien pour elle-même. Il faut que la Convention nous vienne, d'abord sous le nom de Législative. Il faut que l'association jacobine couvre et défende la France. Il faut une conjuration contre la conspiration des prêtres et des rois.

Le 27 août, à Pilnitz, l'empereur et le roi de Prusse avaient écrit une note menaçante pour la France, vague d'abord. Puis Calonne était accouru. Sous son influence active, au souffle haineux des émigrés, les rois eux-mêmes prirent feu, et, sans bien s'en rendre compte, ils dépassèrent la mesure qu'ils s'étaient prescrite. Ils se laissèrent entraîner à ajouter cette phrase au manifeste : « Qu'ils donneraient ordre pour que leurs troupes fussent à portée de se mettre en activité. »

Ce fut un avantage pour la France d'être avertie ainsi. Les émigrés, avec leur maladresse ordinaire, sonnaient le tocsin avant l'heure. La lettre pacifique de la reine de France fut oubliée un moment de Léopold ; n'ayant encore nulle intention d'agir, il commit la faute de donner l'alarme. Ici, ce fut un coup de grâce pour les constitutionnels ; dans leur pénible travail de restaurer la royauté, ils furent frappés à mort par l'émigration. En présence de la guerre qu'on crut imminente, le bon sens national s'éloigna d'eux de plus en plus, les crut incapables ou perfides, dangereux de toute façon dans la crise qu'on voyait venir.

Ils confirmèrent, dans la révision, le sacrifice qu'ils avaient fait déjà, leur exclusion de la députation et de toutes places. On le leur a reproché à tort ; ils n'étaient pas libres d'agir autrement. Ils se voyaient l'objet de la défiance universelle, hors d'état de faire aucun mal, aucun bien.

La Constitution, présentée au roi, fut acceptée de lui le 13 septembre. Les émigrés prétendaient que le roi se déshonorait ; Burke écrivit à la reine qu'elle devait refuser et plutôt périr. Elle ressentit vivement la dureté de ces bons amis, de ces serviteurs fidèles, qui, eux-mêmes loin du danger, paisibles dans les salons de Londres ou de Vienne, voulaient qu'elle s'immolât et lui imposaient la mort. Ce n'était nullement l'avis de Léopold ni du prince de Kaunitz. Barnave et les constitutionnels suppliaient aussi le roi d'accepter. Il le fit avec une remarquable réserve, déclarant qu'il ne voyait pas dans cette Constitution des moyens suffisants d'action ni d'unité : « Puisque les opinions sont divisées sur cet objet, *je consens que l'expérience en demeure le seul juge.* » C'était approuver sans approuver, se réserver d'attendre, témoin inerte et malveillant, les chocs que subirait la machine prête à se disjoindre.

Il y eut des fêtes dans Paris. La famille royale fut promenée aux Tuileries, aux Champs-Elysées, au théâtre, reçue encore une fois d'une grande partie de la population avec joie et attendrissement. Joie inquiète, et mêlée d'alarmes. On lisait une même pensée sur tous les visages : « Ah ! si la Révolution finissait ! si nous pouvions voir enfin dans ce jour la fin de nos maux ! »

Loin de finir, tout commençait. Pendant que le roi et la reine, plus libres enfin, voyaient secrètement, consultaient Barnave, traitaient, en quelque sorte, avec la Révolution, les prêtres, par toute la France, au nom de Dieu, au nom du roi, avaient organisé le premier acte de la guerre civile.

Je ne sache rien dans l'histoire de plus triste que ces nocturnes entrevues de Barnave avec le roi et la reine, telles que les a racontées la femme de chambre qui ouvrait au député. Elle attendait des heures entières à une petite porte des entresols, la main sur la serrure ouverte. La reine, un jour, craignant que Barnave ne gardât moins le secret s'il le voyait partagé par une femme de chambre, voulut se charger elle-même de ce poste, et reprit la faction. Spectacle étrange de voir la reine de France attendre la nuit, la main au loquet !... Et qu'attendait-elle, hélas ! Reine déchue, elle attendait le secours de l'orateur non moins déchu, devenu impopulaire, et qui ne pouvait plus rien. La mort attendait la mort, et le néant le néant.

La force du royalisme était ailleurs, dans l'embrasement fanatique que les prêtres, sur un vaste plan d'incendie, allumaient, attisaient partout. Vous auriez dit de la France comme d'une maison fermée qui brûle en dedans ; l'incendie se trahit par places, avec des signes différents : ici, une fauve lueur, plus haut la fumée, là-bas l'étincelle.

Dans la Bretagne, par exemple, les curés, presque tous nommés maires en 89, restaient maires de fait, magistrats de la Révolution contre la Révolution. Nul moyen d'organiser les municipalités nouvelles. Une force immense d'inertie, un vaste et farouche silence sur tout le pays, une attente manifeste.

En Vendée, chaque seigneur s'était fait nommer commandant de la garde nationale, et son régisseur était souvent maire. Le dimanche, après la messe, les paysans leur demandaient : « Quand commençons-nous ? » On avait vu justement en juin, vers l'époque du voyage de Varennes, nombre d'émigrés revenir, sur l'espoir d'un grand mouvement. L'un d'eux, le jeune et dévot Lescure, avait cru venir se battre pour le roi et la religion ; sa famille le maria. Il se trouva fort à point que la tante de Mme de Lescure (depuis La Rochejaquelein) avait envoyé de Rome une dispense nécessaire. La dispense disait que le mariage ne pouvait être célébré que par un prêtre qui eût refusé ou rétracté le serment. Ce fut l'un des premiers actes écrits dans lesquels le pape exprima sa décision. Nombre de prêtres qui avaient juré se rétractèrent sur-le-champ.

Mais bien avant que le pape se fût ainsi déclaré, sa pensée était connue et comprise ; les agents du clergé agissaient avec adresse et mystère ; ils remuaient le peuple en dessous. Dans la Mayenne, par exemple, rien ne paraissait encore ; mais parfois, dans les clairières des bois, on trouvait de grands rassemblements de mille ou deux mille paysans. Pour quelle cause ? Personne n'aurait su le dire.

Le sabotier Jean Chouan ne sifflait pas encore ses oiseaux de nuit. Bernier ne prêchait pas encore la croisade dans l'Anjou. Cathelineau était encore un bon voiturier, honnête et dévot colporteur, qui doucement menait d'ensemble son petit commerce et les affaires du parti. Cependant, dans cette douceur, malgré les recommandations d'ajourner, d'attendre, il y avait des hommes impatients, des mains imprudentes, des vivacités irréfléchies. Près d'Angers, par exemple, un prêtre assermenté fut tué à coups de couteau. A Châlons, des furieux escaladèrent le presbytère, pour assassiner le curé. En Alsace, on n'employait pas le fer contre les prêtres citoyens ; on lâchait sur eux des dogues, pour les dévorer. Tous les soirs, dans les églises obscures, on chantait, cierges éteints, à une foule palpitante, le *Miserere* pour le roi, avec un cantique où l'on promettait à Dieu de recevoir les intrus à coups de fusil. Le cantique, et tous les ordres auxquels obéissait le clergé d'Alsace, venaient de l'autre bord du Rhin, où le cardinal collier, le fameux Rohan, devenu saint et martyr, sans danger, tout à son aise, travaillait la guerre civile.

Fauchet, dans le Calvados, avait été cruellement puni de son effort insensé pour réconcilier la Révolution et le christianisme ; sa parole éloquente ne trouva qu'insulte et risée. A Caen, l'audace des prêtres et des femmes, leurs fidèles alliées, alla à ce point que celles-ci, furieuses, en plein jour, dans une ville pleine de troupes et de gardes nationales, entreprirent de mettre à mort le curé de Saint-Jean, descendirent la corde de la lampe du chœur pour le pendre sur l'autel.

Quelle était la persécution qui excitait de telles fureurs ? Où donc était le tyran, le Néron, le Dioclétien contre lequel on s'insurgeait ?... Les rôles étaient intervertis depuis le temps des martyrs ; les saints d'alors savaient mourir, mais ceux-ci savaient tuer.

Il faut qu'on sache : 1° que l'Assemblée n'avait exigé *nul serment des prêtres sans fonctions,* qui faisaient une bonne moitié du clergé. Moines, chanoines, bénéficiers simples, abbés de toutes les espèces, ils touchaient leurs pensions ; l'Etat ne leur demandait rien ; 2° le serment qu'on demandait aux prêtres en fonctions n'était *nullement un serment spécial à la constitution civile du clergé,* mais un serment général « d'être fidèles à la nation, à la loi et au roi, et de maintenir la Constitution ». Ce serment *purement civique* était celui que l'Etat peut demander à tout fonctionnaire, celui que la Patrie a droit d'exiger de tout citoyen.

Il est vrai que sous ces mots généraux : la *Loi,* la *Constitution,* la constitution civile du clergé était comprise implicitement, ainsi que toute autre loi. Qu'ordonnait cette constitution du clergé ? Rien de relatif au dogme, rien autre chose qu'une meilleure division des diocèses, et le rétablissement de l'élection dans l'Eglise, le retour à la forme antique. L'opposition du pape et du clergé était celle de la nouveauté contre l'Antiquité chrétienne que l'Assemblée renouvelait.

Et cette Assemblée, ce tyran, quelle torture infligeait-elle aux prêtres qui refusaient le serment civique, qui déclaraient ne point vouloir obéir aux lois ? La peine unique était d'être payés sans rien faire, elle leur conservait leur traitement ; oisifs et malveillants, elle ne les pensionnait pas moins.

Ce n'est pas tout : par un respect excessif pour la liberté des consciences, elle laissait à ces ennemis de la loi l'accès de l'autel, elle leur tenait toujours ouverte l'Eglise qu'ils avaient voulu quitter, leur permettait d'y dire la messe, de sorte que les ignorants, les simples, les esclaves de l'habitude ne fussent point troublés de scrupule, et pussent, chaque matin, entendre leur prêtre maudire la loi qui le payait, et la trop clémente Assemblée.

Il faut le dire, les prêtres citoyens montrèrent, pendant longtemps, à l'égard de ceux qui prêchaient contre eux l'émeute et le meurtre, une patience plus qu'évangélique. Non seulement ils leur ouvraient l'église, mais ils partageaient avec eux les ornements, les vêtements sacerdotaux. Le savant et modeste d'Expilly, évêque de Quimper, les encouragea lui-même à continuer le culte. Grégoire, à Blois, les couvrait d'une protection magnanime. Un autre évêque, nous le verrons tout à l'heure, les défendit à l'Assemblée législative avec une admirable charité. Un de ces vrais prêtres de Dieu écrivait, le 12 septembre, pour prévenir les mesures de rigueur que l'on craignait dans l'Ouest : « Les plaies de la religion saignent... Point de violence, je vous en prie. La douceur et l'instruction sont les armes de la vérité. »

Ces vertus devaient être inutiles. Il fallait que l'opposition des deux systèmes apparût dans tout son jour. Quelle que soit l'élasticité du christianisme à suivre extérieurement les formes de la liberté, son principe intime, immuable, c'est celui de l'autorité. Le fond du fond, en sa légende, c'est la liberté perdue dans la grâce, le libre arbitre de l'homme et la justice de Dieu noyés en même temps dans le sang de Jésus-Christ.

L'Eglise de 91 s'avouait nettement ce qu'elle était, le représentant de l'autorité, l'adversaire de la liberté. Et, comme telle, elle demandait aussi le rétablissement complet de l'autorité royale. On surprit, on imprima une lettre de Pie VI ; croyant Louis XVI échappé, il le félicitait de rentrer dans la plénitude du pouvoir absolu.

C'était le crime de l'Assemblée d'avoir méconnu à la fois les deux lieutenants de Dieu, ses vicaires, le roi et le pape, d'avoir nié sous les deux formes l'infaillibilité papale et royale, la double incarnation, pontificale et monarchique.

Là était le fond de la question, question une, identique, si bien que ceux qui travaillaient le mieux pour le roi étaient encore ceux qui ne croyaient travailler que pour les prêtres.

Rien ne peut donner une idée de la sourde et violente persécution dont la Révolution, qui semblait maîtresse, était réellement victime. C'est alors que l'on put voir combien le domaine de l'action légale est resserré, en comparaison des mille activités diverses qui échappent aux regards, aux prévisions de la loi. La société royaliste et dévote semblait en tout et partout dire tacitement au partisan des idées nouvelles : « Eh bien ! qu'elles te protègent !... La loi est pour toi, garde-la. » Au travailleur sans ouvrage : « A toi la loi, mon ami ! puisse la loi te nourrir. » Au pauvre : « Que la loi t'assiste. » Au marchand : « Que la loi achète !... Elle te laisse mourir ? Eh bien ! meurs. »

Que de mariages, tout prêts, furent violemment rompus ! Que de familles brouillées à mort ! Et combien de fois l'histoire renouvelée des Montaigu et des Capulet, l'éternel obstacle des haines entre Roméo et Juliette !... Les mariages étaient des divorces. La femme, au milieu de la nuit, s'en allait pieds nus, fuyait le lit, que dis-je ? le toit conjugal. Les enfants en larmes avaient beau courir après...

Le dimanche, elle s'en allait, pendant que l'église était tout ouverte, chercher à deux ou trois lieues son église à elle, une grange, une lande, où, devant quelque vieille croix, le prêtre rebelle disait sa messe de haine. On ne peut pas se figurer combien l'imagination de ces pauvres créatures devenait exaltée, parfois furieuse, au souffle du démon du désert. Dans je ne sais quel village du Périgord, une bande de ces femmes, un matin, s'arme de haches, court à une des églises supprimées, brise les portes, sonne le tocsin. La garde nationale accourut, les désarma ; on les traita doucement ; sur treize qu'on avait arrêtées, douze étaient enceintes.

Une instruction habile (du 31 mai 1791), qui, de la Vendée, courut toute la France, enseignait aux prêtres la mécanique du fanatisme pour brouiller les têtes, pour faire des folles et des fous. Cette instruction fut colportée partout discrètement par les sœurs grises du pays, les *filles de la sagesse,* dangereux agents, qui, d'hôpital en hôpital, et tout en soignant les malades, répandaient cette horrible maladie de la guerre civile. Le point principal de l'instruction était d'établir un sévère *cordon sanitaire* entre les assermentés et les non assermentés, une séparation qui donnât au peuple peur de gagner la peste spirituelle. C'était aux enterrements surtout que la mise en scène était dramatique. Dans la maison mortuaire, portes, croisées, volets fermés, le saint prêtre entrait vers le soir, disait la prière aux morts, bénissait le défunt, au milieu de la famille à genoux. Celle-ci, on le lui permettait, portait le mort à l'église, pleine de répugnance et d'horreur, elle s'arrêtait avant le seuil, et, dès que les prêtres constitutionnels venaient pour introduire le corps, les parents fuyaient en larmes, laissant avec désespoir leur mort livré aux prières maudites.

Plus tard, l'instruction secrète ne leur permit plus même de l'amener à l'église. « Si l'ancien curé ne peut l'enterrer, dit-elle, que les parents ou amis l'enterrent en secret. » Dangereuse autorisation, impie et sauvage ! L'affreuse scène d'Yung, obligé d'enterrer lui-même sa fille pendant la nuit, d'emporter le corps glacé dans ses bras tremblants, de creuser pour elle la fosse, de jeter la terre sur elle (ô douleur), cette scène se renouvela bien des fois dans les landes et dans les bois de l'Ouest !... Et elle se renouvelait avec un surcroît d'horreur. Ils tremblaient, ces hommes simples, que le pauvre mort, ainsi mis en terre par des mains laïques et sans sacrement, ne fût à jamais perdu pour l'éternité, et que, par-delà cette nuit, ne s'ouvrît pour l'âme infortunée la nuit de la damnation.

Qui accuser de ces horreurs ? La dureté de la loi ? L'intolérance de l'Assemblée ? Nullement. Elle n'avait imposé aucun sacrifice des croyances religieuses.

Non, ce n'est pas l'intolérance qu'on peut reprocher à cette grande Assemblée. Ce qu'on doit blâmer en elle, c'est d'avoir en donnant la loi, négligé tous les moyens d'éducation, de publicité qui pouvaient la faire comprendre, qui pouvaient, dans l'esprit des populations, dissiper la nuit d'ignorance, de malentendus qu'on épaississait à plaisir, éclaircir les fatales équivoques qui furent partout l'arme du clergé.

Le plus ordinaire était de confondre les deux sens du mot *constitution,* de supposer que le serment civique d'obéissance à la *Constitution de l'Etat* était un serment religieux d'obéir à la *constitution civile du clergé.* En confondant habilement les deux choses, le clergé accusait l'Assemblée d'une barbare intolérance. Aujourd'hui encore, beaucoup de personnes ne savent pas distinguer, et font de ce mot mal compris un grief essentiel contre la Révolution.

Les paysans de la Vendée et des Deux-Sèvres furent bien surpris, lorsque la chose fut expliquée par les commissaires civils en mission, MM. Gensonné et Gallois, en juillet et août 91. Ces pauvres gens n'étaient nullement sourds à la voix de la raison. Ils furent tout heureux d'entendre les commissaires leur répéter les instructions de l'Assemblée : « La loi ne veut nullement tyranniser les consciences ; chacun est le maître d'entendre la messe qui lui convient, d'aller au prêtre qui a sa confiance. Tous sont égaux devant la loi ; elle ne leur impose d'autre obligation que de supporter mutuellement la différence de leurs opinions religieuses et de vivre en paix. » Ces paroles attendrirent la foule honnête et confiante ; ils avouèrent avec repentir les infractions à la loi qu'ils pouvaient se reprocher, promirent de respecter le prêtre autorisé par l'Etat, et quittèrent les commissaires civils « l'âme remplie de paix et de bonheur », se félicitant de les avoir vus.

Hélas ! ce peuple excellent ne demandait que des lumières. Ce sera un reproche éternel au clergé de l'avoir barbarement environné de ténèbres, de lui avoir donné pour une question religieuse une question extérieure au dogme, toute de discipline et de politique, d'avoir torturé ces pauvres âmes crédules, endurci, dépravé par la haine une des meilleures populations, de l'avoir rendue meurtrière et barbare !

Et c'est un reproche aussi pour l'Assemblée constituante de n'avoir pas su qu'un système de législation est toujours impuissant, si l'on ne place à côté un système d'éducation. Je parle, on le comprend assez, de l'éducation des hommes, autant et plus que de celle des enfants.

L'Assemblée constituante, dernière expression du XVIIIe siècle, et dominée comme lui par une tendance abstraite et scolastique, s'est trop payée de formules, et n'a pas eu notion de tous les intermédiaires qui séparent l'abstraction de la vie. Elle a toujours visé au général, à l'absolu ; elle a été dépourvue entièrement de cette qualité essentielle du législateur que j'appellerais volontiers *le sens éducatif.* Ce sens donne l'appréciation des degrés, des moyens variés par lesquels on peut rendre la population apte à recevoir la loi. Sans ces moyens préalables, celle-ci ne fait que révolter les âmes ; la loi ne peut rien sans la foi, elle la suppose. Mais la foi, qui la sème, la prépare et la fait d'avance, c'est l'éducation.

Qu'il me soit permis de reproduire ici ce que j'ai dit et imprimé dans mon Cours (3 et 10 février 1848). « Nos législateurs regardèrent l'éducation comme un complément des lois, ajournèrent à la fin de la Révolution cette fondation dernière ; c'était justement la première par où il fallait commencer. Le symbole politique, la Déclaration des droits étant une fois posés, il fallait pour base, aux lois, mettre dessous des hommes vivants, faire des hommes, fonder, constituer le nouvel esprit par tous les moyens différents, assemblées populaires, journaux, écoles, spectacles, fêtes, augmenter la révolution dans leur cœur, créer ainsi dans tout le peuple le sujet vivant de la loi, en sorte que la loi ne devançât pas la pensée populaire, qu'elle n'arrivât point comme une étrangère, inconnue et incomprise, qu'elle trouvât la maison prête, le foyer tout allumé, l'impatiente hospitalité des cœurs prêts à la recevoir. »

« La loi n'étant nullement préparée, nullement acceptée d'avance, sembla, cette fois encore, comme les anciennes lois qu'elle remplaçait tomber durement d'en haut. Cette loi, tout humaine qu'elle fût, se présenta comme un joug, une nécessité aux populations surprises. Elle voulut entrer de force dans un terrain où elle n'avait pas préalablement ouvert le sillon ; elle resta à la surface. »

Non seulement, elle resta stérile, mais elle opéra justement le contraire de ce qu'elle proposait. Non seulement il n'y eut pas d'éducation, mais il y eut une *contre-éducation,* une éducation en sens inverse, qui eut deux effets déplorables.

Ces âmes crédules, effarouchées par les terreurs du monde à venir, devinrent inhumaines, en proportion de leurs craintes. Elles s'endurcirent, comptèrent pour rien la vie de l'homme, l'effusion du sang. La mort ! Ce n'était pas assez pour se venger d'un ennemi qui faisait courir aux âmes la chance d'un enfer éternel !

Puis, l'exaltation fanatique, qui semblait devoir rendre les consciences scrupuleuses et méticuleuses, eut au contraire, l'effet bizarre de leur ôter tout scrupule, leur faisant perdre de vue les motifs intéressés, personnels, qui les rendaient souvent hostiles à la Révolution, en sorte qu'ils crurent la haïr d'une haine désintéressée, non pour le tort matériel qu'elle leur faisait, mais uniquement pour Dieu. Le Vendéen, par exemple, qui plaçait chez son seigneur tout l'argent qu'il retirait de l'élevage des bestiaux, qui voyait son noble débiteur ou ruiné ou émigré, il prenait son fusil, pourquoi ? pour cette perte d'argent ? non, mais (disait-il) *pour qu'on lui rendît ses bons prêtres.* Le Breton, qui comptait placer dans le clergé un ou plusieurs de ses enfants, avait bien contre la Révolution un motif temporel de haine ; mais sa sombre exaltation religieuse lui persuadait qu'il n'en voulait à l'ordre nouveau que pour l'outrage fait à l'Eglise, pour son Dieu en fuite, exilé aux landes désertes et sans abri que le ciel.

Voilà comment l'esprit de résistance, ne se connaissant pas bien lui-même, était mêlé fortement de fanatisme et d'intérêt. Un seul de ces deux mobiles aurait pu céder, le fanatisme eût disparu à la longue devant les lumières nouvelles, l'intérêt parfois peut-être se fût immolé à la conscience. Mais, ainsi mêlés, confondus, se trompant mutuellement, se donnant le change, ils étaient bien indestructibles.

L'enthousiasme révolutionnaire semblait devoir moins durer que le fanatisme catholique et royaliste. Il avait pour projet des idées nouvelles, et ne se liait pas comme l'autre à tout un système d'habitudes et de routines, anciennement envieilli dans l'homme, passé dans la vie, dans le sang. Plusieurs générations déjà, plusieurs classes d'esprits divers (et dans l'Assemblée nationale, et dans la nation tout entière) avaient eu leurs moments d'enthousiasme plus ou moins longs, et puis elles étaient retombées. Plusieurs persistaient sans doute, des hommes d'ardeur inextinguible, d'indomptable fermeté ; et ceux-là devaient glorieusement persister jusqu'à la fin. Toutefois, de tels caractères sont toujours en petit nombre. Une révolution qui s'appuierait uniquement sur une élite héroïque serait certes bien compromise.

Il fallait que la Révolution, si elle voulait durer, s'appuyât, comme faisait la contre-révolution, non exclusivement sur les sentiments, qui sont si mobiles en l'homme, mais sur l'engagement fixe des intérêts, sur la destinée des familles compromises par leur fortune dans la cause révolutionnaire, décidément et sans retour.

C'est à quoi l'Assemblée constituante avait visé par la vente des biens nationaux. Ces biens d'abord étaient censés acquis de l'Etat par les municipalités, qui les revendaient aux particuliers. Mais l'opération se faisait avec une extrême lenteur. Au commencement, on avait, peut-être dans l'idée malveillante d'éloigner les acquéreurs, mis en vente d'énormes immeubles, comme les bâtiments des couvents, peu propres aux usages particuliers. Ce ne fut que plus tard qu'on vendit les parties les plus vendables, les plus désirées, les bois et les terres.

En général, le paysan, craintif et rusé, ne voulait point acheter directement de la commune. Il allait, avec un voisin ou plusieurs, trouver quelque procureur de l'endroit, un homme d'affaires, parfois ex-intendant ou régisseur : « Eh bien ! monsieur un tel, pourquoi n'achetez-vous pas ? Achetez donc ! nous voilà tous, qui sommes prêts à racheter de vous quelques morceaux de cette terre. »

Ce qui, traduit librement, selon l'idée réelle du paysan, signifiait : « Achetez. Si les émigrés reviennent vous serez pendu. Mais l'on ne pourra pas pendre la foule des sous-acquéreurs. Et ce sera un grand hasard si l'on peut reprendre à des bandes si nombreuses un bien disséminé en parcelles imperceptibles. »

L'ex-intendant ou régisseur ne répondait rien, il hochait la tête. Généralement, il achetait, sans trop se hâter de revendre ; il voulait voir venir les choses. Si la Révolution triomphait, il gardait ou vendait, détaillait et faisait fortune ; et si c'était la contre-révolution qui prévalût, il avait son excuse prête : « J'ai acheté le bien pour le sauver, pour le conserver à son maître légitime. »

Mais les hommes plus hardis, plus indépendants, et c'était le plus grand nombre, les hommes lancés sans retour dans la Révolution, n'hésitaient pas à jouer tout sur ce coup de dé. Une seule chose les arrêtait, c'est que, malgré toutes les facilités que donnait aux acquéreurs l'Assemblée nationale, le terme des premiers paiements était rapproché ; Ils n'avaient pas le temps de faire les trois opérations qu'ils avaient en vue : acheter, trouver des sous-acquéreurs, leur revendre et déjà *recevoir d'eux quelque portion du prix* qui pût aider l'acquéreur au premier paiement.

C'était un sujet de joie pour les contre-révolutionnaires de voir que la grande opération, avec tant de facilités offertes, traînait, avortait. Un jour qu'ils disaient à Mirabeau : « Vous ne les vendrez jamais, vos biens nationaux... », on assure qu'il leur répliqua : « Eh bien ! nous les donnerons. »

Au 24 mars 1791, il ne s'en était encore vendu que pour *cent quatre-vingts millions* à peu près. L'Assemblée avait donné un délai aux acquéreurs jusqu'en mai. Délai insuffisant ; elle le sentit le 27 avril, et elle étendit le délai de huit mois entiers, jusqu'en janvier 92. Cette mesure habile eut un effet incalculable ; aucune, à cette époque, ne contribua davantage à sauver, à affermir la Révolution. *En cinq mois,* chose prodigieuse ! la vente fut de *huit cents millions ;* en sorte que le 26 août, le comité, dans son rapport à l'Assemblée, déclare qu'on a adjugé, en tout, des biens nationaux pour la valeur d'un *milliard !*

Aucun des avantages offerts jusque-là ne les faisait acheter. Ils étaient affranchis de toute hypothèque légale, francs de toute redevance, de tout droit de mutation, libres de toutes dettes, rentes constituées, fondations.

Tout cela n'avait pas suffi pour donner l'essor à la vente. La *mainmorte,* ce charme fatal qui tant de siècles rendit ces biens *morts* en effet, inertes, souvent improductifs, semblait peser sur eux encore. Une chose rompit le charme, leur rendit le mouvement, les fit partir, s'écrouler, circuler de main en main ; ce fut *le délai de neuf mois,* lequel entraînait la facilité de sous-vendre et de détailler, donnait le temps de tirer déjà quelque chose des sous-acquéreurs, etc.

La déclaration de Pilnitz, la solennelle menace des rois à la Révolution, est datée du 27 août 1791. Et le 26 du même mois, le rapport du comité d'aliénation, annonçant ce fait si grave que la vente a pris l'essor, qu'elle est déjà d'un milliard, fait prévoir que la Révolution est lancée sans retour, qu'elle ne sera pas violente seulement, mais ferme et profonde, qu'elle ne touche pas la surface du pays, mais le fonds et le tréfonds ; quoi que veuillent ou fassent les rois, elle sera à jamais irrévocable, invincible.

Car enfin, que signifiait cette vente ? Qu'une foule d'hommes venaient d'engager *leur fortune* dans la cause révolutionnaire ; plus que leur fortune peut-être, *leur vie,* et plus encore que leur vie, *la destinée de leurs familles.*

Ce n'était pas une chose sans péril, en 91, pour eux et les leurs, d'acheter ces biens. Les sarcasmes, les injures, les menaces secrètes ne manquaient point à l'acquéreur. Il en souffrait moins dans les grandes villes, ou l'on connaît peu son voisin ; mais dans les petites, sa situation était presque intolérable. La superstition, la haine, la malice universelle l'enfermaient, pour ainsi dire, d'un cercle maudit. Tout ce qui pouvait lui arriver de fâcheux était un châtiment du Ciel. Son enfant était malade ? Châtiment. Sa femme avortait ? Châtiment. S'il avait quelque accident, tout le monde en louait Dieu. Dans une ville éloignée de trente et quelques lieues de Paris, la flèche de la cathédrale branlait depuis longtemps, au grand péril des maisons voisines ; un maçon l'achète pour la démolir ; peu après il tombe d'un échafaudage et se tue : la ville en fait des feux de joie.

Au milieu de la malveillance universelle, les acquéreurs se rapprochaient les uns des autres et se tenaient fortement. Cela seul d'avoir acquis les biens de la nation, c'était un signe certain auquel les amis de la Révolution se reconnaissaient, ceux qui avaient embarqué leur bien et leur vie sur le vaisseau de la République, se remettant à sa fortune, voulant prospérer avec elle, ou avec elle périr.

Le choc du 21 juin, l'affaire de Varennes, les menaces de l'étranger, éprouvèrent leur foi robuste aux destinées de la Révolution. Ils ne bronchèrent pas, ne sourcillèrent pas. Le 21 même, on l'a vu, ils achetèrent, fort cher, trois maisons du chapitre de Notre-Dame de Paris. Ainsi, les Romains assiégés mirent en vente, et vendirent aussi cher qu'en pleine paix, le champ sur lequel Annibal était campé aux portes de Rome.

Les meneurs de l'Assemblée, dans le mouvement royaliste qu'ils essayaient de lui imprimer, virent sans doute avec inquiétude cet élan populaire des ventes, que leur révélait à l'improviste le rapport du 26 août. Le comité d'aliénation, qui avait fait ce rapport, s'en effraya lui-même, recula devant son succès. Il déclara abdiquer ses fonctions et demanda qu'elles fussent transférées au pouvoir exécutif. Proposition naïvement contre-révolutionnaire.

Confier à un roi dévot le soin de vendre les biens du clergé, en charger un ministère inactif et paralytique, c'était annoncer assez qu'on ne se souciait nullement désormais d'accélérer l'opération.

Ce pas subitement rétrograde du comité, de l'Assemblée, leur effort pour s'arrêter court ou tirer à reculons, qu'indique-t-il ? La frayeur. Ils auront rencontré quelque objet terrible ; sur la route où ils cheminaient avec sécurité, ils ont vu se dresser contre eux la pointe de l'invisible glaive.

Leur frayeur s'explique d'un mot : Les Jacobins se font acquéreurs, les acquéreurs se font jacobins.

Et dans quel progrès rapide s'opère cette double action ! Rapprochons les chiffres.

D'avril en août, vente des biens nationaux pour huit cents millions. La vente totale est d'un milliard.

En août et septembre, création de six cents nouvelles sociétés jacobines. Ajoutez les quatre cents anciennes, elles sont, dit-on, mille en tout, à la fin de septembre.

Et ces sociétés sont moins redoutables encore par leur multiplication que par leur nouveau caractère. Elles perdent ce qu'elles avaient d'abord, si j'ose dire, d'académique, de vaguement philosophique ; elles deviennent sérieuses, âpres, violemment tendues vers le but. Elles rejettent les modérés, les demi-révolutionnaires, les hommes déjà las de la Révolution. Et à leur place, elles mettent deux classes d'hommes très ardents.

Des hommes d'affaires et d'intérêt, engagés à mort dans cette dangereuse exploitation des biens nationaux, se relevaient à leurs propres yeux par le fanatisme, surveillaient d'un œil de lynx la trame embrouillée de la Révolution, mettaient au service de la cause des idées l'âpreté persévérante du spéculateur en péril.

D'autre part, de purs, d'ardents patriotes, en qui les idées avaient précédé l'intérêt et le dominèrent toujours, subissaient les conditions hors desquelles la Révolution eût péri. Contre l'immense et ténébreuse intrigue des prêtres, ils acceptaient la nécessité de *l'inquisition* jacobine — et en même temps l'autre moyen de salut, *l'acquisition* des biens ecclésiastiques. Acheter, diviser, subdiviser les biens du clergé, c'était faire à la contre-Révolution la plus mortelle guerre. Beaucoup achetaient avec fureur, et se croyaient d'autant meilleurs citoyens qu'ils achetaient davantage. Le danger de l'opération les séduisait, et l'odieux même qu'on s'efforçait d'y jeter. Ils voulaient périr, s'il le fallait, avec la Révolution, et ils s'y enrichissaient ; ils se précipitaient, nouveaux Curtius, au gouffre de la fortune.

Plusieurs achetaient par devoir. L'honnête et austère Cambon établit, en 96, qu'entré aux affaires avec six mille livres de rente, il en sort avec trois mille. Il avait cru faire acte de patriote en achetant un domaine national, près de Montpellier. Il se maria à Paris, et il épousa une femme dont la dot était aussi un bien national.

Ainsi se formait une base solide pour le système nouveau, une masse d'hommes liés par le dogme et par l'intérêt, fondant leur patriotisme dans la terre et dans l'idée, ayant leur double vie dans la Révolution, tout en elle et rien hors d'elle. Noyau fixe et ferme, autour duquel l'homme d'imagination, l'homme de sensibilité, l'enthousiasme mobile, allaient et venaient. Tel était six mois fanatique, tel un an ; tel s'arrêtait, et tel autre allait plus loin.

Ceux-ci flottaient comme la vague ; mais ceux-là étaient le vaisseau. Ils savaient bien qu'ils n'avaient pas d'autre port que celui où aborderait la Révolution. De là, l'ensemble qu'ils montrèrent, leur docilité extrême pour ceux qui prirent le gouvernail. Ce grand corps, hétérogène, mené à la fois par la passion, l'exaltation, l'intérêt, n'en fut pas moins, dans sa violence, étonnamment disciplinable. L'individu s'y conduisit comme fait, dans la tempête, celui qui est là pour sa vie et veut se sauver ; il croit tout, fait tout, ne discute point la manœuvre, ne raisonne pas avec le pilote.

Le moment précis où nous sommes, l'automne de 91, c'est le moment décisif où la grande association des acquéreurs et des patriotes va agir sur les campagnes.

Moment grave. En 90, le paysan a reçu le premier bienfait révolutionnaire, l'abolition des dîmes et des droits seigneuriaux, reçu avec une joie vive et sans réserve.

En 91, la Révolution vient à lui et lui offre les biens de l'Eglise. Il hésite, ici, regarde ; sa femme a peur, et n'en dort pas ; un dialogue entre eux s'engage le jour et la nuit. Lui, ce brave laboureur, bien plus scrupuleux en général qu'on ne croit, il n'eût jamais pris de lui-même ; il l'a bien montré, bon Dieu ! par sa longue et miraculeuse patience pendant tant de siècles ! Mais, enfin, ici, il raisonne, il comprend que ce bien, donné jadis pour le pauvre à l'Eglise, peut (en tout ce que ne réclame pas l'entretien de l'Eglise) faire retour au pauvre, si la loi le veut ainsi. Retour non gratuit d'ailleurs, ce bien ne se donne pas, il se vend, et le prix sert au plus sacré des usages, à combler le déficit, à remplir les engagements de l'Etat, à défendre et sauver la France.

Ceci n'est point un acte tout nouveau et inouï. C'est le recommencement légitime du grand mouvement, parti du plus profond du Moyen Age : *le persévérant achat de la terre par celui qui la travaille,* l'hymen sacré, légitime, de la terre et du laboureur. Je dis légitime. Ah ! que ce mot est ici d'une propriété profonde !... Jamais il n'a demandé que cette terre lui vînt gratis ; constamment, par des efforts obstinés et surhumains, il l'a gagné de son épargne, cet objet de tous ses vœux, de sa passion fidèle. Il a mis à l'obtenir la constance du patriarche, servant sept ans pour Lia, pour Rachel sept ans encore.

Ce progrès vers l'acquisition honnête et légitime de la propriété a été, nous l'avons remarqué ailleurs, barbarement rompu plusieurs fois, au XVIe siècle, par les seigneurs de la seconde féodalité, au XVIIe par les seigneurs d'antichambre. Grâce à Dieu, la Révolution, la bonne mère du paysan, vient de rompre la barrière, le grand mouvement recommence, et il ne s'arrêtera plus.

En 1738, un philosophe français, ayant consulté à ce sujet plusieurs intendants, remarque que dans nos provinces « les journaliers ont presque toujours un jardin ou quelque morceau de vigne ou de terre. » Eh bien ! le premier but de la Révolution, c'est de l'étendre, ce jardin, de le leur continuer ; c'est d'en faciliter l'acquisition à l'honnête travailleur. C'est par là qu'elle est à la fois la bienfaitrice, l'amie et le sauveur de tous, n'agitant passagèrement le monde que pour lui fonder la paix.

En invitant le paysan à l'acquisition, en le mariant à la terre, la Révolution lui fonda la vie encore d'autre sorte. La manière la plus générale, la plus naturelle, dont il se procura l'argent nécessaire, ce fut de chercher une dot et de prendre femme. Le mariage est l'occasion unique où le jeune paysan oblige le vieux à ouvrir son épargne, à chercher quelque écu caché. C'est là le commencement d'un grand nombre de familles agricoles ; commencement respectable, puisqu'il fut fondé par la foi que le paysan mit dans la Révolution, dans la solidité du gage qu'elle lui livrait.

Et voilà comment elle est devenue, notre Révolution, solide, durable, éternelle ; ralentie plusieurs fois, elle reprend toujours, continue son mouvement. C'est qu'elle ne s'assit pas seulement sur le sol mobile des villes, qui monte et qui baisse, qui bâtit et démolit. Elle s'engagea dans la terre et dans l'homme de la terre. Là est la France durable, moins brillante et moins inquiète, mais solide, la France en *soi.* Nous changeons, elle ne change pas. Ses races sont les mêmes depuis bien des siècles ; ses idées semblent les mêmes ; ce qui est plus vrai, c'est qu'elles avancent par un travail insensible et latent, comme se fait tout changement dans les grandes forces de la nature, non surexcitées par la passion qui use et dévore. Cette France, dans cent ans, dans mille ans, sera toujours entière et forte ; elle ira, comme aujourd'hui, songeant et labourant sa terre, lorsque depuis longtemps nous autres, population éphémère des villes, nous aurons enfoui dans l'oubli nos systèmes et nos ossements.

Un mot, un dernier mot sur l'Assemblée constituante. Nous l'avions presque oubliée. Elle semble, en ses derniers moments, s'oublier, s'abandonner d'elle-même.

Elle déclare ajourner les deux fondations profondes, essentielles, sans lesquelles son œuvre politique reste en l'air, branlante, prête à choir demain : l'Education, la Loi civile.

Elle n'ose prendre aucun parti à l'égard des prêtres, et n'écoute même pas le rapport, instructif et sage, que ses commissaires viennent lui faire sur la Vendée. Elle fait, contre le pape, ce que nos rois ont fait plusieurs fois : elle réunit Avignon (13 septembre). Nous y renviendrons tout à l'heure.

Dans son avant-dernière séance (29 septembre), elle veut sévir contre les clubs. Elle leur défend les pétitions en nom collectif, leur permet de discuter, « sans prétendre inspection sur les autorités légales ». Vaine défense ; ces autorités, hésitantes et impuissantes, à l'image de l'Assemblée, n'opposaient nulle résistance aux ennemis de la Révolution ; il fallait la laisser périr, ou bien la laisser sauver par les clubs.

L'instruction réservée, timide, pleine d'éloges, pour les clubs, qu'on joint au décret, exprime le vœu qu'ils n'aient point de correspondance, que leurs actes ne sortent point de leur enceinte. Mais le décret n'ose dire qu'il leur défend les affiliations. Or, c'était justement alors que s'affiliaient ensemble les mille sociétés jacobines, dont six cents venaient de naître.

Ainsi l'Assemblée n'ose rien de décisif contre les deux grandes conjurations qui divisent la France, celle des prêtres, celle des Jacobins. Elle se tait sur la première, gronde l'autre bien doucement, la menace en la flattant, timidement, à voix basse. Elle parle déjà, ce semble, de la faible voix des morts.

Le 30 septembre, le roi ayant clos la session en exprimant le vain regret qu'elle ne pût durer encore, le président Thouret adressa cette parole au peuple assistant : « L'Assemblée constituante déclare qu'elle termine ses séances, et qu'elle a rempli sa mission. »

Livre VI

CHAPITRE PREMIER

Le premier élan de la guerre
L'ouverture de l'Assemblée législative
(octobre 91)

Le premier élan de la guerre — Hésitation des politiques et des militaires — Le monde appelait la France — Haine des rois pour la France — Mme de Lamballe en Angleterre — L'Angleterre et l'Autriche voulaient endormir, énerver la France — Suicide universel des rois au XVIIIe siècle — L'intime pensée de l'Autriche, l'intime pensée de la reine — Règne et chute de Barnave (septembre-novembre 91) — Violence intérieure du roi, de sa sœur et de sa fille — Le roi aimait peu l'émigration — Il appartenait aux prêtres — Leur puissance — Les prêtres, menacés à Paris, tout-puissants en province — La France comprend que le roi, c'est l'ennemi — Ouverture de l'Assemblée législative — Apparition des Girondins — Discussion du trône et du fauteuil — Discussion relative aux prêtres et aux émigrés — Réponses hostiles des puissances — Nouvelles du désastre de Saint-Domingue — Nouvelle du massacre d'Avignon.

La pensée de ce livre, c'est la guerre, l'élan national contre l'ennemi du dedans, du dehors.

La nouvelle Assemblée, élue sous l'impression du danger public, devrait s'appeler, non la Législative, mais l'Assemblée de la guerre.

Le sujet propre du livre, c'est la découverte progressive de cette vérité trop certaine : *Que le roi c'est l'ennemi,* le centre (volontaire ou involontaire) de tous les ennemis, intérieurs, extérieurs.

Et le but où ce livre marche, c'est le salut de la France, au 10 août, par le renversement du trône.

La France qui lit, jase et discute, s'était déjà bien dépensée en paroles ; elle se souciait peu d'agir, elle aimait mieux ne pas voir les dangers de la situation ; ingénieuse à se tromper, elle parvenait à croire que la guerre ne viendrait pas.

Mais la France qui ne lit point (c'est à peu près tout le monde), celle qui parle moins, qui travaille, n'ayant pas les mêmes moyens de se faire illusion, n'imagina pas que la chose pût être mise en question ; elle croyait depuis longtemps à la guerre, elle y crut plus fermement encore, et s'y prépara. Depuis Varennes, elle demandait universellement des fusils ; au défaut, elle se mit, dès janvier, à forger des piques.

L'impression de la fuite du roi, sa désertion à l'ennemi, ce grand fait, ce fait capital, d'une signification décisive, put s'obscurcir pour le public oisif et causeur qui se repaît chaque jour de petites nouveautés. Mais pour la grande France, travailleuse et silencieuse, le même fait resta tout nouveau, présent, menaçant. Cette France, en faisant sa moisson, son labour, n'eut rien autre chose en l'esprit, et si une pierre heurta le soc, arrêta parfois la charrue, ce fut toujours cette pierre dressée sur chaque sillon.

Ils n'étaient pas assez savants pour se dire : « L'empereur est un philanthrope. Catherine est philosophe », et autres vaines raisons, accidentelles et personnelles, qui ne changeaient rien à la nature des choses, aux nécessités profondes de la situation. Ce qu'ils savaient, c'est que la France se trouvait, par sa Révolution, seule de son espèce en ce monde, un miracle, un monstre, que l'on regardait avec terreur ; que cette créature nouvelle, entre les rois frémissants de haine et de peur, et les peuples à peine éveillés, se trouvait profondément seule, et devait regarder tout d'abord quelle défense elle avait en soi.

C'est justement ce qu'elle fit. Dès 89, au moment de sa naissance, elle sauta sur ses armes. Le premier instinct lui dit qu'elle avait un ennemi, quelque chose d'inconnu qui la menaçait; elle l'appela *les brigands,* et se mit à chercher les brigands de village en village.

En 90, aux Fédérations, dans son armement pacifique, elle commença à rêver la délivrance des peuples, leur fédération générale sur les trônes brisés des rois.

En 91, elle connut l'entente profonde du roi et des rois de l'Europe. Elle comprit son double danger. Elle arma, à bon escient. « Car enfin (c'était là le raisonnement, bien simple mais sans réplique, du dernier des paysans), est-ce que les rois oublieront que nous avons mis la main sur la royauté, arrêté le roi à Varennes ? Est-ce qu'ils ne se sont pas trouvés tous captifs en Louis XVI ?... Le peuple, par toute la terre, est serf et prisonnier des rois ; le roi, dans la France seule, est le prisonnier du peuple. Il n'y a pas de traité possible... Ils grondent encore sans mordre, comme le dogue qui va s'élancer ; bien sot qui voudrait attendre que le dogue le tînt à la gorge. »

A cette voix intérieure du bon sens répondit admirablement la déclaration de Pilnitz. Les rois disaient à la France : « Oui, vous ne vous trompez pas ; c'est bien là notre pensée. » Et cette déclaration ne circula pas dans les termes ambigus de la diplomatie ; elle courut la campagne sous la forme insolente et provocante de la lettre de Bouillé. Elle tombe comme un défi ; comme tel, elle fut saluée d'une longue clameur de joie.

« Eh ! c'est ce que nous demandions ! » Tel fut le cri général. Marseille demandait, dès mars 91, à marcher au Rhin. En juin, tout le Nord, tout l'Est, de Givet jusqu'à Grenoble, se montre, en un même moment, hérissé d'acier. Le centre s'ébranle. A Arcis, sur dix mille mâles, trois mille partent. Dans tel village, Argenteuil, par exemple, tous partent sans exception. L'embarras fut seulement qu'on ne savait où les diriger. Le mouvement n'en gagnait pas moins, comme les longues vibrations d'un immense tremblement de terre. La Gironde écrit qu'elle n'enverra pas, qu'elle ira ; elle s'engage à marcher tout entière, en corps de peuple ; tous les mâles, quatre-vingt-dix mille hommes ; le commerce de Bordeaux, que ruinait la Révolution, le vigneron qu'elle enrichissait, s'offraient unanimement.

Une chose suffit pour caractériser cette époque, un mot d'éternelle mémoire. Dans le décret du 28 décembre 1791, qui organise les gardes nationaux volontaires et les engage pour un an, la peine dont on menace ceux qui quitteraient le service avant l'année, c'est que, « pendant dix ans, ils seront *privés de l'honneur d'être soldats* ».

Voilà un peuple bien changé. Rien ne l'effrayait plus, avant la Révolution, que le service militaire. J'ai sous les yeux ce triste aveu de Quesnay (*Encyclopédie,* art. « Fermiers », p. 537), « que les fils de fermiers ont tellement l'horreur de la milice qu'ils aiment mieux quitter les campagnes et vont se cacher dans les villes ».

Qu'est devenue maintenant la race timide et servile qui portait la tête si bas, la bête encore à quatre pattes ? Je ne peux plus la trouver. Aujourd'hui, ce sont des hommes.

Il n'y eut jamais un labour d'octobre comme celui de 91, celui où le laboureur, sérieusement averti par Varennes et par Pilnitz, songea pour la première fois, roula en esprit ses périls, et toutes les conquêtes de la Révolution qu'on voulait lui arracher. Son travail, animé d'une indignation guerrière, était déjà pour lui une campagne en esprit. Il labourait en soldat, imprimait à la charrue le pas militaire, et, touchant ses bêtes d'un plus sévère aiguillon, criait à l'une : « Hu ! la Prusse ! » A l'autre : « Va donc, Autriche ! » Le bœuf marchait comme un cheval, le soc allait âpre et rapide, le noir sillon fumait, plein de souffle et plein de vie.

C'est que cet homme ne supportait pas patiemment de se voir ainsi troublé dans sa possession récente, dans ce premier moment où la dignité humaine s'était éveillée en lui. Libre et foulant un champ libre, s'il frappait du pied, il sentait dessous une terre sans droit ni dîme, qui déjà était à lui, ou serait à lui demain... Plus de seigneurs ! tous seigneurs ! tous rois, chacun sur sa terre, le vieux dicton réalisé : « Pauvre homme, en sa maison, roi est. »

Et en sa maison, et dehors. Est-ce que la France entière n'est pas sa maison, maintenant ? Hier, il venait, tremblant, mendier la justice par-devant *Messieurs*, comme si c'était une grâce ; il fallait payer d'abord, puis l'on se moquait de lui. Lui-même aujourd'hui est juge, et il rend gratis la justice aux autres. Le voilà, ce paysan, assesseur du juge de paix, membre du Conseil municipal, l'un des treize cent mille nouveaux magistrats, électeur (il y en avait entre trois et quatre millions), s'il paie trois journées par an. Et qui ne les paiera pas, qui ne sera propriétaire, au prix où la terre se donne, s'offrant avec des délais si faciles, venant dire en quelque sorte : « Prends-moi ; tu paieras quand tu pourras. » La première récolte suffisait souvent pour payer, ou la première coupe, ou quelques terres qu'on revendait, ou quelque plomb pris d'un toit.

Mais ce n'est pas tout, mon ami, te voilà un homme public, un citoyen, un soldat, un électeur ; te voilà bien responsable. Sais-tu que tu as une conscience qu'il te faut interroger ? Sais-tu que ce grand nombre de magistrats, incessamment renouvelés, oblige tout le monde à son tour à devenir magistrat ? C'est là, en effet, la grandeur de la Constitution de 91 ; laissant la puissance publique très faible, il est vrai, serrant très peu le lien politique, restreignant peu, contraignant peu, elle fait par cela même un appel immense à la moralité individuelle. Loi aimable et confiante, elle somme tous les hommes d'être bons et sages, elle compte sur eux. Par son imperfection même et par son silence, la loi dit à l'homme : « N'as-tu pas, dans ta raison, déjà une loi intérieure ? Sers-t'en pour me suppléer au besoin, et deviens ta loi !... Tu n'es plus un malheureux serf, qui peut renvoyer à son maître le soin de la chose publique ; elle est tienne, c'est ton affaire. A toi de la défendre et la gouverner ; à toi d'être, selon ta force, la providence de l'Etat. »

Cet appel muet fut bien entendu. Ce ne fut pas moins que l'éveil de la conscience publique dans l'âme de l'individu. Une inquiète sollicitude de l'intérêt de la patrie, de celui du genre humain, remplit tous les cœurs. Tous se sentirent responsables pour la France, et elle-même pour le monde. Tous furent prêts à défendre, en la Révolution, au prix de leurs vies, le trésor commun de l'humanité.

Voilà la pensée, sainte et guerrière, des élections de 91. Elles furent le fait de la France, et non pas spécialement le résultat des intrigues jacobines, comme on l'a tant répété. Les résultats le montrent assez. L'Assemblée, comme la France, se déclara pour la guerre. Les Jacobins (du moins la plupart d'entre eux, les meneurs) furent partisans de la paix.

Non, ni la presse ni les clubs n'eurent l'influence principale dans ce mouvement immense, tout naïf et tout spontané. S'il fut puissant, ce fut surtout chez le peuple qui ne lit pas, dans les populations dispersées, isolées par la nature de leurs travaux. Tous le trouvèrent en eux-mêmes, dans le sentiment de leur dignité nouvelle, dans leur jeune foi. La pensée qui roulait dans les carrefours des villes, elle surgit aussi du sillon, elle se retrouva la même dans le labour solitaire, et là, peut-être, n'ayant à qui s'exprimer, elle couva avec plus de force. Elle alla toujours fermentant, à mesure que les travaux cessèrent, et qu'on commença, vers novembre, à se rassembler souvent sous les porches de l'église, ou bien le soir aux veillées. Quand on avait parlé deux fois, trois fois de ces choses, tel jeune homme disparaissait, puis tel autre. Ils s'en allaient, malgré la saison, sur la neige, se faire inscrire au district, pour partir le plus tôt possible. « Pas d'armes », leur disait-on. Ils revenaient alors et se mettaient à en faire. En janvier 92, un district de la Dordogne députa à l'Assemblée pour déclarer qu'il avait forgé trois mille piques, et qu'il ne comprenait pas qu'on ne le fît pas partir.

Ainsi, l'automne, ainsi, l'hiver, roula par toute la France, contenu et comme à voix basse, un gigantesque *ça ira !* Chant vraiment national qui, changeant aisément de rythme, répondit toujours à merveille aux émotions de nos pères. Fraternel en 90, il avait remué le Champ-de-Mars, bâti l'autel de la patrie. En 91, il tint compagnie aux jeunes volontaires qui, allant demander des armes, le chantaient pour s'encourager dans les mauvaises routes d'hiver. Si le sifflement des vents, le bruissement des clubs ne vous empêchent d'entendre, vous distinguerez ces premières notes, basses et fortes, du chant héroïque. Il est déjà rapide, ce chant, tout gaillard et tout guerrier ; 92 y va joindre l'élan pressé de la colère. Tout à l'heure, il éclatera avec le fracas des tempêtes.

Le monde commençait à l'entendre, depuis la fuite de Varennes, comme un vaste et profond murmure. L'Assemblée y fermait l'oreille. Les meneurs même de la presse et des clubs n'en avaient pas l'intelligence ; plongés dans ce bruit général, prolongé, sourd et monotone, ils ne l'entendaient pas, justement parce qu'ils l'entendaient toujours. Ils ne devinaient nullement la grande chose, fatale, invincible, qui était au fond de ce bruit : l'ébranlement du grand océan révolutionnaire qui allait franchir son rivage.

Chose étrange et ridicule ! ils disputaient avec l'océan ! ils trouvaient de petites raisons à lui objecter. Ils se disaient gravement : « L'arrêterons-nous ? ne l'arrêterons-nous pas ?... » Ils pouvaient le retarder, un moment peut-être, mais, en accumulant les vagues, ils accumulaient les périls.

Les politiques disaient : « Attendons, la situation intérieure n'est pas assez sûre... » Et les militaires disaient : « Attendons, formons une armée ; on ne fait pas la guerre avec des hommes, mais bien avec des soldats... »

L'Assemblée constituante, qui rétablissait le roi et tâchait d'apaiser les rois, n'avait garde d'écouter le mouvement populaire. Elle eût craint ses défenseurs tout autant que l'ennemi. Le 21 juin, au jour du péril, elle avait décrété la levée de trois cent mille gardes nationaux ; mais, dès le 23 juillet, elle les réduisit à quatre-vingt-dix-sept mille. Ce nombre l'effrayant encore, elle prit un bon moyen pour le réduire, ce fut de renvoyer aux directoires de départements le soin et la dépense d'équiper ceux qui ne pouvaient le faire eux-mêmes (4 septembre). Le 8, le ministre écrivit à l'Assemblée qu'il n'avait d'armes que pour les quarante-cinq mille volontaires qu'on envoyait à la frontière du Nord, et ceux-là même en obtenaient à grand-peine. Ils ne trouvaient à la frontière ni vivres ni gîtes. Les officiers aristocrates se moquaient de leur misère, de leur triste équipement ; les brétailleurs les défiaient ; en certains lieux, on parlait de mener des régiments contre eux, de les écharper.

La Législative elle-même montra beaucoup de lenteur ; elle ne se fit donner un projet d'organisation pour les volontaires que le 22 novembre, et ne rendit son décret que le 28 décembre.

Ces retards qui semblaient prudents étaient d'une haute imprudence. Plus on attendait, plus il était à craindre que le moment ne passât, moment sacré, irréparable, où la guerre n'eût pas été une guerre. Le monde alors, nous le savons maintenant par l'aveu de nos ennemis, le monde appelait la France. Pourquoi ? elle était pure encore. Quelques violences partielles avaient eu lieu. Mais l'Europe les regardait comme des crimes individuels, des excès locaux, tels que tout grand changement en entraîne toujours. Jusqu'aux massacres de septembre 92, on n'intentait à la France nulle accusation nationale. Jamais révolution, on l'avouait, n'avait moins coûté de sang.

La France, en 91, apparaissait jeune et pure, comme la vierge de la liberté. Le monde était amoureux d'elle. Du Rhin, des Pays-Bas, des Alpes, des voix l'invoquaient, suppliantes. Elle n'avait qu'à mettre un pied hors des frontières, elle était reçue à genoux. Elle ne venait pas comme une nation, elle venait comme la Justice, comme la Raison éternelle, ne demandant rien aux hommes que de réaliser leurs meilleures pensées, que de faire triompher leur droit.

Jour sacré de notre innocence, qui ne vous regrettera ! La France n'était pas encore entrée dans la violence, ni l'Europe dans la haine et l'envie. Tout cela va changer dès la fin de 92, et les peuples alors tourneront contre nous, avec les rois. Mais, alors, en 91, sous l'apparence d'une guerre imminente, il y avait au fond, dans la grande âme européenne, une attendrissante concorde. Souvenir doux et amer ! il a laissé une larme jusque dans les yeux secs de Goethe, du grand moqueur, du grand douteur, qui lui-même s'intitule « l'ami des tyrans ». Cette larme, nous aussi, nous l'aurons toujours au cœur ; elle nous revient souvent, éveillé ou endormi, avec un mortel regret pour la fortune de la France ; nous la retrouvons souvent au matin, cette larme, sur l'oreiller.

Les misérables défiances que nous avons vues de nos jours *(l'Italie veut agir seule, l'Allemagne veut agir seule),* elles n'auraient tombé alors à personne dans l'esprit. La France ne faisait point un pas dans la liberté qui ne pénétrât l'Allemagne d'amour et de joie. Elle disait, garrottée : « Oh ! si la France venait ! » Au fond du Nord, une invisible main écrivit ces mots sur la table de Gustave : « Point de guerre avec la France. » Tous savaient bien alors qu'elle faisait l'affaire de tous, qu'elle ne voulait la guerre qu'afin de fonder la paix. Ils se confiaient à elle. Et combien ils avaient raison ! combien peu elle songeait à ses intérêts ! Elle n'en avait qu'un seul, le salut des nations. Hors ses annexes naturelles, Liège et la Savoie, deux peuples de même langue et qui sont nous-mêmes, la France ne voulait rien. Pour rien au monde, elle n'eût pas pris un pouce de terre aux autres. Personne, on l'ignore encore, n'est moins conquérant que la France, dans ces moments sacrés. Il faut du temps, des obstacles, la tentation du péril, pour qu'elle retombe aux intérêts et devienne injuste.

La France avait ce sentiment en 91, le sentiment de sa virginité puissante ; elle marchait la tête haute, le cœur pur, sans intérêt personnel ; elle se savait adorable, et, dans la réalité, adorée des nations.

Elle jugeait parfaitement que l'amour des peuples lui assurait pour toujours l'invariable haine des rois, des rois même qui auraient pu trouver leur compte à la Révolution. Elle sentait, d'instinct, cette vérité, si peu connue des diplomates, qui voient tout dans l'intérêt : « Les hommes, *même contre l'intérêt, suivent leur nature,* leurs habitudes ; et, les suivant, ils s'imaginent consulter l'utilité. »

La seule différence qu'il y eût entre les rois, relativement à la Révolution, c'est que les uns auraient voulu l'égorger ; les autres, plus dangereux, arrivaient tout doucement pour l'étouffer, comme sous l'oreiller d'Othello.

Deux personnes haïrent la France nouvelle d'une haine profonde et féroce, la grande Catherine et M. Pitt.

On a beau dire que la première était trop loin pour prendre intérêt à la chose. Personne n'y mit plus de passion. Jusque-là, cette femme allemande, usant, abusant du grand peuple russe, marchait sans contradiction. Brillante, spirituelle et rieuse, de l'assassinat de Pierre III aux massacres immenses d'Ismaïl et de Praga, qu'elle ordonna elle-même, elle allait, riant de Dieu. La terrible Pasiphaé (dirai-je Pasiphaé, ou le Minotaure ?), qui eut une armée pour amant, allait s'assouvissant sur tout peuple et sur tout homme. Il n'est besoin d'en rien dire, quand on a vu les portraits de cette vieille, sa grecque de cheveux blancs dressés vers le ciel, le sein nu, l'œil lubrique et dur, fixe vers la proie, l'insatiable abîme qui ne dit jamais : « Assez. »

Elle se sentit, au 14 juillet 1789, frappée à la face ; l'éloignement n'y fit rien, ni la séparation des intérêts. Elle sentit sa barrière au bout de l'Occident, et que la tyrannie mourrait en ce monde, et que la liberté était son héritière. Elle commença de souffrir. Elle tenait la Turquie, et elle allait dévorer la Pologne. Elle poussait les Allemands à l'Ouest ; elle avait l'air de leur dire : « Allez, je vous le permets ; je vous ai donné la France. » Les forts ne rougissent point ; elle osa, dans une lettre effrontée, faire honte à Léopold de son inaction, de son mauvais cœur, lui demandant comment il pouvait délaisser sa sœur Marie-Antoinette. Pour un léger déplaisir fait à la sœur du roi de Prusse, ce prince chevaleresque avait envahi la Hollande ; n'était-ce pas un exemple qui dût faire rougir l'empereur ?

Elle renvoya, sans l'ouvrir, la lettre par laquelle Louis XVI annonçait aux puissances qu'il acceptait la Constitution.

Elle envoya un ambassadeur aux émigrés de Coblence. Elle flattait Gustave III de l'espoir qu'avec les subsides de l'Espagne et de la Sardaigne, elle lui donnerait une flotte, et le lancerait ainsi en Normandie, en Bretagne. Le 19 octobre, elle conclut un traité exprès pour cet armement.

M. Pitt et Léopold montraient moins d'impatience. Ce n'était pas que le premier haït moins la Révolution. De ses dunes, jetant sur la France un regard en apparence distrait, Pitt jouissait profondément. L'immense affaire de la conquête de l'Inde que faisait alors l'Angleterre ne lui permettait pas d'agir. Mais quelle jouissance intime, exquise et délicieuse n'était-ce pas pour cet Anglais, de voir, sans qu'il en eût la peine, descendre au fond de l'abîme le roi qui avait sauvé l'Amérique ? La reine avait une peur effroyable de M. Pitt : « Je n'en parle pas, disait-elle naïvement, que je n'aie la petite mort. » Elle envoya, en août, à Londres, Mme de Lamballe, pour intéresser et demander grâce. La reine comprenait si peu la grandeur de la Révolution, qu'elle était toujours tentée d'y voir une vengeance des Anglais, un complot du duc d'Orléans, soutenu par eux. Dans la réalité, la grande majorité des Anglais redevenait favorable à Louis XVI. L'influence du livre de Burke avait été immense sur eux. L'affaire de Varennes les toucha vivement. Les Anglais, dans leur *loyalisme* féodal et monarchique, s'indignaient de voir la France, non pas décapiter son roi, comme ils avaient fait du leur, mais, ce qui était plus fier, l'absoudre et lui pardonner. Cette indignation, en réalité, couvrait une crainte secrète : La France gravitait à la République. Que serait-ce de la vieille Europe, en présence de ce phénomène, une République colossale, jeune, audacieuse, qui voudrait faire le monde semblable à soi ? Les constitutionnels qui dirigeaient alors la reine se faisaient fort, près des Anglais, d'empêcher cet événement. L'amie de la reine venait dire à l'Angleterre que toute l'ambition de la France était de la copier ; que la Révolution française, amendée et repentante, allait, dans la révision, marcher en arrière, et rapprocher sa Constitution de l'éternel modèle, la sage Constitution anglaise. Pitt répondit à ces avances, avec une sincérité farouche, que certes l'Angleterre ne souffrirait pas que la France devînt République, *qu'elle sauverait la Monarchie.* Rien au monde ne put lui faire dire *qu'il sauverait le monarque.*

Ce qui convenait à l'Angleterre, ainsi qu'à l'Autriche, c'était que la France fût faible, impuissante, flottante dans l'état bâtard d'une Monarchie quasi anglaise. Sous un despote, elle était forte; et République, elle était forte. Avec l'unité de principe, la simplicité de gouvernement, elle devenait formidable. C'est ce qui faisait croire aux constitutionnels (Barnave le dit expressément) que la France constitutionnelle, comme ils la voulaient, tout occupée à l'intérieur de chercher un balancement impossible entre la vieille fiction royale et la réalité nouvelle, entre la vie et le songe, serait tolérée de l'Europe. Et il aurait fallu être bien méchant en effet pour se fâcher contre un vieux jeune peuple imbécile, qui serait resté bégayant, dans un radotage éternel, oscillant et branlant la tête, dans les limbes des petits enfants.

Cela allait à M. Pitt. Et cela ne pouvait déplaire à la vieille Autriche, au vieux prince de Kaunitz, âgé de quatre-vingt-deux ans, et plus jeune encore que son maître, Léopold, qui en avait quarante-quatre. Celui-ci, déjà caduc, parmi son sérail italien, qu'il avait transporté à Vienne, n'avait qu'un vœu: jouir encore, en dépit de la nature. Il avait quelques mois à vivre et les mettait à profit, réveillant, usant ses facultés défaillantes par des excitants meurtriers qu'il se fabriquait lui-même. Tel empereur, tel empire. L'Autriche aussi était malade, et si, dans sa dernière crise, elle s'était remise sur pied, elle le devait à l'usage d'excitants non moins funestes.

L'acharnement au plaisir n'est pas un trait particulier à Léopold. Il est commun à tous les princes du XVIIIe siècle. Partagés entre des idées contradictoires, moitié philosophes, moitié rétrogrades, fatigués du divorce qui travaillait leur esprit, ils se détournaient volontiers des idées et cherchaient dans l'abus des sens l'oubli, la mort anticipée. De là les étranges caprices de Frédéric et de Gustave, renouvelés de l'Antiquité, de là les trois cents religieuses du roi de Portugal, le Parc aux Cerfs de Louis XV, les trois cent cinquante-quatre bâtards d'Auguste de Saxe, etc. Le gouvernement d'un seul devenant de plus en plus contre nature, en Europe, n'étant même qu'une fiction (le roi moderne, c'est la Bureaucratie), qu'auraient fait la plupart des princes de leur énergie personnelle? On leur disait encore qu'ils étaient dieux; mais cette divinité, l'exerçant peu dans l'action, ils allaient incessamment la chercher dans la passion, dans l'épilepsie du plaisir. Le XVIIIe siècle, observé dans les mœurs de ses rois et la destruction de corps et de cœur qu'ils s'infligeaient eux-mêmes, peut être considéré comme le suicide de la Monarchie.

L'Autriche, qui politiquement est un monstre, un Janus de races et d'idées, l'Autriche dévote et philosophe imposait à ses princes une fatalité d'hypocrisie, un masque pesant qu'ils étaient d'autant plus pressés de déposer en cachette. Le mortel ennui les plongeait au mortel abîme des sens. Quelque décence à la surface ; mais un trait permanent trahit le dessous, un signe éminemment sensuel, la lèvre autrichienne. La prude Marie-Thérèse se révéla dans ses enfants, contenue et gracieuse encore dans Marie-Antoinette, libertine en Léopold, hardie, débordée dans la reine de Naples, dans sa bacchanale au pied du Vésuve.

L'Autriche, énervée ainsi, ne pouvait conseiller à la reine, par la voix du vieux Kaunitz, rien autre chose que la politique expectante que lui conseillaient Barnave et les constitutionnels. L'intention, à coup sûr, était différente ; mais les mots étaient les mêmes. Barnave, je pense, était loyal ; il ne croyait pas que la France pût supporter un gouvernement plus démocratique. Il n'avait pas pour idéal une constitution tout anglaise, ne voulant point de Chambre haute, ni confier aux mains du roi le pouvoir, qu'il a en Angleterre, de dissoudre l'Asemblée. C'est ainsi qu'il s'en explique lui-même dans ses derniers écrits, qui ont l'autorité d'un testament de mort.

Que voulaient Kaunitz et Léopold ? Nous le savons maintenant. D'abord, tenir la France bien fermée d'un bon cordon sanitaire, qui irait se resserrant, l'environner peu à peu d'un mur épais de baïonnettes, *d'un cercle de fer,* c'est leur mot. Pendant ce temps, le roi, à l'intérieur, exécuterait à la lettre la Constitution, de manière à bien montrer qu'elle était inexécutable. La Constitution étouffée par cette littéralité même, *exécutée* au sens propre, comme le patient par le bourreau, les Français s'en dégoûteraient : « Ils ont la tête légère. » Ils se feraient quelque autre mode ; la liberté *passerait* (comme le café et Racine, selon Mme de Sévigné). C'était tout de gagner du temps, de laisser la France se refroidir et s'ennuyer d'une révolution impossible, de lui faire perdre le premier moment de la *furie française,* qui est toujours dangereux. Fascinée alors de négociations captieuses, menaçantes tour à tour, éblouie et comme hébétée des tours, passes et détours que joueraient autour d'elle les singes de la diplomatie, elle tomberait la tête en bas, comme un oiseau étourdi, dans les pattes des renards. Engourdie, peureuse, énervée de corruption et de mensonges, elle finirait par se laisser faire. Et alors, insinuaient finement les Kaunitz et les Mercy, on pourra faire davantage. La révolution de Pologne sera écrasée alors ; la Russie, ayant la proie dans les dents, ne mordra pas l'Allemagne. L'empereur et le roi de Prusse seront bien à même d'agir plus directement.

Ceci fait comprendre à merveille les contradictions apparentes. La reine, à Kaunitz, à Barnave, répondait également : *Oui*. Tous deux disaient *Constitution*. Seulement, pour le second, la Constitution était le but où la France devait s'asseoir dans la liberté ; pour Kaunitz, c'était le circuit par lequel elle devait se promener, se fatiguer, pour arriver, lasse et rendue, au repos du despotisme.

Cette équivoque explique tout. Le ministère de la Marine se trouvant vacant, la Cour choisit comme ministre un contre-révolutionnaire hypocrite, Bertrand de Molleville ; et le roi, la reine, à sa première audience, lui déclarèrent qu'il fallait suivre la Constitution, rien que la Constitution. Dumouriez ayant cependant envoyé un mémoire au roi dans ce sens, le mémoire fut mal reçu. Le frère de Mme Campan, agent français à Pétersbourg, écrivant à sa sœur qu'il était vraiment constitutionnel, la reine, qui vit la lettre, dit que « ce jeune homme était *égaré* », que sa sœur devait lui répondre avec d'adroits ménagements. La pensée réelle de la Cour, ici trahie par un mot, se révéla par un acte : lorsque, en juillet, l'Assemblée songeait à envoyer des commissaires dans les provinces avant les élections, le Jacobin Buzot s'y opposa, et l'on eut le surprenant spectacle de voir Buzot appuyé par l'homme de la Cour, Dandré. Plus tard, aux élections municipales, le constitutionnel La Fayette se présentant en concurrence du Jacobin Pétion, la reine dit aux royalistes de voter pour le Jacobin, pour celui dont la violence devait pousser la Révolution plus vite à son terme, en fatiguer bientôt la France.

Cela eut lieu en novembre, et c'est le terme où Barnave dut comprendre enfin, où il dut pénétrer le vrai sens des paroles qu'elle lui donnait. Elle n'avait osé le revoir qu'au 13 septembre, le jour de l'acceptation. Depuis elle le reçut, mais toujours avec mystère, de nuit souvent, se tenait elle-même à la porte pour ouvrir, ainsi que nous l'avons dit. Louis XVI était-il toujours en tiers ? On est tenté de le croire ; la femme de chambre toutefois ne le dit point expressément. Septembre, octobre, en tout deux mois, ce fut le règne de Barnave, qu'il a payé de sa vie. En novembre, convaincue du peu d'action qu'il conservait sur l'opinion et sur l'Assemblée, la reine ne le ménagea plus, ni les constitutionnels ; elle fit voter les royalistes contre eux, contre ceux qu'appuyait Barnave. Courte faveur, retirée brusquement, sans égards ni respect humain ; il retourna, brisé, dans son désert de Grenoble.

Le roi, malgré son éducation jésuitique et la duplicité ordinaire aux princes, avait un fond d'honnêteté qui l'empêchait de bien comprendre le plan, trop ingénieux, de détruire la Révolution par la Révolution même. La seule personne qu'il aimât, la reine, n'avait sur lui qu'une influence extérieure, superficielle en quelque sorte. De cœur, il appartenait aux prêtres, ainsi que Madame Élisabeth. On pouvait bien tirer de lui quelques mensonges politiques, quelques faux dehors, lui faire faire gauchement quelques pas dans l'imitation de la royauté constitutionnelle ; au fond il était toujours le roi d'avant 89. Il avait ses rapports directs avec l'émigration, avec les puissances. En 90, il avait Flachslanden, à Turin, auprès du comte d'Artois. Jusqu'en juin 91, Breteuil négociait pour lui avec l'empereur et les autres princes. En juillet, quoiqu'il eût donné ses pouvoirs écrits à Monsieur, il ne s'en rapportait pas aux agents de Monsieur ; il tenait près du roi de Prusse. à côté de l'ambassadeur constitutionnel, son ministre, à lui, le vicomte de Caraman. Ces agents, la plupart fort indiscrets, étaient connus de tout le monde, si bien qu'en 90, M. de Ségur, nommé à l'ambassade de Vienne, déclara que M. de Breteuil ayant déjà dans ce poste la confiance personnelle du roi, il ne pouvait accepter.

Louis XVI n'avait nullement l'adresse que sa situation aurait demandée. Allemand et de la maison de Saxe par sa mère, il n'avait pas seulement l'obésité sanguine de cette maison, il tenait aussi de sa race de violentes échappées de brusquerie allemande ; sa sœur les avait aussi et plus fréquentes, étant moins habituée à se contenir, plus naïve et plus sincère.

Le plan modéré, constitutionnel de Dumouriez, un autre d'un secrétaire de Mirabeau, ne réussirent pas auprès du roi. Il accueillit, au contraire, un discours hautain, véhément, que l'Américain Morris avait fait pour lui, et que Bergasse avait corrigé pour le style ; il n'osa pas s'en servir, mais il fit dire à l'auteur qu'il en ferait plus tard la règle de sa conduite. Chose bizarre, Morris, homme d'affaires et banquier, plus tard ministre des Etats-Unis, homme, ce semble, positif et grave, fit communiquer cette pièce à une enfant, Madame, fille du roi, âgée de treize ou quatorze ans. Passionnée, violente, hautaine, vivement impressionnée de l'humiliation de sa famille, et surtout depuis Varennes, cette enfant devait exercer déjà quelque influence sur son père et sur sa tante, auxquels elle ressemblait bien plus qu'à sa mère.

Cette préférence diverse pour les moyens de ruse ou de violence qui se prononçait au sein de la famille royale, le combat des influences intérieures, les plans contradictoires qu'on apportait du dehors, tiraillaient l'âme du roi, lui brouillaient l'esprit. Il sentait bien d'ailleurs qu'il y avait en sa conscience tel point délicat où il lui deviendrait impossible de feindre davantage, et alors, sans doute, il serait brisé. Lui-même il en jugeait ainsi. Le 8 août 1791, il disait à M. de Montmorin, qui le redit à Morris : « Je sais bien que je suis perdu. Tout ce qu'on fera maintenant, qu'on le fasse pour mon fils. »

Il jugeait beaucoup mieux que la reine de l'impuissance des constitutionnels, et considérait la Constitution de 91 comme l'anéantissement de la Monarchie. Une circonstance d'étiquette, en apparence peu grave, lui représenta sa propre pensée d'une manière si expressive qu'il ne put se contenir ; son cœur déborda. Le jour de l'acceptation de la Constitution, 13 septembre 91, le président (c'était Thouret), se levant pour prononcer son discours et voyant que le roi l'écoutait assis, crut devoir s'asseoir. Thouret était, comme on sait, un homme fort modéré ; mais, dans cette grave circonstance qui n'était pas moins qu'une sorte de contrat entre le roi et le peuple, il avait voulu, par ce signe, constater l'égalité des deux parties contractantes.

« Au retour de la séance, dit Mme Campan, la reine salua les dames avec précipitation, et rentra fort émue. Le roi arriva chez elle par l'intérieur ; il était pâle, ses traits extrêmement altérés. La reine fit un cri d'étonnement en le voyant ainsi. Je crus qu'il se trouvait mal. Mais quelle fut ma douleur quand je l'entendis s'écrier, en se jetant dans son fauteuil et mettant le mouchoir sur ses yeux : « Tout est perdu... Ah ! madame ! Et vous avez été témoin de cette humiliation ! Quoi ! vous êtes venue en France pour voir... » Ces paroles étaient coupées par des sanglots. La reine se jeta à genoux devant lui, et le serra dans ses bras. Une demi-heure après, la reine me fit appeler. Elle faisait demander M. de Goguelat pour lui annoncer qu'il partirait, la nuit même, pour Vienne. Le roi venait d'écrire à l'empereur. La reine ne voyait plus d'espoir dans l'intérieur, etc. »

Ce jour même (13 septembre), ou le lendemain, la reine revit Barnave pour la première fois depuis le retour de Varennes. Son courage fut un peu relevé. Elle replaça quelque espérance dans l'influence que les chefs de la Constituante auraient sur l'Assemblée nouvelle.

Qu'avait écrit Louis XVI à l'empereur ? On peut le deviner sans peine : l'expression de son dépit, le récit de son humiliation, l'outrage fait à la royauté.

Ainsi, avant que ne partît la notification officielle où le roi annonçait son acceptation, partait la lettre personnelle qui en était le démenti. L'Europe était avertie de ce qu'elle devait penser de la comédie constitutionnelle ; dans l'acte même du contrat solennel entre le roi et le peuple, elle trouvait l'injure prétendue qui rendait le contrat nul. Il ne faut pas s'étonner si les puissances firent des réponses insolentes et dérisoires, ou du moins affectèrent de répondre personnellement à Louis XVI, nullement à la France.

Le roi s'adressait aux rois plus qu'aux émigrés. Il se fiait peu à ses frères. Il connaissait bien, surtout depuis l'affaire de Favras, l'ambition personnelle de Monsieur, les conseils qu'il recevait de faire prononcer la déchéance de Louis XVI. Ce fut à Monsieur, comme régent de France, que l'impératrice de Russie envoya un ministre, en octobre 91. Ce qui peut-être blessait le roi encore plus, c'était la légèreté cruelle des émigrés, qui, hors de France, en sûreté, avaient plaisanté du malheur de Varennes, chansonné « le cocher Fersen ». Ces plaisanteries revenaient au roi par les journaux de Paris.

Les émigrés ne se contentaient pas de l'avoir abandonné ; ils augmentaient ses périls par leurs démarches irréfléchies. Ils demandèrent ainsi, brusquement, à l'étourdie, au général patriote qui commandait à Strasbourg, qu'il leur livrât cette place. L'intérêt du roi était que les maladroits champions de sa cause, qui, sans souci de son danger, prétendaient travailler pour lui, fussent éloignés de la frontière. Ce fut, je crois, sincèrement qu'il signa la lettre que ses ministres, Duport, Dutertre et Montmorin, écrivaient en son nom pour rappeler les émigrés, et celle où il priait les puissances de dissoudre l'armée de l'émigration (14 octobre 1791).

Le point réel où le roi était dans un désaccord profond, irréconciliable avec la Révolution, c'était la question des prêtres. La vente des biens ecclésiastiques, la réunion d'Avignon, le serment civique exigé, c'étaient là trois questions qui lui pesaient sur le cœur. Très probablement, si l'on savait l'histoire de sa conscience, de ses confessions, de ses communions, on saurait qu'il avait plus de mal encore avec ses directeurs qu'avec toute l'Assemblée et toute la Révolution.

Comment lui mesurait-on la faculté de tromper, de mentir, sur tel ou tel point ? A quel prix payait-il au confessionnal la duplicité de ses démarches quasi révolutionnaires ? Tout ce qu'on sait, c'est qu'au moins sur l'article des biens des prêtres, sur celui de la répression des prêtres rebelles, les prêtres étaient inflexibles auprès de leur pénitent.

L'Assemblée constituante avait pourtant fait plusieurs choses pour les regagner. Son dernier acte fut d'assurer la pension de ceux qui n'auraient aucun traitement public. Ses mesures, à l'égard des réfractaires, furent très généreuses. Un grand nombre d'églises leur étaient ouvertes pour y dire librement la messe ; dans une seule paroisse de Paris, celle de Saint-Jacques-du-Haut-Pas, ils en avaient sept. Le clergé constitutionnel les recevait parfaitement dans ses églises. Il ne tenait qu'à eux d'accepter le partage, comme il a eu lieu si longtemps sur le Rhin, entre deux communions bien autrement différentes, les protestants et les catholiques, une même église était desservie à des heures différentes par les uns et par les autres. Pourquoi donc ici, où c'étaient des catholiques des deux parts, divisés, non sur le dogme, mais sur une question de police et de discipline, pourquoi ce divorce obstiné ? Les prêtres citoyens du moins n'en furent pas coupables ; plusieurs poussèrent aux dernières limites la déférence fraternelle, l'abnégation et l'humilité. On vit à Caen le curé constitutionnel offrir de servir la messe au réfractaire, et celui-ci, abusant de l'humilité de son rival, le tenir ainsi à ses pieds, le montrer avec insolence, donner cet acte chrétien comme une pénitence, une expiation.

Les prêtres réfractaires, étroitement liés avec le roi, avec l'émigration, avec les nobles non émigrés, avec les magistrats constitutionnels et fayettistes qui avaient pour eux d'infinis égards, tenaient le haut du pavé. Leur attitude était celle d'un grand parti politique, et elle ne trompait pas. Ils étaient, en réalité, le cœur et la force, toute la force populaire de la contre-Révolution.

Redoutables dans les campagnes, ils étaient faibles à Paris. Paris, ruiné par le départ des nobles et des riches. Paris, sans travail ni ressources, à l'entrée d'un cruel hiver, imputait l'interminable durée de la Révolution à la résistance des prêtres. Il commençait à les regarder comme des ennemis publics. Le faubourg de la famine, le pauvre quartier Saint-Marceau, perdit le premier patience. On attendit aux portes d'un couvent, pour les insulter, les dévotes qui allaient aux sermons des réfractaires. La Municipalité réprima ces désordres, en exigeant toutefois que le culte réfractaire eût lieu dans les églises ordinaires, et non dans les chapelles des couvents, que l'imagination du peuple envisageait comme les mystérieux foyers de la contre-Révolution. Le directoire du département, au contraire, somma la Municipalité, au nom de la tolérance religieuse, de laisser aux prêtres rebelles la plus complète liberté de tenir leurs conciliabules partout où il leur plairait. Le jeune poète André Chénier, organe en ceci des Feuillants, des royalistes en général, réclama aussi la tolérance au nom de la philosophie. Il fut égalé, dépassé par l'évêque constitutionnel Torné, qui plaida pour ses ennemis devant l'Assemblée législative, avec une charité vraiment magnanime.

A ces apôtres de la tolérance, il y avait malheureusement une réponse à faire ; non un argument, mais un fait. Si les rebelles voulaient de la tolérance à Paris, ils n'en voulaient pas en France. Ils entendaient, non pas être tolérés, mais régner et persécuter. Ils exerçaient une sorte de terreur sur les prêtres constitutionnels. Toutes les nuits on tirait des coups de fusil autour de leurs presbytères, et parfois dans leurs fenêtres. Le 16 octobre, en Beaujolais, le nouveau curé d'un village vit l'ancien, à la tête de cinq cents montagnards qu'il avait été chercher, envahir l'église et le chasser de l'autel. Ce vaillant prêtre s'empara de la caisse des pauvres que le curé constitutionnel avait mise dans les mains de la Municipalité. Beaucoup de prêtres effrayés, des magistrats municipaux même, donnaient leur démission. Ces derniers n'avaient aucun moyen d'assurer la paix publique, parmi ces foules furieuses qui confondaient le nouveau clergé et ses défenseurs dans les mêmes menaces de mort. Dans tels villages de l'Ouest, les paysans commençaient à désarmer les gardes nationaux qui tenaient pour le clergé constitutionnel. Trois villes, dans la Vendée, se voyaient comme assiégées par ces paysans fanatiques, dont les anciens prêtres étaient en quelque sorte les capitaines et les généraux.

Il n'était pas facile de ne rien faire, comme le demandaient froidement les Sieyès et les Chénier, lorsque les voies de fait avaient commencé, lorsque les prétendues victimes commençaient la guerre civile.

Les philosophes, uniquement préoccupés de Paris, ne voyaient en ce parti que quelques prêtres isolés, quelques pauvres femmes crédules. Pour celui qui voyait la France, ce grand parti sacerdotal, ravivé de sa longue mort par la haine de la Révolution, effrayait par sa violence, par la puissance et la variété de ses moyens. Il trônait dans la chaumière, il trônait aux Tuileries. Il exploitait le roi de deux manières à la fois, comme pénitent au confessionnal, comme martyr, comme légende, dans les prédications populaires. C'est en larmoyant toujours sur *le pauvre roi, le bon roi, le saint roi,* qu'il saisissait le cœur des femmes, opposant au règne de la justice et de la Révolution une révolte, la plus redoutable : la révolte de la pitié.

C'est par l'intime union du roi et du prêtre que la France finit par comprendre que le roi c'était l'ennemi.

Ennemi de nature, de tempérament, par accès brusques et colériques. Nous l'avons vu, le jour même où il accepta la Constitution, lorsque l'Assemblée venait, par le massacre du Champ-de-Mars et par la révision, de relever le trône en s'immolant elle-même, le roi pleura pour l'étiquette, et le soir, *ab irato,* écrivit à l'empereur.

Ennemi d'éducation et de croyance. Le roi, élevé par la Vauguyon, le chef du parti jésuite, eut toujours, et de plus en plus, à mesure qu'il fut malheureux, son cœur dans la main des prêtres.

Enfin, fatalement ennemi, comme centre naturel involontaire et nécessaire, de tous les ennemis de la liberté. Sa situation le posait comme tel, invinciblement ; quoi qu'il dît ou fît, absent ou présent, il était le chef obligé de la contre-Révolution. Louis XVI, sans vouloir suivre les plans de l'émigration, était avec elle à Coblence. Louis XVI était en Vendée, dans tous les sermons des prêtres, et partout ailleurs où le fanatisme dressait ses machines. Dans tous les conseils des prêtres ou des nobles, absent, il n'en siégeait pas moins ; c'était pour lui, par lui, ce fatal martyr de la royauté, que tous les rois de l'Europe rêvaient d'exterminer la France.

Jamais il n'y eut assemblée plus jeune que la Législative. Une grande partie des députés n'avait pas encore vingt-six ans. Ceux qui venaient de voir sortir la Constituante, qui l'avaient encore dans les yeux, harmonique et variée d'âges, de positions, de costumes, furent saisis, presque effrayés à l'entrée de cette assemblée nouvelle. Elle apparut comme un bataillon uniforme d'hommes presque de même âge, de même classe et de même habit. C'était comme l'invasion d'une génération entièrement jeune et sans vieillards, l'avènement de la jeunesse, qui, bruyante, allait chasser l'âge mûr, détrôner la tradition. Plus de cheveux blancs ; une France nouvelle siège ici en cheveux noirs.

Sauf Condorcet, Brissot, quelques autres, ils sont inconnus. Où sont ces grandes lumières de la Constituante, ces figures historiques qui se sont associées pour toujours dans la mémoire des hommes au premier souvenir de la liberté ? les Mirabeau ? les Sieyès ? les Duport, les Robespierre ? les Cazalès ? Leurs places, bien connues, ont beau être remplies maintenant ; elles n'en semblent pas moins vides. Nous n'essaierons pas, pour leurs successeurs, de les caractériser d'avance, comme individus. Leur air impatient, inquiet, la difficulté qu'ils ont de tenir en place, nous répondent qu'ils ne tarderont pas à se révéler par leurs actes. Qu'il suffise, pour le moment, de montrer là-bas, en masse, la phalange serrée des avocats de la Gironde.

Un témoin fort respectable, nullement enthousiaste, allemand de naissance, diplomate pendant cinquante ans, M. de Reinhart, nous a raconté qu'en septembre 91 il était venu de Bordeaux à Paris par une voiture publique qui amenait les Girondins. C'étaient les Vergniaud, les Guadet, les Gensonné, les Ducos, les Fonfrède, etc., la fameuse pléiade en qui se personnifia le génie de la nouvelle Assemblée. L'Allemand, fort cultivé, très instruit des choses et des hommes, observait ses compagnons et il en était charmé. C'étaient des hommes pleins d'énergie et de grâce, d'une jeunesse admirable, d'une verve extraordinaire, d'un dévouement sans bornes aux idées. Avec cela, il vit bien vite qu'ils étaient fort ignorants, d'une étrange inexpérience, légers, parleurs et batailleurs, dominés (ce qui diminuait en eux l'invention et l'initiative) par les habitudes du barreau. Et toutefois, le charme était tel qu'il ne se sépara pas d'eux. « Dès lors, disait-il, j'ai pris la France pour patrie, et j'y suis resté. » Je n'en tirai pas davantage ; la voix du vieillard changea quelque peu, il se tut, et regarda d'un autre côté. Je respectai ce silence d'un homme infiniment réservé, mais je ne pus m'empêcher de croire qu'il se défiait de son cœur et craignait de sortir de sa froideur obligée, sous l'impression puissante de ce trop poignant souvenir.

Jeunesse aimable et généreuse qui devait vivre si peu !... La plupart d'entre eux étaient nés pour les arts de la paix, pour les douces et brillantes muses. Mais ce temps était la guerre même. Eux, qui arrivaient alors à la vie politique, ils naissent d'un souffle de guerre. La Gironde, qui parlait alors de marcher tout entière au combat, les envoyait comme avant-garde. La situation leur donna je ne sais quoi d'inquiet, de trouble, d'aveuglement politique, qui les jeta dans bien des fautes, et les diminuerait beaucoup dans l'histoire s'ils ne se relevaient majestueux des grandes ombres de la mort.

Si l'on veut mesurer l'intervalle entre la nouvelle Assemblée et l'ancienne, qu'on observe une seule chose : Ici, plus de côté droit. La droite aristocratique a disparu tout entière. L'Assemblée semble d'accord contre l'aristocratie ; elle arrive spécialement animée contre les nobles et les prêtres, son mandat est précisément d'annuler leurs résistances. Quant au roi, on va le voir, elle est encore flottante, peu sympathique, il est vrai, pour le roi des prêtres et des nobles, irritable à son égard, sans avoir contre lui de plan déterminé de guerre. Au reste, la royauté, même avant d'être attaquée, a baissé encore depuis la Constituante. Les seuls défenseurs qu'ait le roi dans l'Assemblée législative l'appellent *le Pouvoir exécutif*, oubliant eux-mêmes la part qu'il a au pouvoir législatif, avouant tacitement que l'Assemblée, seul représentant du peuple souverain, a seule aussi le droit de faire les lois auxquelles obéira le peuple.

Le premier coup d'œil de l'Assemblée sur la salle où elle entrait ne lui fut point agréable. On avait d'avance, et sans attendre qu'elle eût un avis là-dessus, réservé deux grandes tribunes où devaient siéger seuls les députés sortants de la Constituante. On remarqua amèrement qu'ils semblaient une chambre haute, pour dominer l'Assemblée. On se demanda quel était ce comité censorial qui se tenait là pour juger, noter les actes et les paroles, diriger par des signaux, intimider par des regards, que sait-on ? se charger peut-être, en cas de doute, d'interpréter la Constitution, avec l'autorité de ceux mêmes qui l'avaient faite. Un tel comité eût, au besoin, appuyé d'une protestation le *veto* royal, donné au roi un faux droit d'agir contre l'Assemblée. Les Constituants eux-mêmes fortifièrent ces hypothèses en manifestant dans une question grave leur dissentiment du haut de leurs tribunes. Ils firent si bien que l'Assemblée décréta qu'il n'y aurait point de privilège, que toute tribune serait ouverte au public. Devant l'invasion d'une foule turbulente et familière, l'ombre intimidée de la Constituante s'évanouit et ne reparut plus.

Son œuvre cependant, la fameuse Constitution, faisait, le 4 octobre, son entrée solennelle dans l'Assemblée législative, entourée, gardée de douze députés des plus âgés, « les douze vieillards de l'Apocalypse ». Camus, l'archiviste, n'avait pas même voulu leur confier ce trésor ; il ne le lâchait pas, le tenait dans ses pieuses mains ; il l'apporta à la tribune, le montra au peuple, comme un autre Moïse.

A ce moment, les curieux observent malicieusement comment l'Assemblée va jurer la Constitution, que plusieurs de ses membres ont attaquée, et qu'elle va briser tout à l'heure. Elle jure froidement, tristement, et n'en hait que davantage la puissance défunte qui lui arrache encore cette cérémonie peu sincère.

Le roi débuta avec l'Assemblée par une étrange maladresse. Quand on alla lui demander l'heure où il recevrait la députation, il ne répondit pas lui-même, mais par un ministre ; il fit dire qu'il ne recevrait pas tout de suite, mais à trois heures. A la députation, il dit qu'il n'irait pas tout de suite à l'Assemblée, mais qu'il attendrait trois jours. L'Assemblée crut voir dans ces retards affectés une insolente tentative de la Cour pour constater la supériorité de celui des deux pouvoirs qui ferait attendre l'autre. Plusieurs députés, entre autres Couthon, demandèrent et firent décréter que l'on supprimerait le titre de Majesté ; qu'on s'en tiendrait au titre de *roi des Français ;* qu'à l'entrée du roi on se lèverait, mais qu'ensuite *on pourrait s'asseoir et se couvrir ;* enfin, qu'au bureau il y aurait sur la même ligne *deux fauteuils semblables,* et que celui du roi serait à la gauche du président. C'était supprimer le trône et subordonner le roi.

Le ciel eût tombé sur la terre que les constitutionnels n'auraient pas été plus frappés qu'ils ne le furent par cette suppression du trône. Ils étaient devenus des gardiens plus inquiets de la royauté que les royalistes eux-mêmes.

Les banquiers, non moins effrayés, traduisirent leurs craintes par une baisse énorme de fonds. C'était du quartier de la Banque, du bataillon des Filles-Saint-Thomas qu'étaient sortis la plupart des gardes nationaux qui, joints à la garde soldée, avaient tiré au Champ-de-Mars ; ces gardes nationaux étaient des agioteurs ou des fournisseurs du château, des gens de la Maison du roi, des officiers nobles. Tous ces gens-là, fort compromis, commençaient à craindre. Le 9 octobre, l'armée parisienne, qui faisait leur force, venait de perdre son chef, celui qui depuis si longtemps en était l'âme et l'unité morale ; je parle de La Fayette. Aux termes de la loi nouvelle, il avait dû donner sa démission ; il n'y avait plus de commandant général ; chacun des six chefs de division commandait à tour de rôle.

Royalistes et fayettistes, tous alarmés, s'agitaient, se multipliaient, travaillaient Paris, au point de faire croire qu'il allait se faire dans l'opinion une vraie réaction royaliste. Plusieurs même y étaient trompés dans la presse, dans les hommes qui observaient de plus près d'où soufflait le vent populaire. Hébert, l'infâme Père Duchesne, cet excrément du journalisme, toujours bassement occupé à chercher, à servir toute mauvaise passion du peuple, crut qu'il tournait au royalisme, et se mit pendant quelques jours à royaliser sa feuille, jurant, sacrant contre l'émeute. Que dis-je ? par une indigne capucinade, cet athée parlait de Dieu, menaçait les méchants de Dieu et de l'autre monde.

L'Assemblée, naïve encore, se trompa aussi, crut Paris plus royaliste qu'il n'était en réalité, craignit d'avoir été trop loin. Toute la nuit, du 5 au 6, les députés, pris un à un, entourés, priés, séduits par les femmes, par les intrigants, par les hommes de réputation et d'autorité, leurs aînés de la Constituante, furent tournés et convertis. On leur dit que le roi, si l'on maintenait le décret, n'ouvrirait point la session, qu'il enverrait ses ministres. Fallait-il devant l'Europe laisser paraître d'une manière si éclatante la discorde des pouvoirs publics ? L'Assemblée, toute changée au matin, défit son œuvre de la veille. Elle ne rapporta pas le décret, mais en décréta l'ajournement.

Grande joie chez les royalistes, insolente. Ils passent tout à coup de la crainte à la menace. Royou, dans l'*Ami du Roi,* fit ressortir avec dédain l'inconséquence de l'Assemblée, lui donna une leçon dont elle profita depuis : « Toute autorité qui mollit est perdue. On ne peut ni respecter ni craindre un pouvoir qui retire aujourd'hui la loi qu'il a faite hier. »

Ce fol esprit de provocation ne s'en tint pas aux paroles. Il y avait alors dans les officiers nobles de la garde nationale, dans la garde constitutionnelle du roi qu'on travaillait à former, beaucoup de bretteurs, des gens qui, sûrs de leur adresse, allaient insultant tout le monde. La Cour aimait beaucoup cette espèce d'hommes, qui lui faisaient chaque jour une infinité d'ennemis. L'un d'eux, un M. d'Ermigny, officier de la garde nationale, fit un acte infiniment grave. Le 7, jour de la séance royale, au matin, il entre dans la salle : il y avait encore peu de députés ; il marche au hasard vers l'un d'eux, Goupilleau, qui, le 5, s'était prononcé nettement dans la question du trône. Il lui met le poing sous le nez, et dit : « Nous vous connaissons bien... Prenez garde ! Si vous continuez, je vous fais hacher à coups de baïonnette !... » Des huissiers accourent, indignés ; mais le président Pastoret ne s'indigne pas ; il refuse la parole au député insulté, qui veut dénoncer le fait. Plusieurs députés insistent ; d'Ermigny, cité à la barre, en est quitte pour quelques excuses.

Cependant, les royalistes, fort nombreux dans les tribunes, repaissaient leurs yeux et leur cœur de ce trône disputé, que l'Assemblée leur paraissait avoir concédé à la peur, et qui leur semblait le symbole prophétique de la défaite prochaine de la Révolution. Ils applaudissaient ce morceau de bois, sans s'inquiéter si leur joie ne devait pas être prise par l'Assemblée pour une nouvelle insulte. Un député y répondit. La paralytique Couthon, montrant une vigueur d'initiative que son état impotent et sa figure douce ne faisaient nullement attendre, souleva la question la plus personnelle au roi, celle qui lui touchait au cœur, autant et plus que le trône ; il demanda et obtint qu'on examinât bientôt les mesures à prendre à l'égard des prêtres, relativement à la terreur que les prêtres réfractaires faisaient peser sur le clergé soumis à la loi.

Le roi entre. D'unanimes applaudissements s'élèvent. L'Assemblée crie : *Vive le roi !* Les royalistes des tribunes, pour faire dépit à l'Assemblée, crient : *Vive Sa Majesté !* Dans un discours touchant, habile, ouvrage de Duport-Dutertre, le roi énumérait les lois nouvelles que l'Assemblée allait donner à la France, dans l'esprit de la Constitution. Il supposait la Révolution finie. Mais lui-même, comme roi des prêtres, comme chef volontaire ou involontaire de l'émigration, de tous les ennemis de la France, il était justement l'obstacle contre lequel la Révolution devait poursuivre sa lutte, si elle ne voulait périr.

L'Assemblée, toute jeune encore, ne s'expliquait pas bien ceci ; elle ne prévoyait rien de ce qu'elle allait faire elle-même. Elle fut émue, tout entière, quand le président, Pastoret, faisant allusion à un mot du roi, qui disait avoir besoin d'être aimé : « Et nous aussi, nous avons besoin, sire, d'être aimés de vous. »

Même impression le soir, au théâtre, où le roi alla vers sa famille ; il fut applaudi par les hommes de tous les partis, et beaucoup pleuraient. Lui-même versa des larmes.

Les faits sont les faits, cependant : les difficultés de la situation restaient tout entières. Le rapport, sage et modéré, de MM. Gallois et Gensonné sur les troubles religieux de la Vendée, fit, par sa modération même, une impression profonde (9 octobre). Nul soupçon d'exagération. Le rapport avait été écrit, en grande partie, sous l'inspiration d'un politique très clairvoyant, le général Dumouriez, qui commandait dans l'Ouest, homme d'autant plus tolérant qu'il était très indifférent aux questions religieuses. De son avis, les deux commissaires avaient modifié la décision sévère des directoires de ces départements, qui ordonnaient aux prêtres réfractaires de quitter les villages qu'ils troublaient et de se rendre au chef-lieu.

Ce rapport ouvrit les yeux de la France. Elle se vit amenée par le fanatisme au bord de la guerre civile.

Les premières mesures proposées furent néanmoins assez douces. Fauchet demanda seulement que l'Etat cessât de payer les prêtres qui déclaraient ne point vouloir obéir aux lois de l'État, en donnant, toutefois, des pensions et des secours à ceux qui seraient vieux ou infirmes. L'Assemblée arrivait si neuve encore, si attachée aux principes absolus, que plusieurs des députés les plus révolutionnaires, le jeune et généreux Ducos, entre autres, réclamèrent contre Fauchet, au nom de la tolérance. Mais personne ne le fit avec plus de chaleur que l'évêque constitutionnel Torné, qui, justifiant ses ennemis, autant qu'il était en lui, déclara « que leur refus même tenait à de grandes vertus », qu'il fallait moins s'en prendre à eux qu'à la mauvaise volonté du pouvoir exécutif, qui, sous main, encourageait les résistances. Ce dernier mot était exact. On en eut bientôt les preuves par le Calvados, où le ministre Delessart avait encouragé vivement les adversaires de Fauchet à travailler contre lui.

Voilà le début de la guerre intérieure ; l'affaire des prêtres en était le côté le plus redoutable. La question de la guerre extérieure se posa en même temps, d'abord à l'occasion des mesures à prendre contre les émigrés. L'émigration, pour laquelle on demandait la tolérance aussi bien que pour les prêtres, prenait, comme eux, l'offensive ; une offensive qui, pour n'être pas toujours directe, n'en était que plus irritante. Les émigrés faisaient par tout le royaume un vaste travail d'embauchage, essayant de gagner les troupes, recrutant parmi les nobles de gré ou de force, menaçant les gentilshommes ou leurs clients qui ne partaient pas. Les routes étaient couvertes de voitures qui allaient à la frontière, emportant des masses d'argent réalisées à tout prix. La frontière était bordée de ce peuple d'émigrés qui s'agitaient sur l'autre rive, appelaient ou faisaient signe, se créaient des intelligences, tâtaient les places fortes, frétillaient d'entrer. Les ministres de Louis XVI, les administrations centrales ou départementales fermaient les yeux ou aidaient. Telle administration financière, par exemple, multipliait, entassait ses employés les plus actifs sur la frontière même, les approchant de la tentation, les tenant prêts ou à passer, ou à recevoir les émigrés qui passeraient et à leur prêter main-forte.

La France était comme un malheureux qu'on tient immobile, pendant qu'une nuée d'insectes le harcèle, cherchant la partie tendre à l'aiguillon, l'inquiète, le chatouille et l'agace, le pique ici et là, boit sa vie et pompe son sang.

Brissot entama la question (20 octobre 1791), d'une manière élevée, humaine, qui donne, même aujourd'hui, le principe selon lequel l'histoire doit la juger encore. Il demanda qu'on distinguât entre l'émigration de la haine et l'émigration de la peur, qu'on eût de l'indulgence pour celle-ci, de la sévérité pour l'autre. Il déclara, conformément aux idées de Mirabeau, qu'on ne pouvait enfermer les citoyens dans le royaume, qu'il fallait laisser les portes ouvertes. Il rejeta également toute mesure de confiscation. Seulement il demanda que l'on fît cesser l'abus ridicule de payer encore des traitements à des gens armés contre nous, à un Condé, à un Lambesc, à un Charles de Lorraine, etc. Il proposa d'exécuter le décret de la Constituante, qui mettait sur les biens des émigrés triple imposition. Il voulait qu'on frappât surtout les émigrés fonctionnaires, les chefs, les grands coupables ; il parlait des frères du roi.

Puis, derrière les émigrés, il atteignit leurs protecteurs, les rois de l'Europe, montra l'orage à l'horizon. L'alliance imprévue, monstrueuse, de la Prusse et de l'Autriche, tout à coup amies. La Russie insolente, violente, défendant à notre ambassadeur de se montrer dans les rues, envoyant un ministre russe à nos fuyards de Coblence. Les petits princes flattant les grands avec des outrages à la France. Berne punissant une ville pour avoir chanté les airs de la Révolution. Genève armant ses remparts, dirigeant contre nous la gueule de ses canons. L'évêque de Liège ne daignant recevoir un ambassadeur français.

Brissot ne dit pas tout encore sur la haine furieuse des puissances contre la Révolution. Il ne dit pas qu'à Venise on trouva un matin sur la place un homme étranglé, la nuit, par ordre du Conseil des dix, avec ce laconique écriteau : « Etranglé comme franc-maçon. » En Espagne, un pauvre émigré français, royaliste, mais voltairien, fut saisi par l'Inquisition, comme philosophe et déiste. Il était déjà revêtu de l'horrible *San benito ;* on voulait lui arracher une honteuse confession, contraire à sa conscience. L'infortuné aima mieux se donner la mort. Nous tenons ce fait lamentable d'un agent des inquisiteurs, qui vit, entendit, écrivit tout, du greffier même, Llorente (1791).

Brissot indiqua avec précision ce que voulaient nos ennemis, le genre de mort qu'ils réservaient à la Révolution : le fer ? non, mais l'étouffement, « la médiation armée », pour parler le doux langage de la diplomatie. Et il ajouta, avec la même netteté, que l'on nous prierait, l'épée à la main, de nous faire Anglais, d'accepter la Constitution anglaise, leur pairie, leur Chambre haute, leurs vieilleries aristocratiques. Qu'on lise aujourd'hui les Mémoires, alors inédits, soit des ministres étrangers, soit de nos constitutionnels, on y apprend peu de choses qui n'aient été devinées par Brissot, dans ce remarquable discours.

« Eh bien ! dit-il, si les choses en viennent là, vous n'avez pas à balancer, *il faut attaquer vous-mêmes.* » Un applaudissement immense partit des tribunes, et de la majorité de l'Assemblée.

Les événements se chargèrent d'applaudir et confirmer avec une bien autre force. Des désastres, des mécomptes, des mouvements audacieux de la contre-Révolution venaient, de moment en moment, frapper l'Assemblée, et, comme autant de messagers de guerre, jeter le gant à la France.

Vers la fin d'octobre, on apprit comment toutes les puissances avaient reçu la lettre du roi qui annonçait son acceptation. Pas une ne parut croire à sa sincérité. La Russie et la Suède renvoyèrent la dépêche, non ouverte, et, le 29, elles conclurent un traité pour un armement naval, une descente sur nos côtes. L'Espagne répondit qu'elle ne répondrait pas, ne recevrait rien de la France. L'empereur, et d'après lui la Prusse, se montrèrent peut-être plus menaçants en réalité sous forme plus douce (23 octobre), la menace pour la France, la douceur pour Louis XVI : « Nous désirons, disait l'empereur, *que l'on prévienne la nécessité de prendre des précautions* sérieuses contre le retour des choses qui donnaient lieu à de tristes augures ... » Quelles précautions ? Il éclaircissait ce mot obscur, dans une circulaire aux puissances, où il avertissait qu'il fallait rester en observation, et déclarer à Paris « *que la coalition subsistait* ».

Il ne convenait pas aux rois d'attaquer encore. Ils attendaient que la guerre civile ouvrît la France et la livrât. Deux faits effroyables, que l'Assemblée apprit coup sur coup, vers la fin du même mois, pouvaient leur en donner l'espoir.

On vit, pour ainsi parler, une affreuse colonne de flamme s'élever sur l'Océan. Saint-Domingue était en feu.

Digne fruit des tergiversations de la Constituante, qui, dans cette question terrible, flottant du droit à l'utilité, semblait n'avoir montré la liberté aux malheureux noirs que pour la leur retirer ensuite et ne leur laisser que le désespoir. Un mulâtre, un jeune homme héroïque, Ogé, député des hommes de couleur près de l'Assemblée, ayant emporté de France les premiers décrets, les décrets libérateurs, avait sommé le gouverneur d'appliquer la loi. Poursuivi, livré par les autorités de la partie espagnole de Saint-Domingue, il fut barbarement roué vif. Une sorte de Terreur suivit ; les planteurs multiplièrent les supplices. Une nuit, soixante mille nègres se révoltent, commencent le carnage et l'incendie, la plus épouvantable guerre de sauvages qu'on ait vue jamais.

L'autre événement, moins grave matériellement, mais terrible, tout près de nous, contagieux pour le Midi, et qui pouvait commencer l'éruption d'un vaste volcan, fut la tragédie d'Avignon.

La contre-Révolution venait d'y frapper le coup le plus audacieux. Le dimanche 16 octobre 1791, elle fit assommer par la populace, au pied de l'autel, Lescuyer, un Français, le chef du parti français contre les papistes. Le crime de cet homme, nullement violent, et le plus modéré de son parti, était d'avoir commencé la vente des biens des couvents, et, comme magistrat, demandé aux prêtres le serment civique. Un miracle de la Vierge avait poussé le peuple à cet acte horrible. Les hommes lui avaient écrasé le ventre à coups de bâton. Les femmes, pour punir ses blasphèmes, avaient découpé, *festonné* ses lèvres à coups de ciseaux. Les papistes s'étaient rendus maîtres des portes de la ville. Mais le parti révolutionnaire ayant repris le dessus, avait la nuit même vengé Lescuyer par le massacre de soixante personnes, qui furent égorgées au Palais des Papes, et jetées au fond de la tour de la Glacière.

La contre-Révolution, vaincue à Avignon, avait néanmoins tiré de sa tentative impuissante un grand avantage, celui d'avoir poussé à bout le parti révolutionnaire, de sorte que, aveugle et furieux, par ces représailles horribles il se rendit exécrable.

CHAPITRE II

Révolution d'Avignon, en 90 et 91
Meurtre de Lescuyer (16 octobre 1791)

Comment le parti français d'Avignon, en 90, sauva le Midi — Du droit du pape — Le règne des prêtres — Irritation de la Bourgeoisie — Révolution du 11 juin 1790 — Le parti français puni du service qu'il a rendu à la France — Avignon entreprend, pour la France, la conquête du Comtat — Duprat, Rovère et Mainvielle — Leur première expédition à Carpentras (janvier 91), leur échec. Meurtre de La Viliasse (avril 91) — Seconde expédition de Carpentras — Jourdan coupe-tête — La France envoie les médiateurs (mai 91) — Influence des dames d'Avignon sur eux — Le médiateur Mulot est séduit — Il est obligé de fuir Avignon (août) — Le peuple dégoûté de la Révolution — L'Assemblée générale décrète la réunion (15 septembre) — Mulot relève le parti français royaliste — Les papistes reprennent courage — La Vierge fait des miracles — Lescuyer assassiné dans l'église (16 octobre 1791).

La fatale affaire d'Avignon, toute locale qu'elle paraît, eut sur la Révolution en général, on va le voir, une très grande influence. Il faut bien s'arrêter ici.

Avignon fut le point où les deux principes, le vieux, le nouveau, se trouvant tout d'abord face à face et violemment contrastés, montrèrent, dès le commencement, l'horreur d'une lutte furieuse. Elle produisit d'avance, en petit, comme en un miroir magique, l'image des scènes sanglantes que la France allait présenter. Septembre était en ce miroir, la Vendée et la Terreur.

Et non seulement Avignon, sur son étroit théâtre, montra et prédit ces horreurs ; mais, ce qui est terrible à dire, c'est qu'elle les autorisa d'avance, en quelque sorte, les conseilla de son exemple, donna, pour une grande partie des actes les plus barbares, un modèle que le crime inepte imita servilement. Avignon elle-même avait imité, et elle le fut à son tour. Nous expliquerons tout à l'heure cette génération du mal, sa hideuse fécondité.

Mais, avant de raconter les crimes de ce peuple infortuné, qui furent en partie ceux de sa situation, de la triste fatalité de ses précédents, il est bien juste de dire aussi tout ce que lui dut la France.

On se rappelle que les premières tentatives de la contre-Révolution furent faites en Languedoc, sur la trace, brûlante encore, des vieilles guerres religieuses. Des millions de catholiques se trouvant là en présence de quelque cent mille protestants, si l'on pouvait identifier la Révolution et le protestantisme, la Révolution, comme protestante, risquait fort d'être égorgée. Cette combinaison ingénieuse échoua par l'attitude des catholiques du Rhône, spécialement d'Avignon, qui, se montrant aussi révolutionnaires que les protestants du Languedoc, démentirent ce beau système ; la guerre resta toute politique, elle ne devint point une guerre religieuse ; elle fut violente et sanglante, mais sans pouvoir entièrement se greffer sur les vieilles racines maudites, qui se sont l'une sur l'autre enfouies dans la terre, des Albigeois à la Saint-Barthélemy, aux massacres des Cévennes. Si l'épilepsie fanatique, cette maladie éminemment contagieuse, qui, dans la guerre des Cévennes, frappa tout un peuple, le fit délirer et prophétiser, si par malheur elle eût repris, nous aurions eu un spectacle étrange, horriblement fantastique, tel que la Terreur elle-même n'en a pas offert.

En deux mots : La question s'embrouillait en Languedoc d'un élément très obscur, infiniment dangereux. Le jour se fit sur le Rhône, un jour terrible, qui pourtant diminuait le péril.

Le parti français d'Avignon se fit français, il faut le dire, sans la France et malgré la France. Il lui rendit, en dépit d'elle, un service signalé. Il avait contre lui, généralement, les autorités royalistes, fayettistes, constitutionnelles. Il trouva en lui toutes ses ressources, naquit de lui-même, vécut de lui-même. Renié cruellement de la France, sans se rebuter, il se jetait dans les bras de cette mère, si peu sensible, qui le rejetait toujours. Il ne l'en servit pas moins d'un dévouement obstiné. Que serait-il arrivé, en juin 1790, si l'homme de Nîmes, Froment, qui avait semé partout sa traînée de poudre, qui, par Avignon et les Alpes, se rattachait aux émigrés, que serait-il advenu s'il eût pu choisir son heure ? Avignon ne le permit pas. La contre-mine, allumée, éclata le long du Rhône. Froment fut obligé d'agir trop tôt, et à contretemps ; tout le Midi fut sauvé.

Ce fut cet infortuné Lescuyer qui, dans ce jour mémorable, arracha des murs d'Avignon les décrets pontificaux. Lescuyer était un Français, un Picard, ardent, et avec cela réfléchi, plus capable d'idées suivies que ses furieux associés. Il n'était pas jeune. Établi depuis longtemps à Avignon en qualité de notaire, il n'avait aucun préjugé contre le gouvernement pontifical ; il adressa, dans une occasion publique, des vers spirituels au légat (1774). Mais, quand il connut l'horreur de ce gouvernement vénal, de la tyrannie des prêtres et des maîtresses des prêtres, de leurs agents italiens, de leurs courtiers de justice, qui vendaient aux débiteurs le droit de ne pas payer, qui même, à un prix convenu, s'engageaient à faire rendre telle ordonnance pour faire gagner tel procès, quand il vit l'absence absolue de garantie, les procédures d'inquisition, la torture et l'estrapade, etc., alors il retourna les yeux vers sa patrie, la France, il appela le jour où la France, affranchie, affranchirait Avignon.

Cent fois le Parlement d'Aix avait rappelé à nos rois la nullité du titre des papes. Ce malheureux pays avait été, non vendu, mais donné par Jeanne de Naples, une toute jeune femme mineure, pour l'absolution d'un assassinat qu'avaient commis ses amants. Devenue majeure, elle réclama contre la cession, et affirma qu'elle avait été involontaire, arrachée à sa faiblesse.

Qu'importait, d'ailleurs, cette vieille histoire ? Ce droit eût-il été bon, le pape devait encore le perdre, « pour cause d'indignité ». Dans quel état de corruption et de barbarie avait-il laissé ce peuple ? L'abominable guerre civile, dont l'expulsion du pape fut l'occasion, est elle-même une accusation contre lui. Cette Provence, jadis policée, cette terre adorée de Pétrarque, autrefois l'une des grandes écoles de la civilisation, qu'était-elle devenue dans les mains des prêtres ?

Depuis longtemps Avignon avait la guerre en elle-même, avant qu'elle n'éclatât. Dans son peuple de trente mille âmes, il y avait deux Avignon, celle des prêtres, celle des commerçants. La première, avec ses cent églises, son palais du pape, ses cloches innombrables, la *ville carillonnante,* pour l'appeler comme Rabelais. La seconde, avec son Rhône, ses ouvriers en soierie, son transit considérable ; double passage, de Lyon à Marseille, de Nîmes à Turin.

La ville commerçante, en rapport avec le commerce protestant du Languedoc, avec Marseille et la mer, l'Italie, la France et le monde, recevait de tous les côtés un grand souffle qu'on lui défendait d'aspirer. Elle gisait, étouffée, asphyxiée, mourante. Ile infortunée au sein de la France, comme les morts de Virgile, elle regardait à l'autre bord, brûlant de désir et d'envie.

La pire torture qu'ils éprouvaient, ces pauvres Français d'Avignon, c'était d'être une terre de prêtres, d'avoir le clergé pour seigneur. C'était pour eux un constant serrement de cœur de voir ces prêtres de cour, oisifs, élégants, hardis, rois du monde et des salons, sigisbées des belles dames, selon la mode italienne, maîtres chez la femme du peuple qui les recevait à genoux et baisait leur blanche main. L'original de ces prêtres italo-français du Comtat fut le bel abbé Maury, fils d'un cordonnier, plus aristocrate que les grands seigneurs ; Maury, l'étonnant parleur, le libertin, l'entreprenant, orgueilleux comme un duc et pair, insolent comme un laquais. Le masque de ce Frontin reste précieux pour les artistes, comme type de l'impudence et de la fausse énergie.

Nulle part ailleurs que dans des villes de prêtres on n'apprend à bien haïr. Le supplice de leur obéir créa dans Avignon un phénomène qui ne s'est jamais vu peut-être au même degré : un noir enfer de haine, fort au-delà de tout ce qu'a rêvé Dante. Et, chose étrange, cet enfer se trouva dans des jeunes cœurs. Sauf le notaire et un greffier, tous les meneurs ou acteurs principaux des Saint-Barthélemy d'Avignon furent des jeunes gens sortis de familles commerçantes. Il est rare de naître haineux, furieux ; ceux-ci apportaient de loin, dans le souffle et dans le sang, dans le plus profond du cœur, le diabolique héritage des longues inimitiés. Au moment où ils virent en face éclater du sein de la France ce divin flambeau de justice qui jugeait leurs ennemis, ils crurent toutes leurs vieilles haines autorisées par la raison nouvelle, et, violemment épris de la ravissante lumière, ils se mirent à haïr encore en proportion de leur amour.

Quel que fût le parti qui l'emportât, des amis de la liberté ou de la contre-Révolution, on pouvait s'attendre à d'affreux forfaits. Les uns et les autres avaient un terrible instrument tout prêt dans la populace, mobile et barbare, une race métisse et trouble, celto-grecque-arabe, avec un mélange italien. Nulle n'est plus inquiète, plus bruyante, plus turbulente. Ajoutez une organisation de confréries, de corporations, infiniment dangereuse, des bandes de mariniers, d'artisans, de portefaix, les plus violents des hommes. Et si cela ne suffit, les rudes vignerons de la montagne, race âpre et féroce, viendront frapper au besoin.

Eléments vraiment indomptables, qu'on lâchait fort aisément ; mais qui les eût dirigés ? On dirige le Rhône encore, et les torrents qui déchirent les âpres vallées du Comtat ; mais les tourmentes subites qui, tout à coup, noires et terribles, flottent autour du Ventoux, qui pourra les arrêter ? Il faut, quand elles descendent, qu'elles hachent, brisent, déracinent, emportent tout devant elles.

Dans un pays ainsi préparé, tout devait tourner en fureurs. Le beau moment de juin et juillet 90, celui des Fédérations, à Avignon, fut marqué de sang. La ville, ralliée à la France, avait, pacifiquement, avec égards et respect, prié le légat de partir. Elle créait des magistrats ; elle fondait, dans la ferveur d'une foi jeune et touchante, son autel de la liberté. Une raillerie, une insulte, fit passer le peuple, en un moment, au plus épouvantable orage. Les papistes ayant, la nuit, pendu un mannequin décoré des trois couleurs, Avignon sembla se soulever de ses fondements ; on arracha de leurs maisons quatre papistes soupçonnés de ce sacrilège (deux marquis, un bourgeois, un ouvrier) ; ils furent eux-mêmes pendus à la place du mannequin, avec des risées féroces (11 juin 1790). Les meneurs révolutionnaires, qu'ils le voulussent ou non, n'auraient jamais pu les soustraire à la vengeance du peuple.

Leur situation était véritablement difficile, entre ce peuple, ingouvernable dans sa liberté nouvelle, et la France qu'ils appelaient et qui ne leur répondait pas. Elle les mettait dans cette alternative ou de périr, ou de se sauver par l'emploi de la violence. Ils se jetaient dans ses bras, et elle les renvoyait au crime, ou aux supplices.

C'était la foire de Beaucaire ; tout le Midi y était, attiré par le commerce et par la Fédération. Les libérateurs d'Avignon vinrent fraterniser avec ceux qu'ils appelaient leurs concitoyens, ceux qu'ils avaient si bien servis, par la diversion d'Avignon, au moment terrible de Nîmes. Quel triste désappointement ! Ils trouvèrent les autorités malveillantes, le peuple, tout occupé d'affaires, médiocrement sympathique, ouvrant l'oreille aux mensonges de l'aristocratie.

L'Assemblée constituante poussa l'indifférence pour eux jusqu'à la barbarie. Elle ménageait le pape dans la grande question du clergé, elle ménageait le roi, les scrupules de sa conscience ; mais elle ne ménageait pas le sang et la vie de ceux qui venaient de se dévouer pour nous, de ceux qui donnaient au royaume la moitié de la Provence, qui lui restituaient le Rhône, lui assuraient le Midi. C'était alors le premier essai de réaction ; l'Assemblée remerciait Bouillé pour le massacre de Nancy. Elle *ajourna* l'affaire d'Avignon (28 août 1790), et par là donna au parti anti-français un funeste encouragement, d'insolentes espérances. La réaction eut son cours. Le pape écrivit hardiment qu'il ordonnait d'annuler tout ce qui s'était fait dans le Comtat, de rétablir les privilèges des nobles et du clergé, *de relever l'inquisition* dans la plus grande rigueur. Ceci, daté du 6 octobre 1790, du même jour où Louis XVI écrivait au roi d'Espagne sa première protestation, celle qu'il adressa ensuite à tous les rois de l'Europe.

Avignon se trouvait dans une position intolérable, isolée, comme assiégée. A sa porte, à la distance qu'on peut voir du haut de ses tours, les petites villes, Lisle, Cavaillon, qui avaient un moment voulu arborer les armes françaises, reprenaient celles du pape. Le mot d'ordre leur était donné par la vieille rivale d'Avignon, l'orgueilleuse et imperceptible Carpentras, le nid de l'aristocratie. Les Avignonnais ayant fait sur Cavaillon une entreprise pour y relever le parti patriote, ils y trouvèrent quinze ou vingt maires de communes françaises, gentilshommes du voisinage, qui étaient là pour le pape et contre le parti français. Carpentras avait dans ses prisons les meilleurs amis de la France, qu'elle avait enlevés de Cavaillon et de Lisle.

L'Assemblée constituante, suppliée d'intervenir, en octobre 90, avait envoyé à Avignon le régiment de Soissonnais et quelques dragons de Penthièvre. Ce fut un merveilleux encouragement pour l'aristocratie. Nos officiers, pour la plupart, étaient de cœur pour elle. Carpentras crut, en ce moment, avoir mis garnison dans Avignon même. Elle fit, à Cavaillon, et partout, renouveler le serment au pape (20 décembre 1790). Par représailles, Duprat et les autres chefs du parti français allèrent à Aix, à Toulon, à Marseille, demander appui. Ils se rendirent à Nîmes, et firent aux protestants les offres les plus tentantes, demandant à les établir, en masse, en grande colonie, au sein de la ville papale. Ils furent écoutés froidement. Un riche marchand, toutefois, leur fit secrètement un don de quelques milliers de cartouches.

Pour l'argent, ils en avaient, ayant commencé, dès octobre, à prendre l'argenterie des couvents et des églises. Ils tirèrent de fortes recrues des petites villes et de Carpentras même, d'où la minorité patriote était obligée de fuir. Ils en trouvèrent enfin jusque dans ce régiment français qui avait donné tant de confiance à l'aristocratie. Ils caressèrent, gagnèrent une partie des soldats, les rendirent favorables ou neutres. Tout cela fait, ils éclatèrent, reprirent leur Hôtel de Ville, leur arsenal, leurs portes. Les officiers aristocrates étaient trop peu sûrs des soldats pour livrer bataille.

Ce n'est pas tout : avec une audace incroyable, la nuit du 10 janvier, sans s'inquiéter de ces officiers, ni des soldats fidèles au parti des officiers, ni d'une grande population encore papiste qu'ils laissaient dans Avignon, ils partirent pour ramener dans Cavaillon les patriotes de cette ville. Ils avaient avec eux cent soixante soldats français qui marchaient devant, afin que leur uniforme intimidât l'ennemi. Les hardis meneurs de l'entreprise, les chefs réels de l'armée, étaient deux jeunes gens, Duprat, de vingt-neuf ans, et Mainvielle, de ving-cinq. Pour ménager les amours-propres, ils avaient pris pour général, selon les usages italiens, un étranger, le chevalier de Patrix, Catalan établit à Avignon. La ville, peu fortifiée, fut attaquée et défendue avec beaucoup de courage, d'obstination, d'acharnement. Elle fut prise et pillée. La terreur de ce pillage fut telle, dans Carpentras, qu'elle arbora sur-le-champ les armes françaises, comme une sorte de paratonnerre, sans toutefois changer de parti, sans relâcher les patriotes qu'elle avait dans ses prisons.

Les Avignonnais étaient ivres de leurs succès de Cavaillon. C'étaient donc eux, Français d'hier, non acceptés de la France, qui venaient de porter le premier coup à la contre-Révolution. Ce grand mouvement de guerre qui commençait à agiter le royaume, il en était encore aux parades, aux vaines paroles ; mais ici, l'on agissait. Avec combien peu de ressources ! quels faibles moyens ! N'importe. La petite Rome du Rhône se mettait, pour son coup d'essai, à l'avant-garde du monde dans la guerre de la liberté.

C'étaient des jeunes gens surtout, on n'a pas besoin de le dire, qui parlaient ainsi ; c'étaient spécialement les trois que nous avons déjà nommés, Duprat aîné, Mainvielle et Rovère, trois hommes qui frappaient tout d'abord par la beauté, l'énergie, la facilité méridionales. Seulement ils avaient quelque chose d'étrange et de discordant. Tous trois, outre leur violent fanatisme, étaient furieux d'ambition, mais chacun à leur manière. Duprat, sous formes modérées, ex-secrétaire de M. de Montmorency, habitué à se contenir ; mais il avait un besoin terrible de pouvoir, une âme de tyran, impérieuse, au besoin atroce. Tout ce qu'il avait au-dedans, les autres l'avaient en dehors. Rovère était le mouvement, Mainvielle la tourmente et l'orage. Le premier, d'une figure noble et militaire, actif, intrigant, avait fait son chemin sous l'ancien régime ; garde du pape, il s'était dit des illustres Rovères d'Italie, avait fait un riche mariage, acheté un marquisat ; la Révolution venue, il avait prouvé que son grand-père était boucher. Aidé d'abord des Girondins, il quitta bientôt la Gironde ; ardent montagnard, puis thermidorien et zélé réactionnaire, il fut victime en fructidor de ses variations rapides, et alla mourir au désert de Sinamary.

Des trois, le plus jeune, Mainvielle, était peut-être le plus sincère, le plus violemment convaincu. En revanche, c'était le plus furieux. Il était très beau, d'une molle figure de femme, et il faisait peur. Bouleversé à chaque instant par son orage intérieur, on reconnaissait en lui un homme tragique et fatal, un de ceux qu'une violence innée semble vouer aux furies. Cruel par accès, il ne portait pas le signe ignoble de la barbarie ; sa tête avait plutôt la beauté des Euménides.

Mainvielle n'exprimait que trop la jeunesse d'Avignon. Fils d'un riche marchand de soie, nourri dans les mœurs galantes et féroces de son étrange pays, il avait, pour achever de brouiller son âme trouble, deux amours, tous deux adultères, la femme de son ami Duprat, et la Révolution française, dont il fut l'un des plus funestes, des plus illégitimes amants. Du moins, il mourut pour elle, avec un bonheur frénétique, le jour où périt la Gironde. Dans ce temps où tout le monde mourait en héros, il effraya l'assistance par la sauvage ardeur dont il chanta *La Marseillaise* sur la guillotine et sous le couteau.

Tels furent les trois audacieux, qui, sans ressources, n'ayant ni finances ni armée, entreprirent de conquérir le Comtat au profit de la France. Ils appelaient le ban et l'arrière-ban des proscrits du parti français qui de toute la province refluaient vers Avignon, et ils réunirent jusqu'à six mille hommes. D'argent, ils n'eurent que celui qu'ils avaient pu tirer de l'argenterie des couvents. Si Lescuyer et les autres qui réglaient le matériel parvinrent à leur équiper tellement quellement cette armée, il est bien visible que, loin de profiter du pillage, comme on le leur a reproché, ils durent faire, la plupart, des sacrifices personnels, et combattre de leur fortune aussi bien que de leur vie.

Ils partirent en plein janvier, Patrix et Mainvielle en tête, celui-ci sur un fougueux cheval blanc, qui semblait souffler la victoire. Toutes les femmes sur les portes, les dames aux fenêtres, regardant défiler cette armée bizarre, mêlée d'hommes de toutes sortes ; fort peu d'uniformes ; tel brillant, tel en guenille. Beaucoup de sourires aux fenêtres et de blancs mouchoirs agités, peu de vœux sincères.

Le 20, près de Carpentras, l'armée rencontra les magistrats français d'Orange, qui, par humanité, peut-être aussi par sympathie pour la ville aristocrate, essayaient d'intervenir. Il était bien tard.

Mainvielle s'opposa à la conférence avec beaucoup de hauteur, d'impatience ; il brûlait d'en venir aux mains.

A peine en vue de Carpentras, on mit les canons en batterie, et l'on tira quelques coups. Mais voici que, du Ventoux, descendent des nuages noirs, le vent, la pluie et la grêle, une pluie froide et glacée, une grêle acérée violente. Ces bandes peu aguerries, gens de ville, pour la plupart, commencent à s'étonner. Ils courent chercher des abris, et finissent par tomber dans un désordre complet. Ce n'est point un rapide orage d'été, c'est une longue tempête d'hiver ; les plaines sont inondées, les torrents grossis. Peu à peu, en grelottant, nos gens reviennent à toutes jambes.

Qui avait vaincu ? la Vierge. C'est elle, les dames de Carpentras l'assurèrent ainsi, qui, sensible à leurs prières, se chargea seule de répondre à cette farouche armée, et sans arme qu'un peu de pluie jetée aux visages, les renvoya pour être chansonnés des femmes et des petits enfants. Une table de bronze éternisa la mémoire de ce miracle ; une fête votive dut reproduire d'année en année le triomphe de la Vierge, l'humiliante déconfiture des sacrilèges d'Avignon.

Ceux-ci, rentrés à petit bruit, eurent cruellement à souffrir de la joie des aristocrates. On n'osait les railler en face ; mais, de loin, mille petites flèches leur étaient lancées, qui leur revenaient par voies indirectes. Les demi-sourires des femmes, les plaisanteries que des amis charitables s'empressent toujours de rapporter à ceux qui en sont l'objet, les remplissaient de fureur. Ils commencèrent à se sentir tout entourés d'ennemis ; pleins de défiance et de crainte, ils se tournèrent vers leur adversaire naturel, le clergé, exigèrent de lui le serment civique. Mais leur échec de Carpentras les avait fait baisser dans l'opinion. Le fanatisme enhardi, tenta un coup désespéré, qui, s'il restait impuni, brisait le parti français. Les magistrats patriotes de la ville de Vaison, Anselme et La Villasse, leur avaient demandé d'envoyer d'Avignon un curé constitutionnel, l'ancien ayant émigré. Ce fut l'arrêt de leur mort. On lança des paysans ; l'assemblée aristocratique les autorisa au crime. Ils s'emparèrent de Vaison, égorgèrent dans leurs maisons La Villasse et Anselme (23 avril 1791). Cet assassinat, autorisé, légalisé, cet essai pour terroriser les magistrats patriotes, fut pour tout le Rhône un coup électrique. Le maire d'Arles, Antonelle, noble patriote, militaire, philosophe, qui avait quitté les lettres pour se précipiter dans la Révolution, vint s'offrir aux Avignonnais avec des troupes et du canon ; il monta en chaire à la cathédrale, et somma le peuple de venger le sang de ses magistrats, indignement égorgés.

Duprat et Mainvielle partirent immédiatement d'Avignon, avec trois mille hommes, sans argent, sans vivres, se fiant au brigandage, aux contributions forcées. Mais, quelque diligence qu'ils fissent, Carpentras était préparée. On n'avait pas résolu le meurtre de La Villasse, sans se mettre d'abord en défense. Toute l'aristocratie française, royaliste et fayettiste, semblait s'être entendue ici pour faire éprouver au parti français d'Avignon un honteux échec, ce n'étaient pas des secours officiels qu'avait reçus Carpentras. Tout avait été hasard ; c'est par hasard que des officiers français, allant en Italie, s'arrêtèrent à Carpentras ; par hasard, que des artilleurs de Valence vinrent servir les pièces ; par hasard, que des fondeurs lorrains vinrent fondre de l'artillerie. Il en était venu aussi de Provence, que Carpentras disait avoir achetée. Celle des Avignonnais, mal servie par des artilleurs novices, ne fit aucun mal à la place. La population assiégée, quand elle vit l'innocence de ces boulets impuissants, allait avec des risées les ramasser dans la campagne. Pour comble d'humiliation, des femmes avaient pris les armes, une dame noble du Dauphiné, entre autres ; de sorte que les infortunés Avignonnais entendaient dire que les femmes suffisaient pour leur résister.

L'inexpérience et l'indiscipline expliquaient assez ce revers. Duprat et Mainvielle l'attribuaient à la trahison. Ils soupçonnaient le chevalier Patrix, ce Catalan qu'ils avaient fait général. Il avait fait évader un prisonnier considérable. Lui-même, ils le firent tuer. Ils le remplacèrent par un homme illettré, grossier, tout à fait à eux.

Pour conduire ces bandes mal disciplinées, mêlées de portefaix, de paysans, de déserteurs français, il fallait un homme du peuple. Ils choisirent un certain Mathieu Jouve, qui se faisait appeler Jourdan. C'était un Français, né dans un des plus rudes pays de France, pays de glace et de feu, terre volcanique, éternellement rasée par la bise, les hauteurs quasi désertes qui entourent Le Puy-en-Velay. Il était d'abord muletier, puis soldat, puis cabaretier à Paris. Transplanté à Avignon, il y vendait de la garance. Bavard et vantard, il faisait croire au petit peuple que c'était lui qui avait coupé la tête au gouverneur de la Bastille, puis encore coupé la tête aux gardes du corps du 6 octobre. A force de le lui entendre dire, on l'appelait Jourdan *coupe-tête*. La sienne était fort burlesque, par un mélange singulier de bonhomie et de férocité. Entre autres singularités, cet homme, très cruel dès qu'il avait vu le sang, n'en avait pas moins les larmes faciles; il s'attendrissait sans peine, parfois pleurait comme un enfant.

Le siège fut changé en blocus. L'armée vécut comme elle put, par des contributions forcées. Pour tout ce qu'elle prenait, elle donnait des bons à payer sur les biens nationaux d'Avignon. Il y eut d'affreux désordres. Après une petite bataille où les Avignonnais vainquirent, le malheureux village de Sarrians, qui s'était défendu contre eux, fut traité comme il l'eût été par des Caraïbes. Des femmes suivaient l'armée qui se faisaient gloire de manger de la chair humaine.

Ces atrocités rendirent force au parti papiste. Il créa, à Sainte-Cécile, une assemblée fédérative des communes, en face de celle que le parti français avait formée à Avignon. Celle-ci, chassée d'Avignon même par une réaction violente, se trouva errante, siégeant tantôt à l'armée, tantôt à Sorgues ou à Cavaillon. Pour comble, l'Assemblée constituante, réactionnaire elle-même, déclara, le 4 mai, qu'elle n'acceptait pas Avignon. Ceci semblait le coup de grâce. La France exterminait d'un mot ceux qui s'étaient perdus pour elle. L'armée qui bloquait Carpentras se révolta contre ses chefs, réclama sa solde ; Jourdan montra les caisses vides et pleura devant ses soldats. Tout était perdu ; déjà de soi-disant constitutionnels d'Avignon avaient, dans leur club des Amis de la Constitution, déclaré les chefs du parti français « traîtres à la patrie ».

Tout ce parti n'avait qu'une chose à attendre, d'être partout massacré. Une scène immense d'assassinats allait s'ouvrir, par le décret de la Constituante. Elle-même frémit devant son œuvre, recula. Le 24 mai, elle accorda, par humanité, l'envoi de quelques troupes et de trois médiateurs, pour désarmer les partis.

Les médiateurs n'étaient nullement les hommes imposants qui, jetés dans cette tempête, en auraient dominé les flots. C'étaient trois hommes de lettres, écrivains agréables de l'ancien régime, connus par des productions légères et galantes : l'un par ses *Amours d'Essex*, l'autre par ses *Poésies fugitives*, l'abbé par une traduction gracieuse de *Daphnis et Chloé*. Loin de pouvoir rien arrêter, ils furent emportés, comme paille, dans le brûlant tourbillon. Les dames d'Avignon les saisirent sans difficulté et s'en emparèrent. Sans être belles, comme celles d'Arles, elles sont diaboliquement vives, adroites et jolies. Nulle part, ni en France ni en Italie, la physionomie n'est si expressive, la passion si impétueuse. Ce sont les filles du Rhône ; elles en ont tous les tourbillons ; comme lui, elles sont à la fois tyranniques et capricieuses. Ce sont les filles de l'air, du vent qui rase la ville, ce vent fixe à l'agitation, mais tantôt vif, sec, agaçant et crispant les nerfs, tantôt lourd, fiévreux, portant avec lui un trouble passionné. Une tête étrangère résiste peu au triple vertige des eaux, du vent, des regards ardents et mobiles. Une chose aussi l'enivre et l'hébète, c'est ce qu'on entend toujours aux rues d'Avignon, l'éternel *zou ! zou !* qui siffle, et ce sifflement, ce bruit de vertige, imité par l'homme du peuple, c'est lui le cri de l'émeute, le signal de la mort.

Les dames Duprat et Mainvielle (celle-ci choisie plus tard pour déesse de la liberté) exercèrent, dit-on, sur tels des médiateurs une influence irrésistible, les rallièrent à leur devoir, à l'intérêt de la France et de la Révolution. L'abbé Mulot, qui venait dans des intentions non moins bonnes, dévia bientôt de l'autre côté. C'était un homme faible et doux, de cette génération plus passionnée que forte des électeurs de 89, un collègue des Bailly, des Fauchet, des Bancal, etc. Il connaissait, aimait déjà un jeune homme d'Avignon, fils d'un imprimeur de cette ville, qui était venu à Paris se perfectionner dans son art. Ce jeune homme ou cet enfant, charmant de cœur et de figure, s'empara de Mulot, au débarquer, et le mena chez sa mère. Mme Niel, c'était son nom, jeune encore, aussi belle que son fils, était, dans son imprimerie, une dame tout à fait de cour, élégante et gracieuse ; toute la noblesse d'Avignon ayant émigré, Mme Niel et quelques autres de sa classe se trouvaient l'aristocratie. Le pauvre abbé Mulot crut voir Laure et se crut Pétrarque. Mais cette Laure, plus impérieuse, plus passionnée que l'ancienne, une Laure toute politique, était violemment royaliste. Elle était naturellement reine, il lui fallait une cour. Mme Niel exerça une domination souveraine sur tous les nouveaux venus, non seulement sur l'ordonnateur, mais sur les exécuteurs, je veux dire sur les officiers, plus ou moins aristocrates, qui amenaient les troupes françaises. Une municipalité royaliste fut constituée sous cette influence.

Le point capital de la situation était de savoir si, dans l'extrême pénurie où se trouvait la ville, abandonnée de tous les gens riches, on toucherait aux biens ecclésiastiques. Les médiateurs licenciaient l'armée de Vaucluse, mais il fallait la payer. Ce licenciement, brusque, immédiat, ressemblait à l'ingratitude ; brigands ou non, ces gens-là avaient combattu pour la France. On les renvoyait dispersés chez eux, et presque partout ils étaient reçus à coups de fusil. Faute de solde, il leur avait bien fallu vivre de pillages, de violences ; voilà qu'on leur demandait compte. Les vengeances exercées sur eux furent atroces; elles ont été obscures : on ne sait pas le nombre des morts. Ce qui le porte à croire très grand, c'est que dans un seul village il y eut onze hommes de tués. La garde nationale d'Aix fut si indignée de voir égorger impunément les alliés en France qu'elle vint en masse à ce village, exhuma les corps et força les aristocrates de leur demander pardon à genoux.

Ces gens, repoussés de partout, refluèrent dans Avignon, Lescuyer, Duprat, se retrouvèrent maîtres. La Municipalité leur refusait le paiement des troupes, qui ne pouvait s'opérer que par la vente des ornements d'église, des cloches, des biens ecclésiastiques. La foule furieuse des soldats s'empara de la Municipalité, la jeta prisonnière dans le Palais des papes, avec la dame Niel et son fils, en tout une quarantaine de personnes. Mulot, obligé de sortir d'Avignon, réclama en vain pour eux. Il parla comme médiateur, il pria comme homme, demanda comme justice, ou comme faveur, qu'on les lui rendît. Dans le pressentiment sinistre qui le torturait, il alla jusqu'à avouer l'intérêt passionné qu'il portait à tels des captifs : « Quoi ! disait-il dans sa lettre, je n'aurais eu qu'un ami en arrivant à Avignon, et je le verrais dans les fers ! » Douze prisonniers lui furent rendus, des étrangers, des indifférents ; on garda les autres, la mère surtout et le fils.

La municipalité nouvelle procéda à la grande et nécessaire opération de la vente des biens d'église. On décida que les petites communautés, où il y avait moins de six religieux, seraient tout d'abord supprimées, que toutes donneraient état de leurs biens. On commença à fondre les cloches, à réunir les ornements d'église, à les mettre en vente. Ces opérations étaient menées par Duprat et les violents à grand bruit, sans ménagement pour les croyances du peuple. Lescuyer leur remontrait en vain qu'il fallait procéder d'une manière régulière et dans les formes légales. Il ne voulait rien que la loi. Ce fut en son nom qu'il se présenta au chapitre d'Avignon, somma les chanoines d'élire un chef constitutionnel du clergé, et leur déféra le serment civique, qu'ils ne voulurent point prêter.

Tout annonçait un orage. L'opinion populaire avait tout à fait changé. La solitude et l'abandon de la ville, la cessation du commerce et des travaux, la misère croissante, l'attente d'un rude hiver assombrissaient Avignon. « Comment, disaient-ils, s'étonner si l'on meurt de faim maintenant, quand les églises sont violées, le saint sacrement arraché de l'autel et vendu aux juifs !... » Ce qui les blessait le plus, c'était de voir briser les cloches ; il n'y avait pas un coup de marteau frappé sur elles qui ne frappât au cœur des femmes ; la ville, tout à coup muette, leur semblait condamnée de Dieu.

La position du parti français, réduit à un petit nombre, devenait fort dangereuse. Il fit un nouvel effort près du Conseil de Louis XVI ; les ministres proposèrent la réunion à l'Assemblée constituante. Le rapporteur, Menou, la demanda. « Au nom de l'humanité... n'exposez pas, dit-il, cent cinquante mille individus à s'égorger en maudissant la France. »

La réunion fut décrétée le 13 septembre, et le roi la sanctionna le lendemain. Comment s'était-il décidé à ce sacrilège énorme d'accepter la terre papale, c'est ce qui n'est pas expliqué. Un article du décret accordait indemnité au pape pour ses domaines *utiles,* mais non pour la *souveraineté.* Très probablement on fit entendre au roi que, le décret de réunion entraînant la dissolution de l'armée de Jourdan qui tyrannisait le pays, le parti français apparaîtrait dans sa minorité minime, la masse délivrée rétracterait le vote en faveur de la France qu'on lui avait extorqué et rétablirait le pape. La Cour était si bien informée qu'elle comptait qu'une fois quitte de la Constituante, elle allait avoir dans la Législative une assemblée royaliste, qu'elle mènerait aisément. Cette assemblée n'aurait garde de repousser Avignon, qui, au nom de son indépendance nationale et de la souveraineté du peuple, redemanderait son maître ; le décret de réunion serait aisément révoqué.

C'était là le roman des prêtres, et celui du roi, sans nul doute. Il n'était pas invraisemblable. Le peuple d'Avignon, sous le pape, ne payait aucun impôt ; par vexation, extorsion, à peu près comme en Turquie, on rançonnait, non le peuple, mais les riches, ceux qui avaient. Le commerce, serré et gêné, étouffait entre les douanes de France ; mais celà même empêchant les denrées de se vendre hors du pays, les faisant consommer sur place, mettait tous les vivres à vil prix. Pour un sol ou deux, m'ont dit les vieillards, « on avait pain, vin et viande ». Tout cela était cruellement changé, depuis la Révolution. La culture se trouvant presque interrompue par la guerre civile, les vivres s'écoulant au-dehors, la cherté était grande. Le peuple, on pouvait le prévoir, allait, comme Israël au désert, regretter les oignons d'Egypte ; il aimerait mieux retourner en arrière, et renoncer pour toujours à cette terre promise de la liberté qu'il lui fallait acheter par l'abstinence et le jeûne.

Que fallait-il faire ? Rien qu'attendre, envoyer peu de troupes, et les plus aristocrates, empêcher surtout les directoires des départements voisins de laisser partir les vaillantes gardes nationales de Marseille, d'Aix et de Nîmes, qui ne demandaient qu'à soutenir les patriotes d'Avignon. Ces directoires agirent parfaitement dans la pensée de la Cour.

Les commissaires nommés pour exécuter le décret furent retenus à Paris. Des médiateurs anciens, deux revinrent, Verniac, Lescène ; un seul resta, le royaliste, l'abbé Mulot, qui, ayant laissé aux prisons du Palais des papes un trop cher otage, voulait à tout prix l'en tirer.

Mulot ne pouvait agir directement sur Avignon. Il ne disposait pas des troupes. Les officiers étaient aristocrates, ainsi qu'une partie des soldats, surtout les hussards ; mais le général était jacobin. Il lui fallait une occasion pour forcer celui-ci d'agir, pour frapper, au nom de la France, un coup assez fort, qui terrifiât les patriotes, encourageât contre eux le petit peuple d'Avignon, et délivrât les prisonniers. L'occasion se présenta le jour même où l'on reçut la nouvelle de la réunion. La petite ville de Sorgues, frappée de rudes contributions par les patriotes, en avait égorgé, mutilé plusieurs. Elle avait été désarmée, et le parti patriote y avait repris le dessus. A la nouvelle de la réunion, les papistes de Sorgues, sûrs désormais de l'appui de nos troupes aristocrates, voulurent reprendre leurs armes. L'abbé Mulot, appelé par eux, obligea le général d'envoyer des troupes ; une mêlée s'ensuivit, nos troupes tirèrent et tuèrent entre autres un officier municipal du parti des patriotes, qui se sauvait sur son toit.

L'abbé Mulot, vainqueur à Sorgues, ne résista pas à la tentation d'instruire la belle prisonnière du coup de vigueur qu'il avait frappé. Il lui écrivit ce billet : « Nous venons de porter le coup que nous devions porter au nom de la France ; j'en attends tout ; *n'en voulez point* à l'ami de votre fils. » Ce dernier mot était écrit sans doute pour que, si le billet était surpris en chemin, on n'accusât point Mme Niel d'avoir conseillé cette répression violente. Peut-être aussi, cette dame, qui avait bien plus que l'abbé d'esprit et de sens, l'avait-elle détourné d'un acte odieux, dangereux, qui ne la délivrait point, irritait ses ennemis et pouvait la perdre. Le parti réellement fort dans Avignon, le parti papiste, celui des confréries et du petit peuple, travaillait à part, par ses voies à lui, et n'obéissait nullement au signal des royalistes constitutionnels, tels que les Niel et Mulot.

Le fatal billet fut surpris. Les patriotes d'Avignon écrivirent au médiateur des reproches amers, ces paroles entre autres, ironiquement copiées de son billet même : « Nous ne croyons pas que vous vouliez *porter, au nom de la France, un coup* dans le seul dessein de délivrer celui que vous croyez votre ami. »

Autre imprudence encore plus grave. Un autre admirateur de Mme Niel, M. de Clarental, capitaine de hussards, hasarda de lui écrire : « Du calme, ma belle dame, du secret, et voilà tout. Armez-vous de patience, leur règne ne sera plus long ; ils jouent de leur reste, *ils seront punis.* »

Ces menaces, surprises par les meneurs d'Avignon, les rendaient d'autant plus furieux, qu'elles n'étaient que trop vraisemblables. Le parti français, réduit à un petit nombre, à ses soldats licenciés qui restaient pour se faire payer, était assis sur un volcan. Ce n'était pas seulement Mulot et les royalistes constitutionnels qu'il avait à craindre, mais bien les papistes. Les premiers, sans trop s'entendre avec les seconds, leur rendaient pourtant le service d'empêcher les patriotes des départements voisins de venir à leur secours.

Les prêtres, enhardis de se retrouver peu à peu à la tête d'un grand peuple, commençaient à conter ou faire des miracles. Ils contèrent d'abord ceci : un patriote, enlevant d'une église un ange d'argent, lui cassa le bras ; sa femme peu après accouche d'un enfant sans bras. Les esprits ainsi préparés, on fit jouer le grand ressort.

La Vierge, depuis 89, se montrait fort aristocrate. Dès 90, elle s'était mise à pleurer dans une église de la rue du Bac. Vers la fin de 91, elle commença d'apparaître derrière un vieux chêne, au fond du Bocage vendéen. Tout juste à la même époque, elle effraya le peuple d'Avignon d'un signe terrible : son image, dans l'église des Cordeliers, se mit à rougir, ses yeux s'allumèrent de pourpre sanglante, elle semblait entrer en fureur. Les femmes y venaient en foule, peureuses et curieuses, pour voir, et elles n'osaient regarder.

Les hommes, moins superstitieux, auraient peut-être laissé la Vierge rougir à son aise. Mais un bruit se répandit qui les émut davantage.

Un grand coffre d'argenterie d'église avait passé dans la ville. On le dit, on le répéta, et ce ne fut plus un coffre, ce furent dix-huit malles toutes pleines qui, la nuit, avaient été transportées hors de la ville. Et que contenaient ces malles ? Les effets du Mont-de-Piété, que le parti français, disait-on, allait emporter avec lui.

L'effet fut extraordinaire. Ces pauvres gens qui, dans une si grande misière, avaient engagé tout ce qu'ils avaient, petits joyaux, meubles, guenilles, se crurent ruinés. « Il n'y a qu'une chose à faire, leur dit-on, c'est de s'emparer des portes de la ville et des canons qui s'y trouvent, d'arrêter, s'ils veulent sortir, Lescuyer, Duprat, Mainvielle et tous nos voleurs. » C'était le dimanche matin (16 octobre), une foule de paysans étaient venus dans Avignon, tous armés ; on ne marchait pas autrement dans ces campagnes. La chose fut faite à l'instant, les portes occupées ; les royalistes constitutionnels, profitant de ce grand mouvement papiste, prirent les clés de la ville et coururent à Sorgues les porter à l'abbé Mulot, supposant apparemment qu'il allait leur donner des troupes.

La foule cependant affluait aux Cordeliers, femmes et hommes, artisans des confréries, portefaix et paysans, les blancs et les rouges, tous criant qu'ils ne s'en iraient jamais tant que la municipalité, son secrétaire Lescuyer, ne leur auraient rendu compte.

Il y avait dans l'église douze ou quinze soldats de l'armée de Jourdan, qui avait cru probablement empêcher le trouble, qui regardaient et ne bougeaient ; leur vie tenait à un fil. La foule en envoya quatre pour appréhender Lescuyer, le forcer de venir ; on le trouva dans la rue, qui allait se réfugier à la municipalité, et on l'amena au peuple.

Il monta en chaire, ferme et froid d'abord : « Mes frères, dit-il avec courage, j'ai cru la Révolution nécessaire ; j'ai agi de tout mon pouvoir... » Il allait confesser sa foi.

Peut-être sa contenance digne, sa probité visible en son visage, en ses paroles, aurait ramené les esprits. Mais on l'arracha de la chaire, et dès lors il était perdu.

Jeté à la meute aboyante, on le tira vers la Vierge, vers l'autel, pour qu'il y tombât comme un bœuf à assommer aux pieds de l'idole.

Le cri meurtrier d'Avignon, le fatal *zou ! zou !* sifflait de toute l'église sur le malheureux.

Il arriva vivant au chœur, et là se dégagea encore ; il s'assit, pâle, dans une stalle ; quelqu'un qui voulait le sauver lui donna de quoi écrire. Suspendre la rupture des cloches, ouvrir et montrer le Mont-de-Piété, satisfaire le peuple, c'était le sens du billet. Mais jamais on ne put le lire ; ceux qui voulaient sa mort le couvraient de leurs huées.

Un voyageur, un étranger, un gentilhomme breton, M. de Rosily, allant, dit-on, à Marseille, était entré dans l'église avec la foule. Il essaya, avec un extrême péril, de sauver le malheureux. Il se jeta devant lui : « Messieurs, au nom de la loi !... » Mais on ne l'entendait plus... « Au nom de l'honneur, de l'humanité !... » Les sabres se tournaient vers lui ; d'autres le couchaient en joue ; d'autres le tiraient pour le pendre. On ne le sauva qu'en disant qu'il était juste de tuer Lescuyer d'abord.

Le pauvre Lescuyer, misérable objet du débat, n'espérant rien et voyant son avocat même en si grand danger, se lève brusquement de la stalle, court à l'autel...

Un homme compatissant lui montrait derrière une porte où s'échapper. Mais, à ce moment, un ouvrier taffetassier lui assène un coup si raide que le bâton fut brisé et vola en deux. Il tomba juste où on voulait, au marchepied de l'autel.

Le trompette de la ville entrait, au moment même, sonnait pour faire silence, publier une proclamation. Le formidable *zou ! zou !* crié par des milliers d'hommes fit taire la trompette. Cette foule énorme, serrée sur un point, était comme suspendue sur le corps gisant : les hommes lui écrasaient le ventre à coups de pied, à coups de pierre ; les femmes de leurs ciseaux, pour qu'il expiât ses blasphèmes, découpèrent, avec une rage atroce, les lèvres qui les avaient prononcés.

Dans cette torture épouvantable, une voix faible sortit encore de ce je ne sais quoi sanglant qui n'avait plus forme humaine ; il priait humblement qu'on lui accordât la mort.

Un terrible éclat de rire s'éleva, et on ne le toucha plus, pour qu'il savourât la mort tout entière.

CHAPITRE III

Vengeance de Lescuyer Massacre de la Glacière (16-17 octobre 1791)

Duprat et Jourdan reprennent l'avantage — Essai informe du jugement — Le massacre est décidé — La tour Trouillas, ou de la Glacière — Ce qu'elle dut être pour l'Inquisition — De quelles classes et quelles opinions étaient les victimes — Le massacre — Les meurtriers veulent s'arrêter — On les oblige à continuer — Enterrement de Lescuyer (17 octobre) — Fin du massacre — Suites fatales qu'il a eues pour la France.

Il était une heure de l'après-midi, à peu près, et depuis longtemps Duprat et Jourdan étaient avertis, mais leurs hommes étaient dispersés. Ils s'avisèrent, pour les réunir, de sonner au château la fameuse cloche d'argent, qui ne sonnait jamais qu'en deux occasions solennelles, le sacre ou la mort d'un pape. Ce son étrange, mystérieux, que plusieurs n'avaient jamais entendu une seule fois en leur vie, frappa les imaginations, glaça les cœurs d'un froid subit. Ce fut très probablement ce qui hâta l'écoulement de la foule venue des campagnes ; elle s'en alla, dans l'attente que quelque événement terrible allait avoir lieu dans la ville.

L'effet fut moindre, à ce qui semble, sur les soldats de Jourdan : si braves pour réclamer la solde, il se montrèrent fort lents ici ; on ne pouvait les retrouver. Jourdan en réunit à grand-peine trois cent cinquante, avec lesquels il reprit les portes de la ville. Les portes assurées, il n'avait plus que cent cinquante hommes ; pour marcher aux Cordeliers il traînait deux pièces de canon, assez inutiles, dans les rues sinueuses, étroites ; mais leur bruit, leur retentissement formidable sur le pavé ne laissait pas de faire effet. Grâce au retard, le rassemblement était à peu près dissipé ; il restait des badauds, des femmes. Il tira tout au travers, tua, blessa, au hasard. Dans l'église il ne trouva plus que la Vierge et Lescuyer ; le malheureux, après un si long temps, agonisait encore, noyé dans son sang, et ne pouvait pas mourir. On l'emporta, avec des cris de fureur, étalant cet objet horrible et ses habits tout sanglants. Chacun fuyait, fermait portes et fenêtres.

On profita de la Terreur. Le petit nombre reprit l'avantage sur le plus grand. Ces quelques centaines d'hommes, maîtres de trente mille âmes, firent, tout le jour, dans Avignon, une barbare *razzia.* Tous ceux qu'on prenait soutenaient qu'ils n'étaient point entrés aux Cordeliers. Cependant, une douzaine d'hommes de Jourdan, qui avaient été dans l'église, pouvaient bien les reconnaître. Plusieurs furent arrêtés par leurs ennemis personnels, plusieurs par leurs amis, tant le fanatisme était atroce des deux parts.

Le jour baisse vite en octobre, il était déjà fort noir. Les amis des prisonniers étaient parvenus à franchir les portes, et couraient à Sorgues avertir Mulot et le général Ferrier. Celui-ci recevait aussi les envoyés de Duprat ; il avertissait Ferrier que le moindre mouvement de sa part allait relever les aristocrates, détruire la seule force du parti français, la terreur ; Avignon allait se souvenir qu'elle avait trente mille hommes, écraser Jourdan. Quoi que pût dire l'abbé Mulot, le général s'obstina à répondre qu'il n'était pas en force. Mulot, désespéré, envoya un tambour, puis un trompette à la ville ; on n'y fit nulle attention.

Il paraît qu'à cette heure même, il y avait hésitation, division entre les meneurs, les hommes de plume voulaient un massacre général, les militaires un jugement. Jourdan, sur qui l'exécution devait retomber, semblerait avoir été du dernier avis. Il était un peu étonné de sa solitude ; il n'avait pu encore réunir que cent cinquante hommes pour garder l'immense étendue du Palais des papes. Le bruit du massacre n'allait-il pas attirer sur le palais tout le peuple réveillé de sa stupeur ? Parmi les gens arrêtés, il y avait un certain Rey, un membre de la corporation redoutable des portefaix d'Avignon, homme populaire, aimé, connu par sa force singulière. Et les autres, ces aristocrates, d'entre eux tous pas un n'était noble ; la femme d'un imprimeur, celle d'un apothicaire, un curé, un maître menuisier, qui était officier municipal en août, c'étaient les plus distingués ; les autres étaient gens de petits métiers, ouvriers, ouvrières en soie, des boulangers, des tonneliers, des couturières ou blanchisseuses, deux paysans, un manœuvre, un mendiant même. Des femmes, il y en avait deux enceintes.

On s'arrêta à l'idée de jugement ; on fit siéger dans une salle du palais les administrateurs provisoires de la ville pour juger les prisonniers. C'est à eux que Jourdan envoyait ceux qu'on arrêtait encore, une femme, par exemple, qu'il sauva, à un coin d'une rue, de ceux qui voulaient la tuer.

Ces administrateurs étaient, outre le greffier Raphel, un prêtre de langue populacière, grand braillard de carrefour, Barbe Savournin de la Rocca, auquel on avait adjoint trois ou quatre pauvres diables, un boulanger, un charcutier, qui n'avaient osé refuser. Duprat était là, menaçant et sombre, pour les surveiller, et voir comment ils marcheraient. La première personne qu'on leur amena, une femme, la Auberte, la femme d'un menuisier, fut interrogée doucement, et en l'envoyant en prison ils recommandèrent qu'on eût bien soin d'elle. Si la chose allait ainsi, Duprat et les autres, qui voyaient dans le massacre et la terreur la seule voie de salut, n'avaient rien à espérer. L'un d'eux, un moment après (il était neuf heures du soir), entre furieux, du sang au front, il frappe sur la table, et crie : « Cette fois-ci, il ne faut pas qu'il s'en sauve un seul ; le sang doit couler ; mon ami Lescuyer est mort ; toute cette canaille mourra, et si quelqu'un s'y oppose, nous ferons faire feu sur lui... » Les autres baissaient la tête. Les seuls Raphel et Jourdan répétèrent, lâchement, comme en chœur : « Oui, il nous faut venger la mort de notre ami Lescuyer. »

L'homme qui se lançait ainsi à travers le jugement et commandait le massacre n'était autre que Mainvielle.

Ce qui n'influa pas peu sur Duprat, Mainvielle, et ceux qui résolurent le massacre, ce fut l'exemple de Nîmes. L'idée malheureuse et fausse que le massacre de 90 y avait fondé la Révolution était prêchée par des Nîmois dans une auberge, la nuit même du 16 octobre.

Effroyable génération de crimes, des Albigeois à la Saint-Barthélemy, et de là aux dragonnades, aux carnages des Cévennes. Nîmes se souvint des dragonnades. Avignon imita Nîmes. Paris imita Avignon.

Rien de plus imitateur, rien de moins original, on peut l'observer, que le crime.

Le lieu même où ce nouveau crime va s'exécuter dit ceci bien haut. On y voit le sang du 16 octobre, la trace des fureurs d'une nuit. *Mais* on y voit, lentement accumulée, aux chambres sépulcrales de l'Inquisition, au savant bûcher intérieur (si habilement construit, pour étouffer les morts secrètes), on y voit la grasse suie que laissa la chair brûlée. Le mobilier de l'Inquisition est là, heureusement conservé, la chaudière est prête encore, le four attend, dans lequel rougissait le fer des tortures, les souterrains, les oubliettes, les sombres passages cachés dans l'épaisseur des murs, ce qu'on a ailleurs caché et nié, tout cela se voit ici ; on n'y a pas plaint la dépense, ni le soin, ni l'art. La torture y est artiste.

On voit bien que ce n'est point barbarie, fureur passagère ; c'est une guerre systématique contre la pensée humaine, savamment organisée, triomphalement étalée.

Tout cela, c'est le palais. Au-dehors, tout est informe, c'est un monstrueux château fort. Une gigantesque tour, qui n'est ni bien carrée, ni ronde, *Trouillas,* ou la Glacière, s'allonge pour voir au loin. Babel affreuse que bâtit, dans son orgueil, le pape qui, le premier, n'ayant ni sujet ni terre, se donna la triple couronne. *Trouillas,* c'est la *tour du Pressoir ;* peut-être dans l'origine fut-elle le pressoir féodal. Mais de bonne heure, elle fut un pressoir d'hommes, une prison à presser la chair humaine. Au plus haut, et au plus bas, comme dans tout ancien château fort, on mettait des prisonniers. L'ami de Pétrarque, le tribun de Rome, Rienzi, enfermé au sommet, parmi le sifflement de l'éternelle bise, put à loisir méditer sur sa folle confiance au pape. Le fond, l'abîme de la tour, sans autre ouverture qu'une trappe à l'étage du milieu, fut-il un vaste cachot ? un charnier ? on doit le croire, c'est l'opinion du pays. Une tradition d'Avignon, que j'ai recueillie de la bouche des personnes âgées, dit que, quand on exhuma les victimes des fureurs révolutionnaires, on trouva plus bas encore quantité d'autres ossements jetés là par l'Inquisition. La chose paraît bien vraisemblable, quand on sait que ses victimes ne pouvaient pas être enterrées. Les jeter aux champs, c'eût été les rendre aux mains pieuses des familles, leur sauver la partie du supplice qui effrayait le plus peut-être les faibles imaginations. Ne rentrer jamais dans la terre, ne reposer jamais au sein maternel de la nourrice commune, c'était, pour ainsi parler, la damnation du corps, ajoutée à celle de l'âme. Cette âme, non calmée au cercueil, errait, larve infortunée, pour l'épouvante des vivants ; elle se traînait le soir, et, dans l'ombre, venait avertir ses parents du redoublement de supplice attaché par la vengeance de l'Eglise à ceux qu'elle avait condamnés.

L'exemple le plus célèbre est celui de l'empereur Henri IV, qui, comme excommunié et souillant les éléments, ne put, à sa mort, rester ni sur terre ni dans la terre. Son corps gisait, longues années, caché, mais non inhumé, dans une profonde cave de Worms.

Tout grand centre d'inquisition devait avoir un tel charnier pour ceux que la sentence condamnait à rester sans sépulture. Lieu de mort, lieu de supplice. Le plus terrible, sans nul doute, pour les âmes de fer que rien ne pouvait dompter, qui riaient de la torture, c'était d'être jeté vivant dans la grande chambre des morts, d'y marcher sur les ossements, de voir, au faible jour qui pouvait pénétrer au fond de l'abîme, la grimace des squelettes, leur rire ironique. Du haut, on jetait un peu de pain à la bête, on l'observait vivante dans la terrible compagnie, on mesurait les degrés de son affaiblissement, l'alanguissement de sa fermeté, le point où le corps, sans défaillir tout à fait, a déjà paralysé l'âme. On pouvait alors le reprendre, idiot, et en tirer quelque signe qui le démentît lui-même, le produire au jour, le lugubre oiseau de nuit, clignotant, ignoble, éteint, dire à la pensée humaine : « Voilà ton héros !... » De sorte qu'en ce duel barbare de la force contre une âme, le simple peuple pût croire que celle-ci était vaincue, et que la force des tyrans était celle même de Dieu.

Voilà le lieu du massacre. Maintenant, examinons ceux sur qui il va tomber.

Les soixante ou quatre-vingts qu'on allait tuer pêle-mêle n'étaient pas du même parti. Les quarante derniers arrêtés appartenaient, presque tous, au petit peuple papiste des confréries d'Avignon. C'étaient de pauvres gens, aveugles, qui, poussés par leurs meneurs, n'avaient su ce qu'ils faisaient. Peu, très peu avaient agi, la plupart crié. Quant aux trente, arrêtés en août, ce n'étaient point des fanatiques, ni même, vraiment, des aristocrates. C'était, comme les Niel, le parti français, royaliste-constitutionnel, la nuance de Mulot.

Les Machiavels qui crurent frapper ici un grand coup de politique n'avaient pas la tête à eux. Ils prirent des mesures tout à fait contradictoires.

D'une part, voulant donner au massacre l'aspect d'une vengeance du peuple, d'une invasion fortuite, ils firent pratiquer un trou au mur des prisons, de manière que le concierge, les geôliers pouvaient dire qu'ils n'avaient pas ouvert les portes. Elles furent ouvertes toutes grandes.

D'autre part, plusieurs des chefs vinrent expressément donner l'ordre du massacre.

L'un d'eux, le major Peytavin, se présentant dans la cour, avec le commis du journaliste Tournal, aux hommes qu'on avait rassemblés, leur dit : « Au nom de la loi, nous avons décidé d'être Français, nous le sommes ; faites votre devoir. »

Ils avaient l'air hébété et semblaient ne pas comprendre. Le commis du journaliste, pour mieux expliquer la chose, leur crie aux oreilles : « Il nous faut les tuer tous ; s'il s'en sauvait un seul, il servirait de témoin. »

Il n'y avait qu'une vingtaine d'hommes dans la cour, tous du petit peuple d'Avignon, un perruquier, un savetier, un cordonnier pour femmes, un jeune ouvrier menuisier, un maçon, etc. Sauf quelques-uns qui avaient servi quelques mois dans l'armée de Jourdan, ils n'avaient jamais eu d'armes dans les mains. Plusieurs se trouvaient là par hasard, en quelque sorte, parce qu'ils avaient aidé à amener des prisonniers. Ils étaient fort mal armés : tel avait une barre de fer, tel un sabre, un bâton durci au feu.

Pour mettre en mouvement cette belle troupe, il fallait des moyens extraordinaires. On en trouva un, exécrable. Le beau-frère de Duprat, l'apothicaire Mende, s'établit dans la cour avec des liqueurs préparées exprès. Quels furent ces horribles breuvages ? On l'ignore ; les effets ne furent que trop visibles. A mesure qu'ils burent, ils devinrent exaltés, furieux, ils se ruèrent à la sanglante besogne. Il y en eut pourtant qui, les premiers coups portés, défaillirent et se trouvèrent mal. Ils redescendaient dans la cour, et l'apothicaire leur versait une dose nouvelle d'ivresse et de fureur.

Personne ne les conduisit, ne les dirigea, ne les surveilla. Duprat, l'âme de l'entreprise, ne parut nulle part. Jourdan s'enferma chez lui, avec son énorme dogue qui ne le quittait jamais. Il était ivre tous les soirs, et, ce soir-là, il but encore plus qu'à l'ordinaire. Il voulut tout ignorer ; seulement, à travers l'ivresse, il entendit (dit-il plus tard) *quelque tapage* aux prisons.

Le massacre, livré ainsi au hasard, à l'inexpérience de gens si mal armés et qui ne savaient pas tuer, fut infiniment plus cruel que s'il eût été fait par des bourreaux. Il n'eut pas lieu à une même place. Les uns furent tués à l'entrée même des prisons, d'autres dans une des cours, d'autres encore dans un escalier. Les portes étaient ouvertes. Il venait des gens de la ville, les uns pour réclamer tel ou tel, d'autres attirés par les cris, par une invincible curiosité ; mais ils ne pouvaient rester, le cœur leur manquait ; quelques-uns pourtant parvinrent à obtenir quelques prisonniers. Un de ces hommes, qui venait pour en sauver un, perdit la tête dès qu'il vit le sang, et se mit, sans savoir pourquoi, à tuer avec les autres.

Il n'y eut aucune espèce d'ordre, tout fut laissé au caprice de ces brutes que l'on avait, par une effroyable ivresse, poussés au premier degré de l'aliénation d'esprit. Quelques soldats de Jourdan espéraient d'abord leur faire faire distinction entre les personnes arrêtées le jour même et les prisonniers du 21 août, qui, se trouvant enfermés depuis cette époque, n'avaient pu certainement tremper dans la mort de Lescuyer. Ils n'obtinrent rien : hommes, femmes, tout y passa pêle-mêle. Si la seule prison des hommes eût été envahie d'abord, on aurait plus aisément peut-être sauvé celle des femmes, les bourreaux étant lassés. Malheureusement plusieurs femmes, pour certaines haines locales, certains propos injurieux, paraissent avoir été les objets voulus, prémédités, du massacre.

Dès neuf heures et demie du soir, lorsqu'il n'y avait encore que très peu d'hommes tués, on vint à la prison des femmes ; on en tira la dame Crouzet, femme d'un apothicaire, et, dans cette même cour, où le beau-frère de Duprat, l'apothicaire Mende, versait les liqueurs, elle fut barbarement assommée. C'était une toute jeune femme, des plus jolies d'Avignon. Très vivante et très parlante, très attachée à la vie. Elle fit des supplications déchirantes, elle dit (ce qu'on voyait bien) qu'elle était enceinte, supplia pour son enfant ; elle n'en fut pas moins frappée, égorgée, puis traînée à un escalier obscur, livrée à la curiosité infâme de ses bourreaux.

La petite couturière, Marie Chabert, qui n'était pas moins jolie, avait inspiré à plusieurs le désir de la sauver ; mais pas un n'osa. Elle avait pourtant réussi à se réfugier au bas d'un escalier obscur où elle s'était assise, enveloppée et cachée dans un grand manteau d'indienne. Un homme la désigna à un autre, qui la reconnut, tomba sur elle à coups de sabre et la massacra.

Une autre périt encore. Mais il semble que ces morts de femmes, cruellement pathétiques, ralentissaient les bras et troublaient les cœurs. On n'en tua plus jusqu'à minuit. Les meurtriers, à cette heure, un peu moins ivres déjà, n'étaient guère en train de tuer, mais ils ne savaient pas trop où ils pouvaient s'arrêter ; ils se défiaient les uns des autres. Mainvielle leur avait dit que, si quelqu'un voulait arrêter la chose, il fallait faire feu sur lui. Ils avaient parmi eux un enfant ivre, d'une férocité singulière, le fils de Lescuyer, âgé de quinze ou seize ans. Il mettait une horrible ostentation à venger son père, à en faire plus que les hommes.

A cette heure de minuit, où les femmes vivaient encore presque toutes, plusieurs des bourreaux cherchèrent Duprat et Jourdan. Ils étaient allés souper avec Mainvielle et Tournal le journaliste, à une auberge voisine, et mangeaient tranquillement le mets du pays, la soupe au fromage. Les bourreaux entrèrent, tout couverts de sang, contant à grand bruit leurs prouesses ; il y en avait un qui montrait un fusil qu'il avait brisé en deux à force de frapper, disait-il, sur la tête des prisonniers. L'un d'eux : « Il y en avait beaucoup de tués ! » Un autre : « Il ne reste qu'une femme enceinte, c'est la Ratapiole... » En réalité, il restait encore onze femmes et deux hommes, tous deux aimés, populaires, le prêtre Nolhac et le portefaix Rey. Le major Peytavin avait expressément demandé, obtenu des massacreurs la vie de Rey et celle de la Ratapiole ; mais il voulait apparemment avoir l'assentiment des chefs, et il leur envoyait cet homme, qui n'osa parler de Rey, mais seulement de la femme. Duprat ne répondant rien, Jourdan comprit sa pensée, et dit : « Il faut l'expédier. » Là-dessus, silence. Un autre s'avance, se hasarde à dire : « Et pourtant, elle est enceinte. » — « Enceinte ou non, dit Jourdan, il faut qu'elle y passe. »

Les meurtriers retournèrent, mais ils ne tuèrent ni Rey ni Nolhac. Ils se mirent à tuer des femmes. Trois furent d'abord prises au hasard, une blanchisseuse et deux ouvrières en soie. A mesure qu'elles passaient, elles donnaient leurs bijoux ou on les leur arrachait ; ils étaient remis au geôlier. Une des ouvrières opposa une résistance désespérée : « Personne, disaient-ils, ne fut plus dur à mourir. »

Ils rentrèrent ensuite, et appelèrent Mme Niel ; elle était déjà avertie par les cris affreux qu'elle venait d'entendre. Malade, elle était sur son lit. L'un d'eux lui dit durement : « Levez-vous ; vos amis sont morts, et votre fils, tous les prisonniers ; c'est maintenant votre tour... Où sont vos bijoux ? » Elle se leva, s'habilla, remit ses boucles d'oreilles, ses anneaux. Elle reconnut parmi eux un jeune menuisier, Belley, et le supplia, lui disant que, s'il voulait la sauver, elle lui ferait des rentes, à lui et aux autres. A quoi Belley répondit : « Je ne veux pas me faire pendre pour vous. » On la fit descendre à la cour, et on lui porta un coup... « Va trouver ton abbé Mulot. » — « Seigneur, miséricorde, mon Dieu ! » criait-elle. Puis, tout à coup, elle vit un corps à la lueur des torches : « Ah ! mon bel enfant ! » C'était le corps de son fils. Elle fut tuée très cruellement.

Les femmes, pour la plupart, étaient jetées, râlantes et mourantes, sur l'escalier que j'ai dit. Mais tous les hommes, immédiatement traînés par les pieds, furent précipités, à mesure qu'on les tuait, au fond de la tour Trouillas. Plusieurs d'entre eux, blessés, meurtris par une chute de soixante pieds, y arrivaient encore vivants. Neuf femmes, précipitées à quatre heures par-dessus les hommes, durent les assommer dans leur chute.

Les cris entendus la nuit, les bruits qui se répandaient sur l'affreuse exécution avaient glacé de stupeur. On commença à croire les meurtriers bien nombreux, puisqu'ils avaient osé cela ; ils le devinrent en effet. Tous les soldats de Jourdan reparurent en foule. Une cérémonie lugubre, l'enterrement de Lescuyer, qui eut lieu dans l'après-midi, leur donna l'occasion de se montrer dans les rangs. Ce fut une armée entière qui traversa Avignon.

On fit parcourir au convoi une grande partie de la ville. Malgré l'état repoussant, impossible à regarder où se trouvait le cadavre, n'offrant qu'une masse sanglante, on l'enterra à visage découvert. L'abbé Savournin marchait à côté, avec toutes les contorsions d'un capucin frénétique, pleurant et criant vengeance. Mainvielle était effrayant ; sa douleur mélodramatique semblait mendier du sang. A chaque halte, il soulevait la tête du cadavre pour montrer ses lèvres hideusement découpées, puis s'échappait en sanglots et le laissait retomber.

Cette terrible fête de mort où figuraient, bien lavés, proprement vêtus de noir, les exécuteurs de la dernière nuit, semblait en promettre une autre. La ville était dans une affreuse prostration d'horreur et de peur, chacun s'attendait à tout, et disant : « N'est-ce pas moi ? » On fut trop heureux quand on sut que le nouveau massacre se bornait aux quatre personnes qui vivaient encore aux prisons. Il y avait deux hommes et deux femmes. L'un, l'abbé Nolhac, était un prêtre, estimé, charitable, chez qui beaucoup de personnes mettaient de l'argent en dépôt ; c'est peut-être ce qui le perdit. L'autre était Rey, le portefaix, l'un de ceux qui avaient poussé au mouvement contre le pape. Il était d'une force et d'une adresse extraordinaires ; seul et sans armes, il lutta contre six hommes armés ; la lumière s'éteignit dans la lutte, et les assassins faillirent se tuer eux-mêmes. Il échappa, se réfugia dans la conciergerie, où la lutte recommença ; enfin il eut le ventre décousu d'un coup de sabre : il fut emporté à quatre, et jeté vivant dans la tour ; trois quarts d'heure après, il appelait encore tous ses meurtriers par leurs noms, et demandait la charité d'une pierre ou d'un coup de fusil.

Deux femmes restaient seulement, la Auberte ou Mme Aubert, et la Ratapiole. La première, femme d'un menuisier, avait eu chez elle pour apprenti l'un des meurtriers, le jeune Belley. Dès le commencement elle l'avait prié de la sauver. La chose était bien difficile. La Auberte était la sœur d'un maçon du parti papiste qui s'était signalé en juin, et que le parti français avait mis à mort. Belley se frappa le front de la main, et se frappa deux ou trois fois la tête contre le mur. « J'ai sauvé votre mari, lui dit-il, mais vous, comment puis-je le faire ?... Cachez-vous là (il la poussa au fond de la prison, et derrière les bancs). Si vous passez cette nuit, vous serez sauvée. » Elle l'avait passée, cette première nuit. Mais, dans celle du lundi, elle était encore en plus grand péril.

L'autre femme, la Ratapiole, tout au contraire de la Auberte, s'était montrée très ardente pour la Révolution ; elle s'était fort remuée, en juin, de la langue et autrement. Au 16 octobre, elle avait été enlevée au hasard, dans cette aveugle razzia ; elle n'avait pas d'autre crime, disait-elle, que de s'être moquée de Mme Mainvielle.

N'osant sauver les deux femmes, et voulant à tout prix sauver l'aristocrate, Belley avait bien envie d'égorger la patriote.

Vers minuit, suivi de deux autres meurtriers, des plus féroces, il entre dans la prison, et dit à la Ratapiole que le frère de M. Duprat est arrivé à Paris, qu'il est chez le général Jourdan, qu'il faut venir lui parler, qu'elle en sera quitte pour quelques excuses. La Ratapiole se mit à pleurer bien fort, à lui dire qu'elle était enceinte, qu'il eût pitié de son enfant. Ils insistaient pour l'emmener. Mais elle avait avec elle une petite fille de neuf ans, qui, le dimanche, quand on enleva sa mère de chez elle, se prit à ses jupes ; on ne put jamais l'en détacher, il fallut les traîner ensemble. Cette petite, ici encore, se pendit à sa mère, pour l'empêcher de marcher. Puis, elle sauta sur Belley, l'embrassa ; il la repoussa, et la jeta à dix pas. Elle revint, d'un même bond, lui serra les bras au col : « Je veux que tu sauves maman. » Il commença d'être bien embarrassé. Les autres aussi perdaient contenance. « Et moi, dit naïvement Belley, qu'est-ce que je vais donc dire aux Mainvielle qui m'avaient tant recommandé de vous tuer ? Nous serons obligés de dire que vous y avez passé avec les autres. »

Ces deux femmes, et un vieux frère convers de quatre-vingt-dix ans qui se retrouva encore, furent sauvés effectivement. Jourdan mit des sentinelles à la porte des prisons, pour que personne ne pût y monter.

Cependant une odeur affreuse commençait à s'élever des profondeurs de la Glacière. Elle indiquait assez la décomposition rapide des tristes débris. Une seule des victimes respirait peut-être encore, le portefaix Rey, qui fut si dur à mourir.

Jourdan, le mardi 18, sans s'occuper d'éclaircir qui était mort ou en vie, fit jeter par le trou au fond de la tour, sur cette montagne de chair, plusieurs baquets de chaux vive.

On eut beau verser partout des torrents d'eau pour laver les traces ; jamais on ne put faire disparaître l'horrible traînée de sang qui marque encore les arêtes du mur intérieur de la tour ; chaque corps lancé par le trou avait frappé là, et laissé sa trace, sa réclamation éternelle. Le sang resta pour témoigner.

Et, non loin, reste de même, dans ce lugubre palais, la trace des forfaits, plus anciens, que l'aveugle fureur révolutionnaire crut venger par un forfait : c'est la noire et dégoûtante suie du bûcher pyramidal que l'Inquisition longuement engraissa de chair humaine.

Pourquoi me suis-je si longtemps arrêté, malgré l'horreur et le dégoût, sur cette abominable histoire ? Hélas ! je l'ai déjà dit, c'est qu'elle est un commencement. L'atrocité même du crime, l'ébranlement qu'en reçurent les imaginations, le rendirent contagieux. Les soixante victimes d'Avignon remuèrent tous les esprits que les trois cents morts de Nîmes avaient laissés froids. Le théâtre solennel du crime, l'horreur de cette affreuse tour, cet abîme où tombaient pêle-mêle les morts et les vivants, leurs longues plaintes et la pluie de feu qui leur fut versée dessus, tout cela prêta à l'événement une exécrable poésie. Il entra dans la mémoire par la voie la plus sûre, la peur. Il y fut ineffaçable.

La tour de la Glacière s'inscrivit au souvenir effrayé des hommes près de la tour d'Ugolin.

Qu'il y reste, ce fait maudit, pour être à jamais déploré. C'est la première de ces hécatombes humaines où tombèrent sans distinction les révolutionnaires modérés et les adversaires de la Révolution, les amis de la liberté pêle-mêle avec ses ennemis.

Le massacre du 16 octobre est le hideux original des massacres de septembre. Ceux-ci, qui, un an après, semblent sortis d'un élan de fureur toute spontanée, n'en furent pas moins, pour les Méridionaux, qui eurent tant de part à l'exécution, une imitation en grand du carnage de la Glacière. Plusieurs des bourreaux disaient être venus exprès pour enseigner leur méthode aux massacreurs de Paris.

Les suites de ces événements ont été incalculables. Ils ont créé contre la France innocente une cruelle objection. La Révolution allait au monde, les bras ouverts, naïve, aimante et bienfaisante, désintéressée, vraiment fraternelle. Le monde se reculait, le monde la repoussait d'un mot, toujours Septembre et la Glacière.

Qu'on ne nous accuse donc pas d'avoir fait trop longue halte, à ce tragique moment.

Une sombre carrière commence d'ici ; nous nous sommes assis un moment sur cette pierre de douleur qui marque l'effrayante entrée. Ceci est la porte d'enfer, la porte sanglante. La voilà maintenant ouverte, et le monde y passera.

CHAPITRE IV

Décrets contre les émigrés et le roi Résistance du roi (novembre-décembre 91)

Inertie calculée du pouvoir — Débats sur les émigrés — Début de Vergniaud et d'Isnard — Vergniaud et Mlle Candeille — Décret contre les émigrés (8 novembre 1791) — Veto du roi (12 novembre) — Décret contre les prêtres (29 novembre) — Veto du roi (19 décembre) — La question de la guerre (novembre-décembre 91).

On est étonné, effrayé presque, du peu de traces qu'on trouve dans les monuments contemporains de l'affreuse affaire d'Avignon. Visiblement, il y a là-dessus, dans la presse et dans le public, un silence de stupeur. On se tait, on détourne la tête plutôt que de regarder.

Qui accuser de ce désastre ? On le savait trop. Ce n'étaient pas seulement les furieux qui firent les crimes. C'était aussi la fausse et perfide politique qui avait différé les mesures de pacification, de réunion à la France, c'étaient la Cour et le ministère. La réunion à la France, qui devait tout arrêter, fut votée par l'Assemblée constituante le 14 septembre, et le ministère, pour nommer les nouveaux commissaires, attendit jusqu'en octobre. Ils n'arrivèrent à Avignon que vers le milieu de novembre, si longtemps après le crime !

Le retard était visiblement calculé par la Cour dans l'idée et dans l'espoir d'une réaction papiste, qui ferait croire à l'Assemblée que le peuple d'Avignon ne voulait point être français.

Dans tous les malheurs de l'époque, on retrouve comme cause principale l'inertie calculée de la Cour et du ministère.

Qui accuser encore des désastres de Saint-Domingue, sinon la réaction, et Malouet, et Barnave. Ne résultaient-ils pas de l'ajournement arbitraire des décrets libérateurs ?

Mêmes retards dans l'organisation des volontaires qui allaient à la frontière.

Le 29 octobre, l'Assemblée manda le ministre Duportail et le somma de s'expliquer sur ce dernier point. Il répondit assez brusquement « qu'il avait donné des ordres ». Etait-ce assez pour décharger sa responsabilité ? Ne devait-il pas encore surveiller l'exécution ? On allègue, en faveur de Louis XVI et de ses ministres, que, dans l'affaiblissement du pouvoir, dans le relâchement de tout lien hiérarchique, la volonté la plus sincère donnait peu de résultats. Il est bien permis de douter de cette bonne volonté, quand la simple acceptation des décrets les plus urgents, sans autre peine que de prendre la plume et signer *Louis,* entraînait de longs retards, souvent n'était décidée que par les plaintes menaçantes qui s'en faisaient dans l'Assemblée.

Le 2 novembre, sur des plaintes nouvelles, le jeune et ardent Ducos demanda, obtint que l'Assemblée déclarât qu'elle ne regardait pas les réponses du ministre comme suffisantes, et qu'elle voulait « *que tous les huit jours, il lui rendît compte* ». L'administration de la guerre allait se trouver bientôt transportée du cabinet et du conseil dans les comités de l'Assemblée.

Les deux grandes discussions sur les émigrés et les prêtres se ressentirent fort de cet état de méfiance et d'irritation croissante. Le crescendo est curieux, facile à marquer.

Le 20 octobre, on l'a vu, Brissot se contentait encore d'une triple imposition sur les biens des émigrés. Le 25, Condorcet, plus sévère, voulait qu'on mît un séquestre universel sur leurs biens, et qu'on exigeât d'eux le serment civique. Mais Vergniaud, Isnard, répondant mieux à la pensée du moment, déclarèrent ces mesures insuffisantes. Que signifiait, en effet, de demander un serment légal à des ennemis armés ?

Ce fut le premier jour où ces puissantes voix, organes magnifiques et terribles de l'indignation publique, commencèrent à maîtriser l'Assemblée. Elle retrouva dans Vergniaud les moments nobles et solennels de Mirabeau, la majesté de son tonnerre, sinon les éclats de sa foudre. Mais si l'accent de Vergniaud était moins âpre et moins vibrant, la dignité, l'harmonie de sa parole, exprimaient celles d'une âme bien autrement équilibrée, et qui toujours habita les hautes et pures régions. Noble de nature, au-dessus de tout intérêt et de tout besoin, personne n'a plus que lui honoré la pauvreté. C'était un enfant de Limoges, très heureusement né, doux, et un peu lent, qui fut distingué entre tous par le grand Turgot, alors intendant du Limousin, et envoyé par lui aux écoles de Bordeaux. Il justifia à merveille cette sorte de paternité. Au barreau, à l'Assemblée, parmi des crises si violentes, Vergniaud garda une âme profondément humaine. Il avait beau être orateur, il fut toujours homme ; dans ses sublimes colères de tribune, on entend toujours quelque accent de nature ou de pitié. Au sein d'un parti violent, aigri, disputeur, il resta étranger à l'esprit de dispute qui rabaisse tout. On accusa son indécision, une sorte de mollesse et d'indolence dont son caractère n'était pas exempt. On disait que son âme semblait souvent errer ailleurs. Ce n'était pas sans raison. Cette âme, il faut l'avouer, dans le temps où la patrie l'eût réclamée tout entière, elle habitait dans une autre âme. Un cœur de femme, faible et charmant, tenait comme enfermé ce cœur de lion de Vergniaud. La voix et la harpe de Mlle Candeille, la belle, la bonne, l'adorable, l'avaient fasciné. Pauvre, il fut aimé, préféré de celle que la foule suivait. La vanité n'y eut point part, ni les succès de l'orateur, ni ceux de la jeune muse dont une pièce obtenait cent cinquante représentations. Ils furent liés d'un lien indissoluble, par leur attribut commun, la bonté. Et ce lien fut si fort que Vergniaud le préféra à la vie. Il aima mieux mourir près d'elle que de s'en éloigner un instant. Lorsque la mort se présenta, il pouvait bien s'y soustraire ; il semble avoir dit tranquillement : « Mourir tout à l'heure ? volontiers. Mais je veux aimer encore. »

Ce doux sujet m'a mené un peu loin de la bataille ; j'y reviens. La nécessité de proposer des mesures efficaces et fortes contre les émigrés dicta à Vergniaud un discours sévère, mais qui ne confirme pas moins ce que nous venons de dire du caractère profondément humain du grand orateur. Dans cette dure circonstance où le roi allait avoir à sanctionner une loi qui menaçait ses frères d'un châtiment capital, Vergniaud seul posa l'objection du cœur et de la nature. Il s'adressa au roi lui-même et s'efforça de le transporter dans la région héroïque de ces antiques pères du peuple qui immolèrent la nature à la patrie. Il dit noblement : « Si le roi a le chagrin de ne pas trouver en ses frères l'amour et l'obéissance, qu'ardent défenseur de la liberté, il s'adresse au cœur des Français, il y trouvera de quoi se dédommager de ses pertes. »

Ce discours, noblement équilibré de qualités si contraires, posant fortement la justice, mais nullement oublieux de l'humanité, laissa beaucoup d'admiration, peu d'entraînement. L'orateur établissait les principes. Quant au succès, insoucieux, dans la majesté du courage, il s'en remettait au destin. L'Assemblée salua son grand orateur, en le portant le lendemain à la présidence. Elle n'adopta pas ses conclusions sévères et donna la priorité au projet de Condorcet ; projet faible un peu ridicule, si l'on ose dire ; il déférait le serment à des ennemis armés, s'en rapportait à leur parole, continuait le paiement des pensions et traitements à ceux qui, sans respect du serment, n'hésiteraient point de jurer. Au contraire, les gens d'honneur, qui aimeraient mieux sacrifier leurs traitements que leur conscience, Condorcet les punissait par le séquestre de leurs biens.

Il fut combattu (31 octobre) par un député provençal, Isnard, qui changea violemment les dispositions de l'Assemblée. Jamais on ne vit mieux à quel point la passion est contagieuse. Au premier mot, la salle entière vibra, sous une impression électrique ; chacun se crut personnellement interpellé, sommé de répondre, quand ce député inconnu, débutant par l'autorité et presque la menace, lança cet appel à tous : « Je demande à l'Assemblée, à la France, à vous, monsieur (désignant un interrupteur), s'il est quelqu'un qui, de bonne foi, et dans l'aveu secret de sa conscience, veuille soutenir que les princes émigrés ne conspirent pas contre la patrie ? Je demande, en second lieu, s'il est quelqu'un dans cette Assemblée qui ose soutenir que tout homme qui conspire ne doive pas être au plus tôt accusé, poursuivi et puni ? S'il en est quelqu'un, qu'il se lève !... »

Vergniaud lui-même, qui présidait, fut si surpris de cette forme impérieuse et violente qu'il arrêta l'orateur et lui fit observer qu'il ne pouvait procéder ainsi par interrogation.

« Tant qu'on n'aura pas répondu, continua Isnard, je dirai que nous voilà placés *entre le devoir et la trahison,* entre le courage et la lâcheté, entre l'estime et le mépris... Nous reconnaissons bien tous qu'ils sont coupables ; si nous ne les punissons pas, est-ce donc parce qu'ils sont princes ?... Il est temps que le grand niveau de l'égalité passe enfin sur la France libre... C'est la longue impunité des grands criminels qui rend le peuple bourreau. Oui, la colère du peuple, comme celle de Dieu, n'est trop souvent que le supplément terrible du silence des lois... Si nous voulons être libres, il faut que la loi seule gouverne, que sa voix foudroyante retentisse également au palais, à la chaumière, qu'elle ne distingue ni rang ni titres, inexorable comme la mort quand elle tombe sur sa proie... »

Un frisson passa sur la foule, et après un court silence, s'éleva un applaudissement terrible. Une sombre ivresse de colère remplit l'Assemblée, les tribunes. Par un mouvement machinal, tous suivaient ce brûlant parleur, cette sauvage parole africaine ; tous étaient devenus le même homme, emportés de son tourbillon et ne touchant plus la terre.

Il ajouta alors, avec une violence extraordinaire de voix et de gestes : « On vous a dit que l'indulgence est le devoir de la force, que certaines puissances désarment... Et moi, je dis qu'il faut veiller, que le despotisme et l'aristocratie n'ont ni mort ni sommeil, que si les nations s'endorment un instant, elles se réveillent enchaînées... Le moins pardonnable des crimes est celui qui a pour but de ramener l'homme à l'esclavage ; si le feu du ciel était au pouvoir des hommes, il faudrait en frapper ceux qui attentent à la liberté des peuples. »

Ce discours désordonné, comme une trombe du Midi, enleva tout sur son passage. Condorcet essaya de répondre et personne n'écouta. On décréta, séance tenante, pour première mesure, « que, si Louis-Stanislas-Xavier, prince français, ne rentrait pas dans deux mois, il abdiquait son droit à la régence ». Le 8 novembre, décret général contre les émigrés, d'après Vergniaud et Isnard : « S'ils ne rentrent au 1er janvier, coupables de conjuration, poursuivis, punis de mort. — Les princes, les fonctionnaires, sont spécialement coupables. — Les revenus des contumaces perçus au profit de la nation, sauf les droits des femmes, des enfants, des créanciers. — Les officiers punis comme le soldat déserteur. — L'embauchement puni de mort. — Dans les quinze premiers jours de janvier, pourra être convoquée la Haute Cour nationale. »

On apprit le surlendemain la tentative de la contre-révolution à Caen, qui avait failli renouveler, sur un curé constitutionnel, l'horrible scène de Lescuyer, égorgé dans l'église d'Avignon. Ici, les nobles armés, avec leurs domestiques armés, étaient venus soutenir le curé réfractaire ; ils avaient menacé la garde nationale, frappé, tiré sur elle, jusqu'à ce qu'elle les désarmât. Le plus grave, c'est que la commune et le district, pour prévenir le renouvellement de ces collisions, ayant voulu fermer l'église aux réfractaires jusqu'à la décision de l'Assemblée, les administrateurs du département refusèrent d'en signer l'ordre. Tel était le funeste esprit de ces administrations, leur connivence avec les factieux aristocrates, que partout elles paralysaient l'action des lois, les mesures les plus indispensables de police et de salut public. Cambon demanda que l'on convoquât immédiatement la Haute Cour nationale. L'on fit venir le lendemain le ministre Delessart, pour avoir des explications ; on le soupçonnait à bon droit d'avoir contribué lui-même à troubler le Calvados, en travaillant contre l'évêque Fauchet, et encourageant contre lui ces coupables administrateurs.

Pourquoi ce zèle du ministre contre les prêtres citoyens ! Le roi était reconnaissable ici, comme le centre et le chef de la résistance dévote. Ne l'était-il pas aussi de l'émigration armée ? On le crut, le

12 novembre, lorsqu'on apporta le *veto* qu'il opposait au dernier décret de l'Assemblée.

Il alléguait que les articles rigoureux de ce décret lui semblaient « ne pouvoir compatir avec les mœurs de la nation et les principes d'une constitution libre ». Il présentait les lettres qu'il avait lui-même écrites à ses frères et aux émigrés, pour les décider à revenir. Il y disait, entre autres choses, « que l'émigration s'était ralentie », ce qui était visiblement faux ; « que plusieurs émigrés étaient rentrés », ce qui n'était que trop vrai. En juin, M. de Lescure et autres Vendéens étaient rentrés avec l'espérance de la guerre civile. Le roi réclamait la confiance ; et, au même moment, son ministre confident, Bertrand de Molleville, était convaincu d'avoir caché l'émigration des officiers de marine. Bertrand affirmait hardiment qu'ils étaient tous à leur poste ; et plus de cent étaient absents par congé, près de trois cents sans congé. La chose fut établie par le Conseil général du Finistère.

Les frères du roi répondirent bientôt à ses proclamations qu'elles n'étaient pas l'expression sincère de sa pensée. Monsieur, de plus, fit à l'Assemblée qui représentait la France une réponse dérisoire, une parodie indigne de la réquisition qui lui avait été faite de rentrer : « Gens de l'Assemblée française se disant nationale, la saine raison vous requiert, en vertu du titre I, chapitre I, section I, article 1, des lois du sens commun, de rentrer en vous-mêmes », etc.

La question la plus personnelle au roi, celle des prêtres, fut bientôt tranchée, et rien n'y contribua davantage qu'un discours d'Isnard, le formidable interprète du ressentiment national. Parleur violent plus que profond, il trouva cependant dans la passion même qui était en lui cette juste et profonde parole, qui montrait la véritable portée de la question religieuse : « Il faut un dénouement à la Révolution française. »

Le dénouement politique est dans la question sociale ; mais celle-ci elle-même n'a le sien, on le verra de plus en plus, que dans la question religieuse. Dieu seul sait trancher de tels nœuds. C'est dans un changement profond des cœurs, des idées, des doctrines, dans le progrès des volontés, dans l'éducation douce et tendre qui ramène l'homme à sa meilleure nature que se font les vrais changements. Des lois coactives y font peu. Si le vrai concile de l'époque, l'Assemblée, ne voulait pas toucher au dogme, elle pouvait du moins, dans une question de discipline, le mariage des prêtres, amener à la nature, à la douce humanité, à l'esprit nouveau, une grande partie de ses adversaires. Elle ne s'expliqua pas nettement sur cette question si grave, qui lui fut présentée le 19 octobre, et dès lors elle s'ôta la plus forte prise qu'elle eût eue sur le clergé.

Isnard avait droit d'invoquer la loi contre les factieux, contre le prêtre rebelle qui voulait du trouble et du sang ; mais, dans son emportement, il semblait près de confondre le crime avec l'innocence. « S'il existe des plaintes, le prêtre rebelle doit sortir du royaume, *il ne faut pas de preuves* contre lui ; car vous ne le souffrez là que par un excès d'indulgence. »

Terrible ivresse ! qui lui faisait, au nom du droit, oublier le droit et le juste. Tous la gagnaient en l'écoutant. L'Assemblée parut tout obscure, les ténèbres s'épaissirent, quand ce furieux fanatique se mit à crier : « Les factieux, je les combattrai tous ; je ne suis d'aucun parti. *Mon dieu, c'est la loi ;* je n'en ai pas d'autre ! »

Isnard avait le tempérament d'un sombre et violent dévot. Il l'était alors à la Loi, à la Raison, qui elle-même était bien Dieu aussi. Tout à l'heure, sous l'impression de la Terreur, nous verrons le même homme, environné de la mort, s'affaisser au mysticisme, puis farouche dans la réaction, furieux dans le repentir, attiser les flammes civiles par des paroles meurtrières qui ajoutèrent cruellement à toutes les fureurs du Midi.

L'Assemblée hésita à décréter l'impression de ce malencontreux discours, et finalement la refusa. Mais peu après, l'on put voir qu'elle en avait reçu l'esprit. Le 22 novembre, elle nomma quatre grands juges pour l'affaire de Caen ; le 25, elle créa un comité de surveillance ; les noms furent significatifs : d'abord Isnard et Fauchet, Goupillau (de la Vendée), Antonelle (des Bouches-du-Rhône), des Jacobins violents, Grangeneuve et Chabot, Bazire et Merlin, Lecointe, Thuriot, etc.

Ce choix fait pressentir assez le décret qu'on va porter (29 novembre 1791) ; décret violent, passionné, qui fut reçu comme un défi du parti qu'on voulait frapper, et n'eut d'autre effet que celui d'un appel à la résistance.

Ses considérants, remarquables par un grand appareil logique, partent du *Contrat social,* « qui protège, mais qui lie tous les hommes de l'Etat ». Le serment, *purement civique,* est la caution que tout citoyen doit donner de sa fidélité à la loi. Si le ministre d'un culte refuse de reconnaître la loi (qui assure la liberté religieuse sans autre condition que le respect pour l'ordre public), il annonce par ce refus même que son intention n'est pas de respecter la loi.

Le serment civique sera exigé sous le délai de huit jours. Ceux qui refuseront seront tenus *suspects* de révolte, et recommandés à la surveillance des autorités. S'ils se trouvent dans une commune où il survient des troubles religieux, le directoire du département peut les éloigner de leur domicile ordinaire. S'ils désobéissent, emprisonnés pour un an au plus. S'ils provoquent la désobéissance, deux ans. La commune où la force armée est obligée d'intervenir en supportera les frais. Le magistrat qui refuse ou néglige de réprimer sera poursuivi. — Les églises ne serviront qu'au culte salarié par l'Etat. Celles qui n'y sont pas nécessaires pourront être achetées par un autre culte, mais non pour ceux qui refusent le serment. Les municipalités enverront aux départements, et ceux-ci à l'Assemblée, les listes des prêtres qui ont juré et de ceux qui ont refusé, avec des observations sur leur coalition entre eux et avec les émigrés, de sorte que l'Assemblée avise aux moyens d'extirper la rébellion. L'Assemblée regarde comme un bienfait les bons ouvrages qui peuvent éclairer les campagnes sur les questions prétendues religieuses ; elle les fera imprimer et récompensera les auteurs.

Ce décret était fondé en droit *à l'égard des prêtres,* qui ne sont nullement des citoyens ordinaires, qui ont un privilège énorme et se trouvent bien plus responsables, exerçant une magistrature et la plus autorisée. Si vous dites qu'elle est antérieure, extérieure à l'action de l'État, voyez ce qui en résulte : c'est que cette autorité extérieure, placée aux fondements mêmes de la société, peut les ruiner à son aise et se trouver un matin avoir renversé l'État. Le partage entre l'État et le prêtre a ce résultat étrange ; l'État dit à l'autre : « Prends l'âme, moi je garderai le corps, je gouvernerai ses mouvements ; à toi la volonté, à moi l'action. » Division puérile, impossible : l'action dépend de celui dont dépend la volonté.

Le décret avait un grand défaut, c'était de faire porter justement la répression sur un point où tout le monde se ferait honneur de la mériter. Dans une question de conscience, elle portait une peine d'*argent !* Quel avantage elle donnait à l'ennemi ! Au défaut de fanatisme, l'honneur seul, l'honneur du gentilhomme, la noble folie de la vieille France, allait, à coup sûr, faire oublier toute considération de devoir public, d'amour de la paix. Ceux mêmes qui, au nom du salut commun, du vrai christianisme, se seraient soumis, on les ramenait par cette pénalité basse, à la question du point d'honneur et de la dignité personnelle.

Il ne fallait point de décret, point de mesure générale. Il fallait des hommes, des hommes dans la main de l'Assemblée, agissant sous la direction vigoureuse de ses comités, mais d'une manière très diverse, selon l'état moral des provinces, qui différait infiniment.

Ces hommes ne se trouvaient guère, il est vrai, dans l'administration départementale, ni dans le pouvoir judiciaire, tous deux faibles, détendus, remis au hasard des élections, des influences locales. Spectacle étrange de ce grand corps de la France, non organisée encore, non centralisée. Le centre organique (je parle de l'Assemblée) pensait, voulait, menaçait, mais, du centre aux extrémités qui devaient exécuter, il n'y avait qu'un lien incertain et infidèle ; l'Assemblée, dans son décret, disait bien qu'elle voulait lever le glaive ; pour lever, il faut une main ; or, elle n'en avait pas.

C'était le triste spectacle d'un pauvre paralytique qui crie, menace de sa chaise, sans pouvoir bouger de là. S'il sortait de son impuissance, ce ne pourrait être que par une étrange révolution, un terrible accès de fureur.

La force manquant, la fureur vint au secours. N'ayant ni administration ni tribunaux à elle, la Révolution agit par les clubs, par l'appel à la violence, et elle réussit à agir, en brisant tout et se brisant.

Tel est le sort d'un Etat imprévoyant qui n'a su organiser ni l'action ni la répression. Celui qui, n'ayant ni le commencement ni la fin, n'ayant point l'initiation morale et religieuse, la laissant au prêtre, n'a pas non plus dans sa main ce qui corrige et remédie, le pouvoir judiciaire, un tel Etat, dis-je, est perdu. Malheur à ceux qui, comme l'Assemblée constituante, abdiquent le glaive de justice ! Malheur à ceux qui, comme nous, par un respect superstitieux pour l'inamovibilité, le laissent à leurs ennemis. La Révolution, jugée chaque jour par la contre-Révolution, périrait dans un temps donné.

Le décret fait, bon ou mauvais, il restait de le respecter. Peut-être eût-il fait peu de mal si on en eût modifié, ralenti l'application, spécialement dans l'Ouest. Mais il provoqua dans Paris une fatale résistance de la part de la Cour et des constitutionnels. Ceux-ci, exclus de toute action, même indirecte, sur l'Assemblée, furent ravis de lui faire obstacle. Ils étaient réfugiés dans un corps et dans un club, le club des Feuillants, le corps du département de Paris. L'un prépara, l'autre signa une protestation adressée au roi, où on le priait d'apposer son *veto* au décret relatif aux prêtres. Ne tenant nul compte des circonstances, restant dans les principes abstraits, paraissant croire qu'il s'agissait d'hommes inoffensifs et paisibles, faisant partout la confusion du prêtre et du citoyen, n'ayant pas l'air de soupçonner que le premier, investi d'une si dangereuse autorité, est plus responsable que l'autre, le directoire de Paris invoquait le *veto* du roi, comme si le roi, à cette époque, eût été vraiment une force. Mettre le roi devant les prêtres contre le courant qui venait, c'était vouloir que prêtres, roi et directoire de Paris, tout fût brisé du même coup.

Les signataires de cet acte insensé étaient pourtant des gens d'esprit, des Talleyrand, des Baumetz, etc. Voilà à quoi l'esprit sert, l'habitude de saisir finement les petits rapports des choses, de regarder à la loupe, de manier avec dextérité le monde et l'intrigue. Il ne faut pas de finesse en Révolution. Le génie, pour embrasser les grandes masses, doit être grand, simple, grossier, si j'ose parler ainsi.

Une réponse, bien autrement spirituelle, aiguë et perçante (la pièce la plus française qui ait été écrite depuis la mort de Voltaire), leur fut lancée par Desmoulins, sous forme de pétition à l'Assemblée nationale. Lui-même l'apporta à la barre, et, se défiant de son organe embarrassé, il la fit lire par Fauchet. L'originalité de cette pièce, c'est que, dans une grande question politique et d'équité, le malicieux basochien n'attestait que le droit strict, le texte des lois, de ces mêmes lois que les membres du directoire avaient faites, comme membres de l'Assemblée constituante ; il les battait de leurs armes, les perçait de leurs propres flèches. La loi contre ceux *qui avilissent les pouvoirs publics,* celle qui punit *les pétitions collectives,* il montrait parfaitement qu'ici elles tombaient d'aplomb sur leurs propres auteurs, qu'ils étaient coupables d'avoir tenté d'avilir le premier pouvoir, l'Assemblée, et concluait à ce que le directoire fût mis en accusation.

Il qualifiait la pétition du directoire comme « le premier feuillet d'un grand registre de contre-révolution, une souscription de guerre civile, envoyée à la signature de tous les fanatiques, de tous les idiots, de tous les esclaves permanents, de tous les ci-devant voleurs », etc.

Le plus grave en cette pièce, ce qui porta coup, ce fut la tranchante ironie par laquelle il arracha le voile de la situation, formula en pleine lumière ce qui nageait obscur dans tous les esprits ; formule d'une netteté terrible, qui frappait le roi en l'innocentant ; elle reste le jugement de l'histoire :

« Nous ne nous plaignons ni de la Constitution qui a accordé le *veto,* ni du roi qui en use, nous souvenant de la maxime d'un grand politique, de Machiavel : « Si le prince doit renoncer à la souveraineté, la nation serait trop injuste, trop cruelle de trouver mauvais qu'il s'opposât constamment à la volonté générale, parce qu'il est difficile et contre nature de tomber volontairement de si haut. »

» Pénétrés de cette vérité, prenant exemple de Dieu même, *dont les commandements ne sont point impossibles,* nous n'exigerons jamais du ci-devant souverain un amour impossible de la souveraineté nationale, et nous ne trouvons point mauvais qu'il oppose son *veto,* précisément aux meilleurs décrets. »

C'était toucher le fond du fond. L'Assemblée en fut frappée, reconnut son propre sentiment, adopta la pièce comme sienne, décréta l'insertion au procès-verbal, et l'envoi du procès-verbal aux départements. Le lendemain, les membres qui appartenaient aux Feuillants, étant arrivés de bonne heure, au nombre de deux cent soixante, firent une majorité contraire, annulèrent le décret de la veille, à la grande indignation des tribunes et du public. Dès lors, une guerre commença contre leur club ; placé à la porte de l'Assemblée et dans ses bâtiments mêmes, l'affluence des deux foules devait y causer du tumulte, peut-être des collisions.

Cette lutte intérieure, qui ne laissait pas que d'agiter Paris, éclatait au moment même où l'autorité était désarmée, et par la retraite de La Fayette qui quittait le commandement et par son échec aux élections municipales (17 novembre 1791). La reine, nous l'avons dit, en haine de La Fayette, fit voter les royalistes pour le Jacobin Pétion, qui eut six mille sept cents voix contre les trois mille de son concurrent. La reine avait dit : « Pétion est un sot, un homme incapable de faire ni bien ni mal. » Mais, derrière lui, venait Manuel, comme procureur de la Commune, derrière Manuel son substitut, le formidable Danton. La reine, en favorisant le succès de Pétion, ouvrit la porte à celui-ci.

La guerre intérieure, contre les prêtres et le roi qui les défend ; la guerre extérieure, contre les émigrés et les rois qui les protègent, se prononcent de plus en plus, non dans les actes encore, mais dans les paroles, les menaces, le bouillonnement visible des cœurs.

Le 22 novembre, l'Assemblée écouta un rapport de Koch sur l'état menaçant de l'Europe, sur les vexations dont les citoyens français de l'Alsace étaient l'objet de la part des émigrés et des princes qui toléraient leurs rassemblements. Ces vexations dénoncées à M. de Montmorin l'avaient médiocrement ému ; il avait répondu en termes vagues, et n'avait rien fait. L'Assemblée ne pouvait imiter cette indifférence. Le comité diplomatique demandait qu'on rappelât aux princes la Constitution germanique, qui leur interdit tout ce qui peut entraîner l'Empire dans une guerre étrangère, et que le pouvoir exécutif prît des mesures pour les forcer à dissoudre ces rassemblements armés.

La question, resserrée par Koch, fut étendue par Isnard, replacée dans sa grandeur. C'était la question de la guerre. Il établit hardiment tout l'avantage qu'il y avait pour la France à forcer ses ennemis à se déclarer, et, s'il le fallait, à frapper les premiers coups.

« Elevons-nous dans cette circonstance à toute la hauteur de notre mission ; parlons aux ministres, au roi, à l'Europe, avec la fermeté qui nous convient. Disons à nos ministres que jusqu'ici la nation n'est pas très satisfaite de la conduite de chacun d'eux. Que désormais ils n'ont à choisir qu'entre la reconnaissance publique et la vengeance des lois, et que par le mot responsabilité nous entendons la mort. Disons au roi que son intérêt est de défendre la Constitution ; que sa couronne tient à ce palladium sacré ; qu'il ne règne que par le peuple et pour le peuple ; que la nation est son souverain, et qu'il est sujet de la loi. Disons à l'Europe que le peuple français, s'il tire l'épée, en jettera le fourreau ; que, si malgré sa puissance et son courage, il succombait en défendant la liberté, ses ennemis ne régneraient que sur des cadavres. Disons à l'Europe que, si les cabinets engagent les rois dans une guerre contre les peuples, nous engagerons les peuples dans une guerre contre les rois. *(On applaudit.)* Disons-lui que tous les combats que se livreront les peuples par ordre des despotes... *(Les applaudissements continuent.)* N'applaudissez pas, n'applaudissez pas, respectez mon enthousiasme, c'est celui de la liberté.

« Disons-lui que tous les combats que se livrent les peuples par ordre des despotes ressemblent aux coups que deux amis, excités par un instigateur perfide, se portent dans l'obscurité ; si la clarté du jour vient à paraître, ils jettent leurs armes, s'embrassent et châtient celui qui les trompait. De même, si, au moment que les armées ennemies lutteront avec les nôtres, le jour de la philosophie frappe leurs yeux, les peuples s'embrasseront, à la face des tyrans détrônés, de la guerre consolée et du ciel satisfait. »

Cette puissante colère d'Isnard était véritablement divinatrice et prophétique. Tout ce qu'il disait, le 29 novembre, sur la perfidie des rois et le besoin de les prévenir, commença à éclater bien peu après. Le 3 décembre, Léopold écrivait à Vienne un acte, modéré dans la forme, mais qui, posant la question sur un point vraiment insoluble, annonçait assez l'intention de se ménager une querelle éternelle et la pensée ultérieure d'agir, quand il serait prêt.

Sa conduite était évidemment double. Comme Léopold et comme Autrichien, il était ami de la France ; il réprimait les insultes faites dans ses Etats aux Français qui portaient la cocarde nationale. Mais comme empereur, il empêchait les princes possessionnés en Alsace d'accepter les dédommagements que la France leur offrait ; il rompait même et annulait les arrangements qu'ils avaient pu prendre déjà, voulait les forcer à obtenir leur réintégration entière, annonçant la résolution *de les soutenir et de leur donner secours.* Et le motif qu'il alléguait était de ceux qui rendent la guerre inévitable, fatale : la question même de la souveraineté. Les terres en question, disait-il, n'étaient *pas tellement soumises à la souveraineté* du roi qu'il pût en disposer en indemnisant les propriétaires, Donc, il y voyait des enclaves purement germaniques de l'Empire au milieu de la France ; la France sans le savoir avait l'Empire dans ses flancs, l'ennemi dans ses positions les plus dangereuses, derrière ses lignes les plus exposées. La question présentée ainsi, il était facile à prévoir qu'on ne voulait point la dénouer, mais la garder comme un *en-cas* de guerre, et la trancher par l'épée.

Le 14 décembre, le roi vint déclarer à l'Assemblée qu'il ne verrait qu'un ennemi dans l'Electeur de Trèves, si, avant le 15 janvier, il n'avait dissipé les rassemblements armés. Il fut applaudi, mais sa popularité y gagna peu. Il ne s'expliquait pas sur l'étrange message de l'empereur qui occupait les esprits. Il annonçait qu'il ne s'écarterait jamais de la Constitution, mais à l'instant il l'appliquait de la manière la plus propre à soulever l'indignation publique, en apposant son *veto* au décret rendu contre les prêtres (19 décembre 1791). L'indignation publique se tourna contre les Feuillants, dont les chefs conseillaient la Cour. Des scènes violentes eurent lieu à leur club, et l'Assemblée décida qu'aucun club ne pourrait se réunir dans les bâtiments où elle siégeait.

Le décret contre les prêtres, le *veto* du roi, ce n'est pas moins que la guerre. C'est le point où, la conscience rencontrant la conscience, le roi se posant juste à l'encontre du peuple, l'un ou l'autre sera brisé.

Et sur cet orage bas, lourd, sombre de la lutte intérieure plane l'orage lumineux, grandiose de la guerre européenne qui se prépare en même temps. Il détone de moment en moment, avec des éclats sublimes.

Il éclate, aux Jacobins, le 18 décembre, d'une manière originale, fantastique et sauvage, à laquelle cette société politique, mieux disciplinée qu'on ne croit, n'était guère habituée. Elle était présidée, ce jour-là, par le prophète de la guerre, le violent prédicateur de la croisade européenne ; on voit que je parle d'Isnard. Une scène infiniment touchante (que j'ai contée au long, plus haut, t. III) venait d'avoir lieu ; on avait, en présence d'un député des sociétés anglaises, intronisé dans la salle les drapeaux des nations libres, française, anglaise, américaine. Le député, accueilli comme on n'accueille qu'en France, entouré de jeunes et charmantes femmes qui apportaient en présent pour leurs frères anglais les produits de leur travail, venait de répondre avec l'embarras d'une vive émotion. Un autre présent fut apporté, celui d'un Suisse de Neuchâtel, de ce Virchaux qui, en juillet, écrivit, au Champ-de-Mars, la pétition pour la République. C'était une épée de Damas, qu'il offrait pour le premier général français qui vaincrait les ennemis de la liberté. Cette épée donnée par la Suisse, esclave encore et suppliante, à la Révolution française qui allait la délivrer, c'était un touchant symbole. Quarante Suisses, les pauvres Vaudois du régiment de Châteauvieux, étaient sur les galères de France, comme pour nous mieux rappeler le monde enchaîné qui espère en nous.

Isnard fut saisi d'un transport extraordinaire. Il embrassa cette épée, et, la brandissant bien haut, il parla mieux qu'Ezéchiel : « La voilà !... Elle sera victorieuse... La France poussera un grand cri, tous les peuples répondront. La terre se couvrira de combattants, et les ennemis de la liberté seront effacés de la liste des hommes ! »

CHAPITRE V

Suite de la question de la guerre Mme de Staël et Narbonne au pouvoir (décembre 91-mars 92)

Opposition de Mme Roland et de Robespierre — Il est pour la guerre, au 28 novembre ; depuis pour la paix — Mme de Staël fait M. de Narbonne ministre de la Guerre, 7 décembre — Vues diverses de la Cour, des Feuillants, des Girondins — La Cour craignait la guerre — Robespierre suppose qu'elle veut la guerre, qu'elle conspire avec les Feuillants et la Gironde — Les Girondins ne peuvent répondre nettement à Robespierre — Leur conduite double — Impuissance de Narbonne, janvier 91 — Vague et nullité des moyens que propose Robespierre — L'Europe veut ajourner la guerre, la Gironde la décider — Louvet contre Robespierre, Desmoulins contre Brissot — Défiance et inertie des Jacobins — La Cour et les prêtres organisent la guerre intérieure — La Gironde confie les armes au peuple — Piques et bonnet rouge, janvier-février 92 — La Gironde frappe la Cour par l'accusation des ministres, 18 mars 1792 — La Cour accepte le ministère girondin.

Au moment où Isnard brandit l'épée de la guerre, où toute la salle, illuminée par cette lueur d'acier, croulait presque d'applaudissements, Robespierre monta, d'un air sombre, à la tribune, et dit froidement, lentement : « Je supplie l'Assemblée de supprimer ces mouvements d'éloquence matérielle ; ils peuvent entraîner l'opinion, qui a besoin, en ce moment, d'être dirigée par l'exemple d'une discussion tranquille. »

Il descendit, et un froid pesant retomba sur l'Assemblée. Le paralytique Couthon, se soulevant de sa place, demanda l'ordre du jour. La société était si docile, si parfaitement disciplinée, qu'au grand étonnement de la Gironde, elle vota l'ordre du jour.

C'était ce dernier parti, qui, trois mois durant, avait presque toujours, par Brissot, Fauchet, Condorcet, Isnard, Grangeneuve, présidé les Jacobins. Sa chaleur et son élan avaient, en quelque sorte, ravi la société hors d'elle-même. En réalité, il lui était extérieur et étranger, d'un génie essentiellement contraire ; il n'y pouvait avoir racine.

La dissidence profonde éclata sur la question de la guerre. La Gironde voulait la guerre extérieure ; les Jacobins, la guerre aux traîtres, aux ennemis du dedans. La Gironde voulait la propagande et la croisade ; les Jacobins, l'épuration intérieure, la punition des mauvais citoyens, la compression des résistances par voie de terreur et d'inquisition.

Leur idéal, Robespierre, exprimait parfaitement leur pensée, quand il dit, ce même soir (18 décembre 1791) : « La défiance est au sentiment intime de la liberté ce que la jalousie est à l'amour. »

Nous avons perdu de vue, depuis quelque temps, ce sombre personnage. Membre de la Constituante, il se trouvait par cela même exclu de la Législative. Il venait de passer deux mois à Arras. Dans ce court voyage, le seul moment de rafraîchissement d'esprit qu'il ait eu avant la mort, Robespierre avait été vendre le foyer de sa famille. Il voulait, avant les grandes luttes qu'il prévoyait, ramasser son existence, la concentrer toute *chez lui ;* chez lui, c'est-à-dire à Paris, rue Saint-Honoré, aux Jacobins, au sein de la société que nous avons vue, en septembre, réorganisée par lui, et dont, en décembre, nous le voyons toujours, en dépit de la Gironde, le dominateur.

Tout le voyage avait été un triomphe. Sorti de l'Assemblée constituante, presque sur les bras du peuple, Robespierre vit, de ville en ville, les sociétés patriotiques venir au-devant de lui. Son rôle, dans l'Assemblée, cette position de défenseur unique du principe abstrait de la démocratie, l'avait mis bien haut. Il apparaissait déjà, aux regards des plus pénétrants, comme le premier homme, le centre et le chef probable des associations jacobines qui couvraient la France. Mme Roland en avait jugé ainsi, et de son désert où elle était retournée, elle lui avait écrit (13 septembre) une lettre très digne, mais flatteuse et bien calculée. Nous ne voyons pas qu'il ait répondu à ces avances. Du Girondin au Jacobin, il y avait différence, non fortuite, mais naturelle, innée, différence d'espèce, haine instinctive, comme du loup au chien. Mme Roland, en particulier, par ses qualités brillantes et viriles, effarouchait Robespierre. Tous deux avaient ce qui semblerait pouvoir rapprocher les hommes, et qui, au contraire, crée entre eux les plus vives antipathies : *avoir un même défaut.* Sous l'héroïsme de l'une, sous la persévérance admirable de l'autre, il y avait un défaut commun, disons-le, un ridicule. Tous deux ils écrivaient toujours, *ils étaient nés scribes.* Préoccupés, on le verra, du style, autant que des affaires, ils ont écrit la nuit, le jour, vivant, mourant, dans les plus terribles crises et presque sous le couteau, la plume et le style furent pour eux une pensée obstinée. Vrais fils du XVIIIe siècle, du siècle éminemment littéraire et *bellétriste,* pour dire comme les Allemands, ils gardèrent ce caractère dans les tragédies d'un autre âge. Mme Roland, d'un cœur tranquille, écrit, soigne, caresse ses admirables portraits, pendant que les crieurs publics lui chantent sous ses fenêtres *La Mort de la Femme Roland.* Robespierre, la veille du 9 Thermidor, entre la pensée de l'assassinat et celle de l'échafaud, arrondit sa période, moins soucieux de vivre, ce semble, que de rester bon écrivain.

Comme politiques et gens de lettres, dès cette époque, ils s'aimaient peu. Robespierre, d'ailleurs, avait un sens trop juste, une trop parfaite entente de l'unité de vie nécessaire aux grands travailleurs pour se rapprocher aisément de cette femme, de cette reine. Près de Mme Roland, qu'eût été la vie d'un ami ? Ou l'obéissance, ou l'orage. L'humble maison des Duplay lui allait bien mieux. Là, il était roi lui-même, que dis-je ? dieu plutôt, l'objet d'une dévotion passionnée. Toutefois, revenant d'Arras, il ne put y entrer encore ; il ramenait sa sœur, la fière demoiselle Charlotte de Robespierre, qui n'était nullement d'humeur à céder son frère à personne. Il fallut qu'il s'établît avec elle, rue Saint-Florentin, au grand déplaisir de Mme Duplay, qui, dès lors, entra avec la sœur en état de guerre, attendant impatiemment le moment de reconquérir Robespierre, et rôdant autour, comme une lionne dont on a volé les petits.

Robespierre, qui venait de traverser toutes ces campagnes guerrières, la Picardie émue et ne voulant que combats, s'était montré d'abord, en arrivant (le 28 novembre), aussi guerrier que personne. Il était même sorti de sa voie ordinaire, de son respect affecté pour la Constitution, pour hâter les mesures décisives. Il voulait que l'Assemblée, *au lieu de s'adresser au roi* pour qu'il parlât à l'empereur, allât tout droit à celui-ci, sommât Léopold de disperser les émigrés, sinon *qu'elle lui déclarât la guerre,* au nom de la nation, des nations ennemies des tyrans. « Traçons autour de l'empereur le cercle que Popilius traçait autour de *Mithridate* » (il veut dire Antiochus), etc.

Il eut bientôt quelque sujet de regretter sa précipitation. De graves considérations le rejetèrent brusquement au parti de la paix, qu'il ne quitta plus :

1° Pendant son absence, ses rivaux, les Girondins, s'étaient emparés de l'idée populaire de la guerre, s'étaient placés comme à la proue de ce grand vaisseau de la France, au moment où une impulsion énormément puissante qu'il contenait en ses flancs allait le lancer sur l'Europe. Ces hommes, la plupart légers, les Brissot et les Fauchet, disputeurs, comme Guadet, aveuglément violents, comme Isnard, tous peu capables à coup sûr de diriger la machine, siégeant à la proue, non au gouvernail, n'en faisaient pas moins l'effet de pilotes, revendiquant pour eux-mêmes tout ce qu'allait faire la fatalité. Se décider pour la guerre si Robespierre l'avait fait, c'était se mettre à la suite et favoriser sans doute l'illusion publique qui leur en donnait tout l'honneur.

2° Le 5 décembre, la Cour, au grand étonnement de tout le monde, reçut des mains des Feuillants qu'elle haïssait et méprisait bien plus que les Jacobins, un ministre de la Guerre. Les Feuillants, maltraités par la Cour, pour qui ils avaient tant fait, La Fayette repoussé par elle des élections municipales, s'étaient coalisés pour lui imposer comme ministre M. de Narbonne, amant de Mme de Staël. Celle-ci, depuis le départ de Mounier et de Lally, représentait par le talent le parti anglais semi-aristocrate, celui qui voulait les deux chambres. Robespierre, avec son imagination prodigieusement défiante, et crédule à force de haine, s'empressa de croire que ses rivaux, les Girondins, étaient en accord avec le parti feuillant et anglais. L'un et l'autre parti, il est vrai, voulaient la guerre, mais avec cette différence : les Feuillants pour relever le trône, la Gironde pour le renverser.

3° Le troisième point, qui peut sembler hypothétique et conjectural, mais qui pour moi n'est pas douteux, c'est que les sociétés jacobines des provinces, composées en partie d'acquéreurs de biens nationaux, et influencées par eux, ne voulaient nullement la guerre. Robespierre, en la repoussant, fut leur très fidèle organe.

Distinguons entre les acquéreurs. Le paysan qui achetait quelque parcelle minime avec ses épargnes, une dot récemment reçue, ou, comme nous l'avons dit, avec les premiers fruits du bien, n'était pas embarrassé ; n'ayant pas affaire au crédit, il ne craignait point le resserrement des capitaux, il ne redoutait point la guerre.

Mais l'acquéreur en grand, le spéculateur des villes, n'achetait généralement qu'au moyen de quelque emprunt. La proposition de la guerre lui sonnait mal aux oreilles ; elle le surprenait dans une opération délicate, où, malgré les délais et le bon marché, il pouvait trouver sa ruine, si la banque tout à coup lui fermait ses coffres. Il ne faut pas demander si cet homme embarrassé se jetait aux Jacobins ; il remplissait la société de sa ville de cris, de plaintes, de défiances, d'accusations de toute sorte, pour entraver le mouvement. Il ne se bornait pas à crier, il écrivait, il faisait voter, écrire, à qui ? à la société mère, aux Jacobins de Paris, au pur, à l'honnête, à l'irréprochable Robespierre. On le priait, on le chargeait d'arrêter ce funeste élan qui, dans le hasard d'une guerre, pouvait mettre la France aux mains des traîtres, livrer ses armées, ouvrir ses frontières, anéantir sa Révolution.

Robespierre, désintéressé lui-même (sinon de haine et d'orgueil), défendit ces intérêts.

D'abord favorable à la guerre, il avait paru sentir qu'elle était le mouvement naturel et spontané de la Révolution. Puis, sous une autre influence, il parvint à se persuader que cette grande chose était l'effet d'une intrigue.

Voici, en réalité, la part exacte que l'intrigue avait en ceci :

Mme de Staël, fille de Necker, née dans cette maison de sentimentalité, de rhétorique et d'emphase, de larmes faciles, avait de grands besoins de cœur, en proportion de son talent. Elle cherchait d'amour en amour, parmi les hommes du temps, à qui elle donnerait ce cœur ; elle aurait voulu un héros ; n'en trouvant pas, elle compta sur le souffle puissant, chaleureux, qui était en elle, et elle entreprit d'en faire un.

Elle trouva un joli homme, roué, brave, spirituel, M. de Narbonne. Qu'il y eût peu ou beaucoup d'étoffe, elle crut qu'elle suffirait, étant doublée de son cœur. Elle l'aimait surtout pour les dons héroïques qu'elle voulait mettre en lui. Elle l'aimait, il faut le dire aussi (car elle était une femme), pour son audace, sa fatuité. Il était fort mal avec la Cour, mal avec bien des salons. C'était vraiment un grand seigneur, d'élégance et de bonne grâce, mais mal vu des siens, d'une consistance équivoque. Ce qui piquait beaucoup les femmes, c'est qu'on se disait à l'oreille qu'il était le fruit d'un inceste de Louis XV avec sa fille. La chose n'était pas invraisemblable. Lorsque le parti jésuite fit chasser Voltaire et les ministres voltairiens (les d'Argenson, Machault, encore, qui parlait trop des biens du clergé), il fallait trouver un moyen d'annuler la Pompadour, protectrice de ces novateurs. Une fille du roi, vive et ardente, polonaise comme sa mère, se dévoua, autre Judith, à l'œuvre héroïque, sanctifiée par le but. Elle était extraordinairement violente et passionnée, folle de musique, où la dirigeait le peu scrupuleux Beaumarchais. Elle s'empara de son père, et le gouverna quelque temps, au nez de la Pompadour. Il en serait résulté, selon la tradition, ce joli homme, spirituel, un peu effronté, qui apporta en naissant une aimable scélératesse à troubler toutes les femmes.

Mme de Staël avait une chose bien cruelle pour une femme ; c'est qu'elle n'était pas belle. Elle avait les traits gros, et le nez surtout. Elle avait la taille assez forte, la peau d'une qualité médiocrement attirante. Ses gestes étaient plutôt énergiques que gracieux ; debout, les mains derrière le dos, devant une cheminée, elle dominait un salon, d'une attitude virile, d'une parole puissante, qui contrastait fort avec le ton de son sexe, et parfois aurait fait douter un peu qu'elle fût une femme. Avec tout cela elle n'avait que vingt-cinq ans, elle avait de très beaux bras, un beau col à la Junon, de magnifiques cheveux noirs qui, tombant en grosses boucles, donnaient grand effet au buste, et même relativement faisaient paraître les traits plus délicats, moins hommasses. Mais ce qui la parait le plus, ce qui faisait tout oublier, c'étaient ses yeux, des yeux uniques, noirs et inondés de flammes, rayonnants de génie, de bonté et de toutes les passions. Son regard était un monde. On y lisait qu'elle était bonne et généreuse entre toutes. Il n'y avait pas un ennemi qui pût l'entendre un moment, sans dire en sortant, malgré lui : « O la bonne, la noble, l'excellente femme ! »

Retirons le mot de génie, pourtant ; réservons ce mot sacré. Mme de Staël avait, en réalité, un grand, un immense talent, et dont la source était au cœur. La naïveté profonde et la grande invention, ces deux traits saillants du génie, ne se trouvèrent jamais chez elle. Elle apporta, en naissant, un désaccord primitif d'éléments qui n'allait pas jusqu'au baroque, comme chez Necker, son père, mais qui neutralisa une bonne partie de ses forces, l'empêcha de s'élever et la retint dans l'emphase. Ces Necker étaient des Allemands établis en Suisse. C'étaient des bourgeois enrichis. Allemande, suisse et bourgeoise, Mme de Staël avait quelque chose non pas lourd, mais fort, mais épais, peu délicat. D'elle à Jean-Jacques, son maître, c'est la différence du fer à l'acier.

Justement parce qu'elle restait bourgeoise, malgré son talent, sa fortune, son noble entourage, Mme de Staël avait la faiblesse d'adorer les grands seigneurs. Elle ne donnait pas l'essor complet à son bon et excellent cœur, qui l'aurait mise entièrement du côté du peuple. Ses jugements, ses opinions tenaient fort à ce travers. En tout, elle avait du faux. Elle admirait, entre tous, le peuple qu'elle croyait éminemment aristocratique, l'Angleterre, révérant la noblesse anglaise, ignorant qu'elle est très récente, sachant mal cette histoire, dont elle parlait sans cesse, ne soupçonnant nullement le mécanisme par lequel l'Angleterre, puisant incessamment d'en bas, fait toujours de la noblesse. Nul peuple ne sait mieux faire du vieux.

Il ne fallait pas moins que le grand rêveur, le grand fascinateur du monde, l'amour, pour faire accroire à cette femme passionnée qu'on pouvait mettre le jeune officier, le roué sans consistance, créature brillante et légère, à la tête d'un si grand mouvement. La gigantesque épée de la Révolution eût passé, comme gage d'amour, d'une femme à un jeune fat ! Cela était déjà assez ridicule. Ce qui l'était encore plus, c'est cette chose hasardée ; elle prétendait la faire dans les limites prudentes d'une politique bâtarde, d'une liberté quasi anglaise, d'une association avec les Feuillants, un parti fini, avec La Fayette, à peu près fini. De sorte que la folie n'avait pas même ce qui fait réussir la folie parfois, d'être hardiment folle.

Un homme d'esprit, qu'on a de nos jours ridiculement exagéré comme prudence et prévoyance, Talleyrand, s'était aussi, à l'étourdie, embarqué dans cette sottise. A la légère, il se laissa envoyer en Angleterre par la petite coalition. Il fut à peine reçu ; partout on lui tourna le dos.

Qui ne voyait derrière ce parti mixte, impuissant, venir l'ardente Gironde ? Celle-ci n'avait pas eu la peine de rêver, d'inventer la guerre. Elle était fille de la guerre, c'est la guerre qui l'avait nommée. Elle arrivait, bouillonnante, sur la vague belliqueuse du grand océan de la Révolution, impatient de déborder. Mme de Staël avait son talent et son intrigue, son salon européen, et surtout anglais les débris de la Constituante et feu M. de La Fayette. La Gironde avait l'élan, l'impulsion immense des six cent mille volontaires qui allaient se mettre en marche ; elle avait ses machines populaires dont elle battait à la fois les Feuillants et les Jacobins ; je parle surtout de la fabrication des piques, et du bonnet rouge, qu'elle inventa en décembre.

La Gironde laissait aller les Feuillants, Mme de Staël et Narbonne ; elle les favorisait de ses vœux, trouvait très bon qu'ils travaillassent pour elle. Cette épée, une fois tirée, qui la manierait, sinon la Gironde ? Elle comptait en faire double usage, contre le roi, contre les rois, d'un revers abattre le trône, et la pointe, la porter à la gorge de l'ennemi du dehors, qui par-derrière à ce moment verrait les peuples soulevés.

La Cour avait une peur effroyable de la guerre, nous le savons maintenant de la manière la plus certaine. Et quand nous ne le saurions pas, l'effort ne serait pas grand pour en faire la conjecture, quand on voit la désorganisation croissante où elle laissait l'armée, non le personnel seulement qui était indiscipliné, mais le matériel même, pour lequel l'Assemblée votait toujours en vain des fonds.

On a vu comment, sous l'influence de la Cour, la Constituante réduisit ses trois cent mille volontaires à moins de cent mille, dont le ministre déclara ne pouvoir armer que quarante-cinq mille, lesquels ne furent pas armés.

Ces faits étaient connus, palpables. Et cependant un témoin fort attentif, Robespierre, semble ne les avoir pas vus ; encore moins la presse et les clubs, qui le suivirent en ceci. Tous, sur sa trace, se lancèrent à l'envi dans le champ des conjectures, des vagues accusations, sans daigner relever les faits qui se trouvaient sous leurs pieds.

Robespierre partait d'un point de départ excellent et judicieux ; mais son imagination, sombre et systématique dans les déductions de la haine, en tirait un vaste ensemble de conjectures erronées.

Le point de départ très vrai, c'est que Narbonne et sa muse, les Feuillants, etc., ne pouvaient inspirer confiance, ni comme caractère ni comme parti, qu'il était très hasardeux de commettre à de telles mains la guerre de la liberté.

Robespierre n'en savait pas plus. Voici ce qu'il y ajoutait de conjectural : « Il est bien vraisemblable qu'il y a un accord profond, un complot bien arrêté, entre la Cour d'une part, et, de l'autre, les Feuillants, Staël, Narbonne et La Fayette. Ils veulent compromettre les armées de la France, les amener mal organisées devant les cent mille vieux soldats allemands qui bordent nos frontières, simuler quelque opération, se faire battre, ou bien encore, par quelque petit avantage arrangé et convenu, se porter pour nos sauveurs, et revenir nous imposer leur constitution anglaise, pairie, aristocratie, etc. » Cela était spécieux, et pourtant cela était faux, quant à l'accord avec la Cour ; Narbonne lui était imposé. Elle haïssait les Feuillants bien plus que les Jacobins ; et, pour La Fayette, bien loin de lui désirer un succès, elle venait de lui faire éprouver le plus humiliant échec aux élections de Paris.

« Il est bien vraisemblable encore, disait Robespierre, que Brissot et la Gironde s'entendent avec la Cour, les Feuillants, Narbonne et La Fayette. Brissot n'attaque pas Narbonne, etc. » Cela était faux encore. Brissot qui, jusqu'au massacre du Champ-de-Mars, espérait dans La Fayette, Brissot ne le revit plus depuis cette époque, et, sans l'attaquer vivement, il lui fut hostile, appartenant sans retour au parti qui, malgré La Fayette, malgré les Feuillants, voulait renverser le trône.

Robespierre était à la fois trop méfiant et trop subtil pour trouver la vérité. Le réel (aujourd'hui évident, incontestable) était que la Cour, les Feuillants, les Girondins n'étaient nullement dans l'association intime qu'il supposait, que la Cour haïssait Narbonne et frémissait de ce projet aventureux de la guerre où on voulait la lancer ; elle pensait avec raison que, le lendemain, au premier échec, accusée de trahison, elle allait se trouver dans un péril épouvantable, que Narbonne et La Fayette ne tiendraient pas un moment, que la Gironde leur arracherait l'épée, à peine tirée, pour la tourner contre le roi.

« Voyez-vous, disait Robespierre, que le plan de cette guerre perfide, par laquelle on veut nous livrer aux rois de l'Europe, sort justement de l'ambassade du roi, qui serait le général de l'Europe contre nous, de l'ambassade de Suède. » C'était supposer que Mme de Staël était véritablement la femme de son mari, qu'elle agissait pour M. de Staël et d'après les instructions de sa cour ; supposition ridicule, quand on la voyait si publiquement éperdue d'amour pour Narbonne, impatiente de l'illustrer. La pauvre Corinne, hélas ! avait vingt-cinq ans, elle était fort imprudente, passionnée, généreuse, à cent lieues de toute idée d'une trahison politique. Ceux qui savent la nature, et l'âge, et la passion, mieux que ne les savait le trop subtil logicien, comprendront parfaitement cette chose, fâcheuse, à coup sûr, immorale, mais enfin réelle : elle agissait pour son amant, nullement pour son mari. Elle avait hâte d'illustrer le premier dans la croisade révolutionnaire, et s'inquiétait médiocrement si les coups ne tomberaient pas sur l'auguste maître de l'ambassadeur de Suède.

Le 12 décembre, le 2 janvier, le 12, et plus tard encore, Robespierre exposa, avec une autorité extraordinaire, le vaste système de défiance et d'accusation où il mêlait tous les partis ; une foule de rapprochements, plus ou moins ingénieux, venaient étayer, d'une manière plus ou moins heureuse, cet édifice d'erreurs. Tout cela reçu à merveille des Jacobins, dont le génie propre était la défiance même, et qui écoutèrent, accueillirent avidement des pensées qui étaient les leurs, s'en pénétrèrent, en imbibèrent profondément leurs esprits. Le moment y prêtait aussi : un Paris triste, trouble, sinistrement orageux, une misère profonde, sans espoir, sans fin, ni terme. Un sombre hiver. Partout des ombres, des ténèbres, des brouillards. « Voyez-vous, là-bas, cette ombre qui file, cette figure fantastique, ce chevalier du poignard enveloppé d'un manteau ?... Hier on a vu partir un fourgon des Tuileries... Il y a quelque chose là-dessous, etc. » Tout cela pris avec une crédulité extrême ; l'ombre, on la voyait ; le conte, on le croyait sans peine. Celui qui osait en douter était mal vu dans les groupes ; on s'éloignait de lui, parfois on le menaçait.

Il faut voir comme la presse est ardente, aveugle et crédule. Rien d'absurde que n'admettent Fréron et Marat. Pauvre peuple, dit celui-ci, te voilà trahi par la guerre ! Lorsque, pour tout terminer, des poignards, des bouts de corde auraient été suffisants. Et Desmoulins, qui a tant d'esprit, n'en a plus la disposition. Il va, il vient, il croit, il doute, selon Danton, selon Robespierre ; selon lui-même, jamais.

Le plus original, comme toujours, c'est Danton. Parlant devant les Jacobins, il craint de ne pas paraître partager toute leur défiance. Il craint, il le dit lui-même, qu'on ne l'accuse d'être contre le parti de l'énergie. Il tourne, se répand en vaines et retentissantes paroles, disant que, certes, il veut la guerre, mais qu'auparavant il veut que le roi agisse contre les émigrés, etc.

Brissot répondit plusieurs fois aux arguments de Robespierre, sans jamais pouvoir ébranler l'autorité de celui-ci près des Jacobins. Outre leur infatuation, qui leur faisait d'avance prendre en mauvaise part ce qui lui était contraire, ils avaient une bonne raison de moins écouter Brissot. Robespierre disait toute sa pensée, Brissot la moitié de la sienne. Le premier montrait à merveille que la Cour, les Feuillants, Narbonne, étaient trop suspects pour leur confier la guerre. Mais Brissot, se répandant en généralités que l'on ne contestait pas, ne disait pas, ne pouvait dire sa pensée intime, à savoir que la Gironde, maîtresse du mouvement qui montait, était sûre d'écarter Narbonne, de saisir l'épée elle-même, et, renversant l'ennemi du dedans, le roi, de marcher avec unité contre l'ennemi du dehors.

Ainsi la partie entre eux n'était pas égale, Brissot ne pouvant employer qu'une partie de ses moyens. Robespierre le serrait de près, disait, redisait ce mot, visiblement juste : « Le pouvoir exécutif est suspect, comment exécuterez-vous ? » Ce pouvoir est le danger, l'obstacle, et qu'en faites-vous ? Brissot ne pouvait répondre sa pensée : « Nous le renversons. »

Cet état de ménagement, de réserve, de duplicité, faisait la faiblesse de la Gironde, d'ailleurs si forte en ce moment. Il y avait dans son fait, à l'égard du roi, une sorte d'hypocrisie qui lui faisait tort. Elle l'admettait, ce roi, elle ne l'attaquait pas encore de front. Elle le sommait d'être roi, d'agir comme un pouvoir constitué, mais, en même temps, par l'irritation de vexations successives, elle l'induisait en tentation, si je puis parler ainsi. Elle comptait le pousser jusqu'à ce qu'il fît quelque faute décisive, qui, le mettant en face du courroux de la nation, le ferait tomber en poudre.

Le 11 janvier, Narbonne, ayant, dans un voyage rapide, parcouru les frontières, vint rendre compte à l'Assemblée. Vrai compte de courtisan. Soit précipitation, soit ignorance, il fit un tableau splendide de notre situation militaire, donna des chiffres énormes de troupes, des exagérations de toute espèce, qui, plus tard, furent pulvérisés par un mémoire de Dumouriez. Cependant, dans le discours élégant et chaleureux de Narbonne, où Mme de Staël avait certainement mis la main, il disait plusieurs choses d'un grand sens, que personne alors, il est vrai, ne pouvait comprendre bien. Il dit qu'il y avait à faire une distinction essentielle entre les officiers ; que plusieurs étaient réellement amis de la Révolution. Cela ne sera pas mis en doute par ceux qui savent que plusieurs des plus purs, des plus respectables amis de la liberté qui se soient trouvés dans l'armée, Desaix, la Tour d'Auvergne et d'autres, étaient des officiers nobles. L'ancien régime était loin d'encourager la noblesse de province ; elle n'avait dans le service aucune chance d'avancement ; tous les grades supérieurs appartenaient de droit à la noblesse d'antichambre, aux familles de la Cour, aux colonels de l'Œil-de-Bœuf.

Narbonne dit encore une chose très belle, très juste, sortie probablement du noble cœur de son amie : « Une nation qui veut la liberté n'aurait pas le sentiment de sa force si elle se livrait à des terreurs sur les intentions de quelques individus. *Quand la volonté générale est aussi fortement prononcée qu'elle l'est en France, en arrêter l'effet n'est au pouvoir de personne.* La confiance fût-elle même un acte de courage, il importerait au peuple, comme aux particuliers, de croire à la prudence de la hardiesse. »

Ce mot n'était pas juste seulement, il était profond. Non, personne ne pouvait arrêter un tel mouvement. Sous les plus indignes chefs, il eût eu son effet de même. Invincible par sa grandeur, il eût emporté les faibles et les traîtres ; toutes les mauvaises volontés, subjuguées, perdues, absorbées, auraient été forcées de suivre. Une nation, tout entière, se soulevait de ses profondeurs ; elle allait, d'un bond immense, au-devant des nations, qui lui faisaient signe et qui l'appelaient. De tels phénomènes qui ont la fatalité des éléments, la force de la nature, sont à peine retardés par les petits accidents. Placez un homme ou plusieurs au point formidable où la nappe énorme du Niagara descend à l'abîme, qu'ils soient forts ou qu'ils soient faibles, qu'ils veuillent ou ne veuillent pas aller, qu'ils se raidissent ou non, ils descendront tout de même. Le même soir, 11 janvier, Robespierre fit aux Jacobins un discours infiniment long, infiniment travaillé, sans rien ajouter d'essentiel à ce qu'il avait dit plusieurs fois de l'utilité de la défiance. La fin sur le ton sensible, lamentable et testamentaire, se posant toujours pour martyr, et recommandant sa mémoire à la jeune génération, « doux et tendre espoir de l'humanité », qui, reconnaissante, dresserait des autels à la vertu. Il se fiait, disait-il, aux leçons de l'amour maternel ; il espérait que ces enfants « fermeraient l'oreille aux chants empoisonnés de la volupté », et autres banalités morales, gauchement imitées de Rousseau. C'était le ton de l'époque, et l'effet était surtout excellent aux Jacobins. Dans les tribunes, pleines de femmes, ce n'était que bruit de mouchoirs, soupirs contenus, sanglots.

Mais enfin, que voulait-il ? Il ne le disait nullement. Que fallait-il faire, selon lui, de cette révolution lancée, de ce mouvement du peuple, de ces sympathies de l'Europe ? N'était-il pas à craindre que ce grand élan, arrêté, ne se tournât contre soi-même ? que le lion, n'ayant pas carrière, ne devînt furieux contre lui et ne se mît lui-même en pièces ? Et c'est ce qui arriva. Ce délai fatal changea la croisade en guerre défensive, atroce et désespérée. Il nous valut Septembre, le changement universel de l'Europe contre nous, la haine et l'horreur du monde.

Bien tard, le 10 février, pressé tous les jours de sortir de ses déclamations négatives, de son panégyrique éternel de la défiance, Robespierre se hasarda (plus qu'il n'avait jamais fait) à indiquer quelques moyens pratiques. Ils sont curieux. Je les reproduis, dans leur naïve insignifiance. Le premier, c'est une fédération, sans idole, cette fois, La Fayette ; le second, c'est la vigilance ; tenir les sections en permanence, rappeler les gardes-françaises dispersés, transporter la Haute Cour d'Orléans à Paris, punir les traîtres ; 3° propager l'esprit public par l'éducation ; 4° *faire des décrets avantageux au peuple,* détourner « pour l'humanité épuisée et haletante » quelque parcelle des trésors absorbés par la Cour, etc. — Voilà la recette vague et faible, à coup sûr, et qui n'en fut pas moins violemment applaudie, admirée des Jacobins.

Une chose était évidente. L'Europe, en présence du Rhin frémissant, des Pays-Bas à peine contenus, de Liège, de la Savoie, du Pays de Vaud qui s'élançaient vers la France, l'Europe, en ce moment, voulait ajourner la guerre, prendre un temps plus favorable. L'occasion pouvait lui être donnée par les excès de la Révolution, excès probables si l'on contenait fermée dans sa cuve cette vendange écumante qui cherchait à s'échapper.

Les princes, pour arrêter la France, essayaient et de l'intimidation et des mesures conciliantes. L'empereur avait déclaré que l'Electeur de Trèves, alarmé, lui demandait secours, et qu'il lui envoyait le général Bender, celui qui avait étouffé la Révolution des Pays-Bas. D'autre part, l'Electeur offrait toute satisfaction, éloignant les émigrés, et menaçant de la peine la plus grave, des travaux forcés, ceux qui recruteraient pour eux ou leur fourniraient des munitions (6 janvier 1792). Néanmoins, le 14 janvier, le comité diplomatique, par l'organe de Gensonné, conclut à ce que le roi demandât à l'empereur de déclarer nettement, *avant le 11 février,* s'il était pour ou contre nous ; son silence serait considéré comme première hostilité.

La Cour, effrayée de voir poser si nettement la question de la guerre, fit dire immédiatement qu'elle recevait de Trèves l'assurance positive que la dispersion des émigrés avait eu lieu en effet. Elle fit savoir aussi que l'empereur avait donné des ordres en ce sens au cardinal de Rohan, qui, de Kehl, inquiétait Strasbourg.

Tantôt, pour ralentir et faire réfléchir l'Assemblée, on venait lui dire que la frontière était menacée par les Espagnols, et qu'en marchant vers le Rhin on allait les avoir à dos. Tantôt, un Feuillant (Ramond) faisait remarquer combien peu on devait se fier aux Anglais qui, au moment de la guerre, pourraient tourner contre nous.

Le jour où Gensonné proposa de demander à l'empereur une explication définitive, l'un des premiers Girondins, Guadet (de Saint-Emilion), brillant orateur, aux paroles ardentes, rapides, provocantes, entreprit de répondre, une fois, par une grande manifestation, solennelle et dramatique, à l'insinuation ordinaire de Robespierre contre la Gironde (qu'elle ne hasardait la guerre que pour compromettre la France en s'arrangeant avec les rois). Guadet, saisissant le mot de congrès, qui avait été prononcé : « Quel est ce congrès, ce complot ?... Apprenons donc à tous ces princes que la nation maintiendra sa Constitution tout entière ou qu'elle périra avec elle... Marquons une place aux traîtres, et que cette place soit l'échafaud !... Je propose de déclarer traître et infâme tout Français qui prendra part à un congrès pour modifier la Constitution ou obtenir une médiation entre la France et les rebelles ! » L'Assemblée se leva tout entière, avec un inexprimable enthousiasme, aux applaudissements des tribunes, et elle prêta ce serment.

Vergniaud, le surlendemain, dans un discours admirable, répondit aux partisans de la paix qui montraient facilement la France seule et sans alliés. Il avoua qu'en effet elle n'en avait d'autre que la justice éternelle, terminant par cette parole religieuse : « Une pensée échappe, dans ce moment, à mon cœur. Il me semble que les mânes des générations passées viennent se presser dans ce temple pour vous conjurer, au nom des maux que l'esclavage leur fit éprouver, d'en préserver les générations futures dont les destinées sont entre vos mains. Exaucez cette prière ; *soyez à l'avenir une nouvelle providence* ; associez-vous à la Justice éternelle qui protège les Français. En méritant le titre de bienfaiteurs de votre patrie, vous mériterez aussi celui de bienfaiteurs du genre humain. »

La sublime douceur de ces paroles contraste fort avec l'ardeur extrême de la lutte qui se poursuivait dans la presse et aux Jacobins. Elle s'était animée encore, sous l'action d'un jeune homme, d'une facilité singulière, sans adresse ni mesure, Louvet, auteur de *Faublas*. Plusieurs le disaient aussi le héros de son roman ; et en effet, ce belliqueux Louvet, l'ardent champion de la guerre, c'était un petit homme blond, d'une figure douce et jolie, qui sans doute, comme Faublas, eût pu passer pour une femme. Auteur d'un roman immoral, par contraste, il fut en réalité le modèle du fidèle amour ; sa Lodoïska, qu'il a rendue célèbre, lui sauva la vie en 93, et, plus tard, Louvet mourut de chagrin pour quelques plaisanteries insultantes dont elle avait été l'objet.

Louvet, après mainte aventure, possédait en 92 sa Lodoïska, et vivait heureux. Il ne hasarda pas moins ce bonheur. Le courageux petit homme s'attaqua à Robespierre, d'une façon vive et provocante, toutefois respectueuse encore, et comme on attaque un grand citoyen. Celui-ci n'en fut pas moins aigri de se voir, aux Jacobins même, en son royaume, discuté, contesté, contredit par le jeune acteur de *Faublas,* leste combattant, qui multipliait les attaques, faisant assaut de partout, frappant cent fois Robespierre avant qu'il ne fût tourné.

Il ne s'en prenait pas à Louvet, mais à Brissot. Et sa haine allait croissant. Brissot lui lançait Louvet. Et lui, à Brissot, il lança aux jambes un dogue, Camille Desmoulins.

On venait justement, aux Jacobins, d'obliger les deux adversaires, Robespierre et Brissot, de se rapprocher et de s'embrasser. Le vieux Dussault, qui provoqua cette fausse paix, pleurait de tendresse. Robespierre, toutefois, protesta qu'il continuerait la lutte, « son opinion ne pouvant être subordonnée aux mouvements de sa sensibilité et de son affection pour M. Brissot ». Ce mot d'affection fait frémir.

Desmoulins avait eu le tort de défendre, comme avocat, je ne sais quel intrigant, suppôt d'une maison de jeu. Brissot, qui affectait le puritanisme plus qu'il n'avait droit de le faire, l'en avait aigrement repris. Le moment était excellent pour lancer le colérique écrivain contre son censeur imprudent. Desmoulins alla chercher dans la vie de Brissot et trouva sans peine. Celui-ci, avant la Révolution, toujours famélique, avait été aux gages des libellistes français d'Angleterre. Il avait eu, comme tous les gens de lettres de l'époque, quelque affaire d'indélicatesse ; par exemple, il avait reçu des souscriptions pour une entreprise qui ne se fit pas, et il n'avait pu les rendre. Brissot fut toute sa vie, non pas pauvre, mais indigent. Sa toute-puissance politique en 92 ne changea rien à cela. Dans cette année même, où il disposait de tout, donnait les places les plus lucratives à qui il voulait, il n'avait qu'un vieil habit noir dont les coudes étaient usés ; il logeait dans un grenier, sa femme blanchissait ses chemises. La pénurie absolue où il laissait sa famille fut pour lui, à ses derniers moments, le chagrin le plus amer.

Desmoulins reprit à sa manière le triste passé de Brissot. Aux choses vraies ou vraisemblables, il en ajouta d'absurdes qui n'en eurent pas moins d'effet. Les insinuations perfides de Robespierre, timides, voilées à demi, délayées dans son langage ennuyeux et monotone, n'avaient pu porter un grand coup. Mais, reprises une fois par Desmoulins, ce fut un fer chaud dont Brissot se trouva marqué pour toujours, marqué pour la honte, marqué pour la mort. Il y eut, il est vrai, pour le cruel pamphlétaire, une dure expiation, en 93. Le jour où fut prononcée la condamnation de Brissot et de la Gironde, dans cette funeste nuit, au moment où le jury rentra avec la sentence de mort, Desmoulins était présent et s'arrachait les cheveux. « Hélas ! criait-il, c'est moi, c'est mon *Brissot dévoilé,* mon *Histoire des Brissotins,* qui les a menés ici. »

Une main paraît partout, dans ce meurtrier factum : celle de l'homme qui, à cette époque, gouvernait le mobile artiste et tournait sa plume en poignard, celle du *camarade de collège,* dont Desmoulins se vante tant, celle du grand citoyen « qui lui est cher et vénérable », enfin la main de Robespierre. On a retrouvé, minuté de cette même main, on possède encore le perfide et menteur rapport de Saint-Just qui perdit Danton. Nul doute que le plan du factum de Desmoulins contre Brissot n'ait été de même fourni par Robespierre, tout au moins l'indication précise des principaux chefs d'accusation. Le plus atroce se retrouve reproduit au premier numéro du journal que Robespierre publia bien peu après. On croit rêver en lisant, tant l'imputation est invraisemblable, absurde.

Savez-vous pourquoi Brissot, en juillet 91, proposait la République ? C'était, selon Robespierre et Desmoulins, pour préparer le massacre du Champ-de-Mars ! Tout ce que faisait Brissot, c'était pour dégoûter d'avance le peuple de la liberté, pour lui faire regretter la servitude, « pour faire avorter la liberté de l'univers par son empressement d'en faire accoucher la France avant terme ».

Voilà le texte commun du maître et de l'écolier. Puis, celui-ci brode. Il s'abandonne à sa verve. Pourquoi Brissot a-t-il poussé à bout Barnave et Lameth ? Pour les jeter dans les bras de la Cour, fortifier celle-ci et perdre la Révolution. Pourquoi a-t-il précipité l'affranchissement des Noirs ? Pour incendier Saint-Domingue et faire calomnier la Révolution. Pourquoi encore, en ce moment, reproche-t-il à Desmoulins d'avoir défendu les maisons de jeu ? Pour effaroucher les joueurs, multiplier les ennemis de la Révolution, et perdre la liberté.

L'écolier ne vaut pas le maître. Desmoulins n'a pas encore le maniement de la calomnie comme Robespierre. Il ne la laisse pas, comme lui, indécise et nuageuse, délayée dans une parole vague et fade où l'on voit tout ce qu'on veut. Il y met trop de talent, d'esprit et de netteté, de lumière. Il pousse à l'extrême, il gonfle, grossit, exagère à pleine bouche, et il devient ridicule ; par exemple, quand il compare Charles IX et La Fayette.

Robespierre restait absorbé dans cette lutte personnelle. Il retenait les Jacobins et les rendait ridicules, ne voulant rien, ne faisant rien que parler, accuser, trembler, dire toujours : « Prenons garde à nous, n'avançons pas, ne compromettons rien... Abstenons-nous, contentons-nous de bien surveiller l'ennemi... » Une maladie du temps, c'était d'attribuer tout au duc d'Orléans. Cette grande société d'inquisition et de parlage était comme une ombre sinistre, debout sur la France, que l'on regardait toujours, où l'on croyait toujours voir le point de départ de tout mouvement. Cela était faux, à coup sûr, pour le moment où nous sommes. Les Jacobins, retardés par leur caractère intrinsèque (méfiance et négation), retardés par l'intérêt des Jacobins acquéreurs de biens nationaux qui craignaient beaucoup la guerre, les Jacobins ne faisaient rien.

Rester inertes, lorsque le monde marchait, que les événements se précipitaient, c'eût été pour baisser bien vite. Mais le préjugé du temps, les accusations continuelles qui rendaient les Jacobins responsables de tout ce qu'ils ne faisaient point, contribuaient à les relever. Un article ingénieux, éloquent, d'André Chénier, où, pénétrant le génie inquisitorial de la Société, il marquait avec précision leur principe fondamental (le devoir de la délation), et disait que c'étaient des moines, fit sensation dans le public, et les montra plus redoutables encore qu'on ne l'avait pensé. Ce qui releva encore bien autrement leur importance, c'est que l'empereur Léopold, dans les actes publics qui furent communiqués à l'Assemblée (19 février 1792), désigna « cette secte pernicieuse » comme le principal ennemi de la royauté et de tout ordre public. L'accusation de l'étranger attacha singulièrement la France aux sociétés jacobines : la foule s'y précipita.

L'Europe regardait la France. L'impératrice de Russie s'était hâtée de traiter avec la Turquie, et l'avait fait sans marchander, à des conditions modérées, étant préoccupée évidemment d'une affaire plus grave encore. Quelle ? L'anéantissement des révolutions de Pologne et de France, il était facile de le deviner.

Le 7 février avait été signé, à Berlin, un traité d'alliance offensive et défensive entre l'Autriche et la Prusse. Ces puissances, toutefois, ne devaient agir que quand la guerre civile aurait éclaté ici.

Elle devenait vraisemblable, et commençait déjà dans les affaires religieuses. Les prêtres qui se mariaient étaient cruellement poursuivis. L'Assemblée n'avait passé à l'ordre du jour sur le mariage des prêtres, qu'en disant que, « la chose n'ayant rien de contraire aux lois, il était superflu de statuer expressément là-dessus ». C'était une approbation muette, indirecte. Deux curés en jugèrent ainsi, se marièrent, et l'on vit le peuple ameuté, l'on vit les magistrats municipaux, à la tête du peuple, les chasser violemment, ignominieusement de leur cure. En revanche, les patriotes de je ne sais quel endroit, furieux d'un enterrement accompli par un réfractaire, voulaient déterrer le mort pour le faire bénir au nom de la loi.

Dans Paris, la lutte semblait imminente, le sang bien près de couler. La Cour avait trouvé moyen de se créer une armée. Je parle de la garde constitutionnelle du roi qu'avait autorisée l'Assemblée constituante, mais qu'on avait rendue très nombreuse et redoutable. Elle devait être de dix-huit cents hommes, et elle fut de près de six mille. L'Assemblée avait donné au roi maison civile, maison militaire ; la dernière seulement fut organisée. C'était une arme sur laquelle la reine se jeta avidement. « Votre Majesté, lui disait Barnave, est comme le jeune Achille qui se dévoila lui-même, quand on offrit à son choix l'épée et les joyaux de femmes ; il se saisit de l'épée. »

Ce n'était pas une garde de parade comme on se l'était figuré. Elle fut recrutée soigneusement, homme à homme, dans deux classes des plus dangereuses ; d'une part, des gentilshommes de province, braves et fanatiques comme Henri de La Rochejaquelein ; d'autre part, des maîtres d'escrime, des ferrailleurs éprouvés, des hommes d'audace et d'aventure ; il suffit de nommer Murat.

Ce petit nombre, avec les Suisses, et une partie dévouée de la garde nationale, c'était en réalité une force bien plus sérieuse que les multitudes indisciplinées des faubourgs et de Paris. Celles-ci commençaient à s'armer. La Gironde, par tous les moyens de souscriptions et de presse, encourageait partout la fabrication des piques. Elle voulait armer tout le peuple.

Quelques fautes que ce parti doive commettre plus tard, rendons-lui ce qu'il mérite. Il posa, dans cette crise, le principe révolutionnaire avec infiniment de générosité et de grandeur. D'une part (dans une lettre touchante de Pétion), il faisait sortir l'espoir de la Révolution d'une conciliation amicale entre la bourgeoisie et le peuple, entre les pauvres et les riches. Et cette conciliation, il la fondait sur une confiance immense, mettant les armes aux mains des pauvres.

Les armes pour tous, l'instruction pour tous ; enfin, au profit de tous, un système fraternel de secours publics. Nulle part cette fraternité n'a été exposée avec un plus tendre respect du pauvre que dans l'adresse à la France, rédigée par Condorcet (16 février 1792).

L'égalité, fondée ainsi, devait être montrée et rendue visible, par l'adoption, sinon d'un même costume, ce qui est impraticable, mais au moins d'un signe commun. On adopta le bonnet rouge, universellement porté alors par les plus pauvres paysans. On préférait la couleur rouge à tout autre, comme plus gaie, plus éclatante, plus agréable à la foule. Personne alors n'avait l'idée que ce rouge fût celui du sang.

Ce fut une femme, une mère, qui, dans ce danger public du dehors et du dedans, écrivit (31 janvier 1792) au Club de l'Evêché qu'il fallait ouvrir une souscription pour la fabrication des piques et l'armement universel du peuple. Les assistants, émus, donnèrent immédiatement tout ce qu'ils pouvaient. La presse girondine répandit, poussa la chose. Les Jacobins, peu favorables à la guerre, et mortifiés sans doute d'avoir été prévenus, goûtèrent peu les piques, peu le bonnet rouge ; ils gardèrent un profond silence. Le 7 février seulement, un ardent Savoyard, Doppet, leur présenta un serrurier qui venait faire hommage des piques qu'il avait forgées. On nomma des commissaires pour le perfectionnement de cette arme.

L'élan du faubourg Saint-Antoine, qui déjà s'était si bien servi des piques en 89, fut extraordinaire. Son fameux orateur, Gonchon, vint au Club de l'Evêché offrir les flammes tricolores qui devaient décorer les piques. « Elles feront le tour du monde, dit Gonchon, nos piques et nos flammes ! Elles nous suffiront pour renverser tous les trônes. La cocarde tricolore est partie du bonnet de laine, elle ira jusqu'au turban. »

Le roi exprimant ses inquiétudes sur cet armement général, la municipalité n'osa point y mettre obstacle. Seulement elle ordonna à ceux qui s'armaient de piques d'en faire leur déclaration à leur section, et de n'obéir qu'aux officiers de la garde nationale ou de la ligne.

Ainsi, ils ne formaient point corps, n'avaient point d'officiers à eux.

Le roi et les Jacobins, quelque peu amis qu'ils fussent des piques, furent bien forcés de s'y faire. La députation de Marseille, à sa tête Barbaroux, une belle jeune figure héroïque, vint déplorer, au sein du club, la lenteur avec laquelle on donnait des armes. « On craint d'armer le peuple, dit-il, parce qu'on veut encore l'opprimer. Malheur aux tyrans ! le jour n'est pas loin où la France entière va se soulever, hérissée de piques !... »

Elles demandaient à entrer, les piques, à ce moment même ; et l'on disait aux porteurs que le règlement défendait les armes. « Qu'elles entrent, dit Manuel, mais pour être déposées à côté du président. » *(Oui ! oui ! — Non ! non !)* Mais alors, Danton, par un mouvement noble et généreux : « Est-ce que vous ne voyez pas à la voûte que les drapeaux qui y sont suspendus sont armés de piques ? Et qui songe à y trouver à redire ? Mettons plutôt désormais une pique à chaque drapeau ! et que ce soit l'alliance éternelle des piques et des baïonnettes ! » Tonnerre d'applaudissements. Les piques obtiennent l'entrée.

C'était la folie du jour, l'universel engouement, touchant, ridicule. Au faubourg Saint-Antoine, la femme d'un tambour étant accouchée d'une fille, l'enfant fut tenue sur les fonts par un vainqueur de la Bastille, Thuriot, baptisée par un vainqueur, Fauchet. Un drapeau de la Bastille était sur les fonts, avec un bonnet de liberté. L'orgue jouait le *Ça ira !* Le père fit, pour la petite, le serment civique. Elle fut baptisée d'un nom, nouveau au calendrier : Pétion-Nationale-Pique.

La guerre devenait certaine. Le souverain qui y était le plus contraire, Léopold, mourut subitement, le 1er mars. Et la Gironde renversa le ministre par lequel la Cour, d'accord avec Léopold, avait réussi jusque-là à entraver le mouvement.

Le 18 mars, Brissot accusa solennellement, pièces en main, le ministre Delessart d'avoir constamment éludé l'exécution des volontés de l'Assemblée, d'avoir lâchement négocié la paix près de l'empereur, qui lui-même en avait besoin, qui alors n'était pas prêt, et devait craindre la guerre.

Cette démarche, imprévue, hardie, était un coup sur le roi même.

Il était trop visible que Delessart n'avait désobéi à l'Assemblée que pour obéir au roi.

C'était un coup, indirect, mais bien frappé, sur Robespierre. Toutes les pièces qu'on lut pour attaquer Delessart prouvaient, contre l'opinion de Robespierre, que la Cour n'avait nullement voulu la guerre, que, loin de là, à tout prix, elle voulait l'éviter.

La France était comme un homme lié des deux mains ; la gauche liée par la Cour, la droite par Robespierre et la fraction jacobine qui représentait réellement le génie des Jacobins.

Retard fatal d'un mouvement inévitablement lancé. Le mouvement ne s'arrêtait pas, mais il devenait une agitation sur place, un tournoiement convulsif de la France sur elle-même ; elle semblait près de se briser.

Les Girondins, dans cet acte décisif qui n'était rien autre chose qu'un coup frappé sur l'obstacle, sur l'entrave qui retenait tout, reproduisaient à la lettre l'idée de Sieyès, au moment de 89 : « Coupons le câble, il est temps. »

L'union des Tuileries et de Vienne, la parfaite identité d'esprit et d'intention entre la Cour et l'ennemi avait apparu trop clairement dans l'acte de Léopold, où il semblait si bien instruit de notre état intérieur, de la situation des partis, de l'importance des clubs, etc. On avait, assez maladroitement, fait parler l'empereur, comme un Feuillant, comme Duport ou Lameth. Rien d'étonnant. L'acte de Vienne avait été fait précisément sur les notes fournies par eux à la reine. C'étaient eux qui la conseillaient. Pour Barnave, dès la fin de décembre, il avait quitté Paris.

La reine, c'était le lien entre les Feuillants et l'Autriche, le fatal obstacle qui arrêtait tout.

Le but ainsi marqué, la Gironde remit le glaive national aux puissantes mains de Vergniaud.

Il résuma l'accusation de Brissot, comme lui montra en toutes choses l'inertie calculée de la Cour, puis ajouta un fait terrible, que Brissot n'avait pas dit : « Ici, ce n'est plus moi que vous allez entendre, c'est une voix plaintive qui sort de l'épouvantable Glacière d'Avignon. Elle vous crie : « Le décret de réunion à la France a été rendu en septembre. S'il fût arrivé sur-le-champ, il eût apporté la paix. En devenant Français, peut-être, nous aurions abjuré la haine, nous serions devenus frères. Le ministre a gardé deux mois le décret... C'est notre sang, ce sont nos cadavres qui l'accusent aujourd'hui. »

Puis rappelant la fameuse apostrophe de Mirabeau (Je vois d'ici la fenêtre, etc.) : « Et moi aussi, je puis le dire, de cette tribune, on voit le palais où se trame la contre-révolution, où l'on prépare les manœuvres qui doivent nous livrer à l'Autriche... Le jour est venu où vous pouvez mettre un terme à tant d'audace et confondre les conspirateurs. L'épouvante et la terreur sont souvent sorties de ce palais, dans les temps antiques, au nom du despotisme ; qu'elles y rentrent aujourd'hui au nom de la loi... »

Un frémissement immense suivit le geste admirable par lequel le grand orateur renvoya visiblement l'épouvante au palais de la royauté. Nulle parole de Mirabeau n'avait eu un plus grand effet. C'est qu'ici l'homme était digne de la magistrature terrible qu'il exerçait à la tribune ; le caractère était au niveau du génie même. C'était la voix de l'honneur.

« ... Qu'elles y pénètrent les cœurs, ajouta-t-il. Qu'ils sachent bien, ceux qui l'habitent, que la Constitution ne rend inviolable que le roi. La loi atteindra les coupables, sans faire nulle distinction. Point de tête criminelle que son glaive ne puisse toucher. »

Ce formidable discours, celui de Brissot, étaient, il faut le dire, des actes de grand courage. Si la Gironde menaçait par les piques et les faubourgs, il faut dire aussi que la vie des Girondins, au milieu des cinq ou six mille brétailleurs et coupe-jarret de la nouvelle garde, bien autrement militaire que la tourbe des faubourgs, n'était guère en sûreté. On les voyait, armés de poignards et de pistolets, suivre les séances, remplir les tribunes, les couloirs ; le jour n'était pas bien loin où le poignard royaliste devait frapper Saint-Fargeau.

La parole brisa ici l'épée, le poignard. L'épouvante, comme dit Vergniaud, rentra dans les Tuileries. Delessart fut abandonné. Narbonne ne put se soutenir. Ayant entrepris d'accuser la garde nationale de Marseille qui avait désarmé, à Aix, un régiment suisse, Narbonne fut hué, tomba.

La Cour se laissa imposer le ministère de la Gironde (fin de mars 1792).

CHAPITRE VI

Ministère girondin Déclaration de guerre (mars-avril 92)

Ministère mixte de Roland et de Dumouriez — Caractère double de Dumouriez — Robespierre contre la Gironde — Lutte de Robespierre et de Brissot — Domination de Robespierre aux Jacobins — Sa puissance sur les femmes — Comment il exploite le serment religieux — Critique de Robespierre par ses propres amis — Il est ennemi des philosophes — La philosophie défendue par Brissot — Robespierre étranger à l'instinct populaire — Il ne comprend pas le mouvement national de la guerre — Grand cœur de la France, en 92 — Comme elle réhabilite les soldats de Châteauvieux, 30 avril 1792 — Haine des princes allemands pour la France — Dureté bigote de François II — Il menace la France — Déclaration de la guerre à l'Autriche, 20 avril 1792.

Le choix était difficile. Si Brissot et les chefs de la Gironde se nommaient eux-mêmes, ils quittaient le grand poste, le vrai poste de la puissance, je parle de la tribune et de la direction de l'Assemblée. C'était contre eux, dès ce moment, que la tribune eût agi, eux qu'elle eût battus en brèche. D'autre part, s'ils choisissaient des hommes inférieurs et violents, ils faisaient plaisir à la Cour, dont la meilleure chance était de voir la Révolution, ridicule ou furieuse, dégoûter, rebuter la France. Brissot, avec beaucoup de sens, prit, non en haut, ni en bas, mais des hommes jusque-là peu en lumière, des hommes spéciaux surtout : le Genevois Clavière pour les Finances, Dumouriez pour les Affaires étrangères, pour l'Intérieur Roland. Les deux premiers étaient des gens capables, de hardis faiseurs de projets, déjà avancés dans la vie, retardés par l'injustice de l'ancien régime, caractères au reste équivoques, incertains encore, et qui se jugeraient à l'épreuve. Pour Roland, il était jugé ; personne ne connaissait mieux le royaume, qu'il étudiait depuis quarante ans et comme inspecteur officiel et comme observateur philosophique. Il suffisait de le voir un moment au visage, pour reconnaître le plus honnête homme de France, austère, chagrin, il est vrai, comme devait être un vieillard, citoyen sous la Monarchie, qui toute sa vie avait souffert de l'ajournement de la liberté.

M. et Mme Roland étaient revenus en décembre au petit appartement de la rue Guénégaud, et, dans ce nouveau séjour à Paris, ils prenaient moins de part à la vie publique. Pétion, jusque-là le centre de leurs relations, était maintenant à l'Hôtel de Ville, tout absorbé par sa mairie. Le 21 mars, au soir, Brissot vint les trouver et leur proposer le ministère. Déjà, ils avaient été pressentis là-dessus, et, malgré son âge, Roland, actif, ardent encore, avait cru qu'en un tel moment, le devoir lui commandait d'accepter.

Le 23, à onze heures du soir, Brissot leur amena le ministre des Affaires étrangères, Dumouriez, qui sortait du Conseil, et venait apprendre à Roland sa nomination. Dumouriez les étonna, en assurant « que le roi était sincèrement disposé à soutenir la Constitution ». Ils regardèrent attentivement l'homme qui parlait ainsi.

C'était un homme assez petit, qui avait cinquante-six ans, mais qui paraissait avoir dix ans de moins, leste, dispos et nerveux. Sa tête, fort spirituelle, où brillaient des yeux pleins de feu, révélait sa véritable origine, la Provence, d'où venait sa famille, quoiqu'il fût né en Picardie. Son visage avait les teintes brunes d'un militaire éprouvé, non sans nobles cicatrices. Et, en effet, Dumouriez, hussard à vingt ans, s'était fait sabrer, tailler en pièces, en se défendant à pied contre cinq ou six cavaliers, ne voulant pour rien se rendre. Il n'en avait pas moins langui dans les grades inférieurs ; gentilhomme, il n'était pas de la noblesse de Cour, la seule qui fût favorisée. Il se jeta dans les voies obliques, dans la diplomatie spéciale que Louis XV entretenaît à l'insu de ses ministres, diplomatie secrète, médiocrement honorable, qui avait certaine teinte d'espionnage. Sous Louis XVI, Dumouriez se releva fort, en se consacrant à un noble et grand projet dont il fut le premier agent : la fondation de Cherbourg.

Personne n'avait plus d'esprit, plus de connaissances dans les genres les plus différents, plus d'habiletés diverses. A quoi les appliquerait-il ? Le sort en devait décider. Dumouriez n'avait nul principe. Si brave, et si militaire, il avait pourtant, à un degré singulièrement faible, le sentiment de l'honneur. Il faut l'en croire, dans ses Mémoires. Il affirme, sans embarras, sans honte et sans vanterie, simplement et comme un homme étranger à toute notion morale, qu'il présenta au ministre Choiseul deux projets relativement aux Corses, un projet pour les délivrer, un autre pour les asservir. Le dernier fut préféré, et Dumouriez se battit bravement dans ce dernier but. En 89, de même. J'avais envoyé, dit-il, un projet excellent pour empêcher qu'on ne prît jamais la Bastille ; mais il arriva trop tard.

En 92, porté au ministère par les ennemis du roi, il se trouva tout de suite favorable au roi et secrètement pour lui. Ce n'était pas seulement habitudes monarchiques, indifférence aux principes ; c'était aussi, il faut le dire, générosité. Le roi, la reine, enfermés dans cette prison des Tuileries, étaient en danger, malheureux. Dumouriez, généralement peu touché des idées, l'était beaucoup plus des personnes. Il était humain et sensible à la pitié. Il faut lire dans ses Mémoires la touchante scène où, trouvant la reine d'avance irritée contre lui, il la ramena moins encore par sa fermeté que par son attendrissement.

N'oublions pas toutefois, en lisant ces piquants, ces admirables Mémoires, qu'ils sont quelque peu suspects. Ils ont été écrits par lui lorsque, réfugié en terre étrangère, au milieu des émigrés, parmi ceux qu'il venait de battre, il avait besoin de montrer combien le ministre jacobin avait été respectueux, sensible, pour les royales infortunes. Tout cela lui servit fort à ramener l'opinion ; celle du public, jamais ; mais celle des gouvernements qui virent bien tout le parti qu'on pouvait tirer d'un tel homme. Ils le virent trop bien, s'il est vrai que ce fut le vieux Dumouriez, à soixante-dix ans, qui rédigea pour les Anglais les plans de la résistance espagnole, prêta sa vive lumière à leurs généraux, et posa la fatale borne où vint se briser l'Empire.

Revenons au petit salon de la rue Guénégaud, à la première entrevue de Dumouriez et des Roland. Madame n'eut aucune prévention favorable ; elle lui trouva l'œil faux. Cet œil, ombragé d'épais sourcils noirs qui déjà blanchissaient un peu, était héroïque, et devenait doux ; mais le politique immoral, le sceptique, le cynique, n'y perçaient que trop. Dumouriez avait toujours aimé les femmes, longtemps de cœur, avec une persévérance rare et romanesque. A son âge, il aimait encore, sans beaucoup de choix, il est vrai, une femme d'esprit surtout, fort aristocrate, la sœur du fameux Rivarol. Au premier coup d'œil sur le vieux mari et sur Mme Roland, il eut l'idée audacieuse qu'il pourrait à la royaliste adjoindre la républicaine. Sa légèreté déplut, certains mots spécialement où perçait le mauvais ton de la société qu'il fréquentait. Mme Roland fut grave et polie, le tint toujours à distance. Il sentit qu'elle le jugeait, et ne l'en aima pas mieux.

Le véritable Dumouriez, courtisan et démagogue, recherchant le roi, le peuple, apparut dès le lendemain. Il fit entendre au roi qu'il fallait, à tout prix, gagner, flatter les Jacobins. Il y alla de ce pas, mit le bonnet rouge, ne marchanda pas ; sachant à quels robustes amours-propres il avait affaire, il n'hésita pas à se mettre comme en tutelle en leurs mains, leur demanda leurs conseils, les pria de ne pas l'épargner, de bien lui dire ses vérités. Accueilli par une réponse arrogante de Robespierre, qui parla avec dédain des « hochets ministériels » et dit qu'il attendrait que le ministre eût suffisamment prouvé, etc., Dumouriez, sans se déconcerter, courut à lui, avec une effusion admirablement jouée, et se jeta dans ses bras. Toute la salle fut émue, et les tribunes pleuraient.

L'homme de France qui fut le plus cruellement blessé du ministère girondin ne fut pas le roi ; ce fut Robespierre. On va voir à quel degré d'envenimement il parvint dans ces deux mois, se retournant dans son fiel, se répandant en vagues et ténébreuses dénonciations, sans jamais les appuyer d'un seul fait, d'une seule preuve.

Il était blessé à l'âme, et pour la seconde fois. La première, on s'en souvient, seul dans la Constituante, objet de risée d'abord, puis de haine, enfin de terreur, il s'était cru, par son triomphe populaire, non seulement le vainqueur, mais l'héritier de l'Assemblée. Il partageait l'opinion de la Cour, de tout le public, qui supposait que tous les talents étaient dans la Constituante, que la Législative serait faible et pâle. Et voilà que cette France inépuisable venait de lancer une légion d'hommes ardents et énergiques, dont plusieurs égalaient, tout au moins, leurs devanciers ; génération éminemment jeune, toute fraîche d'impression, tout entière de passion. De sorte qu'au moment où Robespierre croyait avoir gravi le faîte, un mont nouveau, pour ainsi dire, se trouvait dressé devant lui. Il ne se découragea pas, et recommença l'escalade avec une force de persévérance que personne n'eût eue peut-être. Malheureusement cette passion, qui faisait sa force, creusa aussi dans son cœur des abîmes de haine inconnus.

Il n'était que trop facile d'attaquer les Girondins. Nul parti plus léger en paroles, nul, dans les actes, plus inquiet, plus remuant, plus prompt à se compromettre. Aucun d'eux n'avait de génie, à moins qu'on n'applique ce mot aux facultés oratoires, vraiment sublimes, de Vergniaud. L'homme actif du parti, Brissot, était un personnage fort aisément attaquable. Sans parler des précédents assez tristes de vie d'homme de lettres, comme politique, il fatiguait le public et l'opinion de l'excès de son activité. Brissot allait, Brissot venait, Brissot écrivait, parlait, faisait donner toutes les places ; toujours et dans tout, Brissot. Il n'était pas incapable des grandes choses, mais il se mêlait aussi volontiers d'une infinité de petites. Désintéressé pour lui-même, il était insatiable pour son parti, avait l'ardeur et l'intrigue d'un capucin pour son couvent. *Brissoter* devint un proverbe. Il allait tout droit devant lui, la tête basse, coudes serrés, dans son vieil habit, dévot à sa coterie, à son idée, prêt à lui sacrifier tout. Et, avec cela, léger pourtant, s'évaporant en choses imprudentes ; aimant peu, ne haïssant point, n'ayant rien de ce fiel amer qui caractérise les vrais moines, les inquisiteurs de l'époque ; je parle des Jacobins, du grand Jacobin Robespierre.

Celui-ci devait absorber Brissot dans un temps donné.

Toutefois, au premier moment, Brissot et les Girondins n'ayant encore rien fait, l'attaque n'avait pas prise. Nul fait. Au défaut, Robespierre trouve un roman, et, sous forme plus ou moins voilée, l'exposa, le développa, en nourrit les Jacobins pendant plusieurs mois. Le roman n'est rien autre chose qu'une profonde, mystérieuse alliance contre La Fayette et la Gironde. Les Mémoires de La Fayette nous ont appris suffisamment que cette entente n'avait jamais existé que dans l'esprit de Robespierre. Loin de là, on voit que La Fayette, indulgent pour tous les partis, et qui en général ne haïssait guère, hait pourtant les Girondins. Dans ce livre, partout si froid, il ne s'émeut qu'à leur nom ; il parle de tous, de Roland, de Brissot, avec une antipathie profonde, sous forme aristocratique. En face de la Gironde, il redevient un grand seigneur méprisant, un véritable marquis.

Le plus curieux, c'est que, pour rendre le roman plus grave, pour faire peur et noircir les ombres, Robespierre fait un La Fayette purement de fantaisie ; forte et dangereuse tête sur laquelle la Cour « a de grands desseins ». Il se garde bien de voir que La Fayette est fini ; qu'à Paris, dans la bourgeoisie, dans la garde nationale, où les fayettistes étaient restés plus nombreux que partout en France, il n'a pu, aux élections, réunir que trois mille voix contre les sept mille de son adversaire.

Brissot lui répondit avec un vigoureux bon sens et comme eût répondu l'histoire : « Quoi ! La Fayette, un Cromwell ? Vous ne connaissez donc point ni votre siècle, ni la France ? Cromwell avait du caractère, et La Fayette n'en a pas... En eût-il, la race des Brutus est-elle finie ? La nation serait-elle assez lâche pour laisser la vie à l'usurpateur ?... Cromwell lui-même, s'il revenait, que pourrait-il faire ici ? Il allait à la puissance par deux avenues terribles qui n'existent plus : l'ignorance et le fanatisme. »

Sans contester ce qu'il y eut de beau et de noble dans La Fayette, il suffit de regarder un moment le front fuyant, la tête mince de l'honnête général, cette face un peu moutonnière, pour sentir tout ce qu'il y avait de ridicule à placer dans ce personnage un Bonaparte ou un Cromwell.

L'imagination maladive, la crédulité de la peur était le propre caractère de l'infiniment défiante Société jacobine. Robespierre, jouant sur cette corde, était sûr de bien jouer. Il suffisait de montrer toujours de loin, dans le brouillard, je ne sais quoi d'un vague effrayant. Lisez tous ses discours d'avril et de mai. Il va soulever le « voile qui couvre d'affreux complots ». Il démasquera les traîtres, non pas aujourd'hui encore, c'est trop tôt, mais prochainement. Il a dans la main des secrets terribles qu'il pourrait bien révéler... Le jour viendra où il dévoilera un système de conspiration... Toute l'assistance, impatiente, est suspendue à ses lèvres, se croyant toujours au moment de voir le pâle et mystérieux orateur éclater enfin, et, d'un jour vengeur, illuminer les ténèbres où les maîtres s'enveloppent.

De temps à autre, des enfants perdus lancent quelque dénonciation, un morceau pour faire attendre, que happe la foule béante. C'est Simon du Rhin qui dénonce les Feuillants de son pays. C'est l'ex-capucin Chabot, obscène, ignoblement farceur, qui accuse le public des plans de Mme Canon (il raille ainsi, à sa manière, la trop belliqueuse Mme de Staël). Chabot déclare hardiment que Narbonne sera *protecteur ;* Fauchet y travaille. Et c'est encore Chabot, qui, sans s'inquiéter de se contredire, veut que le même Fauchet appelle à la dictature précisément les Girondins qui viennent de chasser Narbonne et de s'y substituer.

Nous entrons dans une ère nouvelle, où la calomnie va marcher avec une force, une audace, j'allais dire une grandeur, dont nulle époque n'a montré l'équivalent. Elle triomphe, elle est chez elle ; elle marche, comme vertu civique. Jamais des faits, jamais des preuves ; les dires vagues d'un ennemi, c'est toujours assez pour satisfaire des imaginations haineuses qui ont besoin de haïr encore plus. Le tort de ceux qu'on attaque, c'est de poursuivre incessamment ces fantômes qui reculent. Dans l'ardente poursuite des ombres, ils leur prêtent du corps, pour ainsi parler, les font passer pour réelles. C'est ainsi que les Girondins, impatients, inquiets dans leur provocante insistance, occupaient sans cesse le public de Robespierre, et du secret de Robespierre qu'il ne voulait pas lâcher, le sommaient de s'expliquer, allaient ainsi le grandissant, le désignant de plus en plus pour chef à toutes les haines, à toutes les jalousies, à tous les mécontentements. Ils lui reprochent de devenir l'idole du peuple, et, par cet imprudent aveu, augmentent l'idolâtrie. Lui, il ne donne aucune prise, ne faisant rien en réalité et ne disant rien au fond. Il va toujours reculant, et, reculant, il grandit. Par exemple, quand Guadet, avec un mélange de haine et de respect, dit qu'un tel homme, par amour pour la liberté, devrait s'imposer l'ostracisme, il lui donna une belle prise : « Ah ! que l'Egalité soit affermie, que les intrigants disparaissent, moi-même je fuirai la tribune... Heureux de la félicité de mes concitoyens, je passerai des jours paisibles dans les délices d'une sainte et douce intimité... » Et ailleurs : « Si l'on m'impose le silence, je quitterai cette société, pour m'enfermer dans la retraire. » *Voix glapissante de femmes :* « Nous vous suivrons ! nous vous suivrons ! » Et les mêmes voix aux adversaires : « Scélérats ! coquins ! »

Robespierre était né prêtre ; les femmes l'aimaient comme tel. Ses banalités morales qui tenaient fort du sermon leur allaient parfaitement ; elles se croyaient à l'église. Elles aiment les apparences austères, soit que, si souvent victimes de la légèreté des hommes, elles se serrent volontiers près de ceux qui les rassurent ; soit que, sans s'en rendre compte, elles supposent instinctivement que l'homme austère, en général, est celui qui gardera le mieux son cœur pour une personne aimée.

Pour elles, le cœur est tout. C'est à tort qu'on croit, dans le monde, qu'elles ont besoin d'être amusées. La rhétorique sentimentale de Robespierre avait beau être ennuyeuse ; il lui suffisait de dire : « Les charmes de la vertu, les douces leçons de l'amour maternel, une sainte et douce intimité, la sensibilité de mon cœur » et autres phrases pareilles, les femmes étaient touchées. Ajoutez que, parmi ces généralités monotones, il y avait toujours une partie individuelle, plus sentimentale encore, sur lui-même ordinairement et sur ses mérites, sur les travaux de sa pénible carrière, sur ses souffrances personnelles ; tout cela, à chaque discours, et si régulièrement qu'on attendait ce passage et tenait les mouchoirs prêts. Puis, l'émotion commencée, arrivait le morceau connu, sauf telle ou telle variante, sur les dangers qu'il courait, la haine de ses ennemis, les larmes dont on arroserait un jour la cendre des martyrs de la liberté... Mais arrivé là c'était trop, le cœur débordait, elles ne se contenaient plus, et s'échappaient en sanglots.

Robespierre s'aidait fort en cela de sa pâle et triste mine, qui plaidait pour lui d'avance près des cœurs sensibles. Avec ses lambeaux de l'*Emile* ou du *Contrat social,* il avait l'air à la tribune d'un triste bâtard de Rousseau, conçu dans un mauvais jour. Ses yeux clignotants, mobiles, parcouraient sans cesse toute l'étendue de la salle, plongeaient aux points mal éclairés, fréquemment se relevaient vers les tribunes des femmes. A cet effet, il manœuvrait avec sérieux, dextérité, deux paires de lunettes, l'une pour voir de près ou lire, l'autre pour distinguer au loin, comme pour chercher quelque personne. Chacune se disait : « C'est moi. »

Il y avait une difficulté ; c'est que, sur tel point capital, Robespierre ne pouvait gagner les femmes sans risquer de choquer les hommes. Les hommes étaient philosophes, les femmes étaient religieuses. Il s'agissait pour lui de trouver dans ce qu'un moderne a très justement appelé « la finesse aiguë de sa tactique », la mesure exacte et précise où il pourrait, sans encombre, mêler au jargon politique le jargon religieux.

Aussi longtemps qu'il avait pu (jusqu'en mai 91), nous l'avons vu, il avait habilement ménagé les prêtres, et parfois parlé pour eux. Aujourd'hui, les prêtres s'étant portés pour ennemis de la Révolution, il ne s'agissait plus de s'appuyer d'eux ; il s'agissait, pour l'orateur jacobin, d'en prendre la position, de se faire prêtre lui-même. Cela était hasardeux, et ne pouvait se faire que sous l'habit philosophique, avec les formules de Rousseau, en suivant de près, copiant, adaptant à la circonstance l'évangile philosophique de l'époque, *Le Vicaire savoyard,* que l'ennemi n'attaquerait pas sans péril, et derrière lequel, après tout, Robespierre était toujours à même de trouver sa sûreté. Si la chose réussissait, c'était un vrai coup de maître ; enlever les femmes et les dévotes, pour qui avait les Jacobins, c'était concentrer deux forces jusque-là peu conciliables ; c'était, au moyen des premières, aller jusqu'au lieu où la Révolution pénétrait si peu encore, au sein des familles, au foyer.

Voici donc ce que Robespierre hasarda aux Jacobins. Dans une adresse sentimentale, nuancée de mysticisme philosophique, il dit, entre autres choses, « qu'il avait été permis à l'homme le plus ferme de désespérer du salut public, *lorsque la Providence,* qui veille sur nous beaucoup mieux que notre propre sagesse, *en frappant Léopold,* a déconcerté les projets de nos ennemis ».

Cette forme et autres semblables, peu attaquables en elles-mêmes, mesurées, timides, recevaient beaucoup de clarté de la conduite générale de Robespierre ; elles annonçaient assez que, du pharisaïsme moral, il passerait, au besoin, à l'hypocrisie religieuse. Les indiscrétions de Camille Desmoulins, son enfant perdu, aidaient à comprendre. On le vit, bien peu après, lui voltairien, lui sceptique, approuver les processions dans les rues, reprocher au magistrat de les empêcher, faisant entendre, avec une ironie machiavélique, qu'il fallait amuser le peuple : « Mon cher Manuel, disait Desmoulins, les rois sont mûrs, il est vrai ; le bon Dieu ne l'est pas encore. »

La pensée, mieux voilée de Robespierre, était néanmoins transparente. L'intention politique n'était pas méconnaissable dans ces paroles religieuses. Ce grand nom de la Providence, exploité ainsi, faisait mal. Ce miel de religion dans une bouche si amère, c'était chose intolérable.

Combien plus pour les hommes d'alors, nourris de la philosophie du siècle, plus que jamais en lutte avec les prêtres, et qui malheureusement ne voyaient que les prêtres dans la religion ! Le Girondin Guadet, mêlant un éloge à l'attaque, dit qu'il s'étonnait de voir « qu'un homme qui avait, avec tant de courage, travaillé à tirer le peuple de l'esclavage du despotisme, concourût à le ramener sous l'esclavage de la superstition ».

L'étourdi donna à Robespierre la prise qu'il attendait. Ce fut un heureux appel qui tira de sa mémoire un de ces morceaux, parfois excellents, habilement travaillés, qui tenaient longtemps à la lampe allumée passé minuit, aux mansardes de Duplay. Tout n'était pas habileté, il faut l'avouer aussi ; il y avait, dans cette éloquente réponse, quelque chose d'un sentiment vrai. Nul doute que Robespierre, à son époque de solitude et de souffrance, n'ait pu être refoulé vers Dieu, qu'il n'ait relu volontiers les consolantes pages du *Vicaire savoyard*. Seulement ici, il répondit à ce que Guadet ne disait pas. Il répondit sur l'existence de Dieu en général, dont on n'avait pas parlé, et non sur ce que Guadet appelait superstitieux : la croyance à une intervention spéciale de Dieu dans telles affaires particulières, la croyance à l'action personnelle de Dieu, hors du cours des lois du monde, la foi aux coups d'Etat de Dieu, laquelle ruine toute prévoyance, et toute philosophie, et toute vraie religion, celle-ci nous enseignant qu'il est de la majesté divine de vouloir obéir régulièrement aux lois qu'elle a faites elle-même.

Robespierre, sans bien répondre et se jetant à côté, n'en fut pas moins très habile, vraiment éloquent. Il eut un touchant retour sur l'époque où il s'était vu seul au milieu d'une assemblée hostile et sur le secours qu'il avait tiré du sentiment religieux.

Puis, portant à la Gironde, aux prétentions philosophiques de ses adversaires un coup très adroit, les élevant pour les abattre, attestant *le patriotisme et la gloire* du jeune Guadet (encore inconnu), il ajouta : « Sans doute *tous ceux qui étaient au-dessus du peuple* renonceraient volontiers pour cet avantage à toute idée de la divinité ; mais ce n'est pas faire injure au peuple ni aux sociétés auxquelles on envoie cette adresse que de leur parler de la protection de Dieu, qui, selon mon sentiment, sert si heureusement la Révolution. » Ainsi, il faisait habilement appel à l'envie ; avec toutes les ressources de son talent académique, il travaillait à se faire peuple, et, mettant perfidement ses ennemis au-dessus du peuple, il leur brisait sur la tête le niveau de l'égalité.

Cette hypocrisie visible, cette dénonciation sans preuve, cette personnalité assommante, cet intarissable *moi* qui se retrouvait partout dans ses paroles de plomb, étaient bien capables de refroidir, à la longue, les plus chauds amis de Robespierre. Ce n'était pas seulement l'effet laborieux de cette mâchoire pesante, qui mâchait et remâchait éternellement la même chose ; c'était aussi je ne sais quoi de discordant et de faux, qui, malgré le soin, le poli, tout l'effort académique, de temps à autre, grinçait. Il n'y avait qu'un petit noyau, une toute petite église, des Jacobins les plus bornés, qui ne voulût voir ni entendre. Les autres haussaient les épaules. Il faut lire, dans un des journaux les plus favorables à Robespierre, *Les Révolutions de Paris,* la respectueuse mais sévère critique qu'on n'hésite pas de lui adresser... « Quoi ! lui dit le journaliste entre autres choses judicieuses, vous nous dites que vous tenez dans les mains le fil d'une grande conspiration, il ne s'agit de rien moins que d'une guerre civile, et vous parlez toujours de vous, des petites provocations de vos ennemis ! Les patriotes qui vous estiment, qui vous aimeraient, si votre orgueil n'opposait une barrière entre eux et vous, ne peuvent s'empêcher de dire : « Quel dommage qu'il n'ait pas cette bonhomie antique, compagne ordinaire du génie et des vertus ! » (N° CXLVII, avril 92.)

Le journaliste touche ici un point juste, vrai, profond. Et ce trait n'est pas tellement particulier au caractère de Robespierre qu'il ne s'applique aussi à bien d'autres personnages de l'époque, en des degrés différents. Avec moins de génie que plusieurs autres, moins de cœur et de bonté, Robespierre représente la suite, la continuité de la Révolution, la persévérance passionnée des Jacobins. S'il a été la plus forte personnification de la société jacobine, c'est moins encore par l'éclat du talent que comme moyenne complète, équilibrée, des qualités et défauts communs à la société, communs même à une grande partie des hommes politiques d'alors qui ne furent pas Jacobins.

Le fond, pour le formuler nettement, avec quelque dureté, et en se réservant d'en rabattre plus ou moins selon les individus, c'est qu'il leur manquait deux choses : par en haut, la *science et la philosophie ;* par en bas, *l'instinct* populaire. La philosophie qu'ils attestaient sans cesse, le peuple dont ils parlaient toujours, leur étaient fort étrangers. Ils vivaient dans une certaine moyenne, au-dessous de la première, au-dessus de l'autre. Cette moyenne était l'éloquence et la rhétorique, la stratégie révolutionnaire, la tactique des assemblées. Rien n'éloigne davantage de la haute vie de lumière qui est dans la philosophie, de la féconde et chaleureuse vie qui est dans l'instinct du peuple.

Le grand fleuve du XVIIIe siècle, coulant à pleins bords par Voltaire et Diderot, par Montesquieu et Buffon, s'arrête en quelque sorte, se fixe en plusieurs de ses résultats, se cristallise en Rousseau. Cette fixité de Rousseau est un secours et un obstacle. Ses disciples ne reçoivent plus, si j'ose le dire, la matière fluide et féconde ; ils la prennent de lui, en cristaux, si j'ose dire, sous formes arrêtées, inflexibles, rebelles aux modifications. Hors ces formes, au-dessus, au-dessous, ils ne connaissent rien et ne peuvent rien.

Un signe qui les condamne, c'est, en admettant le dernier résultat du XVIIIe siècle, d'en rejeter la grande tradition qui amena ce résultat, de ne pas voir, entre autres choses, que Voltaire n'est point opposé à Rousseau, mais son correspondant symétrique, naturel et nécessaire, que, sans ces deux voix qui alternent et se répondent, il n'y eût pas eu de chœur. Pauvres musiciens, ignorants de l'harmonie, qui croient accorder la lyre en ne gardant qu'une corde. L'unité de ton, la *monotonie* au sens propre, cette chose antilittéraire, antiphilosophique, propre à stériliser l'esprit, fut pourtant, il faut l'avouer, pour Robespierre, un très bon moyen politique. Il toucha toujours la même corde, frappa à la même place. Ayant affaire à un public ému d'avance, avide, infatigable, et que rien ne rebutait, sa monotonie le rendit très fort. Il en usa, en toutes choses, non dans la parole seulement, mais dans la vie, la démarche, le costume, de sorte qu'en cet homme identique, en cet invariable habit, en cette coiffure toujours la même, en ce gilet proverbial, on lut toujours les mêmes idées, on trouva la même formule, ou plutôt que la personne tout entière apparut comme une formule qui parlait et qui marchait. Ce fut un moment solennel, digne de l'attention des penseurs, celui où, par la voix de Brissot, la philosophie du XVIIIe siècle demanda compte à cette formule masquée sous un homme, à ce faux Rousseau, du vivant esprit qui avait fait et ce siècle et cette Révolution, et Rousseau avec ses imitateurs. Le dernier des philosophes était Condorcet ; son nom fut l'occasion, la prise, par où Brissot saisit Robespierre, l'attaqua, le secoua. Reprenons d'un peu plus haut, et voyons avec quel à-propos Condorcet fut amené dans ce discours très habile, de manière à tomber d'aplomb sur le maigre Jacobin du poids du Grand Siècle, du poids de la science et de la tradition, du poids de l'humanité.

Après s'être moqué du danger d'un La Fayette *protecteur* à la Cromwell : « Je mourrai, dit Brissot, en combattant les protecteurs et les *tribuns*. Les tribuns sont les plus dangereux. Ce sont des hommes qui flattent le peuple pour le subjuguer, qui rendent la vertu suspecte, parce qu'elle ne veut pas s'avilir. Rappelez-vous ce qu'étaient Aristide et Phocion ; ils n'assiégeaient pas toujours la tribune, mais ils étaient à leur poste. Ils ne dédaignaient aucun emploi *(Robespierre refusait celui d'accusateur public),* quand il était donné par le peuple. Ils parlaient peu, faisaient beaucoup ; ils ne flattaient pas le peuple, ils l'aimaient. Ils dénonçaient, mais avec preuves. Ils étaient justes et philosophes. Phocion n'en fut pas moins victime d'un flatteur du peuple... Ah ! ce trait me rappelle l'horrible calomnie élevée contre M. de Condorcet. C'est au moment où ce respectable patriote, luttant contre la maladie, se livre à des travaux immenses, où il termine le plan d'instruction publique, apprend aux puissances étrangères à respecter le peuple libre, s'épuise en calculs infinis pour régler les finances de l'Empire, c'est alors que vous calomniez ce grand homme ! Qui êtes-vous pour avoir ce droit ? qu'avez-vous fait ? où sont vos travaux ? où sont vos écrits ? Pouvez-vous citer, comme lui, trente ans d'assauts livrés, avec nos illustres philosophes, au trône, à la superstition ? Ah ! si leur brûlant génie ne leur eût révélé le mystère de la liberté qui fit leur grandeur, croyez-vous que la tribune retentirait aujourd'hui de vos discours sur la liberté ? Ce sont vos maîtres, et vous les calomniez pendant qu'ils servent le peuple !... Le monument le plus ferme de notre Révolution, c'est la philosophie. Voyez celles qui ont manqué, elles n'étaient pas fondées sur la philosophie. Le philosophe est patriote. On l'accuse d'être froid, même d'être ennemi du peuple, parce qu'il travaille pour lui en silence... Prenez garde, vous suivez vous-même les impulsions de la Cour. Que veut-elle ? Faire rétrograder les lumières du peuple. Que veulent les philosophes ? Que le peuple s'éclaire, qu'il se passe également de protecteurs et de tribuns. »

A cette foudroyante attaque, Guadet en ajouta une, plus directe encore, sommant Robespierre de dévoiler donc enfin ce plan de guerre civile, de conspiration dont il ne cessait de parler. Robespierre, visiblement blessé à l'endroit vulnérable, la dénonciation sans preuve, allait s'enchevêtrer dans un tissu de rapprochements qui ne pouvaient rien prouver que sa faiblesse et sa défaite. Bazire lui rendit le service de l'empêcher de parler ; il vint à point au secours, l'engagea à réserver sa réponse pour les journaux. La Gironde insistant, exigeant qu'il s'expliquât, il s'en tira par la plus triste reculade ; il dit que, pour le moment, il ne voulait que dévoiler les manœuvres qui tendaient à faire de la Société des Jacobins un instrument d'intrigues et d'ambition : « *Et c'est ce que j'appelle un plan de guerre civile.* » Les amis de Robespierre, atterrés de voir qu'il ne trouvait pas autre chose, s'en allèrent en masse, afin que, la Société n'étant plus en nombre, il fallût lever la séance. Un homme de Robespierre, Simon, pour couvrir la retraite, se mit à crier encore quelques mots sur les troubles de l'Alsace, en jetant la faute sur les Girondins, lançant ainsi, dans la fuite, deux ou trois bons coups de dents à cette meute acharnée.

Brissot accusait très justement Robespierre d'hostilité à la philosophie. Robespierre lui-même, bien mieux encore, s'accusa et se convainquit d'ignorer l'instinct du peuple. Il était tout *belletriste* (pardonnez ce mot allemand), toute culture et tout art, à cent lieues de la nature, de l'instinct, de l'inspiration. La bonhomie, comme le dit très bien le journaliste cité plus haut, je ne sais quoi de naïf et de profond qui fait comprendre les masses, lui manquaient totalement.

Les piques, données à tout le peuple, *l'égalité dans l'armement,* le bonnet de laine rouge du paysan de France adopté par tous, comme *égalité de costume,* ces deux choses, éminemment révolutionnaires, si avidement saisies par le peuple, furent repoussées de Robespierre, peu goûtées des Jacobins. Puis, par la force des choses, il leur fallut reculer devant l'unanimité du peuple.

Même opposition sur la grande question de la déclaration de guerre. On peut dire qu'en cette affaire (mars-avril 92), Robespierre allait d'un côté, et toute la France de l'autre. De quel côté, le bon sens ? Le temps a jugé, la lumière s'est faite, c'est la France qui eut raison.

Le 26 mars 1792, l'avis suivant fut donné aux Jacobins :

« En dépouillant les registres des départements, on trouve inscrits déjà plus de *six cent mille* citoyens pour marcher à l'ennemi. »

A Paris, dans le Jura et ailleurs, les femmes déclaraient que les hommes pouvaient partir, qu'elles s'armeraient de piques, qu'elles suffiraient bien au service intérieur. Elles avaient si vivement senti pour leur famille et leurs enfants le bienfait de la Révolution, qu'au prix des plus grands sacrifices elles brûlaient de la défendre. Il y eut, dès ce moment, et dans toute cette année sacrée de 92, des scènes véritablement admirables et héroïques dans le sein de chaque famille. Un frère partant, tous les autres, en bas âge, voulaient partir, et juraient qu'ils étaient hommes. La jeune fille ordonnait à son amant de s'armer, fixait les noces à la victoire. La jeune femme, tout en larmes, et les bras chargés de petits enfants, menait son époux elle-même, et lui disait : « Va, ne regarde pas si je pleure, sauve-nous, sauve la France, la liberté, l'avenir, et les enfants de tes enfants. »

Guerre sublime ! guerre pacifique, pour fonder la paix éternelle ! guerre pleine de foi et d'amour, inspirée de cette pensée, si attendrissante et si vraie alors, « que le monde en ce moment avait même cœur et voulait la même chose ; qu'il s'agissait d'écarter, le fer à la main, les barrières de tyrannie qui nous séparent barbarement ; que, ces barrières abaissées, il n'y avait plus d'ennemis, que ceux qu'on croyait les nôtres allaient se jeter dans nos bras ! »

La beauté de ce moment, c'est que l'âme de la France y fut tout assise en la foi, qu'elle tourna le dos au raisonnement, aux petits calculs, qu'elle laissa les raisonneurs, Robespierre, La Fayette et autres, se traîner, à plat ventre, dans la logique et la prose, s'enquérir inquiètement du possible et du raisonnable.

Oui, la guerre était absurde, dans les seules données qu'on avait alors. Pour la faire, il fallait une foi immense, croire à la force contagieuse du principe proclamé par la France, à la victoire infaillible de l'équité — croire aussi que, dans l'immensité d'un mouvement où la nation tout entière se précipitait, tous les obstacles intérieurs, les petites malveillances, les essais de trahison, se trouvaient neutralisés, et qu'il n'y avait pas de cœur d'homme, tant dur et perfide fût-il, qui ne se changeât, devant ce spectacle unique de la rencontre des peuples, courant l'un à l'autre en frères, et pleurant dans l'émotion du premier embrassement.

Oh ! le grand cœur de la France, en 92 ! quand reviendra-t-il jamais ! Quelle tendresse pour le monde ! quel bonheur de le délivrer ! quelle ardeur de sacrifice ! et comme tous les biens de la terre pesaient peu en ce moment !

Ce bon cœur éclata de la manière la plus touchante dans la délivrance des Vaudois du régiment de Châteauvieux, que décréta l'Assemblée. C'était une tache infamante pour l'honneur de la nation qu'elle se constituât geôlier et bourreau pour la tyrannie des Suisses, qu'elle se chargeât de tenir aux galères quarante infortunés Français, d'un pays français de cœur et de langue sous le bâton allemand. On se rappelle ce jugement féroce des officiers suisses, à Nancy, qui battirent à mort, rouèrent ou pendirent des soldats qui, s'étant réfugiés en quelque sorte au foyer de la France, réclamaient, comme leur droit, l'exécution des lois de l'Assemblée ; quarante, par grâce singulière, ne furent pas mis à la potence ; on les envoya à Brest ramer pour le roi. Cette rigueur ne suffit pas. Sur des prétextes futiles, pour avoir chanté *Ça ira !* ou bu, le 14 juillet, les magnifiques seigneurs enlevaient leurs sujets vaudois et les jetaient dans les caves de l'affreux château de Chillon, au-dessous du niveau du lac, avec les rats et les serpents.

Le 30 septembre 1791, sur l'amphithéâtre solennel qui domine le lac et Lausanne, qui regarde la Savoie et toute la chaîne des Alpes, un tribunal fut dressé, où siégèrent, bouffis d'insolence, les députés de l'Ours de Berne. Là, parmi les insultes et les risées des soldats, les magistrats humiliés du Pays de Vaud, de Lausanne, Vevey, Clarens, vinrent faire amende honorable, et reçurent, tête basse, les menaces et les affronts. Et pourquoi cette fureur ? Il faut le dire, la vraie raison, c'est que ces Vaudois sont la France. C'était une petite France, impuissante et désarmée, que l'insolence allemande faisait paraître à ses genoux.

Et elle n'avait pas tort, peut-être, d'être irritée. Qui, plus que la France vaudoise, a contribué à la Révolution ? N'est-ce pas de cette population énergique et simple, de ces lieux sublimes, que partit l'inspiration de Rousseau, ce puissant élan de cœur qui a emporté le monde ? Ah ! ces lieux sont coupables à jamais devant les ennemis de la liberté !

Quand l'Assemblée brisa les fers des soldats de Châteauvieux, il y eut, indépendamment du vif esprit de parti, un élan singulier de générosité, de délicatesse, dans toute la nation, pour réparer, par l'accueil le plus touchant, ce grand tort national. Les gardes nationaux de Brest firent tout exprès, à pied, le voyage de Paris, pour accompagner les victimes; en leur ôtant la casaque de galériens, ils leur donnèrent leurs propres habits, en sorte que, sur la route, ils avaient l'air tous ensemble d'être également des Bretons. On allait au-devant d'eux des villes et villages ; les hommes leur donnaient des poignées de main, les femmes les bénissaient, les enfants touchaient leurs habits. Partout on leur demandait pardon, au nom de la France.

Ce fait national est sacré. Il doit rester indépendant de la violente polémique qui éclata à ce sujet, de la fureur éloquente des Feuillants, des philippiques d'André Chénier, Roucher et Dupont de Nemours — d'autre part, des déclamations de Collot pour les soldats de Châteauvieux, de l'empressement de Tallien et autres intrigants à s'emparer de l'événement, à tourner le bon cœur du peuple au profit de l'esprit de parti. Les Feuillants envisageaient le triomphe populaire des soldats de Châteauvieux comme une insulte aux gardes nationaux tués en combattant contre eux dans la triste affaire de Nancy. Il n'y avait pas d'opposition entre les uns et les autres. Ils avaient tous combattu pour l'ordre ou la liberté. Le régiment de Châteauvieux, pillé par des officiers qui ne daignaient rendre compte, avait invoqué les lois de la France ; il avait raison. Les gardes nationaux, sommés légalement, par les municipalités, d'aller, de combattre, allèrent, combattirent ; ils avaient raison. Il fallait pleurer les uns et les autres ; on le reconnut noblement à la fête qu'on donna aux soldats délivrés ; on y porta deux cercueils.

L'imprudente fureur des Feuillants y fut vraiment coupable. Il ne tint pas à Chénier, à Dupont, qu'on ne s'égorgeât dans Paris. D'avance, ils remplirent les journaux des prophéties les plus sinistres ; ils dirent, répétèrent, expliquèrent aux gardes nationaux de Paris, qui n'y songeaient pas, que c'était eux qu'on insultait. Le Directoire de Paris, les La Rochefoucauld, Talleyrand et autres, montra une peur ridicule, malveillante, de cette fête populaire. Pétion comprit bien mieux qu'on n'empêche point ces grands mouvements, qu'il faut les laisser aller, s'y associer plutôt pour les régulariser. Seulement, il défendit d'une manière absolue qu'on portât des armes, prohibant également les piques et les fusils.

Le 30 avril 1792, les soldats de Châteauvieux, arrivés de Brest à Paris, avec leurs braves amis les Bretons et un grand concours de peuple ravi de les voir, se présentent aux portes de l'Assemblée, demandent à la remercier et lui présenter leurs hommages. Vive discussion au-dedans. Les Feuillants, imprudemment, veulent encore se mettre au-devant du mouvement populaire. On réclame, au nom de la discipline violée, au nom de la politique et des ménagements dus aux gouvernements de la Suisse, avec lesquels on doit vouloir rester en bonne intelligence. Le jeune député Gouvion, frère d'un garde national tué à Nancy, déclare qu'on ne peut le forcer à accueillir, à voir en face les meurtriers de son frère. Il sort. L'Assemblée, après deux épreuves douteuses, décide qu'ils seront admis. Leur défenseur officieux, Collot, exprime leur reconnaissance. Les tribunes les applaudissent. Une foule de gardes nationaux sans armes, des Parisiens, des Bretons, des Suisses, puis une foule mêlée, hommes et femmes, portant des drapeaux, défilent joyeusement. Gonchon, le Cicéron ordinaire du faubourg Saint-Antoine, dit, en son nom, qu'on y fabrique dix mille piques pour la défense de l'Assemblée et des lois. « Nous en dirions davantage ; mais, déjà, nous avons tant crié « Vive la Constitution ! vive l'Assemblée nationale ! » que nous en sommes enroués !... » On applaudit et l'on rit.

La fête qui suivit bientôt fut intitulée du beau nom : Fête de la Liberté. Au souffle de guerre qui la vivifiait, on sentait qu'il s'agissait, cette fois, du triomphe anticipé des libertés du monde, et qu'ici la Suisse française, fêtée en ces pauvres soldats, était l'heureuse avant-garde de la délivrance universelle. La statue de la Liberté était traînée sur un char terminé en proue de galère. Les chaînes brisées des victimes étaient portées, chose touchante, par nos femmes et par nos filles. Ces vierges, en blanches robes, touchaient sans hésitation le fer rouillé des galères, purifié par leur main. Au Gros-Caillou, au Champ-de-Mars, les rondes commencèrent, égayées de chants civiques. Ces danses joyeuses participaient de l'ardeur des fêtes antiques, où l'esclave pour la première fois, s'enivrait de la liberté. Les frères embrassaient les frères, et, selon l'humour française, la fraternité pour les sœurs était encore bien plus tendre.

Nul surveillant, nul désordre, point d'armes et nul excès ; une allégresse, une paix, une effusion extraordinaires. Chacun, dans sa délivrance, sentait déjà celle du monde ; tous les cœurs s'ouvraient à l'espoir que c'était le commencement du salut des nations.

Et c'était justement de même que les rois, de leur côté, envisageaient cette guerre. On peut en juger par l'ordre que donna le roi de Prusse de désarmer les paysans de ses provinces du Rhin. Il ne voyait dans ses sujets que les secrets alliés, les amis de la France, les hôtes de nos soldats, impatients de recevoir les apôtres de la liberté.

Le général probable de la coalition, Gustave III, était mort, assassiné par les siens (17 mars 1792). On ne manqua pas d'imputer sa mort aux partisans enthousiastes que la Révolution avait en Suède. Lui-même, en ces derniers moments, il avait toujours devant les yeux cette France qu'il allait combattre, et peut-être ne l'eût-il combattue que pour être loué d'elle, tant il dépendait de l'opinion du public français et des journaux de Paris ! Tout près de la mort, il disait : « Je voudrais bien savoir ce que va en dire Brissot. »

L'émigration avait gagné à la mort de Léopold, à l'avènement de François II, fanatique ennemi de la Révolution. Notre ambassadeur à Vienne, Noailles, était à peu près prisonnier dans son palais. Celui que nous envoyâmes à Berlin, Ségur, fut un objet de risée ; on fit courir le bruit qu'il était venu pour gagner de manière ou d'autre, par amour ou par argent, les maîtressses du roi de Prusse. Dans une audience publique, le roi lui tourna le dos, et, s'adressant à l'envoyé de Coblence, lui demanda comment se portait le comte d'Artois.

Nulle figure ne caractérise mieux peut-être la contre-Révolution que le nouvel empereur, François II, dont le long règne commence. Borné, faible et violent, mal mêlé de deux natures, Allemand, né à Florence, faux Italien, faux Allemand, c'était l'honnête homme des prêtres, un dévot machiavélique, dont l'âme, dure et bigote, n'en était pas moins facile au crime politique. C'est le François qui accepta des mains de son ennemi, Venise, son alliée ; le François qui, par sa fille, commença la ruine de son gendre ; puis, une fois en Russie, l'attaqua par-derrière, consomma sa ruine. Voyez-le dans les nombreux tableaux de Versailles où il est représenté. Est-il sûr que ce soit un homme ? Il va roide et sur des ressorts, comme la statue du Commandeur ou le spectre de Banquo. Pour moi, ce qui me fait peur, c'est que ce masque est frais et rose, dans sa fixité effrayante. Un tel être, visiblement, n'aura jamais de remords, il fait le crime en conscience. Le bigotisme impitoyable est lisiblement écrit sur cette face pétrifiée. Ce n'est pas un homme, ce n'est pas un masque, c'est un mur de pierre du Spielberg. Moins fixe et muet le cachot où, pour briser le cœur des héros de l'Italie, il les forçait, par la faim, de tricoter comme des femmes. Et cela « dans l'intérêt de leur amélioration, pour le remède de leur âme ». C'est la réponse invariable qu'il donnait à la sœur d'un des captifs, qui, tous les ans, faisait en vain le long voyage de Vienne, venait pleurer à ses pieds.

Voilà l'ennemi de la France. En avril, il charge Hohenlohe, son général, de s'entendre avec celui de l'armée de Prusse, le duc de Brunswick. Par son ordre, son ministre, le comte de Cobentzel, associé au vieux Kaunitz, écrit une note courte, sèche et dure, où, sans calculer ni la situation ni la mesure du possible, il dénonce à la France l'ultimatum de l'Autriche : 1° satisfaire les princes allemands possessionnés dans le royaume, autrement dit reconnaître la suzeraineté impériale au milieu de nos départements, subir l'Empire en France même ; 2° rendre Avignon, le grand passage du Rhône, de sorte que la Provence soit de nouveau démembrée comme autrefois ; 3° rétablir la Monarchie sur le pied du 23 juin

1789 et de la déclaration de Louis XVI, ainsi rétablir, comme *ordres,* la noblesse et le clergé.

« En vérité, dit Dumouriez, quand le cabinet de Vienne aurait dormi trente-trois mois, depuis la séance de juin 89, sans avoir encore appris la prise de la Bastille ni tout ce qui avait suivi, il n'aurait pas fait des propositions plus étranges, plus incohérentes avec la marche invincible qu'avait prise la Révolution. »

Et cette note n'était pas seulement celle de l'inepte et bigote Autriche ; elle exprimait en même temps la pensée du gouvernement qui se croyait à l'avant-garde du progrès de l'Allemagne, du gouvernement philosophe et libéral qui avait encouragé la résistance turque et la révolution polonaise, en même temps qu'il écrasait les libertés de la Hollande. Au fond, âpre, avide, inquiet, sans souci d'aucun principe, ce gouvernement prussien exagérant beaucoup sa force, se croyait en mesure de pêcher partout en eau trouble, et portait à l'étourdie ses mains crochues de tous côtés.

Les troupes de la coalition s'approchent peu à peu de la France. Au centre, les Prussiens qui s'échelonnent dans la Westphalie, vers le Rhin. Aux deux ailes, les Autrichiens ; d'une part, ils vont augmentant leurs troupes des Pays-Bas ; de l'autre, ils se font appeler par l'évêque de Bâle, traversent le canton, et vont mettre garnison dans le pays de Porrentruy, occupant ainsi déjà une des portes de la France, et pouvant, dès qu'ils voudront, envahir la Franche-Comté.

Le 20 avril 1792, le roi et le ministre entrent dans l'Assemblée nationale. Dumouriez, dans un long et minutieux rapport, démontre la nécessité où la France est de se regarder comme *en état de guerre* avec l'Autriche.

Le roi déclare « qu'il adopte cette détermination, conforme au vœu de l'Assemblée et de plusieurs citoyens de divers départements ». Il propose formellement la guerre.

Le même jour, à cinq heures, dans la séance du soir, la discussion est prise immédiatement. L'unanimité, sur cette grande question, était presque acquise d'avance. Ce fut un Feuillant, Pastoret, qui, le premier, voyant monter ce flot invincible, s'y associa habilement, et proposa le décret de déclaration de guerre. Un autre Feuillant, Becquet, essaya d'arrêter l'élan, en inquiétant l'Assemblée par le tableau de l'Europe, lui montrant l'Europe peu sûre, l'Espagne menaçant par-derrière, la sédition au-dedans, l'armée indisciplinée, les finances en mauvais ordre. Ce dernier mot donna à Cambon l'heureuse occasion d'un mot qui éloigna toute crainte : « Nos finances, monsieur, vous ne les connaissez pas ; nous avons de l'argent plus qu'il n'en faut. » Et déjà il avait dit, le 24 février : « La France a plus de numéraire effectif en caisse qu'aucune puissance de l'Europe. » En réalité, sur les mille cinq cents millions de biens nationaux, vendus jusqu'au 1er octobre 1791, le trésor avait déjà reçu près de cinq cents millions. De novembre 91 en avril 92, la vente, quoique un peu ralentie, avait été de trois cent soixante millions, et il en restait à vendre pour une somme équivalente.

Guadet ajouta au mot de Cambon, que nulle puissance en ce monde ne pouvait présenter une masse comparable à nos quatre millions de gardes nationaux armés ; que nulle n'aurait pu, d'un mot, en lever déjà cent mille, ainsi que nous l'avions fait. Les registres d'inscriptions des départements donnaient, en mars, l'étonnant résultat de six cent mille volontaires qui demandaient à partir.

C'était la voix de la France, on ne pouvait la méconnaître. En vain, le Feuillant Becquet insista, fit observer que, dans le fait, on allait déclarer la guerre non à l'Autriche, mais au monde, jeter le gant à tous les rois. En vain, le Jacobin Bazire, organe en ceci du pur Parti jacobin, s'étonna de voir une démarche si grave décidée si légèrement. Il essaya de reprendre le texte ordinaire de Robespierre, le danger de la trahison. A peine fut-il applaudi de deux ou trois membres et d'autant des gens des tribunes. Personne ne l'écoutait. L'enthousiasme entraînait tout. Il éclata à ce mot du député Mailhe : « Si votre humanité souffre à décréter en ce moment la mort de plusieurs millions d'hommes, songez aussi qu'en même temps vous décrétez la liberté du monde. »

Aubert Dubayet, une figure éminemment noble et militaire, se leva, prit la parole, saisit vivement l'Assemblée : « Quoi ! l'étranger a l'audace de prétendre nous donner un gouvernement ! Votons la guerre. Dussions-nous tous périr, le dernier de nous prononcerait le décret... Ne craignez rien. Dès que vous aurez décrété la guerre, tous seront bien obligés de se décider, les partis rentreront dans le néant. Les feux de la discorde s'éteindront aux feux du canon et devant les baïonnettes. »

« Oui, votons, dit le vaillant Merlin, de Thionville, votons la guerre aux rois, et la paix aux nations. »

L'Assemblée se leva tout entière ; il n'y eut que sept membres qui restèrent assis. Au milieu d'un tonnerre d'applaudissements, elle vota la guerre à l'Autriche.

Condorcet lut une belle et humaine déclaration de principes que la France faisait au monde. Elle ne voulait nulle conquête, elle n'attaquait la liberté d'aucun peuple. Ce mot passa dans le décret.

Orateur généralement froid, Condorcet, animé ici par la grandeur des circonstances, eut un mouvement très beau, au sujet du reproche de faction que les rois faisaient à la France : « Et qu'est-ce donc qu'une faction qu'on accuse d'avoir conspiré pour la liberté universelle ?... C'est l'humanité tout entière qu'ils appellent une faction. »

Vergniaud proposait encore une grande réunion fraternelle, à l'instar des fédérations de 90, où tous jureraient de mourir ensemble sous les ruines de l'empire plutôt que de sacrifier la moindre des conquêtes de la liberté. Ainsi, la France, attendant la mort ou la victoire, serait venue une dernière fois, tout entière, se serrer la main. « Moments augustes, dit-il, quel est le cœur glacé qui n'y palpite, l'âme froide qui, parmi l'acclamation de la joie de tout un peuple, ne s'élève jusqu'au ciel, qui ne se sente grandir par l'enthousiasme au-dessus de l'humanité ? » Cette belle et religieuse proposition ne fut point votée. Elle n'allait pas à l'impatience guerrière de l'Assemblée, qui brûlait d'aller en avant.

CHAPITRE VII

Renvoi du ministère girondin (mai-juin 92)

Comment le roi voulait qu'on fît la guerre à la France — Inconséquence de Dumouriez, qui veut la révolution en Belgique pour la comprimer en France — La guerre commence par un revers (28-29 avril 1792) — Robespierre triomphe, aux Jacobins, de Brissot et des partisans de la guerre (30 avril) — Brissot accuse le comité autrichien (23 mai 1792) — La Gironde fait licencier la garde du roi (29 mai) — La Gironde accusée par Robespierre — Elle fait décréter un camp de vingt mille hommes à Paris, et des mesures contre les prêtres réfractaires (27 mai) — Violences des royalistes et des Feuillants — Lettre de Roland au roi (12 juin) — Les ministres girondins sont renvoyés (13 juin).

Le roi, que les Jacobins accusaient de vouloir la guerre, avait tout fait pour l'éviter. Les meilleures chances qu'elle lui présentât étaient très mauvaises. Une victoire de La Fayette, ou quelque autre général, n'aurait relevé le trône que pour le mettre en tutelle. Une défaite exaspérait Paris, faisait accuser le roi, lançait l'émeute aux Tuileries. Et si, par impossible, il n'en était pas ainsi, qui triomphait ? qui revenait ? Monsieur et l'émigration, le futur régent de France, celui près duquel la Russie avait déjà des envoyés. La reine en particulier avait tout à craindre ; elle savait parfaitement qu'elle était haïe, chansonnée à Coblence, que Monsieur était son ennemi, et le comte d'Artois dans la main de son ennemi, Calonne. Si les princes revenaient vainqueurs, le résultat eût bien pu être, non pas de délivrer la reine, mais tout au contraire de lui faire son procès et de l'enfermer ; souvent, on en avait parlé. Monsieur aurait satisfait ainsi sa vieille haine personnelle et celle de la nation.

Donc, quoique Louis XVI eût toujours à Vienne son agent, Breteuil, et que la reine correspondît toujours avec Bruxelles, avec le vieil ambassadeur de famille, M. de Mercy-Argenteau, ils crurent devoir envoyer un agent spécial au Cabinet autrichien pour s'entendre avec lui sur la manière dont il convenait qu'il fît la guerre à la France. Il s'agissait d'obtenir que l'Autriche n'agît point à part, ce qui eût confirmé l'accusation ordinaire contre une reine autrichienne, mais que l'Autriche et la Prusse, de concert avec les autres puissances, par un manifeste commun, dirigé contre la secte antisociale, au nom de la Société, de l'Europe, établissent qu'elles faisaient *la guerre aux Jacobins,* et non à la nation, déclarant à l'Assemblée, à toutes les autorités, qu'on les rendait responsables de tout attentat contre la famille royale, offrant de traiter, mais seulement avec le roi. Il fallait surtout recommander aux émigrés, de la part du roi, de s'en remettre à lui et aux cours intervenantes, de paraître comme parties dans le débat et non comme arbitres, de ne point devenir, par l'irritation que causerait leur présence, l'occasion de la guerre civile.

Ces instructions, rédigées sans doute par les Feuillants, que la Cour consultait encore, furent confiées à un jeune Genevois, Mallet Dupan, dévoué au roi, plein de talent et d'esprit ! Il parla avec beaucoup d'âme, avec la chaleur et le cœur d'un homme attendri sur les malheurs de la famille royale, et il gagna son procès. Il obtint des négociateurs réunis d'Autriche et de Prusse cette chose qui semblait difficile, que les émigrés, ceux qui avaient sacrifié leur patrie, leur fortune et leur existence à la cause royale, ne fussent point employés pour elle ; du moins, qu'ils fussent divisés en plusieurs corps, employés à part, et, chose intolérable à cette orgueilleuse noblesse, placés en seconde ligne. C'était une solennelle déclaration de défiance que le roi semblait faire à ses plus ardents serviteurs. Il se fiait aux Allemands, Autrichiens et Prussiens, non aux Français de sa noblesse. Cela était-il politique ? L'invasion, ayant les émigrés pour avant-garde, aurait paru française encore, et la France aurait pu se dire, après tout, qu'elle était vaincue par la France. Ces Français, même aristocrates, s'ils restaient ensemble, s'ils constituaient une armée au sein de l'armée ennemie, la surveillaient, cette armée, et lui rendaient difficile de garder ce qu'elle prendrait. L'étranger devait entrer volontiers dans les vues de Louis XVI, diviser l'émigration ; elle était pour lui, dans l'invasion, un embarras, un témoin, un compagnon incommode. Au contraire, dans le plan qu'on offrait au nom du roi, la France noble étant écartée, et la France populaire n'étant pas organisée, l'étranger était à l'aise ; nul grand obstacle probable ; le royaume lui était ouvert à discrétion.

Quel était le plan de la guerre, dans la pensée de celui qui la préparait, Dumouriez ? C'était, par la révolution, de conquérir ou de délivrer un pays déjà en révolution, les Pays-Bas autrichiens, réduits à peine par l'empereur, mal contenus, frémissants. Dumouriez employait deux vieux généraux aux deux ailes de la bataille, Luckner à garder la Franche-Comté, Rochambeau à garder la Flandre. Des corps secondaires devaient inquiéter Luxembourg, y porter toute l'attention. Mais tout à coup, La Fayette, qui avait l'armée du centre, descendant vivement la Meuse, poussant de Givet à Namur, s'appuyant bientôt d'un corps que Rochambeau enverrait de Flandre sous le général Biron, enlèverait Namur, atteindrait Bruxelles, où la révolution belge accueillerait à bras ouverts son libérateur.

Dumouriez a raison de dire que, dans son plan, La Fayette avait le beau rôle ; il était l'avant-garde de l'invasion, il en avait la première gloire, les premiers résultats, immenses et faciles ; dans la situation où semblait la Belgique, il avait l'insigne bonheur de conquérir un pays qui voulait être conquis. Les résultats à l'intérieur pouvaient être décisifs. Le général des Feuillants, l'homme qui, le 17 juillet, avait exécuté leurs ordres et cru un moment restaurer le trône à coups de fusil, avec quelle autorité ne parlerait-il pas de Bruxelles à Paris, commandant aux factions l'ordre et le silence, au nom de la victoire ? Les Jacobins atterrés, à qui s'adresseraient-ils, pour ne pas périr, sinon au ministre habile, hardi, qui, sous le bonnet rouge, leur aurait porté le coup ? Feuillants, Jacobins, le peuple et le roi, tous balancés les uns par les autres, se trouveraient, en réalité, dans la main de Dumouriez.

Ce plan était ingénieux. Dumouriez, porté au pouvoir par la Gironde, par son triomphe sur le roi, employait le pouvoir qu'elle venait de lui donner au profit du roi et des Feuillants contre la Gironde et les Jacobins ; toutefois, non pas tellement sans doute qu'il voulût laisser écraser les Jacobins par les Feuillants ; à ce moment, selon toute apparence, il se fût refait Jacobin, assez pour neutraliser tout et dominer les partis.

Dans ses Mémoires, pleins d'esprit, d'artifice, de réticences et de mensonges, il y a, toutefois, ce naïf aveu, ce trait de lumière : Qu'il n'osait, par-devant le public et l'opinion, nommer le Feuillant La Fayette général en chef, mais qu'en réalité, une fois en pays ennemi, se trouvant supérieur en grade aux officiers généraux que Rochambeau lui prêtait, La Fayette commandait seul, seul prenait Namur et Bruxelles. Ajoutons la conclusion que Dumouriez se garde bien de donner, mais qui n'est pas moins certaine : que la victoire d'un Feuillant était infailliblement en France la victoire du Parti feuillant, avec lequel Dumouriez (en évitant toutefois les relations personnelles) conspirait dans un même but.

A ce plan si bien conçu, il manqua deux choses.

La première, un général. La Fayette, partisan de la guerre défensive, ainsi que Rochambeau, n'était nullement, malgré son incontestable courage, l'homme d'audace et d'aventure qui se serait lancé dans le pays ennemi. Il amena, à grand-peine, dix mille hommes à Givet, par une marche rapide. Mais là, il sentit qu'il avait peu de monde pour une si grande entreprise, et ne bougea plus.

L'autre difficulté, c'est que ni La Fayette ni Dumouriez (avec tout son jacobinisme et son bonnet rouge) n'étaient vraiment disposés à remuer la Belgique d'une propagande hardie. Il fallait l'encourager, l'animer, la soulever, la plonger profondément dans la Révolution. Qui eût fait cela, s'il vous plaît, et qui en avait besoin ? Ceux précisément qui, en France, voulaient arrêter la Révolution. La duplicité de Dumouriez, son immoralité, rendaient son génie impuissant. La condition première de son plan, c'était d'agir franchement aux Pays-Bas, de leur inspirer d'avance une foi forte dans la sincérité de la France, de porter bien haut dans cette guerre le drapeau de la liberté. Loin de là, ce fut une guerre politique, préparée, menée par un homme sans foi, qui pourtant n'avait de chance sérieuse de succès que dans la foi. Il exploitait un principe, pour que ce principe triomphant aux Pays-Bas, lui servît à neutraliser le même principe en France.

Et à qui remettait-il le drapeau de la Révolution ? A celui qui, au Champ-de-Mars, l'avait abattu de l'autel de la Patrie, traîné dans le sang. Ce drapeau où la Gironde voyait d'avance celui de la République, il était confié par un royaliste à un royaliste, par un intrigant à un incertain, par l'homme faux à l'homme vague, pour revenir ici comme drapeau de la royauté. Bizarre, immorale conception, qui, si elle eût pu réussir, eût fait le succès, non de Dumouriez, non de La Fayette, mais de la contre-Révolution et des ennemis de la France.

On put, dès l'entrée en campagne, se convaincre du danger énorme qu'il y avait à administrer la guerre par les partisans de la paix. Dumouriez, le ministre dirigeant, qui gouvernait le ministère de la Guerre par son homme, le faible De Grave, avait, par égard pour la Cour, gardé tout l'ancien personnel de cette administration. Ces employés de l'ancien régime ne pouvaient montrer grand zèle pour le succès de la croisade révolutionnaire, qui, dans la réalité, se faisait contre leurs principes. Leur mauvaise volonté, leur empressement à s'excuser sur la désorganisation des services, à l'augmenter au besoin, leur mauvaise humeur, leur négligence, tout cela éclata sur le terrain, au moment le plus dangereux. Les infortunés volontaires de la garde nationale, qui, au fort de l'hiver même, étaient venus, pleins d'ardeur, couvrir la frontière, étaient délaissés sans secours de l'administration. A qui la faute ? aux finances ? Non ; l'impôt se recouvrait ; les millions de la liste civile arrivaient toujours à point pour solder les journalistes de la contre-révolution, les Suleau et les Royou. Ces volontaires restaient sans fusils. Il leur arriva, pendant deux ou trois jours, au moment d'entrer en campagne, de ne point avoir de vivres. La ligne n'était pas mieux. A toute réclamation, refus, dédains insolents. Les munitionnaires employés étaient amis de l'ennemi ; tous les commis de la guerre étaient pour la paix *quand même.* Le vieux maréchal Rochambeau ne voulait de guerre que défensive. Il était mortifié de voir Dumouriez adresser les ordres tout droit à ses lieutenants. Les embarras qu'éprouvait le mouvement d'invasion ne lui déplaisaient nullement. Il hochait la tête, haussait les épaules, ne présageait rien de bon.

Dumouriez, tout en faisant de la chevalerie avec la reine et le roi, comme on voit dans ses Mémoires, n'en était pas moins lié en dessous avec la maison d'Orléans. Il lui fallait absolument un roi, une Cour, les facilités de gaspillage que donne seule la Monarchie. Il voyait dans le jeune duc de Chartres comme un *en-cas* monarchique, si Louis XVI tombait. Il employait volontiers des officiers généraux du parti de cette maison, comme Biron et Valence. Cette fois, le mouvement du Nord devait commencer par Biron, qui devait, en terre ennemie, rejoindre l'armée de La Fayette. Le 28 avril, au soir, Biron s'empara de Quiévrain, et marcha sur Mons. Le 29, au matin, Théobald Dillon se porta de Lille à Tournai. Des deux côtés, même aventure. La cavalerie, généralement aristocrate, spécialement les dragons, à Tournai devant l'ennemi, à Mons sans même voir l'ennemi, se met à crier : « Sauve qui peut ! nous sommes trahis ! » Elle passe sur le corps des fantassins volontaires ; ceux-ci, débandés, démoralisés, se mettent à fuir à toutes jambes. Rentrés à Lille, et furieux, ils s'en prennent à leurs chefs, qui, disent-ils, voulaient les livrer. Ils massacrent Dillon dans une grange. La populace de Lille se met aussi de la partie, et pend plusieurs prisonniers.

Trois ou quatre cents hommes périrent. Echec petit en lui-même, grave au commencement d'une guerre, mais qui eut l'heureux effet d'enfler au dernier point de confiance et de sottise l'orgueil de nos ennemis. Les fameux tacticiens de Prusse prirent de plus en plus confiance dans le soldat automate, de plus en plus méprisèrent le soldat d'inspiration. Aux officiers qui achetaient des chevaux pour la campagne, Brunswick disait : « Messieurs, ne vous mettez pas tant en frais, tout ceci ne sera qu'une promenade militaire. » La promenade, il voulait la faire à l'allemande, lente, agréable et méthodique. En vain M. de Bouillé, qui connaissait bien autrement le terrain et la situation, lui disait qu'on manquerait tout si l'on ne faisait une pointe hardie, rapide, en Champagne, tout droit sur Paris. Brunswick était moins pressé. Le romanesque ministère de Mme de Staël lui avait fait, dit-on, l'étrange proposition de le faire, s'il voulait, roi de France. Il paraît n'avoir pas pris la chose au sérieux. Et toutefois, telle est la faiblesse des hommes, toute ridicule que fût cette idée, elle lui troublait l'esprit. Il voulait voir ce que deviendrait cette grande affaire de France, pas tout à fait mûre encore, ni suffisamment embrouillée.

Dumouriez, avec l'intrépidité d'effronterie qui brille partout dans ses Mémoires, fait entendre que la Gironde, qui avait poussé à la guerre d'un effort désespéré, fut précisément l'auteur de l'échec. S'il ne dit la chose tout à fait ainsi, il la pose implicitement dans ces deux assertions : 1° il y eut complot ; 2° la Gironde y avait intérêt. Ce dernier point est vraiment contestable, inadmissible. Les avocats de la guerre, qui tant de fois avaient juré le succès et la victoire, recevaient d'aplomb sur la joue le coup du premier revers.

Il y parut le soir du 30 avril, au moment où se répandit dans Paris la lettre qui annonçait le désastre du 28. Brissot, qui jusque-là luttait aux Jacobins contre Robespierre, fut décidément écrasé par lui.

Une paix fort équivoque avait été ménagée entre eux par l'intermédiaire de Pétion. Robespierre, le soir du 30, croyant les Girondins à bas par l'effet de la grande nouvelle, les attaque avec une fureur, une clameur, une gesticulation, qui ne lui étaient pas naturelles. Il prétendit qu'ils avaient, dans leurs journaux, falsifié le compte rendu des derniers débats, terminés par la pacification. Il leur reprocha surtout d'avoir dit que Marat le proposait pour tribun. En réalité, Marat n'avait dit expressément rien de tel. Seulement, dans tel numéro, il demandait un tribun ; dans tel autre, il louait Robespierre, et montrait en lui le plus digne (après lui-même sans doute). Les Girondins en tiraient la conclusion que tout le monde y voyait : que Marat désignait implicitement pour tribun ou Robespierre ou Marat.

Les tribunes, fortement chauffées, ce soir-là pleines de femmes fanatiques, pesaient sur les Jacobins, intervenaient par moments avec des cris passionnés. Des Cordeliers très ardents, Legendre, Merlin, Fréron, Tallien, étaient venus pour entraîner la masse des indécis. Brissot et Guadet, à cette heure, ne pouvaient quitter l'Assemblée. Le Girondin Lasource, qui présidait les Jacobins, fut obligé aussi, pour aller à l'Assemblée, de céder le fauteuil à Dufourny, un homme de Robespierre. Sous l'influence d'un concours si heureux de circonstances, la chose fut emportée. La société déclara « qu'elle démentait *les diffamations, les calomnies* de Brissot et Guadet contre Robespierre. » (30 avril 1792.)

Celui-ci enfonça le coup par des moyens bien étranges pour un homme qui naturellement aimait le pouvoir. Il se lança dans son journal en pleine anarchie, louant les soldats au moment où ils venaient de fuir en massacrant leurs chefs, s'opposant aux mesures sévères que l'Assemblée prenait pour assurer la discipline. Il demandait qu'on réunît les soldats licenciés, qu'on en formât une armée ; selon lui, ils n'étaient pas moins de soixante mille, et, à cette armée si nombreuse, il proposait froidement de donner une double solde. Comme règle, en général, il posait l'indépendance absolue du soldat à l'égard de l'officier, sauf deux moments, l'exercice et le combat.

Cette tendance désorganisatrice, remarquable dans Robespierre, éclata le 20 mai, aux Jacobins, lorsqu'il combattit et fit rejeter une proposition girondine que les plus violents Cordeliers, par exemple Tallien, avaient appuyée, et qui, dans cette extrême crise, au début d'une guerre si mal commencée, était véritablement de salut public. Le secrétaire de Brissot, Méchin, proposait aux Jacobins d'accélérer par leur influence le paiement des contributions, dont la régularité était si importante en un tel moment, d'écrire à ce sujet aux sociétés affiliées, et, pour que la société mère prêchât elle-même d'exemple, de ne donner les cartes du prochain trimestre qu'aux membres qui prouveraient qu'ils avaient payé l'impôt. Robespierre fit une objection vraiment surprenante : « Une quittance d'imposition est-elle un garant de patriotisme ?... Un homme, gorgé du sang de la nation, viendra apporter sa quittance, etc. Il me semblerait meilleur citoyen, celui qui, pauvre mais honnête homme, gagnerait sa vie sans pouvoir payer ses contributions, que celui qui, gorgé peut-être de richesses, ferait des présents puisés à une source corrompue », etc. Puis, après cette lâche flatterie au populaire, cet encouragement à l'egoïsme, à la désorganisation en présence de l'ennemi, il revenait à son texte éternel, se lamentait sur lui-même, pour mieux frapper sur les autres : « Perfides intrigants, vous vous acharnez à ma perte, mais je vous déclare *que plus vous m'avez isolé des hommes, plus vous m'avez privé de communication avec eux...* »

Cette citation textuelle des *Rêveries* de Rousseau était prodigieusement ridicule, au moment où il se retrouvait plus que jamais entouré des Jacobins, qui, pour lui, le 30 avril, avaient définitivement rompu avec la Gironde. Tallien même, qui, le 30, avait aidé au succès de Robespierre, ne put s'empêcher ici d'éprouver un mouvement d'indignation et de mépris pour ce bavardage hypocrite. Son maître, Danton, moins jeune et plus politique, en effaça l'impression par un éloge enthousiaste des vertus de Robespierre. Il allait avoir besoin de se lier étroitement à lui. Dumouriez, de plus en plus suspecté des Girondins, comme intrigue et comme argent, avait fait tâter Danton. Pour les perdre et sauver la Cour, pour fermer la voie à la République, il ne voyait nul moyen qu'une conjuration monstrueuse des extrémités contre le milieu, de l'intérêt royaliste avec l'intérêt jacobin. La Gironde, placée entre, devait périr étouffée.

La Gironde battait de l'aile. Elle avait reçu deux coups : à la frontière, par le premier échec d'une guerre qu'elle avait conseillée ; aux Jacobins, par la victoire de Robespierre sur Brissot.

Elle se releva par un coup de foudre qui frappa directement la Cour, indirectement ceux qui, comme la Cour, avaient été les partisans de la paix, par conséquent Robespierre. La machine était bien montée, avec une entente habile des besoins d'imagination qu'avait cette époque ; émue, inquiète, crédule, tout affamée de mystère, accueillant avidement tout ce qui lui faisait peur. C'était la dénonciation à grand bruit d'un *comité autrichien,* qui toujours, trente ans durant, avait gouverné la France, et ne voulait aujourd'hui pas moins que l'exterminer.

Le premier coup de tambour pour attirer l'attention, coup rudement retentissant, donné fort, à la Marat, le fut par le Girondin Carra dans les *Annales patriotiques.* Le comité autrichien, disait-il, préparait dans Paris une Saint-Barthélemy générale des patriotes. Montmorin, Bertrand, étaient nominalement désignés ; grand émoi : le juge de paix du quartier des Tuileries n'hésite pas à lancer un mandat d'amener contre trois représentants du témoignage desquels Carra s'était appuyé.

Ainsi, audace pour audace. La Cour avait organisé cette redoutable garde, dont on a parlé plus haut ; elle pensait avoir aussi une notable partie de la garde nationale. La nouvelle du revers de Flandre avait été saluée de tous ces aristocrates par des cris de joie. L'Assemblée, battue à Mons, à Tournai, ne leur faisait plus grand-peur ; ils la méprisaient au point d'oser lancer contre elle un simple juge de paix, un tout petit magistrat du quartier des Tuileries.

Ils perdirent cette confiance quand Brissot (le 23 mai), ramenant la dénonciation à des termes plus sérieux, parmi quelques hypothèses, articula des faits certains que la publication des pièces et le progrès de l'histoire a décidément confirmés. Il établit que les Montmorin et les Delessart, véritables mannequins, étaient dirigés par le fil que tenait M. de Mercy-Argenteau, l'ancien ambassadeur d'Autriche, alors à Bruxelles ; lui seul en effet eut toujours pouvoir sur la reine. D'autre part, Louis XVI avec son ministre à Vienne, au su de toute l'Europe, M. de Breteuil. Appuyé sur de nombreuses pièces, systématisant et liant des faits isolés, Brissot montra le comité étendant sur la France un réseau immense d'intrigues, la travaillant au moyen d'une puissance manufacture de libelles. Une des pièces citées était curieuse ; c'était une lettre de notre envoyé à Genève, qui se déclarait autorisé par le roi à prendre service dans l'armée du comte d'Artois. Brissot concluait à l'accusation de Montmorin, et voulait qu'on interrogeât Bertrand de Molleville et Duport-Dutertre. Pour Bertrand, ses Mémoires nous prouvent aujourd'hui qu'il n'y a jamais eu de défiance mieux méritée.

L'Assemblée eut la prudence d'ajourner. Elle voyait aux mains de la Cour l'arme la plus dangereuse, la garde constitutionnelle, qu'il fallait d'abord briser. On supposait que cette garde pouvait ou frapper l'Assemblée, ou bien enlever le roi ; six mille hommes, et de tels hommes, armés et montés ainsi, n'avaient qu'à agir d'ensemble, mettre le roi au milieu d'eux : il n'y avait nulle force dans Paris qui pût empêcher le coup.

Cette garde *constitutionnelle* allait toujours se recrutant d'éléments bizarres, qui contrastaient avec ce nom. Tout doucement on y fourrait, parmi les bretteurs et maîtres d'escrime, parmi les gentilshommes bretons, vendéens, une recrue de fanatiques qu'on aurait appelés à une autre époque la fleur des *Verdets* du Midi. Il y avait particulièrement de furieux Provençaux, venus de la ville d'Arles, de la façon arlésienne, trop connue sous le nom de la *Chiffonne.* Il y avait une élite de jeunes prêtres robustes, à qui l'Eglise, qui a horreur du sang, n'en avait pas moins permis de déposer la soutane pour prendre l'épée, le poignard et le pistolet.

Tout cela, indécent, hardi, bavard et vantard. Tous étant des hommes de choix, ou pour la force du corps, ou pour le maniement des armes, chacun d'eux, croyant avoir un facile avantage dans toute lutte individuelle, ils allaient, venaient, se montraient dans les promenades publiques, comme s'ils avaient dit tout haut : « Nous sommes les conspirateurs. » Ils entassaient à plaisir la haine, la colère et l'irritation.

Ce fut la voix même de Paris, qui parla, le 22 mai, dans une lettre de son maire, Pétion, au commandant de la garde nationale. Il exprimait la crainte générale du départ du roi, et l'invitait, sans détour, à observer, surveiller, multiplier les patrouilles *dans les environs* (sans doute des Tuileries). Le roi s'en plaignit amèrement le lendemain, dans une lettre que le directoire du département fit afficher dans Paris. Pétion ne désavoua rien, et répliqua avec force. Cette étrange guerre de parole entre le roi et le maire semblait l'annonce d'une guerre réelle et en actes.

Toutes sortes de dénonciations arrivaient à l'Assemblée. Des faits, en eux-mêmes insignifiants, ajoutaient aux alarmes. C'était une masse de papiers qu'on avait brûlés à Sèvres (un libelle contre la reine). C'était Sombreuil, le gouverneur des Invalides qui leur avait ordonné de céder la nuit leurs postes aux troupes de garde nationale *ou de garde du roi,* qui pouvaient se présenter. Le 28 mai, Carnot proposa, et l'Assemblée décréta que, pendant le danger public, elle restait en permanence, et elle y resta en effet quatre jours et quatre nuits. Le 29, Pétion, dans un rapport à l'Assemblée sur la situation de Paris, parmi les choses rassurantes, dit celle-ci, effrayante : « Que la tranquillité actuelle ressemblait au silence qui succède aux coups de la foudre. » Tout le monde se tenait pour dit que le coup pourtant n'était pas encore tombé.

C'est l'Assemblée qui le porta. Le 29, passant outre sur la peur des assassinats, elle se fit faire par Bazire un rapport accusateur contre la garde du roi, rapport plein de faits terribles. Il y avait, entre autres, celui de la joie impie, barbare, qui avait éclaté dans ce corps pour l'échec de Mons, l'espoir que Valenciennes était pris par les Allemands, et que, sous quinze jours, l'étranger serait à Paris. Une déposition remarquable est celle d'un cavalier, le fameux Murat, qui, sortant de cette garde et donnant sa démission, déclare qu'on a voulu le gagner à prix d'argent et l'envoyer à Coblence.

Le même jour, 29 mai, dans la séance du soir, Guadet, Vergniaud, à coups pressés, frappèrent et refrappèrent l'enclume. On croyait que l'affaire traînerait, elle fut brusquée. L'Assemblée décréta le licenciement immédiat, ordonna que les postes des Tuileries fussent remis à la garde nationale, ajoutant que ce décret se passerait de sanction. Une addition spéciale fut faite pour arrêter le commandant de la garde du roi, le duc de Brissac, qui, dit-on, la fanatisait par ses violentes paroles. Cette sévérité pour Brissac s'explique peut-être en partie par l'insolence d'un député, le colonel Vaucourt, qui, pendant qu'on décrétait, alla menacer Chabot, sur son banc, de lui donner cent coups de bâton. L'Assemblée crut devoir imposer aux militaires, leur faire sentir sur eux la pesante main de la loi.

L'attitude menaçante du peuple et des sections, qui vinrent à la barre demander de se constituer en permanence, donna beaucoup à réfléchir aux capitans du royalisme. Point ne soufflèrent contre le décret. Ils quittèrent leurs postes, mirent bas l'habit bleu ; mais ce ne fut point du tout pour abandonner la partie ; plusieurs d'entre eux prirent l'habit rouge, et continuèrent de se promener dans Paris, armés jusqu'aux dents, sous l'uniforme des Suisses.

Au moment où la Gironde frappait ainsi la royauté, elle était elle-même frappée violemment aux Jacobins. Robespierre y faisait un effort désespéré pour lui ôter ce qu'elle gagnait de popularité par le licenciement de la garde du roi. Il prononça, le 27, une solennelle accusation contre Brissot, Condorcet, Guadet, Gensonné, etc. Il les accusa de donner les places. Il les accusa d'abandonner partout la cause des patriotes, celle des soldats licenciés, celle des massacreurs d'Avignon, etc. Il les accusa d'être d'accord avec les Feuillants, avec Narbonne, La Fayette et la Cour. Le tout, assaisonné de cette meurtrière, perfide, pateline accusation : « Vous connaissez cet art des tyrans de provoquer un peuple, *toujours juste et bon,* à des mouvements irréguliers, pour l'immoler ensuite et l'avilir au nom des lois. »

Puis, ce pénétrant coup de dard : il leur demandait pourquoi ils avaient fait donner un million et demi aux généraux, six millions à Dumouriez avec dispense d'en rendre compte. Il étendait ainsi habilement aux Girondins les soupçons fort légitimes que donnait, pour tout maniement d'argent, leur équivoque associé. Ces soupçons, ils les avaient eux-mêmes. Ils les avaient tellement, que « la dispense de rendre compte » ne se retrouvait pas dans la rédaction définitive qu'ils firent du décret. Dumouriez en fit un tel bruit, cria si haut, pour son honneur outragé, offrant même sa démission, que l'Assemblée ne put ne point replacer au décret le petit mot qui semblait lui tenir tellement à cœur.

Juste ou non, l'accusation de Robespierre prit si bien aux Jacobins qu'il obtint, le même jour, que toute affiliation nouvelle serait suspendue, c'est-à-dire que les Jacobins ne couvriraient point de leur nom les sociétés de province, fort nombreuses, qui se formaient en ce moment sous le drapeau de la Gironde. Il voulait que ces nouveaux venus restassent en quarantaine, ou que, par le seul fait du retard que la société mettait à les admettre, ils devinssent suspects au peuple de modérantisme et de feuillantisme, vulnérables aux coups de la presse robespierriste, aux savantes accusations qu'ici l'on combinerait, et qu'on enverrait de Paris.

La Gironde, à ces attaques, prêta le flanc par une chose qu'elle fut obligée d'accorder à l'opinion générale de la garde nationale de Paris. Elle devait la ménager fort, au moment où elle n'avait nulle autre force, pour consommer le licenciement de la garde du roi ; les piques n'étaient pas encore organisées, ni le peuple armé, la garde nationale était tout. Le maire d'Étampes, Simoneau, ayant été tué en s'opposant bravement à l'émeute, dans une affaire relative aux grains, sa mort fut l'occasion du plus grand enthousiasme pour tous ceux qui souffraient des troubles et voulaient le maintien des lois. On vota des honneurs funèbres ; Brissot fut pour, Robespierre contre. On soutint que Simoneau était un accapareur, qu'il avait mérité de périr. Cette fête *de la Loi,* comme on l'appela, fut mise en opposition avec la *Fête de la Liberté,* célébrée en avril pour les soldats de Châteauvieux ; reproduite et ressassée dans toutes les accusations, on en fit un crime horrible dont on accablait la Gironde.

Le ministère mixte, fourni par la Gironde et Dumouriez, s'était désorganisé, par suite de l'échec de Flandre, qui retombait sur Dumouriez et lui coûta un homme à lui, le ministre de la Guerre, qu'il ne put couvrir assez. Il dut accepter à sa place un ministre tout girondin, le colonel Servan, militaire philosophe, ex-gouverneur des pages, écrivain sage, estimé, l'homme même de Mme Roland, et qui ne bougeait de chez elle. Le public, voulant absolument qu'elle eût un amant, lui donnait Servan, à cette heure ; il en fut de même de tous les hommes qui reçurent l'impulsion du cœur viril et politique de cette femme, nous pourrions dire : de ce vrai chef de parti. Elle mérita ce nom au moment dont nous racontons l'histoire. Elle marqua, non plus par le style, la forme éloquente, mais par l'initiative. Elle eut celle des deux mesures qui devaient briser le trône.

Le Conseil, neutralisé par Dumouriez, n'avançait à rien et ne faisait rien. L'Assemblée, sauf la mesure du licenciement de la garde, allait (qu'on me passe une expression d'alors), allait *brissotant*, et ne faisait guère. Et la guerre avait commencé par dévoiler la pitoyable organisation de l'intérieur, la guerre restait administrée par les employés de l'ancien régime, par les ennemis de la guerre. Pourquoi l'ennemi n'avançait-il pas, et qui l'empêchait ? On ne pouvait le deviner. L'ennemi ? il était à Paris. Cette garde licenciée, pour avoir changé d'habit, elle était là, tout armée, en mesure de frapper un coup, tout au moins, elle pouvait, l'ennemi entrant en France, s'acheminant vers Paris, lui donner la main d'ici, l'attendre et l'aider, de sorte qu'au jour décisif nos défenseurs verraient l'ennemi devant et derrière, ne verraient rien qu'ennemis.

Une lettre, une feuille de papier brisa tout ceci. Servan, sous l'inspiration audacieuse de Mme Roland, et sous sa dictée peut-être, oubliant qu'il était ministre et, ne se souvenant que des dangers de la patrie, écrivit à l'Assemblée pour lui proposer d'établir ici, à l'occasion du 14 juillet, un camp de vingt mille volontaires ; on connaissait leur enthousiasme, leur patriotisme. Cette petite armée d'ardents citoyens, planant sur Paris, neutralisait les forces irrégulières et secrètes qu'y tenait la Cour. C'était une menace suspendue sur elle, une épée nue sur la tête des restaurateurs intrigants ou chevaleresques de la royauté, des Dumouriez et des La Fayette.

C'est ici qu'on voit éclater tout l'absurde de la calomnie tant répétée par Robespierre sur la prétendue alliance de La Fayette et des Girondins. De qui part la proposition qui devait rendre impossibles les réactions royalistes et militaires de La Fayette ? De qui ? De Mme Roland, c'est-à-dire incontestablement du vrai génie de la Gironde.

Dumouriez se sentit frappé à ce coup imprévu, et il avoue qu'au premier Conseil, son émotion fut si vive, et la dispute si âcre, que, sans la présence du roi, le Conseil aurait fini d'une manière sanglante. « Eh bien ! dit Clavières (le ministre girondin des Finances), si Servan, pour tout arranger, retirait sa motion ? » L'effet eût été terrible pour le roi et pour Dumouriez. Celui-ci sentit le piège, rejeta l'offre avec fureur, disant qu'en reculant ainsi on rendrait l'Assemblée plus ardente pour le décret, qu'on ameuterait le peuple, qu'au lieu de vingt mille hommes, il en viendrait quarante mille, sans décret, pour renverser tout ; qu'il savait bien le moyen de prévenir le danger. Son moyen, c'était peu à peu d'en débarrasser Paris, sous prétexte des besoins de la guerre, de les faire filer à Soissons.

Robespierre n'était guère plus content du décret que Dumouriez. La grande et confiante initiative que la Gironde prenait, d'appeler ici sans crainte cette élite ardente de la France armée lui perçait le cœur, Sa crainte, son fiel et son envie se dégorgèrent longuement, et dans son journal, et aux Jacobins. Mais par là, il donnait occasion aux enfants perdus de la Gironde, tels que Girey-Dupré, Louvet, de faire remarquer le singulier accord qui se trouvait toujours, depuis quelque temps, entre les opinions de Robespierre et celles de la Cour, sur la guerre, par exemple, et sur le camp de vingt mille hommes.

De là, ils insinuaient malignement, perfidement, que ce Caton n'était pas net, que, sous terre peut-être, et par des voies mystérieuses, il pourrait bien exister quelque secret passage des Tuileries aux Jacobins, que le comité autrichien pouvait bien avoir un organe dans la trois fois sainte tribune de la rue Saint-Honoré.

La question des vingt mille hommes était toute de circonstance, accidentelle, extérieure. La question intérieure, supérieure, était celle du clergé.

En attendant la Vendée, le clergé faisait déjà à la Révolution une guerre qui suffisait pour la faire mourir de faim. Il ajoutait au *Credo* un nouvel article. « Qui paie l'impôt est damné. » Nul point de foi trouvait le paysan plus crédule ; avec ce simple mot, habilement répandu, le prêtre, sans bouger, paralysait l'action du gouvernement, tranchait le nerf de la guerre, livrait la France à l'ennemi.

Rien n'égalait leur audace. En pleine Révolution, la vieille juridiction ecclésiastique réclamait son indépendance, agissait en souverain. Un prêtre du faubourg Saint-Antoine s'était marié ; nulle loi n'y était contraire, l'Assemblée l'avait reconnu. Il n'en fut pas moins dénoncé et poursuivi par ses supérieurs ecclésiastiques.

La force de la contre-Révolution, on ne saurait trop le dire, était dans les prêtres. Dire qu'on pouvait tourner l'obstacle, c'est n'avoir aucune notion de la situation. Le clergé s'était mis partout en travers de la Révolution, pour lui barrer le passage ; elle arrivait, avec la force d'une impulsion immense, d'une vitesse accumulée par l'obstacle et par les siècles, elle allait toucher cette barre, la briser ou se briser.

Le plus doux, le plus humain des hommes de la Gironde, Vergniaud, demanda un décret pour la déportation des prêtres rebelles. Roland présenta (dès avril) les arrêtés déjà portés contre eux par quarante-deux départements. Le 27 mai, le décret fut porté d'urgence : « La déportation aura lieu, dans un mois, hors du royaume, si elle est demandée par vingt citoyens actifs, approuvée par le district, prononcée par le département. Le déporté aura trois livres par jour, comme frais de route jusqu'à la frontière. »

La sanction de ce décret était la vraie pierre de touche qui allait juger le roi.

S'il accordait sa sanction, son appui moral était manifestement ôté à cette grande conspiration du clergé qui couvrait la France. S'il la refusait, il restait le centre d'action, le chef, le véritable général de la contre-révolution.

Ce n'était pas, comme on l'a tant dit, une simple question de conscience, celle d'un individu, sans responsabilité, qui eût à se consulter, lui tout seul, entre soi et soi. C'était le premier magistrat du peuple qui restait, ou cessait d'être, le chef d'une conspiration permanente contre le peuple. Si sa conscience lui commandait la ruine et la mort du peuple, son devoir était d'abdiquer.

Les Feuillants, devenus tous royalistes, et dévoyés du bon sens par l'excès de l'irritation, ne contribuèrent pas peu à encourager sa résistance insensée. Ils défendaient le fanatisme au nom de la philosophie ; c'étaient, disaient-ils, affaire de tolérance, de liberté religieuse, tolérance des conspirateurs et liberté des assassins. Le sang coulait déjà dans plusieurs provinces, spécialement en Alsace. Simon, de Strasbourg, affirma que déjà plus de cinquante prêtres constitutionnels avaient été égorgés, soixante de leurs maisons saccagées, leurs champs dévastés, etc.

Le refus obstiné du roi d'abandonner le clergé ennemi de la Constitution, l'encouragement tacite qu'il donnait aux prêtres rebelles de résister, de persécuter les prêtres soumis, équivalait à un persévérant appel à la guerre civile. On pouvait dire qu'elle avait son drapeau sur les Tuileries, visible à toute la France.

Le roi, tout captif qu'il était, voyait encore autour de lui de grandes forces matérielles. Il croyait avoir deux armées : les *Royalistes,* concentrés à Paris, où il y avait, disait-on jusqu'à douze mille chevaliers de Saint-Louis ; plus la garde constitutionnelle, qui, toute licenciée qu'elle était, touchait paisiblement sa solde, se tenait prête à agir. L'autre armée, c'étaient les *Feuillants,* très nombreux dans la garde nationale, et qui avaient tous les officiers, beaucoup de soldats dans le camp de La Fayette. Il suffisait, disait-on, que le roi fît un signe, et La Fayette arrivait.

L'insolence des fayettistes et la vive opposition de ce parti et de la Gironde, qu'on accusait tant d'être unis, éclata dans une visite que deux aides de camp de La Fayette firent à Roland, sans à propos, sans prétexte vraisemblable, comme s'ils n'eussent voulu voir le ministre que pour chercher une occasion de querelle. Ils lui dirent ce qu'ils avaient dit déjà dans les cafés et partout, qu'il fallait augmenter les troupes, que *les soldats étaient des lâches,* etc. Roland prit mal ce dernier mot, défendit l'armée, l'honneur de la nation, dit qu'il fallait accuser l'officier plutôt que le soldat ; il écrivit à La Fayette les propos déplacés de ses aides de camp. La Fayette répondit en vrai marquis de l'ancien régime, qu'ils n'avaient pu se confier à un homme « que personne ne connaissait, dont la nomination, insérée dans la *Gazette,* avait révélé l'existence ; qu'il ne croyait pas un mot du récit ; *qu'elle haïssait les factions, méprisait leurs chefs* ».

Un tel langage adressé à un ministre ne devait pas compter comme insulte individuelle ; c'était un défi au ministère, au gouvernement, au parti gouvernant, à la Gironde, une déclaration de guerre. On pouvait conjecturer que celui qui tenait un si superbe langage à l'homme de l'Assemblée, ce César, allait, d'un jour à l'autre, passer le Rubicon. Les Feuillants, avant la bataille, agissaient déjà en vainqueurs. L'un d'eux, un représentant, au milieu des Tuileries, tomba à coups de bâton sur le Jacobin Grangeneuve, qui était faible et petit, peu capable de se défendre, et resta évanoui pendant trois quarts d'heure. Ce furieux frappait toujours quand Saint-Huruge et Barbaroux se jetèrent sur lui et, à leur tour, faillirent l'étrangler.

En attendant les Feuillants, les royalistes de Paris venaient de faire une commande de six mille armes blanches, qui fut surprise par le juge de paix de la section de Bondy.

De partout menaçait l'orage. Et la Gironde, qui semblait mener le vaisseau de la France, n'en avait pas le gouvernail. Elle avait l'air toute-puissante, et ne pouvait rien, et elle excitait l'envie, au moyen de laquelle Robespierre la démolissait chaque jour.

Roland, ministre républicain d'un roi qui se sentait chaque jour plus déplacé aux Tuileries, n'avait mis le pied dans ce lieu fatal qu'à la condition positive qu'un secrétaire, nommé *ad hoc* expressément, écrirait chaque jour, tout au long, les délibérations, les avis, pour qu'il en restât témoignage, et qu'en cas de perfidie, on pût, dans chaque mesure, diviser et distinguer, faire la part précise de responsabilité qui revenait à chacun.

La promesse ne fut pas tenue ; le roi ne le voulut point. Roland alors adopta deux moyens qui le couvraient. Convaincu que la publicité est l'âme d'un Etat libre, il publia chaque jour dans un journal, *Le Thermomètre,* tout ce qui pouvait se donner utilement des décisions du Conseil ; d'autre part, il minuta, par la plume de sa femme, une lettre franche, vive et forte, pour donner au roi, et plus tard peut-être au public, si le roi se moquait de lui.

Cette lettre n'était point confidentielle ; elle ne promettait nullement le secret, quoi qu'on ait dit. Elle s'adressait visiblement à la France autant qu'au roi, et disait, en propres termes, que Roland n'avait recouru à ce moyen qu'au défaut du secrétaire et du registre qui eussent pu témoigner pour lui.

Elle fut remise par Roland le 10 juin, le même jour où la Cour faisait jouer contre l'Assemblée une nouvelle machine, une pétition menaçante, où l'on disait perfidement, au nom de huit mille prétendus gardes nationaux, que l'appel des vingt mille fédérés des départements était un outrage à la garde nationale de Paris.

Le 11 ou 12, le roi ne parlant pas de la lettre, Roland prit le parti de la lire tout haut en Conseil. Cette pièce, vraiment éloquente, est la suprême protestation d'une loyauté républicaine, qui pourtant montre encore au roi la dernière porte de salut. Il y a des paroles dures, de nobles et tendres aussi, celle-ci qui est sublime : « Non, la patrie n'est pas un mot ; c'est un être auquel on a fait des sacrifices, à qui l'on s'attache chaque jour par les sollicitudes qu'il cause, qu'on a créé par de grands efforts, qui s'élève au milieu des inquiétudes et qu'on aime autant par ce qu'il coûte que par ce qu'on en espère... »

Suivent de graves avertissements, de trop véridiques prophéties sur les chances terribles de la résistance, qui forcera la Révolution de s'achever dans le sang.

Cette lettre eut le meilleur succès que pût espérer l'auteur. Elle le fit renvoyer. La reine, guidée par les Feuillants, crut pouvoir chasser du ministère la Gironde, le parti qui dirigeait l'Assemblée, ce qui n'allait pas à moins que de se passer de l'Assemblée et de gouverner sans elle. Étrange audace qui s'appuyait sur une supposition fort légère, à savoir qu'on pourrait amener à un traité Dumouriez et les Feuillants, concilier les deux généraux ennemis de la Gironde, Dumouriez et La Fayette, et de ces deux épées briser la plume des avocats.

Le difficile était de décider Dumouriez à rester, en renvoyant Roland, Servan et Clavières, à rester pour porter seule l'indignation du public et de l'Assemblée. On y parvint au moyen d'un mensonge et d'une ruse puérile. Le roi trompa le ministre ; le simple et le bonhomme attrapa l'homme d'intrigues ; il fit entendre à Dumouriez qu'il pourrait sanctionner le décret des vingt mille hommes, et l'autre contre les prêtres, lorsqu'on l'aurait débarrassé des ministres girondins. Dumouriez, sur cette parole, fit la vilaine besogne de renvoyer ses collègues. Le jour même, ils furent remerciés de l'Assemblée, qui déclara qu'ils avaient bien mérité de la patrie.

Il essaya de se relever par un coup d'audace ; il vint à ce moment même présenter à cette Assemblée irritée et frémissante un remarquable mémoire sur l'état réel de nos forces militaires. Ce mémoire était dirigé en bonne partie contre Servan, le dernier ministre. Cependant, Servan n'ayant été qu'une quinzaine au pouvoir, c'était bien plus sur de Grave, bien plus encore sur Narbonne, son prédécesseur, que les reproches tombaient.

Le courage de Dumouriez, sa bonne contenance, le relevaient fort. Néanmoins, il n'avait qu'un seul moyen de durer, c'était d'obtenir du roi la sanction des décrets.

Il s'était horriblement compromis, perdu presque, sur cette espérance. Mais justement parce que la Cour en jugeait ainsi, elle ne s'inquiétait plus de le ménager. Les Feuillants venaient dire, sans détour, à Dumouriez, qu'il n'avait plus qu'une ressource, se jeter dans leurs bras, qu'il devait contresigner le refus de sanction, qu'à ce prix on le réconcilierait avec La Fayette, qui arrivait à Paris tout exprès pour le poursuivre. On le croyait ainsi pris sans remise, lié au fond du filet. Le roi lui parla du ton impératif et majestueux du roi d'avant 89, lui ordonnant à lui et à ses collègues d'apposer leurs seings au *veto*. Le surlendemain, Dumouriez et ses collègues donnèrent leurs démissions. Le roi était très agité. « J'accepte », dit-il d'un air sombre. Sa duplicité n'avait eu aucun résultat. L'intrigant le plus intrépide ne pouvait même lui rester. La Cour se trouvait à nu, démasquée devant le peuple.

CHAPITRE VIII

Le 20 juin — Les Tuileries envahies, le roi menacé

Danger de l'anarchie — Danger d'un coup d'État — La Fayette écrit au roi de résister (16 juin 1792) — Indécision, variation de l'Assemblée — Qui prépare le 20 juin? — Part que Danton put y avoir — Discours d'homme du peuple — Robespierre contraire au mouvement — Conciliabule chez Santerre — L'Assemblée paraît autoriser le mouvement — Marche inoffensive du peuple — Les meneurs lui font forcer les portes du château — Le roi surpris et menacé — Sa foi et son courage — Comment il amuse le peuple — Courageuse fierté de la reine — Pétion aux Tuileries — Dernière résistance du roi — Le peuple se lasse, et s'écoule.

Les deux forces ennemies, la Révolution et la Cour, se trouvaient placées en face, prêtes à se heurter, et front contre front.

Le roi, en usant du *veto,* son arme constitutionnelle, en acceptant la démission des ministres de la majorité, avait fait sortir le gouvernement des mains de l'Assemblée. L'Assemblée était le seul pouvoir reconnu en France ; ce qu'on pouvait lui ôter ne retournait point au roi. Ceci était seulement l'anéantissement du pouvoir, et l'entrée dans l'anarchie.

Elle éclatait de toutes parts dans la nullité, l'inertie des autorités, même les plus populaires et sorties de l'élection. Un état de division, de dispersion effrayante commençait sur tous les points. Nulle action du centre aux extrémités qui ralliât les parties au tout. Et, dans chaque partie même, la division allait se subdivisant. Le gouvernement révolutionnaire qui va commencer, et qu'on appelle souvent l'avènement de l'anarchie, se trouva tout au contraire le moyen, violent, affreux, mais enfin le seul moyen que la France eût d'y échapper.

Cette dissolution avait lieu en présence du péril qui eût demandé la concentration la plus forte, devant une de ces crises où tout être, en danger de mort, se resserre et se ramasse, cherche sa plus forte unité.

L'ennemi était là en face, et déjà vainqueur ; il semblait ne daigner entrer. Il croyait n'en avoir que faire dans le pitoyable état de la France. Il restait sur la frontière, à regarder avec mépris une nation abandonnée pour se dévorer elle-même.

Une chose était évidente. La Cour allait frapper un coup. L'affaire de Nancy et du Champ-de-Mars allait recommencer en grand. Cette fois, les royalistes semblaient près de donner la main aux Feuillants, aux royalistes constitutionnels. Ils commençaient à regretter la faute énorme et monstrueuse qu'ils firent, à la fin de 91, de sacrifier les Feuillants et La Fayette, d'aider les Jacobins eux-mêmes, de fortifier contre leurs ennemis acharnés ; royalistes et royalistes constitutionnels, s'ils s'entendaient un moment, c'était un parti immense, assez fort pour vaincre ? On ne sait, mais, à coup sûr, assez fort pour commencer sur toute la France une effroyable guerre civile.

Les premières mesures à prendre eussent été terribles. La suspension du droit de réunion, la suppression des clubs, sans l'aveu de l'Assemblée, sur l'ordre d'une autorité inférieure ; la compression de l'Assemblée par une force militaire, par l'insurrection d'une armée.

La tentative n'était pas impossible, à y bien regarder ; seulement elle eût demandé une décision très vive, un acte fort et d'ensemble. La grande force militaire de Paris, les soixante mille baïonnettes de la garde nationale, était extrêmement divisée, une bonne moitié inerte ; même dans la partie active, il y avait beaucoup d'irrésolution. Cela étant, la Cour avait certainement la force, ayant les cinq ou six mille batailleurs, bretteurs, gentilshommes, de la garde constitutionnelle, qu'elle n'avait pas réellement licenciée, et d'autre part la garde suisse, troupe d'élite et dévouée, composée de trois bataillons de seize cents hommes chacun. C'était peu pour contenir Paris, assez pour un coup de terreur, pour s'emparer par exemple au même jour, à la même heure, des canons des sections, fermer les Jacobins, enlever tous les meneurs, rallier tout ce qu'il y avait de royalistes dans la garde nationale, recevoir dans Paris la cavalerie de La Fayette, qui, en trois jours, viendrait des Ardennes à marches forcées.

La difficulté réelle, c'était l'absence de décision, le défaut d'unité d'esprit. Les royalistes auraient frappé, sans hésitation, un coup sec et meurtrier ; les Feuillants, les fayettistes auraient frappé à moitié, craignant, derrière l'anarchie, de tuer la liberté. La Cour, qui connaissait bien les scrupules de ce parti, hésitait à l'employer. Elle le laissait parler, le montrait comme épouvantail, elle ne désirait pas bien sincèrement qu'il agît. Triompher par La Fayette, c'eût été pour la reine la défaite la plus amère. Elle aurait pensé alors que la Révolution modérée eût eu chance de durée tandis qu'elle aimait bien mieux croire que les Jacobins, après tout avaient, par leur fureur même, le mérite de lasser la France, de pousser la Révolution à son terme, d'épuiser la fatalité.

Le 12 juin, le directoire de Paris commença l'attaque par une lettre à Roland, ministre de l'Intérieur. Il invoquait les lois qui pouvaient autoriser à fermer les Jacobins.

Le 16 juin, au camp de Maubeuge, La Fayette, instruit du renvoi des trois ministres girondins et du maintien de Dumouriez, fit la démarche décisive d'écrire à l'Assemblée une lettre sévère, violente et menaçante, celle que César eût pu écrire au Sénat de Rome, en revenant de Pharsale. C'était, d'abord, une reproduction de la lettre du directoire de Paris contre les Jacobins. Puis, des conseils à l'Assemblée, ou plutôt des conditions, posées l'épée à la main, la recommandation de respecter la royauté, la liberté religieuse, etc. ; une comparaison étrange entre Paris et l'armée, l'un si fol, l'autre si sage : « Ici, les lois sont respectées, la propriété sacrée ; ici, l'on ne connaît ni calomnie ni factions, etc. » Un mot, très grave et coupable, pour augmenter les mécontentements de l'armée, aiguiser l'épée de la révolte : « Le courageux et persévérant patriotisme d'une armée, *sacrifiée* peut-être à des combinaisons contre son chef. »

Et, de peur que cette lettre ne fût assez claire, il en envoyait une au roi, pour l'encourager à la résistance contre l'Assemblée : « *Persistez, sire,* fort de l'autorité que la volonté nationale vous a déléguée... Vous trouverez tous les bons Français rangés autour de votre trône », etc.

Rien n'égale la stupéfaction de l'Assemblée, à la lecture de cette pièce surprenante. Mais l'effet fut encore plus inattendu.

L'Assemblée marchait jusqu'ici sous le drapeau de la Gironde. L'audace de La Fayette changea cela tout à coup. Après un moment de silence, des applaudissements s'élèvent, bien plus nombreux qu'on ne l'eût attendu des deux cent cinquante Feuillants ; une grande masse d'indécis se trouvait avoir tourné. Il y parut bien au vote. Une majorité énorme ordonna l'*impression.*

Restait la seconde question à voter, l'*envoi aux départements.* Si la chose allait de même, la Gironde était perdue, l'Assemblée était fayettiste, la France était aux Feuillants.

Visiblement le parti qui écartait la question par l'ordre du jour était en minorité.

Vergniaud obtint de parler, posa très bien la question. Il ne s'agissait pas de conseils adressés à l'Assemblée, sous forme de pétition, par un simple citoyen, mais par un général d'armée à la tête de ses troupes. Les conseils d'un général, qu'est-ce, si ce ne sont des lois qu'il impose ?

Cette judicieuse parole ne produisait pas d'effet.

Admirez l'esprit des assemblées. Ce fut par une surprise, un prétexte pris au hasard, une assertion évidemment non fondée, que

Guadet rendit les esprits flottants, et commença à relancer l'opinion de l'autre côté : « La lettre est-elle vraiment de M. de La Fayette ? Non, cela est impossible. Si c'est bien sa signature, c'est qu'il l'a envoyée en blanc, et qu'on l'a remplie ici. Il parle, le 16 juin, de la démission de M. Dumouriez, qui n'avait pas eu lieu, et qu'il ne pouvait connaître. »

Cela arrêta l'Assemblée. Or, il n'y a pas un mot dans la lettre de La Fayette qui indique qu'il connaît la démission de Dumouriez.

Alors Guadet, rompant les chiens, détournant l'attention, jette un mot provocant qui engage le débat, ajourne le vote, fait gagner du temps : « Lorsque Cromwell osait parler ainsi... » (*Grands cris :* « Monsieur, c'est abominable ! etc., etc. »)

Le tumulte va croissant. La première impression se dissipe ; l'Assemblée, sans s'en apercevoir, redevient ce qu'elle était. Elle vote, sous l'influence de la Gironde, que la lettre sera renvoyée à l'examen de la Commission des douze, et, sur la question décisive de l'envoi aux départements, *qu'il n'y a lieu à délibérer.*

La Gironde, qui avait vu de si près le précipice, avertie, non rassurée, consentit dès lors, tout l'indique, à l'idée d'un nouveau 6 octobre, qui fut le 20 juin.

Le 20 juin, le 10 août furent des remèdes extrêmes sans lesquels la France périssait à coup sûr.

Le 20 juin la sauva de La Fayette et des Feuillants, qui, aveugles et dupes, allaient frapper la Révolution qu'ils aimaient, relever, sans le vouloir, le pouvoir absolu.

Le 10 août, en brisant le trône, ôta à l'invasion de poste qu'elle tenait au milieu de nous, son fort des Tuileries qu'elle occupait déjà. Si elle le gardait, toute résistance nationale devenait impossible.

Le 20 juin avertit l'incorrigible roi de l'ancien régime, le roi des prêtres.

Le 10 août renversa l'ami de l'étranger, l'ami de l'ennemi.

Ce ne sont point là des actes accidentels, artificiels, simple résultat des machinations d'un parti. Dès le commencement de ce livre, en marquant le premier élan de la guerre, nous avons vu venir de loin ces deux grands coups de la guerre intérieure, qui délient le bras de la France, lui permettent de faire face à l'ennemi du dehors, à l'Europe conjurée. L'heure venue, le bon sens du peuple, l'instinct du salut, la nécessité de la situation décidèrent tout à coup l'événement.

La part des influences individuelles ne fut pas très grande, au 20 juin. Elle le fut toutefois, nous le croyons, plus qu'au 10 août. Dans le premier ébranlement, les hommes purent influer encore. Mais l'élan une fois donné, le *crescendo* terrible de la colère nationale ayant pris son cours nécessaire, le 10 août arriva, fatal, rapide, en ligne droite, lancé comme un boulet.

Il ne faut pas s'exagérer la faible part qu'aurait pu avoir au 20 juin le duc d'Orléans. Son homme, Sillery, en fut-il ? on l'a dit, et, je crois, à tort. Son argent y eut-il part ? cela n'est pas invraisemblable. Il venait d'essayer de se rapprocher de la Cour, et il avait été repoussé, insulté. Quelque argent put être donné par Santerre et autres meneurs, en boissons et en vivres, dans les cabarets, qui furent, comme toujours, les foyers de l'insurrection.

On a encore imaginé de faire venir aux conciliabules préparatoires de l'insurrection Marat et Robespierre. Mais d'abord, jamais ces deux hommes n'agirent ensemble (sauf au 31 mai). Marat estimait, méprisait Robespierre, comme un parleur, un pauvre homme de bien, nullement à cette hauteur d'audace qui caractérise le grand homme d'Etat, n'entendant rien aux grands remèdes, la corde et le poignard.

Marat n'agit pas au 20 juin. On n'y voit pas la main sanglante. Robespierre, loin d'agir, y fut tout à fait opposé, il n'aimait pas ces grands mouvements. M. de Robespierre était homme d'une pièce, il ne fallait pas le sortir de sa tactique jacobine, ni de ses habitudes. Soigné, coiffé, poudré, il n'eût point compromis dans ces bagarres, ni même dans la rude société de l'émeute, l'économie de sa personne.

Ni la Gironde ni les Jacobins n'agirent.

La première aida de ses vœux ; Pétion de sa connivence, et encore bien moins qu'on a dit.

Les Jacobins étaient fort divisés. La grande majorité était, comme Robespierre, contraire au mouvement.

Cette division des Jacobins y était peut-être le plus grand obstacle. Le mouvement naturel et spontané du peuple en était compromis ; il devait hésiter devant l'incertitude de la grande société, devant l'énorme autorité de Robespierre. C'est là que se plaçait la nécessité de l'intervention individuelle, de l'art et du génie, pour que le mouvement n'avortât pas, parmi de tels obstacles, pour qu'il eût son cours naturel, pour que l'âme du peuple ne restât pas muette et comprimée par son respect pour ses faux sages.

On se rappelle la belle parole de Vergniaud : « La terreur est souvent sortie de ce palais funeste ; qu'elle y entre, au nom de la loi !... » Cela fut dit par Vergniaud ; mais si quelqu'un le fit, du moins contribua à le faire, ce fut, je crois, Danton. Cet homme eut, entre tous, de la Révolution le vrai génie pratique, la force et la substance, ce qui la caractérise fondamentalement, quoi ? L'action, comme dit un ancien ; quoi encore ? L'action. Et l'action, pour troisième élément.

Nous l'avons vu jusqu'ici se ménager habilement, faire aux moments douteux ce tour de force, de paraître le plus énergique, sans prendre aucune téméraire initiative. Dans les clubs, pardevant la tactique et la méfiance jacobines, et même aux Cordeliers, où il était chez lui, Danton hasardait peu, il n'avait pas confiance entière, il contenait la meilleure partie de son audace ; il n'y avait pas là assez d'espace, il ne respirait pas suffisamment ; les voûtes les plus vastes ne contenaient point sa voix, l'air manquait à sa vaste poitrine. Il lui fallait ce club, cette salle, cette voûte, qui, de la barrière du Trône, s'étend jusqu'à la Grève, de là aux Tuileries, et, pour soutenir sa voix, le canon, le tocsin.

La reine, chose piquante, avait mis Danton à l'Hôtel de Ville. Ce fut elle, on l'a vu, qui, en haine de La Fayette, fit voter les royalistes, aux élections municipales pour Pétion, dont le succès entraîna celui de Manuel et de Danton. Danton, devenu substitut du procureur de la commune, se trouva recevoir, pour ainsi dire, des mains du royalisme, les armes dont il devait percer la royauté. La Commune de Paris fut dès lors la machine, la pièce d'artillerie dont il joua sans se montrer encore. Il avait dans le Grand Conseil de la commune, dans le Conseil municipal une minorité très ardente, dont il pouvait s'aider.

On ne pouvait attendre les vingt mille fédérés du 14 juillet. Le péril était imminent. L'épée de La Fayette était suspendue sur Paris, qui de plus avait dans les reins le poignard royaliste. Chaque jour, aux Jacobins, on bavardait sur les personnes, ou oubliait les choses et les réalités. Robespierre, d'un torrent d'eau tiède, détrempait les résolutions. Sa manie était d'empêcher l'arrivée des vingt mille, de pousser l'Assemblée à révoquer son décret, ce qui était remettre l'épée dans le fourreau.

De combattre Robespierre aux Jacobins, il n'y fallait songer. Danton y eût échoué. Il fallait le neutraliser indirectement. Il fallait ébranler la société, la faire sortir de la prudence bourgeoise, la remuer de la voix tonnante du peuple, de sorte que, si la Cour et les Feuillants tentaient un coup d'État avec l'épée de La Fayette, on pût y répondre à l'instant par un grand mouvement de Paris, sans que les Jacobins y contredissent. Contre le général, contre l'armée qu'il entraînerait peut-être, il fallait l'armée populaire.

Danton, en qui était une vie si puissante, en qui vibrait toute vie, eut toujours sous la main un vaste clavier d'hommes dont il pouvait jouer, des gens de lettres, des hommes d'exécution, des fanatiques, des intrigants, parfois des héros même, la gamme immense et variée des bonnes et mauvaises passions. Comme le fondeur intrépide qui, pour liquéfier le métal en fusion, y jetait pêle-mêle ses plats et ses assiettes, les vases ignobles et sales, qui, fondus d'un sublime jet, n'en firent pas moins un dieu ; de même, le grand artiste de la Révolution prenait de toutes parts les éléments purs et impurs, les bons et les méchants, les vertus et les vices, et, les jetant ensemble aux matrices profondes, il en faisait surgir la statue de la Liberté.

Il avait sous la main le Voltaire de la Révolution, Camille Desmoulins, et il ne s'en servit pas. Il gouvernait encore un artiste admirable, l'auteur du *Philinte,* Fabre d'Églantine, et il ne s'en servit pas. Il aimait mieux lancer des agents anonymes. Tout inconnu, alors, avait sur tout homme connu un avantage ; il s'appelait : Le peuple.

La scène qui va suivre fut-elle arrangée par Danton pour entraver les Jacobins ou bien fut-elle un fait tout spontané, une inspiration vraiment populaire ? Je n'essaierai pas de le décider.

Le 4 juin, le jour où les Feuillants avaient osé demander la mise en accusation de Pétion, un homme en veste, du faubourg Saint-Antoine, se présente aux Jacobins, et il enlève l'Assemblée d'un discours admirable. Non de ces fades bavardages comme la société en entendait toujours. Un discours rude, hardi, profondément calculé, prodigieusement audacieux. La simplicité du génie est là, on ne peut le méconnaître.

Cet inconnu, fort de son habit d'ouvrier et de ses mains calleuses, parla comme le paysan du Danube, au Sénat jacobin, lui dit ses vérités. Pour faire passer la chose, il frappait aussi tout autour, sur tout homme et sur tout parti, Feuillants, Gironde, etc. J'abrège ses paroles. « Vous le voyez, dit-il, je suis un homme en veste ; eh bien ! je trouverais encore bien deux mille hommes... Je vous dirai, messieurs, que vous vous occupez trop de personnalités. Toujours on vous voit agités pour des débats d'amour-propre, tandis que la patrie appellerait vos soins... Dimanche, j'irai moi-même présenter pétition à l'Assemblée nationale. Et, si je ne trouve pas de Jacobins pour venir avec moi, je la lirai moi-même... Nous ne sommes point sans sentiments, messieurs, quoique nous soyons sans culottes... Nous vous dirons, d'après J.-J. Rousseau : « La souveraineté du peuple est inaliénable. Tant que les représentants feront leur devoir, nous les soutiendrons ; s'ils y manquent, nous verrons ce que nous avons à faire... » Et moi, aussi, messieurs, je suis membre du souverain ! » *(Vifs applaudissements.)*

Ainsi fut posé, au sein même des Amis de la Constitution, le droit de la briser, l'imprescriptible droit du peuple de reprendre, au besoin, la souveraineté par l'insurrection.

Ce n'était nullement là la tradition jacobine. Le 13 juin, le jour où sortirent du ministère Roland et les Girondins, Robespierre craignit un mouvement, parla longtemps le soir pour obtenir que l'on s'occupât moins du ministère renvoyé. Il dit qu'il fallait se garder « des insurrections partielles qui ne font qu'énerver la chose publique ».

« Rallions-nous autour de la Constitution... L'Assemblée n'a nulle mesure à prendre que de soutenir la Constitution... Si nous y touchions, d'autres viendraient, disant : « Nous avons autant de raisons pour modifier la Constitution... »

Jamais il ne fut plus assommant, plus étranger à la situation. Dans ce danger terrible, du dehors, du dedans, lorsque la France périssait justement de l'usage que le roi faisait de la Constitution, la prêcher, la recommander, tranchons le mot, c'était une ineptie.

Cette nullité dans un moment si solennel eût tué, enterré Robespierre, s'il ne se fût trouvé le chef et l'espérance d'une coterie serrée, déterminée à l'appuyer *quand même,* s'il n'eût été accepté de longue date comme pédagogue et maître d'école, régent des Jacobins.

Danton a dit sur lui un mot bas, mais très grave, et qui caractérise vigoureusement son incapacité en toute chose pratique d'immédiate exécution : « Ce b...-là n'est pas capable seulement de cuire un œuf ! »

Robespierre finit tristement, par cette parole, en vérité trop prudente, qui devait le couvrir, le sauver, quoi qu'il arrivât : « Je prends acte de ce que je me suis opposé à toutes les mesures contraires à la Constitution. »

Danton se garda bien de répondre à cette homélie. Il demanda que la discussion fût remise au lendemain : « Demain, dit-il, je m'engage à porter la terreur dans une cour perverse. » Le lendemain, il se contenta de reproduire à peu près ce qui avait été déjà dit par un de ses hommes, Lacroix : qu'il fallait destituer les généraux, renouveler les corps électoraux, vendre les biens des émigrés, intéresser les masses à la Révolution, en rejetant presque tout impôt sur les riches. Il dit qu'il fallait que la reine fût répudiée, renvoyée avec égard et sûreté. Il dit que « une loi de Rome, rendue après Tarquin, permettait de tuer, sans jugement, tout homme qui seulement parlait contre les lois ». Et autres choses vagues et violentes qui pouvaient occuper la scène, donner pâture aux Jacobins, sans dévoiler nul projet actuel.

Dès le 14 cependant, Legendre, homme de passion naïve sincère et colérique, que Danton tirait comme il voulait, était allé au faubourg Saint-Antoine s'aboucher avec l'homme influent du faubourg, le brasseur Santerre. Celui-ci, de race flamande, grand, gros et lourd, une espèce de Goliath, avait, sans esprit, sans talent (il y parut dans la Vendée), ce qui remue les masses, les apparences du courage, du bon cœur et de la bonhomie. Il était riche, donnait infiniment, du sien sans doute, mais aussi, on peut le croire sans peine, l'argent que les partis, orléaniste ou autre, voulaient distribuer. Commandant du bataillon des Quinze-Vingts, il pouvait entraîner le faubourg : on l'aimait. Il donnait des poignées de main à tout venant, et quelles poignées de main ! Tout gros brasseur qu'il était, officier supérieur avec de grosses épaulettes, allant, venant par le faubourg sur son grand cheval, il n'en était pas plus fier pour cela envers le pauvre monde. Avec cela un fameux patriote, et d'une voix qu'on eût entendue de la barrière du Trône à la porte Saint-Antoine.

L'honorable brasseur avait presque toujours avec lui, nourrissait et désaltérait bon nombre de pauvres diables, vainqueurs de la Bastille, d'autres moins honorables, des braillards de carrefours, par lesquels il brassait l'émeute, un jeune bijoutier fainéant par exemple, qui, à force de parlage, de criaillerie, d'audace, devint général pour le malheur de la République, l'inepte général Rossignol, connu dans la Vendée par ses sottises, et comme persécuteur de Marceau et de Kléber.

Voilà les habitués de Santerre. Voyons ceux qui se joignaient à eux, ceux qui, du 14 au 20, se réunissaient là dans son arrière-boutique, amenés du faubourg Saint-Germain par Legendre, ou d'autres quartiers. Les Cordeliers étaient le plus grand nombre.

Il y avait d'abord des têtes de colonne, des hommes singuliers qu'on voyait infailliblement partout où il y avait du bruit, qui marquaient ou par la puissance de la voix, ou par quelque défaut physique, par tel ridicule même, qui amusait la foule et servait de drapeau.

Il y avait d'abord un hurleur admirable, Saint-Huruge, un mari célèbre, enfermé avant 89 par les puissants amis de sa femme, et qui allait criant qu'il vengerait ses malheurs domestiques jusqu'à l'extinction de la Monarchie. Grand et gros, armé d'un énorme bâton, aux émeutes souvent déguisé en fort de la halle, M. de Saint-Huruge effrayait la canaille même.

Il y avait ensuite un bossu terrible (ils ont toujours marqué dans la Révolution), l'avocat de Marat, Cuirette-Verrières. Nous avons vu à cheval, le 6 octobre, le 16 juillet, ce polichinelle sanguinaire. Verrières, intrépide parleur, ne fut démonté qu'une fois : ce fut dans une cause où l'on imagina de faire plaider contre lui un avocat non moins bossu.

Un petit homme, Mouchet, tout noir de peau, boiteux, bancroche, espèce de diable boiteux, d'une amusante activité, sans être du complot, se remua beaucoup au 20 juin. Il était juge de paix dans le Marais, officier municipal, drapé de son écharpe. Le chef naturel du quartier eût été le héros du Club des Minimes, la doublure de Danton, ce petit furieux Tallien. Mais Danton aurait trop paru.

Un baragouineur spirituel, anglo-italien, Rotondo, le dos sensible encore des coups de bâton qu'il avait reçus en juillet 91, comptait bien se venger en juin 92.

Et avec ces parleurs, il y avait un homme qui ne parlait pas, qui tuait, l'Auvergnat Fournier, dit l'Américain.

Le meneur du faubourg Saint-Marceau, qui venait la nuit chez Santerre, était un M. Alexandre, commandant de la garde nationale. De là venait encore un homme d'exécution, élégant et fat, qui, n'ayant réussi à rien par en haut, se jetait en bas dans le peuple, le Polonais Lazouski. Il était capitaine des canonniers de Saint-Marcel.

Je croirais volontiers que, du faubourg Saint-Jacques, venait chez Santerre un artiste, extraordinairement chaleureux et passionné, Sergent, qui eut la gloire d'être beau-frère d'un de nos héros les plus purs, Marceau — et qui eut aussi le malheur, l'infamie (non méritée, je crois), d'avoir organisé le massacre de Septembre.

Le 16, l'affaire fut lancée par le Polonais Lazouski. Il était membre du Conseil général de la commune. Il annonça au Conseil que, le mercredi 20 juin, les deux faubourgs présenteraient des pétitions à l'Assemblée et au roi, et planteraient sur la terrasse des Feuillants l'arbre de la liberté en mémoire du Jeu de Paume et du 20 juin 1789. Le Conseil refusant l'autorisation, les pétitionnaires déclarèrent qu'ils passeraient outre, que l'Assemblée recevait bien les pétitionnaires de l'autre parti (et en réalité, le 19 même, elle reçut tout un bataillon), qu'elle pouvait manquer de les bien recevoir aussi.

On disait que le roi recevrait la pétition présentée seulement par vingt personnes. Chabot vint le soir aux sections du faubourg Saint-Antoine, et leur dit « que l'Assemblée les attendait demain sans faute et les bras ouverts ».

En réalité, l'Assemblée avait, ce soir même, accueilli une foudroyante adresse des Marseillais : « Sur le réveil du peuple, ce lion généreux, qui allait enfin sortir de son repos. » Elle avait ordonné que cette adresse fût envoyée aux départements, et par cette faveur, elle semblait autoriser le mouvement du lendemain.

Tout le peuple se faisait une fête d'y aller. Quelques-uns, plus prudents, disaient : « Mais si l'on tire sur nous ? » Les autres s'en moquaient : « Et pourquoi ? disaient-ils ; Pétion sera là. »

Le directoire de Paris (La Rochefoucauld, Talleyrand, Rœderer, etc.) défendait le rassemblement, s'adressait pour l'empêcher à la garde nationale. Pétion, mieux instruit, savait que la garde nationale elle-même ferait dans les faubourgs une bonne partie du rassemblement. L'empêcher, c'était chose impossible, mais on pouvait le régulariser, le rendre pacifique, en appelant sous les armes la garde nationale tout entière, et la faisant marcher dans le mouvement même. C'est ce que proposèrent, le 19 à minuit, les administrateurs de police. Le directoire, convoqué à l'instant refusa, ne voulant à aucun prix légitimer un rassemblement illégal. Mais il n'avait aucune force pour faire respecter ce refus.

Plusieurs sections n'en tinrent compte et autorisèrent les commandants de bataillon à conduire l'attroupement. D'autre part, le commandant général réunit et plaça plusieurs bataillons au Carrousel et dans les Tuileries. En sorte que la garde nationale était en danger de heurter la garde nationale, et de renouveler l'affreuse affaire du Champ-de-Mars. C'est ce que redoutait Pétion, ce qu'il voulut éviter à tout prix.

Il fait clair de bonne heure en juin. Dès cinq heures du matin, les rassemblements étaient considérables aux deux faubourgs. Les municipaux, en écharpe, les haranguaient en vain. Cette foule, mal armée de sabres, de piques ou de bâtons, mêlée d'hommes, d'enfants et de femmes, n'était nullement hostile ni violente. C'est le témoignage exprès d'une foule de témoins. Généralement, ils avaient pris des armes et des canons par prudence et pour leur sûreté, de peur, disaient-ils, qu'on ne tirât sur eux. Ils craignaient qu'il n'y eût quelque piège aux Tuileries, quelque embuscade démasquée tout à coup de cet antre de la royauté. « Nous ne voulons faire de mal à personne, disaient-ils aux municipaux, nous ne faisons pas une émeute. Nous voulons seulement, comme les autres ont fait, présenter une pétition. On les a bien reçus ; nous, pourquoi nous exclure ?... » Puis, tous, hommes et femmes, ils les entouraient en cercle, et leur disaient cordialement : « Eh bien ! messieurs, venez donc avec nous, mettez-vous à notre tête ! »

La colonne principale, partie des Quinze-Vingts, avec le peuplier que l'on devait planter, avait en tête une troupe d'invalides, pour chef Santerre, et un fort de la halle (on sait que c'était Saint-Huruge).

Arrivés à la place Vendôme, et, traversant la rue Saint-Honoré, ils se trouvèrent en face d'un poste de gardes nationaux, qui leur ferma le passage des Feuillants, l'accès de l'Assemblée. Le torrent, grossi sur la route, était alors d'environ dix mille hommes ; il eût pu emporter le poste ; mais il y avait généralement dans la foule un esprit de douceur et de modération. Ils n'essayèrent point de lutter, abandonnèrent le projet de planter leur arbre sur la terrasse, se détournèrent dans la cour voisine des Capucins, et s'amusèrent à le planter.

Cependant leurs commissaires réclamaient de l'Assemblée la faveur de défiler devant elle. Ils assuraient qu'ils déposeraient leur pétition sur le bureau, et n'approcheraient pas même des Tuileries. Vergniaud, en demandant leur admission, voulait qu'à tout hasard on envoyât au roi soixante députés. La précaution était fort sage.

Chose étrange, ce fut un Feuillant qui s'y opposa, disant que cette précaution serait injurieuse pour le peuple de Paris.

Cependant la musique qui les précède fait entendre le *Ça ira,* ils entrent, leur orateur lit à la barre la menaçante pétition : elle contenait telle parole violente qui sentait le sang, celle-ci, par exemple, à l'adresse de l'Assemblée même : « La patrie, la seule divinité qu'il nous soit permis d'adorer, trouverait-elle jusque dans son temple des réfractaires à son culte ?... Qu'ils se nomment, les amis du pouvoir arbitraire ! Le véritable souverain, le peuple, est là pour les juger. — Nous nous plaignons, messieurs, de l'inaction de nos armées *(ceci contre La Fayette).* Pénétrez-en la cause ; si elle dérive du pouvoir exécutif, qu'il soit anéanti ! — Nous nous plaignons des lenteurs de la Haute Cour nationale... Veut-on forcer le peuple à reprendre le glaive ? » Ils demandaient ensuite à rester en armes « jusqu'à ce que la Constitution fût exécutée ».

L'attitude du peuple, au nom duquel on venait de lire cette adresse violente, y répondait peu ; il était bruyant, mais joyeux, bien plutôt que menaçant. Le temps était admirable, un de ces jours où le ciel, par l'éclat de la lumière, la douceur de la température, donne espoir à tous, et semble se charger de consoler les plus profondes misères. Celles de Paris allait croissant ; malgré le bon marché du pain, tout travail ayant cessé, tout commerce, ou à peu près ; il y avait nombre de personnes littéralement affamées. Tout cela, cependant, ouvriers sans ouvrage, pauvres ménages dénués, mères chargées d'enfants, cette masse immense d'infortunes s'était soulevée avant le jour de la paille ou du grabat, avait quitté les greniers des faubourgs, sur le vague espoir de trouver dans cette journée quelque remède à leurs maux. Sans bien connaître à fond la situation, ils savaient en général que l'obstacle à tout changement était le *véto* du roi, sa volonté négative, sans doute inspirée de la reine. Il fallait vaincre cet obstacle, amener à la raison M. et Mme Veto. Comment et par quels moyens ! Ils n'y avaient pas trop pensé ; sauf un assez petit nombre de meneurs, la foule n'avait nulle intention de forcer l'entrée du château.

Que voulaient-ils vraiment ? Aller. Ils voulaient marcher ensemble, crier ensemble, oublier un jour leurs misères, faire ensemble, par ce beau temps, une grande promenade civique. La faveur seule d'être admis dans l'Assemblée était pour eux une fête. L'Eglise commençant d'apparaître ce qu'elle était, l'ennemie du peuple ; à quelle église donc, à quel autel ces infortunés auraient-ils eu recours ? n'était-ce pas au temple de la Loi, à l'Assemblée nationale ? Ils y allaient en pèlerinage, comme faisait le Moyen Age aux sanctuaires fameux, dans les grandes calamités.

Ils arrivèrent assez tard, et déjà beaucoup d'entre eux, levés dès trois ou quatre heures du matin, debout tout le jour, obligés pour se soutenir de demander quelque force au vin frelaté de Paris, se trouvaient à l'Assemblée dans un état peu digne d'elle. Plusieurs dansaient en passant, criaient : « Vivent les patriotes ! vivent les sans-culottes ! à bas le Veto ! » Dans cette foule chantante et dansante, il y avait, contraste cruel ! des faces hâves et décharnées, vraies figures du désespoir, des infortunés qui, malgré l'excès des privations, s'étaient efforcés de se traîner là, des femmes pâles, et peut-être à jeun, menant des enfants maladifs. Ils semblaient n'être venus que pour montrer à l'Assemblée à quelles extrêmes misères elle avait à remédier. Le petit moment de bonheur, de confiance, de consolation qu'ils avaient en traversant ce lieu d'espérance, ils le marquaient par quelque cri joyeux, sauvagement joyeux, ou par un triste sourire, s'ils ne pouvaient crier. Cette joie eût été effrayante si elle n'eût été douloureuse.

Rien n'ayant été prévu pour l'écoulement de cette grande foule, il y avait au-dehors un engorgement, un étouffement prodigieux. On avait fermé la grille des Tuileries, et derrière se trouvait un bataillon de garde nationale avec trois pièces de canon. La file arrêtée, sans issue, heurtait violemment cette grille ; et derrière, toujours et toujours, la foule allait s'accumulant. Pendant qu'on court au château demander qu'on ouvre, la grille est forcée. la foule suit la terrasse des Feuillants. Mais au lieu de sortir du côté où est maintenant la rue de Rivoli, elle force l'entrée du jardin, et, passant pacifiquement devant la haie des gardes nationaux rangés le long du château, elle va ressortir du côté du quai pour entrer dans le Carrousel. les guichets étaient gardés ; la multitude est repoussée, elle s'irrite, une collision paraît imminente. Deux officiers municipaux, le diable boiteux Mouchet et un autre, essaient d'apaiser la foule en laissant passer une première bande qui se présentait. D'autres municipaux, encore plus favorables au mouvement, laissent passer le reste. Les voilà dans le Carrousel. A la porte de la cour royale un municipal les harangue : « C'est le domicile du roi ; vous n'y pouvez entrer en armes. Il veut bien recevoir votre pétition, mais seulement par vingt députés. » — « Il a raison », disaient ceux qui pouvaient entendre. Mais ceux qui étaient derrière n'entendaient pas et poussaient de toutes leurs forces.

Cette foule avait à craindre derrière elle les canons de la garde nationale. Mais le commandant de cette artillerie n'était plus obéi de ses canonniers. Comme il voulait les emmener : « Nous ne partirons pas, dit le lieutenant ; le Carrousel est forcé, il faut que le château le soit... A moi ! canonniers, dit-il, en montrant de la main les fenêtres du roi, à moi ! droit à l'ennemi ! » Dès ce moment, les canons sont braqués sur le château.

Il était quatre heures. La foule restait là, dans le Carrousel, immobile, inoffensive, ne sachant ce qu'elle ferait. Mais, voilà Santerre et Saint-Huruge, qui, le défilé fini, arrivent de l'Assemblée : « Pourquoi n'entrez-vous pas ? » crient-ils à la foule. Tous alors, d'ensemble, poussent sur la porte ; on la frappe à coups redoublés ; elle est tout ébranlée, elle tremble. On allait tirer dedans un coup de canon. Deux municipaux, voulant éviter une résistance inutile, ordonnèrent, ou du moins permirent qu'on relevât la bascule qui tenait les deux battants. La foule se précipita.

Santerre, Legendre et Saint-Huruge étaient à la tête. Derrière eux venait un canon. Au pavillon de l'Horloge, au bas même de l'escalier, un groupe de gardes nationaux et de citoyens firent face courageusement, s'en prenant au seul Santerre : « Vous êtes un scélérat, vous égarez ces braves gens ; toute la faute est à vous... » Santerre regarda Legendre, qui l'encouragea des yeux. Alors, se tournant vers sa troupe, il dit ironiquement : « Dressez procès-verbal du refus que je fais de marcher à votre tête dans les appartements du roi. » Sans s'arrêter davantage, la foule renversa tout, et tel fut son élan que, malgré sa pesanteur, le canon qu'on traînait se trouva en un moment monté au haut de l'escalier.

Le château ne présentait aucune défense. Les Suisses étaient à Courbevoie. La garde constitutionnelle, toujours payée, et subsistant malgré le décret de licenciement, n'avait pas été convoquée. Deux cents gentilshommes, au plus, s'étaient rendus au château, n'osant même montrer d'armes, les cachant sous leurs habits. Evidemment le roi avait cru ce que Pétion disait et croyait lui-même, ce que l'un des Girondins, Lasource, avait de nouveau, une heure ou deux auparavant, affirmé dans l'Assemblée, ce que l'orateur du rassemblement avait expressément promis : que l'on n'irait pas au château, ou, tout au plus, qu'on n'y enverrait la pétition que par une députation de vingt commissaires.

Quant aux gardes nationaux, ils n'avaient nulle envie de renouveler l'affreuse affaire du Champs-de-Mars pour une royauté qu'ils croyaient, tout comme en jugeait le peuple, traîtresse et perfide. Ceux qui couvraient le château, vers le jardin, obtempérèrent sans difficulté aux prières de la foule, qui, en passant, leur demandait d'ôter aux fusils les baïonnettes. Ceux qui occupaient les postes de l'intérieur s'écoulèrent tranquillement.

Au même moment, les gendarmes, postés dans le Carrousel, mettaient leurs chapeaux à la pointe de leurs sabres, et criaient : « Vive la Nation ! »

Voilà donc la foule maîtresse. Elle est arrivée, avec son canon, au haut du grand escalier. Là, des officiers municipaux en écharpe demandent aux envahisseurs ce qu'ils comptent faire de cette artillerie. Croient-ils, par une telle violence, obtenir quelque chose du roi ? Cette observation les frappe : « C'est vrai, disent-ils la plupart, c'est vrai ; nous avons eu tort ; nous en sommes vraiment fâchés. » Et ils retournèrent la pièce, voulant la descendre. Malheureusement, voilà l'essieu accroché dans une porte. On ne peut plus avancer ni reculer. Le municipal brancroche, le petit Mouchet, s'entremet, donne des ordres. Les sapeurs taillent, coupent le chambranle de la porte, dégagent la pièce, qui est descendue.

Telle était la confusion que ceux d'en bas, qui n'avaient pas vu monter le canon, croyaient qu'on l'avait trouvé dans les appartements, et criaient qu'on avait voulu mitrailler le peuple.

La colonne pénètre sans obstacle jusqu'à l'Œil-de-Bœuf, qui était fermé. Il fallait l'ouvrir en hâte plutôt que de le laisser forcer. Un officier supérieur de la garde nationale pénétra par une autre entrée, avertit la famille royale, pria le roi de se montrer. Le roi y consentit sans peine, et se présenta. Sa sœur, Madame Elisabeth, ne voulut point le quitter.

Au moment où cette foule armée remplit tout l'appartement, le roi s'écria : « A moi, quatre grenadiers ! » Il y en avait heureusement quelques-uns, qui, du dedans, avaient pénétré. C'étaient des gardes nationaux, des marchands du quartier Saint-Denis, bonnes gens qui se montrèrent très bien. Ils se jetèrent devant le roi, en tirant leurs sabres ; mais il les fit rengainer.

Un témoin oculaire, M. Perron, dit qu'en général le peuple ne témoignait aucune malveillance. On distinguait cependant, parmi les cris confus, des injonctions menaçantes : « A bas le Veto ! Rappelez les ministres ! »

La foule s'ouvre, et laisse arriver Legendre ; le bruit cesse ; le boucher, d'une voix émue et colérique, s'adressant au roi : « Monsieur !... » A ce mot, qui est déjà une sorte de déchéance, le roi fait un mouvement de surprise... « Oui, monsieur, reprend fermement Legendre ; écoutez-nous, vous êtes fait pour nous écouter... Vous êtes un perfide ; vous nous avez toujours trompés ; vous nous trompez encore... Mais prenez garde à vous ; la mesure est à son comble ; le peuple est las de se voir votre jouet. » Puis, il lut une pétition violente, au nom du peuple souverain. Le roi parut impassible, et répondit : « Je suis votre roi. Je ferai ce que m'ordonnent de faire les lois et la Constitution. »

Ce dernier mot était pour lui le grand cheval de bataille. Il avait vu parfaitement que cette Constitution de 91, qui permet au roi d'arrêter toute la machine politique, était un brevet d'inertie, qui lui donnait moyen de lier la France, d'attendre les secours imprévus qui viendraient des circonstances intérieures ou extérieures, des excès des anarchistes ou de l'invasion étrangère. Dès lors, Louis XVI, tenant bien la Constitution, l'apprenant par cœur, la portant toujours en poche, la citant à ses ministres, avait dominé ses scrupules, et jouait au jeu dangereux de tuer la Révolution par la Constitution.

La foule comprenait très bien que le roi ne ferait rien, et elle entrait en fureur. Plusieurs, de colère ou d'ivresse, faisaient mine de se jeter sur lui. Ils le menaçaient de loin avec des sabres et des épées. Voulaient-ils le tuer ? La chose eût été bien facile ; le roi avait peu de monde autour de lui, et plusieurs des assaillants, ayant des pistolets, pouvaient l'atteindre à distance. Il est trop évident que personne, au 20 juin, n'avait encore cette pensée. On ne l'eut pas même au 10 août.

Je sais bien que, longtemps après, le colérique Legendre, poussé par Boissy d'Anglas, l'homme de la réaction, qui lui demandait si vraiment on avait voulu tuer le roi au 20 juin, répliqua avec violence : « Oui, monsieur, nous l'aurions voulu. » Pour moi, ceci ne prouve rien. Toute la suite montre que beaucoup de ceux qui prirent le rôle de la fureur, comme Danton, comme Legendre, se sont vantés, par bravade, d'une infinité de crimes et de violences, auxquels ils n'ont jamais songé.

Ce qu'on voulait, c'était d'épouvanter, de convertir le roi par la terreur. Un homme portait au bout d'une pique un cœur de veau, avec cette inscription : *Cœur d'aristocrate*. Sur une autre enseigne qu'on portait, on voyait une reine pendue.

Le plus grand danger pour le roi, c'est qu'il risquait d'être étouffé. On l'avait fait monter sur une banquette près de la fenêtre. Il s'y tint près de deux heures avec beaucoup de fermeté, une insensibilité complète aux menaces, une parfaite indifférence à son propre sort. Le sentiment qu'il avait de souffrir pour la religion lui donnait un calme admirable. Un officier lui ayant dit « Sire, ne craignez rien », le roi prit sa main avec force, la mit sur son cœur, et dit ce qu'auraient dit les premiers martyrs :« Je n'ai pas peur ; j'ai reçu les sacrements ; qu'on fasse de moi ce qu'on voudra .»

Ce moment de foi héroïque relève infiniment Louis XVI dans l'histoire. Ce qui lui fait un peut tort, c'est à qu'à ce moment même (force vraiment singulière de l'éducation et de la nature !) les habitudes de duplicité royale reparurent en plusieurs choses. A tous ceux qui l'apostrophaient, il répondait « qu'il ne s'était jamais écarté de la Constitution », se réfugiant dans la littéralité judaïque d'un acte dont il faussait l'esprit. Bien plus, un des assistants lui présentant de loin, au moyen d'un bâton, le bonnet de l'égalité, le roi, sans hésitation, étendit la main pour le prendre. Puis, apercevant une femme qui tenait une épée ornée de fleurs et d'une cocarde tricolore, le roi demanda la cocarde, et l'attacha au bonnet rouge. Cela toucha fort le peuple. Ils crièrent de toutes leurs forces : « Vive le roi ! vive la nation ! Et le roi, avec les autres, criait « vive la nation ! » et levait son bonnet en l'air. Il amusait ainsi la foule, et refusait obstinément la sanction des décrets.

L'Assemblée avait enfin appris la situation au roi. Elle s'en émouvait lentement, jugeant apparemment que la leçon avait besoin d'être forte pour produire impression. Cependant, le refus du roi pouvait lasser à la longue, exaspérer quelques furieux, amener une scène tragique. Les premiers qui le sentirent, et dont le cœur fut ému, furent les deux grands orateurs de l'Asemblée, Vergniaud et Isnard. Sans attendre pour savoir quelles mesures seraient votées, ils coururent d'eux-mêmes au château, et percèrent la foule, à grand-peine. Isnard se fit élever sur les épaules de deux gardes nationaux, et dit à la foule que, si elle obtenait sur-le-champ ce qu'elle demandait, on le croirait arraché par la violence ; qu'elle aurait satisfaction, qu'il en répondait sur sa tête. Mais ni Isnard ni Vergniaud ne firent la moindre impression. Les cris recommençaient toujours : « A bas le Véto ! rappelez les ministres ! » Les deux orateurs restèrent du moins, se firent les gardes du roi, le couvrirent de leur popularité, et au besoin de leurs corps.

La foule cependant avait pénétré dans les appartements, observant curieusement ces lieux si nouveaux pour elle, épiloguant parfois en paroles plus grossières qu'hostiles ou violentes. A la chambre du lit, par exemple, ils disaient tous : « Le gros Veto a un bon lit, meilleur, ma foi, que le nôtre. »

La reine était restée dans la chambre du Conseil, réfugiée dans l'embrasure d'une fenêtre, protégée par une table massive qu'on avait roulée devant elle. Le ministre de la Guerre, Lajard, avait réuni dans la salle une vingtaine de grenadiers. Elle avait près d'elle sa fille et Mme de Lamballe avec quelques autres dames ; devant elle, assis sur la table, le petit dauphin. C'était la meilleure défense contre la foule qui passait. Presque tous éprouvaient un respect inattendu, plusieurs même un subit changement de cœur, en présence de cette mère, de cette reine, vraiment fière et digne. Parmi les femmes les plus violentes, une fille s'arrête un moment et vomit mille imprécations. La reine, sans s'étonner, lui demande si elle lui a fait quelque tort personnel : « Aucun, dit-elle, mais c'est vous qui perdez la nation. » — « On vous a trompée, dit la reine. J'ai épousé le roi de France, je suis la mère du dauphin, je suis française, je ne reverrai jamais mon pays. Je ne puis être heureuse ou malheureuse qu'en France ; j'étais heureuse, quand vous m'aimiez. » Voilà la fille qui pleure : « Ah ! madame, pardonnez-moi, je ne vous connaissais pas, je vois que vous êtes bonne. »

On avait affublé le pauvre petit dauphin d'un énorme bonnet rouge qui l'accablait de chaleur. Santerre lui-même, en passant, fut touché et le lui ôta : « Ne voyez-vous pas, dit-il, que l'enfant étouffe sous ce bonnet ? »

Enfin, arriva Pétion, il était six heures. « Sire, dit-il, je viens d'apprendre à l'instant... » — « Cela est bien étonnant, dit le roi, il y a deux heures que cela dure. » En réalité, on ne pouvait accuser le maire de retard. Il est constaté authentiquement qu'il n'était guère averti que depuis une heure, qu'à l'instant même il était monté en voiture avec Sergent et autres municipaux ; mais que, dans les cours, dans les escaliers, les appartements, il n'avait pu pénétrer qu'en jetant sur son chemin une succession de harangues. Il fallut les derniers efforts pour l'insérer et le lancer dans la masse compacte qui environnait le roi.

Arrivé enfin, « fort entrepris et fort essoufflé », dit un témoin oculaire, on le hissa dans un fauteuil sur les épaules des grenadiers. Il parla avec sa placidité naturelle, toutefois assez nettement : « Citoyens, vous avez présenté votre pétition, vous ne pouvez aller plus loin. Le roi ne peut ni ne doit répondre à une pétition présentée à main armée. Il verra, dans le calme, ce qu'il a à faire. Vous serez imités des départements, et le roi ne pourra se dispenser d'acquiescer au vœu du peuple. » *(Applaudissements de la foule.)*

Un grand blond de vingt-cinq ans s'avance alors, furieux, et crie à tue-tête : « Sire, sire, au nom de cent mille âmes qui sont là, le rappel des ministres patriotes, et la sanction des décrets ! ou vous périrez ! » A quoi le roi répondait froidement : « Vous vous écartez de la loi ; adressez-vous aux magistrats du peuple. »

Pétion ne disait rien. Un des municipaux le pressa de renvoyer le peuple, ajoutant que sa conduite serait jugée par l'événement. Il se décida alors : « Retirez-vous, citoyens, si vous ne voulez compromettre vos magistrats... Le peuple a fait ce qu'il devait faire. Vous avez agi avec la fierté et la dignité d'hommes libres. Mais c'est assez, retirez-vous. » Et le roi ajouta avec un sérieux comique, et beaucoup de présence d'esprit : « J'ai fait ouvrir les appartements ; le peuple, défilant du côté de la galerie, aura le plaisir de les voir. »

La curiosité entraîna beaucoup de gens. La salle se vidait déjà, lorsque arriva une députation de vingt-quatre représentants. Le roi leur dit : « Je remercie l'Assemblée ; je suis tranquille au milieu des Français. » Et, répétant le geste qu'il avait fait d'abord, il prit la main d'un garde national, la mit sur son cœur, et dit : « Vous le voyez, je suis tranquille. »

Alors, entouré de députés, de gardes nationaux, protégé par leur commandant, il se dirigea brusquement vers une porte dérobée, tout près de la cheminée, s'y jeta. Elle fut sur-le-champ refermée sur lui.

Un peu après, la reine montrait à la députation l'état effroyable de l'appartement, les portes brisées. Elle s'aperçut qu'un député, l'ardent Merlin, de Thionville, avait les larmes aux yeux. Il s'en excusa vivement : « Je pleure, oui, madame, je pleure, mais sur les malheurs d'une femme sensible et belle, d'une mère... Ce n'est pas sur la reine. Je hais les reines et les rois... Telle est ma religion. »

Le roi, rentré dans ses appartements, gardait, sans s'en apercevoir, le bonnet rouge qu'il avait pris. Ce bonnet, trop petit pour entrer dans sa tête, était resté sur ses cheveux. On le lui fit remarquer, et rien ne lui fut plus sensible ; il le jeta violemment à ses pieds, s'indignant, dans cette journée, où du reste il fut héroïque, de retrouver sur lui ce signe de duplicité.

CHAPITRE IX

Imminence de l'insurrection (juillet-août 92)

Le 20 juin et le 10 août commencent la guerre — Les volontaires de 1792 — « La Marseillaise » (mars 92) — Un autel de la patrie dans chaque commune — La Fayette se déclare pour la Cour contre la Gironde — La Fayette arrive à Paris, se présente à la barre de l'Assemblée (27 juin 1792) — La Fayette n'est soutenu ni de la Cour ni de Paris — Danger de la France au-dehors et au-dedans (juin-juillet 92) — Discussion sur le danger de la patrie (juillet 92) — Discours de Vergniaud contre le roi — Lamourette essaie une conciliation (6 juillet 1792) — Fête du 14 juillet 1792 — Déclaration du danger de la patrie (22 juillet 1792) — Impuissance de l'Assemblée, des Jacobins, de Robespierre, de Pétion — Conduite mesurée de Danton — La France ne fut sauvée que par la France — Manifeste du duc de Brunswick — L'insurrection de Paris est préparée publiquement — Accueil fait aux fédérés des départements (juillet 92) — Arrivée des Marseillais (fin juillet 92) — Pétion accuse le roi devant l'Assemblée (3 août 1792) — La Gironde hésite devant l'insurrection.

Le peuple s'écoula fort triste des Tuileries. Ils disaient, tous : « Nous n'avons rien obtenu... Il faudra bien revenir. »

Les royalistes étaient ravis, bien plus encore qu'indignés. Ce dernier affront fait au roi leur donnait espoir ; il leur semblait que la Révolution avait touché enfin le fond de l'abîme, que, de ce jour, la royauté ne pouvait que remonter.

En réalité, l'événement avait eu deux effets graves. Bien des cœurs s'émouvaient, en France, en Europe, à cette image tragique du royal *ecce homo,* montré sous le bonnet rouge, ferme pourtant sous les outrages, disant : « Je suis votre roi. »

Voilà pour le sentiment. Mais les choses étaient les mêmes. Le combat des deux idées s'était précisé nettement. La masse révolutionnaire, venant heurter aux Tuileries, avait compté n'y trouver que l'idole du despotisme, et elle se trouvait avoir rencontré la vieille foi du Moyen Age, entière et vivante encore, et, même sous le visage prosaïque de Louis XVI, belle de la poésie des martyrs.

Grand spectacle ! où disparaissent les hommes. Restent en présence deux idées, deux fois, deux religions ! chose inouïe, effrayante, comme si, en plein midi, nous voyions deux soleils au ciel !

Tous deux bénis ou blasphémés ! mais les nier ? qui le pouvait ? Le soleil de la Révolution, née d'hier, déjà immense, inondait les yeux de lumière, les âmes de chaleur et d'espoir ; toujours grandissant, d'heure en heure, il montrait déjà que bientôt son rival du Moyen Age irait pâlissant dans les profondeurs obscures.

Il était dur, faux, injuste de reconnaître la foi dans le refus de Louis XVI, et de ne point la reconnaître dans la demande du peuple. Il ne faut pas envisager le 20 juin comme une émeute, un simple accès de colère. Le peuple de Paris y fut l'organe violent, mais le légitime organe du sentiment de la France. Il fut comme l'avant-garde du mouvement général qui l'emportait vers la guerre. La guerre intérieure, d'abord, pour faire face ensuite à l'autre. Le coup de hache frappé aux portes de la chambre du roi, ce coup, déjà, il faut le dire, fut frappé sur l'ennemi.

Détournez les yeux de Paris, et contemplez, je vous prie, si votre regard peut l'embrasser, l'immense, l'inconcevable grandeur du mouvement. Six cent mille volontaires inscrits veulent marcher à la frontière. Il ne manque que des fusils, des souliers, du pain. Les cadres sont tout préparés ; les fédérations pacifiques de 90 sont les bataillons frémissants de 92. Les mêmes chefs souvent y commandent ; ceux qui menèrent le peuple aux fêtes vont le guider aux combats. Pour ne citer qu'un exemple, prenons ce fils de l'amour, le bâtard Championnet, chef de la première fédération du Midi, celle de l'Etoile près Valence. Le voilà maintenant qui entraîne ses fédérés : *Sixième bataillon de la Drôme.*

De même, tout à l'heure, dans l'Hérault. Les fédérés de Montpellier vont nous donner ce corps affreux, l'immortelle, l'invincible *32e demi-brigade.*

Ces innombrables volontaires ont gardé tous un caractère de l'époque vraiment unique qui les enfanta à la gloire. Et maintenant, où qu'ils soient, dans la mort ou dans la vie, morts immortels, savants illustres, vieux et glorieux soldats, ils restent tous marqués d'un signe qui les met à part dans l'histoire. Ce signe, cette formule, ce mot qui fit trembler toute la terre, n'est autre que leur simple nom : *Volontaires de 92.*

Leurs maîtres, qui les instruisirent et disciplinèrent leur enthousiasme, qui marchèrent devant eux comme une colonne de feu, c'étaient les sous-officiers ou soldats de l'ancienne armée, que la Révolution venait de jeter en avant, ses fils qui n'étaient rien sans elle, qui par elle avaient déjà gagné leur plus grande bataille, la victoire de la liberté. Génération admirable, qui vit en un même rayon la liberté et la gloire, et vola le feu du ciel.

C'était le jeune, l'héroïque, le sublime Hoche, qui devait vivre si peu, celui que personne ne put voir sans l'adorer. — C'était la pureté même, cette noble figure virginale et guerrière, Marceau, pleuré de l'ennemi. — C'était l'ouragan des batailles, le colérique Kléber, qui, sous cet aspect terrible, eut le cœur humain et bon, qui, dans ses notes secrètes, plaint la nuit les campagnes vendéennes qu'il lui faut ravager le jour. — C'était l'homme de sacrifice, qui voulut toujours le devoir, et la gloire pour lui jamais, qui la donne souvent aux autres, et même aux dépens de sa vie, un juste, un héros, un saint, l'irréprochable Desaix.

Et puis, après ces héros, arrivent les ambitieux, les avides, les politiques, les redoutés capitaines, qui plus tard ont cherché fortune avec ou contre César. L'épée la plus acérée, l'âpre Piémontais, Masséna, avec son profil de loup. Des rois, ou gens propres à l'être, des Bernadotte et des Soult. Le grand sabre de Murat.

Et puis une glorieuse foule, où chaque homme en d'autres pays, d'autres temps, eût illustré un empire. En France, il y en a tout un peuple. Je les nommerai sans ordre, et j'en omettrai encore plus : Kellermann, Joubert, Jourdan, Ney, Augereau, Oudinot, Victor, Lefebvre, Mortier, Gouvion-Saint-Cyr, Moncey, Davoust, Macdonald, Clarke, Sérurier, Pérignon, etc. Tels furent les officiers, les maîtres et les instructeurs des légions de 92.

Grands maîtres, qui enseignaient d'exemple. Il ne faudrait pas croire néanmoins que ces rudes et vaillants soldats, comme beaucoup de ceux-ci, les Augereau, les Lefebvre, représentassent l'esprit, le grand souffle du moment sacré. Ah ! ce qui le rendait sublime, c'est qu'à proprement parler, ce moment n'était pas militaire. Il fut héroïque. Par-dessus l'élan de la guerre, sa fureur et sa violence, planait toujours la grande pensée, vraiment sainte, de la Révolution, l'affranchissement du monde.

En récompense, il fut donné à la grande âme de la France, en son moment désintéressé et sacré, de trouver un chant, un chant qui, répété de proche en proche, a gagné toute la terre. Cela est divin et rare d'ajouter un chant éternel à la voix des nations.

Il fut trouvé à Strasbourg, à deux pas de l'ennemi. Le nom que lui donna l'auteur est le *Chant de l'Armée du Rhin.* Trouvé en mars ou avril, au premier moment de la guerre, il ne lui fallut pas deux mois pour pénétrer toute la France. Il alla frapper au fond du Midi, comme par un violent écho, et Marseille répondit au Rhin. Sublime destinée de ce chant ! il est chanté des Marseillais à l'assaut des Tuileries, il brise le trône au 10 août. On l'appelle *La Marseillaise.* Il est chanté à Valmy, affermit nos lignes flottantes, effraie l'aigle noir de Prusse. Et c'est encore avec ce chant que nos jeunes soldats novices gravirent le coteau de Jemmapes, franchirent les redoutes autrichiennes, frappèrent les vieilles bandes hongroises, endurcies aux guerres des Turcs. Le fer ni le feu n'y pouvaient ; il fallut, pour briser leur courage, le chant de la liberté.

De toutes nos provinces, nous l'avons dit, celle qui ressentit peut-être le plus vivement le bonheur de la délivrance, en 89, ce fut celle où étaient les derniers serfs, la triste Franche-Comté. Un jeune noble franc-comtois, né à Lons-le-Saunier, Rouget de l'Isle, trouva le chant de la France. Rouget de l'Isle était officier de génie à vingt ans. Il était alors à Strasbourg, plongé dans l'atmosphère brûlante des bataillons de volontaires qui s'y rendaient de tous côtés. Il faut voir cette ville, en ces moments, son bouillonnant foyer de guerre, de jeunesse, de joie, de plaisir, de banquets, de bals, de revues, au pied de la flèche sublime qui se mire au noble Rhin ; les instruments militaires, les chants d'amour ou d'adieux, les amis qui se retrouvent, se quittent, s'embrassent aux places publiques. Les femmes prient aux églises, les cloches pleurent et le canon tonne, comme une voix solennelle de la France à l'Allemagne.

Ce ne fut pas, comme on l'a dit, dans un repas de famille que fut trouvé le chant sacré. Ce fut dans une foule émue. Les volontaires partaient le lendemain. Le maître de Strasbourg, Dietrich, les invita à un banquet, où les officiers de la garnison vinrent fraterniser avec eux et leur serrer la main. Les demoiselles Dietrich, nombre de jeunes demoiselles, nobles et douces filles d'Alsace, ornaient ce repas d'adieu de leurs grâces et de leurs larmes. Tout le monde était ému ; on voyait devant soi commencer la longue carrière de la guerre de la liberté, qui, trente ans durant, a noyé de sang l'Europe. Ceux qui siégeaient au repas n'en voyaient pas tant sans doute. Ils ignoraient que, dans peu, ils auraient tous disparu, l'aimable Dietrich, entre autres, qui les recevait si bien, et que toutes ces filles charmantes dans un an seraient en deuil. Plus d'un, dans la joie du banquet, rêvait, sous l'impression de vagues pressentiments, comme quand on est assis, au moment de s'embarquer, au bord de la grande mer. Mais les cœurs étaient bien haut, pleins d'élan et de sacrifice, et tous acceptaient l'orage. Cet élan commun qui soulevait toute poitrine d'un égal mouvement aurait eu besoin d'un rythme, d'un chant qui soulageât les cœurs. Le chant de la Révolution, colérique en 92, le *Ça ira* n'allait plus à la douce et fraternelle émotion qui animait les convives. L'un d'eux la traduisit « *Allons !* »

Et ce mot dit, tout fut trouvé. Rouget de l'Isle, c'était lui, se précipita de la salle, et il écrivit tout, musique et paroles. Il rentra en chantant la strophe : « *Allons enfants de la patrie !* » Ce fut comme un éclair du ciel. Tout le monde fut saisi, ravi, tous reconnurent ce chant, entendu pour la première fois. Tous le savaient, tous le chantèrent, tout Strasbourg, toute la France. Le monde, tant qu'il y aura un monde, le chantera à jamais.

Si ce n'était qu'un chant de guerre, il n'aurait pas été adopté des nations. C'est un chant de fraternité ; ce sont des bataillons de frères qui, pour la sainte défense du foyer, de la patrie, vont ensemble d'un même cœur. C'est un chant qui, dans la guerre, conserve un esprit de paix. Qui ne connaît la strophe sainte : « *Epargnez ces tristes victimes.* »

Telle était bien alors l'âme de la France, émue de l'imminent combat, violente contre l'obstacle, mais toute magnanime encore, d'une jeune et naïve grandeur ; dans l'accès de la colère même, au-dessus de la colère.

L'Assemblée exprima, dans sa vérité, ce moment sacré de la France, en ordonnant (6 juillet) que dans chaque commune serait élevé un autel de la patrie. Là, on apporterait les enfants, on inscrirait les naissances. Là viendraient les jeunes époux s'unir dans la foi nouvelle. Là, on écrirait encore ceux qui ont payé leur dette à la vie.

Ces grands actes de la vie humaine, naissances, mariages et morts, ces actes, toujours religieux, autant que légaux, en quelque lieu qu'ils soient consacrés, se trouvaient ainsi transportés de la vieille Eglise au nouvel autel de la loi. La solennelle question de la vie moderne, ajournée jusqu'ici par la timidité de nos assemblées, était enfin abordée simplement, courageusement. Plus de compromis bâtard, plus de mélange hétérogène du passé et du présent.

La Fayette et les Feuillants s'obstinaient à placer leur espoir dans ce mélange. Ils étaient, en réalité, la pierre d'achoppement de la Révolution. Chose étrange et bien propre à faire soupçonner La Fayette, si les prisons de l'Autriche ne l'avaient justifié, il voulait, lui républicain, lui ami de Washington, faire graviter le mouvement révolutionnaire autour d'un roi, d'une cour incorrigibles. Comment qualifier cet aveuglement ?

Un dernier appel lui avait été adressé par les Girondins, dans ce grand danger de la France, une sommation suprême de se rallier aux principes qui, au fond, étaient les siens. Servan était encore ministre de la Guerre; ce fut lui, ou plutôt sans doute ce fut Mme Roland, toute-puissante sur ce ministre, qui envoya Rœderer au général, pour savoir si décidément il se déclarait pour la Gironde ou pour la Cour. Il choisit ce dernier parti, soit par antipathie personnelle pour les Roland, soit qu'il crût que la Gironde serait entraînée bientôt, absorbée par les Jacobins. Et cela se trouva vrai : pourquoi ? La raison la plus forte peut-être qu'on peut en trouver, c'est justement parce que La Fayette en jugea ainsi. Cela arrive souvent : la prophétie même, la croyance en la prophétie la rend véridique et produit l'événement. Si La Fayette se fût décidé pour la Gironde, si au parti de l'élan il eût joint les forces du parti modéré, il est douteux qu'on eût eu besoin du parti de la terreur.

La Cour n'ignorait nullement tout ceci. Sans vouloir employer La Fayette ni dépendre de lui, elle se sentait comme adossée à son armée des Ardennes, et sa confiance en augmentait. On voyait bien que l'Assemblée était flottante et vacillante, fort inquiète de l'effet que la violence du 20 juin allait produire sur les esprits. Cette crainte parut le 21 ; elle décida par un décret qu'aucune réunion de citoyens armés ne pourrait désormais se présenter à sa barre, ni devant aucune autorité constituée ; s'écartant de la conduite qu'elle avait tenue jusque-là, rétractant l'encouragement qu'elle avait donné au 20 juin par l'accueil fait aux pétitions qui annonçaient le mouvement.

L'Assemblée reculait ainsi ; la Cour avançait. Le 21, au matin, Pétion s'était présenté aux Tuileries, avec Sergent et autres municipaux, il reçut une avanie ; les gardes nationaux du bataillon des Filles-Saint-Thomas l'accablèrent d'injures et de menaces ; l'un d'eux porta la main sur Sergent, malgré son écharpe, et le souffleta si rudement qu'il tomba à la renverse. Des députés, Duhem et autres, ne furent guère mieux traités, au jardin des Tuileries, par des chevaliers de Saint-Louis ou des gardes constitutionnels. Un homme y fut arrêté pour avoir crié « vive la nation ! »

Ce n'est pas tout, on crut pouvoir, dans cet affaiblissement moral de l'Assemblée, la surprendre et lui escamoter la loi martiale, comme on avait fait à la Constituante, en juillet 91. Un petit rassemblement fut formé, poussé jusqu'au Louvre ; puis, l'avis donné brusquement à l'Assemblée, pour mieux faire impression. Mais Pétion, averti, vint au moment même, déclara que l'alarme n'était pas fondée, que l'ordre régnait partout.

De l'Assemblée, Pétion retourna aux Tuileries. On y était de fort mauvaise humeur, n'ayant pu, comme on le croyait, emporter la loi martiale. Le maire ayant commencé d'un ton respectueux et ferme, le roi, sans autre précaution oratoire, lui dit sèchement : « Taisez-vous ! » Et lui tourna le dos.

Le 22, au matin, parurent une lettre du roi à l'Assemblée, une proclamation royale à la nation. On y faisait parler Louis XVI du ton qu'il eût pu prendre s'il eût une armée dans Paris. Il annonçait qu'il avait « des devoirs sévères à remplir, qu'il ne les sacrifierait point », etc.

Ce ton menaçant annonçait qu'on se croyait fort. On comptait sur l'indignation des royalistes et des constitutionnels. Le directoire du département, son président, le duc de La Rochefoucauld, répondait de ces derniers. Le 27 juin, au soir, La Fayette, au grand étonnement de tout le monde, arrive à Paris, descend chez La Rochefoucauld. Le 28, il se présente à la barre de l'Assemblée, et y prononce un discours audacieusement ridicule. Lui, soldat sous le drapeau, lié par la discipline, lui, général dépendant du ministre de la Guerre, il vient régenter l'Assemblée nationale. Il n'a pas craint, dit-il, de venir seul, « de sortir de cet honorable rempart que l'affection des troupes forme autour de lui ». Il a pris avec ses compagnons d'armes « l'engagement d'exprimer seul un sentiment commun ». Il supplie l'Assemblée de poursuivre les auteurs du 20 juin, « et de détruire *une secte* », etc. Il parlait des Jacobins précisément dans les termes qu'avait employés Léopold.

Guadet demanda si la guerre était finie, pour qu'un général quittât ainsi son armée, si l'armée avait délibéré pour donner ses pouvoirs à M. de La Fayette ; il demanda s'il avait un congé du ministre, proposa d'interroger celui-ci à ce sujet, et de faire un rapport sur le danger d'accorder aux généraux le droit de pétition.

Le Feuillant Ramond, au contraire, demanda une enquête sur la désorganisation que venait accuser La Fayette. La motion de Guadet fut écartée par une majorité de cent voix (339 contre 234).

Cette majorité considérable en faveur de La Fayette fut une chose grave et décisive dans l'histoire de la Révolution. Elle se retrouva la même et plus forte au 8 août. Elle prouva que l'Assemblée n'aurait jamais l'énergie suffisante pour abattre le grand obstacle qui neutralisait à l'intérieur les forces de la France, et, désarmée, discordante, la livrait à l'ennemi. Cet obstacle, la royauté, La Fayette venait le défendre. Innocenter ce défenseur du trône, c'était couvrir le trône et maintenir la France impuissante par lui, au moment de l'invasion. L'Assemblée ne sauvant pas la nation, celle-ci avisera à se sauver elle-même.

Rien n'était plus imprudent que la démarche de La Fayette. La Cour, qu'il venait défendre, ne voulait pas de lui. Une seule voix était pour lui dans la famille royale, celle de Madame Elisabeth, qui sentit sa chevalerie ; mais la reine était contre, et elle dit que, plutôt que d'être sauvé par lui, il valait mieux périr. Elle ne s'en tint pas à ceci. Une revue devait avoir lieu, où La Fayette eût harangué la garde nationale, remonté son esprit. La reine fit avertir, la nuit, Santerre et Pétion, et celui-ci, une heure avant le jour, contremanda la revue. La Fayette alors réunit chez lui plusieurs officiers influents de la garde nationale, leur demanda s'ils voulaient avec lui marcher contre les Jacobins. Lui-même ne rapporte pas ce fait dans ses Mémoires, mais il est affirmé par son ami Toulongeon. On promit de se réunir le soir aux Champs-Elysées ; cent hommes à peine s'y trouvèrent. On s'ajourna au lendemain, pour agir, si l'on était trois cents, et l'on ne se trouva pas trente. La Fayette vit le roi, qui le remercia, sans profiter de ses offres. Il partit le lendemain.

Comment expliquer l'inaction des Feuillants, des gardes nationaux ? Par la peur ? Cependant, beaucoup, que l'on peut citer, ont depuis marqué glorieusement dans les guerres de la Révolution et de l'Empire. Non, ce qui contribua le plus à les paralyser, c'est qu'ils craignaient de ne rien faire qu'au profit des royalistes.

Ils se défiaient plus que jamais du roi, et ils se fiaient de moins en moins au bon sens de La Fayette. Le projet que celui-ci avoue justifie bien cette défiance. Il aurait mené le roi à Compiègne, et là, le roi, mieux entouré, devenu tout à coup ami de la Révolution, en aurait pris l'avant-garde, eût au besoin commandé l'armée, marché à l'ennemi. Supposition étrange ! l'ennemi, dans la pensée de la Cour, c'était justement le sauveur. La reine eût mené le roi à la frontière, mais bien pour la franchir et le placer dans les rangs autrichiens.

L'indécision des Feuillants, leur répugnance à suivre La Fayette dans ces voies insensées, montre qu'il leur restait plus de raison et de patriotisme qu'on ne le supposait. Nous allons tout à l'heure les voir à l'Assemblée applaudir le discours redoutable où Vergniaud foudroya le trône, au nom de la France en danger.

Ce danger était trop visible, au-dehors, au-dedans. L'accord de tous les rois apparaissait contre la Révolution.

A Ratisbonne, le Conseil des ambassadeurs refusa unanimement d'admettre le ministre de France. L'Angleterre *notre amie,* préparait un grand armement. Les princes de l'Empire, qui jusque-là se disaient neutres, recevaient l'ennemi dans leurs places et s'approchaient de nos frontières. Le duc de Bade avait mis les Autrichiens dans Kehl. On parlait d'un complot pour leur livrer Strasbourg. L'Alsace criait pour obtenir des armes ; on n'en envoyait point. Les officiers abandonnaient cette terre condamnée, passaient à l'autre rive. Le commandant de l'artillerie du Rhin déserta, emmenant plusieurs de ses meilleurs soldats.

En Flandre, c'était bien pis. Le vieux soudard Luckner, ignorant, abruti, était le général de la Révolution. Il avait quarante mille hommes, contre deux cent mille qui arrivaient. Les corps de volontaires montraient, il est vrai, le plus brûlant enthousiasme. On ne contenait leur fougue qu'en les menaçant de les renvoyer chez eux. Mais tout cela était sans habitude militaire, fort peu discipliné. Luckner n'avança que pour reculer. Il prit Courtrai et deux autres places ; il réussit assez pour compromettre les infortunés amis de la France ; puis il lui fallut se retirer devant des forces supérieures. Un de ses officiers, en se dégageant, laissa, pour mémoire du passage des nôtres, un cruel incendie où disparurent les faubourgs de Courtrai.

Voilà les nouvelles douloureuses qui venaient frapper Paris coup sur coup. Et le péril était peut-être plus grand à l'intérieur. Deux choses y éclataient, qui sont précisément la mort du corps politique. Le centre n'agissait plus, ne voulait plus agir. Non seulement on n'envoyait aux armées ni armes, ni approvisionnements, mais les lois mêmes de l'Assemblée, on ne les expédiait point aux départements, on n'en instruisait point la France. D'autre part, les extrémités laissées à elles-mêmes voulaient et agissaient à part. Les Bouches-du-Rhône, par exemple, s'avisèrent de retenir, de lever des contributions, sous prétexte de les envoyer à l'armée des Alpes, qui couvrait la Provence.

Rien n'empêchait le royalisme de profiter de cette désorganisation. Dans les montagnes les plus inaccessibles du Languedoc, dans ce pays de pierre, l'Ardèche, sans voies ni routes, voici qu'apparaît un *lieutenant général des princes, gouverneur du bas Languedoc et des Cévennes.* Il a, dit-il, fait vérifier ses pouvoirs par la noblesse du pays, pour gouverner pendant la captivité du roi. Il ordonne à toutes les anciennes autorités de reprendre leurs places, d'arrêter les nouveaux fonctionnaires, tous les membres des clubs. Il arme les paysans, assiège Jalès et autres châteaux.

On regarde au Midi. Et derrière, l'Ouest commence à prendre feu. Un paysan, Allan Redeler, publie, à l'issue de la messe, que les amis du roi auront à se rendre en armes près d'une chapelle voisine. Cinq cents y vont du premier coup. Le tocsin sonne de village en village. L'incendie gagnait la Bretagne, si Quimper, sans perdre un moment, n'eût arboré le drapeau rouge, marché avec du canon, écrasé ce premier essai de guerre civile. Le paysan rentra, mais sombre, implacable, altéré de combat, d'embuscades nocturnes, de coups fourrés, de sang. La chouannerie fut dès lors dans les cœurs.

En général, dans le royaume, les directoires de départements étaient feuillants ou fayettistes, convertis à la royauté. Les municipalités, plus révolutionnaires, soutenaient contre les directoires, avec l'aide des clubs, une lutte sans fin, qui mettait partout l'anarchie. Le directoire de la Seine-Inférieure, celui de la Somme, se signalèrent par la véhémence de leurs adresses contre-révolutionnaires, après le 20 juin. Le ministre fit imprimer à l'imprimerie royale, publier à grand nombre l'adresse de la Somme, outrageuse pour l'Assemblée.

La grandeur du danger eut un effet singulier, imprévu, qui, pour ne pas durer, n'en prêta pas moins une force d'unité terrible à la Révolution. Dès le 28, Brissot, qui n'allait plus aux Jacobins, s'y rendit, se porta pour accusateur de La Fayette, demanda l'union, l'oubli.

L'homme de la presse, Brissot, l'homme des Jacobins, Robespierre, rapprochés un moment, se dirent des paroles de paix.

Le 30 juin, Jean Debry, au nom de la Commission des Douze, fit à l'Assemblée un rapport : « Sur les mesures à prendre, *en cas du danger de la patrie* », et posa spécialement le cas *où ce danger viendrait* précisément *du pouvoir exécutif,* dont la mission est de le repousser.

La question était ainsi jetée dans les esprits, lorsque toute la France fut avertie par le rapport, et que dans toutes les villes et dans tous les villages commença à sonner ce mot : *Danger de la patrie,* alors, pour la seconde fois, la cause nationale contre la royauté fut remise aux pures et nobles mains de Vergniaud.

Son discours, d'une ampleur de style, d'un développement grandiose, avec beaucoup de redondance, étonne à la lecture. Le procédé est tout autre que celui de Mirabeau ; chaque chose ici a moins de trait et de saillie, tout est subordonné au mouvement général, à un immense crescendo, qui, en allant, emporte tout. C'est comme ces grands fleuves de l'Amérique, larges de plusieurs lieues, qui, à les voir, ont presque l'air d'une mer calme d'eau douce ; mettez-y votre barque, elle va comme une flèche ; on mesure avec terreur la rapidité du courant ; elle va emportée, nul moyen d'arrêter, elle glisse, elle file, elle irait à l'abîme, aux cataractes écumantes où la masse des eaux se brise du poids d'une mer.

L'idée même du discours, c'est la réponse au mot que le roi disait, répétait le 20 juin : « Je ne me suis pas écarté de la Constitution, etc. » Le caractère sublime de ce discours, qui le met hors du temps, au-dessus de la circonstance même, c'est qu'il est la loyale réclamation de l'honneur contre la littéralité perfide qui s'affermit dans la fausse conscience, pour tuer, exterminer l'esprit.

La confiance s'éveilla en tout homme de tout parti, lorsque Vergniaud, lui faisant appel dans une hypothèse éloquente qui malheureusement se rapprochait trop des réalités, prononça ces fortes paroles :

« Si tel était le résultat de la conduite dont je viens de tracer le tableau, que la France nageât dans le sang, que l'étranger y dominât, que la Constitution fût ébranlée, que la contre-révolution fût là, et que le roi vous dît pour sa justification : « Il est vrai que les ennemis qui déchirent la France prétendent n'agir que pour relever ma puissance qu'ils supposent anéantie, venger ma dignité qu'ils supposent flétrie, me rendre mes droits royaux qu'ils supposent compromis ou perdus ; mais j'ai prouvé que je n'étais pas leur complice ; j'ai obéi à la Constitution, qui m'ordonne de m'opposer, par un acte formel, à leurs entreprises, puisque j'ai mis des armées en campagne. Il est vrai que ces armées étaient trop faibles ; mais la Constitution ne désigne pas le degré de force que je devais leur donner ; il est vrai que je les ai rassemblées trop tard ; mais la Constitution ne désigne pas le temps auquel je devais les rassembler ; il est vrai que des camps de réserve auraient pu les soutenir, mais la Constitution ne m'oblige pas à former des camps de réserve ; il est vrai que, lorsque les généraux s'avançaient en vainqueurs sur le territoire ennemi, je leur ai ordonné de s'arrêter ; mais la Constitution ne me prescrit pas de remporter des victoires ; elle me défend même les conquêtes ; il est vrai qu'on a tenté de désorganiser les armées par des démissions combinées d'officiers, et par des intrigues, et que je n'ai fait aucun effort pour arrêter le cours de ces démissions ou de ces intrigues ; mais la Constitution n'a pas prévu ce que j'aurais à faire sur un pareil délit ; il est vrai que mes ministres ont continuellement trompé l'Assemblée nationale sur le nombre, la disposition des troupes et les approvisionnements ; que j'ai gardé le plus longtemps que j'ai pu ceux qui entravaient la marche du gouvernement constitutionnel, le moins possible ceux qui s'efforçaient de lui donner du ressort ; mais la Constitution ne fait dépendre leur nomination que de ma volonté, et nulle part elle n'ordonne que j'accorde ma confiance aux patriotes, et que je chasse les contre-révolutionnaires ; il est vrai que l'Assemblée nationale a rendu des décrets utiles, ou même nécessaires, et que j'ai refusé de les sanctionner ; mais j'en avais le droit ; il est sacré, car je le tiens de la Constitution ; il est vrai enfin que la contre-révolution se fait, que le despotisme va remettre entre mes mains son sceptre de fer, que je vous en écraserai, que vous allez ramper, que je vous punirai d'avoir eu l'insolence de vouloir être libres ; mais j'ai fait tout ce que la Constitution me prescrit ; il n'est émané de moi aucun acte que la Constitution condamne ; il n'est donc pas permis de douter de ma fidélité pour elle, de mon zèle pour sa défense. » *(Vifs applaudissements.)*

« Si, dis-je, il était possible que, dans les calamités d'une guerre funeste, dans les désordres d'un bouleversement contre-révolutionnaire, le roi des Français leur tînt ce langage dérisoire ; s'il était possible qu'il leur parlât de son amour pour la Constitution avec une ironie aussi insultante, ne seraient-ils pas en droit de lui répondre : « O roi, qui sans doute avez cru, avec le tyran Lysandre, que la vérité ne valait pas mieux que le mensonge, et qu'il fallait amuser les hommes par des serments comme on amuse les enfants avec des osselets, qui n'avez feint d'aimer les lois que pour conserver la puissance qui vous servirait à les braver ; la Constitution, que pour qu'elle ne vous précipitât pas du trône, où vous aviez besoin de rester pour la détruire ; la nation, que pour assurer le succès de vos perfidies, en lui inspirant de la confiance, pensez-vous nous abuser aujourd'hui avec d'hypocrites protestations ? pensez-vous nous donner le change sur la cause de nos malheurs par l'artifice de vos excuses et l'audace de vos sophismes ? Etait-ce nous défendre que d'opposer aux soldats étrangers des forces dont l'infériorité ne laisse pas même d'incertitude sur leur défaite ? Etait-ce nous défendre que d'écarter les projets tendant à fortifier l'intérieur du royaume, ou de faire des préparatifs de résistance pour l'époque où nous serions déjà devenus la proie des tyrans ? Etait-ce nous défendre que de ne pas réprimer en général qui violait la Constitution, et d'enchaîner le courage de ceux qui la servaient ? Etait-ce nous défendre que de paralyser sans cesse le gouvernement par la désorganisation continuelle du ministère ? La Constitution vous laissa-t-elle le choix des ministres pour notre bonheur ou notre ruine ? vous fit-elle chef de l'armée pour notre gloire ou notre honte ? vous donna-t-elle enfin le droit de sanction, une liste civile, et tant de grandes prérogatives pour perdre constitutionnellement la Constitution et l'Empire ? Non, non, homme que la générosité des Français n'a pu émouvoir, homme que le seul amour du despotisme a pu rendre sensible, vous n'avez pas rempli le vœu de la Constitution ! Elle peut être renversée ; mais vous ne recueillerez pas le fruit de votre parjure ! Vous ne vous êtes point opposé par un acte formel aux victoires qui se remportaient en votre nom sur la liberté, mais vous ne recueillerez point le fruit de ces indignes triomphes ! Vous n'êtes plus rien pour cette Constitution que vous avez si indignement violée, pour ce peuple que vous avez si lâchement trahi ! » *(Applaudissements réitérés.)*

L'effet fut celui d'une trombe. Le mouvement, longtemps, habilement balancé, augmenté, croissant de force et de vitesse, de plus en plus grand et terrible, devint inéluctable. Personne n'y échappa. L'Assemblée tout entière passa au puissant tourbillon, elle en fut enlevée. Feuillants et fayettistes, royalistes, constitutionnels de toute nuance, ils se trouvèrent d'accord avec leurs ennemis et tous ensemble poussèrent des cris d'enthousiasme. Telle est donc la tyrannie de l'éloquence, qu'on ne puisse y échapper ! Ou plutôt devons-nous croire que tous, Français au fond, oublièrent le discours, et l'homme, et le parti, leur propre opinion, et, dans cette voix solennelle, reconnurent, malgré eux, la voix de la patrie ?

Mais, lorsqu'un député, Torné, proposa nettement à l'Assemblée, ce qui était pourtant la conclusion logique, qu'elle saisît le pouvoir et gouvernât la France par ses commissions ; lorsque le positif, le froid, le vaste esprit de Condorcet conduisit la pensée sur tous les moyens pratiques que l'Assemblée devait adopter dans son nouveau métier de roi, alors elle sentit quelque terreur, recula sur elle-même. Elle eut un dernier regard, un regret sur l'accord des pouvoirs, qui, si le roi y eût mis un peu de bonne foi, eût empêché la guerre civile.

C'était le 6 juillet. Le nouvel évêque de Lyon, Lamourette, profitant d'une belle parole que Carnot avait dite sur l'accord et la paix, dit qu'il fallait à tout prix s'accorder, que les deux moitiés de l'Assemblée devaient se rassurer l'une l'autre, sur les deux objets de leurs craintes ; qu'il suffisait que le président dît cette seule parole : « Que ceux qui abjurent et exècrent également *la République, et les deux chambres,* se lèvent en même temps. »

L'Assemblée fut émue, et elle se leva tout entière.

Chose étrange et peu explicable ! Que voulait donc cette Gironde, qui, jusqu'ici, sous l'inspiration de Mme Roland, battait le trône en brèche ? Sans doute, ils cédèrent à l'émotion universelle. Elle n'était pas en désaccord avec leur pensée intérieure. Depuis l'effet immense du discours de Vergniaud, qui avait si profondément remué la France, ils sentaient tout trembler, ils commençaient à craindre de trop bien réussir, de n'abattre le trône que pour asseoir sur ses débris le trône de l'anarchie, la royauté des clubs.

Quoi qu'il en soit, la scène fut bizarre autant qu'imprévue. D'un même élan, le côté droit, le côté gauche se mêlèrent, s'embrassèrent ; les rangs supérieurs descendirent, la Montagne se jeta dans la Plaine. On vit siéger ensemble Feuillants et Jacobins, Merlin près de Jaucourt, et Gensonné près de Vaublanc. Ces effusions naïves ne doivent pas surprendre. La France est un pays où le bon cœur éclate par accès, dans les plus violentes discordes. Ne vit-on pas, une heure avant la meurtrière bataille d'Azincourt, nos chevaliers, nos barons, divisés par tant de haines, se demander pardon et s'embrasser ? Ici, de même, à la veille de la sanglante bataille de la Révolution, ceux-ci un moment s'attendrirent, dirent adieu à la paix, donnèrent à la nature, à l'humanité, aux plus regrettables sentiments de l'âme, ce dernier embrassement.

Cela changea bien vite, et se refroidit fort, quand une lettre de Pétion apprit à l'Assemblée qu'il était suspendu par arrêté du directoire de Paris, et que le directoire ordonnait des poursuites pour l'affaire du 20 juin. On commença à voir que la scène arrangée habilement par Lamourette n'était qu'une ruse de guerre, un moyen d'entraver l'Assemblée, et de lui faire ajourner la grande mesure populaire qu'on redoutait : la déclaration du danger de la patrie.

Et la suspension fut confirmée, publiée par une proclamation du roi, qu'il envoya à l'Assemblée.

Cependant la population s'émouvait pour son maire, les pétitions pleuvaient en sa faveur ; il en vint une « au nom des quarante mille ouvriers en bâtiment de Paris ». Pétion vint lui-même à la barre, et dit, pour justification principale, celle-ci qui est grave : A aucun prix, et quoi qu'il arrivât, il n'avait voulu hasarder de faire couler le sang. Le 13, l'Assemblée leva la suspension pour le maire, la maintint encore, chose remarquable, pour le procureur de commune, Manuel, qui, selon toute apparence, sous la direction de Danton, avait eu une part fort directe à l'organisation du mouvement.

La fête anniversaire du 14 juillet ne fut rien autre chose que le triomphe de Pétion sur le roi. Les hommes armés de piques avaient tous écrit au chapeau, avec de la craie : « Vive Pétion ! » Tout se passa paisiblement, néanmoins dans une émotion visible ; c'était un calme frémissant, comme une halte avant un combat. Parmi les symboles ordinaires qui figuraient dans la pompe solennelle, tels que la Loi, la Liberté, etc., des hommes en noir, couronnés de cyprès, portaient aussi une chose mystérieuse et redoutable, qu'on voyait briller sous un crêpe : c'était le glaive de la loi. Voilé encore, il allait déchirer sa fragile enveloppe, et devenir le fer de la Terreur.

Le roi allait comme traîné, et semblait la victime. Victime moins de la Révolution que de ses convictions obstinées. Il allait, odieux de son double *veto,* rêveur, mélancolique, dans l'attente d'un assassinat, consolé de sa mort, inquiet pour les siens. Pour la première fois, à leur prière, il portait un plastron caché. « Sa figure, dit un écrivain royaliste, était celle d'un débiteur que l'on mène en prison. » Il ne se laissa pas toutefois traîner jusqu'à la fin. Quand on l'invita à mettre le feu à l'arbre où pendaient les insignes féodaux, il dit que la chose était superflue, et protesta ainsi en quelque sorte, dans ce dernier jour de la royauté, pour l'ancien régime expirant.

La royauté, manifestement, était finie. Le ministère avait donné sa démission le 9 juillet, le directoire de Paris donna la sienne le 20. Toute autorité disparut. L'Etat fut sans gouvernement, la capitale sans administrateurs, l'armée sans généraux.

Restait l'Assemblée, hésitante et flottante. Restait la nation, émue, indignée des obstacles, ignorant les remèdes, s'ignorant elle-même, se cherchant à tâtons, se sentant forte, attestant l'Assemblée, ne demandant qu'un signe.

Ce signe était : la *Déclaration du danger de la patrie*.

Qu'était-il en lui-même ? Robespierre le dit parfaitement : « Un aveu que l'autorité faisait de son impuissance, de l'état effrayant de crise où elle avait laissé venir les choses, un appel à la nation d'y suppléer, de se sauver elle-même. »

Cette déclaration, demandée le 30 juin, formulée le 4 juillet, votée le 11, ne fut promulguée que le dimanche 22 juillet. On venait de recevoir les plus alarmantes nouvelles de l'Est. Le directoire de Paris, à la veille de sa démission, s'opposait au recrutement ; il en fut positivement accusé par deux excellents citoyens, Cambon et Carnot. Du 11 au 22, on ne put obtenir du pouvoir exécutif l'autorisation nécessaire pour proclamer le danger de la patrie.

L'âme de la France était si émue en ce moment, les poitrines si pleines, si près d'éclater, que tous hésitaient à lever la bannière de l'enthousiasme. On craignait que l'ivresse ne tournât à la fureur.

Il fallut pourtant accorder enfin le signal désiré à l'impatience du peuple. Le dimanche 22 juillet, la proclamation fut faite sur les places de Paris. Elle se répéta sur toutes les places de France.

Le décret de l'Assemblée portait que, la proclamation faite, les conseils de départements, de districts, de communes se constitueraient en surveillance permanente ; que tous les gardes nationaux seraient désormais en activité ; que tout citoyen déclarerait ce qu'il avait d'armes ; que l'Assemblée fixerait le nombre d'hommes à fournir par chaque département ; que le département, le district, en feraient la répartition ; que, trois jours après, les hommes de chaque canton choisiraient entre eux ceux que le canton devait fournir ; que ceux qui auraient obtenu cet honneur se rendraient, sous trois jours, au chef-lieu du district, où on leur donnerait la solde, la poudre et les balles. Nulle obligation d'uniforme ; ils pouvaient, dans leurs habits de travail, aller au combat.

La proclamation fut faite à Paris avec une solennité austère, digne de la situation. Le génie de la Révolution, on le sent ici, était vraiment dans la Commune. Danton y influait déjà par Manuel, procureur de la Commune, par les officiers municipaux et le

Conseil général. Son souffle semble avoir animé l'auteur du programme, Sergent, artiste médiocre en lui-même, mais possédé, en ce moment, d'un vertige sublime ; il ne l'a que trop fait passer dans les grandes et terribles fêtes qui précédèrent ou suivirent le 10 août. On dirait qu'en ceci Sergent fut l'artiste de Danton, comme plus tard David fut celui de Robespierre. Sergent, inférieur comme artiste, nous paraît avoir été plus puissamment inspiré que David pour la mise en scène de ces représentations populaires. Elles eurent un effet véritablement effrayant. L'une d'elles, la fête funèbre, donnée après le 10 août, jeta dans la population une telle impression de furieuse douleur que peut-être on doit la considérer comme une des causes du massacre qui suivit.

Le dimanche 22 juillet, à six heures du matin, les canons placés au Pont-Neuf commencèrent à tirer, et continuèrent, d'heure en heure, jusqu'à sept heures du soir. Un canon de l'Arsenal répondait et faisait écho.

Toute la garde nationale, en ses six légions, réunie sous ses drapeaux, s'assembla autour de l'Hôtel de Ville ; et l'on y organisa les deux cortèges qui devaient porter dans Paris la proclamation. Chacun avait en tête un détachement de cavalerie, avec trompettes, tambours, musique et six pièces de canon. Quatre huissiers à cheval portaient quatre enseignes : Liberté, Egalité, Constitution, Patrie. Douze officiers municipaux, en écharpes, et derrière, un garde national à cheval portant une grande bannière tricolore, où étaient ces mots : « Citoyens ! la patrie est en danger. » Puis venaient encore six pièces de canon et un détachement de garde nationale. La marche était fermée par la cavalerie.

La proclamation se fit sur les places et sur les ponts.

A chaque halte, on commandait le silence en agitant les banderoles tricolores et par un roulement de tambours. Un officier municipal s'avançait, et, d'une voix grave, lisait l'acte du corps législatif, et disait : « La patrie est en danger. »

Cette solennité était comme la voix de la nation, son appel à elle-même. A elle, maintenant, de voir ce qu'elle avait à faire, ce qu'elle avait dans le cœur de dévouement et de sacrifice, de voir qui voulait combattre, défendre cet immense patrimoine de libertés conquis hier, qui voulait sauver la France et l'espérance du monde.

Des amphithéâtres avaient été dressés sur toutes les grandes places, comme au parvis Notre-Dame, pour recevoir les enrôlements. Des tentes étaient placées sous des banderoles tricolores et des couronnes de chêne ; sur le devant, une table simplement jetée sur deux caisses de tambour. Des municipaux, avec six notables, siégeaient pour écrire, et donner aux enrôlés leurs certificats ; à droite, à gauche, les drapeaux gardés par les hommes de leurs bataillons.

L'amphithéâtre était isolé et défendu par un grand cercle de citoyens armés, et deux pièces de canon. La musique était au centre, et faisait entendre des hymnes guerriers et patriotiques.

On avait bien fait d'entourer ainsi les amphithéâtres. La foule s'y précipitait. Le cercle des factionnaires suffisait à peine à la repousser. Tous voulaient arriver ensemble, et être inscrits d'une fois. On les contenait, on les écartait, pour régler l'inscription ; quelques-uns seulement passaient, qui gravissaient impatients les escaliers, se pressaient aux balustrades ; à mesure, d'autres venaient, les inscrits redescendaient, et allaient gaiement s'asseoir dans le grand cercle de la place, chantant avec la musique et caressant les canons.

Un journaliste se plaint de n'avoir pas vu *plus de piques,* autrement dit plus d'hommes de la classe inférieure. Tout était mêlé ici ; il n'y avait ni haut ni bas, ni supérieurs ni inférieurs ; c'étaient des hommes, voilà tout, c'était la France entière qui se précipitait aux combats.

Il en venait de tout petits, qui tâchaient de prouver qu'ils avaient seize ans, et qu'ils avaient droit de partir. L'Assemblée, par grâce, avait abaissé jusqu'à cet âge la faculté de s'enrôler.

Il y avait des hommes mûrs, des hommes déjà grisonnants, qui ne voulaient pour rien au monde laisser une telle occasion, et, plus lestes que les jeunes, partaient devant pour la frontière. On vit des choses étranges. Au fond de la basse Bretagne, le bonhomme La Tour d'Auvergne, très mûr d'âge, déjà retiré, laisse un matin les belles antiquités celtiques qui faisaient tout son bonheur, s'en va embrasser son maître, un vieux savant celtomane, part sans autre viatique que sa chère grammaire bretonne qu'il portait sur sa poitrine, et qui le sauva des balles. Il entra, lui aussi, dans ces bandes, enrôlé de cinquante ans, et se mit héroïquement à former cette jeunesse.

Personne ne voyait ces choses sans émotion. La jeune audace de ces enfants, le dévouement de ces hommes qui laissaient là tout, sacrifiaient tout, tiraient les larmes des yeux. Tels pleuraient, se désespéraient de ne pouvoir partir aussi. Les partants chantaient et dansaient lorsque les municipaux les menaient le soir à l'Hôtel de Ville. Ils disaient à la foule émue : « Chantez donc aussi, vous autres ! Criez : « Vive la nation ! »

L'élan fut tel, la fermentation si grande, les cœurs et les imaginations si puissamment ébranlés, que ceux même qui venaient de décréter la Déclaration du danger de la patrie ne furent pas sans inquiétude ; ils s'effrayèrent de leur ouvrage.

Brissot avertit le peuple « que la Cour voulait une émeute, qu'elle ne cherchait qu'un prétexte pour l'éloignement du roi ».

Non, il ne fallait pas d'émeute, mais une grande et générale insurrection était devenue nécessaire, ou la France périssait.

L'Assemblée était impuissante. Elle n'osait se décider à condamner La Fayette, l'appui de la royauté.

Les Jacobins étaient impuissants. Leur oracle, Robespierre, prouvait à merveille que l'Assemblée ne faisait rien, que la Gironde attendait que Louis XVI, aux abois, lui rendît le ministère. Mais, quand on lui demandait quel remède il indiquait lui-même, il ne savait rien dire autre chose, sinon qu'il fallait convoquer les assemblées primaires, qui éliraient des électeurs, et ceux-ci éliraient une Convention, pour que, par cette assemblée, légalement autorisée, on pût réformer la Constitution. Cette Constitution améliorée ne manquerait pas sans doute d'affaiblir et désarmer le pouvoir exécutif.

Une médecine tellement expectante eût eu l'effet naturel de laisser mourir le malade. Avant que les assemblées primaires fussent seulement convoquées, les Prussiens et les Autrichiens, donnant la main à Louis XVI, pouvaient arriver à Paris.

L'impuissance de la Gironde et de l'Assemblée, de Robespierre et des Jacobins, se retrouverait-elle la même dans la Commune de Paris ? Ce n'était que trop vraisemblable. Son chef, Pétion, était homme de mots et de discours, nullement d'action. Sorti de la noble Constituante, d'une assemblée essentiellement parleuse, académique, il en gardait le caractère. La place aussi de maire de Paris, cette place qui appelle sans cesse à représenter, semblait toujours paralyser celui qui la remplissait. Pétion n'était guère moins que Bailly, son prédécesseur, majestueux, froid et vide, une cérémonie vivante. Vain comme lui, et plus avide encore de popularité, tous ses discours se résument à peu près par les mots qu'il dit au 20 juin et qu'il répétait toujours : « Peuple, tu as été sublime... Peuple, tu as assez fait, tu as mérité le repos... Peuple, retourne à tes foyers. »

Nulle force individuelle n'aurait jamais mis cette idole en mouvement. Pour la soulever de son inertie, la lancer dans l'accusation du roi, comme on va voir tout à l'heure, il ne fallait pas moins qu'une de ces grandes marées de l'océan populaire qui le fait sortir de son lit par un mouvement invincible, emporte tout sur sa vague, les pierres même inertes et pesantes.

Répétons-le, nul en particulier ne peut se vanter du 10 août, ni l'Assemblée, ni les Jacobins, ni la Commune. Le 10 août, comme le 14 juillet et le 6 octobre, est un grand acte du peuple.

Acte d'énergie, de dévouement, de courage désespéré, partant moins général que les deux précédents ; mais, si l'on considère le sentiment universel d'indignation qui l'inspira, on peut le nommer ainsi : c'est un grand acte du peuple.

Des millions d'hommes voulurent ; vingt mille hommes s'exécutèrent.

L'individu fit peu ou rien. Il est juste néanmoins de remarquer que personne n'observa mieux le mouvement, ne s'y associa plus habilement que Danton.

Le 13 juillet, aux Jacobins, il proposa que les fédérés, venus des départements, fissent le lendemain, à la fête du 14, un serment supplémentaire, celui de rester à Paris tant que la patrie serait en danger : « Et s'ils disaient, les fédérés, ce que pense toute la France, que le danger de la patrie *ne vient que du pouvoir exécutif,* qui leur ôterait donc le droit d'examiner cette question ? »

Le 17, le procureur de la Commune, Manuel (sans aucun doute, sous l'influence de Danton) demanda, obtint que les sections, désormais en permanence, eussent à l'Hôtel de Ville un bureau central de correspondance, au moyen duquel elles s'entendraient entre elles d'une manière sûre et prompte. Mesure grave, qui créait l'unité, non plus fictive, mais réelle, active, de ce grand peuple de Paris.

Le 27, les Cordeliers, sous la présidence de Danton, décident que, «la Constituante ayant remis le dépôt de la *Constitution* à tous les Français, tous, dans le danger de la *Constitution,* citoyens *passifs* aussi bien qu'actifs, sont admis, par la *Constitution* même, à délibérer, à s'armer pour la défendre ; que la section du Théâtre-Français les appelle à elle », etc. L'arrêté est signé de Danton et des secrétaires Momoro et Chaumette.

Ainsi, à ce moment suprême, la fameuse section des Cordeliers et Danton lui-même s'efforçaient de retenir encore sur l'insurrection un manteau de légalité ; ils *attestaient la Constitution,* au moment où le salut de la France obligeait de la briser.

La France fut sauvée par la France, par des masses inconnues.

L'impulsion fut donnée par l'étranger même, par ses menaces insolentes. Nous lui devons ce magnifique élan de colère nationale, d'où sortit la délivrance.

Le 26 juillet partit de Coblence le manifeste, outrageusement impérieux, du général de la coalition, du duc de Brunswick. Ce prince, homme judicieux, le trouvait lui-même absurde ; mais les rois lui imposèrent cette œuvre insensée de l'émigration. On y annonçait une guerre étrange, nouvelle, toute contraire au droit des nations policées. Tout Français était coupable ; toute ville ou village qui résisterait devrait être *démoli, brûlé.* Quant à la ville de Paris, elle devait redouter des sévérités terribles : « Leurs Majestés rendant responsables de tous les événements sur leur tête, pour être jugés militairement, sans espoir de pardon, tous les membres de l'Assemblée, du département, du district, de la Municipalité, les juges de paix, *les gardes nationaux et tous autres...* S'il était fait la moindre violence au roi, on en tirerait une vengeance à jamais mémorable, en livrant Paris à une exécution militaire et une subversion totale, etc. »

Ce manifeste du 26 fut (chose bizarre !), le 28, connu à Paris ; on eût dit qu'il venait des Tuileries, et non de Coblence. Il tomba, comme sur la poudre tombe une étincelle. La section de Mauconseil sortit du vague terrain constitutionnel, déclara : 1° *qu'il était impossible de sauver la liberté par la Constitution ;* 2° qu'elle abjurait son serment et ne reconnaissait plus Louis pour roi ; 3° que le dimanche 5 août elle se transporterait à l'Assemblée, et lui demanderait si elle voulait enfin sauver la patrie, *se réservant,* sur la réponse de prendre *telle détermination ultérieure qu'il appartiendrait,* et jurant de s'ensevelir, s'il le fallait, sous les ruines de la liberté.

Cette déclaration fut signée de six cents noms, entièrement inconnus.

Jamais insurrection ne fut plus clairement, plus nettement annoncée. Ceux qui, après la victoire, la réclamèrent comme leur et comme préparée par eux, furent bien obligés, pour faire croire qu'ils avaient tout fait, de supposer des mystères, dans l'ombre desquels ils auraient agi. Tout indique, quoi qu'ils aient dit, que ces petits mystères ne firent rien ou pas grand-chose. Ce fut une conspiration immense, universelle, nationale, menée à grand bruit sur la place, en plein soleil. Un de ceux qui tâchèrent *après* de se donner l'honneur de la chose avait bien mieux dit *avant :* « Nous sommes, en ce moment, un million de factieux. »

Sur quarante-huit sections, quarante-sept avaient voté la déchéance de Louis XVI.

Pour la prononcer sans risque de collision, il fallait désarmer la Cour. La Gironde et les Jacobins étaient d'accord là-dessus. Le Girondin Fauchet, le Jacobin Choudieu demandèrent, obtinrent de l'Assemblée que les troupes de ligne fussent envoyées à la frontière. L'Assemblée, sous cette double influence, ordonna le licenciement de l'état-major de la garde nationale. C'était briser, dans Paris, l'épée de La Fayette, émoussée déjà, mais qui lui restait encore.

La Cour perdait ainsi ses défenses et ses barrières. On alla encore plus loin ; on lui contesta les Suisses ; on remarqua qu'alors même ils avaient leur chef, leur colonel général à Coblence ; c'était le comte d'Artois, et tel de leurs officiers était payé à Coblence de l'argent de la nation.

Pendant qu'on s'efforçait de désarmer la royauté, arrivait chaque jour dans Paris l'armée de la Révolution. Je parle des différents corps fédérés des départements. Ces fédérés n'étaient point des hommes quelconques, des volontaires pris au hasard ; c'étaient ceux qui s'étaient présentés à l'élection pour combattre les premiers, ceux qui se destinaient aux armes, ceux qu'on avait élus sous l'influence des sociétés populaires, comme les plus ardents patriotes et les plus fermes soldats.

Les fédérés tombèrent dans la fermentation de Paris comme un surcroît d'ardent levain. Reçus chez les particuliers, ou concentrés dans les casernes, inactifs et dévorés du besoin de l'action, ils allaient partout, se montraient partout, se multipliaient. Tout neufs et non fatigués, ravis de se voir enfin (la plupart pour la première fois) sur le terrain des révolutions, au cratère même du volcan, ces terribles voyageurs appelaient, hâtaient l'éruption. Ils prirent deux résolutions qui leur donnèrent une grande force : celle de s'unir et faire corps — ils se créèrent un comité central aux Jacobins — et celle de rester à Paris. Le 17 juillet, ils avaient adressé à l'Assemblée une audacieuse adresse : « Vous avez déclaré le danger de la patrie ; mais ne la mettez-vous pas en danger vous-mêmes, en prolongeant l'impunité des traîtres ?... Poursuivez La Fayette, suspendez le pouvoir exécutif, destituez les directoires de départements, renouvelez le pouvoir judiciaire. »

L'indignation de l'Assemblée fut presque unanime ; elle passa à l'ordre du jour. Les fédérés, étonnés de ce mauvais accueil, écrivirent aux départements : « Vous ne nous reverrez plus, ou vous nous verrez libres... Nous allons combattre pour la liberté, pour la vie... Si nous succombons, vous nous vengerez, et la liberté renaîtra de ses cendres. »

Mieux reçus des Jacobins, ils étaient aussi fort encouragés par la Commune de Paris. Le procureur de la Commune, Manuel, professa aux Jacobins cette doctrine nouvelle : que les fédérés, élus des départements, en étaient les représentants légitimes. Pétion, qui était là, appuyait cette doctrine de sa présence, de la puissante autorité du premier magistrat de Paris. Paris même, en sa personne, semblait adopter ces envoyés de la France, les encourager au combat.

Le 25 juillet, un festin civique fut donné aux fédérés sur l'emplacement des ruines de la Bastille, et la même nuit, du 25 au 26, un *directoire d'insurrection* s'assembla au Soleil-d'Or, petit cabaret voisin. Il y avait cinq membres du comité des fédérés, de plus les deux chefs des faubourgs Santerre et Alexandre, trois hommes d'exécution, Fournier, dit l'Américain, Westermann et Lazouski, le Jacobin Antoine, les journalistes Carra et Gorsas, enfants perdus de la Gironde. Fournier apporta un drapeau rouge, avec cette inscription dictée par Carra : « Loi martiale du peuple souverain contre la rébellion du pouvoir exécutif. » On devait s'emparer de l'Hôtel de Ville et des Tuileries, enlever le roi, sans lui faire de mal, et le mettre à Vincennes. Le secret, confié à trop de personnes, était connu de la Cour. Le commandant de la garde nationale alla trouver Pétion et lui dit qu'il avait mis le château en état de défense. Pétion alla la nuit même dissoudre les convives attardés du festin civique, qui croyaient combattre au jour. On se décida à attendre les fédérés de Marseille.

Barbaroux, leur compatriote, avait écrit à Marseille d'envoyer à Paris « cinq cents hommes qui sussent mourir ». Rebecqui, autre Marseillais, avait été les recruter, les choisir lui-même. Il ne faut pas oublier que, depuis deux ou trois ans, la guerre, sous diverses formes, existait dans le Midi. Les émeutes de Montauban, de Toulouse, le meurtrier combat de Nîmes, en 90, la guerre civile d'Avignon, en 90 et 91, les affaires d'Arles, d'Aix, la dernière surtout, où les gardes nationales avaient désarmé un régiment suisse, tout cela avait exalté dans ces contrées l'orgueil militaire, l'amour des combats, la furie de la Révolution. Rebecqui et ses Marseillais étaient alliés et amis du parti français d'Avignon ; ils en considéraient les crimes comme d'excusables représailles. Les cinq cents hommes de Marseille, qui n'étaient point du tout exclusivement Marseillais, étaient déjà, quoique jeunes, de vieux batailleurs de la guerre civile, faits au sang, très endurcis ; les uns, rudes hommes du peuple, comme sont les marins ou paysans de Provence, population âpre, sans peur ni pitié ; d'autres, bien plus dangereux, des jeunes gens de plus haute classe, alors dans leur premier accès de fureur et de fanatisme, étranges créatures, troubles et orageuses dès la naissance, vouées au vertige, telles qu'on n'en voit guère de pareilles que sous ce violent climat. Furieux d'avance et sans sujet, qu'il vienne un sujet de fureur, vous retrouverez des Mainvielle, que rien ne fera reculer, non, pas même la Glacière.

Une chose, si l'on peut dire, les soutenait dans leurs colères et les rendait prêts à tout : c'est qu'ils se sentaient une foi. La foi révolutionnaire, formulée par un homme du Nord dans *La Marseillaise,* avait confirmé le cœur du Midi. Tous maintenant, ceux même qui ignoraient le plus les lois de la Révolution, ses réformes et ses bienfaits, tous savaient, par une chanson, pourquoi ils devaient dès lors combattre, tuer, mourir. La petite bande des Marseillais, traversant villes et villages, exalta, effraya la France par son ardeur frénétique à chanter le chant nouveau. Dans leurs bouches, il prenait un accent, très contraire à l'inspiration primitive, accent farouche et de meurtre ; ce chant généreux, héroïque, devenait un chant de colère ; bientôt, il allait s'associer aux hurlements de la Terreur.

Barbaroux et Rebecqui allèrent recevoir les Marseillais à Charenton. Le premier, jeune, enthousiaste, généreux, lié d'une part aux Girondins par l'amitié des Roland, d'autre part fort intime avec ces hommes violents du Midi, rêvait une grandiose et pacifique insurrection, une redoutable fête, où quarante mille Parisiens, accueillant les Marseillais, et, pour ainsi parler, les prenant dans leurs bras, emportaient d'un élan, sans avoir besoin de combat, l'Hôtel de Ville, les Tuileries, entraîneraient l'Assemblée, fonderaient la République. « Cette insurrection pour la liberté eût été majestueuse comme elle, sainte comme les droits qu'elle devait assurer, digne de servir d'exemple aux peuples ; pour briser leurs fers, il leur suffit de se montrer aux tyrans. »

Santerre promit les quarante mille hommes, et il en amena deux cents. Il n'avait aucune hâte de donner aux Marseillais l'honneur d'un si grand mouvement.

Barbaroux put voir bientôt combien ce plan romanesque d'une insurrection innocente, généreuse et pacifique, exécutée par des mains furieuses et déjà sanglantes, avait peu de vraisemblance. Dès le lendemain, aux Champs-Elysées, les Marseillais, invités à un festin, se trouvèrent à deux pas des grenadiers des Filles-Saint-Thomas, et il y eut immédiatement une collision sanglante. Qui commença ? On ne le sait. Les Marseillais, chargeant d'ensemble, eurent un avantage facile ; leurs adversaires furent mis en fuite. Le pont-levis des Tuileries s'abaissa pour les recevoir, se releva pour arrêter les Marseillais, qui s'élançaient à leur poursuite. Plusieurs des blessés, reçus aux Tuileries, furent consolés et pansés par les dames de la Cour.

La petite armée fédérée, cinq cents Marseillais et trois cents Bretons, etc., en tout cinq mille hommes, était au complet dans Paris, l'insurrection était imminente. Tout le monde s'y attendait. Un muet tocsin sonnait dans les oreilles et dans les cœurs. Le 3 août, il retentit dans l'Assemblée même. Pétion, à la tête de la Commune, se présente à la barre. Spectacle étrange, le froid, le flegmatique Pétion, ayant derrière lui ses dogues, les Danton et les Sergent, qui le poussaient par-derrière, débitant de sa voix glacée un brûlant appel aux armes.

« La Commune vous dénonce le pouvoir exécutif... Pour guérir les maux de la France, *il faut les attaquer dans leur source,* et ne pas perdre un moment. » Suivent les crimes de Louis XVI, *ses projets sanguinaires contre Paris,* les bienfaits de la nation envers lui, son ingratitude, le détail des entraves qu'il met à la défense nationale, l'insolence des autorités départementales, qui se font arbitres entre l'Assemblée et le roi, et voudraient mettre la France en république fédératives... « Nous aurions désiré pouvoir demander seulement la suspension momentanée de Louis XVI ; la Constitution s'y oppose. Il invoque sans cesse la Constitution ; nous l'invoquons à notre tour, et *nous demandons la déchéance...* Il est douteux que la nation puisse se fier à la dynastie ; nous demandons des ministres nommés hors de l'Assemblée, par le scrutin des hommes libres, en attendant que la volonté du peuple, notre souverain et le vôtre, soit légalement prononcée en Convention nationale. »

Il y eut un grand silence. La pétition fut renvoyée à un comité. La question de la déchéance fut ajournée au jeudi 9 août. Ceci n'était plus une furie de populace, une bravade de fédérés. C'était la grande Commune qui prenait l'avant-garde, sommait l'Assemblée de la suivre. C'était le roi de Paris qui venait dénoncer le roi.

Dans l'état de misère, de sourde fureur où était la population, on pouvait craindre que la péroraison d'une telle harangue ne fût l'assaut des Tuileries, que les mots ne fussent des actes, que la cause de la liberté, au lieu de se décider par les batailles du Rhin, ne fût remise au hasard d'une émeute de Paris.

La séance du soir fut courte. On rentra chez soi, on consulta les siens. C'est dans ces grandes circonstances que les hommes, incertains, flottants, suivent, sans bien s'en rendre compte, l'influence de leurs entourages, de leurs affections. Quand la lumière de l'esprit vacille, on cherche celle du cœur. Il serait intéressant de savoir, en cette occasion, quelle fut la table du soir pour les grands chefs d'opinion, ce que fut ce soir Robespierre à la table des Duplay, Vergniaud chez Mme Roland ou Mlle Candeille. Autant qu'on peut conjecturer, soit par crainte pour la liberté qui pouvait périr en une heure, soit par instinct d'humanité, au moment de voir le sang couler, tous furent incertains, ou reculèrent, à l'apparition prochaine du terrible événement.

Robespierre ne dit rien le soir aux Jacobins, et très probablement s'abstint d'y aller, pour n'exprimer nulle opinion sur les mesures immédiates qu'il convenait de prendre. Il laissa passer le jour, ordinairement décisif dans les révolutions de Paris, le dimanche (5 août). Il se tut le 3, il se tut le 4, et ne recouvra la parole qu'après que ce jour fut passé, le lundi 6 août.

Pour la Gironde et les amis des Roland, qui étaient dans l'action même, ils ne s'abstinrent pas, mais se divisèrent. La Gironde proprement dite, sa pensée, Brissot, sa parole, Vergniaud, redoutaient l'insurrection. Les amis des Girondins, le jeune Marseillais Barbaroux, l'appelaient et la préparaient. Rien n'indique de quel côté pencha Mme Roland.

On ne peut ici accuser personne. Il y avait lieu vraiment d'hésiter et de réfléchir. Il y avait à parier que la Cour aurait le dessus, si l'on hasardait le combat. La Gironde avait provoqué, ordonné l'organisation de l'armée des piques, mais elle commençait à peine. Rien n'était moins discipliné, moins exercé, moins imposant que les bandes des faubourgs. Les fédérés mêmes, quoique braves, étaient-ils de vrais soldats ? Pour l'armée des baïonnettes, il était infiniment probable qu'une grande partie ne ferait rien, et qu'une autre, très nombreuse, serait contre l'insurrection.

L'attaque des Tuileries n'était point chose facile. Le château, du côté du Carrousel surtout, était un fort redoutable. Il n'y avait pas de grille comme aujourd'hui, point de grand espace libre, mais trois petites cours contre le château, fermées de murs, dont les jours donnaient sur le Carrousel et permettaient de tirer fort à l'aise sur les assaillants. Ceux-ci parvenaient-ils à pénétrer, ils étaient perdus, ce semble ; ces trois cours étaient trois pièges, justement comme cette cour du château du Caire où le pacha fit si commodément fusiller les mameluks. Une fois là, on devait être criblé des fenêtres, foudroyé de tous côtés.

La garnison était très sûre. Elle devait, outre les gardes nationaux les plus dévoués, compter les bataillons suisses, cette milice brave et fidèle, compter les restes de la garde constitutionnelle (nous l'avons vu, des Murat, des La Rochejacquelein), compter *la noblesse française* — ainsi se nommaient eux-mêmes les gentilshommes qui s'engageaient à défendre le château. D'Hervilly, leur chef, était une épée connue ; il avait formé, recruté un petit corps redoutable, composé uniquement de maîtres d'armes qu'il éprouvait lui-même et de spadassins.

Oui, il y avait lieu de songer. Si l'insurrection venait se faire prendre, écraser au traquenard des Tuileries, l'Assemblée elle-même était frappée à mort, et perdait la force légale, qui jusqu'ici était dans ses mains. Si elle pouvait, de cette force, vaincre sans combat, pousser le roi de proche en proche à remettre le pouvoir aux ministres patriotes, pourquoi livrer la grande cause au hasard d'un petit combat, aux chances d'une surprise, d'une panique peut-être, d'un irréparable revers ?

Telles furent les pensées de la Gironde. L'ambition y fut pour quelque chose sans doute. Mais, l'ambition même à part, il faut reconnaître qu'il y avait bien lieu d'hésiter. Disons aussi qu'à cette grande époque, à ce rare moment de patriotisme enthousiaste, l'égoïsme et l'intérêt personnel, sans disparaître entièrement, furent tout à fait secondaires dans les résolutions des hommes. Il faut rendre cette justice alors aux hommes de tout parti.

Le 26 juillet, Brissot avait avoué le motif, fort sérieux, qui, au moment de briser le trône, faisait hésiter la Gironde ; il était fondé dans la vieille superstition, absurde, mais trop réelle, et qu'on ne pouvait méconnaître : « Les hommes attachent au mot de *roi* une vertu magique *qui préserve leur propriété.* »

A cette idée, ajoutez un sentiment, naturel à l'aspect de la fureur qu'on voyait gronder dans le peuple : la crainte d'une grande et terrible effusion de sang humain, qui renouvelât la Glacière, calomniât la liberté, déshonorât la France. On apprit qu'à Marseille un contre-révolutionnaire avait été égorgé par le peuple. A Toulon, chose déplorable, fatale aux amis de la liberté, c'était la loi elle-même, je veux dire ses principaux organes, sur lesquels on avait porté le couteau. Le procureur général syndic (nous dirions préfet) du département, quatre administrateurs, l'accusateur public, un membre du district, d'autres citoyens encore, avaient été massacrés. Si de telles choses arrivaient si loin, contre des magistrats secondaires dont la responsabilité ne pouvait être bien grande, que serait-ce contre le roi ? que serait-ce ici, à Paris, où depuis si longtemps les Marat et les Fréron demandaient des têtes, du sang, des supplices atroces, des mutilations, des bûchers ?...

Un fait révélé plus tard montre assez combien ceux même qui se mettaient en avant, Pétion et autres, étaient effrayés sur le caractère de meurtrière violence qu'allait prendre la Révolution. Duval d'Espréménil, celui qui l'avait jadis commencée dans le Parlement, mais depuis fol et furieux dans le sens contraire, ayant parlé indiscrètement pour la Cour dans le jardin des Tuileries, fut reconnu, poursuivi de la foule, frappé, maltraité ; bientôt tous ses vêtements leur restaient aux mains, ou tombaient sur lui en lambeaux sanglants. Il traversa, vivant encore, le Palais-Royal, se jeta heureusement dans la Trésorerie, qui était en face. On ferma les portes. La foule rugissait autour, allait les forcer. La pauvre petite femme de Duval (il venait de se marier) parvint à traverser tout, voulant mourir avec lui. On alla chercher bien vite le maire de Paris. Pétion vint en effet, entra, vit sur un matelas un spectre pâle et sanglant. C'était Duval, qui lui dit : « Et moi aussi, Pétion, j'ai été l'idole du peuple... » Il n'avait pas fini ces mots que, soit l'excès de la chaleur, soit terreur et pressentiment trop vrai de sa destinée prochaine, Pétion s'évanouit.

Oui, il y avait lieu de songer, à la veille du 10 août. Ce n'était pas seulement la Gironde qui hésitait, c'étaient d'excellents citoyens, Cambon par exemple, qui ne tinrent à la Gironde que fort indirectement, qui n'en eurent nullement l'esprit, et ne connurent d'autre sentiment que l'intérêt de la France. Le 4 août, Cambon obtint que l'Assemblée demandât à sa commission des douze un rapport : « Pour rappeler le peuple aux vrais principes de la Constitution. » Cette commission y travailla immédiatement, et Vergniaud vint, en son nom, séance tenante, proposer d'annuler l'acte insurrectionnel de la section de Mauconseil, qui fut à l'instant décrété sans discussion.

Et pourtant, nous le savons bien mieux aujourd'hui, Vergniaud et Cambon avaient tort. L'insurrection seule, la plus prompte insurrection, pouvait encore sauver la France. Il n'y avait pas un jour à perdre. La royauté toujours aux Tuileries, servant de point de ralliement aux nobles et aux prêtres par tout le royaume, c'était le plus formidable auxiliaire des armées de la coalition. La reine attendait, appelait ces armées la nuit et le jour. Elle avouait à ses femmes ses vœux et ses espérances. « Une nuit, dit Mme Campan, que la lune éclairait sa chambre, elle la contempla, et me dit que, dans un mois, elle ne verrait pas cette lune sans être dégagée de ses chaînes. Elle me confia que tout marchait à la fois pour la délivrer. Elle m'apprit *que le siège de Lille allait se faire,* qu'on leur faisait craindre que, malgré le commandant militaire, l'autorité civile ne voulût défendre la ville. *Elle avait l'itinéraire des princes et des Prussiens ; tel jour ils devaient être à Verdun, et tel jour à un autre endroit.* Qu'arriverait-il à Paris ? Le roi n'était pas poltron, mais il avait peu d'énergie. « Je monterais bien à cheval, disait-elle encore, mais alors j'anéantirais le roi... »

Tout le monde voyait aux portes de la France deux armées disciplinées, redoutables par leurs précédents : la prussienne, pleine de la tradition du grand Frédéric ; l'autrichienne et hongroise, illustre par les succès de la guerre des Turcs. Ces deux armées avaient de plus cette grave particularité qu'elles venaient, presque sans coup férir, d'étouffer déjà deux révolutions, celles de Hollande et de Belgique. Nul politique, nul militaire ne pouvait croire à une résistance sérieuse de la part de nos armées désorganisées, des masses indisciplinées qui venaient derrière, de nos généraux suspects, d'une cour qui appelait l'ennemi. Un miracle seul pouvait sauver la France, et peu de gens l'attendaient.

Mme Roland avoue sans détour qu'elle comptait peu sur la défense du Nord, qu'elle examinait avec Barbaroux et Servan les chances de sauver la liberté dans le Midi, d'y fonder une république. « Nous prenions, dit-elle, des cartes géographiques, nous tracions la ligne de démarcation. » — « Si nos Marseillais ne réussissent pas, disait Barbaroux, ce sera notre ressource. »

Ceci n'était pas particulier aux Girondins. Marat, la veille du 10 août, demanda à l'un d'entre eux de le sauver à Marseille, et se tint prêt à partir sous l'habit d'un charbonnier.

Vergniaud affirme que Robespierre avait la même intention, et que c'était aussi à Marseille qu'il voulait se retirer. Quoiqu'on soit porté à douter de l'affirmation d'un ennemi sur un ennemi, j'avoue que le témoignage d'un tel homme, loyal, plein de cœur et d'honneur, me semble avoir beaucoup de poids.

Deux hommes seuls, parmi ceux qui influaient, paraissent avoir été immuablement opposés à l'idée de quitter Paris, les deux qui avaient du génie, Vergniaud et Danton. La chose est à peu près certaine pour Danton. Celui qui, après le 10 août, quand l'ennemi approchait, ne sourcilla pas, et s'obstina à faire face, celui-là, avant le 10, dans un péril moins imminent, ne faiblit pas, à coup sûr.

Pour Vergniaud, la chose est certaine. Il donna son avis en présence d'environ deux cents députés. Contre l'opinion de la plupart de ses amis, il dit « *que c'était à Paris qu'il fallait assurer le triomphe de la liberté, ou périr avec elle ;* que, si l'Assemblée sortait de Paris, ce ne pouvait être que comme Thémistocle, avec tous les citoyens, en ne laissant que des cendres, ne fuyant un moment devant l'ennemi que pour lui creuser son tombeau ».

Vergniaud et Danton jugèrent justement comme Richelieu, quand la reine Henriette lui faisait demander si elle pouvait se réfugier en France. Il écrivit à la marge de la lettre : « Faut-il dire à la reine d'Angleterre que qui quitte sa place la perd ? » Et Louis XI disait : « Si je perds le royaume et que je me sauve avec Paris, je me sauve avec la couronne sur la tête. »

Comment allait-on s'y prendre pour résister dans Paris. La première chose était d'en être maître. Or, Paris n'avait point Paris tant que l'ami des Prussiens était dans les Tuileries. C'est par les Tuileries qu'il fallait commencer la guerre.

Obtiendrait-on d'un peuple, peu aguerri jusque-là, un moment de colère généreuse, un violent accès d'héroïsme qui fît cette folie sublime ? Cela était fort douteux. Ce peuple semblait trop misérable, abatu peut-être sous la pesanteur des maux. Le Girondin Grangeneuve, dans l'ardeur de son fanatisme, demanda cette grâce au capucin Chabot, qu'il lui brulât la cervelle, le soir, au coin d'une rue, pour voir si cet assassinat, dont on eût certainement accusé la Cour, ne déciderait pas le mouvement. Le capucin, peu scrupuleux, s'était chargé de l'affaire, mais, au moment, il eut peur, et Grangeneuve se promena toute la nuit, attendant en vain la mort, et désolé de ne pouvoir l'obtenir.

CHAPITRE X

La veille et la nuit du 10 août

Combien l'histoire du 10 août a été altérée — Le 10 août était prévu — Plusieurs réclament l'initiative du 10 août — L'Assemblée déclare qu'il n'y a pas lieu d'accuser La Fayette (8 août) — On n'espère plus que l'Assemblée puisse sauver la patrie (8 août) — Préparatifs du combat (9 août) — Les chances de la Cour étaient très fortes — Le tocsin, la nuit du 10 août.

Je ne connais aucun événement des Temps anciens ni modernes qui ait été plus complètement défiguré que le 10 août, plus altéré dans ses circonstances essentielles, plus chargé et obscurci d'accessoires légendaires ou mensongers.

Tous les partis, à l'envi, semblent avoir conspiré ici pour exterminer l'histoire, la rendre impossible, l'enterrer, l'enfouir, de façon qu'on ne la trouve même plus.

Plusieurs alluvions de mensonges, d'une étonnante épaisseur, ont passé dessus. Si vous avez vu les bords de la Loire, après les débordements des dernières années, comme la terre a été retournée ou ensevelie, les étonnants entassements de limon, de sable, de cailloux, sous lesquels des champs entiers ont disparu, vous aurez quelque faible idée de l'état où est restée l'histoire du 10 août.

Le pis, c'est que de grands artistes, ne voyant en toutes ces traditions, vraies ou fausses, que des objets d'art, s'en sont emparés, leur ont fait l'honneur de les adopter, les ont employées habilement, magnifiquement, consacrées d'un style éternel. En sorte que les mensonges, qui jusque-là restaient incohérents, ridicules, faciles à détruire, ont pris, sous ces habiles mains, une consistance déplorable, et participent désormais à l'immortalité des œuvres du génie qui malheureusement les reçut.

Il ne faudrait pas moins d'un livre pour discuter une à une toutes ces fausses traditions. Nous laissons ce soin à d'autres. Pour nous, qu'il nous suffise ici de donner seulement deux sortes de faits, les uns prouvés par des actes authentiques, les autres vus, ou accomplis, par des témoins irrécusables, dont plusieurs vivent encore. Nous les avons préférés sans difficulté aux historiens connus, ou auteurs de Mémoires, pour la raison, grave et décisive, qu'aucun ou presque aucun de ceux-ci (ni Barbaroux, ni Weber, ni Peltier, etc.) n'ont pris part à la bataille, et ne l'ont pas même vue.

La bataille du 10 août semble un de ces loyaux combats où les deux partis, de longue date, ont soin de s'avertir d'avance. La population de Paris, d'une part, et la Cour de l'autre, donnèrent la plus grande publicité aux préparatifs.

Il n'y eut aucune surprise. On se tromperait entièrement si l'on supposait le roi investi à l'improviste. Avec une commune discordante, un maire comme Pétion, avec la désorganisation absolue où étaient tous les pouvoirs, avec la force militaire que le roi avait dans sa main, il était plus libre de fuir qu'il ne l'avait jamais été. Les masses, on va le voir, se rassemblèrent à grand-peine, et tard, et très lentement. Le 10 août, à six heures du matin, le roi était parfaitement libre encore de s'en aller, lui et les siens, en se plaçant au centre d'un carré de Suisses et de gentilshommes. A deux lieues, il montait à cheval, et passait en Normandie, à Gaillon, où on l'attendait. Il hésita, et la reine ne se souciait point de fuir, se croyant sûre cette fois d'écraser la Révolution dans la cour des Tuileries.

Dès le 3 août, le faubourg de Paris le plus misérable, celui qui souffrait le plus de cette halte cruelle dans la faim, sans paix ni guerre, Saint-Marceau, prit son parti ; il envoya à la section des Quinze-Vingts, invitant ses frères au faubourg Saint-Antoine à marcher avec lui en armes. Ceux-ci répondirent qu'ils iraient. Premier avertissement.

Autre le 4. L'Assemblée ayant condamné la déclaration insurrectionnelle de la section de Mauconseil, la Commune se refusa à publier ce décret.

Voilà des actes publics, et certes assez clairs. En même temps, nombre de particuliers voulaient agir, se remuaient, conspiraient en plein vent. Beaucoup réclament ici la grande initiative, prétendent avoir fait le 10 août.

« C'est moi », dit plusieurs fois Danton. Sans doute, il y contribua, mais bien moins par son action immédiate que par l'élan qu'il donna, ou augmenta, longtemps d'avance, par son influence sur la Commune, sur Manuel, sur Sergent et autres, peut-être sur Pétion lui-même.

« C'est moi, dit Thuriot (le 17 mai 1793), qui, avant le 10 août, ai marqué, préparé l'instant où il fallait exterminer les conspirateurs. »

« C'est moi, dit encore Carra, qui, réuni au directoire insurrectionnel, le 4 août, au *Cadran-Bleu,* écrivis le plan de l'insurrection. Nous nous rendîmes de là chez Antoine, rue Saint-Honoré, vis-à-vis l'Assomption, dans la maison où demeure Robespierre. Son hôtesse fut si effrayée qu'elle vint demander à Antoine s'il voulait faire égorger Robespierre. A quoi Antoine répondit : « Si quelqu'un doit être égorgé, ce sera nous ; pour Robespierre, qu'il se cache. »

Barbaroux, tout en avouant que le 10 août fut l'effet d'un mouvement irrégulier que préparèrent une foule d'hommes, se donne pourtant bonne part dans la direction du mouvement. Lui aussi, il a tracé le plan de l'insurrection. Cette pièce importante, qui eût pu tout révéler, il avoue qu'il la laissa dans la poche d'un vêtement d'été, et qu'avec ce vêtement, le plan, pendant plusieurs jours, alla chez la blanchisseuse.

Robespierre, on vient de le voir, ne se pressait pas d'agir. Il n'avait nullement conseillé le mouvement, mais il le veillait de près, et, sans s'y mêler en rien, se tenait prêt à profiter. Il fit dire à Barbaroux, par un abbé en guenilles (depuis, l'un des juges de 93), que Panis l'attendait à la mairie, avec Sergent et Fréron. Ces deux derniers étaient sous l'influence de Danton. Mais Panis était un homme de Robespierre. Ils avertirent Barbaroux qu'il fallait décider les Marseillais à quitter leur caserne, trop éloignée, pour s'établir aux Cordeliers. Placés là, tout près du Pont-Neuf, ils étaient bien plus à même d'agir sur les Tuileries, de prendre l'avant-garde du mouvement, de lui donner un élan, une impulsion résolue, que les bandes peu disciplinées des faubourgs n'avaient nullement. L'avantage était visible pour le succès de l'affaire. Seulement il y avait ceci à considérer : Danton régnait aux Cordeliers ; allait-il être le moteur essentiel, l'agent principal ? Ce fut sans doute une inquiétude pour Robespierre. Il sortit de sa réserve, et fit prier Barbaroux et Rebecqui de passer chez lui.

La chambre de Robespierre, ornée par Mme Duplay, était une vraie chapelle, qui reproduisait sur les murs, sur les meubles, l'image d'un seul et unique dieu, Robespierre, toujours Robespierre. Peint à droite sur la muraille, à gauche il était gravé. Son buste était au fond, son bas-relief vis-à-vis. De plus, il y avait sur les tables, en gravures, une demi-douzaine de petits Robespierre. De quelque côté qu'il se tournât, il ne pouvait éviter de voir son image. On parla des Marseillais et de la Révolution. Robespierre se vanta d'en avoir hâté le cours, et, plus que personne, amené la crise où l'on arrivait. Mais n'allait-elle pas s'arrêter, cette Révolution, si l'on ne prenait un homme très populaire pour en diriger le mouvement ?... « Non, dit brutalement Rebecqui, pas de dictateur, pas plus que de roi. » Ils sortirent bientôt, mais Panis, qui les avait amenés, ne les lâcha pas : « Vous avez mal saisi la chose, dit-il. Il s'agissait uniquement d'une autorité d'un moment. Si l'on suivait cette idée, nul plus digne que Robespierre. »

Tout le monde, d'après la vieille routine, croyait que le mouvement aurait lieu un dimanche, le 5 ou le 12. Donc, le samedi 4 au soir, deux jeunes Marseillais vont à la mairie. Ils trouvent au bureau Sergent et Panis. Ces gens étaient admirables d'élan, de courage, d'impatience et de douleur. Ils voyaient venir le jour du combat, et n'avaient rien dans les mains pour le soutenir. L'un d'eux criait : « De la poudre ! des cartouches ! ou je me brûle la cervelle !... » Il tenait un pistolet, et l'approchait de son front.

Sergent, homme tout spontané, qui avait le cœur d'un artiste, d'un Français, sentit que c'était là peut-être le vrai cri de la patrie. Pour réponse, il se mit à pleurer ; son émotion entraîna Panis. Ils jouèrent leurs têtes sur ce coup de dé, signèrent l'ordre (qui eût été celui de leur mort, si la France n'eût vaincu), l'ordre de délivrer des cartouches aux Marseillais.

La Cour ne s'endormait pas. Dans la nuit du 4 au 5, elle fit silencieusement venir de Courbevoie aux Tuileries les fidèles et redoutables bataillons des Suisses. On en avait envoyé quelques compagnies à Gaillon, où le roi devait chercher un asile.

Ce bruit de fuite remplissait tout Paris, le lundi 6. Les fédérés disaient qu'ils voulaient cerner le château. Ils n'étaient que cinq ou six mille. Mais la section des Quinze-Vingts déclara qu'elle aussi, elle marcherait aux Tuileries. Tout ce qui lui manquait pour cela, c'était son chef ordinaire. Santerre avait été consigné chez lui par le commandant de la garde nationale ; il en profita, et tel fut son respect pour la discipline qu'il garda à la lettre la consigne dans ce jour qui semblait devoir être celui du combat.

Il était impossible de voir ce que voulait l'Assemblée. Le 6, elle accueillit une pétition foudroyante des fédérés qui la menaçait elle-même ; elle admit les pétitionnaires aux honneurs de la séance. Le 8, elle déclara qu'il n'y avait point lieu à l'accusation de La Fayette. Le rapport de Jean Debry, le violent commentaire qu'y joignit Brissot, ne servirent de rien. La démarche, certainement illégale, audacieuse du général près de l'Assemblée, ce précédent qui contenaît en puissance le 18-Brumaire, fut innocentée. Quatre cent six voix contre deux cent vingt-quatre en jugèrent ainsi. Ce qui les excuse un peu, c'est peut-être la tentation naturelle de résistance que donnaient aux députés les cris, les menaces dont ils étaient environnés. A la sortie, plusieurs d'entre eux furent frappés ; quelques-uns faillirent périr ; réfugiés dans un corps de garde, ils n'échappèrent que par une prompte et secrète évasion à la vengeance du peuple.

Ils se plaignirent en vain dans la séance du 9. Les autorités vinrent avouer qu'elles avaient peu de moyens pour réprimer les désordres. Rœderer, procureur du département, accusa le maire de ne point venir se concerter sur les mesures à prendre. Il avertit que les Quinze-Vingts parlaient de sonner le tocsin, de soulever le peuple en masse si l'on ne prononçait pas la déchéance du roi. Puis le maire vint à son tour parler des gardes de réserve qu'il plaçait dans les Tuileries, faisant entendre en même temps qu'il ne fallait pas y compter beaucoup. « Que toute la force armée était devenue délibérante, et qu'elle se trouvait, comme tous les citoyens, divisée d'opinion. »

Un député feuillant demandant que les fédérés quittassent Paris, et qu'on demandât au maire *s'il pouvait assurer le salut public*. « Non, dit le Girondin Guadet, demandez-le plutôt au roi. » Et le Jacobin Choudieu ajouta que c'était à l'Assemblée même qu'il fallait adresser la question. « Les dangers de la patrie, dit-il, sont dans votre faiblesse, dont vous avez donné hier, au sujet de La Fayette, le honteux exemple. Il se trouve ici des hommes qui n'ont pas le courage d'avoir une opinion. Ceux qui ont craint hier un général, une armée, ceux-là n'oseront jamais toucher au foyer des conspirations, qui est aux marches du trône. Envoyez-moi à l'Abbaye, si vous voulez, mais déclarez que vous êtes incapables de sauver la patrie. »

C'était la pensée même de Paris. Les quarante-huit sections s'assemblèrent dans la soirée. Elles nommèrent des commissaires pour remplacer le Conseil général de la commune, et les investirent de pouvoirs illimités, absolus, pour sauver la chose publique. L'ancien Conseil siégeait à l'Hôtel de Ville ; les membres du nouveau, envoyés par les sections, s'y joignirent dans la nuit, à mesure qu'ils étaient nommés, et le remplacèrent au jour.

La Cour ne pouvait l'ignorer. Mais elle se croyait très forte. D'abord, elle venait d'avoir, par le vote en faveur de La Fayette, la majorité dans l'Assemblée, quatre cents voix contre deux cents. Elle n'avait pas à craindre d'être frappée par l'arme des lois. L'attente des armées étrangères et la presque certitude que la France serait écrasée, avaient étonnamment réchauffé le zèle de ses partisans. Jamais, dit un contemporain, la Cour n'avait été plus nombreuse, plus brillante peut-être, que dans les jours qui précédèrent immédiatement le 10 août. Les Suisses et les gentilshommes dont elle était entourée lui assuraient un noyau très sûr de force militaire, auquel le commandant de la garde nationale, très royaliste, Mandat, pouvait joindre à volonté ses bataillons les plus zélés. légalement, il ne pouvait agir que par l'autorisation du maire. On a beaucoup discuté s'il l'avait ou s'il ne l'avait pas. Il a affirmé lui-même, et il est très vraisemblable, que, plusieurs jours auparavant, il avait tiré du maire une telle quelle autorisation ; les circonstances n'étant nullement favorables à l'insurrection, l'autorisation, alors, était de peu de conséquences. Au 10 août, cette autorisation surannée ne pouvait servir. Mandat y suppléa par une réquisition au département de Paris.

Pendant la journée du 9, on avait coupé la galerie du Louvre, pour interdire de ce côté l'entrée du château. On avait fait entrer très publiquement, par les cours, d'épais madriers de chêne, pour obstruer, blinder les fenêtres, sauf les jours qu'on réserverait pour foudroyer l'ennemi.

Dès minuit, le tocsin sonna aux Cordeliers où étaient Danton et les Marseillais, puis dans tout Paris. Mais l'effet en fut petit ; les faubourgs s'ébranlèrent lentement, difficilement ; le vendredi n'est pas un jour favorable. Les meneurs disaient eux-mêmes, en langage significatif, « que le tocsin *ne rendait pas* ».

Pétion avait été mandé aux Tuileries, sous un prétexte, et il n'osa refuser. Une tête si chère au peuple, étant retenue comme otage, ôtait bien des chances à l'insurrection.

Santerre, dit-on, trouvait tout cela de mauvais signe, et ne voulait pas marcher. Marcher sans le fameux brasseur, c'est ce que le faubourg ne faisait pas aisément. Aussi se fit-il attendre à peu près une heure. Il laissa aller devant l'avant-garde des Ardents, qui, comme on verra, se firent écraser ; puis il laissa encore aller les Marseillais devant, qui furent un moment seuls, et faillirent périr de même.

Eussent-elles été meilleures, ces bandes, les dispositions du commandant général Mandat semblaient infaillibles, si peu qu'elles fussent obéies. Un corps à l'Hôtel de Ville, un autre au Pont-Neuf, devaient laisser passer les deux faubourgs, puis les prendre par-derrière, pendant que les Suisses les chargeraient par-devant. Si les choses se passaient ainsi, les faubourgs ne devaient pas seulement être vaincus, mais exterminés.

Et même, après la défection des deux corps, plusieurs croient que l'insurrection eût encore été vaincue, si le roi seulement était resté aux Tuileries. Les Suisses, les braves gentilshommes qui étaient avec lui, n'auraient pas livré leur vie, de désespoir, comme ils firent. La résistance eût été terrible, longue, et déjà lors victorieuse. Le peuple comptait peu de vrais soldats, et il se serait rebuté.

Tout le monde le pensait ainsi. Les meneurs des Marseillais, Barbaroux entre autres, qui, dirigeant les mouvements, et leur imprimant l'ensemble, ne purent combattre de leurs personnes, et n'avaient pas la ressource de se faire tuer à coups de fusil, n'étaient pas moins prêts à mourir. Barbaroux prit sur lui du poison, afin de pouvoir toujours rester maître de lui-même, et ne pas tomber entre les mains de la Cour, à qui, selon toute apparence, allait revenir la victoire.

La Révolution, à bien regarder, malgré le grand nombre de ceux qui combattaient pour elle, avait des chances inférieures. La force militaire était de l'autre côté. Ce qu'elle avait, c'était la force morale, la colère et l'indignation, l'enthousiasme, la foi.

Quelles étaient les pensées de cette grande population, l'émotion, la terrible inquiétude des femmes et des familles, quand on entendit sonner le tocsin, nous le savons par un témoignage bien touchant, celui de la jeune femme de Camille Desmoulins, la belle, l'infortunée Lucile. Nous reproduisons, sans y changer un mot, cette page naïve :

« Le 8 août, je suis revenue de la campagne ; déjà tous les esprits fermentaient bien fort ; j'eus des Marseillais à dîner, nous nous amusâmes assez. Après le dîner, nous fûmes chez M. Danton. La mère pleurait, elle était on ne peut plus triste ; son petit avait l'air hébété. Danton était résolu ; moi, je riais comme une folle. Ils craignaient que l'affaire n'eût pas lieu ; quoique je n'en fusse pas du tout sûre, je leur disais, comme si je le savais bien, je leur disais qu'elle aurait lieu. « Mais peut-on rire ainsi ? » me disait Mme Danton. « Hélas ! lui dis-je, cela me présage que je verserai bien des larmes ce soir. » Il faisait beau ; nous fîmes quelques tours dans la rue ; il y avait assez de monde. Plusieur sans-culottes passèrent en criant : « Vive la nation ! » Puis des troupes à cheval, enfin des troupes immenses. La peur me prit ; je dis à Mme Danton : « Allons-nous-en. » Elle rit de ma peur ; mais, à force de lui en dire, elle eut peur aussi. Je dis à sa mère : « Adieu, vous ne tarderez pas à entendre sonner le tocsin... » Arrivée chez elle, je vis que chacun s'armait. Camille, mon cher Camille, arriva avec un fusil. O Dieu ! je m'enfonçai dans l'alcôve, je me cachai avec mes deux mains et me mis à pleurer. Cependant, ne voulant pas montrer tant de faiblesse et dire tout haut à Camille que je ne voulais pas qu'il se mêlât dans tout cela, je guettai le moment où je pouvais lui parler sans être entendue, et lui dis toutes mes craintes. Il me rassura en me disant qu'il ne quitterait pas Danton. J'ai su depuis qu'il s'était exposé. Fréron avait l'air déterminé à périr. « Je suis las de la vie, disait-il, je ne cherche qu'à mourir. » Chaque patrouille qui venait, je croyais les voir pour la dernière fois. J'allai me fourrer dans le salon qui était sans lumière, pour ne point voir tous ces apprêts... Nos patriotes partirent ; je fus m'asseoir près d'un lit, accablée, anéantie, m'assoupissant parfois ; et, lorsque je voulais parler, je déraisonnais. Danton vint se coucher, il n'avait pas l'air fort empressé, il ne sortit presque point. Minuit approchait ; on vint le chercher plusieurs fois ; enfin il partit pour la Commune. Le tocsin des Cordeliers sonna, il sonna longtemps. Seule, baignée de larmes, à genoux sur la fenêtre, cachée dans mon mouchoir, j'écoutais le son de cette fatale cloche... Danton revint. On vint plusieurs fois nous donner de bonnes et de mauvaises nouvelles ; je crus m'apercevoir que leur projet était d'aller aux Tuileries ; je le leur dis en sanglotant. Je crus que j'allais m'évanouir. Mme Robert demandait son mari à tout le monde. « S'il périt, me dit-elle, je ne lui survivrai pas. Mais ce Danton, lui, ce point de ralliement ! si mon mari périt, je suis femme à le poignarder... » Camille revint à une heure ; il s'endormit sur mon épaule... Mme Danton semblait se préparer à la mort de son mari. Le matin, on tira le canon. Elle écoute, pâlit, se laisse aller, et s'évanouit...

« Qu'allons-nous devenir, ô mon pauvre Camille ? je n'ai plus la force de respirer... Mon Dieu ! s'il est vrai que tu existes, sauve donc des hommes qui sont dignes de toi... Nous voulons être libres ; ô Dieu, qu'il en coûte !... »

Livre VII

CHAPITRE PREMIER

Le 10 août

La pensée du 10 août — Les vainqueurs du 10 août — Les sections nomment des commissaires et les envoient à l'Hôtel de Ville — Précautions militaires de la Cour, qui retient Pétion aux Tuileries — Pétion délivré — La nouvelle Commune prépare la voie à l'insurrection — Etat intérieur du château — Les nobles, les Suisses, la garde nationale — Défiance témoignée à la garde nationale — Le roi essaie de passer la revue — Le roi universellement abandonné — La Commune arrête le commandant de la garde nationale — Mandat est tué — Le roi quitte le château avec la reine — L'avant-garde de l'insurrection se présente aux Tuileries ; elle est surprise, égorgée, dispersée — La Cour espérait-elle frapper un coup sur l'Assemblée ? — L'insurrection attaque les Tuileries — Le roi fait dire de cesser le feu, lorsqu'il n'a plus d'espoir — Défense obstinée des Suisses, leur belle retraite — La garde nationale tout entière se déclare pour l'insurrection — Massacre des Suisses — Clémence et modération de plusieurs des vainqueurs du 10 Août.

La nuit du 10 août fut très belle, doucement éclairée de la lune, paisible jusqu'à minuit, et même un peu au-delà. A cette heure, il n'y avait encore personne ou presque personne dans les rues. Le faubourg Saint-Antoine, en particulier, était silencieux. La population dormait, en attendant le combat.

Et pourtant, le bruit avait couru dans la soirée qu'une colonne envoyée des Tuileries allait marcher vers l'Hôtel de Ville. On craignait une surprise. De fortes patrouilles de garde nationale allaient et venaient dans le faubourg. Toutes les fenêtres étaient illuminées. Tant de lumières pour une si belle nuit, ces lumières solitaires pour n'éclairer personne, c'était d'un effet étrange et sinistre. On sentait que ce n'était pas là l'illumination d'une fête.

Quelle était la pensée forte et calme sur laquelle dormait le peuple, et qui servit d'oreiller à tant d'hommes dont cette nuit fut la dernière ? Un des combattants du 10 août, qui vit encore, me l'a expliquée nettement : « On voulait en finir avec les ennemis publics ; on ne parlait ni de République ni de royauté ; *on parlait de l'étranger,* du comité autrichien qui allait nous l'amener. Un riche boulanger du Marais, qui était mon voisin, me dit sous le feu le plus vif, dans la cour des Tuileries : « C'est grand péché pourtant de tuer ainsi des chrétiens ; mais, enfin, c'est autant de moins pour ouvrir la porte à l'Autriche ! »

Le 10 août, disons-le, fut un grand acte de la France. Elle périssait, sans nul doute, si elle n'eût pris les Tuileries.

La chose était fort difficile. Elle ne fut nullement exécutée, comme on l'a dit, *par un ramas de populace,* mais véritablement par le peuple, je veux dire par une masse mêlée d'hommes de toute classe ; militaires et non militaires, ouvriers et bourgeois, Parisiens et provinciaux. Plusieurs quartiers de Paris envoyèrent, sans exception, tout ce qu'ils avaient d'hommes qui pussent combattre ; dans la section des Minimes, par exemple, sur mille hommes inscrits, six cents se présentèrent, proportion considérable, lorsqu'on savait très bien qu'il s'agissait, non de parade, mais d'une affaire sérieuse. Les hommes à piques composaient à peu près seuls les premières bandes qui parurent de bonne heure devant le château ; mais l'armée réelle de l'insurrection, qui s'en empara, en avait peu, en comparaison : elle était armée de fusils. Sa colonne principale qui, entre sept ou huit heures, se rassembla, s'échelonna de la Bastille à la Grève, comptait quatre-vingts ou cent compagnies, chacune de cent hommes armés régulièrement ; c'étaient environ huit ou dix mille gardes nationaux. Il y avait deux ou trois mille hommes armés de piques, alignés entre les bataillons de ces dix mille baïonnettes. C'est ce que nous ont affirmé les témoins et acteurs encore vivants du 10 août. Pour l'avant-garde qui affronta le premier péril, força l'entrée du château, fit enfin la très rude et périlleuse exécution, elle se composait, on le sait, de cinq cents fédérés Marseillais, levés et choisis avec soin parmi d'anciens militaires, de trois cents fédérés bretons, l'honneur et la bravoure même, dont beaucoup avaient servi. Et ce qu'on n'a dit nulle part, mais qui est plus que vraisemblable, ces braves durent être appuyés d'autres braves, bien plus animés encore, de la masse des gardes-françaises, devenus sous La Fayette garde nationale soldée, puis licenciés récemment, avec autant d'imprudence que d'ingratitude. Nous y reviendrons.

Tout cela fut enlevé d'un même mouvement d'indignation, de patriotisme. Il n'y eut aucun préparatif, aucun chef, quoi qu'on ait dit. Bien loin qu'aucun individu eût assez d'influence en ce moment pour soulever le peuple, les clubs même y firent très peu. Ils étaient moins fréquentés au mois d'août qu'à aucune autre époque de l'année. On se lassait aussi de leur parlage éternel ; on sentait qu'il fallait des actes. Leurs plus grands orateurs parlaient dans le désert.

Ce qui brusqua l'insurrection et la fit éclater à un jour peu ordinaire, un vendredi, c'est que les Marseillais, sans ressources à Paris, voulaient combattre ou partir. Le tocsin paraît avoir sonné d'abord aux Cordeliers, où ils logeaient. Le faubourg Saint-Antoine répondit, et tout le reste de la ville. Les sections, on l'a vu, étaient d'accord ; quarante-sept sur quarante-huit avaient voté la déchéance du roi. Le 9 août, avant minuit, elles avaient fait l'acte décisif de nommer chacune trois commissaires, *pour se réunir à la Commune, sauver la Patrie.* Tel fut le pouvoir général et vague qui leur fut donné. Ces commissaires furent pour la plupart des hommes obscurs, inconnus, ou du moins fort secondaires. Ni Marat, ni Robespierre ne fut nommé, ni aucun des grands chefs d'opinion. Pour Danton, il était déjà, ainsi que Marat, dans l'ancienne Municipalité. Ces commissaires s'en allèrent un à un à l'Hôtel de Ville, sans armes ; on les laissa entrer. Ils trouvèrent l'ancien Conseil de la Commune en permanence, mais fort peu nombreux, toujours décroissant de nombre. Sous l'Hôtel de Ville, à l'arcade Saint-Jean, principale issue de la rue Saint-Antoine qui débouchait dans la Grève, une force considérable avait été postée par le commandant général de la garde nationale, Mandat, zélé fayettiste, royaliste constitutionnel. Cette force lui répondait de l'Hôtel de Ville, gardait le passage ; elle avait pour instruction, si le faubourg descendait, de le laisser passer et le prendre en queue. Mandat avait de plus mis de l'artillerie au Pont-Neuf, de sorte que, si le faubourg poussait jusque-là, il y était foudroyé, et ne pouvait opérer sa jonction avec les Cordeliers et le faubourg Saint-Marceau.

Tout ceci n'était pas fort encourageant pour les commissaires des sections envoyés à l'Hôtel de Ville. Comment remplaceraient-ils l'ancienne Commune royaliste et se constitueraient-ils souveraine autorité de Paris ? C'était toute la question. Le tocsin sonnait de tous côtés sans produire de grands résultats. L'armée de la Cour était debout dès longtemps et l'arme au bras ; l'armée de l'insurrection était dans son lit ; il n'y avait pas quinze cents personnes rassemblées autour des Quinze-Vingts. Seulement, en regardant dans les longues et profondes impasses qui s'ouvrent sur les rues du faubourg Saint-Antoine, on commençait à voir s'agiter les lumières, les hommes aller et venir. Quelques-uns des plus diligents étaient sur leurs portes, tout prêts, armés, et attendaient les autres. Beaucoup étaient paresseux ; ils entendaient bien sonner, mais ce n'était pas d'usage de commencer l'émeute en pleine nuit ; il y avait là-dessus une tradition établie.

Ce retard était effrayant. Plusieurs des commissaires de sections, réunis à l'Hôtel de Ville, en étaient à regretter qu'on eût fait sonner le tocsin. L'ancienne Commune s'était écoulée ou à peu près. Mais, pour constituer la nouvelle, les commissaires ne se voyaient pas suffisamment appuyés. Ce qui ajoutait à leur embarras, c'est que la Cour avait en ce moment un grand otage dans les mains, le maire populaire de Paris, Pétion. Elle avait aussi Rœderer, procureur-syndic du département. Elle pouvait, au besoin, faire parler les deux premières autorités de la ville, le département, la mairie. Pétion, mandé vers onze heures au château, n'avait osé refuser de s'y rendre. Sa première conduite dans les jours précédents avait été fort étrange. Le 4, on l'a vu, il avait dénoncé la guerre à la royauté. Le 8, il avait paru s'intéresser encore à cette royauté ; il avait averti le département qu'il ne pouvait répondre de la sûreté du château. Le 9, il avait demandé qu'un camp fût établi au Carrousel, *pour protéger les Tuileries.* Ce camp de gardes nationaux, en couvrant la place, l'eût-il défendue ? ou, tout au contraire, rendu la défense impossible ? c'est ce qu'on ne peut pas trop dire. Le château n'eût tiré de ses fenêtres qu'en tirant sur ses défenseurs. Le 9 encore, Pétion, soit pour endormir la Cour, soit par lassitude, par conviction que le mouvement n'aurait pas lieu, demanda au département la somme de vingt mille francs pour renvoyer les Marseillais, qui, dans leur découragement voulaient s'éloigner de Paris.

Pétion entra donc, bon gré mal gré, dans la fosse aux lions. Jamais le château n'avait eu un aspect si sombre. Sans parler d'une masse de troupes de toutes armes, de l'artillerie formidable qui remplissait les cours, il lui fallut pousser à travers une haie d'officiers français ou suisses, qui le regardaient d'un œil peu amical. Pour les gardes nationaux, leur attitude n'était nullement plus rassurante ; ceux qui s'y trouvaient étaient pris uniquement dans les plus violents royalistes des bataillons connus pour leur royalisme, des Filles-Saint-Thomas, des Petits-Pères et de la Butte-des-Moulins. Les noms de traître et de Judas se disaient très haut autour du maire de Paris. Il montra son flegme ordinaire. Il arriva sans encombre aux appartements du roi, tout remplis de monde et sombres, à ce même appartement où, le soir du 21 juin, Louis XVI lui avait parlé si durement ; le même dialogue, s'il se fût reproduit la nuit du 10 août, eût été pour Pétion un arrêt de mort. Il y avait là beaucoup de gentilshommes à visage pâle, que la vue seule du maire de Paris agitait d'une sorte de tremblement nerveux. Mandat, le commandant de la garde nationale, sans trop calculer s'il ne risquait pas de faire poignarder Pétion, lui fit subir cette espèce d'interrogatoire : « Pourquoi les administrateurs de la police de la ville avaient distribué des cartouches aux Marseillais ? Pourquoi, lui, Mandat, pour chacun de ses gardes nationaux, n'avait reçu que trois cartouches ?... » La Cour, fort défiante pour la garde nationale, n'avait pas exigé qu'elle fût mieux pourvue de munitions. En revanche, chacun de ses Suisses avait quarante coups à tirer.

Pétion, sans s'étonner, répondit avec l'air froid qui lui était ordinaire : « Vous avez demandé de la poudre ; mais vous n'étiez pas en règle pour en avoir. » La réponse n'était pas trop bonne ; c'était le maire lui-même, Pétion, qui devait faire décider la chose par la Municipalité, donner pouvoir au commandant ; si celui-ci n'était pas en règle, c'est que le maire ne l'y mettait pas.

L'entretien prenait une fâcheuse tournure ; tout le monde était ému, excepté le roi peut-être, qui quittait son confesseur, venait de mettre ordre à sa conscience, et ne s'inquiétait pas beaucoup de ce qui pourrait arriver. Pétion n'était pas bien. L'appartement était petit, la foule trop serrée, l'air raréfié. « Il fait étouffant ici, dit-il, je descends pour prendre l'air. » Sans que personne osât l'empêcher, il descendit au jardin.

Sa promenade fut longue, beaucoup plus qu'il n'eût voulu. Le jardin était fermé très exactement. Pétion n'était pas gardé, mais suivi et serré de près. Les gardes nationaux royalistes, qui allaient et venaient, ne lui épargnaient pas les injures et les menaces. Il prit un moment le bras de Rœderer, procureur-syndic du département. Un moment, il s'assit en causant sur la terrasse qui longe le palais. La lune éclairait le jardin ; mais cette terrasse, étant dans l'ombre que les bâtiments projetaient, avait été éclairée par une ligne de lampions. Les grenadiers des Filles-Saint-Thomas les renversèrent et les éteignirent. Plusieurs disaient : « Nous le tenons ; sa tête répondra de tout. » D'autres, plus jeunes, ou plus exaltés par le vin et le péril, ne semblaient pas trop bien comprendre combien il importait de ménager une tête si précieuse. De moment en moment, le ministre de la Justice venait lui dire : « Montez, monsieur, ne vous en allez pas sans avoir parlé au roi ; le roi veut absolument vous parler. » A quoi il répondait flegmatiquement : « C'est bon » ; et il gagnait ainsi du temps.

On ne pouvait rien faire à l'Hôtel de Ville qu'on n'eût repris Pétion. On imagina d'envoyer demander à l'Assemblée qu'elle le réclamât. Quelques députés, au bruit du tocsin, s'étaient rassemblés, toutefois en petit nombre ; ils ne décrétèrent pas moins, comme Assemblée nationale, que le maire devait paraître à la barre. Pétion, sommé au nom du roi de rester, au nom de l'Assemblée de partir, opta de bon cœur pour l'Assemblée, ne fit que la traverser, retourna à pied chez lui. Cependant sa voiture restait, comme pour le représenter, dans la cour des Tuileries ; jusqu'à quatre heures, on eut au château la simplicité de croire qu'il allait revenir d'un moment à l'autre, et se replacer dans la main de ses ennemis.

Les amis de Pétion le reçurent joyeusement, mais le consignèrent, fermèrent les portes sur lui, jugeant avec raison que, dans ce moment d'action, l'idole populaire n'était bonne à nulle autre chose. L'ayant maintenant en sûreté, ils étaient libres d'agir. Les commissaires des sections remplacèrent l'ancienne Commune au nom du peuple, maintinrent à leur poste le procureur de la Commune Manuel et son substitut Danton, et firent donner par le premier l'ordre d'éloigner du Pont-Neuf l'artillerie qu'y avait placée le commandant de la garde nationale. Ils rétablirent ainsi la communication des deux rives, ouvrirent le passage au faubourg Saint-Marceau, aux Cordeliers, aux Marseillais.

C'était, en réalité, l'acte décisif de l'insurrection. Danton, qui jusque-là était à l'Hôtel de Ville, revint tranquillement chez lui, rassura sa femme. Le sort en était jeté, et le dé lancé. Le reste était du destin.

L'intérieur du château, à cet instant, offrait un spectacle comique et terrible. Ce n'était qu'indécision, faiblesse, ignorance. La seule autorité populaire qui fût au château était Rœderer, procureur-syndic du département. Un des ministres lui dit : « Est-ce que la Constitution ne nous permettrait pas de faire proclamer la loi martiale ? » Le procureur tira la Constitution de sa poche, et chercha en vain l'article. Mais quand on l'eût proclamée, cette loi, qui l'aurait exécutée ?

Lorsqu'on apprit que Manuel avait donné ordre de désarmer le Pont-Neuf, c'est-à-dire d'assurer le passage à l'insurrection, ni les ministres ni Rœderer ne voulurent prendre sur eux de donner un ordre contraire. Rœderer dit qu'il ne pouvait rien faire sans savoir si Manuel n'avait pas agi avec autorisation de la Municipalité ; qu'il fallait, pour en délibérer, faire venir tous les membres du département aux Tuileries (chose difficile à cette heure). Le département envoya seulement deux de ses membres ; Rœderer les voulait tous. Pour cela il fallait un ordre du roi. Le roi dit que, constitutionnellement, il ne pouvait rien ordonner que par un ministre. Le ministre n'était pas là ; on remit la chose au moment où il serait revenu.

Il était environ quatre heures. On entendit dans la cour un bruit de voitures ; on entrouvrit un contrevent ; c'était la voiture du maire, qui, lasse de l'attendre, s'en allait à vide. Le jour commençait à luire ; Madame Elisabeth s'approcha de la fenêtre et dit à la reine : « Ma sœur, venez donc voir le lever de l'aurore. » La reine y alla ; le jour était déjà splendide, mais le ciel d'un rouge de sang.

Regardons, puisqu'il fait jour, l'état de la place, calculons ses forces. Elles étaient encore formidables, moindres qu'à minuit, il est vrai ; une partie des gardes nationaux s'étaient écoulés.

Le nerf de la garnison, c'étaient mille trois cent trente Suisses, soldats excellents, braves et disciplinés, obéissants jusqu'à la mort. Ce nombre est celui qu'accuse dans son livre le commandant suisse Pfyffer. Mais il y faut ajouter un nombre assez considérable de gardes constitutionnels licenciés qui avaient pris l'habit rouge des Suisses, et vinrent combattre sous ce déguisement. Leurs corps morts, après le combat, se distinguèrent facilement à la finesse du linge, à l'élégance de la coiffure ; les vrais Suisses avaient les cheveux tout simplement coupés en rond ; leurs chemises étaient grossières. La présence de ces faux Suisses dans les rangs des vrais étonna sans doute ceux-ci, et ne laissa pas de les inquiéter. Ils durent mieux voir qu'il s'agissait de guerre civile, de querelle entre Français, où les étrangers ne pouvaient se mêler qu'avec précaution. Le vieux colonel suisse, Affry, s'abstint positivement, et ne voulut pas tirer. Les autres promirent seulement de faire ce que ferait la garde nationale, pas d'avantage, ni moins.

Celle-ci, à plus forte raison, avait l'esprit traversé des mêmes pensées. Quoiqu'elle fût toute tirée des trois bataillons royalistes, et encore soigneusement triée dans ces bataillons, quoique nul garde national n'eût répondu au suprême appel de cette nuit sans avoir une opinion décidée pour le roi, ces défenseurs bourgeois du château ne voyaient pas sans jalousie les nobles cavaliers qu'on avait appelés à partager le péril, et à qui, sans nul doute, la Cour eût attribué tout l'honneur de la défense. Ces gentilshommes étaient généralement les mêmes *chevaliers du poignard* que la garde nationale, sous le règne de La Fayette, avait chassés du château, en avril 90. Ils n'acceptèrent pas moins le péril et vinrent défendre le roi au 10 août 1792. Péril réel, en plus d'un sens. Ils n'arrivaient au château qu'à travers une populace très hostile, en simple habit noir, sans armes ostensibles, avec des poignards ou des pistolets. Et là, ils trouvaient la malveillance, la jalousie naturelle des gardes nationaux. Il y avait lieu d'hésiter, mais on leur avait envoyé des cartes d'entrée personnelles, à domicile. Six cents répondirent à l'appel, auxquels il fallait ajouter l'honorable domesticité des châteaux royaux, d'anciens serviteurs, qui ne manquèrent pas au jour du péril. Le tout formait une cour fort sérieuse, sans ordre, sans étiquette, mais vraiment imposante et militaire. Ces gens en noir, tous officiers ou chevaliers de Saint-Louis, portaient le costume civil, et, par un contraste étrange, c'étaient des marchands, des employés, des fournisseurs qui, comme gardes nationaux, étaient en soldats. Sur l'aspect de ces figures bourgeoises, les gens d'épée crurent qu'ils ne feraient pas mal de les remonter un peu. Ils leur frappaient sur l'épaule : « Allons, messieurs de la garde nationale, c'est le moment de montrer du courage » — « Du courage? soyez tranquilles, répliqua un capitaine de la garde nationale, nous en montrerons, croyez-le, mais non à côté de vous. »

En réalité, on ne témoignait pas beaucoup de confiance à la garde nationale. Les nobles occupaient les appartements les plus intérieurs, les postes de confiance. Les Suisses avaient chacun quarante cartouches, les gardes nationaux trois. L'artillerie surtout de la garde nationale fut l'objet d'une défiance excessive, ce qui fit, comme il arrive, qu'elle la mérita de plus en plus. On plaça derrière les canonniers de chaque pièce des pelotons de Suisses ou de grenadiers des Filles-Saint-Thomas, qui les surveillaient, le sabre nu, et se tenaient prêts à tomber sur eux. Ces canonniers se voyaient d'ailleurs placés juste sous les balcons dont le feu plongeait sur eux. Plusieurs fois ils essayèrent d'écarter la batterie; autant de fois l'état-major les remit au point où il pouvait toujours les écraser à plaisir.

Qui commandait dans le château? Les gardes nationaux ne connaissaient d'autre chef que Mandat. La Commune le fit appeler. Son instinct lui disait de ne pas s'y rendre. Au second appel, il hésita, consulta autour de lui. Les ministres l'engageaient à ce point obéir. Le constitutionnel Rœderer lui dit qu'aux termes de la loi, le commandant de la garde nationale était aux ordres de la Municipalité. Dès lors il ne résista plus. Il lui parut qu'en effet il fallait éclaircir l'affaire des canons du Pont-neuf, et sans doute aussi s'assurer du poste qu'il avait mis à la Grève pour attaquer, écraser le faubourg à son passage. Donc, il se raisonna lui-même, étouffa ses pressentiments, fit un effort, et partit.

Son départ ébranlait la défense du château. Il laissait le commandement à un officier fort peu rassuré. La reine, qui n'était pas non plus sans pressentiments, prit Rœderer à part, et lui demanda ce qu'il pensait qu'il y eût à faire.

Et, justement pendant ce temps, les conseillers de la reine avaient fait, à l'insu des ministres, la chose la plus imprudente. A cette garde nationale flottante et de mauvaise humeur, qui se demandait pourquoi elle allait combattre, et si elle n'était pas folle de tirer avec les gentilshommes sur la garde nationale, ils imaginèrent de montrer ce qui devait la mieux convaincre qu'elle avait raison d'hésiter. Pour confirmer tout le monde dans la conviction que la royauté était impossible, il ne fallait qu'une chose, c'était de montrer le roi.

Ce pauvre homme, lourd et mou, n'avait pu, même en cette nuit suprême de la Monarchie, veiller jusqu'au bout; il avait dormi une heure, et venait de se lever. On le voyait à sa coiffure, aplatie et défrisée d'un côté. On put juger alors du danger de ces modes perfides en Révolution. Qui est sûr, en de telles crises, d'avoir là, à point nommé, le valet de chambre coiffeur ?... Tel il était, et tel les maladroits le firent descendre, le montrèrent, le promenèrent. Pour comble de mauvais augure, il était en violet ; cette couleur est le deuil des rois ; ici, c'était le deuil de la royauté. Il y avait pourtant, même en ceci, quelque chose qui pouvait toucher. Mais on eut encore le tact de rendre une scène tragique parfaitement ridicule. Aux pieds de ce roi défrisé, le vieux maréchal de Mailly se jette à genoux, tire l'épée, et, au nom des gentilshommes qui l'entourent, jure de vaincre ou mourir pour le petit-fils d'Henri IV. L'effet fut grotesque et dépassa tout ce que la caricature a représenté des voltigeurs de 1815. Le roi, gras et pâle, promenant un regard morne qui ne regardait personne, apparut, au milieu de ces nobles, ce qu'il était réellement, l'ombre et le néant du passé.

Par un mouvement naturel, tout ce qu'il y avait de gardes nationaux et d'hommes de toute sorte, se rejetant violemment de ce néant à la réalité vivante, crièrent : « Vive la nation ! »

Décidément la nation ne voulait pas s'égorger elle-même ; ce massacre impie était impossible. Aux réquisitions des officiers municipaux, les gardes nationaux avaient répondu : « Pouvons-nous tirer sur nos frères ? » La vue du roi et des nobles acheva de les décider. Ce fut une désertion universelle. Les canonniers auraient voulu non seulement partir eux-mêmes, mais emmener leurs canons. Ne le pouvant sous le feu des balcons qui les menaçaient, ils rendirent du moins les pièces inutiles en y enfonçant de force un boulet, sans charge de poudre ; il eût fallu pour le retirer une opération longue et difficile, impossible au moment où le combat allait commencer.

Le roi remonta essoufflé, échauffé du mouvement qu'il s'était donné, rentra dans la chambre à coucher, s'assit et se reposa. La reine pleurait, sans mot dire ; mais elle se remit très vite, reparut avec le dauphin, courageuse et l'air dégagé, les yeux secs, rouges, il est vrai, jusqu'au milieu des joues. La foule des assistants se trouvait réunie surtout dans la salle du billard, beaucoup montés sur les banquettes, pour voir ce qui allait se passer. M. d'Hervilly, l'épée nue, dit d'une voix haute : « Huissier, qu'on ouvre les portes à la noblesse de France. » L'effet du coup de théâtre que ces mots faisaient attendre fut très médiocre. Deux cents personnes entrèrent dans cette salle, d'autres se mirent en ligne dans les pièces précédentes. Une bonne partie de cette noblesse se composait de bourgeois. Beaucoup d'entre eux étaient ridiculement armés, et en plaisantaient eux-mêmes. Un page et un écuyer du roi, par exemple, portaient sur l'épaule, en guise de mousquet, une paire de pincettes qu'ils venaient de se partager. La plupart, néanmoins, avaient des armes moins innocentes, des poignards et des pistolets, des couteaux de chasse. Plusieurs avaient des espingoles.

Ils se rangèrent en bataille dans les appartements. Ce qui restait de garde nationale pour défendre le château crut que c'était surtout contre elle que cette noblesse, si brusquement appelée, faisait cette manœuvre. Le commandant des gardes nationaux avait été demander des ordres, et n'en avait point reçu. On avait profité de ce moment d'absence pour lui diviser sa troupe, en mettant vingt hommes à un autre poste. La garde nationale, manifestement en suspicion, ne s'obstina plus à défendre ceux qui ne voulaient point être défendus par elle ; elle acheva de s'écouler, sauf un nombre imperceptible. De ceux-ci était Weber, le frère de lait de la reine ; éperdu de douleur et d'inquiétude pour elle, il retourna, rentra aux appartements, la trouva en larmes : « Mais, Weber que faites-vous ? dit-elle ; vous ne pouvez rester ici... Vous êtes ici le seul de la garde nationale. »

L'abandon des Tuileries était bien plus grand encore que ne le pensait la reine. Le château était déjà seul, et comme une île dans Paris. Toute la ville était ou hostile, ou dans une neutralité moins que sympathique. La Révolution venait de s'accomplir à l'hôtel de Ville ; le premier sang était versé, celui de Mandat, commandant général de la garde nationale.

Mandat, arrivé à la Grève, l'avait trouvée toute changée. Une foule immense remplissait tout l'Hôtel de Ville, toute la place. Le poste qu'il avait mis à l'arcade Saint-Jean en avait été écarté. Avancer était périlleux, retourner était impossible. Il suivit la fatalité, monta, et se trouva en face de la nouvelle Commune, en présence de l'insurrection qu'il avait promis d'écraser. Tombé au piège de ceux contre qui il avait dressé ses pièges, interrogé en vertu de quel ordre il avait doublé la garde du château, il allégua un ordre du maire (ordre déjà ancien et sans apport avec la journée du 10) ; puis il convint qu'il n'avait à présenter nul autre acte qu'une réquisition adressée par lui au département. Enfin, ne sachant plus que dire, il prétendit qu'un commandant avait droit de prendre des précautions *subites pour un événement imprévu.* On lui rappela qu'il avait dit au château, en parlant de Pétion : « Sa tête nous répond du moindre mouvement. » Celle de Mandat ne tenait guère. Ce qui décida son sort, c'est qu'on jeta sur le bureau l'ordre même qu'il avait donné au commandant du poste de l'arcade Saint-Jean, de faire feu sur les colonnes du peuple *en l'attaquant par-derrière.* Un hourra universel s'éleva contre lui, on lui mit la main au collet, on le traîna à la prison de la ville ; mais quelqu'un observa qu'il y serait tué sur l'heure. On essaya de le transférer à l'Abbaye.

Il y avait jusque-là, ce semble, hésitation parmi les chefs, incertitude sur les dispositions réelles du peuple, crainte et tâtonnement. Le tocsin leur avait paru d'abord si peu réussir, qu'un moment ils eurent l'idée de le suspendre ; peut-être l'eussent-ils fait, s'ils l'eussent pu ; mais le contrordre eût été long à répandre dans Paris, et les cloches étaient lancées. Vers six heures, lorsque Mandat parut à l'Hôtel de Ville et fut arrêté, la Commune essaya de justifier cet acte. Elle envoya à l'Assemblée nationale accuser Mandat, assurer que lui seul avait fait sonner le tocsin, que c'était pour cette cause qu'on l'avait réprimandé. Un accident rompit ces ménagements politiques. Les violents ne permirent pas que Mandat parvînt vivant à l'Abbaye. A la sortie même de l'Hôtel de Ville, ils lui cassèrent la tête d'un coup de pistolet.

La Commune, perdant ainsi son plus précieux otage, ne pouvait plus reculer ; elle fut, décidément et sans retour, jetée dans l'insurrection, et donna l'ordre de battre la générale.

Il était sept heures du matin, et déjà, de la Bastille jusqu'à l'église de Saint-Paul, dans cette partie ouverte et large de la rue Saint-Antoine, il y avait, nous l'avons dit, quatre-vingts ou cent divisions, chacune de cent hommes, armés de fusils, environ huit ou dix mille gardes nationaux. Leur empressement avait été extraordinaire, ce qu'on n'eût guère supposé d'après les lenteurs de la nuit.

La masse, grossie dans la rue Saint-Antoine par chaque rue latérale qui avait fourni des affluents à ce fleuve, passa sans difficulté la fatale arcade Saint-Jean, où Mandat s'était flatté de l'anéantir. Elle resta une heure à la Grève, sans pouvoir obtenir d'ordre ; les uns disaient que la Commune espérait encore quelque concession de la Cour, les autres que le faubourg Saint-Marceau traînait, qu'on craignait qu'il ne pût faire à temps sa jonction au Pont-Neuf.

A huit heures et demie, un millier d'hommes à piques perdirent patience et prirent leur parti. Ils percèrent les rangs de la garde nationale, disant qu'ils se passeraient d'elle. Ils étaient fort mal armés ; ils n'avaient pas entre eux tous une douzaine de fusils ; beaucoup n'avaient pas même de piques, mais des broches, ou tout simplement des outils de leur état. Quelques fédérés, marseillais ou autres, qui étaient des soldats aguerris, ne purent voir ces gens s'en aller seuls, avec si peu de chance ; ils essayèrent de les diriger et hasardèrent d'aller à leur tête essuyer le premier feu.

La famille royale venait de quitter les Tuileries. Le procureur-syndic, Rœderer, avait lui-même joint sa voix à celle des zélés serviteurs qui voulaient à tout prix mettre le roi hors de péril. Des deux côtés, on parlementait. Un jeune homme, pâle et mince, introduit comme député des assaillants, avait tiré de Rœderer l'autorisation d'introduire vingt députés dans le château. En attendant, plusieurs, sans autre façon, chevauchaient sur la muraille et causaient familièrement avec les quelques gardes nationaux qui étaient encore dans les cours.

Rœderer crut le danger très imminent. Il amusa le jeune parlementaire de l'offre d'introduire les députés de l'insurrection, courut à toutes jambes au château, traversa rapidement la foule qui remplissait les salles : « Sire, dit-il au roi, Votre Majesté n'a pas cinq minutes à perdre ; il n'y a de sûreté pour elle que dans l'Assemblée nationale. » Un administrateur du département (marchand de dentelles de la reine, zélé constitutionnel) parlait aussi dans ce sens : « Taisez-vous, monsieur Gerdret, lui dit la reine ; quand on a fait le mal, on n'a pas droit de parler... Il ne vous appartient pas, monsieur, d'élever ici la voix. » Puis, se tournant vers Rœderer : « Mais enfin, nous avons des forces... » — « Madame, tout Paris marche... Sire, ce n'est plus une prière que nous venons vous faire... nous n'avons qu'un parti à prendre... nous vous demandons la permission de vous entraîner. » Le roi leva la tête, regarda fixement Rœderer, puis, se tournant vers la reine, il dit : « Marchons », et se leva.

Le roi, adressant ce mot à la reine, trancha une question délicate, qui autrement se fût agitée. Irait-il seul à l'Assemblée ? ou bien y serait-il accompagné d'une épouse si impopulaire ? C'était peut-être en ce moment la question décisive de la Monarchie. M. de Lally-Tollendal, dans les prétendus Mémoires de Weber, avoue ce qu'ont dissimulé tous les autres historiens, à savoir que, selon le bruit public, le département et la Municipalité devaient engager le roi à quitter seul les Tuileries et se placer seul dans l'Assemblée nationale. Ce projet laissait à la royauté quelque chance de salut. La reine, il est vrai, restait en péril ; elle risquait, moins d'être tuée peut-être, que d'être prise et jugée (ce qu'elle craignait bien plus), d'avoir un procès scandaleux qui l'aurait mise, déshonorée, dégradée, au fond d'un couvent.

Rœderer, obligé d'emmener la reine avec le roi, insista du moins pour n'emmener personne de la Cour. Mais la reine voulut être suivie de Mme de Lamballe et de Mme de Tourzel, gouvernante des enfants. Les autres dames restèrent terrifiées, inconsolables, d'être abandonnées.

« Lorsque nous fûmes au bas de l'escalier, dit Rœderer, le roi me dit : « Que vont devenir toutes les personnes qui sont restées là-haut ? » — « Sire, elles sont en habit de ville. Elles quitteront leur épée et vous suivront par le jardin. » — « C'est vrai, dit le roi... Mais pourtant il n'y a pas un grand nombre au Carrousel. » « Ah ! sire, douze pièces de canon, un peuple immense qui arrive... »

Ce dernier regret, ce petit mot de sensibilité, cette hésitation, ce fut tout ce que Louis XVI donna à ses défenseurs. Il se laissa entraîner, et les abandonna à la mort.

Un officier suisse, d'Affry, a déclaré que la reine lui avait ordonné de faire tirer les Suisses. Un autre, le colonel Pfyffer, dans son livre publié en 1821, dit que le vieux maréchal de Noailles annonça que le roi lui laissait le commandement, et qu'on ne devait pas se laisser forcer. La reine ne doutait pas que la défense ne fût victorieuse ; elle dit en partant à ses femmes qu'elle laissait : « Nous allons revenir. »

Ceux qui restaient se trouvèrent très diversement affectés du départ du roi. Un officier suisse dit tristement à Rœderer : « Monsieur, croyez-vous donc sauver le roi, en le menant à l'Assemblée ? » Quelques-uns se désespérèrent d'être ainsi abandonnés ; plusieurs arrachèrent leurs croix de Saint-Louis, brisèrent leurs épées.

D'autres, par une disposition contraire, n'ayant plus rien à ménager, plus de roi, de femmes ni d'enfants à protéger, eurent comme une joie furieuse du combat à mort qu'ils allaient livrer. Ils versèrent aux Suisses l'eau-de-vie à pleins verres, et, sans s'amuser à défendre la longue ligne de murailles qui régnait entre la cour et le Carrousel, ils ordonnèrent au concierge de lever les barres de la porte royale. Il les leva en effet, se sauva à toutes jambes. La foule, qui frappait à cette porte, s'y précipita avec une confiance aveugle, s'élança par l'étroite cour, sans remarquer ni les fenêtres de face tout hérissées de fusils, ni les baraques latérales qui fermaient la cour de droite et de gauche, et la regardaient d'un œil louche.

Ceux qui entrèrent étaient ces impatients dont nous avons parlé, ces hommes à piques qui étaient partis en avant, et qui, sur la route, avaient augmenté jusqu'au nombre de deux ou trois mille. Ils arrivèrent, sans s'arrêter, tout courants, au vestibule. Là enfin, ils regardèrent. Ce vestibule du palais, bien plus vaste qu'aujourd'hui, était vraiment imposant. Le grand escalier qui montait majestueusement à la chapelle, puis en retour aux appartements, était, sur chaque marche, chargé d'une ligne de Suisses. Immobiles, silencieux, du haut en bas de l'escalier, ils couchaient en joue la foule des assaillants. Quelles étaient les dispositions de ces Suisses ? Bien diverses, difficiles à dire. Beaucoup, sans nul doute, désiraient ne pas tirer. Un grand nombre de ces soldats étaient du canton de Fribourg, quelques-uns Vaudois sans doute, c'est-à-dire Français, Français de langue, Français de caractère. Nul doute qu'il ne leur semblât odieux, impie de tirer sur leur vraie patrie, la France.

Un moment avant l'irruption, des canonniers de la garde nationale étaient venus trouver ces pauvres Suisses, qui, avec beaucoup de larmes, s'étaient jetés dans leurs bras. Deux même n'hésitèrent pas à laisser là le château, et suivre nos canonniers. Ils étaient sous le balcon d'où les voyaient leurs officiers. Ils furent tirés, et avec une si remarquable justesse, que les deux Suisses tombèrent, sans que les Français eussent été touchés.

Forte leçon pour les autres. La discipline aussi sans doute, l'honneur du drapeau, le serment, les retenaient immobiles. La foule des assaillants, voyant ces hommes de pierre, n'eut aucune peur, mais se mit à rire. Elle leur lança des brocards, mais les Suisses ne riaient pas. On aurait pu douter qu'ils fussent vraiment en vie. Le gamin s'enhardit vite, et tout le peuple parisien est gamin sous ce rapport. Ceux-ci, avec douze mauvais fusils, des piques et des broches, n'étaient point pour engager le combat avec cette troupe de Suisse armés jusqu'aux dents. Ils savaient que plusieurs Suisses avaient essayé de passer du côté de la garde nationale ; ils résolurent d'aider à leur bonne volonté. Quelques-uns qui avaient des crocs au bout d'un bâton, s'avisèrent de jeter aux soldats cette espèce d'hameçon, d'en accrocher un, puis deux, par leur uniforme ; ils les tiraient à eux avec de grands éclats de rire. La pêche aux Suisses réussit. Cinq se laissèrent prendre ainsi sans faire résistance. Les officiers commencèrent à craindre une sorte de connivence entre les attaqués et les attaquants, et ils ordonnèrent le feu.

On vit alors toute la force de la discipline. Ils tirèrent sans hésiter. L'effet de ces feux, étagés du haut en bas de l'escalier, et qui plongeaient tous ensemble et presque à bout portant sur une même masse vivante, fut épouvantable. Il n'y eut jamais dans un lieu si étroit un si terrible carnage. Tout coup fut mortel. La masse chancela tout entière et s'affaissa sur elle-même. Nul de ceux qui entrèrent sous le vestibule n'en sortit. Les seuls récits que nous ayons sont ceux des royalistes qui étaient sur l'escalier. Deux heures après, un des assaillants qui traversa le vestibule et vit cette montagne de morts, dit qu'on était suffoqué de l'odeur de boucherie et qu'on ne respirait pas.

Il ne faut pas demander si ceux qui étaient dans la cour s'enfuirent à toutes jambes. Ils ne purent le faire si vite qu'ils ne fussent criblés au passage du feu des baraques qui serraient la cour de droite et de gauche; elles étaient pleines de soldats. Ce fut, à la lettre, la chasse à l'affût; les chasseurs avaient le gibier au bout du fusil, et pouvaient choisir. Trois ou quatre cents hommes périrent dans ce fatal défilé sans riposter d'un seul coup.

Deux sorties se firent à la fois de ce palais meurtrier, une des Suisses au centre, sous le pavillon de l'Horloge, une autre des gentilshommes qui s'élancèrent du pavillon de Flore, poussèrent toute la déroute loin du quai, vers les petites rues du Louvre et la rue Saint-Honoré. Les Suisses, se formant en bataille dans le Carrousel, et faisant feu de toutes parts, criblèrent la queue des fuyards, et toute la place fut encore semée de cadavres.

Le château se crut vainqueur, s'imagina avoir écrasé l'armée de l'insurrection; mais c'était seulement l'avant-garde. Au milieu même du feu, pendant que les Suisses tiraient encore sur la foule entassée au passage étroit des rues, M. d'Hervilly se jette à eux, sans chapeau, sans armes: « Ce n'est pas cela, dit-il, il faut vous porter à l'Assemblée, près du roi. » Le vieux Vioménil criait: « Allez, braves Suisses, allez; sauvez le roi; vos ancêtres l'ont sauvé plus d'une fois. »

Rœderer pensa alors (plusieurs des acteurs du 10 août pensent encore aujourd'hui) que ce moment était prévu, et que la Cour avait, dans cette espérance, voulu le combat. L'insurrection écrasée, ou du moins découragée par la vigueur du premier coup, la garnison se repliait sur l'Assemblée nationale; on la proclamait dissoute; le roi, enveloppé de troupes, sortait de Paris, fuyait à Rouen, où on l'attendait, se retrouvait roi. Jamais la reine, je le pense, si elle ne se fût crue bien sûre de son fait, n'eût laissé aux Tuileries tant de serviteurs dévoués. Elle attendait, dans l'Assemblée, pâle et palpitante, le succès de ce violent coup de Jarnac frappé sur la Révolution. L'Assemblée elle-même, un moment, se crut à sa dernière heure, au moment d'être massacrée, tout au moins prisonnière du roi qu'elle avait sauvé dans son sein.

Et cependant, bien loin que la contre-Révolution eût vaincu, la Révolution marchait. La jonction de Saint-Antoine et de Saint-Marceau s'était faite au Pont-Neuf. On pouvait, du pavillon de Flore, voir au levant, déjà au quai du Louvre, l'armée vengeresse du peuple, la forêt de ses baïonnettes flamboyantes des feux du matin.

Il y avait eu bien des lenteurs ; l'armée, peu formée aux manœuvres, avait perdu du temps, surtout à s'allonger en colonnes, sur ces quais alors très étroits. Les cinq cents Marseillais, les trois cents Bretons et les autres fédérés, une troupe très militaire, avaient le poste d'honneur ; ils allaient les premiers au feu ; ils devaient entrer au Carrousel par les guichets voisins du pont Royal. Le Marais et autres sections de la rive droite devaient pénétrer par le Louvre ; Saint-Marceau et la rive gauche se chargeaient du pont Royal, du quai des Tuileries, du quai de la Concorde et de la place, de sorte que le château fût entre deux feux. Saint-Antoine avait deux petits canons, Saint-Marceau autant, c'était toute l'artillerie.

Si la masse des fuyards avait été rejetée vers le quai, elle eût pu jeter du trouble, du découragement dans les colonnes qui venaient ; mais elle fut, comme on l'a vu, rejetée vers la rue Saint-Honoré et les petites rues du Louvre. Les Marseillais et le faubourg Saint-Antoine ne virent rien de ce spectacle affligeant ; ils arrivèrent frais, confiants, la tête haute. Ils savaient en général qu'on avait attiré, massacré leurs frères ; ils doublèrent le pas, furieux. Les sections du Marais, arrivées au Carrousel par les petites rues du Louvre, virent nombre de blessés ; mais ces blessés pleins d'enthousiasme, de haine et de colère, demandaient vengeance pour la perfidie des Suisses : « Nous avions encore, dirent-ils, la bouche à leur joue, qu'ils ont versé notre sang. »

Les Marseillais passèrent les guichets du quai, virent les Suisses en bataille sur le Carrousel, s'ouvrirent brusquement, démasquèrent leurs petits canons, et tirèrent à brûle-pourpoint deux coups à mitraille. Les soldats rentrèrent, sans attendre un second coup, laissant leurs blessés, et sans doute un peu surpris de trouver vivante à ce point l'insurrection qu'ils croyaient avoir tuée. Les fédérés et Saint-Antoine avancèrent au pas de charge, et remplirent deux des trois cours : la cour royale ou du centre, et celle des princes, voisine du pavillon de Flore et du quai. Les sections, venues par le Louvre, avaient rempli le Carrousel, bien moins grand à cette époque ; elles poussaient les premiers venus, et, tant qu'elles pouvaient, fonçaient dans les cours. L'immense et sombre façade, par ses cent fenêtres, scintillait d'éclairs. Outre tous les feux de face, les gentilshommes à l'affût aux fenêtres du pavillon de Flore et de la grande galerie du Louvre tiraient sur le flanc. Derrière le pavillon de l'Horloge, sous le réseau de feux croisés qui retardaient les assaillants, restèrent fermes les grenadiers suisses, qui répondaient par des salves aux tirailleurs de l'insurrection. Le temps était calme, la fumée fort épaisse ; il n'y avait pas un souffle d'air pour la dissiper ; on tirait comme dans la nuit, chose contraire aux assaillants ; ils distinguaient peu les fenêtres, leurs coups allaient frapper les murs. Au contraire, leurs ennemis, visant des murailles vivantes, je veux dire des masses d'hommes, n'avaient que faire de tirer juste ; chaque coup tuait ou blessait. Las de recevoir sans donner, des fédérés, au milieu d'une grêle de balles, mirent en batterie, à la grande porte, une pièce de quatre, dont deux boulets persuadèrent aux Suisses de quitter la cour. Ils rentrèrent au vestibule, en bon ordre, et, de temps à autre, ils en sortaient par pelotons pour tirer encore.

Au moment où les fédérés passèrent du Carrousel dans la cour, les baraques alignées parallèlement au château firent feu sur eux par-derrière, ne doutant pas d'obtenir le même succès qu'elles avaient eu une heure plus tôt. Mais dès la première décharge, les Marseillais se jetèrent avec furie sur les ouvertures des baraques, et, ne pouvant les forcer, ils y lancèrent des gargousses d'artillerie dont l'explosion fit sauter les toits, renversa les murs, incendia tout. Le feu courut en un clin d'œil d'un bout à l'autre, enveloppa toute la ligne, et tout disparut dans des tourbillons de flamme et de fumée, scène effroyable dont les assaillants eux-mêmes détournèrent les yeux avec horreur.

Est-ce alors, ou beaucoup plus tôt, qu'un capitaine suisse, Turler, vint demander au roi s'il fallait déposer les armes ? Grave question historique qui, résolue dans un sens ou dans l'autre, doit modifier nos idées sur le caractère de Louis XVI.

Selon une tradition royaliste, les Suisses, un moment vainqueurs, allaient marcher sur l'Assemblée ; un député les arrêta, les somma de poser les armes, et le capitaine, s'adressant au roi, n'en tira nulle réponse, sinon qu'il fallait les rendre à la garde nationale.

Selon une version plus sûre, puisqu'elle est constatée par le procès-verbal de l'Assemblée, *ce fut après que le roi eut entendu le rapport* du procureur général Rœderer annonçant à l'Assemblée *que le château était forcé,* ce fut alors, et même après une vive terreur panique, répandue dans l'Assemblée, que le roi avertit le président *qu'il venait de faire donner ordre aux Suisses de ne point tirer.*

Ceci éclaircit la question qu'on a essayé d'obscurcir. Le roi voulut éviter une plus longue effusion du sang, *lorsqu'il sut que le château était forcé,* lorsqu'il n'eut plus d'espoir. Cet ordre pouvait avoir le double avantage de diminuer l'exaspération des vainqueurs et de couvrir l'honneur des vaincus, de sorte que ceux-ci pussent dire, comme ils n'ont pas manqué de le faire, que l'ordre du roi avait pu seul leur arracher la victoire.

A cette heure, le château était forcé ; les Suisses, qui avaient défendu pied à pied l'escalier, la chapelle, les galeries, étaient partout enfoncés, poursuivis, mis à mort. Les plus heureux étaient les gentilshommes qui, maîtres de la grande galerie du Louvre, avaient toujours une issue prête pour échapper. Ils s'y jetèrent et trouvèrent à l'extrémité l'escalier de Catherine de Médicis, qui les mit dans un lieu désert. Tous, ou presque tous échappèrent ; on n'en vit point parmi les morts. Les corps qui portaient du linge fin portaient aussi l'habit rouge ; c'étaient les faux Suisses, anciens gardes constitutionnels, et non pas les gentilshommes.

Les habits rouges étaient fort nombreux, bien au-delà des mille trois cent trente véritables Suisses qu'accuse leur capitaine. Suisses ou non, tous furent admirables. Ils se retirèrent lentement par le jardin, attendant, ralliant leurs camarades avec le sang-froid et l'aplomb de vieilles troupes manœuvrant comme à la parade, serrant tranquillement leurs rangs à mesure que la fusillade les éclaircissait. Ils firent dix haltes peut-être dans la traversée du jardin (dit un témoin oculaire) pour repousser les assaillants, chaque fois avec des feux de file parfaitement exécutés. Une chose dut les étonner fort, ce fut la prodigieuse multitude de gardes nationaux qui remplissait le jardin et allait toujours croissant. A huit heures, avant le combat, il y avait eu à la Grève huit ou dix mille gardes nationaux armés de fusils ; entre midi et une heure, immédiatement après le combat, le même témoin en vit aux Tuileries jusqu'à trente ou quarante mille. En faisant la part, ordinairement nombreuse, des hommes qui volent toujours au secours de la victoire, il reste néanmoins bien évident que le 10 août fut fait ou consenti, ratifié en quelque sorte par l'ensemble de la population, non par une partie du peuple, et nullement la partie infime, comme on l'a tant répété. Il y avait un grand nombre d'hommes en uniforme parmi ceux qui prirent le château. Ces uniformes même causèrent une fatale méprise. Les fédérés bretons, portant des habits rouges, furent pris par les officiers du château pour des Suisses qui auraient passé à l'ennemi, et tirés de préférence ; huit tombèrent du premier coup.

L'effrayante unanimité de la garde nationale, qui, de moment en moment, se manifestait aux Suisses, acheva de les briser. Arrivés près du grand bassin, vers la place Louis-XV, leurs rangs flottèrent, ils commencèrent à se débander ; la mortelle pensée du salut individuel, qui perd presque toujours les hommes, entra visiblement en eux. Ils virent, ou crurent voir que leur courage, leur discipline admirable, les avaient perdus, en ralentissant leur retraite. Quelques centaines se lancèrent, comme des cerfs furieux, sous le couvert des grands arbres, renversèrent les tirailleurs ennemis, gagnèrent la porte qui est en face de la rue Saint-Florentin : trois cents environ échappèrent ; un groupe, serré de trop près, se jeta dans l'hôtel de la Marine ; ils y furent cherchés, égorgés. Ceux qui restèrent mieux ensemble essayèrent, des Tuileries, de passer aux Champs-Elysées ; mais à peine eurent-ils posé le pied sur la place qu'un bataillon de Saint-Marceau, qui avait deux pièces en batterie à la descente du pont, leur tira un coup à mitraille, un seul coup, qui en mit trente-quatre sur le carreau. Les autres, dispersés par cette terrible exécution, jetèrent leurs fusils, mirent le sabre à la main, arme inutile contre les piques de leurs ennemis acharnés. Une trentaine tinrent un instant près de la statue de Louis XV (où est maintenant l'obélisque), au pied de ce triste monument de la Monarchie, si peu digne de leur dévouement et de leur fidélité.

Quelques-uns, qui eurent le bonheur de gagner les Champs-Elysées, furent cachés par de braves gens qui les travestirent, et les firent évader le soir. En général, dans cette journée sanglante, il n'y eut point de milieu : les vaincus trouvèrent ou la mort, ou l'hospitalité la plus dévouée, généreuse jusqu'à l'héroïsme, et qui, au besoin, pour les sauver, elle-même affronta la mort. Et cela, à part de toute opinion politique ; de violents révolutionnaires se conduisirent en ceci tout comme les royalistes.

Au château même, la foule, horriblement irritée par ses pertes énormes et par ce qu'elle croyait de la perfidie des Suisses, ne se montra pas aussi aveuglément barbare qu'on eût pu le supposer. Les dames de la reine, qu'on haïssait infiniment plus qu'aucun homme, comme *les conseillères, les confidentes de l'Autrichienne,* n'éprouvèrent nulle indignité. La princesse de Tarente avait fait ouvrir les portes, et recommanda aux premiers qui entrèrent une très jeune demoiselle, Pauline de Tourzel. Quelques femmes, Mme Campan entre autres, furent un moment saisies, menacées de la mort. Elles n'en eurent que la peur ; on les lâcha avec ce mot : « Coquines, la nation vous fait grâce. » Les vainqueurs les escortèrent eux-mêmes pour les faire échapper, et les aidèrent à se déguiser pour échapper aux bandes de poissardes qui criaient derrière elles qu'on aurait dû les tuer.

Un des assaillants, M. Singier (depuis connu et estimé comme directeur de théâtre), a conté que, entrant dans la chambre de la reine, il vit la foule qui brisait les meubles et les jetait par les fenêtres ; un magnifique clavecin, orné de peintures précieuses, allait avoir le même sort. Singier ne perd pas de temps ; il se met à en jouer, en chantant *La Marseillaise.* Voilà tous ces hommes furieux, sanglants, qui oublient leur fureur au moment même ; ils font chorus, se rangent autour du clavecin, se mettent à danser en rond, et répètent l'hymne national.

Non, cette foule, si mêlée, des vainqueurs du 10 août, n'était pas, comme on l'a tant dit, une bande de brigands, de barbares. C'était le peuple tout entier : toute condition, toute nature et tout caractère se rencontraient là, sans nul doute. Les passions les plus furieuses s'y trouvèrent ; mais les basses, les ignobles, rien n'indique qu'en ce moment d'exaltation héroïque elles se soient montrées chez personne. Il y eut beaucoup d'actes magnanimes. Et le mot touchant du boulanger que nous avons rapporté au commencement de ce chapitre montre assez que le péril, qui rend si souvent féroces les hommes qui l'affrontent pour la première fois, n'avait nullement éteint dans le cœur des assaillants les sentiments d'humanité.

Une scène extraordinaire, pathétique au plus haut degré, eut lieu dans l'Assemblée nationale. Qu'elle passe à la postérité, pour témoigner à jamais de la magnanimité du 10 août, du noble génie de la France, qu'elle conserva encore dans les fureurs de la victoire.

Un groupe de vainqueurs se jeta dans l'Assemblée, pêle-mêle avec des Suisses. L'un d'eux prit la parole : « Couverts de sang et de poussière, le cœur navré de douleur, nous venons déposer dans votre sein notre indignation. Depuis longtemps une cour perfide a préparé la catastrophe. Nous n'avons pénétré dans ce palais qu'en marchant sur nos frères massacrés. Nous avons fait prisonniers ces malheureux instruments de la trahison ; plusieurs ont mis bas les armes : nous n'emploierons contre eux que celles de la générosité. Nous les traiterons en frères. (Il se jette dans les bras d'un Suisse, et, dans l'excès de l'émotion, il s'évanouit ; les députés lui portent secours. Alors, reprenant la parole :) Il me faut une vengeance. Je prie l'Assemblée de me laisser emmener ce malheureux : je veux le loger et le nourrir. »

CHAPITRE II

Le 10 août dans l'Assemblée Lutte de l'Assemblée et de la Commune (fin d'août)

Des vainqueurs du 10 août, fédérés, gardes-françaises, etc. — Théroigne de Méricourt — Meurtre de Suleau — Impuissance de l'Assemblée — Inertie des Girondins, pendant la nuit du 10 août — Situation de l'Assemblée, dans la matinée du 10 août — Le roi se réfugie dans le sein de l'Assemblée — Deux paniques dans l'Assemblée — Le roi, n'ayant plus d'espoir, fait cesser le feu — L'Assemblée conserve à la royauté une chance de résurrection — L'Assemblée s'annule elle-même — Désespoir des familles des victimes du 10 août — Défiance et fureur du peuple — La Commune organe de cette fureur — Sentiments contradictoires du peuple, sensible et furieux — Danger de la situation — Le roi, prisonnier, est enfermé au Temple — La Commune exige la création d'un tribunal extraordinaire — Influence de Marat sur la Commune — Création du tribunal extraordinaire (17 août 1792) — Danger de la France : Longwy assiégé, le 20 août — Menaces de La Fayette, sa fuite — Fermeté magnanime de Danton — Premiers mouvements de la Vendée — Le nouveau tribunal accusé de fonctionner lentement — Nouvelle de la prise de Longwy — Fête des morts du 10 août.

Il n'est pas facile de sonder le profond volcan de fureur d'où éclata le 10 août, de dire comment les colères de toutes sortes s'étaient entassées, accumulées, mutuellement échauffées d'une fermentation si terrible. Si nous ne pouvons les retrouver dans leur force et leur violence, énumérons du moins, analysons les éléments divers qui, mêlés, formèrent la lave brûlante.

La souffrance du peuple, sa douloureuse misère, en fut le plus faible élément. Et pourtant cette misère était extrême. Toute ressource était consumée depuis longtemps ; quoique le pain fût à bas prix, le travail manquait entièrement, il n'y avait pas moyen d'aller chez le boulanger. La mort au grabat, dans un grenier ignoré, ou dans la rue au coin des bornes, c'était la dernière perspective. Ces pauvres gens, presque sans armes, et nullement aguerris alors, ne firent pas grand-chose au 10 août ; seulement ils allèrent les premiers aux Tuileries : c'est sur eux que tomba la première, la meurtrière fusillade. S'il n'y avait eu que ceux-là, le château n'eût pas été pris.

Il y avait un autre élément, auquel la Cour ne pensait pas, un élément très militaire, qui agit certainement d'une manière bien autrement efficace.

On a confondu tous les vainqueurs sous le nom de Marseillais ; on a cru du moins qu'ils étaient presque tous fédérés des départements, Marseillais, Bretons et autres. Mais avec ceux-ci marchaient des hommes non moins aguerris, aussi furieux tout au moins, de plus ulcérés d'une blessure récente. Quels ? Les fils aînés de la liberté, les anciens gardes-françaises. Il y avait parmi eux des jeunes gens, d'une audace, d'une ambition extraordinaires, dont plusieurs sont devenus illustres. Les gardes-françaises, un moment, s'étaient laissé amortir par La Fayette ; ils avaient formé le noyau, le nerf de la garde nationale soldée. La conduite très diverse de ce corps au massacre du Champ-de-Mars (une partie tira, une partie refusa) donna beaucoup à penser. En janvier, le ministre de la Guerre, Narbonne, obtint qu'ils fussent assimilés aux troupes de ligne, cessassent de recevoir haute paie, ne fussent plus une troupe privilégiée. La plupart n'acceptèrent pas ce changement, restèrent ici à battre le pavé, attendant les événements, se mêlant aux groupes, soufflant la guerre et le combat, donnant leur assurance au peuple, lui communiquant l'esprit militaire. Une lettre, écrite un an après par un de ces gardes-françaises (depuis le général Hoche), adressée par lui à un journaliste, lettre fière, amère, irritée, peint à merveille cette jeunesse, l'esprit superbe qui était en elle, sa violente indignation contre tout obstacle. On dirait que la même plume écrivit en janvier 92 l'éloquent *Adieu des Gardes-Françaises aux Sections de Paris.* Ces philippiques militaires sont pleines du génie colérique qui frappa le coup du 10 Août.

Le matin, un de ces gardes-françaises était sur la terrasse des Feuillants avec la fameuse amazone liégeoise Théroigne de Méricourt. Elle était armée et allait combattre ; elle y alla, en effet, et s'y distingua, jusqu'à mériter une couronne que lui décernèrent les vainqueurs. Il n'était encore que sept ou huit heures, une heure avant le combat. On amène sur la terrasse une fausse patrouille qu'on vient de saisir. C'étaient onze royalistes armés d'espingoles, qui venaient de reconnaître les Champs-Elysées et tous les entours des Tuileries. Il se trouvait parmi eux plusieurs hommes très connus, très odieux, de violents écrivains royalistes désignés depuis longtemps à la haine publique, entre autres un abbé Boujon, auteur dramatique, et le journaliste Suleau, un jeune homme audacieux, l'un des plus furieux agents de l'aristocratie. Suleau et Théroigne se trouvèrent en face, la fureur et la fureur.

Suleau était personnellement haï de Théroigne, non seulement pour les plaisanteries dont il l'avait criblée dans *Les Actes des Apôtres,* mais pour avoir publié à Bruxelles un des journaux qui écrasèrent la Révolution des Pays-Bas et de Liège, *Le Tocsin des Rois.* L'infortunée ville de Liège, unanimement française, et qui, tout entière, jusqu'au dernier homme, vota sa réunion à la France, avait été libre deux ans, et elle venait de retomber sous l'ignoble tyrannie d'un prêtre par la violence de l'Autriche. Théroigne, à ce moment décisif, n'avait pas manqué à sa patrie. Mais elle fut suivie de Paris à Liège, arrêtée en arrivant par les Autrichiens, spécialement comme coupable de l'attentat du 6 octobre contre la reine de France, sœur de l'Autrichien Léopold. Menée à Vienne et relâchée à la longue, faute de preuves, elle revenait exaspérée, accusant surtout les agents de la reine, qui l'auraient suivie, livrée. Elle écrivait son aventure, allait l'imprimer, et déjà elle en avait lu quelques pages aux Jacobins. Le violent génie du 10 août était dans Théroigne. C'était une femme audacieuse, galante, mais non pas *une fille,* comme l'ont dit les royalistes ; elle n'était nullement dégradée. Ses passions les plus connues furent pour des hommes fort étrangers à l'amour, la première pour un castrat italien qui la ruina ; plus tard pour l'abstrait, le sec, le froid Sieyès, pour le mathématicien Romme, Jacobin austère, gouverneur du jeune prince Strogonoff ; Romme ne se faisait nullement scrupule de mener son élève chez la belle et éloquente Liégeoise. Le très honnête Pétion était ami de Théroigne. Toujours, quelque irrégulière que pût être sa vie personnelle, elle visa dans ses amitiés au plus haut, au plus austère, au plus pur ; elle voulait dans les hommes ce qu'elle avait elle-même, le courage et la sincérité. Un de ses biographes les plus hostiles avoue qu'elle exprimait le plus profond dégoût pour l'immoralité de Mirabeau, pour son masque de Janus. Et elle ne montra pas moins d'antipathie pour celui de Robespierre, elle détestait son pharisaïsme. Cette franchise imprudente, qui la mena bientôt à la plus terrible aventure, avait éclaté en avril 92. A cette époque où Robespierre se répandait en calomnies, en dénonciations sans preuves, elle dit fièrement dans un café « qu'elle lui retirait son estime ». La chose, contée le soir ironiquement par Collot d'Herbois aux Jacobins, jeta l'amazone dans un amusant accès de fureur. Elle était dans une tribune, au milieu des dévotes de Robespierre. Malgré les efforts qu'on faisait pour la retenir, elle sauta par-dessus la barrière qui séparait les tribunes de la salle, perça cette foule ennemie, demanda en vain la parole ; on se boucha les oreilles, craignant d'ouïr quelque blasphème contre le dieu du temple ; la pauvre Théroigne fut brutalement chassée sans être entendue.

Cette insulte en présageait une autre, plus cruelle, dont elle fut frappée à mort. Après le 10 août et le 2 septembre, Théroigne (qu'on a mêlée sans la moindre preuve et contre toute vraisemblance, à ce dernier événement) prit parti, avec sa violence ordinaire, pour le parti qui flétrissait les assassins de septembre. Elle était encore fort populaire, aimée, admirée de la foule pour son courage et sa beauté. Les Montagnards imaginèrent un moyen de lui ôter ce prestige, de l'avilir par une des plus lâches violences qu'un homme puisse exercer sur une femme. Elle se promenait presque seule sur la terrasse des Feuillants ; ils formèrent un groupe autour d'elle, le fermèrent tout à coup sur elle, la saisirent, lui levèrent les jupes, et nue, sous les risées de la foule, la fouettèrent comme un enfant. Ses prières, ses cris, ses hurlements de désespoir ne firent qu'augmenter les rires de cette foule cynique et cruelle. Lâchée enfin, l'infortunée continua ses hurlements ; tuée par cette injure barbare dans sa dignité et dans son courage, elle avait perdu l'esprit. De 1793 jusqu'en 1817, pendant cette longue période de vingt-quatre années (toute une moitié de sa vie !), elle resta folle furieuse, hurlant comme au premier jour. C'était un spectacle à briser le cœur, de voir cette femme héroïque et charmante, tombée plus bas que la bête, heurtant ses barreaux, se déchirant elle-même et mangeant ses excréments. Les royalistes se sont complu à voir là une vengeance de Dieu sur celle dont la beauté fatale enivra la Révolution dans ses premiers jours ; ils ont su un gré infini à la brutalité montagnarde de l'avoir brisée ainsi. Royalistes et robespierristes, encore aujourd'hui, s'accordent à merveille, après l'avoir avilie vivante, pour avilir sa mémoire.

J'ai voulu donner d'ensemble cette destinée tragique. Voyons l'acte violent, coupable, par lequel Théroigne la mérita peut-être, au 10 août, cette destinée. Elle avait, devant elle, ce Suleau tant détesté, celui qu'elle envisageait comme le plus mortel ennemi de la

Révolution, et en France, et aux Pays-Bas. C'était un homme dangereux non par sa plume seulement, mais par son courage, par ses relations infiniment étendues, dans sa province et ailleurs. Montlosier conte que Suleau, dans un danger, lui disait:

« J'enverrai, au besoin, toute ma Picardie à votre secours. » Suleau, prodigieusement actif, se multipliait ; on le rencontrait souvent déguisé. La Fayette, dès 90, dit qu'on le trouva ainsi, sortant le soir de l'hôtel de l'archevêque de Bordeaux. Déguisé cette fois encore, armé, le matin même au 10 août, au moment de la plus violente fureur populaire, quand la foule, ivre d'avance du combat qu'elle allait livrer, ne cherchait qu'un ennemi, Suleau pris, dès lors était mort.

Desmoulins, Picard comme lui et son camarade au Collège de Louis-le-Grand, avait eu comme une seconde vue de l'événement ; il avait offert à Suleau de le cacher chez lui. Mais celui-ci croyait vaincre. Il tomba au piège avant le combat.

S'il périssait, du moins ce n'était pas Théroigne qui pouvait le mettre à mort. Les plaisanteries même qu'il avait lancées contre elle auraient dû le protéger. Au point de vue chevaleresque, elle devait le défendre; au point de vue qui dominait alors, l'imitation farouche des républicains de l'Antiquité, elle devait frapper l'ennemi public, quoiqu'il fût son ennemi. Un commissaire, monté sur un tréteau, essayait de calmer la foule ; Théroigne le renversa, le remplaça, parla contre Suleau. Deux cents hommes de garde nationale défendaient les prisonniers ; on obtint de la section un ordre de cesser toute résistance. Appelés un à un, ils furent égorgés par la foule. Suleau montra, dit-on, beaucoup de courage, arracha un sabre aux égorgeurs, essaya de se faire jour. Pour mieux orner le récit, on suppose que la virago (petite et fort délicate, malgré son ardente énergie) aurait sabré de sa main cet homme de grande taille, d'une vigueur et d'une force décuplées par le désespoir. D'autres disent que ce fut le garde-française qui donnait le bras à Théroigne, qui porta le premier coup.

Ce massacre, exécuté à la place Vendôme, devant la porte des Feuillants, et comme sous les yeux de l'Assemblée, constata d'une manière terrible l'impuissance de celle-ci. Par deux fois elle déclara les prisonniers sous la sauvegarde de la loi, et l'on n'en tint compte. Un fatal précédent s'établit, un préjugé effroyable, à savoir que le passant, le premier venu, pouvait, en dépit des autorités nommées par le peuple, représenter le peuple souverain en sa fonction la plus délicate, la justice. Cette justice de combat, faite au moment de la bataille par l'ennemi sur l'ennemi, va se reproduire dans un mois, aux jours de septembre, sur des prisonniers désarmés.

L'Assemblée était en cause non moins que la royauté. La majorité, qui venait d'innocenter La Fayette, avait par cela même dans l'esprit du peuple perdu l'Assemblée elle-même. Les Girondins, il est vrai, par l'organe de Brissot, avaient attaqué le général, et pouvaient se laver les mains de l'étrange absolution. Mais, il était trop manifeste qu'ils croyaient encore pouvoir se servir de la royauté ; ennemis ou non de La Fayette, ils lui ressemblaient en ceci : républicains de principe, comme lui, mais, comme lui, royalistes de politique, de situation, ils n'en différaient guère que sur la longueur du sursis qu'ils auraient accordé à l'institution royale. Rien n'indique qu'ils aient eu avec la Cour le moindre rapport direct. La fameuse consultation donnée, dit-on, au roi par Vergniaud, et copiée docilement par tous les historiens, n'est qu'une fiction maladroite. Quelque étourdis qu'aient pu être les Girondins, jamais ils n'auraient donné un tel acte écrit contre eux-mêmes. Et à qui ? à cette Cour qui, dans les élections et partout, leur préférait sans difficulté les plus violents Jacobins. C'est une chose très certaine que nous avons affirmée, et que nous répétons : jusqu'au 10 août, la Cour, en toute occasion, ne vit nul ennemi plus dangereux que les Girondins. Elle se serait fiée à Danton bien plus qu'à Vergniaud. Vergniaud, Brissot, Roland, Guadet furent pour elle l'objet d'une haine bien autrement profonde. Ils lui semblaient près du pouvoir, et capables de le garder. Elle eût préféré cent fois le triomphe passager des violents à la victoire des modérés, qui, dans un délai fort court, pouvaient fonder la République.

Les Girondins ne parurent pas à l'Assemblée dans la nuit du 10 août. Elle avait commencé à se réunir vers minuit et demi, au bruit du tocsin. Les quelques députés qui vinrent étaient des Feuillants, et ils vinrent pour sauver la royauté ; on le voit au choix de leur président ; ce fut le Feuillant Pastoret. Ledit Pastoret s'éclipsa ; ils prirent alors un député inconnu pour les présider. Où donc étaient Brissot, Vergniaud, la pensée de la Gironde, sa grande, sa puissante voix ? Où étaient-ils ? que pensaient-ils ?

Ils attendaient et se réservaient. Chose peu étonnante, au reste, quand on voit l'hésitation des acteurs connus de tous les partis. Robespierre s'abstint dans cette nuit, tout aussi bien que Vergniaud.

Evidemment les Girondins se réservaient le rôle de médiateurs ; ils attendaient que la Cour, éperdue, au bruit de la fusillade, vînt se jeter dans leurs bras.

La très peu nombreuse Assemblée qui siégea la nuit, dans l'absence des grands chefs d'opinion, montra beaucoup de prudence. Elle évita, par-dessus tout, le piège qu'on lui tendait, en l'appelant au château. Quelques membres proposèrent que le roi vînt plutôt se réunir à l'Assemblée. La discussion, souvent interrompue, traîna jusqu'au matin ; les Girondins, rougissant à la longue de leur absence dans un tel moment, apparurent enfin ; à sept heures. Vergniaud occupa le fauteuil.

Et ce fut pour être obligé de saluer la formidable puissance qui s'était formée cette nuit, puissance inconnue, mystérieuse, au matin lancée du volcan, comme pour écraser l'Assemblée : la Commune du 10 août.

Un substitut du procureur de la Commune (ne serait-ce pas Danton ? il avait alors ce titre) entra, avec deux officiers municipaux, et notifia, sans préface, à l'Assemblée nationale, que le peuple souverain, réuni en sections, avait nommé des commissaires, *qu'ils exerçaient tous les pouvoirs,* et que, pour le coup d'essai, ils avaient pris un arrêté pour suspendre le Conseil général de la Commune.

Un membre de l'Assemblée proposa d'annuler tout, les commissaires et l'arrêté. Mais, à l'instant, un autre membre dit prudemment qu'insinuation valait mieux que violence, qu'en ce danger il était imprudent d'écarter des hommes utiles, qu'en tout cas il fallait attendre des éclaircissements ultérieurs. L'Assemblée résolut d'attendre, ce qui était le plus facile. Entre la victoire du royalisme et celle de l'anarchie, entre le château et la commune, menacée également des deux parts d'être dévorée, elle ménagea l'inconnu et garda devant le sphinx un silence de terreur.

Et à ce moment même où elle n'osait plus agir ni prendre parti, par une contradiction étrange, la circonstance venait en quelque sorte réclamer d'elle la force qu'elle n'avait plus.

C'est à ce moment qu'on lui demanda de protéger Suleau et les autres prisonniers ; elle essaya de le faire, et vit son autorité méconnue (huit heures). A ce moment encore on lui annonça que le roi voulait se retirer dans son sein. Elle répondit froidement « que la Constitution lui en laissait la faculté ». On demandait que la garde du roi pût entrer ; on craignait qu'elle ne fût massacrée, si elle restait aux portes. Mais l'Assemblée, en la recevant, avait à craindre de faire de sa propre salle un champ de bataille ; elle s'attacha à la lettre de la loi, qui lui défendait de délibérer au milieu des baïonnettes ; elle fit semblant de croire que cette garde venait là pour protéger l'Assemblée, et déclara « qu'elle ne voulait de garde que l'amour du peuple ».

Nous n'avons point raconté dans le chapitre précédent, où nous expliquions la bataille, le voyage du roi pour aller à l'Assemblée. Ce voyage n'était pas long ; mais on pouvait le croire infiniment dangereux dans l'état d'irritation où était la foule ; à tort : il n'eut d'autre résultat que de prouver que la vie du roi, ni même celle de la reine, n'étaient nullement en péril.

Au départ, le roi probablement n'était pas sans inquiétude. Il ôta son chapeau où était un plumet blanc, et s'en mit un qu'il prit à un garde national. Les Tuileries étaient solitaires et silencieuses, déjà jonchées de feuilles sèches, bien avant le temps ordinaire ; le roi en fit la remarque : « Elle tombent cette année de bonne heure. »

Manuel avait imprimé que la royauté n'irait que jusqu'à la chute des feuilles.

A mesure qu'on approchait de la terrasse des Feuillants, on apercevait une foule d'hommes et de femmes fort animés. A vingt-cinq pas environ de la terrasse, une députation de l'Assemblée vint recevoir le roi ; les députés l'environnèrent ; mais cette escorte ne suffisait pas pour tenir en respect quelques-uns des plus violents. Un homme, du haut de la terrasse, brandissait une perche de huit ou dix pieds : « Non ! non, criait-il, ils n'entreront pas, ils sont cause de tous nos malheurs... Il faut que cela finisse !... A bas ! A bas ! » Rœderer harangua la foule ; et quant à l'homme à la perche qui ne voulait pas se taire, il la lui arracha des mains et la jeta au jardin, sans autre cérémonie ; l'homme resta stupéfait, et ne dit plus rien.

Après un moment d'embarras, causé par l'encombrement, la famille royale arrivant au passage même qui menait à l'Assemblée, un garde national provençal dit au roi, avec l'accent original du Midi : « Sire, n'ayez pas peur, nous sommes de bonnes gens ; mais nous ne voulons pas qu'on nous trahisse davantage. Soyez un bon citoyen, sire... Et, surtout, n'oubliez pas de chasser vos calotins du château... »

Un autre garde national (quelques-uns disent que c'était l'homme même à la longue perche, qui semblait si furieux) s'émut de voir le dauphin, pressé de la foule, à ce passage si étroit ; il le prit dans ses bras et l'alla poser sur le bureau des secrétaires. Tout le monde applaudissait.

Le roi et la famille royale s'étaient assis sur les sièges peu élevés qu'occupaient ordinairement les ministres. Il dit à l'Assemblée : « Je suis venu ici pour éviter un grand crime... » Parole injuste et dure que rien ne justifiait. La foule avait envahi, le 20 juin, les Tuileries, sans péril pour Louis XVI, et le 10 août même rien n'annonce que personne en ait voulu à ses jours, ni même à ceux de la reine.

Le président Vergniaud ayant répondu que l'Assemblée « avait juré de mourir en soutenant les droits du peuple et les autorités constituées », le roi monta et vint s'asseoir à côté de lui. Mais un membre fit observer que la Constitution défendait de délibérer en présence du roi. L'Assemblée désigna alors la loge du logographe, qui n'était séparée de la salle que par une grille en fer, et se trouvait au niveau des rangs élevés de l'Assemblée. Le roi y passa avec sa famille ; il s'y plaça sur le devant, indifférent, impassible ; la reine, un peu sur le côté, pouvant cacher à cette place la terrible anxiété où la mettait le combat. On entendait à ce moment la meurtrière fusillade qui jeta d'abord par terre tant d'hommes du peuple, et fit croire aux gentilshommes qu'il ne s'agissait plus que de marcher sur l'Assemblée, de la disperser, d'emmener le roi. La reine ne disait pas un mot, ses lèvres étaient serrées, dit un témoin oculaire (M. David, depuis consul et député) ; ses yeux étaient ardents et secs, ses joues enflammées, ses mains fermées sur ses genoux. Elle combattait du cœur, et nul, sans doute, de ceux qui se faisaient tuer au château ne porta dans la bataille une passion plus acharnée.

De cette loge, de cette salle du Manège, fort légèrement construite, on entendait tous les bruits. A la première fusillade succéda un grand silence ; puis, à neuf heures, neuf heures et demie, les quelques coups de canon tirés par les Marseillais, toutes les vitres vibrèrent. Quelques-uns crurent que des boulets passaient par-dessus la salle. L'Assemblée était très digne, dans une calme et ferme attitude. Elle la conserva, malgré deux paniques. Un moment, la fusillade, très rapprochée, fit croire aux tribunes que les Suisses étaient vainqueurs, qu'ils venaient envahir la salle et disperser l'Assemblée. Tous les assistants criaient aux députés : « Voilà les Suisses, nous ne vous quittons pas ; nous périrons avec vous. » Un officier de la garde nationale était à la barre, et disait : « Nous sommes forcés. » Députés, tribunes, assistants, gardes nationaux, tous, jusqu'aux jeunes secrétaires placés à côté du roi, se levèrent d'un mouvement héroïque, et jurèrent de mourir pour la liberté... Contre qui un tel serment, sinon contre le roi même, qu'alors on croyait vainqueur ? Jamais son isolement ne ressortit davantage. La situation à ce moment se révélait tout entière : d'un côté, l'Assemblée, le peuple, d'autre part, le roi... En face, la France et l'ennemi.

Une autre panique eut lieu, mais dans l'autre sens. Ce fut la victoire du peuple, les craintes de l'Assemblée pour la sûreté du roi. On eut un moment l'idée que les vainqueurs, dans leur furie, pourraient venir frapper en lui le chef de ces Suisses, de ces nobles qui avaient fait un si grand carnage du peuple. On arracha la grille qui séparait de la salle la loge du logographe, afin que la famille royale pût, au besoin, se réfugier dans le sanctuaire national. Plusieurs députés y travaillèrent : le roi s'y employa lui-même, avec sa force peu commune et son bras de serrurier.

Le procureur du département, Rœderer, vint annoncer bientôt que le château était forcé. Une décharge de canon se fit entendre peu après ; c'était le faubourg Saint-Marceau qui, du pont de la Concorde, tirait sur les Suisses fugitifs. *Et, c'est alors seulement,* tard, trop tard en vérité, que le roi, ayant perdu toute espérance, fit savoir au président qu'il avait donné aux Suisses l'ordre de ne point tirer, et d'aller à leurs casernes.

Quoique l'Assemblée eût manifesté si vivement la crainte que le roi ne vainquît, la victoire de l'insurrection, accomplie sans elle, parut l'abattre et l'annuler. Elle transférait en réalité le pouvoir de fait à une puissance nouvelle, la Commune, à qui l'on faisait honneur de la victoire. Quand on proposa à l'Assemblée de nommer un commandant de la garde nationale, elle renvoya ce choix à la toute puissante Commune. Puis, des combattants apportant des bijoux pris aux Tuileries, l'Assemblée déclina cette responsabilité, sous le prétexte qu'elle n'avait aucun lieu où les garder. Elle les envoya encore à la Commune.

L'Assemblée semblait avoir le sentiment que le peuple se défiait d'elle. Par deux fois, suivant l'élan du dehors, et voulant rassurer la foule, les députés se levèrent et répétèrent le serment : « Vivre libre ou mourir. » Ils y joignirent une adresse, mais fort générale et vague, où l'on conseillait au peuple *de respecter les Droits de l'Homme.*

Guadet était au fauteuil, et répondait comme il pouvait aux députations diverses qui se succédaient à la barre. C'était une section qui venait sommer l'Assemblée de jurer qu'elle sauverait l'Empire ; l'Assemblée jurait. C'était la Commune qui venait signifier qu'elle avait donné le commandement à Santerre, et présentait son vœu pour la déchéance du roi. Puis un groupe d'inconnus venait déclarer qu'il fallait faire justice de la grande trahison : « Le feu est aux Tuileries, disaient-ils, et nous ne l'arrêterons qu'après que la vengeance du peuple sera satisfaite... Il nous faut la déchéance. » Ils le firent comme ils le disaient, repoussant les pompiers à coups de fusil. Neuf cents toises de bâtiments étaient en feu.

L'Assemblée se sentait glisser sur la pente. Elle voulut enrayer. Enrayer ! mais avec quoi ? avec la royauté même. Pour arrêter sa chute, elle prit justement le poids fatal qui devait la précipiter.

Vergniaud rentra, l'air abattu, pour donner à l'Assemblée l'avis de la commission extraordinaire qu'elle avait créée exprès. Le grand orateur souffrait de ne reconnaître la confiance du roi réfugié dans l'Assemblée que par une mesure rigoureuse. La chose semblait dure, inhospitalière. « Je m'en rapporte, dit-il, à la douleur dont vous êtes pénétrés, pour juger s'il importe au salut de la patrie que vous adoptiez cette mesure sur-le-champ. Je demande la suspension du pouvoir exécutif, un décret pour la nomination du gouverneur du prince royal. Une convention se prononcera sur les mesures ultérieures... Le roi sera logé au Luxembourg. Les ministres seront nommés par l'Assemblée nationale. »

A ce moment même, le peuple revint, obstiné, frappa à la porte. « La déchéance ! la déchéance ! » c'était encore le cri de nouveaux pétitionnaires.

A quoi Vergniaud répondit que l'Assemblée avait fait tout ce que ses pouvoirs lui permettaient de faire, que c'était à la Convention de prononcer sur la déchéance.

Ils s'en allèrent en silence, mais non satisfaits. L'Assemblée, tout en disant qu'elle ne décidait rien, n'allait-elle pas préjuger audacieusement l'avenir, par la nomination d'un gouverneur de l'héritier du trône, lorsqu'il restait incertain s'il y aurait un trône encore ?

Loger le roi au Luxembourg ! au lieu de Paris d'où il est le plus facile d'échapper dans la campagne ! Qui ne sait que le Luxembourg est assis sur les catacombes, et que, par vingt souterrains, il pouvait remettre la royauté sur le chemin de Varennes ? C'est ce qu'une section vint très justement représenter à l'Assemblée.

Celle-ci, quoi qu'elle pût faire, n'allait plus pouvoir marcher qu'à la suite de la Commune. Aux ministres girondins qu'elle rétablit, elle ajouta comme ministre de la Justice l'homme de la Commune, Danton. Elle vota que les communes auraient le droit de faire partout des visites domiciliaires pour savoir si les suspects n'avaient pas des armes cachées. C'était armer la nouvelle puissance, dont on se défiait tant tout à l'heure, d'une inquisition sans bornes.

Il était trois heures de nuit. En cette séance de vingt-sept heures, l'Assemblée vaincue, près de la royauté vaincue, en réalité avait abdiqué.

Cette éclipse du premier pouvoir de l'Etat, du seul, après tout, qui fût reconnu de la France, était effrayante dans la situation. Le combat n'avait pas fini ; il durait encore dans les cœurs, ils restaient gonflés de vengeance. Le soir du 10, on avait en hâte jeté au cimetière de la Madeleine les cadavres des sept cents Suisses qui avaient été tués. Mais le nombre des morts était bien plus grand du côté des insurgés. Les Suisses généralement avaient tiré derrière de bonnes murailles ; les autres n'avaient eu que leurs poitrines pour parer les coups ; onze cents insurgés avaient péri ; beaucoup d'entre eux, gens mariés, pauvres pères de famille, que les extrêmes misères avaient poussé au combat, qui, entre une femme désespérée et des enfants affamés, avaient préféré la mort. Des tombereaux les ramassaient, les ramenaient dans leurs quartiers, et là, on les étalait pour les reconnaître. Chaque fois qu'une de ces lugubres voitures, couverte, mais reconnaissable à la longue traînée de sang qu'elle laissait derrière elle, chaque fois qu'elle entrait au faubourg, la foule l'entourait, muette, haletante, la foule des femmes qui attendaient dans une horrible anxiété. Et puis, à mesure, éclataient, avec une étrange variété d'incidents les plus pathétiques, les sanglots du désespoir.

Nulle scène de ce genre n'avait lieu sans jeter dans l'âme des spectateurs un nouveau levain de vengeance ; des jeunes gens reprenaient la pique, rentraient dans Paris pour tuer... Qui tuer, où et comment ? c'était toute la question. Ils allaient à l'Abbaye, où étaient les officiers suisses. Ils allaient à l'Assemblée nationale, où cent cinquante soldats suisses avaient trouvé un asile. On avait beau leur expliquer que ces soldats avaient tiré malgré eux, que d'autres avaient tiré en l'air, que d'autres enfin, ceux par exemple qu'on amena de Versailles, étaient même absents à l'heure du combat. Ils venaient aveugles et sourds, l'oreille pleine de sanglots des veuves, les yeux pleins de la rouge vision de tombereaux combles de sang. Ils ne voulaient que du sang et heurtaient leurs têtes aux portes.

La Commune, sortie de la fureur du 10 août, n'était pas pour s'opposer à ces mouvements de vengeance. Elle prit, le matin du 11, une mesure vraiment sinistre. La prison de l'Abbaye, qui renfermait les officiers suisses, était fortement menacée, entourée de rassemblements ; malgré l'Assemblée nationale, qui, pour sauver les soldats, les envoyait au Palais-Bourbon, la Commune décida qu'ils iraient à l'Abbaye. Et cela fut fait.

Il y avait dans cette Commune des éléments très divers. Une partie, la meilleure, étaient des hommes simples, grossiers, naïvement colériques, qui n'étaient pas incapables de sentiments généreux ; malheureusement ils suivirent jusqu'au bout la pensée brutale et stupide : *En finir avec l'ennemi.* Mais le meurtre ne finit rien. Les autres étaient des fanatiques, fanatiques d'abstractions, géomètres politiques, prêts à rogner par le fer ce qui dépassait la ligne précise du contour qu'ils s'étaient tracé au compas. Enfin, et c'était le pire élément, il y avait des bavards, des harangueurs étourdiment sanguinaires (de ce genre était Tallien) ; il y avait de méchants petits scribes, natures basses et aigres, irrémédiablement mauvaises, sans mélange et sans retour, parce qu'elles étaient légères, sèches, vides, de nulle consistance. Ces fouines à museau pointu, propre à tremper dans le sang, se caractérisent par deux noms : l'un, Chaumette, étudiant en médecine et journaliste ; l'autre, Hébert, vendeur de contremarques à la porte des spectacles, qui rimait des chansonnettes, avant de devenir horriblement célèbre sous le nom de père Duchêne.

Ces scribes furent tout d'abord la cheville ouvrière de la Commune.

Du 11 août au 2 septembre, elle appela dans son sein le scribe des scribes, le fol des fols, Marat, Robespierre. Tous deux sortirent de leurs trous et siégèrent à la Commune.

Le matin du 11, la Commune envoya à l'Assemblée deux de ses membres lettrés, Hébert, et Léonard Bourdon, un régent, pédant furieux, qui fonda une pension selon les institutions de Lycurgue. En allant, ils ne purent se dispenser de monter chez le maire, Pétion, qui était encore au lit. Ils trouvèrent là Brissot, qui vint à eux, tout ému : « Quelle est donc cette fureur ? dit-il. Quoi ! les massacres ne finiront pas ? » Pétion parla dans le même sens. Hébert et Bourdon haussèrent les épaules et s'en allèrent sans rien dire. Ils ont depuis accusé cette faiblesse de Pétion et de Brissot, cette sensibilité coupable, pour les conduire à la mort.

La Commune, sans doute sur leur avis, sentant combien Pétion pouvait être embarrassant dans les grandes mesures de haute politique qu'elle se proposait de prendre, fit savoir à l'Assemblée que, dans sa tendre inquiétude pour la vie si précieuse de ce bon maire de Paris, de ce père du peuple, etc., etc., dans la crainte qu'il ne tombât sous le poignard royaliste, elle avait mis à ses côtés deux agents pour le suivre partout, sans le perdre de vue, et le garder jour et nuit.

Cette violence hypocrite contrastait avec la sensibilité naïvement exaltée que montrait partout le peuple. Malheureusement, sa sensibilité se trahissait par deux effets tout contraires.

Les uns, émus de pitié pour les familles en deuil, pour ce grand désastre privé et public, voulaient justice et vengeance, une punition exemplaire ; si la loi ne la faisait pas, ils allaient la faire eux-mêmes.

Les autres, émus d'intérêt pour des hommes désarmés qui, fussent-ils coupables, ne devaient, après tout, être frappés que par la loi, voulaient à tout prix sauver leurs ennemis, sauver l'humanité, l'honneur de la France.

Ces mouvements contradictoires de sensibilité, ici humaine, là furieuse, se trouvèrent plus d'une fois, chose bizarre, dans les mêmes personnes. Les tribunes de l'Assemblée étaient pleines d'hommes hors d'eux-mêmes, qui étaient venus tout exprès pour obtenir des lois de sang. Les Suisses étaient là tremblants dans les bâtiments des Feuillants, et la foule aux tribunes, aux cours, dans les rues voisines, attendant sa proie. Un député fit remarquer que ces infortunés Suisses n'avaient pas mangé depuis trente heures ; les tribunes furent émues. Un brave homme vint à la barre et dit qu'il priait les tribunes de l'aider à sauver les Suisses, de venir avec lui pour faire entendre raison à la foule du dehors. Tous le suivirent ; ils arrachèrent des mains du peuple plusieurs Suisses qu'il tenait déjà, rentrèrent avec ces malheureux ; ce fut la scène la plus extraordinaire et la plus attendrissante ; les victimes se jetèrent dans les bras de ceux qui naguère demandaient leur mort et qui les avaient délivrés ; les Suisses levaient les mains au ciel, faisaient serment à la cause du peuple et se donnaient à la France.

Le ministre de la Justice, Danton, se montra très digne de sa position nouvelle, en se portant pour défenseur des droits de l'humanité. Il exprima devant l'Assemblée nationale une pensée de sévérité magnanime qui était au cœur des vrais vainqueurs du 10 août : « Où commence l'action de la justice, là doivent cesser les vengeances populaires. Je prends, devant l'Assemblée nationale, l'engagement de protéger les hommes qui sont dans son enceinte ; je marcherai à leur tête, et je réponds d'eux. »

La justice, c'était en effet le seul remède à la vengeance. Il y avait là toute une population exaspérée de ses pertes. Si la robe de César, montrée aux Romains, fut un signal de massacre, qu'était-ce de la robe du peuple, de la chemise sanglante des victimes du

10 août, partout reproduite et multipliée, partout étalée aux yeux indignés, avec la légende terrible de la trahison des Suisses, et ce mot des honnêtes fédérés bretons qui courait partout : « Nous avions encore la bouche à leur joue... ils nous ont assassinés !... »

Ceux que l'on accusait ainsi étaient-ils regardés du peuple comme des prisonniers ordinaires ou comme des criminels ? Après la victoire, après la bataille, le danger passé, le vainqueur prend pour les prisonniers un sentiment de clémence ; mais la bataille durait. Le grand parti royaliste, quelque coup qu'il eût reçu, restait tout entier. Aux royalistes purs il fallait joindre la masse des royalistes constitutionnels, les vingt mille bourgeois qui avaient signé la protestation contre le 20 juin, et s'étaient ainsi compromis pour le roi sans retour. Personne, même après le 10 août, ne voyait bien nettement à qui, en dernier lieu, resterait l'avantage. Le 10, beaucoup avaient eu peur de ne pas être vus avec les vainqueurs. Le 11, beaucoup avaient peur d'être obligés de garder le roi. Santerre, le nouveau commandant de la garde nationale, ne trouvait nulle obéissance ; deux adjudants refusèrent positivement d'aller garder le roi aux Feuillants. Santerre fut obligé d'avouer à la Commune « que la diversité des opinions faisait qu'il avait peu de force ». Et en même temps un député, Thuriot, vint déclarer qu'il avait connaissance d'un projet pour enlever la famille royale.

La Commune, par l'organe de son procureur, Manuel, déclara à l'Assemblée que si l'on mettait le roi au Luxembourg, ou, comme on voulait encore, au ministère de la Justice, elle n'en répondait plus. L'Assemblée lui donna le soin de choisir le lieu, et elle choisit le Temple, donjon isolé, vieille tour, dont on refit le fossé. Cette tour, basse, forte, sombre, lugubre, était l'ancien Trésor de l'Ordre des Templiers. C'était, depuis longtemps, un lieu délabré, à peu près abandonné. Lieu marqué d'une bizarre fatalité historique. La royauté y brisa le Moyen Age, par la main de Philippe le Bel. Et elle-même y revint brisée avec Louis XVI. Cette laide tour, dont on ne savait guère le sens ni l'ancienne destination, se trouvait là tout étrange, comme un hibou au grand soleil, dans un quartier fort populeux. C'était, comme aujourd'hui, du reste, un quartier d'industrie pauvre, de commerce misérable, de revendeurs, de brocanteurs, de petits métiers exercés par des fabricants, ouvriers eux-mêmes. L'enclos du Temple s'était d'autant plus aisément peuplé de ces petites industries qu'il recevait les ouvriers sans patente, non autorisés, qui, sous l'abri de l'antique privilège du lieu, vendaient librement aux pauvres du mauvais, du vieux, tellement quellement rajusté. Cet enclos, par un effet de ce triste privilège, avait aussi servi d'asile aux banqueroutiers effrontés, qui, selon la loi énergique du Moyen Age, payaient leurs dettes sans argent, « *en prenant le bonnet vert, et frappant du cul sur la pierre.* » Chute rapide et cruelle. Louis XVI, encore roi le 10, s'il demeurait au Luxembourg, résidence ordinaire des princes — prisonnier avoué le 11, s'il était mis sous la clé du ministère de la Justice — semblait au Temple le captif de la faillite royale et le banqueroutier de la Monarchie.

Louis XVI était un otage ; sa vie importait à la France. Il semblait en sûreté. Tous alors, même les plus violents, auraient défendu une tête si précieuse. La vengeance populaire, arrêtée de ce côté, se retournait d'autant plus furieuse contre les autres prisonniers. Le seul moyen peut-être qui restât de les soustraire à un massacre indistinct, c'était de les présenter comme prisonniers de guerre, de les soumettre à un jugement militaire qui frapperait uniquement ceux qui avaient commandé, sauverait la foule de ceux qui n'avaient fait qu'obéir. Un ancien militaire, le député Lacroix, proposa à l'Assemblée de faire nommer, par le commandant de la garde nationale, une cour martiale qui jugerait sans désemparer les Suisses, officiers et soldats. La part principale que les fédérés, Marseillais, Bretons, presque tous anciens soldats, avaient eue à la victoire, aurait, sans nul doute, obligé de prendre les juges surtout parmi eux. Ces militaires se seraient montrés plus indulgents pour un délit militaire que des juges populaires, tirés d'une foule ivre de vengeance. Ceci n'est point une supposition, mais une induction légitime. La plupart des fédérés de Marseille, loin de partager la fureur commune, déclarèrent qu'ils ne considéraient plus les vaincus comme ennemis, demandèrent à l'Assemblée la permission d'escorter les Suisses et de leur faire un rempart de leurs corps. Soldats, ils comprenaient bien mieux la vraie position du soldat, l'inexorable nécessité de la discipline qui avait pesé sur ces Suisses et les avait rendus coupables malgré eux.

Lacroix, qui donna ce conseil, violent en apparence, humain en réalité, de faire juger immédiatement les vaincus par une cour martiale, était un homme trop secondaire pour que nous ne cherchions pas plus haut à qui appartient l'initiative réelle de cette grande mesure. Lacroix était alors dans les rangs de la Gironde, mais déjà, et de plus en plus, uni d'esprit à Danton. Ce qu'ils avaient de commun, c'était la facilité de caractère, l'amour de la vie, du plaisir ; tous deux étaient des hommes d'énergie, et, sous des formes âpres, violentes, nullement ennemis de l'humanité. Je ne crois pas que la proposition ait été inspirée par les Girondins, qui n'aimaient point les formes militaires. Les Montagnards, en général, ne les aimaient pas davantage, Robespierre pas plus que Brissot. Je serais porté à croire que Lacroix exprimait la pensée de Danton.

Ce qui ferait supposer que cette mesure eût épargné le sang, c'est que la Commune la repoussa. Placée au centre même de la fermentation populaire, loin de calmer l'esprit de vengeance, elle allait toujours l'irritant. Elle n'osait dire nettement qu'elle craignait de trouver les fédérés militaires trop généreux pour les vaincus ; le 13, elle demanda seulement qu'au lieu de cour martiale, on créât un tribunal, *formé en partie de fédérés, en partie de sectionnaires parisiens.* Le 15, elle s'enhardit, ne parla plus de fédérés, demanda que le jugement se fît *par des commissaires pris dans chaque section.* Ceux qu'on choisissait dans un tel moment ne pouvaient guère manquer d'être les plus violents des sections, et probablement les membres mêmes de la Commune. En d'autres termes, la Commune priait l'Assemblée de charger la Commune même de juger à mort tous ceux qu'on avait arrêtés et ceux qu'on arrêterait. Quelle limite dans cette route ? On ne pouvait le prévoir. Dès le 12, une bande de pétitionnaires était venue sur les bancs mêmes de l'Assemblée nationale désigner un député comme traître, et demander qu'on le mît en accusation.

Rien n'étonne de la Commune, quand on sait l'étrange oracle qu'elle commençait à consulter. Le 10, au soir, une troupe effroyable de gens ivres et de polissons avaient, à grand bruit, apporté à l'Hôtel de Ville l'homme des ténèbres, l'exhumé, le ressuscité, le martyr et le prophète, *le divin* Marat. C'était le vainqueur du 10 août, disaient-ils. Ils l'avaient promené triomphalement dans Paris, sans que sa modestie y fît résistance. Ils l'apportèrent sur les bras, couronné de lauriers, et le jetèrent là, au milieu du grand conseil de la Commune. Plusieurs rirent ; beaucoup frémirent ; tous furent entraînés. Lui seul il n'avait aucun doute, ni hésitation, ni scrupule. La terrible sécurité d'un fol qui ne sait rien ni des obstacles du monde, ni de ceux de la conscience, reluisait en sa personne. Son front jaune, son vaste *rictus* de crapaud souriait effroyablement sous sa couronne de laurier. Dès ce jour, il fut assidu à la Commune, quoiqu'il n'en fût pas membre, y parla toujours plus haut. Les politiques eurent à songer s'ils suivraient jusqu'au bout un aliéné. Mais, comment, devant cette foule furieuse, oser contredire Marat ? Danton ne l'eût pas osé ; seulement, il venait peu à la Commune. Robespierre, qui y siégeait, l'osait encore moins. La chose lui dut coûter. La Commune prit plusieurs décisions vraiment étonnantes, celle-ci, entre autres, évidemment dictée par Marat : « Que désormais les presses des empoisonneurs royalistes seraient confisquées, adjugées aux imprimeurs patriotes. » Avant même que ce bel arrêt fût rendu, Marat l'avait exécuté. Il avait été tout droit à l'Imprimerie Royale, déclarant que les presses et les caractères de cet établissement appartenaient au premier, au plus grand des journalistes, et, ne s'en tenant point aux paroles, il avait, par droit de conquête, pris telle presse et tel caractère, emporté le tout chez lui.

L'Assemblée avait donc à décider si elle remettrait à cette Commune, ainsi gouvernée, le glaive de la justice nationale. Quelle serait cette justice ? Les uns voulaient un tribunal vengeur, rapide, expéditif. Marat préférait un massacre. Cette idée, loin de rien coûter à sa philanthropie, en était, disait-il, le signe : « On me conteste, disait-il, le titre de philanthrope... Ah ! quelle injustice ! Qui ne voit que je veux couper un petit nombre de têtes pour en sauver un grand nombre?...» Il variait sur ce petit nombre; dans les derniers temps de sa vie, il s'était arrêté, je ne sais pourquoi, au chiffre minime, en vérité, de deux cent soixante-treize mille.

Le tribunal de vengeance pouvait éviter le massacre. La Commune, par la voix de Robespierre, en demanda à l'Assemblée la création immédiate. Présentée avec des formes adoucies, des ménagements insidieux, mêlés de menaces, la proposition fut reçue dans un grand silence. Un seul député (Chabot) se leva pour l'appuyer. Et pourtant elle passa. On espéra éluder la proposition dans l'application ; on la décréta en principe.

Dès ce moment, d'heure en heure, des pétitions menaçantes vinrent exiger l'exécution du décret rendu. En une soirée, trois députations de la Commune se succédèrent à la barre. La troisième alla jusqu'à dire : « Si vous ne décidez rien, nous allons attendre. » Le 17, une nouvelle députation vint dire : « Le peuple est las de n'être pas vengé ; craignez qu'il ne fasse justice. Ce soir, à minuit, le tocsin sonnera. Il faut un tribunal criminel aux Tuileries, un juge par chaque section. Louis XVI et Antoinette voulaient du sang ; qu'ils voient couler celui de leurs satellites. »

A cette violence brutale, le Jacobin Choudieu, Thuriot, ami de Danton, répondirent par les plus nobles paroles. Le premier dit : « Ceux qui viennent crier ici ne sont pas les amis du peuple ; ce sont ses flatteurs... On veut une inquisition ; j'y résisterai jusqu'à la mort... »

Et Thuriot, un mot sublime : « La Révolution n'est pas seulement à la France ; nous en sommes comptables à l'humanité. »

A ce moment entrent les sectionnaires que la Commune chargeait de former les jurys. L'un d'eux : « Vous êtes comme dans les ténèbres sur ce qui se passe. Si, avant deux ou trois heures, le directeur du jury n'est pas nommé, si les jurés ne sont pas en état d'agir, de grands malheurs se promèneront dans Paris. »

L'Assemblée obéit sur l'heure. Elle vota la création d'un tribunal extraordinaire. Toutefois avec une précaution, l'élection à deux degrés, comme pour les députés; le peuple nommait un électeur par section, et ces électeurs nommaient les juges.

Les noirs nuages du dehors, l'orage de la frontière, couvraient, il faut le dire, l'intérieur comme d'un voile noir ; de moins en moins on distinguait l'image de la justice. Des lettres arrivaient, comme autant de cris des villes frontières, comme les coups du canon d'alarme que tirait de moment en moment le vaisseau national qui semblait sombrer sous voiles. C'était Thionville, c'était Sarrelouis qui criaient à l'Assemblée. La première disait que, abandonnée de la France, elle se ferait sauter avant que d'ouvrir ses portes. Les Prussiens étaient partis de Coblence le 30 juillet, avec un corps magnifique de cavalerie d'émigrés, quatre-vingt-dix escadrons. Le 18 août, les Prussiens opérèrent leur jonction avec le général autrichien Clairfayt. L'armée combinée, forte de cent mille hommes, investit Longwy le 20 août.

Et quelle défense à l'intérieur? Merlin de Thionville dit dans l'Assemblée qu'au comité de surveillance il y avait quatre cents lettres, *prouvant que le plan et l'époque de l'invasion étaient dès longtemps connus à Paris.* En réalité, la reine et beaucoup de royalistes avaient l'itinéraire de l'ennemi, le regardaient marcher sur la carte, et le suivaient jour par jour.

La Fayette semblait ne voir d'ennemis que les Jacobins. Par une adresse, il appelait son armée à rétablir la Constitution, défaire le 10 août, rétablir le roi. Ceci équivalait à mettre l'étranger à Paris. Il n'y a aucun exemple d'une telle infatuation. Heureusement, il ne trouva aucun appui dans son armée. Il passa les troupes en revue, n'entendit nul autre cri que : « Vive la nation ! » Il se vit seul et n'eut d'autres ressources que de passer la frontière. Les Autrichiens lui rendirent le service essentiel de l'arrêter, et, par-là, ils le réhabilitèrent. Sans cette captivité il était perdu ; une ombre très fâcheuse serait restée sur sa mémoire.

Le 16, l'Assemblée l'avait décrété d'accusation. Le commandement de l'Est fut donné à Dumouriez ; et dans le Nord, Luckner fut remplacé par Kellermann.

Le même jour, le 18, le tribunal extraordinaire était déjà organisé. Danton saisit l'occasion, et crut couper court aux vengeances. Dans une adresse admirable où l'on croit sentir, avec le grand cœur de Danton, le talent de ses secrétaires, Camille Desmoulins, Fabre d'Églantine, il posa le droit révolutionnaire, le droit du 10 Août, frappa la royauté sans retour, établissant qu'elle avait trahi jusqu'à ses propres amis. Mais, en même temps, sous les termes de la terreur même, il posait, pour l'ordre nouveau, les bases de la justice.

Ce discours, tout à la fois inspiré et calculé, faisait la part aux deux puissances, l'une, la Commune de Paris, « sanctionnée par l'Assemblée nationale » ; l'autre, l'Assemblée elle-même ; Danton la relevait généreusement : « Félicitons-la, disait-il, de ses décrets libérateurs. »

Par un remarquable esprit de prévoyance, il signalait de loin le mal social, bien autrement profond, que couvrait l'agitation révolutionnaire ; aux premiers grondements souterrains, que personne n'entendait bien encore, ce pénétrant génie devinait, signalait le volcan. Chose étonnante ! dans ce discours prophétique, Danton s'occupe de Babeuf, le voit en esprit ; celui qui ne doit se montrer que quand tous les grands hommes de la Révolution seront couchés dans la terre, il le voit et le condamne, laissant à la société, pour se défendre un jour, l'autorité de son nom : « Toutes mes pensées, dit-il, n'ont eu pour objet que la liberté politique et individuelle, le maintien des lois, la tranquillité publique, l'unité des quatre-vingt-trois départements, la splendeur de l'État, la prospérité du peuple français, et non l'*égalité impossible des biens,* mais une égalité de droits et de bonheur. »

Au total, dans cette adresse, habilement violente, parmi la foudre et les éclairs du 10 Août, Danton proclamait tout ce que la situation pouvait comporter de raison et de justice. Il constatait l'union des pouvoirs publics, la sienne même avec la Gironde ; il disait qu'il n'adressait aux tribunaux d'autres reproches que ceux que le ministre de l'Intérieur, Roland, adressait aux corps administratifs. Il s'associait à la passion populaire, de manière à la calmer, demandait aux tribunaux la sévérité, qui seule, dans un tel moment, pouvait amener dans les cœurs une réaction de la clémence. L'adresse finissait par cette grave parole : « Que la justice des tribunaux commence, la justice du peuple cessera. »

L'Assemblée parut un moment animée de cet esprit. Tout était sauvé si elle prenait d'une main ferme, comme Danton le demandait, le drapeau de la Révolution, le portait devant le peuple. Elle frappa deux grands coups révolutionnaires : *sur les nobles,* la séquestration des biens des émigrés, qui entraient en armes en France ; *sur les prêtres* non assermentés, l'expulsion sous quinze jours. Cette dernière mesure ne semblait pas trop violente, quand on apprenait que la Vendée, que les Deux-Sèvres, incendiées de leurs prédications, venaient de prendre les armes. L'indignation monta à ce point que Vergniaud, l'homme humain entre tous, proposa de déporter les réfractaires à la Guyane.

Ces sévérités ne suffisaient pas à la Commune, Les supplices qui commencèrent ne la calmèrent même pas. Le tribunal extraordinaire, sans sursis et sans appel, créé le 18, jugea le 19 et le 20 ; le 21, au soir, un royaliste fut guillotiné sur la place du Carrousel. L'exécution aux flambeaux, devant la noire façade du palais encore tachée du massacre, fut du plus sinistre effet. Le bourreau lui-même, tout habitué qu'il fût à de tels spectacles, n'y résista pas. Au moment où il tenait la tête du supplicié et la montrait au peuple du haut de l'échafaud, lui-même tomba à la renverse. On courut à lui, il était mort.

Cette scène terrible, l'exécution de Laporte, le fidèle confident de Louis XVI, remuèrent profondément. Laporte avait été le principal agent des corruptions de la Cour, il n'avait qu'une excuse, d'avoir obéi. Avec cela, comme homme privé, il était estimé, aimé. Sa tête blanche ne tomba pas sans laisser quelque pitié. *La Chronique de Paris,* journal de Condorcet, essaya, à cette occasion, d'adoucir les cœurs.

Il semble que la Commune eût pu être assez contente du nouveau tribunal qu'elle avait demandé, créé, choisi. Il ne donnait guère moins d'une tête par jour. On gémissait pourtant de sa lenteur, et il crut devoir s'en justifier. Dans une précieuse brochure, les membres du tribunal expliquent l'énorme travail qu'ils se sont imposé pour obtenir d'aussi satisfaisants résultats. En conscience, disent-ils, on ne peut aller plus vite. La brochure est signée de noms qui, seuls, parlent assez haut, entre autres de Fouquier-Tinville.

Mais le juge le plus âpre n'était pas ce qu'on voulait ; on désirait un massacre. Le 23, au soir, une députation de la Commune, suivie d'une tourbe de peuple, vint, vers minuit, dans l'Assemblée nationale, et dit ces paroles furieuses : « Que les prisonniers d'Orléans devaient être amenés pour subir leur supplice. » Ils ne disaient pas *pour être jugés,* semblant considérer cette formalité comme absolument superflue. Ils ajoutaient cette menace : « Vous nous avez entendus, et vous savez que l'insurrection est un devoir sacré. »

Le président de l'Assemblée, Lacroix, fut très beau en ce moment. Devant cette foule furieuse ou ivre qui envahissait la salle, à cette heure sombre de la nuit, il parla avec la vigueur d'un ami de Danton. Lacroix était un ancien militaire, de forme athlétique, d'une stature colossale ; il dit avec une majesté calme : « Nous avons fait notre devoir... Si notre mort est une dernière preuve pour en persuader le peuple, il peut disposer de notre vie... Dites-le à nos commettants. » Les plus violents Jacobins, Choudieu et Bazire, parurent eux-mêmes indignés de ces menaces ; ils demandèrent, obtinrent l'ordre du jour.

Le 25 au soir, on guillotinait, au Carrousel, un pamphlétaire royaliste ; aux Tuileries, on s'occupait des apprêts d'une fête nationale, celle des morts du 10 août. Le bruit se répand dans l'Assemblée, dans Paris, que la place de Longwy s'est rendue aux Prussiens. Les volontaires des Ardennes et de la Côte-d'Or s'étaient montrés admirablement. Mais la malveillance avait annulé, caché tous les moyens de défense. Le commandant, au moment de l'attaque, était devenu introuvable. L'Assemblée reçut et lut la lettre même par laquelle les émigrés avaient décidé sa défection. La ville fut occupée par les étrangers « au nom de Sa Majesté le roi de France ». La trahison était flagrante. On décréta à l'instant que tout citoyen qui, dans une place assiégée, parlerait de se rendre, serait puni de mort. Trente mille hommes durent être immédiatement levés dans Paris et dans les départements voisins. La fête n'en eut pas moins lieu, le dimanche 27 ; mais cette fête des morts, pour un peuple qui se sentait trahi et vendu, se trouva en réalité la fête de la vengeance.

L'ordonnateur de la fête était Sergent, l'un des administrateurs de la Commune, homme de beaucoup de cœur, d'une sensibilité ardente, mais, comme sont souvent les femmes, sensible jusqu'à la fureur. Graveur et dessinateur médiocre, il trouva ici, dans son fanatisme, une véritable inspiration. Jamais fête ne fut plus propre à remplir les âmes de deuil et de vengeance, d'une douleur meurtrière. Une pyramide avait été élevée sur le grand bassin des Tuileries, couverte de serge noire, d'inscriptions qui rappelaient les massacres qu'on reprochait aux royalistes : Massacres de Nancy, de Nîmes, de Montauban, du Champ-de-Mars, etc. Cette pyramide de mort, élevée dans le jardin, avait son véritable pendant au Carrousel, l'instrument même de mort, la guillotine. Et toutes deux fonctionnaient de même : l'une tuait, l'autre semblait inviter à tuer.

A travers des nuages de parfums, les victimes du 10 août, les veuves et les orphelines, en robes blanches à ceintures noires, portaient dans une arche la pétition du 17 juillet 1791, qui dès lors avait en vain demandé la République. Puis venaient d'énormes sarcophages noirs, qui semblaient contenir, porter des montagnes de chair humaine. Ensuite venait la Loi, colossale, armée de son glaive, et derrière, les juges, tous les tribunaux, en tête le tribunal du 17 août. Derrière ce tribunal marchait celle qui l'avait créé, la redoutable Commune, avec la statue de la Liberté. Enfin, l'Assemblée nationale, portant les couronnes civiques pour honorer, consoler les morts. Les chants sévères de Chénier, la musique âpre et terrible de Gossec, la nuit qui venait et qui apportait son deuil, l'encens qui montait, comme pour porter au ciel la voix de la vengance, tout remplit les cœurs d'une ivresse de mort ou de pressentiments sombres.

Ce fut bien pis le lendemain. Les deux statues de la Liberté, de la Loi, ces figures adorées du peuple, qui le dimanche étaient des Dieux, furent dépouillées de leurs atours, tristement exposées aux regards dans les parties les moins honorables qu'avaient voilées les draperies, non sans quelques risées imprudentes des spectateurs royalistes. La foule devint furieuse, elle courut à l'Assemblée, demandant vengeance, soutenant que ce déshonneur était une conspiration ; que des ouvriers perfides avaient honteusement dénudé ses divinités, pour les livrer au mépris des aristocrates. Elle s'empara des statues, les habilla décemment, les traîna, en réparation, sur la place Louis-XV, et là leur rendit un culte plein de frénésie.

CHAPITRE III

L'invasion — Terreur et fureur du peuple (fin d'août)

Terreur de Paris à la nouvelle de l'invasion (août-septembre 92) — Attente d'un jugement solennel de la Révolution par les rois — La France se voir surprise et trahie — Combien le roi prisonnier était encore formidable — Héroïque élan de la France entière — Nos ennemis, dans ce tableau immense, n'ont voulu voir qu'un point, une tache sanglante — La France entière se donna à la partie — Dévouement, déchirement des femmes, des mères — Danton fut alors la voix de la France — Il demande les visites domiciliaires — Lutte de l'Assemblée et de la Commune — Violence de la Commune — L'Assemblée essaie de la briser — La Commune veut se maintenir par tous les moyens — Dispositions au massacre (fin août 92).

La trahison de Longwy, celle de Verdun, qu'on apprit bientôt après, remplirent Paris d'une sombre impression de vertige et de terreur. Il n'y avait plus rien de sûr. Il était trop visible que l'étranger avait des intelligences partout. Il avançait avec une sécurité, une confiance significative, comme en un pays à lui. Qui l'arrêterait jusqu'à Paris ? Rien apparemment. Ici même, quelle résistance possible, au milieu de tant de traîtres ? Ces traîtres, comment les distinguer ? Chacun regardait son voisin ; sur les places et dans les rues, le passant jetait au passant un regard défiant, inquiet, tous s'imaginaient voir en tous les amis de l'ennemi.

Nul doute qu'un bon nombre de mauvais Français ne l'attendissent, ne l'appelassent, ne se réjouissent de son approche, ne savourassent en espérance la défaite de la liberté et l'humiliation de leur pays. Dans une lettre, trouvée le 10 août aux Tuileries (et que possèdent nos archives), on annonçait avec bonheur que les tribunaux arrivaient derrière les armées, que les parlementaires émigrés instruisaient, chemin faisant, dans le camp du roi de Prusse, le procès de la Révolution, préparaient les potences dues aux Jacobins. Déjà, sans doute, afin de pourvoir ces tribunaux, la cavalerie autrichienne, aux environs de Sarrelouis, enlevait les maires patriotes, les républicains connus. Souvent, pour aller plus vite, les uhlans coupaient les oreilles aux officiers municipaux qu'ils pouvaient prendre et les leur clouaient au front.

Ce dernier détail fut annoncé dans le *Bulletin officiel* de la guerre ; il n'était pas invraisemblable, d'après les terribles menaces que le duc de Brunswick lui-même lançait aux pays envahis, aux places assiégées, d'après la sommation, par exemple, qu'il fit à celle de Verdun. La main des émigrés n'était pas méconnaissable ; on retrouvait leur esprit dans ces paroles furieuses qu'un ennemi ordinaire n'eût pas prononcées. Bouillé déjà, dans sa fameuse lettre de juin 1791, menaçait de ne pas laisser pierre sur pierre dans Paris.

Paris se sentait en péril; c'était sur lui certainement qu'on voulait faire un grand exemple. Chacun commençait à faire son examen de conscience, et il n'était personne qui eût lieu de se rassurer. La Fayette, l'imprudent défenseur du roi, qui, ce semble, avait suffisamment lavé par le sang du Champ-de-Mars, par sa démarche près de l'Assemblée, ses hardiesses révolutionnaires, La Fayette n'était-il pas enfermé dans un cachot ? Qu'arriverait-il aux trente mille, bien autrement coupables, qui avaient été prendre le roi à Versailles, aux vingt mille qui avaient envahi le château le 20 juin, qui l'avaient forcé le 10 août ? Tous, à coup sûr, criminels de lèse-majesté au premier chef. Les femmes, dans chaque famille, commençaient à s'inquiéter fort ; elles ne dormaient plus guère, et leurs imaginations, pleines de trouble, ne sachant à quoi se prendre, enfantaient de terribles songes.

Les mêmes craintes, les mêmes calamités, ramènent les mêmes terreurs. Ces pauvres esprits effrayés deviennent poètes, par leur faiblesse même, de grands et sombres poètes légendaires, comme ceux du Moyen Age. La philosophie n'y fait rien. A la fin du XVIIIe siècle, après Voltaire, après tout un siècle douteur, l'imagination est la même ; et comment ? la peur est la même. Comme au temps des invasions barbares, comme au temps des guerres anglaises, c'est le *fléau de Dieu* qui approche, c'est le Jugement dernier.

Or, voici comment ce jugement aura lieu (nous suivons ici la pensée populaire, telle que les journaux la recueillent alors). Dans une grande plaine déserte, probablement dans la plaine Saint-Denis, toute la population sera amenée, chassée par troupeaux aux pieds des rois alliés. La terre préalablement aura été dévastée, les villes incendiées. « Car, ont dit les souverains, les déserts valent mieux que des peuples révoltés. » Peu leur importe s'il restera un royaume à Louis XVI, s'il vit ou s'il meurt ; son péril ne les arrêtera pas. Là donc, par-devant ces vainqueurs impitoyables, un triage se fera des bons, des mauvais, les uns à la droite, les autres à la gauche. Quels mauvais ? Les révolutionnaires sans doute, ils périront d'abord ; on les guillotinera. Les rois appliqueront à la Révolution le supplice qu'elle a inventé... « Déjà, au fond de leurs hôtels, au sein de leurs orgies secrètes, les aristocrates savourent ce spectacle en espérance ; ils font mettre parmi les plats de petites guillotines pour décapiter à plaisir l'effigie des patriotes. »

Mais si ce grand jugement doit frapper tous les révolutionnaires, que restera-t-il ? Qui n'a participé de manière ou d'autre à la Révolution ?... Tous périront et en France et par toute la terre ; le jugement sera universel. Nul pays, c'est chose convenue entre les rois, ne servira d'asile aux proscrits. Ceux mêmes qui déjà ont passé dans les contrées étrangères seront poursuivis. Nul ne restera sur le globe de cette race condamnée, sauf peut-être au plus les femmes, qu'on réservera pour l'outrage, et le plaisir du vainqueur.

Hélas ! ce ne sont pas seulement les hommes qui périront, mais la pensée de la France. Nous avions cru follement que la justice était juste, que le droit était le droit. Mais l'autorité qui arrive, souveraine et sans appel, va changer ceci. Elle ne vient pas pour vaincre seulement, mais pour juger, pour condamner la Justice. Celle-ci sera abolie, et la Raison interdite, comme aliénée et folle. Les juges arrivent dans l'armée des barbares, et avec eux les sophistes pour confondre la pauvre Révolution, l'embarrasser, la bafouer, de sorte qu'elle reste balbutiante, rougissante, comme un enfant intimidé qui ne sait plus ce qu'il dit. Voici venir dans l'armée du roi de Prusse le grand Méphistophélès de l'Allemagne, le docteur de l'ironie, pour tuer par le ridicule ceux que n'aura tués l'épée. Goethe ne voudrait pour rien au monde perdre une telle occasion d'observer les désappointements de l'enthousiasme et les déceptions de la foi.

Dure et cruelle surprise, vraiment pitoyable ! Ce peuple croit, prêche, enseigne ; il travaille pour le monde, il parle pour le salut du monde... Et le monde, son disciple, tourne l'épée contre lui.

Figurez-vous un pauvre homme qui s'éveille effaré, qui s'est cru parmi des amis, et qui ne voit qu'ennemis. « Mes armes ! où sont mes armes ? » — « Mais tu n'en as pas pauvre fol ! Nous te les avons enlevées. »

Voilà l'image de la France. Elle s'éveillait et elle était surprise. C'était comme une grande chasse du monde contre elle, et elle était le gibier. L'Espagne et la Sardaigne, par-derrière, lui tenaient serré le filet; par-devant, la Prusse et l'Autriche lui montraient l'épieu; la Russie poussait, l'Angleterre riait... Elle reculait au gîte... et le gîte était trahi !

Le gîte était tout ouvert, sans mur, ni défense. Depuis que nous avions épousé une Autrichienne, nous avions sagement laissé, sur la frontière la plus exposée, toutes nos murailles par terre. Bonne et crédule nation ! confiante pour Louis XVI, elle avait cru qu'il voudrait sérieusement arrêter les armées des rois, ses libérateurs ; confiante dans ses ministres, soi-disant révolutionnaires, elle avait cru les paroles agréables de Narbonne. « J'ai vu tout », avait-il dit. Il avait vu des armes, et il n'y en avait pas ; des munitions, il n'y en avait pas ; des armées, elles étaient nulles, désorganisées, moralement anéanties. Un homme peu sûr, Dumouriez, le seul qui n'eût pas reculé devant cette situation désespérée, se trouva un moment n'avoir que quinze ou vingt mille hommes contre cent mille vieux soldats.

Et le danger extérieur n'était pas encore le plus grand. Les Prussiens étaient des ennemis moins terribles que les prêtres ; l'armée qui venait à l'est était peu, en comparaison de la grande conspiration ecclésiastique pour armer les paysans de l'Ouest. Paris était sous le coup de la trahison de Longwy, quand il apprit que les campagnes des Deux-Sèvres avaient pris les armes : c'était le commencement d'une longue traînée de poudre. Au moment même, elle éclate, et le Morbihan prend feu. La démocratique Grenoble est elle-même le foyer d'un complot aristocratique. Les courriers venaient coup sur coup dans l'Assemblée nationale ; elle n'avait pas le temps de se remettre d'une nouvelle qu'une autre arrivait, plus terrible. On était sous l'impression de ces dangers de l'intérieur, quand on apprit que du Nord s'ébranlait l'arrière-garde de la grande invasion, un corps de trente mille Russes.

Tout cela, ce n'étaient pas des hasards, des faits isolés ; c'étaient visiblement des parties d'un grand système, bien conçu, sûr de réussir, qui se dévoilait peu à peu. A quoi se fiait l'étranger, l'émigré, le prêtre, sinon à la trahison ?

Et le point central, le nœud de la grande toile tissée par les traîtres, où le placer ? où se rattachait, pour employer l'énergique expression d'un auteur du Moyen Age, le dangereux tissu de *l'universelle araignée ?* Où, sinon aux Tuileries ?

Et maintenant que les Tuileries étaient frappées par la foudre, le trône brisé, le roi captif et jeté dans la poussière, autour même de la tour du Temple venait se renouer la toile en lambeau, le filet se reformait. A la nouvelle de Longwy livré, des rassemblements royalistes se montrèrent hardiment autour du Temple, s'unissant à la famille royale dans une joie commune, et saluant ensemble le succès de l'étranger.

Le 10 août n'avait rien ôté aux forces de l'ennemi. Sept cents Suisses avaient péri ; mais la masse des royalistes se tenait tapie en armes. Sans parler d'une patrie fort considérable de la garde nationale, compromise à jamais pour la royauté, Paris était plein d'étrangers, de provinciaux, d'agents de l'ancien régime ou de l'étranger, de militaires sans uniformes, plus ou moins déguisés, de faux abbés, par exemple, dont la démarche guerrière, la figure martiale, démentaient trop leur habit. l'Angleterre même, notre amie, avait ici, dès cette époque, des agents innombrables, payés, non payés, beaucoup d'honorables espions qui venaient voir, étudier. Un de ces Anglais, qui vivait encore vers 1820, me l'a raconté lui-même. Le fils du célèbre Burke écrivait à Louis XVI un mot profondément vrai : « Ne vous souciez; toute l'Europe est pour vous, et l'Angleterre n'est pas contre vous. » Elle devenait favorable au roi, à mesure que la royauté était l'ennemie de la France.

Ainsi Louis XVI, détrôné, déchu, au Temple même, était formidable. Il avait perdu les Tuileries, et gardait l'Europe ; il avait tous les rois pour alliés, la France était seule. Il avait tous les prêtres pour amis, défenseurs et avocats, chez toutes les nations ; chaque jour on prêchait pour lui par toute la terre ; on lui donnait le cœur des populations crédules, on lui faisait des soldats, et des ennemis mortels à la Révolution. Il y avait cent à parier contre un qu'il ne périrait pas (la tête d'un tel otage était trop précieuse), mais que la France périrait, ayant peu à peu contre elle non seulement les rois, mais les peuples, dont on pervertissait le sens.

L'histoire n'a gardé le souvenir d'aucun peuple qui soit entré si loin dans la mort. Quand la Hollande, voyant Louis XIV à ses portes, n'eut de ressources que de s'inonder, de se noyer elle-même, elle fut en moindre danger ; elle avait l'Europe pour elle. Quand Athènes vit le trône de Xerxès sur le rocher de Salamine, perdit terre, se jeta à la nage, n'eut plus que l'eau pour patrie, elle fut moins en danger, elle était toute sur sa flotte, puissante, organisée, dans la main du grand Thémistocle, et elle n'avait pas la trahison dans son sein.

La France était désorganisée, et presque dissoute, trahie, livrée et vendue.

Et c'est justement à ce point où elle sentit sur elle la main de la mort que, par une violente et terrible contraction, elle suscita d'elle-même une puissance inattendue, fit sortir de soi une flamme que le monde n'avait vue jamais, devint comme un volcan de vie. Toute la terre de France devint lumineuse, et ce fut sur chaque point comme un jet brûlant d'héroïsme, qui perça et jaillit au ciel.

Spectacle vraiment prodigieux, dont la diversité immense défie toute description. De telles scènes échappent à l'art par leur excessive grandeur, par une multiplicité infinie d'incidents sublimes. Le premier mouvement est d'écrire, de communiquer à la mémoire ces héroïques efforts, ces élans divins de la volonté. Plus on les recueille, plus on en raconte, plus on en trouve à raconter. Le découragement vient alors ; l'admiration, sans s'épuiser, se lasse et se tait. Laissons-les, ces grandes choses que nos pères ont faites ou voulues pour l'affranchissement du monde, laissons-les au dépôt sacré où rien ne se perd, la profonde mémoire du peuple, qui, jusque dans chaque village, garde son histoire héroïque ; confions-les à la justice du dieu de la liberté, dont la France fut le bras en ce grand jour, et qui récompensera ces choses (c'est notre foi) dans les mondes ultérieurs.

Qui croirait que, devant cette scène admirable, splendidement lumineuse, l'Europe ait fermé les yeux, qu'elle n'ait rien voulu voir de tant de choses qui honorent à jamais la nature humaine, et qu'elle ait réservé toute son attention pour un seul point, une tache noire de boue et de sang, le massacre des prisonniers de Septembre ?

Dieu nous garde de diminuer l'horreur que ce crime a laissée dans la mémoire ! Personne, à coup sûr, ne l'a sentie plus que nous ! personne n'a pleuré peut-être plus sincèrement ces mille hommes qui périrent, qui presque tous avaient fait, par leur vie, beaucoup de mal à la France, mais qui lui firent par leur mort un mal éternel.

Ah ! plût au Ciel qu'ils vécussent, ces nobles qui appelaient l'étranger, ces prêtres conspirateurs qui par le roi, par la Vendée, mettaient sous les pieds de la Révolution, l'obstacle secret, perfide, où elle devait heurter, avec l'immense effusion de sang qui n'est pas finie encore !... Les trois ou quatre cents ivrognes qui les massacrèrent ont fait, pour l'ancien régime et contre la liberté, plus que toutes les armées des rois, plus que l'Angleterre elle-même avec tous les milliards qui ont soldé ces armées. Ils ont élevé, ces idiots, la montagne de sang qui a isolé la France, et qui, dans son isolement, l'a forcée de chercher son salut dans les moyens de la Terreur. Ce sang d'un millier de coupables, ce crime de quelques centaines d'hommes, a caché aux yeux de l'Europe l'immensité de la scène héroïque qui nous méritait alors l'admiration du monde.

Revienne donc enfin la justice, après tant d'années, et que l'on avoue que chez toute nation, au fond de toute capitale, il y a toujours cette lie, toujours cette boue sanguinaire, l'élément lâche et stupide qui, dans les paniques surtout, comme fut le moment de Septembre, devient très cruel. Même chose aurait eu lieu, et en Angleterre, et en Allemagne, chez tous les peuples de l'Europe ; leur histoire n'est pas stérile en massacres. Mais ce que l'histoire d'aucun peuple ne présente à ce degré, c'est l'étonnante éruption d'héroïsme, l'immense élan de dévouement et de sacrifices que présenta alors la France.

Plus on sondera cette époque, plus on cherchera sérieusement ce qui fut vraiment le fond général de l'inspiration populaire, plus on trouvera, en réalité, que ce ne fut nullement la vengeance, mais le sentiment profond de la justice outragée, contre l'insolent défi des tyrans, la légitime indignation du droit éternel.

Ah ! combien je voudrais pouvoir montrer la France dans ce grand et sublime jour ! C'est bien peu de voir Paris. Que je voudrais qu'on pût voir les départements du Gard, de la Haute-Saône, d'autres encore, debout tout entiers en huit jours, et lançant chacun une armée pour aller à l'ennemi !

Les offrandes particulières étaient innombrables, plusieurs excessives. Deux hommes, à eux seuls, équipent chacun un escadron de cavalerie. Plusieurs donnèrent, sans réserve, tout ce qu'ils avaient. On vit dans un village, non loin de Paris, quand la tribune fut dressée pour recevoir les enrôlements et les offrandes, le village se donner lui-même, apporter la somme énorme de près de trois cent mille francs. Quand le paysan va jusqu'à donner son argent, son sang ne compte plus après ; il le donne, il le prodigue. Des pères offraient tous leurs enfants, puis ils croyaient n'avoir pas fait assez encore, ils s'armaient, partaient eux-mêmes.

Les dons pleuvent à l'Assemblée au milieu même des scènes funèbres de Septembre. Et pourquoi donc ces journées ne rappellent-elles qu'un seul fait, un fait local, celui du massacre ? pourquoi ne pas se souvenir qu'elles sont dignes par l'héroïque élan d'un grand peuple, de tant de millions d'hommes, par mille faits touchants, sublimes, de rester dans la mémoire ?

Paris avait l'air d'une place forte. On se serait cru à Lille, à Strasbourg. Partout des consignes, des factionnaires, des précautions militaires, prématurées, à vrai dire ; l'ennemi était encore à cinquante ou soixante lieues. Ce qui était véritablement plus sérieux, et touchant, c'était le sentiment de solidarité profonde, admirable qui se révélait partout. Chacun s'adressait à tous, parlait, priait pour la patrie. Chacun se faisait recruteur, allait de maison en maison, offrait à celui qui pouvait partir des armes, un uniforme et ce qu'on avait. Tout le monde était orateur, prêchait, discourait, chantait des chants patriotiques ; qui n'était auteur en ce moment singulier, qui n'imprimait, qui n'affichait ? Qui n'était acteur dans ce grand spectacle ? Les scènes les plus naïves où tous figuraient se jouaient partout sur les places, sur les théâtres d'enrôlements, aux tribunes où l'on s'inscrivait ; tout autour, c'étaient des chants, des cris, des larmes d'enthousiasme ou d'adieu. Et par-dessus tous ces bruits une grande voix sonnait dans les cœurs, voix muette, d'autant plus profonde... la voix même de la France, éloquente en tous ses symboles, pathétique dans le plus tragique de tous, le drapeau saint et terrible du *Danger de la Patrie,* appendu aux fenêtres de l'Hôtel de Ville. Drapeau immense, qui flottait aux vents, et semblait faire signe aux légions populaires de marcher en hâte des Pyrénées à l'Escaut, de la Seine au Rhin.

Pour savoir ce que c'était que ce moment de sacrifice, il faudrait, dans chaque chaumière, dans chaque misérable logis, voir l'arrachement des femmes, le déchirement des mères à ce second accouchement plus cruel cent fois que celui où l'enfant fit son premier départ de leurs entrailles sanglantes. Il faudrait voir la vieille femme, les yeux secs et le cœur brisé, ramasser en hâte quelques hardes qu'il emportera, les pauvres économies, les sols épargnés par le jeûne, ce qu'elle s'est volé à elle-même, pour son fils, pour ce jour des dernières douleurs.

Donner leurs enfants à cette guerre qui s'ouvrait avec si peu de chance, les immoler à cette situation extrême et désespérée, c'était plus que la plupart ne pouvaient faire. Elles succombaient à ces pensées, ou bien, par une réaction naturelle, elles tombaient dans des accès de fureur. Elles ne ménageaient rien, ne craignaient rien. Aucune terreur n'a prise sur un tel état d'esprit ; quelle terreur pour qui veut la mort ?

On nous a raconté qu'un jour (sans doute en août ou septembre) une bande de ces femmes furieuses rencontrèrent Danton dans la rue, l'injurièrent comme elles auraient injurié la guerre elle-même, lui reprochant toute la Révolution, tout le sang qui serait versé, et la mort de leurs enfants, le maudissant, priant Dieu que tout retombât sur sa tête. Lui, il ne s'étonna pas ; et, quoiqu'il sentît tout autour de lui les ongles, il se retourna brusquement, regarda ces femmes, les prit en pitié ; Danton avait beaucoup de cœur. Il monta sur une borne, et, pour les consoler, il commença par les injurier dans leur langue. Ses premières paroles furent violentes, burlesques, obscènes. Les voilà tout interdites. Sa fureur, vraie ou simulée, déconcerte leur fureur. Ce prodigieux orateur, instinctif et calculé, avait pour base populaire un tempérament sensuel et fort, tout fait pour l'amour physique, où dominait la chair, le sang ; Danton était d'abord, et avant tout, un mâle ; il y avait en lui du lion et du dogue, beaucoup aussi du taureau. Son masque effrayait ; la sublime laideur d'un visage bouleversé prêtait à sa parole brusque, dardée par accès, une sorte d'aiguillon sauvage. Les masses, qui aiment la force, sentaient devant lui ce que fait éprouver de crainte, de sympathie pourtant, tout être puissamment générateur. Et puis sous ce masque violent, furieux, on sentait aussi un cœur ; on finissait par se douter d'une chose, c'est que cet homme terrible, qui ne parlait que par menaces, cachait au fond un brave homme... Ces femmes ameutées autour de lui sentirent confusément tout cela ; elles se laissèrent haranguer, dominer, maîtriser ; il les mena où et comme il voulut. Il leur expliqua rudement à quoi sert la femme, à quoi sert l'amour, la génération, et qu'on n'enfante pas pour soi, mais pour la patrie... Et arrivé là, il s'éleva tout à coup, ne parla plus pour personne, mais (il semblait) pour lui seul... Tout son cœur, dit-on, lui sortit de la poitrine, avec des paroles d'une tendresse violente pour la France... Et sur ce visage étrange, brouillé de petite vérole, et qui ressemblait aux scories du Vésuve ou de l'Etna, commencèrent à venir de grosses gouttes, et c'étaient des larmes... Ces femmes n'y purent tenir ; elles pleurèrent la France au lieu de pleurer leurs enfants, et, sanglotantes, s'enfuirent, en se cachant le visage dans leur tablier.

Danton fut, il faut le dire, dans ce moment sublime et sinistre, la voix même de la Révolution et de la France ; en lui elle trouva le cœur énergique, la poitrine profonde, l'attitude grandiose qui pouvait exprimer sa foi. Qu'on ne dise pas que la parole soit peu de chose en de tels moments. Parole et acte, c'est tout un. La puissante, l'énergique affirmation qui assure les cœurs, c'est une création d'actes ; ce qu'elle dit, elle le produit. L'action est ici la servante de la parole ; elle vient docilement derrière, comme au premier jour du monde : *Il dit, et le monde fut.*

La parole chez Danton, nous l'expliquerions si c'était ici le lieu de le dire, est tellement une action, tellement une chose héroïque (sublime et pratique à la fois), qu'elle sort de toute classification littéraire. Lui seul, alors, ne dérive pas de Rousseau. Et sa parenté avec Diderot est tout extérieure ; il est nerveux et positif, Diderot enflé et vague. Répétons-le, cette parole ne fut pas une parole, ce fut l'énergie de la France devenue visible, un cri du cœur de la patrie !

Le nom tragique de Danton, quelque souillé, défiguré qu'il ait été par lui-même ou par les partis, n'en restera pas moins au fond des chers souvenirs et des regrets de la France. Ah ! comment s'arracha-t-elle celui qui avait formulé sa foi dans son plus terrible jour ? Lui-même se sentait sacré et ne voulut pas croire à la mort. On sait ses paroles quand on l'avertit du danger : « Moi, on ne me touche pas, *je suis l'Arche.* » Il l'avait été, en effet, en 92 ; et comme l'Arche qui contenait la foi d'Israël, il avait alors marché devant nous...

Danton n'a jamais eu qu'un accusateur sérieux, c'est lui-même. On verra plus tard les motifs étranges qui ont pu lui faire revendiquer pour lui les crimes qu'il n'avait pas faits. Ces crimes sont incertains, improbables, quoi qu'ait dit la ligue des royalistes et robespierristes, unis contre sa mémoire. Ce qui est plus sûr, c'est qu'il eut l'initiative de plusieurs des grandes et sages mesures qui sauvèrent la France ; et ce qui ne l'est pas moins, c'est qu'il eut à la fin, avec son ami, le grand écrivain de l'époque, le pauvre Camille, l'initiative aussi des réclamations de l'humanité.

Le 28 août, au soir, Danton se présenta dans l'Assemblée et réclama la grande et indispensable mesure des visites domiciliaires. Dans un si extrême péril, lorsqu'une armée royaliste, on ne peut dire autrement, était dans Paris, nous périssions, sans nul doute, si nous ne leur faisions sentir fortement sur eux la main de la France. Il fallait que cette masse ennemie, très forte matériellement, devînt moralement faible, qu'elle fût paralysée, fascinée, que chacun tremblât, voyant sur sa tête la Révolution, l'œil ouvert et le bras levé. Il fallait que la Révolution sût tout, dans un tel moment, qu'elle pût dire : « Je sais les ressources, je sais les obstacles, je sais où et quels sont les hommes, et je sais où sont les armes. » — « Quand la patrie est en danger, dit très bien Danton, tout appartient à la patrie. » Et il ajoutait : « En autorisant les municipalités à prendre ce qui est nécessaire, nous nous engagerons à indemniser les possesseurs. »

« Chaque municipalité, dit-il encore à l'Assemblée, sera autorisée à prendre l'élite des hommes bien équipés qu'elle possède. » Et en même temps, il proposa à la Commune d'enregistrer les citoyens nécessiteux qui pouvaient porter les armes, et de leur fixer une solde. Il y avait un avantage, sans nul doute, et dans deux sens, à donner des cadres militaires à ces masses confuses dont une partie, s'écoulant vers l'armée, aurait allégé Paris.

Le 29, à quatre heures du soir, dans une belle journée d'août, la générale battit, chacun fut averti de rentrer chez soi à six heures précises, et Paris, tout à l'heure si animé, si populeux, en un moment se trouva comme désert. Toute boutique fermée, toute porte close. Les barrières étaient gardées, la rivière gardée. Les visites ne commencèrent qu'à une heure du matin. Chaque rue fut cernée, occupée de fortes patrouilles, chacune de soixante hommes ; les commissaires de sections montaient dans chaque maison et à chaque étage, frappaient : « Au nom de la loi ! » Ces voix, ces coups frappés aux portes, le bruit de celles des absents qu'on ouvrait de force, retentissaient dans la nuit d'une manière effrayante. On saisit deux mille fusils, on arrêta environ trois mille personnes, qui furent généralement relâchées le lendemain. L'effet voulu fut obtenu : les royalistes tremblèrent. Rien ne le prouve mieux que le récit d'un des leurs, Peltier, écrivain menteur s'il en fut, partout médiocre, mais ici sincère, éloquent, admirable de vérité et de peur. Tous les autres historiens l'ont fidèlement copié.

Cette visite ne fit, au reste, que régulariser par l'autorité publique ce que le peuple faisait déjà irrégulièrement de lui-même. Déjà, sur les bruits qui couraient que certains hôtels recelaient des dépôts d'armes, la foule les avait envahis ; c'est ce qui eut lieu particulièrement pour la maison et les jardins de Beaumarchais, à la Porte Saint-Antoine. Le peuple se les fit ouvrir, les visita soigneusement, sans rien toucher ni rien prendre. Beaumarchais le raconte lui-même ; une femme seulement s'avisa de cueillir une fleur, et la foule voulait la jeter dans le bassin du jardin.

Il est superflu de dire que cette terrible mesure des visites domiciliaires fut très mal exécutée. L'opération, confiée à des mains ignorantes et maladroites, fut une œuvre de hasard, prodigieusement arbitraire ; elle varia infiniment dans les résultats. Plusieurs des commissaires croyaient devoir arrêter tout ce qu'ils trouvaient de personnes ayant signé la pétition royaliste contre le 20 juin. Les signataires étaient vingt mille. La Commune se hâta de déclarer qu'il fallait les élargir, qu'il avait suffi de les désarmer.

Deux choses étaient à craindre :

Les visites domiciliaires ayant ouvert à la masse des sectionnaires armés les hôtels des riches, leur ayant révélé un monde inconnu d'opulence et de jouissances, attisé leur convoitise, donnait aux pauvres non pas l'envie du pillage, mais un redoublement de haine, de sombre fureur ; ils ne s'avouaient pas à eux-mêmes les sentiments divers qui les travaillaient et croyaient ne haïr les riches que comme aristocrates, comme ennemis de la France. Grand péril pour l'ordre public. Si la terreur populaire n'avait circonscrit son objet, qui sait ce que seraient devenus les quartiers riches, spécialement les maisons des vendeurs d'argent, que la Commune avait très imprudemment déclarés dignes de mort ?

Un autre danger non moins grave des visites domiciliaires, c'est qu'elles changèrent en guerre ouverte la sourde hostilité qui existait depuis vingt jours entre l'Assemblée et la Commune.

Revenons sur ces vingt jours.

L'Assemblée, peu sûre d'elle-même, s'était généralement laissé traîner à la suite de la Commune, essayant de défaire ce que faisait celle-ci ; puis, quand elle montrait les dents, l'Assemblée reculait avec maladresse. L'Assemblée eût dû suspendre le directoire du département, entièrement royaliste ; la Commune le fit pour elle. Vite, alors, l'Assemblée décrète que les sections vont nommer de nouveaux administrateurs du département ; elle ordonna, par un décret, que la police de sûreté, qui appartient aux communes, n'agira qu'avec l'autorisation des administrateurs du département, qui, eux-mêmes, n'autoriseront qu'avec le consentement d'un comité de l'Assemblée. Celle-ci serait restée ainsi le centre de la police du royaume, en eût conservé les fils dans la main.

Pour faire accepter doucement tout ceci de la redoutable Commune, l'Assemblée lui vota généreusement la somme énorme, monstrueuse, de près d'un million par mois pour la police de Paris. Mais ce don n'attendrit nullement la Commune ; elle déclara qu'elle ne voulait point d'intermédiaire entre elle et l'Assemblée, qu'elle ne tolérerait pas un directoire de Paris, ajoutant cette menace : « Sinon, il faudra que le peuple s'arme encore de sa vengeance. » L'Assemblée avait honte de révoquer son décret ; Lacroix trouva un moyen de reculer honorablement ; on décida qu'il y aurait un directoire, mais qu'il ne dirigerait rien, se réduisant à surveiller les contributions.

La Commune, il faut le dire, avait placé sa dictature dans les mains les plus effrayantes, non dans celles des hommes du peuple, mais dans celles de misérables scribes, des Hébert et des Chaumette. Elle confia à ce dernier l'étrange pouvoir d'ouvrir et fermer les prisons, d'élargir et d'arrêter. Elle prit à ce sujet une autre décision, infiniment dangereuse, celle d'afficher aux portes de chaque prison les noms des prisonniers. Ces noms, lus et relus sans cesse du peuple, étaient pour lui une constante excitation, un appel à la violence, comme une titillation de toutes les envies cruelles ; ils devaient avoir cet effet de les rendre irrésistibles. Pour qui connaît la nature, une telle affiche était une fatalité de meurtre et de sang.

Ce n'est pas tout, l'étrange dictature, loin de s'inquiéter de la vie de tant de proscrits, ne craignit pas d'en faires d'autres, de dresser des tables. Elle fit imprimer les noms des électeurs aritoscrates de la Sainte-Chapelle. Elle décida que les vendeurs d'argent *seraient punis de la peine capitale*. Rien ne l'arrêtait. Elle se mit à prononcer des jugements sur des individus dans un moment où son opinion exprimée équivalait à la mort. Je ne sais quel individu vient demander à la Commune de décider que *M. Duport a perdu la confiance de la nation.* Cette décision portée, on verra qu'il fallut à Danton les plus persévérants efforts pour empêcher que le célèbre député de la Constituante, ainsi désigné au massacre, ne fût immolé trois semaines après.

Non contente de fouler aux pieds toute liberté individuelle, elle porta, le 29 août, l'atteinte la plus directe à la liberté de la presse. Elle manda à sa barre, elle poursuivit dans Paris Girey-Dupré, jeune et hardi Girondin, pour un article de journal ; elle alla jusqu'à faire investir le ministère de la Guerre, où Girey-Dupré s'était, disait-on, réfugié. L'Assemblée, à son tour, manda à sa barre le président de la Commune, Huguenin, qui ne daigna comparaître. Elle prit alors une résolution naturelle, mais fort périlleuse dans la situation : ce fut de briser la Commune.

Celle-ce si brisait elle-même par son furieux esprit de tyrannie anarchique. Chacun des membres de ce corps étrange affectait la dictature, agissait en maître et seul, sans se soucier d'aucune autorité antérieure, souvent sans consulter la Commune elle-même. Ce n'est pas tout ; chacun de ces dictateurs croyait pouvoir déléguer sa dictature à ses amis. Les affaires les plus délicates, où la vie, la liberté, la fortune des hommes étaient en jeu, se trouvaient tranchées par des inconnus, sans mandat, sans mission, par de zélés patriotes, dévoués, pleins de bonne volonté, qui n'avaient nul autre titre. Ils allaient chez les suspects (et tout riche était suspect), faisaient des saisies, des inventaires, prenaient des armes précieuses ou autres objets qui, disaient-ils, étaient d'utilité publique.

Un fait étonnant de ce genre fut révélé à l'Assemblée. Un quidam, se disant membre de la Commune, se fait ouvrir le garde-meuble, et voyant un canon d'argent, donné jadis à Louis XIV, le trouve de bonne prise, le fait emporter. Cambon, l'austère gardien de la fortune publique, s'éleva avec indignation contre un tel désordre et fit venir à la barre l'homme qui faisait un tel usage de l'autorité de la Commune. L'homme vint, il ne nia point, ne s'excusa point, dit froidement qu'il avait pensé que cet objet courait quelque risque, que d'autres auraient bien pu le prendre, que, pour éviter ce malheur, il l'avait emporté chez lui.

L'Assemblée n'en voulut pas davantage. Un tel fait parlait assez haut. Une section, celle des Lombards, présidée par le jeune Louvet, avait déclaré que le Conseil général de la Commune était coupable d'usurpation. Cambon demanda et fit décréter par l'Assemblée nationale que les membres de ce conseil représentassent les pouvoirs qu'ils tenaient du peuple : « S'ils ne le peuvent, dit-il, il faut les punir. » Le même jour, 30 août, à cinq heures du soir, l'Assemblée, sur la proposition de Guadet, décida que le président de la Commune, cet Huguenin qui dédaignait de comparaître, serait amené à la barre, et qu'une nouvelle Commune serait nommée par les sections dans les vingt-quatre heures. Du reste, pour adoucir ce que la décision avait de trop rude, on décréta que l'ancienne avait bien mérité de la patrie. On la couronnait et on la chassait.

La Commune du 10 août s'obstinait à subsister ; elle ne voulait être ni chassée, ni couronnée. Son secrétaire, Tallien, à la section des Thermes, près des Cordeliers, demanda qu'on marchât en armes contre la section des Lombards, coupable de blâmer la Commune. Et ce qui parut effrayant, c'est que le prudent Robespierre parla dans le même sens, au sein même du Conseil général, à l'Hôtel de Ville. Un homme de Robespierre, Lhuillier, à la section de Mauconseil, ouvrit de même l'avis que le peuple se levât et soutînt par les armes la Commune contre l'Assemblée.

Il était évident que la Commune était résolue à se maintenir par tous les moyens. Tallien se chargea de terrifier l'Assemblée. La nuit même, il y alla avec une masse d'hommes à piques, rappela insolemment « que la Commune seule avait fait remonter l'Assemblée au rang de représentants d'un peuple libre », vanta les actes de la Commune, spécialement l'arrestation des prêtres perturbateurs : « Sous peu de jours, dit-il, le sol de la liberté sera *purgé de leur présence.* »

Ce dernier mot, horriblement équivoque, soulevait un coin du voile. Les meneurs étaient décidés à garder la dictature, s'il le fallait, par un massacre. Tallien ne parlait que des prêtres ; mais Marat, qui du moins eut toujours le mérite de la clarté, demandait dans ses affiches qu'on massacrât de préférence l'Assemblée nationale.

Il était deux heures de nuit ; la bande qui représentait lepeuple et qui suivait Tallien demanda à défiler dans la salle, « pour voir, disaient-ils, les représentants de la Commune », affectant de croire qu'ils étaient en péril dans le sein de l'Assemblée. Celle-ci se montra très ferme, fit dire qu'on n'entrerait pas. « Alors donc, disait l'orateur de la bande, sur un ton niaisement féroce, alors nous ne sommes pas libres. » L'effet fut juste le contraire de celui qu'on avait cru. L'Assemblée se souleva, se montra prête à prendre des mesures sévères, hardies, et le procureur de la Commune, Manuel, crut prudent de calmer cette indignation en faisant arrêter le malencontreux orateur.

Le lendemain, Huguenin, président de la Commune, vint amuser l'Assemblée par un mot illusoire de réparation. Le but était probablement de couvrir ce que préparaient les meneurs. Convaincus fermement qu'eux seuls pouvaient sauver la patrie, ils voulaient assurer leur réélection par la terreur. Le massacre était dès lors résolu dans leur esprit.

Il n'était pas nécessaire d'ordonner, il suffisait de laisser Paris dans l'état de sourde fureur qui couvait au fond des masses. Cette grande foule d'hommes qui, du matin au soir, les bras croisés, le ventre vide, battaient le pavé, souffraient infiniment, non de leur misère seulement, mais de leur inaction. Ce peuple n'avait rien à faire, demandait quelque chose à faire ; il rôdait, sombre ouvrier, cherchant tout au moins quelque œuvre de ruine et de mort. Les spectacles qu'il avait sous les yeux n'étaient pas propres à le calmer. Aux Tuileries, on tenait exposé un simulacre de la cérémonie funèbre des morts du 10 août, qui toujours demandaient vengeance. La guillotine en permanence au Carrousel, c'était bien une distraction, les yeux étaient occupés, mais les mains restaient oisives. Elles s'étaient employées un moment à briser les statues des rois. Mais pourquoi briser les images ? pourquoi pas les réalités ? Au lieu de punir des rois en peintures, n'aurait-on pas dû plutôt s'en prendre à celui qui était au Temple, à ses amis, aux aristocrates qui appelaient l'étranger ? « Nous allons combattre les ennemis à la frontière, disaient-ils, et nous les laissons ici ! »

L'attitude des royalistes était singulièrement provoquante. On ne passait guère le long des murs des prisons sans les entendre chanter. Ceux de l'Abbaye insultaient les gens du quartier, à travers les grilles, avec des cris, des menaces, des signes outrageants. C'est ce qu'on lit dans l'enquête faite plus tard sur les massacres de Septembre. Un jour, ceux de la Force essayèrent de mettre le feu à la prison, et il fallut appeler un renfort de la garde nationale.

Riches pour la plupart, et ménageant peu la dépense, les prisonniers passaient le temps en repas joyeux, buvaient au roi, aux Prussiens, à la prochaine délivrance. Leurs maîtresses venaient les voir, manger avec eux. Les geôliers, devenus valets de chambre et commissionnaires, allaient et venaient pour leurs nobles maîtres, portaient, montaient, devant tout le monde, les vins fins, les mets délicats. L'or roulait à l'Abbaye. Les affamés de la rue regardaient et s'indignaient ; ils demandaient d'où venait aux prisonniers ce pactole inépuisable ; on supposait, et peut-être la supposition n'était pas tout à fait sans fondement, que l'énorme quantité de faux Assignats qui circulait dans Paris et désespérait le peuple se fabriquait dans les prisons. La Commune donna à ce bruit une nouvelle consistance en ordonnant une enquête. La foule avait grande envie de simplifier l'enquête en tuant tout, pêle-mêle, les aristocrates, les faussaires et faux-monnayeurs, leur brisant sur la tête leur fausse planche aux assignats.

A cette tentation de meurtre une autre idée se joignit, idée barbare, enfantine, qu'on retrouve tant de fois aux premiers âges des peuples, dans la Haute Antiquité, l'idée d'une grande et radicale purgation morale, l'espoir d'assainir le monde par l'extermination absolue du mal.

La Commune, organe en ceci du sentiment populaire, déclara qu'elle arrêterait non les aristocrates seulement, mais les escrocs, les joueurs, les gens de mauvaise vie. Le massacre, chose peu remarquée, fut plus général au Châtelet, où étaient les voleurs, qu'à l'Abbaye et à la Force où étaient les aristocrates. L'idée absolue d'une purgation morale donna à beaucoup d'entre eux une sérénité terrible de conscience, un scrupule effroyable de ne rien épargner. Un homme vint quelques jours après se confesser à Marat d'avoir eu la faiblesse d'épargner un aristocrate ; il avait les larmes aux yeux. L'Ami du Peuple lui parla avec bonté, lui donna l'absolution ; mais cet homme ne se pardonnait pas à lui-même, il ne parvenait pas à se consoler.

CHAPITRE IV

Préludes du massacre (1er septembre 92)

Nul homme, ni Danton, ni Robespierre, ne domina la situation — Caractères divers de ceux qui voulaient le massacre — Influence des maratistes sur la Commune — La Commune obstinée à ne point se dissoudre — Préludes du massacre — L'Assemblée, pour apaiser la Commune, révoque son décret — Robespierre conseille à la Commune de remettre le pouvoir au peuple — Du Comité de surveillance, Sergent, Panis — Panis, beau-frère de Santerre, ami commun de Robespierre et de Marat — Il introduit Marat au Comité de surveillance.

Dans ces profondes ténèbres que toutes choses contribuaient à épaissir, où l'idée de justice, bizarrement pervertie, aidait elle-même à obscurcir la dernière lueur du juste, la conscience publique se serait retrouvée peut-être s'il y eût eu un homme assez fort pour garder au moins la sienne, tenir ferme et haut son cœur.

Il ne fallait pas marcher à l'encontre de la fureur populaire. Il fallait planer plus haut, faire voir au peuple dans ceux qui lui inspiraient confiance une sérénité héroïque qui l'assurât, l'affermît, l'élevât au-dessus des basses et cruelles pensées de la peur. Une chose manqua à la situation, la seule qui sauve les hommes quand l'idée s'obscurcit pour eux, un homme vraiment grand, un héros.

Robespierre avait autorité. Danton avait force. Aucun d'eux ne fut cet homme.

Ni l'un ni l'autre n'osa.

Le chef des Jacobins, avec sa gravité, sa ténacité, sa puissance morale ; le chef des Cordeliers, avec son entraînante énergie et ses instincts magnanimes, n'eurent pourtant ni l'un ni l'autre une sublime faculté, la seule qui pût illuminer, transfigurer la sombre fureur du moment. Il leur manquait entièrement cette chose, commune depuis, rare alors bien plus qu'on ne croit. Pour chasser des cœurs le démon du massacre, le faire rougir de lui-même, le renvoyer à ses ténèbres, il fallait avoir en soi le noble et serein génie des batailles, qui frappe sans peur ni colère, et regarde en paix la mort.

Celui qui l'eût eu, ce génie, eût pris un drapeau, eût demandé à ces bandes si elles ne voulaient se battre qu'avec des gens désarmés ; il eût déclaré infâme quiconque menaçait les prisons. Quoiqu'une grande partie du peuple approuvât l'idée du massacre, les massacreurs, on le verra, étaient peu nombreux. Et il n'était nullement nécessaire de les massacrer eux-mêmes, pour les contenir. Il eût suffi, répétons-le, de n'avoir pas peur, de profiter de l'immense élan militaire qui dominait dans Paris, d'envelopper ce petit nombre dans la masse et le tourbillon qui se serait formé des volontaires vraiment soldats et de la partie patriote de la garde nationale. Il eût fallu que la bonne et sainte partie du peuple, incomparablement plus nombreuse, fût rassurée, encouragée par des hommes d'un nom populaire. Qui n'eût suivi Robespierre et Danton si tous deux, dans cette crise, rapprochés et ne faisant qu'un pour sauver l'honneur de la France, avaient proclamé que le drapeau de l'humanité était celui de la patrie ?

Observons-les bien en face, ces deux chefs de l'opinion, dont l'autorité morale s'effaça, en présence du honteux événement.

Celle de Robespierre, il faut le dire, était quelque peu ébranlée. La France entière avait voulu la guerre ; Robespierre avait conseillé la paix. La guerre au roi, l'insurrection, n'avait nullement été encouragée par lui ; il avait protesté se renfermer dans les limites de la Constitution. Le comité insurrectionnel du 15 août s'était un moment réuni dans la maison même où demeurait Robespierre, et il n'avait point paru. Nommé accusateur public près de la Haute Cour criminelle, il avait décliné ce triste et périlleux honneur, sous prétexte que les aristocrates, si longtemps dénoncés par lui, étaient ses ennemis personnels, et qu'à ce titre ils auraient droit de le récuser. *Le Moniteur* l'avait désigné comme le conseil de Danton, au ministère de la Justice ; qu'y avait-il fait ? Il siégeait comme membre du Conseil général de la Commune. Et là même, sauf un discours à l'Assemblée nationale, on ne voyait pas assez la trace de son activité.

Là pourtant il se trouvait sur le terrain des passions les plus brûlantes ; là il n'y avait guère moyen de s'en tenir aux principes généraux, comme il avait fait à la Constituante, ni aux délations vagues, comme il faisait aux Jacobins. Pour la première fois de sa vie, il lui fallait agir, parler nettement, ou bien s'annuler pour toujours. La Commune du 10 août, quelque violente qu'elle fût, comptait pourtant deux partis, les indulgents, les atroces. Se décider pour les premiers, c'était se mettre à la suite de Pétion et de

Manuel, laisser à Danton l'avant-garde de la Révolution, probablement l'initiative de la violence. Danton paraissait peu à la Commune ; nulle mesure atroce n'y fut conseillée par lui. Mais la Commune avait pour secrétaire un très ardent dantoniste, qui disait et faisait croire qu'il avait le mot de Danton, je parle du jeune Tallien.

La concurrence de Danton, la crainte de le laisser grandir pendant que lui diminuait, était sans nul doute la préoccupation de Robespierre. Il y avait là comme une impulsion fatale qui pouvait le mener à tout. Il trouvait, à la Commune et au-dehors, parmi les plus avancés, une classe d'hommes spécialement qui l'embarrassait beaucoup, le mettant en demeure de se décider sur-le-champ. Ces exaltés qui, directement ou indirectement (quelques-uns sans le savoir), poussaient au massacre, étaient, par un contraste étrange, ceux qu'on pouvait appeler *les artistes et hommes sensibles.* C'étaient des gens nés ivres, si je puis parler ainsi ; rhéteurs larmoyants, tous avaient le don des larmes : Hébert pleurait, Collot pleurait, Panis pleurait, etc. Avec cela, comme la plupart étaient des auteurs du troisième ordre, des artistes médiocres, des acteurs sifflés, ils avaient, sous leur philanthropie, un fond général de rancune et d'envenimement qui, par moments, tournait à la rage. Le type du genre était Collot d'Herbois, acteur médiocre et fade écrivain, auteur moral et patriotique, homme sensible s'il en fut, toujours gris, et souvent ivre, noyé de larmes et d'eau-de-vie. On sait son ivresse de Lyon, la poésie d'extermination qu'il chercha dans les mitraillades, jouissant (comme cet autre artiste, Néron) de la destruction d'une ville. Relégué à Sinnamary, essayant d'augmenter la dose d'eau-de-vie et d'émotion, il finit dignement sa vie par une bouteille d'eau-forte.

Tous n'étaient pas à ce niveau ; mais tous dans cette classe d'artistes voulaient, selon le génie du drame, pousser la situation jusqu'où elle pouvait aller. Il leur fallait des crises rapides et pathétiques, surtout des changements à vue. La mort, sous ce dernier rapport, semble chose d'art et saisissante. La vie semble moins artiste, parce que les changements y sont lents et successifs. Il faut des yeux et du cœur pour voir et goûter les lentes transitions de la vie, de la nature qui enfante. Mais, pour la destruction, elle frappe l'homme le plus médiocre. Les faibles et mauvais dramaturges, les rhéteurs impuissants qui cherchent les grands effets doivent se plaire aux destructions rapides. Ils se croient alors de grands magiciens, des dieux, quand ils défont l'œuvre de Dieu. Ils trouvent beau de pouvoir exterminer d'un mot ce qui coûta tant de temps, de supprimer d'un clin d'œil l'obstacle vivant, de voir leurs ennemis disparaître sous leur souffle. Ils savourent la poésie stupide et barbare du mot : « J'ai passé, ils n'étaient plus... »

Cette classe d'hommes, sans être positivement fous furieux comme Marat, participaient plus ou moins à son excentricité ; ils se groupaient autour de lui. Ils faisaient tout l'embarras des deux politiques, de Danton et de Robespierre. Ces deux rivaux d'influence osèrent d'autant moins contredire les maratistes que celui des deux qui eût hasardé un seul mot d'objection eût donné ce parti à son rival et se fût lui-même annulé, comme absorbé dans la Gironde.

Danton, ministre de la Justice, avait dans ses fonctions un prétexte, plus ou moins précieux, pour ne point paraître à la Commune dans cette terrible crise. On va voir comme il s'effaça, avant, pendant le massacre.

Robespierre, membre de la Commune, et sans autre fonction, y siégeait nécessairement. Il attendit assez tard, jusqu'au soir du 1er septembre, pour se décider, embrasser le parti des violents. Mais le pas une fois fait, il répara le temps perdu, les atteignit, les dépassa.

Le grand jour du 1er septembre devait décider entre l'Assemblée et la Commune. L'Assemblée, le 30 août, avait décrété que, *dans les vingt-quatre heures,* les sections nommeraient un nouveau Conseil général de la Commune. Les vingt-quatre heures couraient du moment où le décret fut rendu (quatre heures de l'après-midi) ; il devait s'exécuter le lendemain à la même heure et dans la soirée. Mais la Commune pesait d'une telle terreur dans les sections que la plupart n'osèrent point exécuter le décret de l'Assemblée. Elles prétextèrent que le décret ne leur avait pas été notifié officiellement. Qu'arriverait-il le 1er septembre, si l'Assemblée confirmait son décret, si le combat s'engageait entre ceux qui obéiraient et ceux qui ne le voudraient pas ? L'Assemblée, dans ce cas, aurait eu un malheur, c'eût été de voir les royalistes se joindre à elle, armer pour elle peut-être, la compromettre en attendant qu'ils pussent la renverser. Victorieuse, elle était perdue, et la France peut-être avec elle.

La Commune, tout indignes qu'étaient beaucoup de ses membres par leur tyrannie, leur férocité, avait pourtant ceci en sa faveur que jamais les royalistes ne pouvaient pactiser avec elle ; elle représentait le 10 août. Tout le monde reconnaissait, ou exagérait même la part qu'elle avait prise à ce grand acte du peuple. Gloire ou crime, quelle que fût l'opinion des partis, c'est à la Commune qu'on attribuait le renversement de la royauté. Elle était, à coup sûr, une force antiroyaliste, la plus sûre contre les complots du dedans, la plus sûre contre l'étranger. Tout patriote devait bien y regarder, malgré les excès de la Commune, avant de se déclarer contre elle.

Elle avait foi en elle-même. Beaucoup de ses membres croyaient sincèrement qu'eux seuls pouvaient sauver la France. Ils voulaient garder à tout prix la dictature de salut public qu'ils se trouvaient avoir en main. D'autres, il faut le dire, n'étaient pas peu confirmés dans cette foi par leur instinct de tyrannie ; ils étaient rois de Paris par la grâce du 10 août, et rois ils voulaient rester. Ils disposaient de fonds énormes, impôts municipaux, fonds des travaux publics, subsistances, etc. Ils allaient recevoir le monstrueux fonds de police, d'un million par mois, qu'avait voté l'Assemblée. On ne volait pas beaucoup encore en 92, avant la démoralisation qui suivit les massacres de Septembre. Il y avait chez tous une certaine pureté de jeunesse et d'enthousiasme ; la cupidité s'ajournait. Les plus purs toutefois maniaient volontiers l'argent ; ils l'aimaient, tout au moins, comme puissance populaire.

Donc, pour tant de raisons diverses, la Commune était parfaitement décidée à ne pas permettre l'exécution du décret de l'Assemblée, à se maintenir par la force.

La situation de Paris, orageuse au plus haut degré, ne pouvait guère manquer de fournir des prétextes, des nécessités de désobéir.

Le 31 août, un mouvement avait eu lieu autour de l'Abbaye. Un M. de Montmorin ayant été acquitté, la foule, qui le confondait avec le ministre de ce nom, menaça de forcer la prison et de se faire justice elle-même.

Le 1er septembre, une scène effroyable eut lieu à la place de Grève. Un voleur qu'on exposait, et qui sans doute était ivre, s'avisa de crier : « Vive le roi ! vivent les Prussiens ! et mort à la nation ! » Il fut à l'instant arraché du pilori, il allait être mis en pièces. Le procureur de la Commune, Manuel, se précipita, le reprit des mains du peuple, le sauva dans l'Hôtel de Ville. Mais il était lui-même dans un extrême péril ; il lui fallut promettre qu'un jury populaire jugerait le coupable. Ce jury prononça la mort. L'autorité tint cette sentence pour bonne et valable ; elle fut exécutée ; l'homme périt le lendemain.

Ainsi, tout marchait au massacre. Le même jour, 1er septembre, un gendarme apporta à la Commune une montre d'or qu'il avait prise au 10 août, demandant ce qu'il devait en faire. Le secrétaire Tallien lui dit qu'il devait la garder. Grand encouragement au meurtre. Plusieurs furent bien tentés de conclure de ce précédent que les dépouilles des grands seigneurs, des riches qui étaient à l'Abbaye, appartiendraient à ceux qui pourraient délivrer la nation de ces ennemis publics.

La séance du Conseil général de la Commune fut suspendue jusqu'à cinq heures du soir. L'Assemblée, très effrayée de l'événement que tout le monde voyait venir pour le lendemain dimanche, essaya, dans cet intervalle, un dernier moyen de le prévenir. Elle tâcha d'apaiser la Commune, rapporta le décret qui prescrivait à ses membres de justifier de pouvoirs qu'ils avaient reçus le 10 août.

« Ce n'est pas tout, dit un membre de l'Assemblée, vous avez décrété, il y a deux jours, que *la Commune* a bien mérité de la patrie ; cette rédaction ne vaut rien ; il faut un nouveau vote, où l'on dira expressément *les représentants de la Commune*. » En effet, tout en louant la Commune en général, on aurait bien pu plus tard rechercher, poursuivre tel ou tel de ses membres pour tant d'actes illégaux. La nouvelle rédaction leur assurait à chacun le billet d'indemnité le plus rassurant. L'Assemblée ne voulut pas chicaner dans un tel moment ; elle vota ce qu'on voulait.

La séance de la Commune reprit à cinq heures du soir. Et d'abord il paraît que le décret pacifique de l'Assemblée n'y était pas connu encore. Robespierre y parla des nouvelles élections. Mais le décret ayant sans doute été connu pendant la séance, Robespierre, enhardi par les tergiversations de l'Assemblée, reprit la parole sur un ton très différent, avec une violence inattendue. Il parla longuement des manœuvres qu'on avait employées pour faire perdre au Conseil général la confiance publique, et soutint que, tout digne que le Conseil était de cette confiance, il devait se retirer, *employer le seul moyen qui restât de sauver le peuple : remettre au peuple le pouvoir.*

Remettre au peuple le pouvoir ? Comment fallait-il entendre ce mot ? Cela signifiait-il qu'il fallait laisser le peuple faire les nouvelles élections, commencées selon le décret et sous l'influence de l'Assemblée ? Nullement. Robespierre venait de faire le procès de l'Assemblée même, en énumérant les manœuvres dirigées contre la Commune. Il n'aurait pu, sans se contredire étrangement, proposer de laisser voter le peuple au gré d'une Assemblée suspecte. *Remettre au peuple le pouvoir* signifiait évidemment : déposer le pouvoir légal pour s'en rapporter à l'action révolutionnaire des masses, en appeler au peuple contre l'Assemblée.

Le nouveau conseil n'étant pas élu, et l'ancien se retirant, Paris serait resté sans autorité. Si la Commune du 10 août, la grande autorité populaire, qui semblait avoir sauvé déjà une fois la patrie, déclarait elle-même qu'elle ne pouvait plus rien pour son salut, à qui remettait-elle le pouvoir ? A nul autre qu'au désespoir, à la rage populaire. Disant qu'elle n'agirait pas, que c'était aux masses d'agir, elle agissait en réalité, et de la manière la plus terrible ; c'était comme si elle eût retiré sa défense de la porte des prisons, l'eût ouverte toute grande... Le massacre était vraisemblable ; mais l'excès même du désordre, l'effroi de Paris, eussent eu l'effet nécessaire de ramener la Commune. On allait venir à genoux la rechercher, la rappeler ; elle rentrait en triomphe dans l'Hôtel de Ville. La nullité de l'Assemblée était définitivement constatée ; la Commune de Paris, la grande puissance révolutionnaire, régnait seule et sauvait la France.

On connaît trop bien Robespierre pour croire que le premier jour il ait précisé ses accusations. Présentées d'abord sous des formes vagues, à travers des ombres terribles, elles n'en avaient que plus d'effet. Chacun comprit, sans nulle peine, ce que les amis de la Commune disaient depuis huit jours par tout Paris, ce que Robespierre articula le lendemain, 2 septembre, pendant le massacre : ... *qu'un parti puissant offrait le trône au duc de Brunswick.* Nul autre parti, en ce moment, n'est puissant que la Gironde. La coupable folie d'offrir la France à l'étranger avait été celle du ministère de Narbonne. Il était horriblement calomnieux de l'imputer aux Girondins qui avaient chassé Narbonne. Les Girondins, c'était leur gloire, avaient compris l'élan guerrier de la France, prêché, malgré Robespierre, la croisade de la liberté. Imputer aux apôtres de la guerre le projet de cette paix exécrable, dire que Vergniaud, que Roland, Mme Roland, les plus honnêtes gens de France, vendaient la France et la livraient, c'était tellement incroyable et si ridiculement absurde que, dans tout autre moment, cette calomnie eût retombé sur son auteur, il serait mort de son propre venin.

Une telle absurdité pouvait-elle être crue sincèrement d'un esprit aussi sérieux que celui de Robespierre ? Cela étonne, et pourtant nous répondrons sans hésiter : oui. Il était né si crédule pour tout ce que la haine et la peur pouvaient lui conseiller de croire, tellement fanatique de lui-même et prêt à adorer ses songes, qu'à chaque dénonciation qu'il lançait à ses ennemis, la conviction lui venait surabondamment. Plus il avançait dans ses assertions passionnées, se travaillait à leur donner des couleurs et des vraisemblances, et plus il se convainquait, devenait sincère. Le prodigieux respect qu'il avait pour sa parole finissait par lui faire penser que toute preuve était superflue. Ses discours auraient pu se résumer dans ces paroles : « Robespierre peut bien le juger, car déjà Robespierre l'a dit. »

Dans l'état prodigieux de défiance où étaient les esprits, pleins de vertige et malades, les choses étaient crues justement en proportion du miraculeux, de l'absurde, dont elles saisissaient les esprits. Si du Conseil général de telles accusations se répandaient dans la foule, elles pouvaient avoir des effets incalculables. Qui pouvait deviner si la masse furieuse, ivre et folle, n'allait pas forcer l'Assemblée, au lieu des prisons, chercher sur ses bancs, le poignard en main, ces traîtres, ces apostats, ces renégats de la liberté qu'on lui désignait, cent fois plus coupables que les prisonniers royalistes ?

Le procureur de la Commune, Manuel, répondit à Robespierre. Il n'était pas homme à tenir contre une telle autorité, la première du temps. Manuel était un pauvre pédant, ex-régent ou précepteur, homme de lettres ridicule, qui, pour son malheur, était arrivé, par la phrase et le bavardage, au fatal honneur qui lui mit la corde au col. Il essaya pourtant de lutter ; son bon cœur et son humanité lui prêtèrent des forces. Tout en donnant d'emphatiques éloges à son redoutable adversaire, il rappela le serment des membres du Conseil général : « De ne point abandonner leur poste que la patrie ne fût plus en danger. » La majorité pensa comme lui. A la veille du terrible événement qui se préparait, et qui semblait infaillible, plusieurs voulaient l'accélérer par leur influence ; d'autres, au contraire, pensaient que, s'ils ne pouvaient rien empêcher comme corps et autorité publique, ils pourraient du moins, avec leur titre et leur écharpe de membres de la Commune, sauver des individus.

Cette écharpe tutélaire, Manuel eut le bonheur d'en faire usage à l'heure même. Il se rappela qu'il avait en prison un ennemi personnel, Beaumarchais. Manuel était une des victimes littéraires que l'auteur de *Figaro* aimait à cribler de ses flèches ; il l'avait percé, transpercé. Manuel court à l'Abbaye, se fait amener Beaumarchais. Celui-ci se trouble, s'excuse : « Il ne s'agit pas de cela, monsieur, lui dit Manuel, vous êtes mon ennemi ; si vous restez ici pour être égorgé demain, que pourra-t-on dire ? que j'ai voulu me venger ?... Sortez d'ici, et sur l'heure. » Beaumarchais tomba dans ses bras. Il était sauvé. Manuel ne le fut pas moins, pour l'honneur et l'avenir.

Personne ne doutait du massacre. Robespierre, Tallien et autres firent réclamer aux prisons quelques prêtres, leurs anciens professeurs. Danton, Fabre d'Églantine, Fauchet, sauvèrent aussi quelques personnes.

Robespierre avait pris une responsabilité immense. Dans ce moment d'attente suprême, où la France roulait entre la vie et la mort, où elle cherchait une prise ferme, qui l'assurât contre son propre vertige, Robespierre avait achevé de rendre tout incertain, flottant, toute autorité suspecte. Ce qui restait de force fut comme paralysé par cette puissance de mort. Le ministère et l'Assemblée, blessés de son dard, gisaient inertes et ne pouvaient rien.

Le Conseil général même, que Robespierre avait engagé à déclarer qu'il s'en remettait au peuple et qui ne l'avait pas fait, n'en était pas moins profondément ébranlé, et dans le doute sur ce qu'il lui convenait de faire. Voulait-il, ne voulait-il pas ? agirait-il, n'agirait-il pas ? A peine le savait-il lui-même.

Et si le Conseil général ne voulait rien, ne faisait rien, s'il se dispersait le dimanche, ou s'assemblait en nombre insuffisant, minime, comme il arriva, qui resterait pour agir, sinon le *Comité de surveillance* ? Dans la grande assemblée du Conseil général, quelque violent qu'il pût être, les hommes de sang néanmoins n'auraient jamais eu la majorité. Au contraire, dans le *Comité de surveillance,* composé de quinze personnes, le seul dissentiment qui existât, c'est que les uns voulaient le massacre, les autres le permettaient.

Il y avait deux hommes principaux dans ce comité, Sergent et Panis. Sergent, artiste jusque-là estimable, laborieux et honnête, homme d'un cœur ardent, passionné, romanesque (qui aima jusqu'à la mort), a eu l'honneur de devenir beau-frère de l'illustre général Marceau. C'est lui qui, au péril de sa vie quelques jours avant le 10 août, touché du désespoir et des larmes des Marseillais, se décida, avec Panis, à leur livrer les cartouches qui leur donnèrent la victoire. Sergent n'avait qu'antipathie (il l'affirme dans ses *Notes,* publiées par M. Noël Parfait) pour l'hypocrisie de Robespierre et les fureurs de Marat. Il assure qu'il fut étranger à l'affaire du 2 septembre. Il avait été l'ordonnateur de cette terrible fête des morts, qui, plus qu'aucune autre chose, exalta dans les masses l'idée de vengeance et de meurtre. Mais quand ce jour de meurtre vint, le cœur de Sergent n'y tint pas, et, quoiqu'il partageât sans doute l'idée absurde du moment, que le massacre pouvait sauver la France, il s'éclipsa de Paris. Lui-même, dans ces notes justificatives, fait cet aveu accablant : Que le matin du 2 septembre, *il alla à la campagne,* et ne revint que le soir.

Panis, ex-procureur, auteur de vers ridicules, petit esprit, dur et faux, était incapable d'avoir par lui-même aucune influence. Mais il était beau-frère du fameux brasseur du faubourg, Santerre, nouveau commandant de la garde nationale. Cette alliance, et sa position au comité de surveillance, le rendaient fort important. Il ordonnait au comité, et par son beau-frère il pouvait influer sur l'exécution, agir ou ne point agir. Quand même la majorité lui aurait été contraire, il était encore à même de ne point laisser exécuter par Santerre ce que la majorité avait résolu.

Panis avait une chose que n'ont pas toujours les sots, il était docile. Il reconnaissait deux autorités, deux papes, Robespierre et Marat. Robespierre était son docteur, Marat son prophète. *Le divin Marat* lui semblait peut-être un peu excentrique ; mais n'a-t-on pas pu en dire autant d'Isaïe et d'Ezéchiel, auquel Panis le comparait ? Quant à Robespierre, il était exactement la conscience de Panis. Chaque matin, on voyait celui-ci rue Saint-Honoré, à la porte de son directeur ; il venait chez Robespierre demander, pour la journée, ce qu'il devait penser, faire et dire. C'est ce que témoigne Sergent, son collègue, qui ne le quitta presque pas tant que dura le Comité de surveillance. Panis était tellement dévot à Robespierre que, dans sa ferveur, il ne pouvait se contenir. C'est lui qui, avant le 10 août, menant Barbaroux et Rebecqui, deux indévots, chez le dieu, commit l'imprudence de dire « qu'il faudrait un dictateur, un homme comme Robespierre », et reçut des Marseillais la violente réponse qu'on a vue plus haut.

Robespierre, servi, adulé, adoré de Panis, avait du faible pour lui. Panis lui était indispensable, comme beau-frère du gros homme qui gouvernait le faubourg et qui avait dans la main la force armée de Paris. Ce fut Panis, selon toute apparence, qui diminua l'éloignement naturel de Robespierre pour Marat. Le premier, homme politique, homme de roide attitude, mesuré, soigné, poudré, avait en dégoût la crasse de l'autre, sa personnalité tout à la fois triviale et sauvage, sa faconde platement dithyrambique. Marat, d'autre part, méprisait Robespierre, comme un politique timide, sans vues, sans audace. Ils s'étaient visités un jour, et

Marat, voyant que Robespierre n'entrait pas entièrement dans ses idées de massacre, qu'il gardait encore quelques scrupules de légalité, avait levé les épaules.

La répugnance était réciproque. Celle de Robespierre pour Marat est probablement ce qui empêcha celui-ci, après l'ovation qu'on lui fit à la Commune, d'en devenir membre. Le 23 août, toutefois, la Commune décréta qu'une tribune serait érigée dans la salle pour un journaliste, pour M. Marat. Son influence allait croissant ; dès lors, sans doute, Robespierre eût craint de s'y opposer ; il recommanda Marat aux assemblées électorales. Ce fut l'homme de Robespierre, Panis, sa créature, son servile disciple, celui qui, encore une fois, ne passa jamais un jour sans le consulter, celui qui, le 2 septembre, établit au Comité de surveillance (vrai directoire du massacre) l'exterminateur Marat.

Robespierre a dit hardiment qu'il n'avait rien fait au 2 septembre. En actes, rien, cela est vrai. Mais, en paroles, beaucoup, et, ce jour-là, les paroles étaient des actes. Le 3, l'affaire une fois lancée (plus sans doute qu'il ne voulait), il fit le plongeon et ne parut plus. Mais le 1er septembre, il avait couvert les violents de son autorité morale, conseillant à la Commune de se retirer, de s'en remettre à l'action du peuple. Le 2, son homme, Panis, intronisa à l'Hôtel de Ville le meurtre personnifié, l'homme qui, depuis trois ans, demandait le 2 septembre. Le 2 encore, Robespierre parla, pendant le massacre, et nullement pour calmer, loin de là, d'une manière extrêmement irritante.

L'introduction de Marat fut très illégale, tout extraordinaire. Nul magistrat de la ville, nul membre de la Municipalité, spécialement du Comité de surveillance, ne pouvait être pris hors du Conseil général, hors de la grande Commune populaire des commissaires de sections qui avaient fait le 10 août.

Marat n'était point de ces commissaires ; il ne pouvait être élu. Mais Panis, à la fois par Santerre et par Robespierre, pesait d'un tel ascendant sur la Municipalité, qu'elle l'autorisa à choisir trois membres qui complétassent le Comité de surveillance.

Panis, investi de ce singulier pouvoir d'élire à lui seul, n'osa pourtant l'exercer seul. Le matin du 2 septembre, il appela à son aide ses collègues Sergent, Duplain et Jourdeuil, et ils s'adjoignirent cinq personnes, Deforgues, Lentant, Guermeur, Leclerc et Dufort.

L'acte original, muni des quatre signatures, porte à la marge un renvoi, paraphé confusément *par un seul* des quatre. Ce renvoi n'est rien autre chose que le nom d'un sixième membre ajouté ainsi après coup, et ce sixième est Marat.

CHAPITRE V

Le 2 septembre

Proposition conciliante du dantoniste Thuriot – Deux sections sur quarante-huit votèrent le massacre – La Commune voulait le massacre et la dictature – Courageux discours de Vergniaud – On demande à l'Assemblée la dictature pour le ministère — L'Assemblée se défie de Danton, qui néanmoins évite de se réunir à la Commune — Le Comité de surveillance livre vingt-quatre prisonniers à la mort — Massacre de l'Abbaye — Danton n'accepte point l'invitation de la Commune — Quels furent les massacreurs de l'Abbaye — Massacre des Carmes — Impuissance des autorités — L'hôtel de Roland est envahi — Robespierre dénonce une grande conspiration – Tentative des ministres pour calmer le peuple – Intervention inutile de Manuel et des commissaires de l'Assemblée – Massacre du Châtelet et de la Conciergerie – Maillard organise un tribunal à l'Abbaye, et sauve quarante-trois personnes – Dévouement de Mlle Cazotte et Sombreuil, de Geoffroy Saint-Hilaire.

Le dimanche 2 septembre, à l'ouverture de l'Assemblée, vers neuf heures du matin, le député Thuriot, ami de Danton, fit une proposition conciliatrice qui semblait pouvoir empêcher le malheur qu'on prévoyait.

Thuriot, en plus d'une occasion, avait défendu, justifié la Commune. Née du 10 août, la Commune lui semblait la Révolution elle-même ; il pensait que la briser, c'était briser le 10 août. Mais, d'autre part, il n'en avait pas moins résisté avec une extrême véhémence aux injonctions insolentes que la Commune osait faire à l'Assemblée. Sa conduite, en tout ceci, semble avoir été l'expression hardie de la pensée plus contenue du politique Danton. Celui-ci, dans ses discours, dans ses circulaires, fondait l'espoir de la patrie sur l'accord de l'Assemblée et de la Commune. C'est lui, nous n'en doutons pas, qui chercha un expédient pour rétablir cet accord, et qui le fit proposer à l'Assemblée par Thuriot.

La proposition était celle-ci : « Porter à trois cents membres le Conseil général de la Commune, de manière à pouvoir *maintenir les anciens,* créés le 10 août, et *recevoir les nouveaux,* élus en ce moment même par les sections qui obéissaient aux décrets de l'Assemblée. »

Cette proposition avait deux aspects tout à fait contraires.

D'une part, elle avait l'effet révolutionnaire de constituer sur une base fixe la représentation de Paris, d'exprimer par-devant la France l'importance réelle, l'autorité de la grande cité, qui, formée elle-même de tous les éléments de la France, en est la tête et le cerveau, et qui tant de fois eut l'initiative des pensées qui la sauvèrent.

D'autre part, dans la situation, la proposition avait un effet pratique qui rendait la crise bien moins dangereuse. Elle neutralisait la

Commune en l'agrandissant ; elle l'augmentait de nombre et en modifiait l'esprit ; elle y introduisait, avec les élus des sections dociles à l'Assemblée, un élément tout nouveau. Si elle eût été votée le matin, elle donnait à ces sections un puissant encouragement, les tirait de leur stupeur ; les nouveaux élus se rendant immédiatement à la Commune, avec ce décret à la main, les maratistes, selon toute apparence, auraient été paralysés.

Ce n'est pas tout. Un dernier article, bien propre à rappeler à elle-même la Commune du 10 août, avertissait simplement et sans phrase que les membres du Conseil général n'étaient point inamovibles, *que les sections qui les nommaient avaient toujours droit de les rappeler et de les révoquer.* L'article, placé comme il était, semblait parler des nouveaux membres ; il n'en posait pas moins la règle, l'imprescriptible droit du peuple, contre lequel apparemment les anciens membres eux-mêmes, dans la position royale qu'ils se faisaient, n'auraient pas osé réclamer. Ils avaient donc bien à songer ; au moment où ils semblaient près de prendre la terrible initiative, la loi venait, en quelque sorte, leur mettre la main sur l'épaule, et leur rappeler le grand juge, le peuple, qui pouvait toujours les juger.

Thuriot assaisonna cette proposition d'éloges de la Commune, de flatteries ; il la justifia de maint et maint reproche. Il dit, sans doute pour gagner les membres de la Commune même à l'acte qu'il proposait contre elle, *que cette augmentation de nombre permettrait de choisir dans son sein les agents dont pourrait avoir besoin le pouvoir exécutif.* Appel direct à l'intérêt ; la Commune allait devenir une pépinière d'hommes d'État à qui le gouvernement confierait des missions honorables ou lucratives.

Il arriva à Thuriot ce qui arrive à ceux qui comptent trop sur la pénétration des Assemblées. Son profond maître, Danton, l'avait, ce jour, apparemment trop bien endoctriné, trop dressé à l'hypocrisie. L'Assemblée ne comprit pas. Thuriot avait tant loué la Commune que l'Assemblée crut la proposition favorable à la Commune ; elle pensa que celle-ci, commençant à s'effrayer, lui faisait faire par Thuriot une ouverture de conciliation. Elle reçut la proposition très froidement, ne se douta nullement de l'avantage qu'il y avait à la voter sur l'heure. Elle demanda un rapport, attendit et ajourna. Le rapport vint vers midi, et peu favorable. Les Girondins, qui le firent, n'aimaient rien de ce qui venait des amis de Danton. Ils le croyaient l'homme de la Commune, comme il l'avait été au jour du 10 août ; ils ne comprenaient rien aux ménagements de ce politique. Le projet leur déplaisait encore comme augmentant l'importance de Paris, régularisant et fondant cette puissance jusque-là irrégulière, constituant un corps redoutable avec lequel toute l'Assemblée serait forcée de compter. Ils auraient voulu d'ailleurs que la Commune fût entièrement renouvelée. Ils n'entraînèrent pas l'Assemblée, qui, comprenant à la longue l'utilité de la proposition, finit par voter contre les Girondins pour le dantoniste Thuriot. Cela eut lieu vers une heure ; mais alors il était trop tard, la tempête était déchaînée.

Revenons au matin, replaçons-nous dans la Commune.

Que voulait-elle ? que voulaient les quelques membres qui menaient le Conseil général ? que voulait la majorité du Comité de surveillance ? Sauver la patrie sans doute, mais la sauver par les moyens que Marat conseillait depuis trois ans : le massacre et la dictature.

Le massacre n'était pas encore si facile à amener qu'on eût pu le croire, qu'elle que fût la terrible agitation du peuple, et ses paroles violentes. Dans la nuit, et le matin, les furieux bavards qui prêchaient dès longtemps la théorie de Marat coururent les assemblées des sections à peu près désertes, réduites à des minorités imperceptibles qui décidaient pour le tout. Ils y demandèrent, obtinrent des arrestations individuelles qui valaient des arrêts de mort. Mais quant aux mesures générales, il semble que leurs paroles n'aient pas trouvé assez d'écho. Il n'y eut que deux sections (celle du Luxembourg et la section Poissonnière) où la proposition d'un massacre des prisonniers ait été accueillie. *Deux sections sur quarante-huit* votèrent le massacre. La section Poissonnière prit l'arrêté suivant :

« La section, considérant les dangers imminents de la patrie et les manœuvres infernales des prêtres, arrête que tous les prêtres et personnes suspectes, enfermés dans les prisons de Paris, Orléans et autres, seront mis à mort. »

Quant à la dictature, elle était plus difficile encore à organiser que le massacre. Nul homme n'était assez accepté du peuple pour l'exercer seul. Il fallait un triumvirat. Marat le disait lui-même.

Le prophète Marat, que Panis venait d'introniser au Comité de surveillance, ne laissait pas que d'effrayer parfois ses propres admirateurs. Mais son extrême véhémence semblait appuyée, autorisée par Robespierre, qui, la veille au soir, avait dit qu'il fallait remettre l'action au peuple. Marat était déjà au comité, Robespierre vint siéger au Conseil général.

Le troisième triumvir, s'il fallait un triumvirat, ne pouvait être que Danton. Celui-ci était douteux. Il faisait, en toute occasion, l'éloge de la Commune, et son ami Thuriot l'avait fait aussi le jour même, tout en proposant un projet qui neutralisait la Commune. Etait-il véritablement pour la Commune ou pour l'Assemblée ? On ne le voyait pas bien. Depuis le 29, il ne venait plus à l'Hôtel de Ville. Aimerait-il mieux partager le nouveau pouvoir avec Marat et Robespierre, ou rester ministre de la Justice, ministre tout-puissant par suite de l'annihilation de l'Assemblée, recueillant les fruits du massacre sans y avoir participé, devenant enfin le seul homme de la situation entre la Commune ensanglantée et la Gironde humiliée ? C'était là la question ; la dernière opinion n'était pas sans vraisemblance. Danton était un politique plein d'audace, mais non moins de ruse.

Quoi qu'il en soit, la Commune étant assemblée le 2 au matin, sous la présidence d'Huguenin, le procureur, Manuel, annonça le danger de Verdun, proposa que le soir même les citoyens enrôlés campassent au Champ-de-Mars et partissent immédiatement. Paris eût été délivré d'une masse dangereuse, qui, en attendant le départ, errait, s'enivrait, et pouvait d'un moment à l'autre, au lieu d'une guerre lointaine, commencer ici de préférence une guerre lucrative à ses ennemis riches et désarmés.

A cette sage proposition, quelqu'un en ajouta une infiniment dangereuse, qui fut de même votée. On arrêta « que le canon d'alarme serait tiré à l'instant, le tocsin sonné et la générale battue ». L'effet pouvait être une horrible panique, dans une ville si émue, une panique meurtrière ; rien de plus cruel que la peur.

Deux membres du Conseil municipal furent chargés de prévenir l'Assemblée de ce qu'ordonnait la Commune. Ils furent accueillis par un discours singulièrement ferme de Vergniaud, d'une noble hardiesse, prononcé, comme il l'était, dans l'imminence d'un massacre et presque sous les poignards. Il félicita Paris de prendre courage, de déployer enfin l'énergie qu'on attendait ; il lui conseilla de résister à ses terreurs paniques. Il demanda pourquoi l'on parlait tant, en agissant peu : « Pourquoi les retranchements du camp qui est sous les remparts de cette cité ne sont-ils pas plus avancés ? Où sont les bêches, les pioches, et tous les instruments qui ont élevé l'autel de la Fédération et nivelé le Champ-de-Mars ?... Vous avez manifesté une grande ardeur pour les fêtes ; sans doute vous n'en aurez pas moins pour les combats. Vous avez chanté, célébré la liberté ; il faut la défendre. Nous n'avons plus à renverser des rois de bronze, mais des rois environnés d'armées puissantes. Je demande que la Commune de Paris concerte avec le pouvoir exécutif les mesures qu'elle est dans l'intention de prendre. Je demande aussi que l'Assemblée nationale, qui dans ce moment-ci est plutôt un grand comité militaire qu'un corps législatif, envoie à l'instant, et chaque jour, douze commissaires au camp, non pour exhorter par de vains discours les citoyens à travailler, mais pour piocher eux-mêmes ; car il n'est plus temps de discourir, il faut piocher la fosse de nos ennemis, ou chaque pas qu'ils font en avant pioche la nôtre. »

Ce discours, si hardi dans la circonstance, fut applaudi, non seulement de l'Assemblée, mais des tribunes, de cette population même dont il gourmandait sévèrement l'inaction.

Le grand orateur, on le voyait, voulait, au torrent populaire qui tournait si terriblement sur lui-même, donner un cours régulier, l'entraîner hors Paris à la suite des envoyés de l'Assemblée, perdre dans l'élan militaire la panique et la terreur.

Il entendait subordonner la Commune aux ministres, les ministres à l'Assemblée. Cette hiérarchie, qui était dans la loi même et dans la raison, aux temps ordinaires, pouvait-elle être obstinément maintenue dans un pareil jour ? Ne fallait-il pas surseoir aux délibérations, aux paroles, lorsque les décisions diverses, selon l'occurrence des cas, auraient besoin d'être immédiates, rapides, comme la pensée. On ne pouvait laisser flotter le pouvoir, dans la sphère supérieure, éloignée de l'action, aux mains molles et lentes d'une grave Assemblée qui parlait, parlait, parlait, et perdait le temps. On ne pouvait le laisser à la discrétion de la Commune, aveugle et furieuse, dissoute d'ailleurs en réalité et qui n'était plus qu'un chaos sanglant sous le souffle de Marat. Le plus simple bon sens disait que le pouvoir laissé, en haut ou en bas, aux deux corps délibérants, l'Assemblée, ou le Conseil de la Commune, ne serait plus le pouvoir. Il fallait le fixer là où il pouvait être énergique, où le plaçait d'ailleurs la nature même des choses, aux mains des ministres ; il fallait se fier à eux, dans cette grande circonstance, les prier, les sommer d'être forts ; sinon, tout allait périr.

Le ministère lui-même, malheureusement, n'avait aucune unité de pensées, ni de volontés. Il eût fallu qu'il s'accordât, qu'il vînt unanimement demander la dictature, qu'il l'exerçât sous l'inspection des commissaires de l'Assemblée.

Le ministère avait deux têtes, Roland et Danton.

Danton vint, avant deux heures, tâter une dernière fois les dispositions de l'Assemblée.

Il lui proposa de voter « que quiconque refuserait de servir de sa personne ou de remettre ses armes fût puni de mort. »

Et Lacroix (qui alors appartenait à la fois aux Girondins et à Danton) demanda de plus « qu'on punît de mort aussi ceux qui, *directement ou indirectement,* refuseraient d'exécuter *ou entraveraient, de quelque manière que ce fût,* les ordres donnés et les mesures prises par le pouvoir exécutif ».

L'Assemblée parut approuver ; mais, au lieu de voter sur-le-champ, elle ajourna, elle ne voulut rien décider sans l'avis de sa commission extraordinaire (Vergniaud, Guadet, la Gironde). Elle chargea cette commission de rédiger les décrets, déjà très bien rédigés, et de lui présenter la rédaction à six heures du soir.

C'était un retard de quatre heures. Il a reculé peut-être d'un siècle les libertés de l'Europe.

Danton porta alors la peine de sa mauvaise réputation, de ses tristes précédents. L'Assemblée lui refusa les moyens de sauver l'Etat. Elle n'osa confier un tel pouvoir à un homme si suspect.

Deux choses le firent échouer : 1° Roland ne vint point, ne l'appuya point ; Danton parut seul ; il sembla qu'on demandait pour lui seul un pouvoir illimité ; 2° tout en demandant que l'Assemblée concourût avec les ministres *à diriger le mouvement du peuple,* il loua les mesures prises par la Commune ; il dit ces paroles : « Le tocsin qu'on va sonner n'est point un signal d'alarme ; c'est la charge sur les ennemis de la patrie *(applaudissements).* Pour les vaincre, messieurs, il nous faut de l'audace, encore de l'audace, toujours de l'audace, et la France est sauvée. »

L'Assemblée ne vit en Danton que l'homme de la Commune, et elle se garda bien de lui donner le pouvoir.

S'il l'eût été véritablement, comme le croyait l'Assemblée, il se fût rendu à l'Hôtel de Ville, où on l'attendait ; il alla au Champ-de-Mars. Une grande foule le suivait. Là, dans cette plaine immense, sous le ciel, parlant à toute une armée, il prêcha la croisade, comme aurait fait Pierre l'Ermite, ou saint Bernard. Le canon tonnait au loin, le tocsin sonnait, et la voix puissante de Danton, qui dominait tout, semblait celle de la cité frémissante, celle de la France elle-même.

Le temps passait, il était plus de deux heures.

En sortant du Champ-de-Mars, Danton n'alla pas davantage à la Commune. Il rentra chez lui. Alla-t-il au Conseil des ministres ? La chose est controversée. Visiblement, il attendait que le danger forçât l'Assemblée à donner la dictature au ministère, au ministre populaire qui seul pouvait l'exercer. Il eût mieux aimé la tenir de l'Assemblée nationale, reconnue de la France entière ; il hésitait à recevoir de la Commune de Paris un tiers de dictature en commun avec Robespierre et Marat.

Le Conseil général de la Commune ayant, comme on a vu, de bonne heure voté la proclamation, le canon et le tocsin (qui se firent entendre à deux heures), suspendit sa séance jusqu'à quatre, et se dispersa. Il ne resta que le Comité de surveillance, c'est-à-dire Panis, Marat, quelques amis de Marat.

Le comité, de bonne heure, put avoir connaissance des propositions de massacre faites dans plusieurs sections, et de la résolution que deux sections venaient de prendre. Il agit en conséquence ; il ordonna ou permit la translation de vingt-quatre prisonniers de la Mairie, où il siégeait (c'est aujourd'hui la Préfecture de police), à la prison de l'Abbaye. De ces prisonniers, plusieurs portaient l'habit qui excitait le plus violemment la haine du peuple, l'habit de ceux qui organisaient la guerre civile du Midi et de la Vendée, l'habit ecclésiastique. Au moment où le canon se fit entendre, des hommes armés pénètrent dans la prison de la Mairie ; ils disent aux prisonniers qu'il faut aller à l'Abbaye. Cette invasion se fit non par une masse du peuple, mais *par des soldats,* des fédérés de Marseille ou d'Avignon ; ce qui semble indiquer que la chose ne fut point fortuite, mais autorisée, que le comité, par une autorisation au moins verbale, livra ses prisonniers à la mort.

On eût pu fort aisément les massacrer dans la prison ; mais la chose n'eût pu être présentée comme un acte spontané du peuple. Il fallait qu'il y eût une apparence de hasard ; s'ils avaient fait la route à pied, le hasard eût servi plus vite l'intention des massacreurs ; mais ils demandèrent des fiacres. Les vingt-quatre prisonniers se placèrent dans six voitures ; cela les protégeait un peu. Il fallait que les massacreurs trouvassent moyen d'irriter les prisonniers à force d'outrages, au point qu'ils perdissent patience, s'emportassent, oubliassent le soin de leur vie, parussent avoir provoqué, mérité leur malheur ; ou bien encore, il fallait irriter le peuple, soulever sa fureur contre les prisonniers ; c'est ce qu'on essaya de faire d'abord. La procession lente de six fiacres eut tout le caractère d'une horrible exhibition. « Les voilà, criaient les massacreurs ; les voilà, les traîtres ! ceux qui ont livré Verdun ; ceux qui allaient égorger vos femmes et vos enfants... Allons, aidez-nous, tuez-les. »

Cela ne réussissait point. La foule s'irritait, il est vrai, aboyait autour, mais n'agissait pas. On n'obtint aucun résultat le long du quai, ni dans la traversée du Pont-Neuf, ni dans toute la rue Dauphine. On arrivait au carrefour Buci, près de l'Abbaye, sans avoir pu lasser la patience des prisonniers, ni décider le peuple à mettre la main sur eux. On allait entrer à la prison, il n'y avait pas de temps à perdre ; si on les tuait, arrivés, sans que la chose fût préparée par quelque démonstration quasi populaire, il allait devenir visible qu'ils périssaient par ordre et du fait de l'autorité. Au carrefour, où se trouvait dressé le théâtre des enrôlements, il y avait beaucoup d'encombrement, une grande foule. Là, les massacreurs, profitant de la confusion, prirent leur parti, et commencèrent à lancer des coups de sabre et des coups de pique tout au travers des voitures. Un prisonnier qui avait une canne, soit instinct de la défense, soit mépris pour ces misérables qui frappaient des gens désarmés, lança à l'un d'eux un coup de canne au visage. Il fournit ainsi le prétexte qu'on attendait. Plusieurs furent tués dans les voitures mêmes ; les autres comme on va le voir, en descendant à la cour de l'Abbaye. Ce premier massacre eut lieu, non dans la cour de la prison, mais dans celle de l'église (aujourd'hui la rue d'Erfurth), où l'on fit entrer les voitures.

Il n'était pas loin de trois heures. A quatre, le Conseil général de la Commune rentra en séance, sous la présidence d'Huguenin.

Le Comité de surveillance avait hâte de faire accepter, légaliser par le Conseil général l'effroyable initiative qu'il venait de prendre. Il l'obtint indirectement, et non sans adresse. Il demanda, obtint *qu'on protégeât les prisonniers... détenus pour dettes, mois de nourrices et autres causes civiles.* Protéger seulement cette classe de prisonniers, c'était dire qu'on ne protégeait pas les prisonniers politiques, qu'on les abandonnait, qu'on les livrait à la mort, et que ceux qui étaient morts, on les jugeait bien tués.

Le coup de maître eût été d'avoir aussi pour le massacre une autorité individuelle, immense dans un tel moment, supérieure à celle d'aucun corps, l'autorité de Danton. De bonne heure, la Commune lui avait écrit de venir à l'Hôtel de Ville ; mais il ne paraissait pas. Ce fut un grand étonnement lorsque, vers cinq heures, le Conseil général vit entrer le ministre de la Guerre, le girondin Servan, embarrassé, peu rassuré, qui demandait ce qu'on lui voulait. Le quiproquo s'éclaircit. La lettre destinée au ministre de la Justice avait été portée au ministre de la Guerre. Le commis, disait-on, s'était trompé d'adresse. Il faut se rappeler que le secrétaire de la Commune, Tallien, était un ardent dantoniste ; il servit son maître, sans doute, comme il voulait être servi. Entre Marat et Robespierre, Danton n'avait nulle hâte d'aller prendre le troisième rôle. Il montra suffisamment qu'il ne regrettait pas l'erreur ; elle pouvait être réparée en moins d'une demi-heure ; il s'obstina à ne point être averti ; il se tint éloigné de la Commune, comme s'il y eût cent lieues de l'Hôtel de Ville au ministère de la Justice. Il ne vint point le soir du 2, pas davantage le 3.

Le massacre continuait à l'Abbaye. Il est curieux de savoir quels étaient les massacreurs.

Les premiers, nous l'avons vu, avaient été des fédérés Marseillais, Avignonnais et autres du Midi, auxquels se joignirent, si l'on en croit la tradition, quelques garçons bouchers, quelques gens de rudes métiers, de jeunes garçons surtout, des gamins déjà robustes et en état de mal faire, des apprentis qu'on élève cruellement à force de coups, et qui, en de pareils jours, le rendent au premier venu ; il y avait entre autres un petit perruquier qui tua plusieurs hommes de sa main.

Toutefois, l'enquête qu'on fit plus tard contre les septembriseurs ne mentionne ni l'une ni l'autre de ces deux classes, ni les soldats du Midi, ni la tourbe populaire, qui, sans doute, s'étant écoulée, ne pouvait plus se trouver. Elle désigne uniquement des gens établis, sur lesquels on pouvait remettre la main, en tout cinquante-trois personnes du voisinage, presque tous marchands de la rue Sainte-Marguerite et des rues voisines. Ils sont de toutes les professions, horloger, limonadier, charcutier, fruitier, savetier, layetier, boulanger, etc. Il n'y a qu'un seul boucher établi. Il y a plusieurs tailleurs, dont deux Allemands, ou peut-être Alsaciens.

Si l'on en croit cette enquête, ces gens se seraient vantés non seulement d'avoir tué un grand nombre de prisonniers, mais d'avoir exercé sur les cadavres des atrocités effroyables.

Ces marchands des environs de l'Abbaye, voisins des Cordeliers, de Marat, et sans doute ses lecteurs habituels, étaient-ils une élite de maratistes que la Commune appela pour compromettre la garde nationale dans le massacre, le couvrir de l'uniforme bourgeois, empêcher que la grande masse de la garde nationale n'intervînt pour arrêter l'effusion du sang ? Cela n'est pas invraisemblable.

Cependant, il n'est pas absolument nécessaire de recourir à cette hypothèse. Ils déclarèrent eux-mêmes, dans l'enquête, que les prisonniers les insultaient, les provoquaient tous les jours à travers les grilles, qu'ils les menaçaient de l'arrivée des Prussiens et des punitions qui les attendaient.

La plus cruelle, déjà on la ressentait : c'était la cessation absolue du commerce, les faillites, la fermeture des boutiques, la ruine et la faim, la mort de Paris. L'ouvrier supporte souvent mieux la faim que le boutiquier la faillite. Cela tient à bien des causes, à une surtout dont il faut tenir compte ; c'est qu'en France la faillite n'est pas un simple malheur (comme en Angleterre et en Amérique), mais la perte de l'honneur. *Faire honneur à ses affaires* est un proverbe français et qui n'existe qu'en France. Le boutiquier en faillite, ici, devient très féroce.

Ces gens-là avaient attendu trois ans que la Révolution prît fin, ils avaient cru un moment que le roi la finirait en s'appuyant sur La Fayette. Qui l'en avait empêché, sinon les gens de la Cour, les prêtres qu'on tenait dans l'Abbaye ? « Ils nous ont perdus et se sont perdus, disaient ces marchands furieux ; qu'ils meurent maintenant ! »

Nul doute aussi que la panique n'ait été pour beaucoup dans leur fureur. Le tocsin leur troubla l'esprit ; le canon que l'on tirait leur produisit l'effet de celui des Prussiens. Ruinés, désespérés, ivres de rage et de peur, ils se jetèrent sur l'ennemi, sur celui du moins qui se trouvait à leur portée, désarmé, peu difficile à vaincre, et qu'ils pouvaient tuer à leur aise, presque sans sortir de chez eux.

Les vingt-quatre prisonniers ne furent pas longs à tuer ; ils ne firent que mettre en goût. Il y avait parmi eux des prêtres. Le massacre commença sur les autres prêtres qui se trouvaient à l'Abbaye, dont ils occupaient le cloître. Mais on se souvint que le plus grand nombre étaient aux Carmes, rue de Vaugirard ; plusieurs y coururent, laissèrent l'Abbaye.

Il y avait aux Carmes un poste de seize gardes nationaux : huit étaient absents ; mais des huit présents, le sergent était un homme d'une résolution peu commune, petit, carré de taille, roux, extrêmement fort et sanguin. La grande porte était fermée, il se mit sur la petite, la remplit pour ainsi dire de ses larges épaules et les arrêta tout court.

Cette foule n'était pas imposante ; il y avait beaucoup d'aboyeurs, de gamins et de femmes, mais seulement vingt hommes armés ; et encore leur chef, un savetier, borgne et boiteux, portant son tablier de cuir sur un méchant pantalon rayé de siamoise, n'avait pour arme qu'une lame liée au bout d'un bâton. Les autres, au premier coup d'œil, semblaient être des porteurs d'eau ivres. Derrière venaient les curieux qui se succédèrent tout le jour à ce beau spectacle. Le plus connu était un acteur, bavard, ridicule, joli garçon de mœurs bizarres, et qui pouvait passer pour femme. Cette fois, il faisait le brave et croyait être homme.

L'homme roux, jetant sur la bande un œil de mépris, leur dit qu'il resterait là, et qu'on ne passerait pas, à moins qu'il ne fût relevé par l'officier même qui l'y avait mis. On alla chercher un ordre de la section, qu'il ne voulut pas reconnaître, puis un ordre du chef de bataillon, dont il ne tint compte. Il ne quitta la place qu'après qu'on eut trouvé, amené son capitaine, un peintre en bâtiment de la rue voisine, qui releva le poste.

Les meurtriers entrèrent en criant : « Où est l'archevêque d'Arles ? » Ce mot d'Arles était significatif ; il suffisait pour rappeler le plus furieux fanatisme contre-révolutionnaire, l'association trop connue sous le nom de la *Chiffonne,* le dangereux foyer de la guerre civile pour tout le Midi. Et tel évêché, tel évêque ; celui d'Arles était l'homme de la résistance, une tête dure, qui, aux Carmes même, confirma dans ses compagnons de captivité l'esprit obstinément étroit qui leur faisait voir la ruine de la religion dans une question tout extérieure et de discipline. Il avait avec lui deux évêques, grands seigneurs, qui, par leur nom, leur fortune, imposaient à ces pauvres prêtres, les dominaient, les enfonçaient dans leur triste point d'honneur.

Le prêtre le plus connu, après l'archevêque d'Arles, était le confesseur de Louis XVI, le père Hébert, qui, au 20 juin, au 10 août, eut dans ses mains la conscience du roi, l'affermit dans son obstination, et lui donna l'absolution peu d'instants avant le carnage. Ces prêtres qui perdirent le roi et se perdirent, étaient-ils sincères ? Nous le croyons volontiers.

Une ombre reste cependant sur eux, et nous porterait à douter si ces martyrs ont été des saints ; c'est l'encouragement qu'ils donnèrent à Louis XVI dans la duplicité funeste qui lui fit sans cesse attester la Constitution contre la Constitution, pour la ruiner par elle-même, en invoquant la lettre stricte, pour en mieux annuler l'esprit.

Paris montra pour leur sort la plus profonde indifférence. Il y avait au Théâtre-Français (Odéon) un rassemblement de volontaires et gardes nationaux qui s'étaient réunis au bruit du tocsin. Il y en avait trois cents qui faisaient l'exercice dans le Jardin du Luxembourg. S'ils avaient reçu de Santerre le moindre signal, ils auraient été aux Carmes, à l'Abbaye, et, sans la moindre difficulté, auraient empêché le massacre. N'ayant aucun ordre, ils ne bougèrent pas.

Le Conseil général de la Commune, rentré en séance à quatre heures, reçut, comme on a vu, plusieurs avis du massacre, et ne s'émut pas beaucoup. Il était en ce moment la seule autorité réelle de Paris, et il envoya demander au pouvoir législatif, à l'Assemblée, ce qu'il fallait faire.

En même temps, comme pour démentir ce semblant d'humanité, il autorisa les sections « à empêcher *l'émigration* par la rivière ». Il appelait *émigration* la fuite trop naturelle de ceux qu'on massacrait au hasard et sans jugement.

Le maire de Paris était annulé depuis longtemps. La Commune avait usurpé, une à une, toutes ses fonctions ; elle le faisait en quelque sorte garder à vue. Pétion ne logeait pas même à l'Hôtel de Ville, mais à la Mairie (c'est aujourd'hui, nous l'avons dit, la Préfecture de police, au quai des Orfèvres), sous l'œil hostile, inquiet du Comité de surveillance, qui siégeait dans le même hôtel, en maître absolu, entouré de ses agents.

Pétion, le 2 et le 3, écrivit à Santerre, commandant de la garde nationale, lequel ne répondit pas. Et comment aurait-il répondu ? C'était Panis, le beau-frère de Santerre, qui venait d'introniser Marat au Comité de surveillance, Marat, le massacre même.

Les autorités de Paris ne pouvant rien ou ne voulant rien, il restait à savoir ce que pourraient les ministres.

Les ministres girondins avaient été atteints la veille, percés, et de part en part, des traits mortels de Robespierre. Les meneurs de l'Assemblée, ces traîtres, ces amis de Brunswick qui lui faisaient offrir le trône, où fallait-il les chercher ?... Robespierre avait-il nommé Roland et les autres, on ne le sait ; mais il est sûr qu'il les désignait si bien que tout le monde les nommait.

Le 2, le 3 et le 4, toute la question débattue dans la Commune était de savoir si elle allait lancer un mandat d'amener contre le ministre de l'Intérieur, l'envoyer à l'Abbaye. Un fonctionnaire, ainsi dénoncé et suspecté, eût été annulé par cela seul, quand même la Constitution de 91 lui aurait permis d'agir; mais cette Constitution, combinée pour énerver le pouvoir central au profit de celui des communes, ne permettait au ministre d'agir que par l'intermédiaire même de la Commune de Paris, qu'il s'agissait de réprimer.

Pour mieux paralyser Roland, le 2 septembre, à six heures, pendant le massacre, deux cents hommes entourèrent tumultueusement le ministère de l'Intérieur, criant, demandant des armes. Que voulait-on ? Isoler M. et Mme Roland, terrifier leurs amis, faire comprendre que les soutenir en toute mesure de vigueur, c'était les faire massacrer.

Les deux cents criaient à la trahison, brandissaient des sabres. Roland était absent. Mme Roland ne s'effraya pas ; elle leur dit froidement qu'il n'y avait jamais eu d'armes au ministère de l'Intérieur, qu'ils pouvaient visiter l'hôtel, que, s'ils voulaient voir Roland, ils devaient aller à la Marine, où le Conseil des ministres était assemblé. Ils ne voulurent se retirer qu'en emmenant comme otage un employé du secrétariat.

Quant au ministre de la Justice, Danton, on a vu qu'il s'obstinait à ignorer que la Commune l'invitât à se rendre dans son sein ; il gardait une position expectante, équivoque, entre la Commune et l'Assemblée. Robespierre, le 2 septembre, renouvelant dans le Conseil général ses accusations de la veille et les précisant, dit qu'il y avait une grande conspiration *pour donner le trône au duc de Brunswick.* Billault-Varennes appuya. Le Conseil général applaudit. Tout le monde comprit que les conspirateurs étaient les ministres mêmes, que le pouvoir exécutif voulait livrer la France. Le bruit s'en répandit dans Paris à l'instant. On dit, on répéta, on crut « *que la Commune déclarait le pouvoir exécutif déchu de la confiance nationale* ». Le peu de pouvoir moral que conservait le ministère fut anéanti.

Une section (l'île Saint-Louis) eut néanmoins le courage de s'informer exactement de ce qu'il en fallait croire. Soit par un mouvement spontané, soit qu'elle y fût poussée par les ministres, elle envoya demander à l'Assemblée s'il était bien sûr que la Commune en eût décidé ainsi. L'Assemblée répondit négativement, et cette négation n'eut aucun effet sur l'opinion. Les ministres restèrent brisés.

Il semble pourtant qu'au soir ils aient essayé de reprendre force ; ils firent agir Pétion. L'inerte, l'immobile maire de Paris reprit tout à coup mouvement. Il invita les présidents de toutes les sections à se réunir chez lui pour entendre, disait-il, un rapport du ministre de la Guerre sur les préparatifs du départ des volontaires. Cette assemblée étant réunie, et formant une sorte de corps qu'on pouvait en quelque sorte opposer au Conseil général de la Commune, on lui proposa, on lui fit voter une mesure très hardie, dont l'effet eût été de neutraliser en grande partie la Commune en l'égalant ou la dépassant dans l'élan révolutionnaire. On décida qu'indépendamment de la solde, *on assurerait aux volontaires un fonds pour subvenir aux besoins de leurs familles ;* de plus, qu'on porterait à *soixante mille* les trente mille hommes demandés par l'Assemblée à la Ville de Paris et aux départements limitrophes, *en complétant par la voie du sort* ce que l'enrôlement volontaire n'aurait pas donné ; troisièmement, qu'on créerait une Commission de surveillance pour l'emploi des armes (elles étaient en effet odieusement gaspillées, souvent volées et vendues), et que l'on fondrait des balles, en employant même le plomb des cercueils.

Cette proposition était triplement révolutionnaire. Elle faisait par la simple autorité de Paris trois choses que l'Assemblée seule semblait avoir le droit de faire : elle frappait un impôt (durable et considérable) ; elle changeait le mode de recrutement, en rendait les résultats certains, précis, efficaces ; elle doublait le nombre d'hommes demandé par une loi. Si Pétion réunit chez lui les commissaires de sections pour leur faire voter une telle mesure, tellement extralégale, c'est qu'il y était certainement autorisé par le Conseil des ministres. Le ministre de la Guerre était présent à cette réunion.

C'était la plus sage mesure qu'on pût prendre dans la situation. Elle pouvait calmer les cœurs, et elle augmentait l'élan militaire. Qu'est-ce qui troublait ceux qui partaient ? Ce n'était pas le départ même, c'était généralement l'abandon, le dénuement où ils laissaient leurs familles. Eh bien ! la patrie était là qui les recevait et les adoptait ; dans le déchirement du départ, cette femme éplorée, ces enfants, ils ne sortaient des bras d'un père que pour tomber aux bonnes mains maternelles de la France. Qui ne serait parti alors d'un cœur héroïque et paisible, dans la sérénité courageuse où l'homme embrasse d'avance volontiers la vie, volontiers la mort ?

Cette mesure prise le 1er septembre, eût eu d'excellents effets. Le 2, elle était tardive. Elle ne fut connue que le 3, fut à peine remarquée.

Le 2, au soir, pendant qu'on discute ainsi chez Pétion les moyens possibles de calmer le peuple, le massacre continue aux Carmes et à l'Abbaye. Aux Carmes, on avait tué d'abord les évêques et vingt-trois prêtres, réfugiés dans la petite chapelle qui est au fond du jardin. D'autres, qui fuyaient par tout le jardin, ou tâchaient de passer par-dessus les murs, étaient poursuivis, tirés avec des risées cruelles. A l'Abbaye, on massacrait une trentaine de Suisses et autant de gardes du roi. Nul moyen de les sauver. Manuel, qui était fort aimé, vint de la Commune, prêcha, fit les derniers efforts, et il eut la douleur de voir le peu que sert l'amour du peuple. Il ne s'en fallut guère que les furieux ne missent la main sur lui. L'Assemblée avait envoyé aussi plusieurs de ses membres les plus populaires : le bon vieux Dusaulx, dont la noble figure militaire, les beaux cheveux blancs, pouvaient rappeler au peuple son temps d'héroïque pureté, la prise de la Bastille ; Isnard aussi, l'orateur de la guerre, aux brûlantes paroles. On leur avait adjoint un héros de la populace, violent, grivois, fait pour répondre aux mauvaises passions, pour les modérer peut-être en les partageant ; je parle du capucin Chabot.

Tout cela fut inutile. La foule était sourde et aveugle ; elle buvait de plus en plus, de moins en moins comprenait. La nuit venait ; les sombres cours de l'Abbaye devenaient plus sombres. Les torches qu'on allumait faisaient paraître plus obscur ce qu'elles n'éclairaient pas de leurs funèbres lueurs. Les députés, au milieu de ce tumulte effroyable, n'étaient nullement en sûreté. Chabot tremblait de tous ses membres. Il a assuré plus tard qu'il croyait avoir passé sous une voûte de dix mille sabres. Tout menteur qu'il fût d'habitude, je crois volontiers qu'il n'a pas menti. L'éblouissement de la peur lui aura multiplié à l'infini les objets. Du reste, il suffit de voir le lieu de la scène, les cours de l'Abbaye, le parvis de l'église, la rue

Sainte-Marguerite, pour comprendre que quelques centaines d'hommes remplissent surabondamment ce lieu très étroit, resserré de tous côtés.

Ce qui commençait à donner un caractère terrible au massacre, c'est que, par cela même que la scène était resserrée, les spectateurs mêlés à l'action, touchant presque le sang et les morts, étaient comme enveloppés du tourbillon magnétique qui emportait les massacreurs. Ils buvaient avec les bourreaux, et le devenaient. L'effet horriblement fantastique de cette scène de nuit, ces cris, ces lumières sinistres, les avaient fascinés d'abord, fixés à la même place. Puis le vertige venait, la tête achevait de se prendre les jambes et les bras suivaient ; ils se mettaient en mouvement, entraient dans cet affreux sabbat et faisaient comme les autres.

Dès qu'une fois ils avaient tué, ils ne connaissaient plus, et voulaient toujours tuer. Un même mot revenait sans cesse dans les bouches hébétées : « Aujourd'hui, il faut en finir. » Et par-là, ils n'entendaient pas seulement tuer les aristocrates, mais en finir avec tout ce qu'il y avait de mauvais, purger Paris, n'y rien laisser au départ qui pût être dangereux, tuer les voleurs, les faux monnayeurs, les fabricateurs d'assignats, tuer les joueurs et les escrocs, tuer même les filles publiques... Où s'arrêterait le meurtre sur cette pente effroyable ? Comment borner cette fureur d'épuration absolue ? Qu'arriverait-il, et qui serait sûr de rester en vie, si, par-dessus l'ivresse de l'eau-de-vie et l'ivresse de la mort, une autre agissait encore, l'ivresse de la justice, d'une fausse et barbare justice, qui ne mesurait plus rien, d'une justice à l'envers, qui punissait les simples délits par des crimes ?

Dans cette disposition d'esprit effroyable, beaucoup trouvèrent que l'Abbaye était un champ trop étroit ; ils coururent au Châtelet. Le Châtelet n'était point une prison politique ; il recevait des voleurs et des condamnés à la détention pour des fautes moins graves. Ces prisonniers entendant dire la veille que les prisons seraient bientôt vidées, croyant trouver leur liberté dans la confusion publique, pensant qu'à l'approche de l'ennemi les royalistes pourraient bien leur ouvrir la porte, avaient, le 1er septembre, fait leurs préparatifs de départ ; plusieurs, le paquet sous le bras, se promenaient dans les cours. Ils sortirent, mais autrement. Une trombe effroyable arrive à sept heures du soir de l'Abbaye au Châtelet ; un massacre indistinct commence à coups de sabre, à coups de fusil. Nulle part ils ne furent plus impitoyables. Sur près de deux cents prisonniers. Il n'y en eut guère plus de quarante épargnés. Ceux-ci obtinrent, dit-on, la vie, en jurant qu'à la vérité ils avaient volé, mais qu'ils avaient toujours eu la délicatesse de ne voler que les voleurs, les riches et les aristocrates.

Le Châtelet était d'un côté du pont au Change ; la Conciergerie est de l'autre. Là se trouvaient, entre autres prisonniers, huit officiers suisses. Au moment même, l'un d'eux, le major Bachmann, était jugé par le tribunal extraordinaire ; seul de tous, il fut épargné, réservé pour l'échafaud. Le massacre des Suisses et des autres prisonniers eut lieu tout près du tribunal, et l'audience fut à chaque instant interrompue par des cris. Rien, dans ces jours effroyables, ne fut plus hideux que ce rapprochement, ce mélange de la justice régulière et de la justice sommaire, ce spectacle de voir les juges tremblants sur leurs sièges, continuer au tribunal des formalités inutiles, presser un vain simulacre de procès, lorsque l'accusé ne gardait nulle chance que d'être massacré le jour ou guillotiné le lendemain.

Tant qu'on tua ainsi des voleurs, des Suisses ou des prêtres, les massacreurs frappaient sans hésitation. La première difficulté vint, à l'Abbaye, de ce que plusieurs des prêtres qui vivaient encore déclarèrent qu'ils voulaient bien mourir, mais qu'ils demandaient le temps de se confesser. La demande parut juste ; on leur accorda quelques heures.

Il restait à ce moment moins de monde à l'Abbaye. Outre le détachement envoyé de bonne heure aux Carmes, beaucoup, comme on vient de voir, travaillaient au Châtelet. On essaya (probablement vers sept heures du soir) d'organiser un tribunal à l'Abbaye, de sorte qu'on ne tuât plus indistinctement et qu'on épargnât quelques personnes. Ce tribunal eut en effet le bonheur de sauver un grand nombre d'individus. Faisons connaître l'homme qui forma le tribunal et le présida.

Il y avait au faubourg Saint-Antoine un personnage bizarre, dont nous avons déjà parlé, le fameux huissier Maillard. C'était un sombre et violent fanatique sous formes très froides, d'un courage et d'un sang-froid rares et singuliers. A la prise de la Bastille, lorsque le pont-levis étant rompu, on y substitua une planche, le premier qui passa tomba dans le fossé de trente pieds de profondeur et se tua sur le coup. Maillard passa le second, et sans hésitation, sans vertige, il atteignit l'autre bord. On l'a revu au 5 octobre, comme il faisait la conduite des femmes, ne permettant sur la route ni pillage ni désordre ; tant qu'il fut à la tête de cette foule, il n'y eut aucune violence. Son originalité, c'était, dans les plus tumultueux mouvements, de conserver des formes régulières et quasi légales. Le peuple l'aimait et le craignait. Il avait près de six pieds ; sa taille, son habit noir, honnête, râpé et propre, sa figure solennelle, colossale, lugubre, imposaient à tous.

Maillard voulait le massacre, sans nul doute ; mais, homme d'ordre avant tout, il tenait également à deux choses : 1° à ce que les aristocrates fussent tués ; 2° à ce qu'ils fussent tués légalement, avec quelques formes, sur l'arrêt bien constaté du peuple, seul juge infaillible.

Il procéda avec méthode, se fit apporter l'écrou de la prison, et, sur l'écrou, fit les appels, de sorte que tous comparussent à leur tour. Il se composa un jury, et il le prit, non parmi les ouvriers, mais parmi des gens établis, des pères de famille du voisinage, des petits marchands. Ces bourgeois se trouvèrent, par la grâce de Maillard, avec l'approbation de la foule, composer le formidable tribunal populaire qui, d'un signe, donnait la vie ou la mort. Pâles et muets, ils siégèrent là, la nuit et les jours suivants, jugeant par signes, opinant par des mouvements de tête. Plusieurs, quand ils voyaient la foule un peu favorable à tel prisonnier, hasardaient parfois un mot d'indulgence.

Avant la création de ce tribunal, un seul homme avait été épargné, l'abbé Sicard, instituteur des sourds-muets, réclamé d'ailleurs par l'Assemblée nationale. Depuis que Maillard siégea, avec son jury, il y eut distinction, il y eut des coupables et des innocents ; beaucoup de gens échappèrent. Maillard consultait la foule, mais en réalité, son autorité était telle qu'il imposait ses jugements. Ils étaient respectés, quels qu'ils fussent, lors même qu'ils absolvaient. Quand le noir fantôme se levait, mettait la main sur la tête du prisonnier, le proclamait innocent, personne n'osait dire non. Ces absolutions, solennellement prononcées, étaient généralement accueillies des meurtriers avec des clameurs de joie. Plusieurs, par une étrange réaction de sensibilité, versaient des larmes, et se jetaient dans les bras de celui qu'un moment auparavant ils auraient égorgé. Ce n'était pas une petite épreuve que de recevoir ces poignées de main sanglantes, d'être serré sur la poitrine de ces meurtriers sensibles. Ils ne s'en tenaient pas là. Ils reconduisaient « ce brave homme, ce bon citoyen, ce bon patriote ». Ils le montraient avec bonheur, avec enthousiasme, le recommandaient à la pitié du peuple. S'ils ne le connaissaient point, n'avaient rien à dire de lui, leur imagination exaltée suppléait et lui composait sa légende ; ils la contaient, chemin faisant, et, chose étrange, à mesure qu'ils l'improvisaient et la faisaient croire aux passants, ils la croyaient aussi eux-mêmes. « Citoyens, disaient-ils, vous voyez bien ce patriote, eh bien ! on l'avait enfermé pour avoir trop bien parlé de la nation... » — « Voyez ce malheureux, criait un autre, ses parents l'avaient fait mettre aux oubliettes pour s'emparer de son bien. » — « En même temps, dit celui auquel nous empruntons ces détails, les passants se pressaient, pour me voir, autour du fiacre où j'étais, m'embrassaient par les portières... »

Ceux qui reconduisaient un prisonnier se faisaient scrupule d'en rien recevoir, se contentant d'accepter tout au plus un verre de vin des amis ou des parents chez qui ils le ramenaient. Ils disaient qu'ils étaient assez payés de voir une telle scène de joie, et souvent pleuraient de bonheur.

Il y avait, au moins dans ces commencements du massacre, un désintéressement très réel. Des sommes considérables, en louis d'or, qu'on trouva à l'Abbaye sur les premières victimes, furent immédiatement portées à la Commune. Il en fut de même aux Carmes. Le savetier qui y était entré le premier, et s'était fait capitaine, eut un soin scrupuleux de tout ce qu'on prit. Un témoin oculaire, qui me l'a conté, le vit, le soir, entrer avec sa bande dans l'église de Saint-Sulpice, apporter dans son tablier de cuir sanglant une masse d'or et de bijoux, des anneaux épiscopaux, des bagues de grande valeur. Il remit fidèlement le tout, par-devant témoins, à l'autorité.

Le lendemain encore, dans la journée du 3, il y eut un remarquable exemple de ce désintéressement. Ils avisèrent que le massacre des voleurs du Châtelet était incomplet s'ils n'y joignaient celui d'une soixantaine de forçats qui étaient aux Bernardins, attendant le départ de la chaîne. Ils allèrent les égorger, jetèrent dans la rue les dépouilles, avec défense d'y toucher. Un porteur d'eau qui passait regarda par terre un habit avec curiosité, et le releva pour mieux voir ; il fut tué à l'instant.

Cette justice de hasard, troublée tantôt par la fureur, tantôt par la pitié, par le désintéressement même et le sentiment de l'honneur, frappa plus d'un républicain, en sauvant des royalistes. Au Châtelet, d'Esprémenil se fit passer pour massacreur, tant le désordre était grand. Ce qui étonne davantage, c'est qu'il y eut des royalistes épargnés pour cela seul qu'ils s'avouaient courageusement royalistes, alléguant qu'ils l'avaient été de cœur et de sentiments, sans avoir aucun acte à se reprocher. C'est ainsi qu'échappa un journaliste très aristocrate, l'un des rédacteurs des *Actes des Apôtres,* Journiac de Saint-Méard. Il avait intéressé un de ses gardiens, Provençal comme lui, qui lui procura une bouteille de vin ; il la but d'un trait, parla avec une assurance qui charma le tribunal. Maillard proclama que la justice du peuple *punissait les actes et non les pensées.* Il le renvoya absous.

On voit par ce seul fait l'audace extraordinaire du juge de l'Abbaye. Il mit parfois à une rude épreuve l'obéissance des meurtriers. Quelquefois ils s'indignèrent, réclamèrent, entrèrent dans le tribunal, le sabre à la main. Une fois devant Maillard, ils étaient intimidés et ils s'en allaient.

Il y avait à l'Abbaye une fille charmante, Mlle Cazotte, qui s'y était enfermée avec son père, Cazotte ; le spirituel visionnaire, auteur d'opéras-comiques, n'en était pas moins très aristocrate ; il y avait contre lui et ses fils des preuves écrites très graves. Il n'y avait pas beaucoup de chances qu'on pût le sauver. Maillard accorda à la jeune demoiselle la faveur d'assister au jugement et au massacre, de circuler librement. Cette fille courageuse en profita pour capter la faveur des meurtriers ;

elle les gagna, les charma, conquit leur cœur, et, quand son père parut, il ne se trouva plus personne qui voulût le tuer.

Cela eut lieu le 4 septembre. Il y avait trois jours que Maillard siégeait immuable, condamnait et absolvait. Il avait sauvé quarante-deux personnes. La quarante-troisième était difficile, impossible à sauver, ce semble. C'était M. de Sombreuil, connu comme ennemi déclaré de la Révolution. Ses fils étaient à ce moment dans l'armée ennemie, et l'un d'eux se battit si bien contre la France qu'il fut décoré par le roi de Prusse. La seule chance de Sombreuil, c'est que sa fille s'était enfermée avec lui.

Quand il parut au tribunal, ce royaliste acharné, ce coupable, cet aristocrate, et qu'on vit pourtant un vieux militaire qui, à d'autres époques, avait bravement servi la France, Maillard fit effort sur lui-même, et dit une noble parole : « Innocent ou coupable, je crois qu'il serait indigne du peuple de tremper ses mains dans le sang de ce vieillard. »

Mlle de Sombreuil, forte de ce mot, saisit intrépidement son père, et le mena dans la cour, l'embrassant et l'enveloppant. Elle était si belle ainsi et si pathétique, qu'il n'y eut qu'un cri d'admiration. Quelques-uns pourtant, après tant de sang versé pour ce qu'ils croyaient la justice, se faisaient scrupule de suivre leur cœur, de céder à la pitié, d'épargner le plus coupable. On a dit, sans aucune preuve, mais non pas sans vraisemblance, que, pour donner à Mlle de Sombreuil la vie de son père, ils exigèrent qu'elle jurât la Révolution, abjurât l'aristocratie, et qu'en haine des aristocrates, elle goûtât de leur sang.

Que Mlle de Sombreuil ait ainsi racheté son père, cela n'est pas impossible. Mais on ne lui aurait pas même offert ce traité, ni déféré le serment, si le juge de l'Abbaye n'eût lui-même fait appel à la générosité du peuple, et si la parole de vie ne s'était trouvée dans la bouche de la Mort.

Ce fut le dernier acte du massacre. Maillard s'en alla de l'Abbaye, emportant la vie de quarante-trois personnes qu'il avait sauvées et l'exécration de l'avenir.

CHAPITRE VI

Le 3 et le 4 septembre

Terreur universelle dans la nuit du 2 au 3 — Inertie calculée de Danton — Progrès de la barbarie, aux 2, 3 et 4 septembre — A l'Abbaye, le massacre devient un spectacle (3 septembre 1792) — Tentative sur l'hospice des femmes — Danger des femmes à la Force — Massacre de la Force (3 septembre 1792) — Mort de Mme de Lamballe — La tête de Mme de Lamballe portée au Temple (8 septembre 1792) — Les ministres demandent en vain que l'Assemblée appelle la garde nationale aux armes — Lettre de Roland à l'Assemblée — Circulaire de Marat au nom de la Commune pour conseiller le massacre aux départements – Massacre des femmes et des enfants à la Salpêtrière et à Bicêtre (4 septembre 1792.)

Personne, dans la nuit du 3 au 4 septembre, ne se rendait encore bien compte de la portée et du caractère du terrible événement. Au voile de la nuit, le vertige et la terreur ajoutaient un double voile. Tant d'hommes, qui depuis moururent si bien sur l'échafaud ou dans les batailles, se troublèrent cette nuit, et eurent peur. Étrange puissance de l'imagination, des illusions nocturnes, des ténèbres... Ce n'était pourtant que la mort.

On ne se doutait nullement du petit nombre des acteurs de la tragédie. Le grand nombre des spectateurs, des curieux, trompait partout là-dessus. Les massacreurs, en commençant, n'étaient pas cinquante ; et, quelques recrues qu'ils fissent, ils n'allèrent jamais qu'à trois ou quatre cents. L'Abbaye fut comme leur quartier général ; ils y *travaillèrent* trois jours, et c'est de là que la plupart allèrent aux diverses prisons, le 2 aux Carmes, au Châtelet, à la Conciergerie, le 3 à la Force, aux Bernardins, à Saint-Firmin. Le 4, ils sortirent en grand nombre de Paris, et firent l'expédition de la Salpêtrière, le sac de Bicêtre.

Mais les imaginations ne calculèrent pas ainsi ; Chabot, présent à l'Abbaye, avait cru voir dix mille sabres. Les absents en virent cent mille.

La contagion des fureurs populaires est parfois si grande et si rapide qu'on pouvait croire en effet que la première étincelle ferait un grand embrasement. La masse des volontaires, dont personne ne savait le nombre, n'allait-elle pas se mettre en mouvement, livrer bataille aux prisons, puis à l'Assemblée peut-être, puis, d'hôtel en hôtel, aux aristocrates ?... On ne pouvait le deviner. S'il en était ainsi, que faire ? quelle force leur opposer ? à moins qu'on n'appelât au secours les royalistes, autrement dit, l'ennemi, à moins qu'on n'ouvrît le Temple, qu'on ne défît le 10 août.

A une heure du matin (le 3), des commissaires de la Commune vinrent donner des nouvelles du massacre aux quelques députés qui, à cette heure avancée de la nuit, représentaient seuls l'Assemblée nationale. Ils firent entendre que tout était fini, parlèrent du massacre comme d'un fait accompli. L'un d'eux, Truchon, exposa avec douleur les faibles résultats que son intervention avait produits à la force. Mais Tallien et un autre ne firent pas difficulté d'exprimer une sorte d'approbation *de la juste vengeance du peuple,* qui d'ailleurs n'était tombée que *sur des scélérats reconnus* ; ils parlèrent du désintéressement des massacreurs, et de la belle organisation du tribunal de l'Abbaye. Tout cela écouté dans un morne silence.

Toute puissance publique se trouvait paralysée. Les ministres, généralement, ne voyaient rien à faire que de quitter Paris.

Et toute puissance morale semblait anéantie de même. Robespierre était caché. Il avait quitté, cette nuit, la maison des Duplay, et s'était réfugié chez un de ses fervents disciples, qui venait d'arriver à Paris, qui alors n'était pas connu, qui depuis le fut trop, Saint-Just. Robespierre, assure-t-on, ne se coucha même pas.

Si l'on en croyait Thuriot, ami, il est vrai, de Danton, celui-ci eût été le seul, dans cette terrible nuit, qui restât debout et ferme, « qui fût décidé *à sauver l'Etat* ».

Le violent et colérique Thuriot avait dit une belle parole, en s'opposant, dans l'Assemblée, aux exigences meurtrières de la Commune : « La Révolution n'est pas à la France ; nous en sommes comptables à l'humanité. » On a droit de supposer qu'il demanda compte à Danton du sang qui était versé.

Sauver l'Etat, ce mot comprenait deux choses : rester à Paris *quand même,* y rester jusqu'à la mort, et y faire rester les autres ; d'autre part, conserver ou rétablir l'unité des pouvoirs publics, éviter une collision entre les deux pouvoirs qui restaient, l'Assemblée et la Commune.

Lever la main sur la Commune, dans cette crise désespérée, briser le dernier pouvoir qui eût force encore, c'était une opération terrible où la France agonisante pouvait expirer. D'autre part, laisser faire la Commune, se soumettre, fermer les yeux sur le massacre, c'était s'avilir par cette tolérance forcée, laisser dire qu'on avait peur, qu'on était faible, lâche, infâme, et le laquais de Marat.

Restait un troisième parti, celui de l'orgueil, de dire que le massacre était bien, que la Commune avait raison — ou même de faire entendre qu'on avait voulu le massacre, qu'on l'avait ordonné, que la Commune ne faisait qu'obéir.

Ce troisième parti, horriblement effronté, avait ceci de tentant qu'en le prenant, Danton se mettait à l'avant-garde des violents, se subordonnait Marat, écartait les vagues dénonciations dans lesquelles on essayait de l'envelopper.

Il y avait, je l'ai dit, du lion dans cet homme, mais du dogue aussi, du renard aussi. Et celui-ci, à tout prix, conserva la peau du lion.

Que dit-il, la nuit du 2? Je ne peux pas croire qu'il ait déjà accepté la pleine responsabilité du crime. Le succès était encore trop obscur. Nous verrons par quels degrés Danton en vint à l'adopter, à le revendiquer.

Les choses furent ainsi laissées à la fatalité, au hasard, au terrible *crescendo* que le crime en liberté suit inévitablement.

Dès la nuit du 3 au 4, on put s'apercevoir que le massacre irait changeant de caractère, qu'il ne garderait pas l'aspect d'une justice populaire, sauvage, mais désintéressée, qu'on croyait lui donner d'abord.

Les massacreurs, nous l'avons vu, étaient mêlés d'éléments divers, qui, le premier jour, indistincts et contenus l'un par l'autre, éclatèrent ensuite ; le pire alla l'emportant. Il y avait des gens payés ; il y avait des gens ivres et des fanatiques ; il y avait des brigands ; ceux-ci peu à peu surgirent.

Sauf les cinquante et quelques bourgeois qui tuèrent à l'Abbaye et sans doute s'en éloignèrent peu, les autres (en tout, deux ou trois cents) allèrent de prison en prison, s'enivrant, s'ensanglantant, se salissant de plus en plus, parcourant en trois jours une longue vie de scélératesse. Le massacre qui, le 2, fut pour beaucoup un effort, devint, le 3, une jouissance. Peu à peu, le vol s'y mêla. On commença de tuer des femmes. Le 4, il y eut des viols, on tua même des enfants.

Le commencement fut modeste. Dans la nuit du 2, ou la nuit du 2 au 3, plusieurs de ceux qui tuaient à l'Abbaye, n'ayant ni bas ni souliers, regardèrent avec envie les chaussures des aristocrates. Ils ne voulurent pas les prendre sans y être autorisés ; ils montèrent à la section, dont le bureau siégeait à l'Abbaye même, demandèrent la permission de mettre à leurs pieds les souliers des morts. La chose ayant été obtenue facilement, l'appétit leur vint, et ils demandèrent davantage : des bons de vin à prendre chez les marchands pour soutenir les travailleurs et les animer à la besogne.

Les choses n'en restèrent pas là. A mesure qu'on s'étourdit, plusieurs se hasardèrent à voler des nippes. Un de ceux qui *travaillèrent* la nuit, le plus ardemment, dans ce sens, était un fripier du quai du Louvre, nommé Laforêt. Son horrible femme tuait aussi, et volait effrontément; c'étaient des pillards connus. Plus tard, au 31 mai, Laforêt se plaignit amèrement de ce qu'il n'y avait pas de pillage dans les maisons : « Dans un jour comme celui-ci, disait-il, j'aurais dû avoir au moins cinquante maisons pour ma part. »

Soit que Maillard ait trouvé que ces voleurs lui gâtaient son massacre et qu'il ait fait avertir la Commune, soit que, d'elle-même, elle ait voulu conserver une sorte de pureté à cette belle justice populaire, un de ses membres arriva vers minuit et demi à l'Abbaye, un homme de figure douce, en habit puce, et petite perruque. C'était Billault-Varennes. Il n'essaya pas d'arrêter le massacre ; l'exemple de Manuel, Dusaulx et des autres députés avertissait assez que la chose était impossible. Il insista seulement pour qu'on sauvât les dépouilles. Toutefois, comme toute peine mérite une récompense, il promit aux *ouvriers* un salaire régulier. Cette mesure très odieuse, et qui impliquait une approbation, n'en eut pas moins un bon effet ; du moment qu'ils furent payés régulièrement, ils travaillèrent beaucoup moins, se donnèrent du bon temps, et se ralentirent.

Une grande partie des massacreurs s'étaient écoulés au Châtelet, à la Force. La tuerie de l'Abbaye devint affaire de plaisir, de récréation, un spectacle. On entassa des hardes au milieu de la cour, en une sorte de matelas. La victime, lancée de la porte dans cette sorte d'arène, et passant de sabre en sabre, par les lances ou par les piques, venait, après quelques tours, tomber à ce matelas, trempé et retrempé de sang. Les assistants s'intéressaient à la manière dont chacun courait, criait et tombait, au courage, à la lâcheté qu'avait montrés tel ou tel, et jugeaient en connaisseurs. Les femmes surtout y prenaient grand plaisir ; leurs premières répugnances une fois surmontées elles devenaient des spectatrices terribles, insatiables, comme furieuses de plaisir et de curiosité. Les massacreurs, charmés de l'intérêt qu'on prenait à leurs travaux, avaient établi des bancs autour de la cour, bien éclairée de lampions ; des bancs, mais non indistincts pour les spectateurs des deux sexes ; il y avait bancs pour les messieurs et bancs pour les dames, dans l'intérêt de l'ordre et de la moralité.

Deux spectateurs étonnaient fort et faisaient partie du spectacle : c'étaient deux Anglais ; l'un gras, l'autre maigre, en longues redingotes qui leur tombaient aux talons. Ils se tenaient debout, l'un à droite et l'autre à gauche, bouteilles et verres à la main ; ils avaient pris la fonction de rafraîchir les travailleurs, et pour les rafraîchir, ils leur versaient toute la nuit le vin et l'eau-de-vie. On a dit que c'étaient des agents du Gouvernement anglais. Selon une conjecture plus probable encore (que fortifie un ouvrage publié à Londres par l'un des deux Anglais, ce semble), ils n'étaient rien de plus que des voyageurs curieux, des excentriques, cherchant des émotions violentes, radicaux prononcés du reste, et ne regrettant en la chose qu'un seul point, qu'elle n'eût pas lieu à Londres.

Le massacre, devenant pour les uns une occasion de vol, un spectacle pour les autres, s'enlaidissait fort. Plusieurs, on le voyait trop, jouissaient à tuer. Cette tendance monstrueuse commença à se révéler, la nuit même, dans le supplice recherché qu'on fit subir à une femme. C'était une bouquetière bien connue du Palais-Royal.

Le plaisir abominable qu'on avait pris à faire souffrir une femme semble avoir sali les esprits, corrompu le massacre même. Vers le matin, une masse d'hommes se rendirent au grand hospice des femmes, à la Salpêtrière. Il y en avait là de tout âge et de toute classe, de vieilles et infirmes, de petites et toutes jeunes, enfin des filles publiques. Celles-ci, nous l'avons dit, étaient toutes, à tort ou à droit, suspectes de royalisme. Néanmoins, cette fureur patriotique, qui s'attaquait à des filles la plupart jeunes et jolies, était-elle un pur fanatisme ? ou bien la pensée du viol avait-elle commencé à flotter dans leurs esprits ?... Quoi qu'il en soit, ils trouvèrent là une masse de garde nationale, et comme ils étaient peu nombreux encore, ils ajournèrent l'expédition.

Le 3 fut marqué surtout par le massacre de la Force ; il y avait beaucoup de femmes à cette prison et fort en danger. La Commune, dans la nuit même, y avait envoyé, pour en retirer au moins celles qui n'y étaient que pour dettes. Il était minuit et demi, et les massacreurs étaient déjà aux portes, peu nombreux à la vérité. C'était une chose honteuse de voir une cinquantaine d'hommes, nullement appuyés du peuple, qui parlaient au nom du peuple et faisaient reculer ses représentants véritables, les membres de la Commune. Ces magistrats populaires ne furent nullement respectés ; on leva les sabres sur eux. Cependant, ils emmenèrent non seulement les prisonniers pour dettes, mais Mme de Tourzel, gouvernante du dauphin, sa jeune fille Pauline, trois femmes de chambre de la reine, et celle de Mme de Lamballe. Quant à cette princesse, l'amie personnelle de la reine, tellement désignée à la haine publique, on n'osa point l'emmener.

La Commune n'avait plus aucune raison de désirer qu'on tuât. Le massacre de quatre prisons avait produit, et au-delà, l'effet de terreur qui la maintenait au pouvoir. Elle tenait terrassée l'Assemblée, la presse et Paris. Le matin du 3, à sept heures, pour porter plus directement encore ce coup de terreur, elle envoya deux de ses commissaires chez l'homme le plus considérable de la presse, Brissot, sous prétexte de chercher dans ses papiers les preuves de la grande trahison, des rapports avec Brunswick, que Robespierre avait dénoncés le 1er et le 2 septembre. On savait qu'on ne trouverait rien, et l'on ne trouva rien en effet ; on ne voulait que faire peur, terrifier l'Assemblée, la briser sans la briser, tuer la presse et la faire taire. Ces deux effets furent produits. Nul journaliste ne pouvait se croire en sûreté, lorsque Brissot, un membre si considérable de l'Assemblée, était recherché, menacé chez lui. L'effrayante stupeur qui régna le 2 est visible dans les journaux qui furent rédigés dans la journée et parurent le lendemain, le surlendemain et les jours suivants. C'est là qu'il faut étudier ce phénomène physiologique, affreux, humiliant, la peur. Ces journalistes, plus tard, sont morts héroïquement ; pas un n'a montré de faiblesse. Eh bien !

faut-il l'avouer ? effet vraiment étonnant de cette fantasmagorie nocturne, de ce rêve épouvantable, de ces ruisseaux de sang qu'on se représentait coulant à la lueur des torches de l'Abbaye... le 3, ils furent comme glacés ; ils n'osèrent pas même se taire ; ils bégayèrent dans leurs journaux, équivoquèrent, louèrent presque *la terrible justice du peuple.*

Deux membres de la Commune présidèrent au massacre de la Force (Hébert, Luillier, Chépy ? on varie sur quelques noms). S'ils voulaient sauver des victimes, leur tâche semblait plus facile que celle des juges de l'Abbaye. La Force contenait moins de prisonniers politiques. Les massacreurs étaient moins nombreux, les spectateurs moins animés. La population du quartier regardait froidement, et ne prenait nulle part à la chose. En récompense, les juges étaient loin d'avoir l'autorité de Maillard ; ils ne dominèrent pas les massacreurs mais furent dominés par eux, furent plutôt leurs instruments, et sauvèrent peu de personnes.

« Laisser faire, laisser tuer », c'était, ce semble, le 3 au matin, la pensée de la Commune. Elle reçut à cette heure quelques hommes des Quinze-Vingts, qui, parlant comme s'ils avaient pouvoir de leur section, demandaient non seulement *la mort des conspirateurs,* mais aussi *l'emprisonnement des femmes des émigrés.* L'emprisonnement, dans un tel jour, ressemblait beaucoup à la mort. La Commune n'osa dire non, et répondit lâchement « que les sections pouvaient prendre dans leur sagesse les mesures qu'elles jugeraient indispensables ».

Manuel et Pétion, qui se rendirent à la Force pour essayer d'intervenir, virent avec horreur leurs collègues de la Commune siéger en écharpe et légaliser la tuerie. Manuel voulut sauver du moins la dernière femme qui restait à la Force, Mme de Lamballe, et ne se retira que lorsqu'il crut avoir assuré son salut. Déjà la veille, à la Commune, il avait eu le bonheur de sauver Mme de Staël. Son titre d'ambassadrice de Suède ne suffisait pas à la protéger ; Manuel réussit en montrant qu'elle était enceinte.

Pour revenir à la Force, Pétion harangua les massacreurs, s'en fit écouter ; il parla très sagement, et crut les avoir convertis à l'humanité, à la philosophie ; il parvint même à les faire partir, les fit sortir par une porte. Lui parti, ils rentrèrent par l'autre, et continuèrent de plus belle.

Le quartier Saint-Antoine et le faubourg restaient étrangers à l'affaire. Un moment pourtant on put croire qu'ils sortiraient de leur inaction, que la masse honnête se déciderait à chasser les assassins. Quelques hommes allèrent chercher un canon à la section (je parle d'après un témoin oculaire), et se mirent à le traîner vers la Force. Parvenus bien près de l'église, ils virent qu'on ne les suivait pas, et laissèrent là leur canon.

Les massacreurs continuèrent. La victime qu'ils attendaient, désiraient, était Mme de Lamballe. Ils avaient bien voulu épargner quatre ou cinq valets de chambre du roi, du dauphin, reconnaissant, que le dévouement obligé d'un serviteur ne peut être un crime ; mais Mme de Lamballe, ils la considéraient comme la principale *conseillère de l'Autrichienne,* sa confidente, son amie, et quelque chose de plus. Une curiosité obscène et féroce se mêlait à la haine que son nom seul excitait, et faisait désirer sa mort.

Ils se trompaient certainement pour l'influence qu'ils lui supposaient sur la reine. Le contraire était plus vrai. Si la reine était légère, elle n'était pas docile ; elle avait des qualités mâles et fortes, dominatrices, un caractère intrépide. Mme de Lamballe était, au sens propre, une femme. Son portrait, plus que féminin, est celui d'une mignonne petite fille savoyarde ; on sait qu'elle était, en effet, de ce pays. La tête était fort petite, sauf l'énorme et ridicule échafaudage de cheveux, comme on les portait alors ; les traits aussi sont trop petits, plus mignons que beaux ; la bouche est jolie, mais serrée, avec le fixe sourire du Savoyard et du courtisan. Cette bouche ne dit pas grand-chose ; on sait en effet que la gentille princesse avait peu de conversation, nulle idée ; elle était peu amusante. Le portrait, qui répond très bien à l'histoire, est celui d'une personne agréable et médiocre, née pour dépendre et obéir, pour souffrir et pour mourir (ce faible col élancé ne fait que trop penser, hélas ! à la catastrophe). Mais ce que le portrait ne dit pas assez, c'est qu'elle était faite aussi pour aimer. Il y parut à la mort.

La reine l'aimait assez, mais elle fut pour elle, comme pour tous, légère et inégale. Elle se jeta d'abord à elle, avec tout l'emportement de son caractère. La pauvre jeune étrangère, malheureuse par son mari qui la délaissait et mourut bientôt, fut reconnaissante, se donna de cœur, tout entière et pour toujours. Bien ou mal traitée, elle resta tendre et fidèle, avec la constance de son pays. Cette femme jeune et jolie était toute à deux personnes, au vieux duc de Penthièvre, son beau-père, qui voyait en elle une fille, et à la reine, qui l'oubliait pour Mme de Polignac. La reine n'avait aucun besoin de la bien traiter ; elle était sûre de son dévouement aveugle, en toute chose, honorable ou non ; elle s'en servait sans façon pour toute affaire et toute intrigue, la compromettre de toute manière, en usait et en abusait. Qu'on en juge par un fait : ce fut Mme de Lamballe qu'elle envoya à la Salpêtrière pour offrir de l'argent à Mme de La Motte, récemment fouettée et marquée ; la reine apparemment craignait qu'elle ne publiât des mémoires sur la vilaine affaire du Collier. Le trop docile instrument de Marie-Antoinette reçut de la supérieure de l'hospice cette foudroyante parole : « Elle est condamnée, madame, mais pas à vous voir. »

La reine, en 90 et 91, se servit de Mme de Lamballe d'une manière moins honteuse, mais très périlleuse, et la mit sur le chemin de la mort. Elle prit son salon pour recevoir ; elle traita chez elle ou par elle avec les hommes importants de l'Assemblée qu'elle essayait de corrompre ; elle fit venir là les journalistes royalistes, les hommes les plus haïs, les plus compromettants. Elle donnait ainsi à son amie une importance politique qu'autrement son caractère, sa faiblesse, son défaut absolu de capacité, ne lui auraient donnée nullement. Le peuple commença à considérer cette petite femme comme un grand chef de parti. La seule chose bien certaine, c'est qu'elle avait, en tout, le secret de Marie-Antoinette, qu'elle la savait tout entière, la reine n'ayant jamais daigné se cacher en rien pour une amie si dépendante, si faible, et qui l'aimait *quand même,* comme un chien aime son maître.

Cette malheureuse femme était à l'abri, en sûreté, quand elle apprit le danger de la reine. Sans réflexion, sans volonté, son instinct la ramena pour mourir, si elle mourait. Elle fut avec elle, au 10 août ; avec elle, au Temple. On ne lui permit pas d'y rester ; on l'arracha de Marie-Antoinette, et on la mit à la Force. Elle commença à sentir alors que son dévouement l'avait menée bien loin, jusqu'à une épreuve que sa faiblesse ne pouvait porter. Elle était malade de peur. Dans la nuit du 2 au 3, elle avait vu partir Mme de Tourzel, et elle, elle était restée. Cela lui annonçait son sort. Elle entendait des bruits terribles, écoutait, s'enfonçait dans son lit, comme fait un enfant qui a peur. Vers huit heures, deux gardes nationaux entrent brusquement : « Levez-vous, madame, il faut aller à l'Abbaye. » « Mais, messieurs, prison pour prison, j'aime bien autant celle-ci ; laissez-moi. » Ils insistent. Elle les prie de sortir un moment, afin qu'elle puisse s'habiller. Elle en vient à bout, enfin ; mais elle ne peut marcher ; tremblante, elle prend le bras d'un des gardes nationaux, elle descend, elle arrive à ce tribunal d'enfer. Elle voit les juges, les armes, la mine sèche d'Hébert et des autres, des hommes ivres, et du sang aux mains. Elle tombe, elle s'évanouit. Elle revient, et c'est pour s'évanouir encore. Elle ne savait pas que beaucoup de gens désiraient passionnément la sauver. Les juges lui étaient favorables ; dans ceux même qui la rudoyaient, jusque dans les massacreurs, on lui avait fait des amis. Tout ce qu'il eût fallu, c'est qu'elle pût parler un peu, qu'on tirât de sa bouche un mot qu'on pût interpréter pour motiver son salut. On dit qu'elle répondit assez bien sur le 10 août ; mais quand on lui demanda de jurer haine à la royauté, haine au roi, *haine à la reine* ! son cœur se serra tellement qu'elle ne put plus parler ; elle perdit contenance, mit ses deux mains devant ses yeux, se détourna vers la porte. Au moment où elle la franchit, elle y trouva un certain Truchon, membre, je crois, de la Commune, qui s'empara d'elle, et d'autre part, un massacreur, le grand Nicolas, la saisit aussi. Tous deux, et d'autres encore, avaient promis de la sauver. On dit même que plusieurs de ses gens s'étaient mêlés aux égorgeurs, et l'attendaient dans la rue. « Crie vive la nation ! disaient-ils, et tu n'auras pas de mal. »

A ce moment, elle aperçut au coin de la petite rue Saint-Antoine quelque chose d'effroyable, une masse molle et sanglante, sur laquelle un des massacreurs marchait des deux pieds avec ses souliers ferrés. C'était un tas de corps tout nus, tout blancs, dépouillés, qu'on avait amoncelés. C'est là-dessus qu'il fallait mettre la main, et prêter serment : cette épreuve fut trop forte. Elle se détourna, et poussa ce cri : « Fi ! l'horreur ! »

Il y avait, sans nul doute, dans les meurtriers, de furieux fanatiques qui, après avoir tué tant d'inconnus, d'innocents, s'indignaient de voir celle-ci, la plus coupable, à leur sens, l'amie et la confidente de la reine, qui allait être épargnée. Pourquoi ? Parce qu'elle était princesse, qu'elle était très riche, et qu'il y avait beaucoup à gagner sans doute à la tirer de là. On assure qu'en effet des sommes considérables avaient été distribuées entre ceux qui se faisaient fort de la sauver du massacre.

La lutte, selon toute apparence, se trouvait engagée pour elle entre les mercenaires et les fanatiques. L'un des plus enragés, un petit perruquier, Charlat, tambour dans les volontaires, marche à elle, et de sa pique, lui fait sauter son bonnet ; ses beaux cheveux se déroulent et tombent de tous côtés. La main maladroite ou ivre qui lui avait fait cet outrage tremblait, et la pique lui avait effleuré le front; elle saignait. La vue du sang eut son effet ordinaire; plusieurs se jetèrent sur elle; l'un d'eux vint par-derrière, et lui lança une bûche; elle tomba, et à l'instant fut percée de plusieurs coups.

Elle expirait à peine que les assistants, par une indigne curiosité, qui fut peut-être la cause principale de sa mort, se jetèrent dessus pour la voir. Les observateurs obscènes se mêlaient aux meurtriers, croyant surprendre sur elle quelque honteux mystère qui confirmât les bruits qui avaient couru. On arracha tout, et robe et chemise ; et nue, comme Dieu l'avait faite, elle fut étalée au coin d'une borne, à l'entrée de la rue Saint-Antoine. Son pauvre corps, très conservé relativement (elle n'était plus très jeune), témoignait plutôt pour elle, sa petite tête d'enfant, plus touchante dans la mort, disait trop son innocence, ou du moins faisait bien voir qu'elle n'avait pu guère faillir que par obéissance ou faiblesse d'amitié.

Ce lamentable objet resta de huit heures à midi sur le pavé inondé de sang. Ce sang, qui coulait par fontaines de ses nombreuses blessures, venait de moment en moment la couvrir, la voiler aux yeux. Un homme s'établit auprès, pour étancher le flot ; il montrait le corps à la foule : « Voyez-vous comme elle était blanche ? voyez-vous la belle peau ? » Il faut remarquer que ce dernier caractère, bien loin d'exciter la pitié, animait la haine, étant considéré comme un signe aristocratique. Ce fut un de ceux qui dans le massacre aidait le plus les meurtriers dans leurs étranges jugements sur ceux qu'ils allaient tuer. Ce mot : « *Monsieur de la peau fine* », était un arrêt de mort.

Cependant, soit pour augmenter la honte et l'outrage, soit de peur que l'assistance ne s'attendrît à la longue, les meurtriers se mirent à défigurer le corps. Un nommé Grison lui coupa la tête ; un autre eut l'indignité de la mutiler au lieu même que tous doivent respecter (puisque nous en sortons tous).

Hâtons-nous de dire que, de ces deux brigands, l'un fut plus tard guillotiné, comme chef d'une bande de voleurs ; l'autre, Charlat, fut massacré à l'armée par ses camarades, qui ne voulurent pas souffrir parmi eux cet homme infâme.

Ce fut une scène effroyable de les voir partir de la Force, emportant au bout des piques, dans cette large et triomphale rue Saint-Antoine, leurs hideux trophées. Une foule immense les suivait, muette d'étonnement. Sauf quelques enfants et quelques gens ivres qui criaient, tous les autres étaient pénétrés d'horreur. Une femme, pour échapper à cette vue, se jette chez un perruquier ; et voilà la tête coupée qui arrive à la boutique, qui entre... Cette femme, foudroyée, de peur, tombe à la renverse, heureusement de manière qu'elle tombe dans l'arrière-boutique. Les assassins jettent la tête sur le comptoir, disent au perruquier qu'il faut la friser ; ils la menaient, disaient-ils, voir sa maîtresse au Temple ; il n'eût pas été décent qu'elle se présentât ainsi. Leur caprice était, en effet, d'exercer sur la reine ce supplice atroce et infâme de la forcer de voir le cœur, la tête et les parties honteuses de Mme de Lamballe — ce cœur qui l'avait tant aimée ?

On craignait extrêmement pour le Temple. L'intention des meurtriers, manifestée de bonne heure, fit craindre à la Commune deux choses, en effet, très funestes : ou que le roi et sa famille, des otages si précieux, ne fussent égorgés, ou que l'Assemblée, pour les protéger, n'autorisât une prise d'armes qui eût fourni aux royalistes un prétexte de se relever. La Commune envoya à l'Assemblée, envoya au Temple. Les commissaires prirent un moyen ingénieux de garantir le Temple, en évitant toute chance de collision ; ce fut d'entourer le mur d'un simple ruban tricolore. Quelque affreux que fût ce moment, ils savaient parfaitement que la grande masse du peuple respecterait le ruban et le ferait respecter ; plusieurs, en effet, dit-on, le baisèrent avec enthousiasme. Il n'était nullement à craindre que les égorgeurs hasardassent de le forcer ; ils ne le voulaient pas eux-mêmes ; ils demandaient seulement à circuler sous les fenêtres de la famille royale, à se faire voir de la reine. On n'osa les refuser ; on invita même le roi à se mettre à la fenêtre au moment où la tête livide, avec tous ses longs cheveux, venait branlante sur la pique et s'exhaussait à la hauteur des croisées. Un des commissaires, par humanité, se jeta devant le roi, mais il ne put l'empêcher de voir et de reconnaître... Le roi arrêta la reine qui s'élançait, et lui épargna l'épouvantable vision.

La promenade continua par tout Paris sans que nul y mît obstacle. On porta la tête au Palais-Royal, et le duc d'Orléans, qui était à table, fut obligé de se lever, de venir au balcon, de saluer les assassins. C'était une amie de la reine, une ennemie, par conséquent, qu'il voyait dans Mme de Lamballe. Il y vit aussi l'avenir, et ce que lui-même il devait bientôt attendre ; il rentra terrifié. Sa maîtresse, Mme de Buffon, s'écriait, joignant les mains : « Mon Dieu ! on portera aussi bientôt ma tête dans les rues. »

Ce triomphe de l'abomination, l'infâme insolence d'un si petit nombre de brigands qui forçait tout un peuple à salir ainsi ses yeux, produisit une violente réaction de la conscience publique. Le voile pesant de terreur qui enveloppait Paris sembla un moment se lever. Les ministres de la Guerre et de l'Intérieur vinrent demander à l'Assemblée des mesures d'ordre et de paix, non pas au nom de l'humanité (personne n'osait plus prononcer ce nom), mais au nom de la défense.

L'ennemi avançait, il venait de prendre Verdun. Cet événement, nié, affirmé, nié encore, fut annoncé cette fois d'une manière officielle. L'ennemi avançait, marchait vers Paris, et il allait le trouver dans l'état d'extrême faiblesse qui suit une orgie sanglante, dans l'ignoble lendemain d'un jour d'ivresse furieuse, hébété de peur, soûl de sang.

Les ministres eurent raison d'affirmer que les excès commis dans Paris étaient une faiblesse, et non une force, qu'ils étaient un obstacle, une entrave à la défense ; ils demandèrent que l'Assemblée restât complète toute la nuit, et qu'*elle mît la garde nationale sous les armes*. Ils ne firent nulle mention de la Commune, ni du commandant de la garde nationale Santerre ; il semblait difficile, en effet, de demander la fin du massacre à ceux qui l'avaient commencé.

L'Assemblée ne fit point ce que demandaient les ministres Roland et Servan ; elle n'agit point elle-même, n'appela point la garde nationale, mais, constitutionnellement, agit par la Commune, par le commandant Santerre. Or, ce n'était point agir.

Elle ne voyait que deux ministres, les deux Girondins ; elle ne voyait point Danton ; toujours absent de la Commune, il l'était de l'Assemblée. Celle-ci craignit sans doute de créer une division dans le pouvoir exécutif ; elle se contenta de déclarer la Commune et le commandant responsables de ce qui se ferait ; elle leur ordonna, ainsi qu'aux présidents des sections de Paris, de venir jurer à la barre qu'ils pourvoiraient à la sûreté publique.

Vaine mesure, timide, insuffisante ! un serment, des paroles ? A quoi le ministre Roland ajouta d'autres paroles, une longue lettre que sans doute sa femme avait écrite et qu'il fit lire à l'Assemblée. Elle était plus courageuse qu'habile ; elle menaçait Paris. Dans ce moment où la défense demandait la plus forte unité, où il fallait éviter tout ce qui ébranlait la foi dans cette unité, elle parlait de séparation. Elle disait que déjà, sans le 10 août, « le Midi, plein de feu, d'énergie, de courage, était prêt à se séparer pour assurer son indépendance ; et que, s'il n'y avait point de liberté à Paris, les sages et les timides se réuniraient pour établir ailleurs le siège de la Convention ». La lettre ne portait que trop l'empreinte des conversations de Barbaroux et de Mme Roland. Il y avait imprudence à provoquer ainsi l'amour-propre de Paris, injustice à lui reprocher les excès dont il souffrait plus que personne, excès d'ailleurs commis par un si petit nombre, par des hommes qui, la plupart, n'étaient nullement Parisiens.

« Hier, disait encore la lettre, fut un jour sur les événements duquel il faut peut-être laisser un voile ; je sais que le peuple, terrible dans sa vengeance, y porte encore une sorte de justice... » Faible, trop faible condamnation de tant d'attentats, qui loue encore en blâmant !... Il faut songer néanmoins que ceci fut écrit le 3 septembre ; que Roland, que Mme Roland étaient tous deux sous le poignard et désignés entre tous dès le 1er septembre au soir, depuis les accusations de Robespierre. Mme Roland, très intrépide et sans nulle crainte de la mort, en avait une autre, qu'elle avoue, malheureusement trop naturelle ; elle connaissait ses adversaires, leur lâche férocité, elle savait que dans le désordre du moment on pouvait lui arranger le hasard apparent d'un mortel outrage, d'une invasion nocturne, où celle qu'on savait plus qu'un homme serait traitée comme une femme. L'aventure subite en plein jour par une autre femme, dont nous avons parlé, montre assez ce que pouvait oser la nuit le cynisme calculé des maratistes et robespierristes. Celle qui fut outragée n'avait rien fait autre chose que parler mal de Robespierre. Mme Roland, bien plus en péril, voulait rester, à tout événement, du moins, maîtresse de sa vie ; elle tenait toujours des pistolets sous l'oreiller.

Ce qui releva les courages, dans l'Assemblée nationale, non moins que la lettre de Roland, ce fut de voir un individu isolé venir dire à l'Assemblée que, pour sa part, il la remerciait du décret qu'elle avait porté. Et, en même temps, il dit ce qu'il venait d'entendre, engageait la foule à piller les fabricants : « Moi, je ne suis pas suspect, dit-il, je suis volontaire, et je pars demain. » C'était un de ces canonniers des sections parisiennes qui s'étaient montrés si bien le 10 août. Son opinion était certainement celle de Paris, et il n'y avait nul doute qu'elle ne fût celle de l'armée.

La réaction de l'humanité semblait devoir se faire sentir partout, même au sein de la Commune. Le Conseil général, assemblé le soir et la nuit, flottait, avec des alternatives brusques, violentes, de l'humanité à la cruauté, de Manuel à Marat.

Le premier sembla l'emporter un moment. Il obtint une mesure générale qui semblait un désaveu du massacre. Le Conseil général, sur sa proposition, arrêta qu'il serait fait une proclamation « sur la nécessité de s'en remettre à la loi de la punition des coupables ». Ce qui ne fut pas moins grave en ce sens, c'est qu'un citoyen ayant dit qu'il se chargeait de loger et nourrir un pauvre prisonnier échappé au carnage de la Force, il fut couvert d'applaudissements et de bénédictions.

Avec cela, cette Assemblée était tellement flottante qu'un journaliste royaliste, Duplain, lui ayant été amené, elle l'envoya à l'Abbaye, autrement dit à la mort. Billaud-Varennes lui-même, avait ouvert un avis plus doux. Les maratistes se soulevèrent et emportèrent dans le Conseil cette décision atroce, qui lui faisait endosser la responsabilité des assassinats.

C'était le soir du 3 septembre (à huit ou neuf heures). De l'imprimerie de Marat partait pour toute la France, en quatre-vingt-trois paquets, une effroyable circulaire qu'il avait seul rédigée et qu'il avait signée intrépidement de tous les noms des membres du Comité de surveillance. Il y dénonçait la versatilité de l'Assemblée, qui avait loué, cassé, rétabli la Commune ; il y glorifiait le massacre et recommandait de l'imiter.

Marat envoya sa circulaire au ministère de la Justice, avec invitation de la faire parvenir sous le couvert du ministère. Grande épreuve pour Danton. Il n'allait pas à la Commune. Eh bien ! c'était la Commune qui semblait venir à lui, et qui le sommait de se décider.

La plus simple prudence imposait à tout homme qui connaissait Marat de savoir positivement si cet acte, imprimé chez lui par ses ouvriers et ses presses, émanait effectivement du Comité de surveillance. Les signatures imprimées de ses membres étaient-elles des signatures vraies ? Enfin, en supposant que la circulaire émanât réellement de ce comité, pouvait-il faire un acte si grave, adresser à la France ces terribles et meurtrières paroles, sans y être autorisé par le Conseil général de la Commune ? voilà ce que Danton devait examiner ; il n'osa le faire. Disons-le (c'est la parole la plus dure pour un homme qui, toute sa vie, eut l'ostentation de l'audace), il eut peur devant Marat.

Peur de rester en arrière, peur de céder à Marat et à Robespierre la position d'avant-garde, peur de paraître avoir peur.

Faut-il supposer aussi qu'il était parvenu à se faire croire à lui-même que cette barbare exécution était un moyen d'aguerrir le peuple, de lui donner le courage du désespoir, de lui ôter tout moyen de reculer ? qu'il le crût, le 2, lorsqu'on massacrait les prisonniers politiques ? qu'il le crût, le 3, le 4, lorsqu'on massacrait des prisonniers de toute classe?... Il accepta jusqu'au bout l'horrible solidarité. Misérable victime, dirai-je, de l'orgueil et de l'ambition ! ou d'un faux patriotisme, qui lui fit voir dans ces crimes insensés le salut de la France.

Et cependant, quelque horrible système qu'on voulût se faire de l'utilité d'un massacre politique, il devenait évident que celui-ci n'avait plus ce caractère. Le 4 septembre, il y eut très peu de meurtres politiques ; un seul est bien constaté : celui d'un certain Guyet, que le Comité de surveillance envoya à l'Abbaye, et qui fut tué à l'instant.

Le 4 mit le comble à l'horreur.

Déjà, depuis trente-six heures, des bandes sorties de Paris allaient menacer Bicêtre. Ceux qui avaient massacré des voleurs au Châtelet, des forçats aux Bernardins, croyaient continuer leur œuvre. On leur remontrait en vain que l'énorme, l'immense château de Bicêtre, qui contenait des milliers d'hommes, logeait, outre les criminels, un grand nombre d'innocents, de bons pauvres, de vieillards, de malades de toutes sortes. Il y avait aussi en réclusion, sous divers titres, des infortunés, depuis longtemps jetés là par l'arbitraire de l'ancien régime, comme fous, ou autrement, et qu'on n'élargissait point, justement parce qu'on ne savait plus pourquoi ils étaient entrés. Latude y avait été longtemps. C'est de Bicêtre qu'il sortit par l'héroïsme de Mme Legros.

Il est impossible de dire ce que souffraient, à Bicêtre, les prisonniers, les malades, les mendiants : couchés jusqu'à sept dans un lit, mangés de vermine, nourris de pain de son moisi, entassés dans des lieux humides, souvent dans des caves, au moindre prétexte éreintés de coups, ils enviaient le bagne, comme un paradis.

Nulle occasion de battre n'était négligée à Bicêtre. Qui croirait qu'on y conservât en 92 l'usage barbare de fouetter les jeunes gens qui venaient se faire soigner de maladies vénériennes ? Cruauté ecclésiastique, renouvelée du Moyen Age. Le pécheur, en arrivant, devait expier, se dépouiller, s'humilier, se soumettre au châtiment puéril qui avilit l'homme, lui ôte toute fierté d'homme.

Une cinquantaine d'enfants étaient à la *Correction,* et traités plus cruellement encore, battus tous les jours. La plupart n'étaient là que pour des délits bien légers ; plusieurs n'avaient d'autres crimes que d'avoir des parents très durs, une mauvaise belle-mère, que sais-je ? D'autres, qui étaient orphelins, apprentis, petits domestiques, avaient été jetés là sur un simple mot de leurs maîtres. On préférait ces orphelins pour le service domestique, parce qu'on les traitait absolument comme on voulait. Un grand seigneur, qui ne trouvait pas son jockey assez docile, le brisait d'un mot : « Bicêtre. » Aux colonies, dans les plantations, on entend les coups, les cris et les fouets ; le maître participe au supplice par la peine de l'entendre. Les voluptueux hôtels de Paris n'entendaient rien de semblable. Le maître épargnait ses mains et sa sensibilité ; il envoyait l'enfant à la *Correction*. Ce qu'il y endurait de la part de ces démons, les murs seuls l'ont su. Si on daignait le retirer, il revenait dompté, tremblant, le cœur bas, menteur, flatteur, prêt à tous les caprices honteux.

S'il était un lieu que la Révolution dût épargner, c'était ce lieu de pitié. Qu'était-ce que Bicêtre, que la Salpêtrière, ce grand Bicêtre de femmes, sinon le véritable enfer de l'ancien régime, où l'on pouvait mieux le prendre en horreur, y trouvant réuni tout ce qu'il avait de barbarie, de honte et d'abus ? Qui aurait cru que ces fous furieux qui massacraient en septembre iraient se ruer sur ceux que l'ancien régime avait déjà si cruellement torturés, que ces victimes infortunées trouveraient dans leurs pères ou leurs frères, vainqueurs par la Révolution, non pas des libérateurs, mais des assassins ?

Rien ne fait mieux sentir l'aveuglement, l'imbécilité qui présida aux massacres. Tels de ceux qui tuèrent au hasard dans ces deux hospices pouvaient avoir leur père à Bicêtre parmi les mendiants, leur mère à la Salpêtrière : c'était le pauvre qui tuait le pauvre, le peuple qui égorgeait le peuple. Il n'y a nul autre exemple d'une rage aussi insensée.

Les premières bandes qui menacèrent Bicêtre étaient peu nombreuses. Les malades et les prisonniers se mirent en défense. De là le bruit calomnieux propre à les faire égorger, qu'ils étaient en pleine révolte. Les massacreurs menèrent des canons pour les forcer. Une partie n'alla pas jusqu'à Bicêtre ; ils s'arrêtèrent devant la Salpêtrière, eurent l'horrible fantaisie d'entrer à l'hospice des femmes. Une force militaire considérable les arrêta le premier jour ; mais le lendemain, 4 septembre, ils forcèrent les portes, et commencèrent par tuer cinq ou six vieilles femmes, sans nulle raison ni prétexte, sinon qu'elles étaient vieilles. Puis, ils se jetèrent sur les jeunes, les filles publiques, en tuèrent trente, dont ils jouirent, avant ou après la mort. Et ce ne fut pas assez ; ils allèrent aux dortoirs des petites orphelines, en violèrent plusieurs, dit-on, en emmenèrent même pour s'en amuser ailleurs.

Ces effroyables sauvages ne quittèrent la Salpêtrière que pour aller aider au massacre de Bicêtre. On y tua cent soixante-six personnes, sans distinction de classes, des pauvres, des fous, deux chapelains, l'économe, des commis aux écritures. L'immensité du local donnait aux victimes bien des moyens de lutter, d'ajourner du moins leur mort. Les moyens les plus barbares y furent employés, le fer, le feu, les noyades, jusqu'à la mitraille.

On a retrouvé (en 1840) au funèbre écrou de Bicêtre (voir le livre de M. Maurice) le fait le plus exécrable des massacres de Septembre, enfoui, ignoré jusqu'ici : c'est que, non contents des orphelines de la Salpêtrière, ils pénétrèrent aussi à la *Correction* de Bicêtre, où étaient cinquante-cinq petits garçons. Ces enfants étaient, nous l'avons dit, la plupart bien peu coupables : plusieurs n'avaient été mis là que pour dompter leur caractère par les mauvais traitements. Couverts de coups, de cicatrices, continuellement fouettés, aux moindres causes et sans cause, ils auraient brisé les cœur les plus durs. Il fallait les tirer de là, leur rendre l'air et le soleil, les panser et les soigner, les remettre aux mains des femmes, leur donner des mères. Leur mal et leur vice, à la plupart, tenaient à cela, qu'ils n'avaient pas eu de mères. Septembre, pour mère et nourrice, leur donna la mort, affranchit leur jeune âme de ce pauvre petit corps qui avait déjà tant souffert. Il y en eut trente-trois de tués. Plusieurs de ceux qui échappèrent furent enlevés par les volontaires, qui dirent qu'ils les feraient soldats. Les massacreurs étaient parvenus à un état de vertige, d'horrible éblouissement et comme de fureur hydrophobique, qui leur faisait à peine distinguer ce qu'ils frappaient. Ils dirent cependant une chose qui fait sentir combien ils étaient coupables. Ils virent bien, malgré leur égarement, que ces jeunes vies, commencées à peine, ne se résignaient nullement, reculaient devant la mort, avec une indomptable horreur, s'obstinaient à vivre « Nous aimerions vraiment tout autant tuer des hommes : ces petits-là sont en encore plus difficiles à achever. »

CHAPITRE VII

État de Paris après le massacre Fin de la Législative (5-20 septembre 1792)

Prostration morale après le massacre — Le peuple et l'armée en eurent horreur — Opinions de Marat et de Danton sur le massacre — L'Assemblée jure de combattre les rois et la royauté (4 septembre 1792) — Cambon attaque la Commune — Réaction de l'humanité — Cependant le massacre continue (5-6 septembre) — Craintes de la Commune — Les maratistes essaient d'étendre le massacre à toute la France — Les prisonniers d'Orléans massacrés à Versailles (9 septembre) — Danton sauve Adrien Duport, malgré la Commune — Lutte de Danton et Marat — Élections sous l'influence des massacres — Fédération de garantie mutuelle — Vols et pillages — Meurtres et craintes de massacre — Craintes de l'Assemblée (17 septembre) — Discours de Vergniaud et dévouement solennel de l'Assemblée nationale — Sa clôture (20 septembre).

L'effet immédiat du massacre, pour la plus grande partie de la population de Paris, fut la sensation infiniment cruelle que connaissent trop bien ceux qui ont de graves lésions de cœur, quand, pendant quelques minutes, il a battu, battu vite, avec une horrible accélération, et que tout à coup le battement s'arrête court... Un mortel silence se fait dans tout l'organisme... Puis l'étouffement, les spasmes, l'obscurcissement complet, l'abandon de l'être... tout au plus ce cri intérieur, cette voix muette : « O mort ! »

Pour les pauvres et faibles personnes, trop âgées déjà, brisées d'années ou de malheurs, l'accès fut suivi d'une cessation absolue d'idées, d'un anéantissement de la personnalité, bien près de l'idiotisme. Celles qui surmontaient la peur, et se hasardaient à sortir, revenaient dans les églises abandonnées depuis longtemps, se remettaient à prier machinalement ; on les voyait marmotter et branler leurs têtes vides où les yeux étaient éteints. D'autres restaient enfermées, s'abîmaient dans la rêverie d'un étrange mysticisme, disant, comme plus tard saint Martin, que ceci était apparemment une scène du Jugement dernier, un acte de la terrible comédie de l'Apocalypse. Il y avait des têtes où tout cela se mêlait confusément ; la religion et la Révolution, Marat, l'Antéchrist, tout se brouillait pour ces pauvres esprits, complètement obscurcis ; plus ils tâchaient de réfléchir, de songer, de distinguer, plus ils s'y perdaient. Tels, pour ne point s'égarer, adoptaient une idée fixe, répétaient un même mot, le redisaient tout le jour.

Dans un grenier de la rue Montmartre (qu'on me permette de conter ce petit fait qui fera juger des autres), au septième étage, vivait une pauvre vieille, que les voisins, des croisées opposées, voyaient toujours à genoux. Elle avait sur sa cheminée deux chandelles allumées et deux petits bustes de plâtre, devant lesquels elle disait continuellement des oraisons. Les curieux l'écoutèrent à travers la porte : elle disait cette litanie, sans varier, du matin au soir : « Dieu sauve Manuel et Pétion ! Dieu sauve Manuel et Pétion ! » Les deux magistrats populaires, qui, malgré leur impuissance, avaient du moins, dans le massacre, montré de l'humanité, étaient devenus les deux saints de la vieille, elle honorait leurs images et priait pour eux.

Dans le naufrage des anciennes idées religieuses, et lorsque la foi nouvelle se trouvait si cruellement compromise en son berceau, l'humanité restait encore, et l'horreur du sang humain, pour religion unique du pauvre cœur abandonné. Faible, vieille, indigente, dans sa solitude pleine d'effroi, elle tâchait de se rassurer, de se reprendre à l'espoir, en nommant deux amis de l'humanité. Fil fragile, misérable appui ! Des deux patrons de la vieille, l'un, au bout d'un an, devait périr sur l'échafaud ; l'autre, un peu plus tard, devait se retrouver mort de faim et de misère, et dévoré par les chiens.

Un signe infiniment grave, déplorable de l'état singulier où se trouvaient les esprits, c'est que, dans cette ville immense où la misère était excessive, depuis longtemps personne ne voulait travailler. La Commune, à aucun prix, ne trouvait des ouvriers pour les travaux de terrassement du camp qu'on faisait à Montmartre. Elle offrait deux francs par jour (qui en valaient trois d'aujourd'hui), et il ne venait personne. Elle alla jusqu'à mettre en réquisition les ouvriers en bâtiment, en leur offrant la journée très élevée qu'ils gagnent dans leur industrie ; et elle n'eut personne encore. On essaya enfin de la corvée, et de faire travailler tour à tour les sections.

Personne, ou presque personne ne répondait aux appels de la garde nationale. On complétait avec peine la garde de l'Assemblée, celle des précieux dépôts, du Garde-Meuble, par exemple, qui se trouva une nuit, on va le voir, à peu près abandonné.

La solitude était aux clubs. Beaucoup de leurs membres s'étaient absentés, le dégoût gagnait les autres. Cela est très sensible dans les procès-verbaux des Jacobins ; l'absence de tous les orateurs ordinaires y fait apparaître, en première ligne, des gens parfaitement inconnus.

Ceux qui ont dit que le crime était un moyen de force, un cordial puissant pour faire un héros du lâche, ceux-là ont ignoré l'histoire, calomnié la nature humaine. Qu'ils sachent, ces ignorants coupables qui jasent si légèrement sur ces terribles sujets, qu'ils sachent la profonde énervation qui suit de tels actes.

Ah ! si le lendemain des plaisirs vulgaires (quand l'homme, par exemple, a jeté la vie au vent, l'amour aux voluptés basses), s'il rentre chez lui hébété et triste, n'osant se regarder lui-même, combien plus celui qui a cherché un exécrable plaisir dans la mort et la douleur ! L'acte le plus contre nature, qui est certainement le meurtre, brise cruellement la nature dans celui qui le commet ; le meurtre voit, *après,* que lui-même il s'est tué ; il s'inspire le dégoût que l'on a pour un cadavre, éprouve une horrible nausée, voudrait se vomir lui-même.

Les historiens ont adopté une opinion à la légère, c'est que le massacre avait été le point de départ de la victoire, qu'après un tel crime, ayant creusé derrière soi un tel abîme, le peuple avait senti qu'il fallait vaincre ou mourir, qu'enfin les massacreurs de Septembre avaient entraîné l'armée, formé l'avant-garde de Valmy et de Jemmapes. Triste aveu, véritablement, s'il fallait y croire, et fait pour humilier ! L'ennemi n'a pas mieux demandé d'adopter cette opinion, de croire ces étranges Français qui prétendent que la France vainquit par l'énergie du crime. Nous montrerons tout à l'heure que le contraire est exact. Des trois ou quatre cents hommes qui firent le massacre, et dont beaucoup sont connus, peu, très peu, étaient militaires. Ceux qui partirent furent reçus de l'armée avec horreur et dégoût ; Charlat, entre autres, qui se vantait insolemment de son crime, fut sabré par ses camarades.

Nous avons établi d'après d'irrécusables documents, et sur l'unanime affirmation des témoins oculaires qui vivent encore, *l'infiniment petit* nombre des massacreurs. Ils étaient *au plus quatre cents.*

Le nombre des morts (en comptant même les douteux) est de 966.

Le faubourg Saint-Antoine, en particulier, qui avait fait le 10 août, fut complètement étranger au 2 Septembre. Son célèbre orateur, Gonchon (honnête homme, et qui mourut pauvre), a pu dire, six mois après (22 avril 1793), sans crainte d'être démenti : « Le faubourg ne recèle que des hommes paisibles. La journée du 2 septembre n'a pas trouvé de complices chez nous. »

Ce qui n'est pas moins curieux, c'est le jugement que les hommes qu'on accusait d'y avoir trempé les mains ont porté sur l'événement :

« Evénement désastreux », dit Marat, en octobre 92 (N° 12 de son journal).

« Journées sanglantes, dit Danton, sur lesquelles tout bon citoyen a gémi. » (9 mars 1793.)

« Douloureux souvenir », dit Tallien (dans son apologie, publiée deux mois après les massacres de Septembre).

Oui *désastreux,* oui *douloureux,* dignes *qu'on en gémisse* à jamais !...

Toutefois, ces regrets tardifs ne guérissaient pas l'incurable plaie faite à l'honneur, faite au sentiment de la France... La vitalité nationale, surtout à Paris, en semblait atteinte ; une sorte de paralysie, de mort, semblait rester dans les cœurs.

Il s'agissait de savoir d'où la vie recommencerait. On pouvait douter qu'elle revînt de l'Assemblée législative. Vivait-elle ? On ne l'avait guère vu, dans ces effroyables jours. Énervée de longue date par ses tergiversations, elle était mourante, non, morte, achevée, exterminée par la calomnie.

Elle semblait atteinte et convaincue de deux crimes, parfaitement opposés : faire un roi, et refaire un roi, rétablir Louis XVI, et faire roi Brunswick. Un mot simple eût répondu, et personne n'osait le dire : *Cette assemblée, accusée de trahir, venait de s'en ôter les moyens* ; elle se brisait elle-même, convoquant sous quelques jours la Convention qui la remplaçait. Représentants et ministres, tous allaient être annulés tout à l'heure devant cette assemblée souveraine.

Le matin du 4 septembre, Guadet apportait, au nom de la Commission extraordinaire (créée dans l'Assemblée depuis le 10 août), une adresse, où les représentants, repoussant les bruits injurieux qu'on faisait courir, juraient *de combattre de toutes leurs forces les rois et la royauté.*

Chabot eut vent de la chose, et il enleva à la Gironde cette initiative. Dès l'ouverture de la séance, il proposa de faire un serment de haine à la royauté.

« Plus de roi ! » ce fut le cri, le serment de l'Assemblée tout entière, soulevée à sa parole.

Alors, un militaire se lève, Aubert-Dubayet, et, d'une voix forte et guerrière : « Jamais de capitulation !... jamais de roi étranger ! »

Et le jeune girondin Henri Larivière : « Non, ni étranger ni français !... Aucun roi ne souillera plus le sol de la liberté ! »

On fut surpris d'entendre Thuriot arrêter ce mouvement : « Messieurs, dit-il, soyons prudents, n'anticipons pas sur ce que pourra prononcer la Convention... »

A quoi Fauchet, usant du droit que semblait lui donner sa noble initiative (son journal avait le premier proposé la République), Fauchet, d'un grand élan du cœur : « Non, que la Convention décide ce qu'elle voudra ; si elle rétablit le roi, nous pourrons encore rester libres, et fuir une terre d'esclaves qui reprendrait un tyran. »

Pour concilier toute chose, l'adresse réserva le droit de la Convention ; le serment fut *individuel,* chaque député s'engagea pour lui.

La Commission extraordinaire, par l'organe de Vergniaud, dit alors que, accusée dans le sein de la Commune, elle demandait à finir, à déposer ses pouvoirs. L'Assemblée ne le voulut pas. Un mouvement héroïque échappa alors à Cambon (qu'on songe qu'à cette heure on massacrait à Bicêtre, et encore à la Force, à l'Abbaye). Il s'indigna de la timidité de la commission : « Quoi ! dit-il, vous venez de jurer la guerre aux rois et à la royauté, et déjà vous courbez la tête sous je ne sais quelle tyrannie !... Si nous voulons que la Commune gouverne, soumettons-nous tranquillement. J'ai parfois combattu la commission ; aujourd'hui, je la défends... Je vois des hommes qui prennent le masque du patriotisme pour asservir la patrie. Que veulent ces agitateurs ? Etre nommés à la Convention, nous remplacer ?... Eh bien ! qu'ils reçoivent de moi cette leçon... » Il continua, courageusement, par une prophétie funèbre des révolutions, dans lesquelles, les intrigants se chassant les uns les autres, la France finirait par s'ouvrir à l'étranger.

Ce grand homme, qu'on ne connaît guère que comme le sévère et irréprochable financier de la République, eut alors, et souvent depuis, dans les crises les plus orageuses, une rare originalité : l'héroïsme du bon sens, que rien ne faisait reculer. Il passa, toute la Révolution, ferme et seul, et respecté. Il n'aimait pas la Gironde, il la défendit ; il n'aimait pas Robespierre, il le soutint, au besoin. Et le jour où Robespierre, dans un dernier accès de rage dénonciatrice, alla jusqu'à toucher la probité de Cambon, il tomba frappé lui-même.

Cambon avait brisé la glace, il avait nommé de son nom la victoire de la Commune : *une tyrannie,* une résurrection de la royauté sous un autre nom. Le revirement fut très fort. Il arriva ce qu'on voit dans ces moments où personne n'ose parler : dès qu'un parle, tous se mettent à parler courageusement.

Les commissaires de l'Assemblée, envoyés par elle dans les sections, y furent reçus, contre toute attente, avec bonheur, avec transport. C'est que la foule était revenue aux assemblées des sections ; désertes le 2 et le 3, elles furent nombreuses le 4 ; chacun eut hâte de se presser autour des commissaires, de se rassurer, de croire qu'il y avait une France, une patrie, une humanité encore, un monde de vivant. Le peuple, en quelque sorte, se leva de ses profondeurs, sortit des ténèbres de la mort, pour embrasser, en ses représentants, l'image sacrée de la Loi. Les calomniateurs de l'Assemblée croyaient n'avoir plus qu'à se cacher ; ils s'excusaient, à grand-peine. A la section du Luxembourg, l'un d'eux, alléguant qu'il avait suivi l'autorité de Robespierre, on n'opina pas moins qu'il méritait d'être chassé de sa section. A la section des Postes, Cambon fut reçu comme un dieu sauveur. Les femmes et les enfants qui travaillaient aux tentes, aux équipements militaires, l'entourèrent, lui et ses collègues, dans un véritable délire. Tous, dans la section, hommes et femmes, voulaient se jeter dans ses bras, le serraient et l'embrassaient. Et quand il lut le décret qui annonçait que l'Assemblée allait faire sa clôture, mettre fin à ses travaux, se dissoudre, les visages étaient inondés de larmes.

Toutes choses semblaient changées, dès le soir du 4. Des officiers municipaux vinrent à l'Assemblée présenter l'abbé Sicard, sauvé de l'Abbaye (ils le faisaient entendre ainsi) par leur courageuse humanité. Un membre de la Commune, le même qui était venu à l'Assemblée avec Tallien, dans la nuit du 2 au 3, et qui avait loué alors la belle justice populaire, vint le 5 avec un Anglais qu'il avait, dit-il, sauvé du massacre. Ce qui ne fut pas moins caractéristique, ce fut l'humanité subite, les sentiments généreux qu'afficha Santerre. Durement averti, le 4, par le ministre de l'Intérieur, il s'excusa *sur l'inertie de la garde nationale,* et dit que, si elle persistait, *son corps servirait de bouclier aux victimes.* Cette inertie, en vérité, il ne pouvait guère l'accuser, n'ayant fait aucun appel, aucun effort, ordonné aucune prise d'armes. Et comment eût-il donné un tel ordre, lorsque son beau-frère Panis faisait asseoir au comité dirigeant Marat, l'apôtre du massacre ?... Ce fut un spectacle étrange de voir Santerre, brusquement converti, prêcher dans la grand-salle de l'Hôtel de Ville la foule qui remplissait les tribunes, expliquer les avantages de l'ordre, le danger qu'il y aurait à croire trop légèrement des accusations peu sûres, à tuer avant de s'éclairer.

La Commune, privée si longtemps de la présence de Danton, le vit avec étonnement venir enfin le 4 au soir ; il venait protéger

Roland, qui, à cette heure certainement, n'avait plus besoin de protection. Il demanda qu'on révoquât cet étrange mandat d'amener qu'on avait minuté le 2 contre le ministre de l'Intérieur, et qu'on tenait toujours suspendu comme un glaive sur sa tête, sans oser le laisser tomber.

Le vent n'était plus au massacre, chacun en avait horreur. Et pourtant il continuait. On vit alors combien lentement les âmes, une fois brisées, reprennent courage et force. Une étrange léthargie, une paralysie inexplicable enchaînait les masses. Il y avait encore une cinquantaine d'hommes à l'Abbaye, autant au moins à la Force, qui tuaient paisiblement. Personne n'osait les déranger. Ils ne tuaient pas beaucoup, ceux de l'Abbaye ayant fait place nette, n'ayant plus d'autres victimes que celles que le Comité de surveillance eut soin de leur envoyer. Quant à la Force, les magistrats ne se permettaient pas de troubler ces meurtriers dans l'exercice de leurs fonctions ; seulement, on se hasardait à leur voler des prisonniers, qu'on cachait dans l'église voisine.

L'habitude était venue, les meurtriers ne voulaient plus, ne pouvaient plus faire autre chose. C'était une profession. Ils paraissaient se regarder eux-mêmes comme de vrais fonctionnaires chargés d'exécuter la justice du peuple souverain. La Commune déclara, le 4, qu'elle était affligée des excès de la Force et de l'Abbaye, elle y envoya ; mais en même temps, elle refusa de sauver les infortunés de Bicêtre en leur permettant de s'enrôler. Le Conseil général, devenu très peu nombreux, n'avait plus que les violents. Il invita les sections à compléter le nombre de leurs commissaires. Ainsi les élections municipales eurent lieu en pleine terreur, pendant le massacre. Celles de la Convention se firent sous la même influence. Le premier élu de Paris, le 5 septembre, fut Robespierre.

Rien n'indiquait que la Commune voulût sérieusement arrêter l'effusion du sang. On lui proposa, le 4 et le 6, d'amnistier une classe d'hommes qui restaient dans des transes mortelles, les vingt et trente mille signataires des pétitions fayettistes et constitutionnelles en faveur du roi. Un grand nombre de volontaires qui partaient pour les armées avaient fait généreusement le serment d'oublier l'erreur de leurs frères. La Commune repoussa violemment la proposition de voter l'oubli.

Le 4, la Commission extraordinaire de l'Assemblée avait proposé à Danton un moyen très simple de changer d'un coup toute la situation, c'était d'arrêter Marat. Remède radical, héroïque. Seulement, il risquait de produire une violente réaction. Arrêter Marat, c'était exécuter le décret d'accusation que le parti fayettiste, *royaliste* constitutionnel, avait fait lancer contre lui. C'était se faire accuser de complicité avec La Fayette, c'était relever l'espérance des royalistes, commencer un mouvement qui pouvait mener infiniment loin. Le vent va vite, en ces moments ; la tempête une fois déchaînée en sens inverse, les royalistes constitutionnels triomphaient dès le premier jour, dans huit jours les royalistes purs, huit jours après les Prussiens. Danton répondit que, plutôt que de faire arrêter Marat, il donnerait sa démission.

Brissot, à son tour, alla chez Danton, le pressa vivement d'agir. « Comment, lui dit-il, empêcher que des innocents ne périssent avec les autres ?... » — « Il n'y en a pas un », répondit Danton.

L'autorité se retirant ainsi d'une manière absolue, la situation ne pouvait changer que par une manifestation vigoureuse de l'indignation du peuple. Elle n'osa se produire le 5, et n'éclata que le 6. Ce jour même, il y avait eu encore des meurtres. Pétion s'était rendu dans le Conseil général, et s'élevait contre les agitateurs qui demandaient de nouvelles victimes. Des applaudissements confus éclatèrent, puis des voix distinctes exprimant l'assentiment le plus décidé, enfin des cris de fureur contre les buveurs de sang : « Nous les poursuivrons ! nous les arrêterons ! » Ce fut le mot unanime qui sortit de cette tempête, la vraie voix du peuple enfin qui se déclarait. Pétion se mit en marche, entraîna en vainqueur la Commune humiliée, alla s'emparer de la Force, et ferma ses portes sanglantes (6 septembre).

Ces voix de l'indignation semblaient devoir faire rentrer dans la terre les sanguinaires idiots qui avaient cru sauver la France en la déshonorant. Dès le 5, un membre du Conseil s'était répandu en plaintes amères contre Panis, celui qui furtivement avait introduit Marat au Comité de surveillance. Panis vint répondre le 6 au soir ; on ne sait ce qu'il put dire, mais le Conseil se déclara satisfait. Son apologie avait été précédée d'une étrange dissertation de Sergent, *sur la sensibilité du peuple, sa bonté, sa justice,* etc. Ce bavardage fait horreur, quand on le voit en intermède entre le massacre de Paris et le massacre de Versailles que la Commune préparait, *voulait* expressément.

Voulait, on peut l'affirmer ; autrement, elle n'eût pas mis une obstination féroce à violer par trois fois les décrets de l'Assemblée. L'Assemblée avait ordonné que les prisonniers d'Orléans y restassent, puis qu'ils allassent à Blois, enfin à Saumur. La Commune, opposant hardiment ses décrets à ceux des représentants de la France, ordonna qu'on amenât les prisonniers à Paris, autrement dit, à la mort, qu'on recommençât le massacre.

Les meneurs de la Commune avaient besoin d'un nouveau coup de terreur, non plus pour sauver la France (comme ils avaient tant répété), mais pour se sauver eux-mêmes. Le 7, le Conseil général, pressé de nouveau, avait été obligé de nommer une commission pour examiner les plaintes qu'on faisait contre Panis. La malédiction publique commençait à peser lourdement sur la tête de ces hommes, et dans leur effroi, ils se ralliaient de plus en plus à Marat, à l'idée d'extermination.

Dans le changement universel des esprits, il y avait un homme qui ne changeait point. Marat seul montrait une remarquable constance d'opinion ; les principes chez lui passaient avant tout, je veux dire un seul principe, et très simple : massacrer. Non content des prisonniers envoyés aux prisons pendant l'exécution même, il continuait de les peupler, dans l'espoir qu'un jour ou l'autre on les viderait en une fois. Il affichait tous les jours que le salut public voulait « qu'on massacrât au plus vite l'Assemblée nationale ».

Son rêve le plus doux eût été une Saint-Barthélemy générale dans toute la France. Pour lui, c'était peu de Paris. Il avait obtenu que le Comité de surveillance enverrait des commissaires pour aider à la chose, avec ce titre nouveau : *commissaire des administrateurs du Salut public.* L'un des moyens de salut que ces commissaires proposaient à Meaux, c'était de fondre un canon de la dimension précise de la tête de Louis XVI, afin qu'au premier pas qu'oseraient faire les Prussiens, on leur envoyât ladite tête, au lieu de boulet.

La circulaire où Marat recommandait le massacre, au nom de la Commune, et qu'il avait fait passer sous le couvert du ministère de la Justice (grâce à la lâcheté de Danton), cette circulaire faisait son chemin de département en département. L'exemple de Paris, toujours si puissant, l'autorité respectée de la glorieuse Commune, faisaient grande impression. Dans chaque ville, il y avait toujours une poignée de hurleurs, d'aboyeurs, de violents (ou qui faisaient semblant de l'être), un bon nombre aussi d'imitateurs imbéciles, qui s'assemblaient sur la place, et disaient : « Et nous donc, est-ce que nous ne ferons pas aussi quelque chose *de hardi* ?... » La faiblesse des journaux parisiens, qui n'osaient blâmer le massacre, ne contribuait pas peu à tromper les provinciaux. Que dire, quand on lit dans le pâle et froid *Moniteur* ces paroles honteuses : « Que le peuple avait formé la résolution *la plus hardie* et la plus terrible. » Et qui donc en France consent à paraître *moins hardi* ?

A Reims, à Meaux, à Lyon, on fit consciencieusement ce qu'on pouvait pour ne pas être trop au-dessous de Paris. On tua nombre de prisonniers, des prêtres, des nobles, et aussi quelques voleurs ; une trentaine de personnes environ perdirent la vie.

Nul prisonnier n'avait plus à craindre que ceux d'Orléans ; ils étaient quarante environ, attendant le jugement de la Haute Cour qui y siégeait. La plupart étaient des hommes qui avaient marqué d'une manière très odieuse contre la Révolution. Il y avait entre autres le ministre Delessart, instrument connu des intrigues de la Cour, de ses négociations avec l'ennemi. Il y avait M. de Brissac, commandant de cette garde constitutionnelle, si parfaitement recrutée parmi les gentilshommes de province les plus fanatiques, les bourgeois les plus rétrogrades, les maîtres d'armes, les coupe-jarrets ramassés dans les tripots. M. de Brissac avait des qualités aimables, il était l'ami personnel de Louis XVI ; on le citait à la Cour comme un parfait modèle du chevalier français, ce qui ne l'empêchait pas d'être amant de la du Barry. On le trouva caché chez elle, au pavillon de Luciennes.

L'expédition d'Orléans fut confiée à deux hommes cruellement fanatiques, Lazouski et Fournier, dit l'Américain. Celui-ci était si ardent pour la chose qu'il fit les frais nécessaires, avec l'aide d'un bijoutier et de quelques autres. Il avança une vingtaine de mille francs qui lui furent plus tard remboursés par la Commune. Lazouski était deux fois furieux, doublement exaspéré, de rage polonaise et française. Il faut songer qu'à ce moment (dans l'été de 92), les trois meurtriers de la Pologne consommaient sur elle l'œuvre exécrable, hypocrite, du démembrement. Lazouski se vengeait ici des crimes de Pétersbourg. Il massacrait des royalistes, ne pouvant massacrer des rois.

Dans le désir passionné qu'elle avait d'éviter l'effusion du sang, l'Assemblée s'humilia encore. Elle composa tacitement avec la Commune. Il fut entendu que les prisonniers n'arriveraient pas à Paris, mais resteraient à Versailles. Roland y fit tout préparer. On envoya au-devant, pour les protéger, une masse de garde nationale.

Versailles même n'était guère moins dangereux que Paris. On l'a vu au 6 octobre. Nulle part l'ancien régime n'était plus haï. Il y avait de plus alors, dans cette ville, cinq ou six mille volontaires, non armés, non habillés, qui attendaient pour partir, désœuvrés, ennuyés et mécontents, errant dans les rues et les cabarets. Il ne faut pas demander si la nouvelle de l'arrivée des prisonniers d'Orléans les mit en émoi. Il y avait à parier que, s'ils arrivaient à Versailles, ils périraient jusqu'au dernier.

On assure qu'un magistrat de Versailles, voyant le péril, alla à Paris, courut chez Danton. Il en fut reçu fort mal. Danton ne pouvait donner ordre au cortège de rebrousser chemin, sans trancher le grand litige, se déclarer pour l'Assemblée contre la Commune. La Commune venait de remporter une victoire ; Marat avait été nommé le jour même député de Paris. Danton, grondant, dit d'abord ces mots, à voix basse, comme un dogue : « Ces hommes-là sont bien coupables. » — « D'accord, mais le moment presse... » — « Ces hommes-là sont bien coupables ! » — « Enfin que voulez-vous faire ? » — « Eh ! monsieur, s'écria alors Danton d'une voix tonnante, *ne voyez-vous donc pas que, si j'avais quelque chose à vous répondre, cela serait fait depuis longtemps ?...* Que vous importent ces prisonniers ? Remplissez vos fonctions. Mêlez-vous de vos affaires. »

La chose alla comme on pouvait le prévoir. L'escorte, rangée devant et derrière, ne protégea pas les flancs du cortège. A la grille de l'Orangerie, une troupe confuse entoura les charrettes, et sauta dedans. Un jardinier que M. de Brissac avait jadis renvoyé lui dit :

« Me reconnais-tu ? » (Nous tenons ce détail d'un témoin oculaire.) Il le prit au jabot, et lui cassa sur la tête un pot de lait en grès qu'il tenait à la main. Ce fut le commencement du massacre. Le maire de Versailles fit des efforts incroyables pour sauver les prisonniers ; il se mit lui-même en péril. Tout cela inutilement. Une fois échauffés par le sang, ils coururent à la prison, et y tuèrent encore une douzaine de personnes.

Lazouski et Fournier revinrent paisiblement à Paris avec leurs chariots vides, et n'y trouvèrent pas l'accueil qu'ils s'étaient flattés de recevoir. Leurs hommes, inquiets de ne plus revoir Paris aussi *énergique* qu'ils l'avaient laissé, essayèrent de se rassurer par quelque signe approbatif du ministre patriote. Ils allèrent sous les fenêtres du ministère de la Justice, et crièrent : « Danton ! Danton ! » Il répondit à cet appel, et, paraissant au balcon, le misérable esclave, habitué à couvrir la faiblesse des actes sous l'orgueil de la parole, leur dit (du moins on l'assure) : « Celui qui vous remercie, ce n'est pas le ministre de la Justice, c'est le ministre de la Révolution. »

Danton se voyait alors dans une dangereuse crise où il allait se trouver en face de la redoutable Commune, en opposition avec elle ; le masque qu'il avait pris risquait fort d'être arraché. Il disputait à la Commune la vie d'un prisonnier, bien plus important pour lui que tous ceux qui avaient péri à Versailles, le célèbre constituant Adrien Duport. La Cour, on se le rappelle, l'avait consulté, ainsi que Barnave et Lameth.

Dans le manifeste même de Léopold, dans le portrait peu flatté que l'empereur y faisait des Jacobins, on avait cru reconnaître la plume trop habile du fameux triumvirat.

Ces coupables intelligences avec l'ennemi n'étaient que trop vraisemblables, mais enfin nullement prouvées. Ce qui l'était mieux, ce qui était certain, acquis à l'histoire, c'étaient les services immenses qu'Adrien Duport avait rendus, sous la Constituante, à la France, à la Révolution. La vie d'un tel homme, en vérité, était sacrée. La Révolution ne pouvait y toucher que d'une main parricide. Danton voulait le sauver à tout prix, et en cela il acquittait la dette de la patrie, disons mieux, celle de l'humanité entière. Qui ne se souvenait pas des paroles touchantes de Duport dans son discours contre la peine de mort : « Rendons l'homme respectable à l'homme... »

Tout cela était déjà oublié. Et il y avait à peine un an, tellement, de 91 à 92, le temps avait marché vite ! Mais Danton se souvenait. Il voulait sauver Duport à tout prix.

Danton pouvait bien avoir aussi quelque raison personnelle de craindre qu'un homme qui savait tant de choses ne fût jugé, interrogé, qu'il ne fît sa confession publique. Dans la primitive organisation des Jacobins, et plus tard, peut-être même dans quelqu'une de ses intrigues avec la Cour, Duport avait très probablement employé Danton. Intérêt ? générosité ? Ces deux motifs plutôt ensemble, lui faisaient désirer passionnément de sauver Duport.

Celui-ci était justement un de ceux que le Comité de surveillance avait eu soin de faire chercher, au moment des visites domiciliaires, dès le 28 août. Il n'était pourtant nullement compromis par les derniers événements. Il y avait six mois et plus que la Cour ne se servait plus de Duport, ni des constitutionnels ; elle ne daignait plus les tromper ; elle ne mettait plus d'espoir que dans l'appui de l'étranger. Duport, resté à Paris, dans sa maison du Marais, ne se mêlait plus de rien que de remplir ses fonctions comme président du tribunal criminel ; c'était un magistrat, un bourgeois inoffensif, un garde national ; il avait monté sa garde la nuit du 10 août, était resté à son poste et n'avait point été au château. Aux jours de septembre, il était chez lui à la campagne près de Nemours ; le 4, comme il revenait de la promenade avec sa femme, il fut arrêté par le maire de l'endroit, assisté d'une trentaine de gardes nationaux.

L'illustre légiste dit à ce maire de village que son autorisation d'un comité de police de Paris ne valait rien hors de Paris. Mais la population fort agitée, les menaces des volontaires qui se trouvaient là, obligèrent le maire de le conduire aux prisons de Melun. S'il eût été mené de là à Paris, il périssait certainement ; on y tua encore le 5, et même le 6. Danton, heureusement averti à temps, ordonna à la Municipalité de Melun de le garder en prison, quelque ordre qu'elle reçût d'ailleurs. De surcroît, et dans la crainte que son message n'arrivât et n'eût point d'effet, il donnait ordre aux autorités de chaque localité, sur la route, d'arrêter cet important prisonnier, à quelque point du voyage qu'il fût parvenu.

Cependant, les zélés de Melun ne perdaient pas de temps. Ils laissèrent croire à Duport qu'ils allaient réclamer auprès de l'Assemblée nationale contre l'illégalité de son arrestation, et, en réalité, ils allèrent demander au Comité de surveillance un nouvel ordre pour le tirer de la prison de Melun et l'amener à Paris. Cet ordre arrive à Melun, et voilà la Municipalité de cette ville entre le Comité de surveillance qui ordonne de livrer, et le ministre de la Justice qui ordonne de garder. Dans le doute, elle croit plus sage de ne rien faire, de laisser les choses dans l'état même où elles sont ; elle garde le prisonnier.

Danton avait très bien prévu le conflit. Le lendemain même du jour où il envoya à Melun, il se munit d'un décret de l'Assemblée (8 septembre) qui chargeait le pouvoir exécutif (c'est-à-dire Danton) de statuer sur la légalité de l'arrestation de Duport. Par cet acte vigoureux, Danton arrachait à la Commune sa victime ; c'était la première fois qu'il était courageux contre elle, qu'il osait s'élever contre, démentait sa fausse unanimité avec les hommes de sang.

Duport resta à Melun ; mais Danton n'osa pas pousser plus loin son avantage. Il pria le Comité de surveillance de communiquer les pièces aux tribunaux. Le comité répondit durement qu'il n'avait que faire des pièces pour arrêter un tel homme, que d'ailleurs on avait saisi par Duport des lettres singulièrement suspectes. Le comité se sentait fort. Les massacres s'étaient traduits immédiatement en élections favorables à la Commune. Dans les jours de terreur où les assemblées électorales étaient peu nombreuses, les violents avaient beau jeu. Le 5, ils élurent Robespierre, et Marat le 8. Deux jours après le massacre de Versailles, le 11, furent élus Panis et Sergent.

Marat crut pouvoir alors pousser Danton à bout, le mettre en demeure de prendre un parti plus net qu'il n'avait fait jusqu'ici. Il le tenait cruellement par l'affaire de Duport. Le 13, il publia, avec les lettres de Danton et du comitě, celles qu'on avait saisies sur Duport, lettres énigmatiques, d'autant plus propres à piquer la curiosité. Ces lettres, publiées d'abord dans l'*Ami du Peuple,* passèrent dans les autres journaux ; tous saisirent cette occasion de perdre Danton, de le montrer en connivence avec un conspirateur royaliste. Marat le crut frappé à mort. Il lui écrivit alors une lettre injurieuse, outrageante, où il lui annonçait que, de journaux en placards, en affiches, il allait le traîner dans la boue.

Le lion, furieux, sentit sa chaîne, se sentit tiré par le chien... Il ne rugit même pas. Il céda à la circonstance, dévora son cœur, courut à la Mairie. Dans le même hôtel siégeaient l'innocent maire de Paris, Pétion, et la dictature du massacre, le Comité de surveillance, Marat et les maratistes. Danton n'alla pas tout droit chez celui qu'il voulait voir, mais d'abord chez Pétion. Il tonna, gesticula, déclama sur la lettre insolente que Marat avait osé lui écrire. « Eh bien ! lui dit Pétion, descendons au comité ; vous vous expliquerez ensemble. » Ils descendent. En présence de Marat, l'orgueil reprit à Danton, il le traita durement. Marat ne démentit rien, soutint ce qu'il avait dit, ajoutant qu'au reste, dans une telle situation, on devait tout oublier. Et alors, il lui prit un mouvement de sensibilité, comme il en avait souvent, il déchira la lettre qui avait blessé Danton, et se jeta dans ses bras. Danton endura le baiser, sauf à se laver ensuite.

Il ne se sentait pas moins la chaîne rivée au col. Marat le tenait par Duport. Si Danton défendait Duport, il était perdu, très probablement ; Duport eût parlé, sans doute, avant de mourir, emporté avec lui Danton.

Celui-ci devait attendre, gagner du temps. Les maratistes pouvaient périr par leurs excès. Ce qui semblait devoir briser, en très peu de temps, cette tyrannie anarchique, ce n'était pas seulement l'horreur du sang, mais la crainte du pillage. Les vols se multipliaient. Ceux qui se croyaient maîtres de la vie des hommes semblaient se croire, à plus forte raison, maîtres de leurs biens.

Si Marat ne conseillait pas le partage des propriétés, son ami Chabot assurait que c'est qu'il ne croyait pas les hommes assez vertueux encore. Beaucoup n'en jugeaient pas ainsi ; ils se croyaient suffisamment vertueux pour commencer ; ils essayaient de se faire le partage de leurs propres mains ; d'abord celui des bijoux, des montres, en plein jour, sur les boulevards. Si l'homme dépouillé criait, les voleurs criaient bien plus haut : « A l'aristocrate ! » La foule passait tête basse, à ce cri si redouté, et n'osait intervenir.

Paris retombait à l'état sauvage.

Et, comme il arrive en un tel état, les individus n'espérant rien de la protection de la loi, essayèrent de l'association pour se protéger eux-mêmes. Les vieilles fraternités barbares, les essais antiques et grossiers de solidarité, de protection mutuelle, trouvèrent des imitateurs à Paris, à la fin du XVIIIe siècle. Ce fut l'Abbaye, la section sanglante, frémissante encore du massacre, qui proposa aux autres sections « *une confédération entre tous les citoyens, pour se garantir mutuellement les biens et la vie* ». On devait se faire reconnaître en portant toujours sur soi une carte de la section. Chacun avait ainsi sa section pour garantie, était protégé par elle. Il y avait lieu d'espérer qu'on ne verrait plus un inconnu, un quidam en écharpe, frapper à la porte *au nom de la loi,* la briser si l'on n'ouvrait, prendre un citoyen chez lui, l'emmener, le jeter dans les prisons toutes teintes encore de sang. Puis, quand on voulait remonter à la source, on ne trouvait rien. On s'informait à la Commune ? Mais elle n'en savait rien. Au Comité de surveillance et de police ? Lui-même n'en savait rien. On finissait par découvrir que c'était *un* de ses membres, *un seul* très souvent, et le plus souvent Marat, qui, pour tous, sans les prévenir, avait signé de leurs noms, lancé le mandat d'amener, autorisé le quidam.

Les autorités de Paris ne se contentaient plus de régner dans cette ville. Elles étendaient leur royauté à trente et quarante lieues. Elles donnaient aux gens qu'il leur plaisait d'appeler *administrateurs du salut public* des pouvoirs ainsi conçus : « Nous autorisons le citoyen tel à se transporter dans telle ville pour s'emparer des personnes suspectes et des effets précieux » Des villes, ces commissaires, dans leur esprit de conquête, circulaient dans les campagnes, allaient aux châteaux voisins, prenaient, emportaient l'argenterie.

L'occasion était belle pour frapper la Commune. Des mesures furent prises par l'Assemblée, et cette fois avec une redoutable unanimité, qui montrait assez que les Dantonistes agissaient ici avec la Gironde.

L'Assemblée porta un décret *qui défendait d'obéir aux commissaires d'une municipalité hors de son territoire.*

Un coup non moins grave fut frappé sur la Commune, sur tout ce peuple d'agents qu'elle se créait à plaisir, déléguant sa tyrannie au premier qu'il lui plaisait de ceindre de sa terrible écharpe. Sur le rapport du dantoniste Thuriot, l'Assemblée décréta que « *quiconque prendrait indûment l'écharpe municipale serait puni de mort* ».

Nous ne doutons point que Danton n'ait parlé encore ici par l'organe de Thuriot, pris sa revanche du baiser de Marat.

On affectait de dire, pour faire passer ce violent décret, que tous ces gens en écharpe qui, sans droit ni autorité, mettaient les scellés, faisaient des saisies, emportaient, n'étaient autres que des filous. Les municipaux eux-mêmes avaient-ils les mains bien nettes ? On était tenté d'en douter. Leur autorité illimitée, la disposition absolue qu'ils s'attribuaient de toute chose, les mettaient sur une pente bien glissante. Il était à craindre que ces Brutus, inflexibles à la nature, invincibles à la pitié, vrais stoïciens pour autrui, ne le fussent moins pour eux-mêmes. Dans le vertige du moment, dans le maniement confus, indistinct de tant d'affaires et de tant d'objets, la passion dominante (car chacun en a une, tel les femmes, tel l'argent) n'allait-elle pas revenir ?

On raconte que le Comité de surveillance, qui avait entre les mains les dépouilles des morts de septembre, une grande masse de bijoux, eut l'idée, dans un besoin public, d'en faire de l'argent. C'était peut-être un peu bien tôt (quelques jours après le massacre) ; à peine avait-on eu le temps de laver la trace ; ces bijoux sentaient le sang. Des anneaux faussés par le sabre qui avait tranché les doigts, des boucles d'oreilles arrachées avec des morceaux d'oreille, c'était véritablement des choses trop tristes, qu'il ne fallait pas montrer ; mieux eût valu enfouir ces tristes dépouilles marquées du signe de mort, et qui ne pouvaient porter bonheur à personne. Les membres du comité en firent une vente publique aux enchères ; mais, quelque publique qu'elle fût, elle n'en était pas moins suspecte ; qui eût osé enchérir sur eux, s'il leur plaisait de dire qu'ils achetaient tel objet ? C'est précisément ce qui arriva. Sergent, en sa qualité d'artiste, regardait, maniait insatiablement. un camée de prix en agate. « Ce n'était pas, dit-il dans ses justifications, un camée antique. » Peu importe ; qu'il fût antique ou moderne, il en tomba amoureux. Personne n'osa enchérir, Sergent l'eut au prix d'estimation. Le paya-t-il ? c'est là que commence la dispute. Sergent dans ses *Notes,* dit oui ; l'enquête conservée à la Préfecture de police semblerait dire non. On serait tenté de croire que l'artiste nécessiteux qui recevait une indemnité légère pour son traitement de roi de France (un membre de ce comité souverain n'était guère moins en vérité) agit ici royalement, se réserva de payer à son loisir, et provisoirement s'adjugea l'objet qui avait fixé son caprice. Nul doute qu'il neût pu prendre des choses bien plus précieuses. Quoi qu'il en soit, Sergent, dans sa longue vie, très honnête, a traîné ceci misérablement, en parlant sans cesse, en écrivant sans cesse, se tenant au plus grand passage des étrangers de l'Europe, les arrêtant, pour ainsi dire, les forçant d'entendre son apologie. Jusqu'à la mort, il fut comme poursuivi par ce funèbre bijou, qui semble l'avoir tenté perfidement pour marquer chacun de ses jours du souvenir de Septembre.

Chacun, en réalité, à ce moment, agissait en roi. Des caves ayant été découvertes sous les décombres du Carrousel, avec des tonneaux d'huile et de vin, les passants, comme peuple souverain, héritiers naturels du roi, décidèrent que l'huile et le vin leur appartenaient. Ils burent le vin, vendirent l'huile, et cela naïvement, en plein jour, sans embarras ni scrupule.

Ce n'est pas tout. On se rappelle qu'un membre de la Commune avait, au mois d'août, cru devoir enlever du Garde-Meuble un petit canon d'argent. L'événement attira l'attention de quelques individus sur le dépôt précieux.

Ils remarquèrent qu'il était à peine gardé ; on ne pouvait ni réunir, ni maintenir au complet un poste assez nombreux de garde nationale. Dans le pillage universel qu'on voyait partout, ils s'adjugèrent la meilleure part, les diamants de la couronne. Ils emportèrent entre autres le *Régent,* et, en attendant qu'ils pussent s'en défaire, ils le cachèrent sous une poutre d'une maison de la Cité.

L'audace d'un tel vol ne révélait que trop l'anéantissement des pouvoirs publics. Le ministre de l'Intérieur venait uniformément avouer à l'Assemblée, chaque matin, qu'il ne pouvait rien et qu'il n'était rien, que l'autorité n'était plus.

La conscience publique flottait, ébranlée par le massacre ; beaucoup d'hommes trouvaient problématique le droit du prochain à la vie. Un prêtre, le supérieur de Sainte-Barbe, avait obtenu, le 10, un passeport de Roland, *à titre d'humanité :* ce fut l'apostille du ministre. Au moment de partir, il coucha chez un de ses parents, par qui il fut *septembrisé.* La chose fut révélée par une fille chez qui, le soir même, coucha l'assassin.

Des bruits effrayants couraient ; les prisons, remplies de nouveau et combles, s'attendaient à voir recommencer un égorgement général. Les prisonniers de Sainte-Pélagie, dans l'agonie de la peur, écrivirent une pétition à l'Assemblée pour ne pas être massacrés, du moins avant jugement.

L'Assemblée avait elle-même à craindre autant que personne. Marat demandait chaque jour qu'on égorgeât ces traîtres, ces royalistes, ces partisans de Brunswick. Massacrer la Législative, c'est son texte ordinaire.

Le plus étrange, ce qu'on n'eût jamais deviné, c'est qu'il semblait vouloir déjà égorger la Convention qui n'existait pas encore. Il recommandait au peuple de bien l'entourer, « d'ôter à ses membres le talisman de l'inviolabilité, afin de pouvoir les livrer à la justice populaire... Il importe, disait-il, que la Convention soit sans cesse sous les yeux du peuple et qu'il puisse la lapider... »

Egorger l'ancienne Assemblée, menacer de mort l'autre qui venait, c'était l'infaillible moyen d'empêcher tout rétablissement de l'ordre, toute résurrection de la puissance politique.

Il se trouva heureusement des députés énergiques qui, peu soucieux de vivre ou de mourir, insistèrent avec indignation pour sauver du moins leur honneur, pour repousser l'infâme nom de traître qu'on prodiguait si hardiment aux membres de l'Assemblée. Aubert-Dubayet somma la commission chargée d'examiner les papiers saisis au 10 août de dire s'il en était qui inculpassent véritablement quelqu'un des représentants. L'irréprochable Gohier, membre de cette commission répondit « *que ces papiers, examinés en présence des commissaires de la Commune, n'avaient rien présenté qui pût porter le moindre soupçon sur aucun des membres de l'Assemblée législative* ».

Cambon s'exprima alors avec l'indignation profonde de la vertu outragée : « On dit, on affiche que quatre cents députés sont des traîtres, et nous resterions ici à nous le dire à l'oreille !... Non, non, *mourons s'il le faut, mais que la France soit sauvée !...* La souveraineté est usurpée. Par qui ? Par trente ou quarante personnes que soudoie la nation... *Que tous les citoyens s'arment ! Requérons la force armée !* Elle écrasera ces gens de boue qui vendent la liberté pour de l'or... Je demande que les autorités comparaissent à la barre, que l'Assemblée leur dise l'état de Paris et leur rappelle leur serment. »

Cette violente sortie, où l'homme le plus considéré pour la probité semblait faire appel aux armes contre la Commune, était moins terrible encore en elle-même que par l'occasion qui l'avait amenée ; l'occasion n'était pas moins que le vol du Garde-Meuble. L'affaire du canon d'argent, celle de l'argenterie enlevée, celle de l'agate de Sergent, un grand nombre de saisies illégales d'objets précieux, l'absence d'ordre aussi et de comptabilité, ne rendaient que trop vraisemblable cette accusation (en réalité injuste).

Ce jour même, le 17 septembre, Danton crut la Commune assez affaiblie, et devint audacieux. Sans s'inquiéter de ce que dirait le Comité de surveillance ni des aboiements de Marat, il renvoya l'affaire de Duport, non au tribunal extraordinaire, comme il l'avait dit lui-même, mais tout simplement au tribunal de Melun, et le chargea de statuer sur la légalité de l'arrestation de Duport.

Ce tribunal ne perdit pas une minute, et, le 17, au reçu du courrier, il déclara l'arrestation illégale, élargit le prisonnier.

Danton profita encore du moment pour faire une chose humaine. Il fit abréger, pour tous les détenus qui avaient échappé au massacre, le temps de leur détention.

Une chose montra combien, en si peu de jours, la situation avait changé : une commune de Franche-Comté ne craignit pas d'arrêter deux de ces terribles *commissaires du salut public.* La commune de

Champlitte, au nom de l'égalité, déclara ne point obéir à la Commune de Paris. Cet exemple fut imité dans un grand nombre de villes.

Le Conseil général de la Commune comprit qu'il était grand temps de sacrifier son Comité de surveillance.

Le 18, au soir, il se souleva violemment contre ce comité, rejeta sur lui la responsabilité de tout ce qui s'était fait, le cassa, et rappela que nulle personne étrangère au Conseil général ne pouvait faire partie du Comité de surveillance. Ceci contre Marat, introduit subrepticement, contre Panis, le coupable introducteur de Marat.

La folle et furieuse audace des maratistes était tellement connue, qu'on ne pouvait croire qu'ils reçussent ce coup sans répondre par un crime, par quelque nouvelle tentative de massacre. Ces craintes furent augmentées plutôt que diminuées lorsque, le 19, le Conseil général déclara qu'il était prêt à mourir pour la sûreté publique.

Le même jour, l'Assemblée, dans une adresse, proclama, pour l'effroi de la France, le bruit qui courait : « Qu'au jour où l'Assemblée cesserait ses fonctions, *les représentants du peuple seraient massacrés.* Elle sanctionna des mesures de sûreté pour la ville de Paris, spécialement cette fédération de défense mutuelle dont la section de l'Abbaye avait donné l'exemple, et l'obligation pour tous les citoyens de porter toujours sur eux une carte de sûreté. »

Avec toutes ces précautions, personne n'était rassuré. Personne ne se persuadait que la France franchît sans quelque nouveau choc affreux ce redoutable passage de la Législative à la Convention. Ceux qui, pour se maintenir, avaient saisi une fois le poignard du 2 septembre, hésiteraient-ils à le reprendre? On ne le pensait nullement. Un grand nombre de députés croyaient avoir très peu à vivre. La plupart pensaient du moins qu'un nouveau massacre des prisons était imminent. Vergniaud trouva dans cette attente, effrayante pour les cœurs vulgaires, dans une inspiration sublime, une parole sacrée que répéteront les siècles.

D'autres ont usurpé ce mot, qui n'avaient pas droit de le dire. Ils ont dit, d'après Vergniaud : « *Périsse ma mémoire* pour le salut de la France ! » Pour qu'on immole sa mémoire, il faut d'abord qu'elle soit pure. Pure doit être la victime, pour être acceptée de Dieu.

Vergniaud, après avoir parlé de la tyrannie de la Commune et montré la France perdue si cette royauté nouvelle n'était renversée : « Ils ont des poignards, je le sais... Mais qu'importe la vie aux représentants du peuple, lorsqu'il s'agit de son salut ?... Quand Guillaume Tell ajusta la flèche pour abattre la pomme fatale sur la tête de son fils, il dit : « Périsse mon nom et ma mémoire, pourvu que la Suisse soit libre !... » Et nous aussi, nous dirons : « Périsse l'Assemblée nationale, pourvu que la France soit libre ! » Qu'elle périsse, si elle épargne une tache au nom français ! si sa vigueur apprend à l'Europe que, malgré les calomnies, il y a ici quelque respect de l'humanité et quelque vertu publique !... Oui, périssons, et, sur nos cendres, puissent nos successeurs, plus heureux, assurer le bonheur de la France et fonder la liberté ! »

Toute l'Assemblée se leva, tout le peuple des tribunes. Cette génération héroïque se sacrifia, en ce moment, pour celles qui devaient venir. Tous répétèrent d'un seul cri : « Oui ! oui, périssons, s'il le faut... et périsse notre mémoire ! »

Le peuple qui disait ceci méritait de ne pas périr. Et au moment même, il était sauvé. La France gagna, trois jours après, la bataille de Valmy.

CHAPITRE VIII

Bataille de Valmy (20 septembre 92)

Élan de la guerre — Mort héroïque de Beaurepaire (1er septembre) — Offrandes patriotiques — Admirable accord des partis — Dumouriez soutenu des Girondins, des Jacobins, de Danton — Dévouement unanime de tous — Immoralité profonde des puissances envahissantes — Doute et incertitude des Allemands — Goethe et Faust — Indécision du duc de Brunswick — Les Prussiens parlent de restaurer le clergé et de faire rendre les biens nationaux — Pureté héroïque, de notre armée ; comment elle reçoit les septembriseurs — Dumouriez se laisse tourner — Unanimité pour le soutenir — État formidable des campagnes de l'Est — Dumouriez et Kellermann à Valmy (20 septembre) — Fermeté de la jeune armée sous le feu — Les Prussiens avancent deux fois et se retirent.

Le grand orateur avait été, en ce moment sublime, le pontife de la Révolution. Il avait trouvé, donné la formule religieuse du dévouement héroïque. Ainsi, dans les vieilles batailles de Rome, quand la victoire balançait, quand les légions chancelaient, le pontife, en blancs habits, s'avançait au front de l'armée, et prononçait les paroles du rite sacré ; un homme se présentait, Décius ou Curtius, qui répétait mot pour mot, et se donnait pour le peuple. Ici, Vergniaud fut le pontife ; mais ce ne fut pas un homme qui répéta la formule, ce fut tout le peuple même. La France fut Décius.

Non, l'anarchie de Paris ne devait tromper personne sur le caractère de ce moment. Cette mort était une vie. L'éloignement qu'on reprochait à la population pour les travaux intérieurs tenait à son élan de guerre. Elle sentait très bien d'instinct que la bataille du monde ne se livrerait pas ici.

La défense est à la main, et elle n'est pas au cœur. Préparer la défense à Paris, c'est toujours le plus triste augure. Qu'on sache bien que le jour où le pesant matérialisme de la royauté a fortifié Paris, il l'a énervé. Le jour où vous le voudrez imprenable, vous abattrez ses remparts.

La défensive ne va pas à la France. La France n'est pas un bouclier. La France est une épée vivante. Elle se portait elle-même à la gorge de l'ennemi.

Chaque jour, dix-huit cents volontaires partaient de Paris, et cela jusqu'à vingt mille. Il y en aurait eu bien d'autres, si on ne les eût retenus. L'Assemblée fut obligée d'attacher à leurs ateliers les typographes qui imprimaient ses séances. Il lui fallut décréter que telles classes d'ouvriers, de serruriers, par exemple, utiles pour faire des armes, ne devaient pas partir eux-mêmes. Il ne serait plus resté personne pour en forger.

Les églises présentaient un spectacle extraordinaire, tel que, depuis plusieurs siècles, elles n'en offraient plus. Elles avaient repris le caractère municipal et politique qu'elles eurent au Moyen Age. Les assemblées des sections qui s'y tenaient rappelaient celles des anciennes communes de France, ou des municipes italiens, qui s'assemblaient dans les églises. La cloche, ce grand instrument populaire dont le clergé s'est donné le monopole, était redevenue ce qu'elle fut alors, la grande voix de la cité, l'appel au peuple. Les églises du Moyen Age avaient parfois reçu les foires, les réunions commerciales. En 92, elles offrirent un spectacle analogue (mais moins mercantile, plus touchant), les réunions d'industrie patriotique, qui travaillaient pour le salut commun. On y avait rassemblé des milliers de femmes pour préparer les tentes, les habits, les équipements militaires. Elles travaillaient et elles étaient heureuses, sentant que, dans ce travail, elles couvraient, habillaient leurs pères ou leurs fils. A l'entrée de cette rude campagne d'hiver qui se préparait pour tant d'hommes jusque-là fixés au foyer, elles réchauffaient d'avance ce pauvre abri du soldat de leur souffle et de leur cœur.

Près de ces ateliers de femmes, les églises même offraient des scènes mystérieuses et terribles, de nombreuses exhumations. Il avait été décidé qu'on emploierait pour l'armée le cuivre et le plomb des cercueils. Pourquoi non ? Et comment a-t-on si cruellement injurié les hommes de 92, pour ce remuement des tombeaux ? Quoi donc ! la France des vivants, si près de périr, n'avait pas droit de demander secours à la France des morts, et d'en obtenir des armes ? S'il faut, pour juger un tel acte, savoir la pensée des morts même, l'historien répondra, sans hésiter, au nom de nos pères dont on ouvrit les tombeaux, qu'ils les auraient donnés pour sauver leurs petits-fils. Ah ! si les meilleurs de ces morts avaient été interrogés, si l'on avait pu savoir là-dessus l'avis d'un Vauban, d'un Colbert, d'un Catinat, d'un chancelier l'Hospital, de tous ces grands citoyens, si l'on eût consulté l'oracle de celle qui mérite un tombeau ? non, un autel, la Pucelle d'Orléans... toute cette vieille France héroïque aurait répondu : « N'hésitez pas, ouvrez, fouillez, prenez nos cercueils, ce n'est pas assez, nos ossements. Tout ce qui reste de nous, portez-le sans hésiter, au-devant de l'ennemi. »

Un sentiment tout semblable fit vibrer la France en ce qu'elle eut de plus profond, quand un cercueil, en effet, la traversa, rapporté de la frontière, celui de l'immortel Beaurepaire, qui, non pas par des paroles, mais d'un acte et d'un seul coup, lui dit ce qu'elle devait faire en sa grande circonstance.

Beaurepaire, ancien officier des carabiniers, avait formé, commandé, depuis 89, l'intrépide bataillon des volontaires de Maine-et-Loire. Au moment de l'invasion, ces braves eurent peur de n'arriver pas assez vite. Ils ne s'amusèrent pas à parler en route, traversèrent toute la France au pas de charge, et se jetèrent dans Verdun. Ils avaient un pressentiment qu'au milieu des trahisons dont ils étaient environnés, ils devaient périr. Ils chargèrent un député patriote de faire leurs adieux à leurs familles, de les consoler et de dire *qu'ils étaient morts*. Beaurepaire venait de se marier, il quittait sa jeune femme, et il n'en fut pas moins ferme. Le commandant de Verdun assemblant un conseil de guerre pour être autorisé à rendre la place. Beaurepaire résista à tous les arguments de la lâcheté. Voyant enfin qu'il ne gagnait rien sur ces nobles officiers, dont le cœur, tout royaliste, était déjà dans l'autre camp : « Messieurs, dit-il, j'ai juré de ne me rendre que mort... Survivez à votre honte... Je suis fidèle à mon serment ; voici mon dernier mot, je meurs... » Il se fit sauter la cervelle.

La France se reconnut, frémit d'admiration. Elle se mit la main sur le cœur, et y sentit monter la foi. La patrie ne flotta plus aux regards, incertaine et vague ; on la vit réelle, vivante. On ne doute guère des dieux à qui l'on sacrifie ainsi.

C'était avec un véritable sentiment religieux que des milliers d'hommes, à peine armés, mal équipés encore, demandaient à traverser l'Assemblée nationale. Leurs paroles, souvent emphatiques et déclamatoires, qui témoignent de leur impuissance pour exprimer ce qu'ils sentaient, n'en sont pas moins empreintes du sentiment très vif de foi qui remplissait leur cœur. Ce n'est pas dans les discours préparés de leurs orateurs qu'il faut chercher ces sentiments, mais dans les cris, les exclamations qui s'échappent de leur poitrine. « Nous venons comme à l'église, disait l'un. » Et un autre : « Pères de la patrie, nous voici ! vous bénirez vos enfants. »

Le sacrifice fut, dans ces jours, véritablement universel, immense et sans bornes. Plusieurs centaines de mille donnèrent leurs corps et leur vie, d'autres leur fortune, tous, leurs cœurs, d'un même élan...

Dans les colonnes interminables de ces dons infinis d'un peuple, relevons telle ligne, au hasard.

De pauvres femmes de la Halle apportent quatre mille francs, le produit apparemment de quelques grossiers joyaux, leur anneau de mariage ?...

Plusieurs femmes des départements, spécialement du Jura, avaient dit que, tous les hommes partant, elles pourraient monter la garde. C'est aussi ce qu'offrit, dans l'Assemblée nationale, une mercière de la rue Saint-Martin, qui vint avec son enfant. La mère donne sa croix, un cœur en or et son dé d'argent. L'enfant, une petite fille, donne ce qu'elle a, une petite timbale d'argent et une pièce de quinze sols. Ce dé, l'instrument du travail pour la pauvre veuve, la petite pièce qui fait toute la fortune de l'enfant !... Ah ! Trésor !... Et comment la France, avec cela, n'aurait-elle pas vaincu ?... Dieu te le rende au Ciel. enfant ! C'est avec ton dé de travail et ta petite pièce d'argent que la France va lever des armées, gagner des batailles, briser les rois à Jemmapes... Trésor sans fond... On puisera, et il en restera toujours. Et plus il viendra d'ennemis, plus on trouvera encore... Il y en aura, au bout de deux ans, pour solder nos douze armées.

Nul parti, il faut le dire, ne fut indigne de la France dans ce moment sacré. Disons mieux, s'il y avait de violents dissentiments sur la question intérieure, sur la question de la défense il n'y eut point de parti. Le peuple fut admirable, et nos chefs furent admirables.

Remercions à la fois la Gironde, les Jacobins et Danton.

Le salut de la France tint certainement à un acte très beau d'accord, d'unanimité, de sacrifice mutuel, que firent à ce moment ces ennemis acharnés. Tous, ils s'accordèrent pour confier la défense nationale à un homme que la plupart d'entre eux haïssaient et détestaient.

Les Girondins haïssaient Dumouriez, et non sans cause. Eux, ils l'avaient fait arriver au ministère ; lui, il les en avait chassés avec autant de duplicité que d'ingratitude. Ils l'allèrent chercher à l'armée du Nord, dans la petite position où il était tombé, et le nommèrent général en chef.

Les Jacobins n'aimaient nullement Dumouriez ; ils voyaient bien son double jeu. Ils jugèrent néanmoins que cet homme voudrait, avant tout, la gloire, qu'il voulait vaincre. Ce fut l'avis d'un jeune homme très influent parmi eux, Couthon, ami de Robespierre; ils approuvèrent et soutinrent sa nomination au poste de général en chef.

Danton fit plus. Il dirigea Dumouriez. Il lui envoya successivement sa pensée, Fabre d'Églantine, son bras, Westermann, l'un des combattants du 10 août. Il l'enveloppa, ce spirituel intrigant de l'ancien régime, du grand souffle révolutionnaire, qui autrement lui eût manqué.

Il y eut ainsi parfaite unanimité sur le choix de l'homme. Et même unanimité pour concentrer toutes les forces dans sa main.

On écarta ou l'on subordonna les officers généraux qui pouvaient prétendre à une part du commandement. On envoya le vieux Luckner à Châlons former des recrues. On ordonna à Dillon, plus élevé que Dumouriez dans la hiérarchie militaire, d'obéir à Dumouriez. Même ordre donné à Kellermann, qui gronda, mais obéit.

Toutes les forces de la France, et sa destinée, furent remises à un officier peu connu, et qui jusque-là n'avait jamais commandé en chef. C'est ainsi que le génie souverain de la Révolution élevait qui lui plaisait. Pourquoi devinait-il si bien les hommes ? c'est qu'il les faisait lui-même.

Cette fois, il fit un homme. Ce Dumouriez, qui avait traîné dans les grades inférieurs, dans une diplomatie qui touchait à l'espionnage, la Révolution le prend, l'adopte, elle l'élève au-dessus de lui-même, et lui dit : « Sois mon épée. »

Cet homme, éminemment brave et spirituel, ne fut vraiment pas indigne de la circonstance. Il montra une activité, une intellignece extraordinaires ; ses Mémoires en témoignent. Ce qu'on n'y voit point toutefois, c'est l'esprit de sacrifice, l'ardeur du dévouement qu'il trouva partout, et rendit sa tâche aisée ; c'est la forte résolution qui se trouva dans tous les cœurs de sauver la France à tout prix, en sacrifiant, non la vie seulement, non la fortune seulement, mais l'orgueil, la vanité, ce qu'on appelle l'honneur. Un seul fait pour faire comprendre. Le vaillant colonel Leveneur, qui s'est rendu célèbre pour avoir pris (à lui seul, on peut le dire) la citadelle de Namur, avait eu le malheur de suivre La Fayette dans sa fuite. Il se repentit, revint. Il ne rentra dans l'armée que comme soldat, et, sans murmure, il porta le sabre du simple hussard jusqu'à ce que de nouveaux services lui eussent fait rendre son épée.

L'unité d'action était facile avec de tels hommes. Même les bandes indisciplinées de volontaires qui arrivaient de Paris, une fois encadrées, contenues, Dumouriez l'avoue lui-même, elles devenaient excellentes, surmontaient les fatigues, les privations, mieux que les anciens soldats.

On voit bien dans ses Mémoires tout ce qu'il fit pour l'armée, mais pas assez comment cette armée fut soutenue. Il arrive à Dumouriez, comme à la plupart des militaires, de ne pas tenir assez compte des causes morales. Il fait abstraction du grand et terrible effet que produisit sur l'armée allemande l'unanimité de la France. Il n'a pas l'air de voir tous ces camps de gardes nationaux qui hérissaient les collines de la Meurthe, des Vosges, de tant d'autres départements. Il ne voit pas, du Rhin à la Marne, le paysan armé et debout sur son sillon. Mais l'ennemi l'a bien vu, et voilà pourquoi il a si peu insisté, si peu combattu, si peu profité des fautes de Dumouriez.

Voilà le secret de toute cette campagne. Il ne faut pas le chercher exclusivement dans les opérations militaires. Ici, parmi un désordre immense, mais tout extérieur, il y avait une profonde unité de passion et de volonté. Et du côté des Allemands, avec toutes les apparences de l'ordre et de la discipline, il y avait division, hésitation, incertitude absolue sur les moyens et le but.

Pour juger le commencement de la guerre, il faut en voir déjà la fin. Il faut, pour mesurer la juste part d'estime que l'on doit à ces Croisés qui lèvent ici la bannière contre la Révolution, il faut, dis-je, savoir à quel prix ils s'arrangeront avec elle dans quelques années d'ici. Après tant de phrases sonores sur le droit et la justice, les chevaliers s'avoueront pour ce qu'ils sont, des voleurs. La Prusse volera sur le Rhin, et l'Autriche en Italie. L'une et l'autre, n'ayant pu rien gagner sur l'ennemi, gagneront sur leurs amis. Chose prodigieuse ! on les verra tendre la main à la France, et se faire donner par elle (une ennemie victorieuse), donner leurs propres amis, et dire à peu près ceci : « Je n'ai pu prendre ta vie. Donne-moi la vie de mon frère. » La Prusse ainsi dévorera les petits princes allemands, et l'Autriche absorbera sa fidèle alliée, Venise.

Tout cela se verra bientôt. Mais, sans attendre si loin, dans l'année même où nous sommes, en 92, comment voir sans horreur la scène qui se passait dans le Nord ?...

Quant à moi, je ne demande pas d'humanité à l'ours blanc de Russie, pas davantage aux vautours de l'Allemagne. Qu'elle soit mangée, cette Pologne, d'accord, je ne m'en étonnerai pas. Mais que ces bêtes sauvages aient pu prendre des faces d'hommes, des voix douces, des langues mielleuses, cela trouble, cela glace... Qu'avait besoin cette Prusse de s'engager, de promettre, de pousser la Pologne à la liberté ? Quoi ? misérable, pour que, jetée sous la dent de l'ours, elle te donnât Thorn et Dantzig ?... Et quelle chose effroyable aussi de voir la Russie elle-même attester *la liberté* ! se plaindre de ce que la Pologne *n'est pas assez libre* ! puis, mêlant la dérision à l'exécrable hypocrisie, accuser tantôt sa victime d'être royaliste, tantôt d'être jacobine !... Enfin, ces honnêtes gens vont dire en 93 que, dans leur sollicitude pour cette pauvre Pologne, *et de peur qu'elle ne se fasse du mal à elle-même,* ils croient de son intérêt *qu'elle soit resserrée,* encore plus, *en certaines limites.*

C'est en France que la Prusse et l'Autriche devaient trouver leur expiation. Ils entrent en conquérants, et ils s'en vont en voleurs, sans guerre sérieuse, ni combat. Quelques volées de boulets, et les huées de nos femmes, voilà ce qu'il en a coûté. Le fameux duc de Brunswick s'en va, sans se retourner...

Dieu nous garde d'insulter la Prusse du grand Frédéric ! ni ces excellents soldats qu'on amenait à la mort !... La mauvaise conscience de leurs chefs, l'hésitation naturelle au politique immoral qui suit l'intérêt jour par jour, voilà ce qui perdit ces pauvres Allemands, et les rendit ridicules. Disons-le aussi, leur bonhomie excessive, leur douceur, leur patience à suivre leurs indignes rois.

Les deux voleurs, le Prussien et l'Autrichien, n'agissaient nullemand d'accord. Le Prussien, sollicité dès longtemps de traiter à part, était par cela même suspect à son camarade. L'Autrichien, qui se portait comme parent de la reine de France, n'en avait pas moins la pensée secrète de faire son petit vol à part, de se garnir les mains, vers l'Alsace ou les Pays-Bas, de profiter de la misère de Louis XVI qu'il venait délivrer, pour le dépouiller lui-même.

Avec ces bonnes pensées et ces vues secrètes, ils se gardèrent bien de donner à Monsieur le titre de régent de France, qui eût groupé autour de lui tous les royalistes, donné une énergie nouvelle à l'armée des émigrés. Ils ne voulaient nullement réussir par les Français. Ils voulaient avoir du succès, et craignaient d'en avoir trop. Ils voulaient, ne voulaient pas.

S'il se trouvait dans l'armée des émigrés quelque officier intelligent, intrépide, comme M. de Bouillé, on se garda de l'employer ; on le tint sur les derrières, on le laissa traîner au blocus de Thionville, on l'envoya sur le Rhin, en Suisse, partout enfin où il était inutile.

Il est intéressant de voir cette armée de la contre-révolution s'acheminer pesamment par Coblence et Trèves ; belle armée, du reste, bien organisée, riche, surchargée d'équipages magnifiques, d'un train royal, et du train de je ne sais combien de princes. Brunswick, le général en chef, avait dit : « C'est une promenade militaire. » Le roi de Prusse avait quitté ses maîtresses pour venir à la promenade. Sa présence, la conservation de sa précieuse personne, eût rendu prudent Brunswick, quand même il ne l'eût pas été. L'essentiel n'était pas de vaincre ; le capital intérêt était de ne pas trop exposer le roi de Prusse, de le ramener sain et sauf.

C'est la pensée que le sage Brunswick dut incessamment ruminer, et c'est à quoi se borna le succès de l'expédition.

Brunswick était déjà un homme d'âge ; il était lui-même prince souverain ; c'était un homme prodigieusement instruit, d'autant plus hésitant, sceptique. Qui sait beaucoup doute beaucoup. La seule chose à laquelle il crût, c'était le plaisir. Mais le plaisir, continué au-delà de l'âge, énerve non seulement le corps, mais la faculté de vouloir. Le duc était resté brave, savant, spirituel, plein d'idées et d'expérience ; il n'avait perdu qu'une chose, par quoi il était eunuque ; quelle chose ? La volonté.

Dans cette armée de rois. de princes, il y avait entre autres un prince souverain, le duc de Weimar, et avec lui son ami, le prince de la pensée allemande, nous l'avons dit, le célèbre Gœthe. Il était venu voir la guerre, et, chemin faisant, au fond d'un fourgon, il écrivait les premiers fragments du *Faust,* qu'il publia au retour. Ce courtisan assidu de l'opinion, qui l'exprima fidèlement, ne la devança jamais, disait alors, à sa manière, la décomposition, le doute, le découragement de l'Allemagne. Il lui poétisait, dans une œuvre sublime, son vide moral, sa vive agitation d'esprit. Elle en sortit glorieusement par des hommes de foi, par Schiller, par Fichte, surtout par Beethoven. Mais le temps n'était pas venu.

Nulle idée, nul principe ne dominait cette armée. Elle avançait lentement, comme il était naturel, n'ayant nulle raison d'avancer. Les émigrés étaient là, priant, suppliant, se mourant d'impatience. Brunswick songeait. Il pouvait prendre ce parti, il est vrai ; mais cet autre parti valait bien autant, à moins que le troisième ne fût meilleur encore. Enfin, quand on s'était décidé, à la longue, à faire quelque chose, l'exécution commençait lentement par le sage Prussien Hohenlohe, ou l'Autrichien plus sage encore, Clairfayt. Il faut se rappeler qu'il n'y avait pas eu de guerre depuis trente ans. La guerre à coups de foudre du grand Frédéric était un peu oubliée. La sage tactique des généraux autrichiens était fort appréciée. Qu'avait-on besoin d'aller si vite, si l'on pouvait, sans remuer presque, atteindre les meilleurs résultats ?

« Ne faut-il pas d'ailleurs, disait le duc de Brunswick à nos fougueux émigrés, que je laisse un peu de temps à ces royalistes dont vous me promettez les secours, pour se décider et se mettre en mouvement ? Elles vont sans doute arriver, les députations d'un peuple heureux d'être délivré, qui viendra saluer, nourrir ses libérateurs. Je ne les vois pas encore. »

Et bien loin qu'il pût les voir, le paysan, sur toute la ligne, restait sournoisement immobile, cachait, serrait ses grains, les battait à la hâte et les emportait. Les Allemands s'étonnaient de trouver si peu de ressources. Ils prirent Longwy et Verdun, comme on a vu, mais par la trahison de quelques officiers royalistes, par l'effroi de quelques bourgeois qui craignirent le bombardement. Deux accidents, rien de plus. Les soldats des garnisons, les volontaires des Ardennes, ceux de Maine-et-Loire, forcés ainsi de se rendre, montrèrent la plus violente indignation. J'ai dit la mort de Beaurepaire. Le jeune officier qu'on força de porter au roi de Prusse la capitulation de Verdun n'obéit qu'en donnant les signes d'un véritable désespoir ; son visage était inondé de larmes. Le roi demanda le nom du jeune homme, qui était Marceau.

Mézières, Sedan, Thionville montraient bonne volonté de tenir mieux que Verdun. On assiégea Thionville, et avec des forces considérables (les assiégeants reçurent un renfort de douze mille hommes). Le général français, Wimpfen, qui était dedans, montra beaucoup de vigueur ; sa défense était offensive : à chaque instant, il allait, par des sorties audacieuses, faire visite à l'ennemi.

Brunswick, entré dans Verdun, s'y trouva si commodément qu'il y resta une semaine. Là, déjà, les émigrés qui entourèrent le roi de Prusse commencèrent à lui rappeler les promesses qu'il avait faites. Ce prince avait dit, au départ, ces étranges paroles (Hardenberg les entendit) : « Qu'il ne se mêlerait pas du gouvernement de la France, que seulement il rendrait au roi l'autorité absolue. » *Rendre au roi la royauté, les prêtres aux églises, les propriétés aux propriétaires,* c'était toute son ambition. Et pour ces bienfaits, que demandait-il à la France ? Nulle cession de territoire, rien que les frais d'une guerre entreprise pour la sauver.

Ce petit mot *rendre les propriétés* contenait beaucoup. Le grand propriétaire était le clergé; il s'agissait de lui restituer un bien de quatre milliards, d'annuler les ventes qui s'en étaient faites pour un milliard dès janvier 92, et qui depuis, en neuf mois, s'étaient énormément accrues. Que devenaient une infinité de contrats dont cette opération immense avait été l'occasion directe ou indirecte? Ce n'étaient pas seulement les acquéreurs qui étaient lésés, mais ceux qui leur prêtaient de l'argent, mais les sous-acquéreurs auxquels ils auraient vendu, une foule d'autres personnes... Un grand peuple, et véritablement attaché à la Révolution par un intérêt respectable. Ces propriétés détournées depuis plusieurs siècles du but des pieux fondateurs, la Révolution les avait rappelées à leur destination véritable, la vie et l'entretien du pauvre. Elles avaient passé *de la main morte* à la vivante, des paresseux aux travailleurs, des abbés libertins, des chanoines ventrus, des évêques fastueux à l'honnête laboureur. Une France nouvelle s'était faite dans ce court espace de temps. Et ces ignorants qui amenaient l'étranger ne s'en doutaient pas. Ni les deux agents de Monsieur, ni M. de Caraman, secret agent de Louis XVI, qui étaient auprès du roi de Prusse, ne l'avertirent du danger qu'il y avait à toucher un point si grave.

Il était à peine à Verdun, qu'il ordonna (ou qu'on ordonna en son nom) aux officiers municipaux de tous les villages de chasser les prêtres constitutionnels, de rétablir ceux qui n'avaient pas fait serment, et de leur rendre les registres de l'état civil, enfin, de restituer aux religieux *ce qui leur appartenait.* Il en fut de même sur la frontière du Nord. Dans tous les villages de la Flandre française où pénétraient momentanément les Autrichiens, leur premier soin était de rétablir les prêtres qui n'avaient pas fait serment.

Si Danton, si Dumouriez avaient eu l'honneur d'être au Conseil du roi de Prusse, ils auraient sans aucun doute conseillé de telles mesures.

A ces mots significatifs de restauration des prêtres, de restitution, etc., le paysan dressa l'oreille, et comprit que c'était toute la contre-révolution qui entrait en France, qu'une mutation immense et des choses et des personnes allait arriver.

Tous n'avaient pas de fusils, mais ceux qui en eurent en prirent. Qui avait une fourche prit la fourche ; et qui une faux, une faux.

Un phénomène eut lieu sur la terre de France. Elle parut changée tout à coup au passage de l'étranger. Elle devint un désert. Les grains disparurent, et comme si un tourbillon les eût emportés, ils s'en allèrent à l'ouest. Il ne resta sur la route qu'une chose pour l'ennemi, les raisins verts, la maladie et la mort.

Le ciel était d'intelligence. Une pluie constante, infatigable, tombait sur les Prussiens, les mouillait à fond, les suivait fidèlement, leur préparait la voie. Ils trouvèrent déjà des boues en Lorraine ; vers Metz et Verdun la terre commençait à se détremper ; et enfin la Champagne leur apparut une véritable fondrière, où le pied, enfonçant dans un profond mortier de craie, semblait partout pris au piège.

Les souffrances étaient à peu près les mêmes dans les deux armées. La pluie, et peu de subsistance, mauvais pain, mauvaise bière. Mais la différence était grande dans la disposition morale. Le Français chantait, et il avait du vin au cœur ; dans l'avoine ou le blé noir, il savourait joyeusement le pain de la liberté.

Ce hardi Gascon aussi, qui le menait au combat, avait dans l'œil et la parole une étincelle du Midi qui brillait dans ce temps sombre. Le regard de Dumouriez échauffait les cœurs. On savait que, hussard à vingt ans, il s'était fait tailler en pièces ; eh bien ! il en avait cinquante, et il ne s'en portait que mieux... Le général était gai, et l'armée l'était. Le corps qu'il avait commandé du côté des Flandres, et qui vint le retrouver, très hardi, très aguerri, n'avait guère passé de jours, dans ses premiers campements, sans donner des bals, et souvent on les donnait sur le terrain ennemi. Au bal et à la bataille figuraient en première ligne deux jeunes et jolis hussards qui n'étaient rien moins que deux demoiselles, deux sœurs, parfaitement sages, si la chronique en est crue.

Cette armée était très pure des excès de l'intérieur. Elle les apprit avec horreur, et donna une violente leçon à la populace armée qu'on lui envoya de Châlons. C'était une tourbe de volontaires, moitié fanatiques et moitié brigands, qui, sur la lecture de la circulaire de Marat, l'avaient appliquée à l'instant, en tuant plusieurs personnes. Ils arrivaient, aboyant après Dumouriez, criant au traître, demandant sa tête. Ils furent tout étonnés du vide immense qui se fit autour d'eux. Personne ne leur parla. Le lendemain, revue du général. Ils se voient entre une cavalerie, très nombreuse et très hostile, prête à les sabrer, d'autre part une artillerie menaçante, qui les eût foudroyés au moindre signe. Dumouriez vient alors à eux, avec ses hussards, et leur dit : « Vous vous êtes déshonorés. Il y a parmi vous des scélérats qui vous poussent au crime ; chassez-les vous-mêmes. A la première mutinerie, je vous ferai tailler en pièces. Je ne souffre ici ni assassins ni bourreaux... Si vous devenez comme ceux parmi lesquels vous avez l'honneur d'être admis, vous trouverez en moi un père. »

Ils ne soufflèrent mot, et devinrent de très bons soldats. Ils prirent l'esprit général de l'armée. Cette armée était magnanime, vraiment héroïque de courage et d'humanité. On put l'observer, plus tard, dans la retraite des Prussiens. Quand les Français les virent affamés, malades, livides, se traînant à peine, ils les regardaient en pitié, et ils les laissaient passer. Tous ceux qui venaient se rendre voyaient le camp français converti en hôpital allemand, et trouvaient dans leurs ennemis des gardes-malades.

L'armée française, d'abord très faible, était, en revanche, bien autrement leste et mobile que celle des Prussiens. Il s'agissait d'en réunir les corps dispersés ; c'est ce que Dumouriez accomplit avec un coup d'œil, une audace, une vivacité admirables, saisissant tous les défilés de la forêt de l'Argonne, en présence de l'ennemi. L'Autrichien, ayant passé la Meuse, touchait déjà la forêt ; il était parfaitement maître de l'interdire à Dumouriez. Celui-ci, par une fausse attaque, lui fit repasser la Meuse, lui escamota, pour ainsi dire, la position disputée, occupa les défilés à la barbe de l'Autrichien ébahi (7 septembre).

Lui seul, il l'assure, soutint, contre tous, qu'il fallait défendre cette ligne de l'Argonne, qui sépare le riche pays de Metz, Toul et Verdun de la Champagne pouilleuse. On insistait en vain pour qu'il se retirât vers Châlons et qu'il défendît la ligne de la Marne. Il put mépriser les murmures ; tout autre général eût été forcé d'y céder. Mais Dumouriez avait pour lui, près de lui, pendant la campagne, pour répondre de lui et le soutenir, Westermann, c'est-à-dire Danton.

Il eut seulement le tort d'écrire à Paris « que l'Argonne serait les Thermopyles de la France, qu'il les défendrait, et serait plus heureux que Léonidas ». Le Léonidas français faillit périr comme l'autre. Il avoue lui-même, avec une franchise qui n'appartient qu'aux hommes supérieurs, qu'il garda mal un des passages de l'Argonne et qu'il se laissa tourner (13 septembre).

Deux de ses lieutenants étaient en pleine retraite, et il ne savait plus même où ils étaient. Il se vit un moment réduit à quinze mille hommes, perdu sans ressources, si les Autrichiens qui avaient forcé les défilés profitaient de leurs avantages. Ils perdirent encore du temps. Au milieu d'une nuit pluvieuse, Dumouriez, à petit bruit, exécuta sa retraite, et il fut suivi si lentement qu'il put et réunir ses troupes, et faire venir de Rethel Beurnonville avec dix mille hommes. Cette retraite fut troublée deux fois par d'inexplicables paniques, où quinze cents hussards autrichiens, traînant après eux quelque artillerie volante, dissipèrent des corps six fois plus considérables. Le pis, c'est que deux mille hommes, courant trente ou quarante lieues, allaient publiant partout que l'armée était anéantie. Le bruit alla jusqu'à Paris, et l'on eut une vive alarme, jusqu'à ce que Dumouriez lui-même écrivît la chose, exactement comme elle était, à l'Assemblée nationale. L'Assemblée, et les ministres, tous ici furent admirables. Malgré ce double accident, les ministres girondins, d'une part, et Danton de l'autre, soutinrent unanimement Dumouriez. L'opinion resta énergique et ferme pour le général en retraite. Dumouriez tourné, l'armée poursuivie, s'arrêtèrent portés sur le cœur invincible de la France.

Il occupa le 17 septembre le camp de Sainte-Ménehould, et, devant lui, les Prussiens vinrent occuper les collines opposées, ce qu'on appela le camp de la Lune. Ils étaient plus près de Paris, lui, plus près de l'Allemagne. Lequel des deux tenait l'autre ? on pouvait controverser. « Nous l'isolons de Paris, disaient les Prussiens. » En réalité, leur situation était très mauvaise. Leur lourde armée encombrée ne pouvait pas aisément poursuivre sa route, devant une armée leste, ardente, qui la serrait de près en queue. Elle ne pouvait pas se nourrir ; ses convois ne lui venaient que du fond de l'Allemagne, et restaient en route. La terre de France la rejetait, ne lui donnait rien pour vivre que la terre même. A eux de manger cette terre, de voir quel parti ils pourraient tirer de la craie. Leur armée, avec tous ses équipages royaux, n'en était pas moins désormais comme une procession lugubre, qui laissait des hommes sur tous les chemins. Le découragement était extrême. Ils se voyaient engagés dans cette boueuse Champagne, sous une implacable pluie, tristes limaces qui traînaient, sans avancer presque, entre l'eau et l'eau.

Dumouriez, rejoint le 19 par Kellermann, se trouva fort de soixante-seize mille hommes, plus nombreux que les Prussiens, qui n'en avaient que soixante-dix mille. Ceux-ci, enfoncés en France, ayant laissé de côté Thionville et d'autres places, apprenaient qu'au moment même une armée française était en pleine Allemagne. Custine marchait vers Spire, qu'il prit d'assaut le 19. On l'appelait à Mayence, à Francfort. Une Allemagne révolutionnaire, une France, pour ainsi dire, se dressait inopinément pour donner la main à la France, de l'autre côté du Rhin.

Ici, la population courait au combat d'un tel élan que l'autorité commençait à s'en effrayer et la retenait en arrière. Des masses confuses, à peu près sans armes, se précipitaient vers un même point ; on ne savait comment les loger, ni les nourrir. Dans l'Est, spécialement en Lorraine, les collines, tous les postes dominants, étaient devenus autant de camps grossièrement fortifiés d'arbres abattus, à la manière de nos vieux camps du temps de César. Vercingétorix se serait cru, à cette vue, en pleine Gaule. Les Allemands avaient fort à songer, quand ils dépassaient, laissaient derrière eux rière eux ces camps populaires. Quel serait pour eux le retour ? qu'aurait été une déroute à travers ces masses hostiles qui, de toutes parts, comme les eaux une grande fonte de neige, seraient descendues sur eux ?... Ils devaient s'en apercevoir : ce n'était pas à une armée qu'ils avaient affaire, mais bien à la France. Ce corps de soixante-dix mille Allemands, qu'était-ce en comparaison ? Il se perdait comme une mouche, dans cet effroyable océan de populations armées.

Telles étaient leurs pensées, sérieuses en vérité, lorsqu'ils virent s'accomplir, sans avoir pu l'empêcher, la jonction de Dumouriez et de Kellermann. Celui-ci, vieux soudard alsacien de la guerre de Sept Ans, fort jaloux de Dumouriez, n'avait nullement suivi ses directions. Il s'était un peu éloigné de lui. Dans la vallée qui séparait les deux camps, le français et le prussien, il s'était posté en avant sur une espèce de promontoire, de mamelon avancé, où était le moulin de Valmy. Bonne position pour le combat, détestable pour la retraite. Kellermann n'eût pu retourner qu'en faisant passer son armée sur un seul pont avec le plus grand péril. Il ne pouvait se replier sur la droite de Dumouriez qu'en traversant un marais où il se fût enfoncé ; encore moins sur la gauche de Dumouriez, dont il était séparé par d'autres marais et par une vallée profonde.

Donc, nulle retraite facile ; mais, pour le combat, la position était d'autant plus belle et hardie. Les Prussiens ne pouvaient arriver à Kellermann qu'en recevant dans le flanc tous les feux de Dumouriez. Un beau lieu pour vaincre ou mourir. Cette armée enthousiaste, mais peu aguerrie encore, avait peut-être besoin qu'on lui fermât la retraite.

Pour les Prussiens, d'autre part, c'était un grand enseignement et matière à réfléchir : ils durent comprendre que ceux qui s'étaient logés ainsi ne voulaient point reculer.

Nous supprimons d'un récit sérieux les circonstances épiques dont la plupart des narrateurs ont cru devoir orner ce grand fait national, assez beau pour se passer d'ornements. a plus forte raison écarterons-nous les fictions maladroites par lesquelles on a voulu confisquer au profit de tel ou tel individu ce qui fut la gloire de tous.

Réservons seulement la part réelle qui revient à Dumouriez. Quoique Kellermann se fût placé lui-même autrement qu'il n'avait dit, quoiqu'il eût, contre son avis, pris pour camp ce poste avancé, Dumouriez mit un zèle extrême à le soutenir, de droite et de gauche. Toute petite passion, toute rivalité disparaissait dans une si grande circonstance. En eût-il été de même entre généraux de l'ancien régime ? J'ai peine à le croire. Que de fois les rivalités, les intrigues des généraux courtisans, continuées sur le champ de bataille, ont amené nos défaites.

Non, le cœur avait grandi chez tous ; ils furent au-dessus d'eux-mêmes. Dumouriez ne fut plus l'homme douteux, le personnage équivoque ; il fut magnanime, désintéressé, héroïque, il travailla pour le salut de la France et la gloire de son collègue ; il vint lui-même, plusieurs heures, dans ses lignes, partager avec lui le péril, l'encourager et l'aider. Et Kellermann ne fut point l'officier de cavalerie, le brave et médiocre général qu'il a été toute sa vie. Il fut un héros, ce jour-là, et à la hauteur du peuple ; car c'était le peuple, vraiment, à Valmy, bien plus que l'armée. Kellermann s'est souvenu toujours avec attendrissement et regret du jour où il fut un homme, non simplement un soldat, du jour où son cœur vulgaire fut un moment visité du génie de la France. Il a demandé que ce cœur pût reposer à Valmy.

Les Prussiens ignoraient si parfaitement à qui ils avaient affaire qu'ils crurent avoir pris Dumouriez, lui avoir coupé le chemin. Ils s'imaginèrent que cette armée *de vagabonds, de tailleurs, de savetiers,* comme disaient les émigrés, avait hâte d'aller se cacher dans Châlons, dans Reims. Ils furent un peu étonnés quand ils les virent audacieusement postés à ce moulin de Valmy. Ils supposèrent du moins que ces gens-là, qui, la plupart, n'avaient jamais entendu le canon, s'étonneraient au concert nouveau de soixante bouches à feu. Soixante leur répondirent, et tout le jour, cette armée, composée en partie de gardes nationales, supporta une épreuve plus rude qu'aucun combat : l'immobilité sous le feu. On tirait dans le brouillard au matin, et plus tard, dans la fumée. La distance néanmoins était petite. On tirait dans une masse ; peu importait de tirer juste.

Cette masse vivante, d'une armée toute jeune, émue de son premier combat, d'une armée ardente et française qui brûlait d'aller en avant, tenue là sous les boulets, les recevant par milliers, sans savoir si les siens portaient, elle subissait, cette armée, la plus grande épreuve peut-être. On a tort de rabaisser l'honneur de cette journée. Un combat d'attaque, ou d'assaut, aurait moins honoré la France.

Un moment, les obus des Prussiens, mieux dirigés, jetèrent de la confusion. Ils tombèrent sur deux caissons qui éclatèrent, tuèrent, blessèrent beaucoup de monde. Les conducteurs de chariots, s'écartant à la hâte de l'explosion, quelques bataillons semblaient commencer à se troubler. Le malheur voulut encore qu'à ce moment un boulet vînt tuer le cheval de Kellermann et le jeter par terre. Il en remonta un autre avec beaucoup de sang-froid, raffermit les lignes flottantes.

Il était temps.

Les Prussiens, laissant la cavalerie en bataille pour soutenir l'infanterie, formaient celle-ci en trois colonnes, qui marchaient vers le plateau de Valmy (vers onze heures). Kellermann voit ce moment, forme aussi trois colonnes en face, et fait dire sur toute la ligne : « Ne pas tirer, mais attendre, et les recevoir à la baïonnette. »

Il y eut un moment de silence. La fumée se dissipait. Les Prussiens avaient descendu, ils franchissaient l'espace intermédiaire avec la gravité d'une vieille armée de Frédéric, et ils allaient monter aux Français.

Brunswick dirigea sa lorgnette, et il vit un spectacle surprenant, extraordinaire. A l'exemple de Kellermann, tous les Français, ayant leurs chapeaux à la pointe des sabres, des épées, des baïonnettes, avaient poussé un grand cri... Ce cri de trente mille hommes remplissait toute la vallée : c'était comme un cri de joie, mais étonnamment prolongé ; il ne dura guère moins d'un quart d'heure ; fini, il recommençait toujours, avec plus de force ; la terre en tremblait... C'était : « Vive la Nation ! »

Les Prussiens montaient, fermes et sombres. Mais, tout ferme que fût chaque homme, les lignes flottaient, elles formaient par moments des vides, puis elles les remplissaient. C'est que de gauche elles recevaient une pluie de fer, qui leur venait de Dumouriez.

Brunswick arrêta ce massacre inutile, et fit sonner le rappel.

Le spirituel et savant général avait très bien reconnu, dans l'armée qu'il avait en face, un phénomène qui ne s'était guère vu depuis les guerres de Religion : *une armée de fanatiques,* et, s'il l'eût fallu, de martyrs. Il répéta au roi ce qu'il avait toujours soutenu, contrairement aux émigrés, que l'affaire était difficile, et qu'avec les belles chances que la Prusse avait en ce moment pour s'étendre dans le Nord, il était absolument inutile et imprudent de se compromettre avec ces gens-ci.

Le roi était extrêmement mécontent, mortifié. Vers quatre ou cinq heures, il se lassa de cette éternelle canonnade qui n'avait guère de résultat que d'aguerrir l'ennemi. Il ne consulta pas Brunswick, mais dit qu'on battît la charge.

Lui-même, dit-on, approcha avec son état-major, pour reconnaître de plus près ces furieux, ces sauvages. Il poussa sa courageuse et docile infanterie sous le feu de la mitraille, vers le plateau de Valmy. Et, en avançant, il reconnut la ferme attitude de ceux qui l'attendaient là-haut.

Ils s'étaient déjà habitués au tonnerre qu'ils entendaient depuis tant d'heures, et ils commençaient à s'en rire.

Une sécurité visible régnait dans leurs lignes. Sur toute cette jeune armée planait quelque chose, comme une lueur héroïque, où le roi ne comprit rien (sinon le retour en Prusse).

Cette lueur était la Foi.

Et cette joyeuse armée qui d'en haut le regardait, c'était l'armée de la *République*.

Fondée le 20 septembre à Valmy par la victoire, elle fut, le 21, décrétée à Paris, au sein de la Convention.

Table

INTRODUCTION

LIVRE PREMIER

LIVRE II

LIVRE III

LIVRE IV

LIVRE V

LIVRE VI

LIVRE VII